經學研究叢書．臺灣高等經學研討論集叢刊

第八屆中國經學國際學術研討會論文選集

國立臺灣大學中國文學系
中國經學研究會
主編

目次

序言

經典乃聖人垂型萬世的設教內容，《文心雕龍》云：「經也者，恆久之至道，不刊之鴻教也。」劉勰標舉「恆久」與「不刊」，一如僧肇〈物不遷論〉引《放光》云：「法無去來，無動轉者。」強調經典在時間洪流中永恆不變的價值，只是稍有不同的是，孔子從周文而出，刪《詩》、《書》，訂《禮》、《樂》，贊《周易》，作《春秋》，珍視過往，期許將來，以述代作，從傳統開出新局，因此儒學容許所有人在經典當中汲取學問，追尋聖人開示的永恆道理，也容許不同世代在研讀經典當中，時時開展新意，提供以應世用的詮釋內容。

「中國經學研究會」始於民國八十二年王熙元教授倡議，經由賴明德教授推動籌備，於民國八十五年十二月獲內政部同意正式成立，以整合經學教育工作，開拓經學研究視野，促進學術交流為宗旨，迄今將近二十年，成為臺灣經學研究最重要的學術團體。本人當選第七屆、第八屆理事長，期許賡續傳統，擴大學會服務功能，推動經學研究風氣，深感責任重大。一方面因應網路世代的到臨，以及資訊日新月異情形，設置部落格平台以及臉書社群網頁，建置「中國經學研究會活動照片」資料庫；另一方面也建置臺灣經學研究人員聯繫網絡，以及學術議題的開展，因此積極尋求各大學相關系所的支持，輪流舉辦國際學術研討會，建立跨學校、跨地區，乃至於跨學科的學術交流平台。

此次學術研討，承張寶三教授倡議，獲臺灣大學中文系主任李隆獻教授支持，結合臺大中文系與中國經學研究會成員，籌組籌備委員：包括李隆獻教授、張寶三教授、徐富昌教授、張素卿教授、李存智教授、彭美玲教授、陳志信教授、劉文清教授、丁亮教授、伍振勳教授、黃啟書教授、林宏佳教授、蔣秋華教授、楊晉龍教授、黃忠天教授、陳逢源教授等，確立會議宗旨，完成工作分配，以一年的籌劃，於二〇一三年四月二十日、二十一日假國立臺灣大學文學院演講廳、視聽教室，召開「第八屆中國經學國際學術研討會」。

此次會議，廣邀海內外經學研究學者，群賢畢至，少長咸集，參與人數之眾，遠過以往，總共三十五篇，分出八場，於兩個場地同時進行，參與會議者近三百人次。碩學鴻儒，齊聚一堂，相與論學，分享心得。經一年修訂，收稿共得二十七篇，包括《易》四篇、《詩》兩篇、《三禮》一篇、《春秋三傳》七篇，《四書》四篇，五經總論六篇，出土文獻三篇，從不同角度，彰顯經典價值，展現跨學科研究視野，篇章經過初審，再由出版社進行二審，以求嚴謹。

此次會議成功，論文得以集結，首先要感謝臺灣大學中文系全體師生的支持，李隆獻主任鼎力相助，鄭雅平助教費心安排，遂能按照期程，完成工作，也要感謝中國經學研究會祕書長陳逢源，助理王志瑋同學居中聯繫，協助會務推動。當然最重要的是海內外經學研究者的支持，許許多多經學研究同好的幫忙，經學得以傳承與開新，正是無數同志戮力為之的結果，在此一併致謝。朱熹〈齋居感興〉二十之十二云：「《大易》圖象隱，《詩》、《書》簡編訛；《禮》、《樂》矧交喪，《春秋》魚魯多。瑤琴空寶匣，絃絕將如何？興言理餘韻，龍門有遺歌。」吾輩以繼絕學為職志，薪傳經學，誠乃衷心之盼也。

中國經學研究會理事長董金裕書於指南山麓

二〇一四年十月八日

《易經》、《詩經》象徵意涵與兩書互動關係比較研究

——以動植物為觀察對象

黃忠天

高雄師範大學經學研究所教授

一 前言

《易經》與《詩經》為中國現存最早的三部典籍之一。其中《詩經》與《易經》最早的創作年代均產生於西周初期。一為詩歌創作，一為占筮之用。雖然撰作的旨趣相異，然而在表現手法上卻有很多相似之處，例如《詩》的做法有「賦、比、興」之說，其中比興的表達方法，基本上屬托物寓情，往往隱微婉轉，界義模糊，造成後人在解釋上的分歧，所以劉勰《文心雕龍．比興》篇云：「比顯而興隱」，又說「比則蓄憤以斥言，興則環譬以記諷。蓋隨時之義不一，故詩人之志有二也。」[1]《易經》的時代早於《詩經》，其中文句較《詩經》尤為簡略，由於占辭多隱諱神秘，自然《詩經》慣用的比興手法，在《易經》卦爻辭上，也是隨處可見，故六經中唯《易》最近於《詩》。不過在《易》中，將此種比興手法慣稱之為「象」。如《周易．繫辭傳》說：「聖人有以見天下之賾，而擬諸其形容，象其物宜，是故謂之象」，又說：「易者，象也。」《易》、《詩》二書均藉由「象」或「比興」來寄寓其隱藏於文字背後的意涵。因此，不免都使用大量的動植物及器物來傳達訊息。所以，《禮記．學記》云：「不學博依，不能安詩」，即在說

1 王更生：《文心雕龍注》（臺北市：學海出版社，1977年），頁601。

明譬喻之法在《詩經》學習上的重要性。同樣地，若不能瞭解卦爻辭隱藏的「易象」，也無法掌握《易經》內在的意涵。

有關《易》、《詩》象徵意涵的比較與兩書互動關係的研究，前人論述並不多見。不過單獨對《易經》或《詩經》相關議題的研究，則有如過江之鯽，其中如黎東方〈周易爻辭裡面的動物〉（華岡學報第八期，1974年）、趙潤海〈說卦傳取象的研究〉（孔孟月刊19卷第9期，1981年）、文鈴蘭《詩經中草木鳥獸意象表現之研究》（政治大學中國文學研究所碩士論文，1986年）、林佳珍《詩經鳥類意象及其原型研究》（臺灣師範大學國文研究所碩士論文，1993年）、蔡雅芬《詩經鳥獸蟲魚意象研究》（靜宜大學中國文學系碩士論文，1995年）、陳靜俐《詩經草木意象》（臺灣師範大學國文研究所碩士論文，1997年）、李湘《詩經名物意象探析》（臺北市：萬卷樓圖書公司，1999年）、黃忠天〈談卦爻辭中的動物及其象徵意義〉（政治大學《中華學苑》，52期，1999年）、孫瑩《《詩經》植物意象探微》（東北師範大學中國古代文學碩士論文，2002年）、楊明哲《詩經獸類意象研究》（玄奘大學國文研究所碩士論文，2003年）、邱靜子《詩經蟲魚意象研究》（玄奘大學中國語文學系碩士論文，2004年）、朱孟庭〈《詩經》興取義析論〉（《東吳中文學報》10期，2004年5月）、邱美《《詩經》中的植物意象及其影響》（蘇州大學中國古代文學碩士論文，2008年）、劉麗華《詩經動物物象探微》（陝西師範大學碩士論文，2007年）、賴美娟《以皮爾士記號觀點探討詩經中常見的鳥獸名物及其象徵意義》（高雄師範大學視覺傳達設計研究所碩士論文，2008年）、林維杰〈象徵與譬喻：儒家經典詮釋的兩條進路〉（《中央大學人文學報》34期，2008年4月）、黃忠天〈從「自然主體觀察」論《周易》經傳的書寫〉（山東大學《周易研究》2010年，第3期）、張守華《詩經動物意象研究》（曲阜師範大學碩士論文，2010年）、王汝華〈《易》卦爻辭動植物取象〉（湖南科技學院學報第31卷11期，2010年）等等。上述諸文雖或論及《易經》或《詩經》動植物的象徵意涵，然並未比較其象徵意涵的異同，進而逆溯二書字裡行間的原始意旨及其相互關係，故本文嘗試透過會通比較，以探賾索隱，希冀開拓易學與詩經學研究可能的新途。

二　《易經》與《詩經》動物象徵意涵的比較

清代章學誠云：「象之所包廣矣，非徒《易》而已，六藝莫不兼之。蓋道體之將形而未顯者也。雎鳩之於好逑，樛木之於貞淑，甚而熊蛇之於男女，象之通於《詩》也。」[2]又云：「《易》象雖包六藝，與《詩》之比興，尤為表裏。」[3]因此藉由《詩經》與《易經》動植物象徵意涵的比較，當有助於吾人觀其會通，以掌握其用「象」的手法與原委。從象徵主義史而言，顯示每件事都可假定有象徵意義，包括自然界的山川草木動植等等；或文明的產物，如車船屋宇等等；乃至於抽象的形式，如三角形、正方形等等，可說整個宇宙就是一個潛在性的象徵。[4]由於《詩經》所載的動植物太多，無法在此一一探討其象徵意涵。謹就《易經》與《詩經》中所記載相同的草木蟲魚鳥獸，以茲比較如下：

（一）動物方面

1 走獸類：馬、牛、羊、豕、狐、虎、豹、鹿、鼠

《詩經》、《易經》二書中，有關走獸類的書寫，較諸其他各類動植物為多。其中又以馬牛羊出現次數最多，此或以其尋常可見有關，至於其意涵則會通比較如下：

（1）馬（學名：Equus ferus caballus）

馬為哺乳綱奇蹄目馬科。由於馬為馳騁草原的靈魂，為征戰沙場所必備，更是平日代步重要的工具。在《易經》中「馬」的取象共出現十一處之

2　〔清〕章學誠：《文史通義・易教下》（北京市：中華書局，1994年），卷1，頁18。

3　〔清〕章學誠：《文史通義・易教下》，卷1，頁19。

4　〔瑞士〕卡爾・榮格等著，黎惟東譯：《自我的探索》（臺北市：桂冠圖書公司，1989年），第4章，頁269。

多，分別是〈坤卦・卦辭〉、〈屯卦・六二〉、〈六四〉、〈上六〉、〈賁卦・六四〉、〈大畜・九三〉、〈晉卦・卦辭〉、〈明夷・六二〉、〈睽卦・初九〉、〈渙卦・初六〉〈中孚・六四〉等。歸納其主要意涵如下：其一有輔助之意。如〈明夷・六二〉:「夷於左股，用拯馬壯，吉。」又如〈賁卦・六四〉:「賁如皤如，白馬翰如」，藉「白馬」以喻初九之輔。其二有資財之意。如〈晉卦・卦辭〉:「康侯用錫馬蕃庶」。蓋車馬為上古身份和地位的象徵，如「百乘之家，千乘之國，萬乘之君」、《論語・公冶長》篇:「陳文子有馬十乘」、《孟子・萬章》篇:「繫馬千駟弗視也」、《莊子・列禦寇》:「宋人有曹商者，為宋王使秦。其往也，得車數乘。王說之，益車百乘」等等，均以「車馬」衡量財富與實力，亦每每為人君賞賜的工具。

《詩經》中有關馬類的敘述約有五十四篇，分別以「馬」、「駱」、「皇」、「駁」、「騏」、「駰」、「駒」、「騧」、「彝」、「驕」、「驪」、「騅」、「駓」、「騂」、「驒」、「騮」、「雒」、「騢」、「驔」、「騵」、「驖」、「騋」、「駉」、「駒」、「驕」、「駟」、「驂」、「服」、「牡」等等名目來指稱，[5]在群獸中數量最多，可謂「一馬當先」。所謂「南船北馬」，由《詩經》中對馬描寫的繁富，除反映北方文學特有的風貌外，亦可藉以探尋先民對於馬的意象與關係。《詩經》中對「馬」的描述細膩豐富，或直陳交通工具之用。如〈陳風・株林〉:「駕我乘馬，說于株野。乘我乘駒，朝食于株。」句中「馬」、「駒」僅作交通工具用，並未有象徵之意。或通過「車馬」的誇耀，來展現壯盛的氣派與軍容。如〈小雅・車攻〉:「我車既攻，我馬既同。四牡龐龐，駕言徂東。」〈小雅・采薇〉:「戎車既駕，四牡業業」等等。或特就馬的品種毛色描寫，如〈豳風・東山〉:「之子于歸，皇駁其馬。」〈秦風・駟驖〉:「駟驖孔阜，六轡在手。」〈秦風・小戎〉:「文茵暢轂，駕我騏彝。……騏騮是中，騧驪是驂。」〈小雅・四牡〉:「四牡騑騑，嘽嘽駱馬」等等。[6]

5 上述名稱或從顏色，或從特性，或從量詞，或從作用等等指稱，然其均為「馬」的異名，故合併觀之。

6 駱，黑鬃之白馬。皇，黃馬而髮白色；駁，赤馬而髮白色。騧，黑嘴之黃馬。驖，鐵色黑馬。彝，後左足白色之馬。驪，黑馬。騮，赤身黑鬣之馬。騏，有青黑色紋理之馬。

比較《詩》、《易》對「馬」的書寫，《詩經》中大多直陳其事，《易經》則均有其象徵意涵，雖然著重不同，但由於「馬」向為古代重要的資產與交通工具，故二書均以馬的引用最為頻繁。此外在研究中吾人發現，若檢視《詩・大雅・抑》曰：「脩爾車馬，弓矢戎兵，用戒戎作，用逿蠻方。質爾人民，謹爾侯度，用戒不虞」與《周易・萃・象》：「君子以除戎器，戒不虞」兩相併觀，可發現無論在用語或意義上，均大體相同。若進而考察兩者撰作時代的先後，自《國語・楚語》載：「昔衛武公年數九十有五矣，猶箴儆於國……於是乎作〈懿〉戒以自儆也。」韋昭注曰：「〈懿〉，《詩・大雅・抑》之篇也。懿，讀之曰抑。」[7]《詩序》亦謂「抑，衛武公刺厲王，亦以自警也。」而《毛詩正義》亦引漢・侯包之說：「侯包亦云：『衛武公刺王室，亦以自戒，行年九十有五，猶使臣日誦是詩而不離於其側。』」[8]於是歷代學者如朱熹《詩集傳》、方玉潤《詩經原始》、屈萬里《詩經釋義》等等，對於〈抑〉篇作者與作詩年代，大抵均無異辭。據《史記・十二諸侯年表》推斷衛武公和元年，即周宣王十六年（812 B.C.），卒於平王十三年（758 B.C.），則此詩應作於周平王年間（春秋初期）。再比較《詩・大雅・抑》與《易・萃・象》用語，後者文句「除戎器、戒不虞」較〈抑〉詩更具嚴整性與概括性，顯然〈萃卦・大象〉應脫胎自〈抑〉篇四、五兩章而來，從中可看出兩者承繼的關係。

（2）牛

牛（學名：Bovini）為哺乳綱偶蹄目牛科牛亞科牛族。由於牛力大易馴，故於中國古代便廣泛運用於農耕、交通甚至軍事等等用途，並經常作為祭祀的犧牲。「牛」的取象在《易經》中，分別有〈无妄・六三〉、〈大畜・六四〉、〈離卦・卦辭〉、〈遯卦・六二〉、〈睽卦・六三〉、〈旅卦・上九〉、〈革卦・初九〉、〈既濟・九五〉等八處。在這些卦爻辭中，歸納其主要意象，其

7　《國語・楚語上》（臺北市：九思出版公司，1978年），頁551-552。

8　〔唐〕孔穎達：《毛詩正義》（臺北縣：藝文印書館，景清嘉慶十二年重刊宋本十三經注疏），頁644。

一：借喻柔順。由於牛之為物，能耕田，能載物，有柔順任重之德，因而在《易經》中，往往用以象徵順德。例如：〈革卦．初九〉：「鞏用黃牛之革」，《程傳》云：「黃，中色。牛，順物。鞏用黃牛之革，謂以中順之道自固，不妄動」。又如〈旅卦．上九〉：「喪牛于易，凶」，《程傳》云：「牛，順物。喪牛於易，謂忽易以失其順也」。以柔順為牛的意象，約佔取象之半，其主要意涵，由此可見。其二：借喻盛祭。太牢是豐盛的祭品，也代表隆重的祭祀，而牛更是太牢中必備的犧牲。所以〈既濟．九五〉「東鄰殺牛，不如西鄰之禴祭，實受其福」，古今易家多以「盛祭」來詮釋「殺牛」背後的意涵，藉以對比下文象徵薄祭的「禴祭」。

除上述兩種意象以外，其他雖不以「牛」單獨取象，然若結合上下文句，仍具有借喻事理的作用。例如〈大畜．六四〉：「童牛之牿，元吉」，這是以牛的特性——有角以觝觸，來借喻宜止惡於初之意。又如〈睽卦．六三〉：「見輿曳，其牛掣，其人天且劓，無初有終」，文中單就「牛」字並無明顯象徵，然全句實藉牛車遭掣阻，借喻「外力阻撓」之意。除此之外，像〈遯卦．六二〉：「執之，用黃牛之革，莫之勝說」，以及前文〈革卦．初九〉：「鞏用黃牛之革」，程、朱等人雖然都以中順來訓釋，[9]但其實爻辭中亦有以牛革堅韌之性，來形容志向堅定的意涵。

至於《詩經》中所見的「牛」，其中或用「牛」、「犉」、「牡」、「牲」、「犧」等等名目稱說之，扣除作為星宿的「牽牛」外，[10]「犉」指肥大之牛，亦有黑唇黃牛之說。另「牡」、「牲」、「犧」，或為牛或為羊，須再從上下文判斷，如〈小雅．信南山〉：「祭以清酒，從以騂牡，享于祖考。」「騂」為赤色的馬或牛，由本詩既有「祭」字，可見「騂牡」其為祭祀的公牛，必矣！又如〈周頌．閟宮〉：「皇皇后帝，皇祖后稷。享以騂犧，是饗是宜」、〈周頌．雝〉：「相維辟公，天子穆穆。於薦廣牡，相予肆祀。」由「騂犧」、「廣牡」字面上，固難判斷牛羊，惟從天子祭祀宗廟推斷，亦理應為太

9 〔宋〕朱熹：《周易本義》云：「黃，中色。牛，順物。」（臺北市：老古文化公司，1985年景清同治十一年尚志堂藏板），頁229。

10 如〈小雅．大東〉：「睆彼牽牛，不以服箱」。詩中「牽牛」蓋指牽牛星。

牢的犧牛。

《詩經》中所見，無論「牛」、「犉」、「牡」、「牲」、「犧」等等名目，大多著重於作為祭祀飲食之用，從書寫手法上屬於直陳其事，似不著重譬喻。與《易經》中的「牛」均有所取象，誠大異其趣。

（3）羊

羊（學名：Caprinae）為哺乳綱偶蹄目牛科牛亞科羊族。[11]早在母系氏族社會，中國北方草原地區的原始居民即已開始在水草豐茂河湖地帶牧羊狩獵。羊為六畜之一，主要供給膳食。漢代許慎《說文》云：「美，甘也。從羊從大。」「羊」的取象，在《易經》中出現六處，其中明引者有五處，如〈大壯・九三〉、〈六五〉、〈上六〉、〈夬卦・九四〉、〈歸妹・上六〉，暗引者有一處，為〈大壯・九四〉。在這些卦爻辭中，歸納其意義主要有：

其一借喻為「陽」，有剛壯之意。在詩詞中以字音相同或相諧，作為修辭上的雙關，每每可見，例如：以「絲」為「思」、以「蓮」為「憐」等是。由於「羊」、「陽」二字音同，因此，除〈大壯・六五〉，程頤以羊為陽來訓釋外，於〈夬卦・九四〉：「臀無膚，其行次且，牽羊悔亡，聞言不信」，亦以羊借喻九四之陽，謂「九四以陽居陰，剛決不足，欲止，則眾陽並進於下，勢不得安」。王弼《易注》說：「羊者，抵狠難移之物，謂五也」，無論程頤以〈九四〉為羊，或王弼以〈九五〉為羊，其借喻為「陽」一也。《易》中羊的取象，泰半自〈大壯〉而來。其中羊象徵剛壯，似乎與吾人的印象有很大的落差，然而聖人仰觀俯察，就近取譬，看到豢養的動物中，以牡羊性喜牴觸藩籬，遂援以譬喻用壯之意，而且羊與陽諧音，所以古人也藉以通假來訓釋，如〈大壯・六五〉：「喪羊于易，無悔」，《程傳》說：「羊群行而喜觸，以象諸陽並進，四陽方長而並進，五以柔居上，若以力制，則難勝而有悔；唯和易以待之，則群陽無所用其剛，是喪其壯於和易也，如此，

11 羊為牛科下的亞科。蓋以此亞科內動物之間的親屬關係尚不清楚，故生物分類學上亞科以下又分族。除羊族外，其餘三族統稱羚羊。

則可以無悔」。《本義》:「獨六五以柔居中，不能牴觸，雖失其壯，然亦無所悔矣」，由此可見，以羊象徵剛壯之意，是〈大壯〉卦的通例，至於或壯盛或不壯盛，或吉或不吉，則再從爻位的或剛或柔來判別，基本上〈大壯〉卦的卦旨，重在闡發不用壯的哲學，深契《易經》剛柔並濟的精神。

其二為借喻為祭祀。牛羊都是祭祀常用的犧牲，羊更是無論太牢、少牢都少不了的祭品，所以在〈既濟・九五〉，以殺牛為盛祭之意，而〈歸妹・上六〉:「士刲羊，無血」，歷代易家也多以祭祀為訓，例如:《程傳》云:「諸侯之祭，親割牲，卿大夫皆然，割取血以祭，禮云:血祭。……故刲羊而無血，亦無以祭也，謂不可以承祭祀也」，這是借「羊」而言祭祀之事。以上是「羊」在卦爻辭中的主要意象。

至於《詩經》中所見與「羊」相關篇章多達十六篇，其中或用「羔」、「羝」、「牂」、「羖」、「犧」等等名目稱說之。其中「羊」的意象較為繁富，主要可分為以下幾項：一、喻出入有時:〈王風・君子于役〉:「羊牛下來」、「羊牛下括。」《詩集傳》:「日夕則羊先歸而牛次之。」以牛羊得時而歸，對比君子行役遙遙無期，點出行役之勞。二、象徵和睦、溫馴:〈小雅・無羊〉:「誰謂爾無羊？三百維群。……爾羊來思，矜矜兢兢，不騫不崩。」《詩集傳》:「羊以善觸為患，故言其和，謂懼而不相觸也。」又「其羊亦馴擾從人，不假箠楚，但以手麾之，使來則畢來，使升則既升。」三、用表獻祭:〈小雅・甫田〉:「以我齊明，與我犧羊，以社以方。」《說文》:「犧，宗廟之牲也。」《詩集傳》:「犧羊，純色之羊也。」以犧羊祭方社，倉廩實乃賴農夫之福而致。〈大雅・生民〉:「取羝以軷。」《詩集傳》:「羝，牡羊也。軷，祭行道之神也。」〈小雅・楚茨〉:「濟濟蹌蹌，絜爾牛羊，以往烝嘗。」《正義》疏:「冬祭曰烝，秋季曰嘗。……祭祀之禮，各有其事。」〈周頌・我將〉:「我將我享，維羊維牛，維天其右之。」《正義》疏:「以將與享相類，當謂致之于神，不宜為大。將者，送致之義，故云『猶奉養』。謂以此牛羊奉養明神也。」上述詩篇中「羊」均作為獻祭之用。四、喻生之易:〈大雅・生民〉:「誕彌厥月，先生如達。」《詩集傳》:「達，小羊也。羊子易生，無留難也。……，凡人之生，必坼副菑害其母，而首生之子尤難，今姜嫄首生后稷，如羊子之易，無坼副菑害之苦，是顯其靈異也。」五、喻在上位者。如〈召南・羔羊〉:「羔羊之皮，素絲五紽。退食自公，委蛇委蛇。〈唐風・羔裘〉:「羔裘豹袪，自我人居居。」《通典・禮典》:「大裘以祀天，大裘，羔裘，祀天示質也。」由於祭服中以大裘最貴，以純黑羔羊皮製，表質樸，亦符合羊作為祭品的特色。而平常則以白狐裘最為尊貴，乃天子服；諸侯以降，著其他狐裘，加穿裼衣，裼衣和裘衣的顏色須一致，並露出毛色以示敬重；諸侯、士大夫以至庶民，皆可著犬羊之裘，差別在於貴族以袖口緣飾作為區分以別庶民[12]，《論語・鄉黨》:「緇衣羔裘」，即為朝服；且羊裘有羶味，貴族得以用羔皮製衣，庶民則用成羊製衣。《詩集傳》亦謂:「緇衣羔裘，諸侯之朝服。錦衣狐裘，朝天子之服也」，故「羔裘」得以借喻在朝為官者。

從《詩》、《易》對「羊」的會通比較，可見《易》於「羊」多採陽剛，而《詩》則多取陰柔，兩者大相逕庭。唯在作為祭祀犧牲上，《詩》、《易》兩者相同。探究其故，或以中國的羊群種類不同，性情各異；或觀者著眼不同，或見其合群溫順，故取其柔；或見其喜以羊角相牴觸，故取其剛。可見「羊」的象徵意涵在先秦的多元性。

（4）豕

「豕」（學名：Sus）為哺乳綱偶蹄目豬科。在《易》中「豕」的取象，分別出現於〈大畜〉、〈睽卦〉、〈姤卦〉、〈中孚〉四卦等，其主要象徵意涵不外有「愚頑卑賤」之意，如〈中孚・卦辭〉:「中孚豚魚吉，利涉大川。」朱熹《本義》說:「豚魚，無知之物」，故歷代易家多謂「豚魚」乃借喻「愚頑百姓」。又如〈大畜・六五〉:「豶豕之牙，吉」，有居君位止畜天下邪惡之意。而〈姤卦・初六〉:「羸豕孚蹢躅」，則有防微杜漸之意。再如〈睽卦・上九〉:「睽孤，見豕負塗，載鬼一車」，王弼《易注》則謂其為「至穢之物」。可見在《易》中「豕」的取象均為負面可厭的形象。

---

12 參見陳溫菊:《詩經器物考釋》（臺北市：文津出版社，2001年），頁146-147。

至於《詩經》中關於豕的相關字詞有：豬、豰、豯、豵、豝、豣、豶、豭、豠、豲等等。雖然無論太牢、少牢均用豕為犧牲。不過不同於《詩經》中對牛羊的敘述多用於祭祀，「豕」在《詩經》則多著眼於食用。如〈大雅・公劉〉：「執豕于牢，酌之用匏。食之飲之，君之宗之」、〈小雅・吉日〉：「既張我弓，既挾我矢。發彼小豝，殪此大兕。以御賓客，且以酌醴」；亦有獵得美物（味）之意，如〈豳風・七月〉：「言私其豵，獻豣于公」、〈召南・騶虞〉：「彼茁者蓬，壹發五豵」、「彼茁者葭，壹發五豝」等等。

上述諸詩，無論是執豬圈舍，或在野外發矢獵豬，其目的大致在提供宴客餚饌之資，書寫上多屬直陳其事，雖不無隱含美好意象，然在象徵意義上不若《易經》顯明。而且《易》中的「豕」，全為「愚頑卑賤」的負面形象，與《詩》中所見，多供美好歡愉之資的寫實情狀，誠然大異其趣。

（5）虎

虎（學名：Panthera tigris），俗稱老虎，是哺乳綱貓科中體型之最大者，故有「百獸之王」之稱。在《易經》中分別出現於〈履卦〉、〈頤卦〉、〈革卦〉三卦。歸納其主要的意象有三：

其一借喻危險。由於老虎凶悍力猛、吼聲宏大，獵物襲人，百獸惶懼。所以《說文》云：「虎，山獸之君」，也往往借喻危險，如「虎口」、「捋虎鬚」等等。在卦爻辭中，「虎」借喻危險的意象，蓋皆出自履卦，如卦辭云：「履虎尾，不咥人亨」、六三：「履虎尾，咥人凶」、九四：「履虎尾，愬愬終吉」等，至於危而傷或不傷，則端在能不能「以柔履剛」而已！

其二借喻威猛（嚴）。由於老虎人見人畏，虎威懾人，故頤卦六四：「虎視眈眈，其欲逐逐，無咎」，王弼注云：「下交不可瀆，故虎視眈眈，威而不猛，不惡而嚴」，《程傳》亦謂：「（六四）質本陰柔，賴人以濟，人之所輕，故必養其威嚴，耽耽然如虎視，則能重其體貌，下不敢易」，這是藉虎威以喻居上位者，必須養其威嚴，纔能為下民所尊畏。

其三借喻顯著。虎與豹都是兼具凶猛與文采的野獸，迄今虎豹毛皮仍是皮草和座墊昂貴的材料。在〈革〉卦中，亦借虎豹毛皮文采的顯著，以喻改革的成效。如〈革卦・九五〉:「大人虎變,未占有孚」,《程傳》云:「以大人之道,革天下之事,無不當也,無不時也,所過變化,事理炳著,如虎之文采,故曰虎變。」上述中,程頤即以老虎皮毛的斑爛璀璨,以喻革命事業的輝煌顯著。

至於《詩經》中關於「虎」的相關字詞有虎、虤、虪等,[13]計有十一篇,扣除作為人名者外,[14]其中意涵大致可歸納為幾類:

其一象勇猛。如〈魯頌・泮水〉:「矯矯虎臣,在泮獻馘」、〈邶風・簡兮〉:「有力如虎,執轡如組。」〈鄭風・大叔于田〉:「襢裼暴虎,獻于公所」、〈大雅・常武〉:「進厥虎臣,闞如虓虎」等等。其二借喻危險。如〈小雅・小旻〉:「不敢暴虎,不敢馮河」、〈小雅・巷伯〉:「取彼譖人,投畀豺虎」。其三借喻文飾華美。如〈秦風・小戎〉:「虎韔鏤膺,交韔二弓」。其四借喻悠遊。如〈小雅・何草不黃〉:「匪兕匪虎,率彼曠野。哀我征夫,朝夕不暇」,此藉悠遊野地的牛、虎,以映襯征夫不得自由。

從《詩》、《易》對「虎」的比較會通,可見兩者意涵基本上相近。由於老虎素來凶猛無比,除每每借喻危險外,常人亦慣用「虎」字來比擬勇猛有力之人。又以其兼具凶猛與文采,所以,詩文中凡以斑爛璀璨虎皮為飾者,往往同時兼具勇武顯赫之喻。

(6)豹

豹(學名:Panthera pardus)為貓科豹屬,又名金錢豹或花豹。「豹」的取象,在《易經》中僅見於〈革卦・上六〉:「君子豹變,小人革面」,與老虎毛皮文采的鮮艷,兩者均借喻事物改革成效的卓著。所不同者,以虎形容大人之革,以豹形容君子之革耳!

至於《詩經》中關於「豹」的相關字詞計有三篇,其中意涵大致可歸納為兩類。其一象勇猛。其二象華美。如〈鄭風・羔裘〉:「羔裘豹飾,孔武有力」,此以豹皮緣袖為飾,借豹的威猛,象徵孔武有力之力。其他如〈唐

---

13 虤:指白虎。虪:指黑虎。

14 如〈秦風・黃鳥〉:「誰從穆公?子車鍼虎。」

風・羔裘〉:「羔裘豹袪」、「羔裘豹褎」等詩，其中「豹袪」、「豹褎」，皆以豹皮緣袖為飾。鄭玄《毛詩傳箋》云:「在位卿大夫之服也。」[15]上述大體以豹的威猛與豹皮的鮮艷華美，借喻社會地位。

比較《詩》、《易》有關「豹」的書寫意涵，基本上與「虎」相近。以其兼具凶猛與華美的文采。唯「豹」在《詩》、《易》中，均不從「危險」著墨，特重其斑爛的毛皮與豹的威猛，用以象徵勇武之人或象權力位階等等。

（7）鹿

鹿（學名：Erxleben）屬哺乳綱偶蹄目鹿科。在《易經》中僅見於〈屯卦・六三〉:「即鹿無虞，惟入于林中」。此「鹿」字，主要有兩種解釋：一訓為麋鹿，李鼎祚《周易集解》引虞翻曰:「震為麋鹿」。因此，從王弼以下，歷代易家多依字面作鹿解，如《程傳》云:「貪於所求，既不足以自濟，又無應援，將安之乎？如即鹿而無虞人也，入山林者，必有虞人以導之，無導之者，則惟陷入于林莽中」，程頤將「鹿」借喻為「欲求」，「即鹿」者，逐欲之謂。一訓為「麓」。《釋文》:「王肅作麓，云：山足」，《周易集解》引虞翻曰:「山足稱鹿。鹿，林也」，《詩經・大雅・旱麓》，《毛傳》曰:「麓音鹿。本亦作鹿。」《國語・周語》引作「旱鹿」，是「鹿」、「麓」古通用。不過，從〈屯卦・六三象辭〉云:「即鹿無虞，以從禽也」來看，《易傳》作者，似以「鹿」為禽獸，而不作「山麓」解。依《白虎通義》言:「禽者何？鳥獸之總名。」可見「禽」是可以涵蓋「鹿」的。

《詩經》中關於「鹿」的相關字詞有鹿、麀、麕、麋等，扣除為「湄」之同音假借字的「麋」外，[16]在《詩經》中主要作起興之用。如〈小雅・鹿鳴〉:「呦呦鹿鳴，食野之苹」、〈大雅・桑柔〉:「瞻彼中林，甡甡其鹿」。不過，由於鹿為群性動物，在《詩》中除起興之用，亦每每藉疊字隱喻其群聚

15 〔唐〕孔穎達：《毛詩正義》，頁221。

16 如〈小雅・巧言〉:「彼何人斯？居河之麋。無拳無勇，職為亂階。」詩中「麋」字本為哺乳動物，比牛大，毛淡褐色，雄有角像鹿，尾像驢，蹄像牛，頸像駱駝，為稀有珍貴的獸類，俗稱「四不像」。此處「麋」為「湄」之同音假借字，即河邊之意。

現象，如「麀鹿虁虁」、「甡甡其鹿」、「麀鹿噳噳」，即借喻宴會賓客，或象群友同僚。如〈小雅・鹿鳴〉：「呦呦鹿鳴，食野之芩。我有嘉賓，鼓瑟鼓琴」、〈大雅・桑柔〉：「瞻彼中林，甡甡其鹿，朋友已譖，不胥以穀」。另外由於「鹿」向為狩獵的對象，所獲獵物自亦可成為饋贈的禮物，故在《詩經》中亦有禮物之意。如〈召南・野有死麕〉：「野有死麕，白茅包之」、「野有死鹿，白茅純束」，《說文》：「麕，麞也。」朱熹《詩集傳》：「麕，獐也，鹿屬，無角。」《毛詩傳疏》：「昏禮用鹿，殺禮可用麕。」余培林《詩經正詁》則謂：「首章用麕、次章用鹿，二者為同物，變文以協韻而已。」[17]

比較《詩》、《易》有關「鹿」的書寫，《詩經》多「起興」，《易經》則明顯是借「狩獵」之事為譬喻。不過，《詩經》在起興之餘，有時亦兼具象徵意涵，只是與《易經》的象徵意涵不同，而是借喻宴會賓客或象群友同僚，或作為吉士誘女的禮物。在研究中我們可以發現另一現象，《詩經》中的「鹿」普遍都有群聚的現象，似乎在先秦遍地可見鹿群食野之苹，唯若進一步深究則未必然，原因在於《詩經》中出現有關「鹿」的詩篇，幾乎集中於大、小雅，「雅」詩多半為士大夫的作品，眾多的鹿群罕見於其他十五國風，[18]足證大、小雅詩篇所見的「鹿群」，應是貴族園囿中的鹿群。正如〈大雅・靈臺〉所說：「王在靈囿，麀鹿攸伏」。《左傳・僖公三十三年》亦載：「鄭之有原圃，猶秦之有具囿也，吾子取其麋鹿，以閒敝邑，若何？」如果藉此再檢視《易經・屯卦・六三》：「即鹿無虞，惟入于林中」，其中「虞人」蓋為掌山林之官，可見其亦為貴族園囿中的鹿群，必矣！

（8）狐

狐（學名：Vulpes）為哺乳綱食肉目犬科。「狐」在中國自古以來給人的意象，往往是「狐群狗黨」、「狐假虎威」、「狐狸精」，似乎都著重負面的

---

17 余培林：《詩經正詁》（臺北市：三民書局，2005年）。

18 如〈召南・野有死麕〉只是單一的死鹿。〈豳風・東山〉：「町畽鹿場，熠燿宵行」，町畽：〔漢〕毛亨：《毛詩故訓傳》：「鹿跡也。」〔宋〕朱熹：《詩集傳》：「舍旁隙地也，無人焉，故鹿以為場也。」可見「鹿場」只是可能有鹿出現蹤跡而已。

評價，大概唯有一死，製成狐裘，方能一贖前愆，展現價值。在《易經》中「狐」的取象有六處，其中明引兩處、暗引四處，前者如〈解卦・九二〉、〈未濟・卦辭〉，後者如〈既濟・初九〉、〈上六〉、〈未濟・初六〉、〈上九〉，其意象可以區分為兩方面來說明：其一借喻小人。如〈解卦・九二〉：「田獲三狐，得黃矢，貞吉」，《程傳》解釋說：「狐者，邪媚之獸，三狐指卦之三陰，時之小人也」。駱賓王〈代李敬業討武氏檄〉曾有「掩袖工讒，狐媚偏能惑主」之語，藉以暗喻武則天邪媚高宗，《程傳》似脫胎於此。其二借喻疑懼。《易》中除〈解卦〉外，「狐」的取象均在〈既濟〉、〈未濟〉兩卦，由於〈未濟・卦辭〉有：「未濟亨，小狐汔濟，濡其尾，無攸利」，因此，兩卦中有關「濡其尾」、「濡其首」，自然應與「狐」有關。由於狐性疑，所以《程傳》說：「狐能渡水，濡尾，則不能濟，其老者多疑畏，故履冰而聽，懼其陷也。小者，則未能畏慎，故勇於濟。」《本義》注云：「為狐涉水而濡其首之象，占者不戒，危之道也」。從上述程朱二家之說來看，他們均從狐性善疑，藉以詮釋宜戒慎恐懼而不妄進之意，以上是「狐」在卦爻辭中的兩個主要的意象。

至於《詩經》中關於「狐」的詩篇有九篇，主要意象有四：其一象悠遊自由。如〈小雅・何草不黃〉：「有芃者狐，率彼幽草。有棧之車，行彼周道。」此詩藉狐悠遊於幽草之間起興，映襯棧車往來於大道間，暗喻征役之不息。其二：象在位之小人。如〈邶風・北風〉：「莫赤匪狐，莫黑匪烏。」蓋以赤狐、黑烏為不祥之物，借喻在上位的小人，以表達內心厭惡之極。其三：象淫泆之事。如〈齊風・南山〉：「南山崔崔，雄狐綏綏。魯道有蕩，齊子由歸，既曰歸止，曷又懷止！」孔穎達《毛詩正義》云：「南山崔崔，雄狐綏綏。興也。南山，齊南山也。崔崔，高大也。國君尊嚴，如南山崔崔然。雄狐相隨，綏綏然無別，失陰陽之匹。《箋》云：雄狐行求匹耦于南山之上，形貌綏綏然。興者，喻襄公居人君之尊，而為淫泆之行，其威儀可恥惡如狐。」[19]狐為哺乳綱食肉目犬科，此詩或藉犬科動物不避人耳目當眾行

19 〔唐〕孔穎達：《毛詩正義》，頁195。

淫，以影射齊襄公的淫行亦可恥如狐。其四：象尊貴者。如〈豳風．七月〉:「一之日于貉，取彼狐狸，為公子裘。」又如〈小雅．都人士〉:「彼都人士，狐裘黃黃。其容不改，出言有章。行歸于周，萬民所望。」由於狐、貂、貉等所製裘衣輕暖珍貴，向來作為達官貴人的象徵。如《論語．子罕》：「衣敝縕袍，與衣狐貉者立而不恥者，其由也與？」故《詩經》中凡云「狐裘」，大多借喻尊貴之人。

比較《詩》、《易》有關「狐」的書寫，除借喻在位邪惡小人兩者相同外，其餘意象則不一。此或因《詩經》書寫篇幅較多，地域涵蓋面較廣，故其意象亦較《易經》多元。

（9）鼠

鼠（學名：Muroidea）又稱老鼠，為囓齒類的總科。[20]「鼠」的取象，在《易經》中，僅見於〈晉卦．九四〉:「晉如鼫鼠，貞厲」，用以借喻貪婪的在上位者。王弼《易注》:「能飛不能過屋，能緣不能窮木，能游不能渡谷，能穴不能掩身，能走不能先人。」孔穎達《周易正義》引蔡邕〈勸學〉篇云:「鼫鼠五能，不成一伎。」可見鼫鼠技能雖多，但所得蓋寡，加上鼠性畏貓亦畏人，因此程頤云:「貪而畏人者，鼫鼠也，故云：晉如鼫鼠」，用以說明九四貪於非據而心存畏忌，刻畫了小人患得患失的心態。

《詩經》中論及「鼠」者有五處，如〈豳風．七月〉:「穹窒熏鼠，塞向墐戶」、〈小雅．斯干〉:「鳥鼠攸去，君子攸芋」二詩，直陳其事，均有欲去鼠害之意。其餘各詩均借喻控訴在上者。如〈魏風．碩鼠〉:「碩鼠碩鼠，無食我黍」、〈鄘風．相鼠〉:「相鼠有體，人而無禮。人而無禮，胡不遄死」、〈召南．行露〉:「誰謂鼠無牙？何以穿我墉？誰謂女無家？何以速我訟？雖速我訟，亦不女從。」其中〈碩鼠〉一詩堪為《詩經》中動物作為譬喻之

---

20 由於其廣泛分佈於南極以外的各個大陸，難以測定各分類群間關係，因此，文獻上將所有鼠總科皆歸類在鼠科之下。目前依據分子種系發生學研究所作出的次分類，共約有二百八十個屬，以及至少一千三百個種。

用，最膾炙人口者。從《毛詩序》:「〈碩鼠〉刺重斂也。國人刺其君重斂，蠶食於民，不脩其政，貪而畏人，若大鼠也。」至朱熹：「民困於貪殘之政，故託言大鼠害己而去之也。」[21]歷代學者對於詩中「抗議剝削」的主題詮釋大致是相同。

相較於《易經・晉卦》的「晉如鼫鼠」，由於就爻位言，九四為近君之大臣，自然此「大鼠」亦象徵竊居高位者，一如《詩經》中的〈碩鼠〉。若就兩書時代先後來看，則〈魏風・碩鼠〉意象或有得之於〈晉卦・九四〉「鼫鼠」的啟發。

2 飛禽類：雉、鶴、雞、鴻、隼、鳥

《詩經》、《易經》二書中，有關飛禽類的書寫，雖不如走獸來得多，然亦可見到如雉、鴻、隼、鶴、雞、鳥等等飛禽。試比較如下：

（1）雉

雉（學名：Phasianidae）為鳥綱雞形目雉科，俗稱野雞。在《易經》中分別出現於〈鼎卦・九三〉、〈旅卦・六五〉兩處。另有雉的異名——「明夷」，據張立文《周易帛書今注今譯》云：

> 「明」假借為「鳴」。古聲同，義通。《文選・陸士衡樂府長安有俠邪行》:「欲鳴當及晨。」李善注曰：「《春秋考異記》曰：『雞應旦明。』『明』與『鳴』同，古字通也。」《文選・運命論》:「里社鳴而聖人出。」李注：「明與鳴古字通。」「夷」，《爾雅》:「夷，江南謂之螗〇者為蔩，音夷，又為蛦。」[22]「夷」、「蔩」、「蛦」音近相通。《文選・蜀都賦》曰：「鴘蛦山棲。」劉注：「鴘蛦，鳥名也。如今之所謂山雞。其雄色班，雌色黑。出巴東。」「夷」借為「蛦」，即山雞。「鴘蛦」猶「鷩雉」。《爾雅・釋鳥》:「鷩雉。」郭璞注曰：「似山

---

21 〔宋〕朱熹：《詩集傳》(臺北市：華正書局，1980年)，卷5，頁66-67。

22 上述「〇」，其字為左虫右弟。

雞而小。」故「夷」又與「雉」通。《左傳・昭公十七年》:「五雉為五工正。」服注:「雉者夷也。」孔疏:「雉聲近夷。」《漢書・揚雄傳》:「列新雉於林薄。」服虔注:「新雉，香草也。雉夷聲相近。」顏師古注:「新雉即辛夷耳。」為「夷」、「雉」相通之證。「明夷」，即鳴雉也。[23]

按：張立文先生多方考證，以〈明夷〉卦中的「明夷」二字為「鳴雉」，論述誠有理據。倘以〈明夷〉下卦為離，〈說卦傳〉:「離為雉」，亦有鳥之象。若再舉《詩經》為例，如《詩經》中凡使用「于飛」二字者，其前皆有鳥名，幾無例外，如〈豳風・東山〉:「倉庚于飛，熠燿其羽」、〈魯頌・有駜〉:「振振鷺，鷺于飛」、〈小雅・鴻雁〉:「鴻雁于飛，肅肅其羽」、〈小雅・鴛鴦〉:「鴛鴦于飛，畢之羅之」、〈周頌・振鷺〉:「振鷺于飛，于彼西雝」、〈周南・葛覃〉:「黃鳥于飛，集于灌木」、〈邶風・燕燕〉:「燕燕于飛，差池其羽」、〈邶風・雄雉〉:「雄雉于飛，泄泄其羽」、〈大雅・卷阿〉:「鳳皇于飛，翽翽其羽」。由上述諸例推論，足證〈明夷〉卦中「明夷于飛」，「明夷」確為鳥名無疑。

歸納〈鼎卦〉、〈旅卦〉、〈明夷〉三卦其中「雉」的主要意象有二，其一借喻文明。如〈說卦傳〉:「離為雉」，又云:「離為火、為日、為電」，故易家多依此為訓，如〈鼎卦・九三〉:「雉膏不食」，《程傳》說:「膏，甘美之物，象祿位，雉指五也，有文明之德，故謂之雉」。而〈旅卦・六五〉:「射雉一矢亡，終以譽命」，《程傳》云:「離為雉，文明之物，射雉謂取則於文明之道而必合」，而《本義》亦云:「雉，文明之物，離之象也。」至於雉何以有文明之道？或因雉羽可以為儀飾，而且《儀禮・士相見禮》亦云:「摯，冬用雉」，鄭玄注:「士摯用雉者，取其耿介，交有時，別有倫也」。其二：借喻明者見傷。如上文之說，「明夷」二字即「鳴雉」之意。因此，張立文《周易帛書今注今譯》於〈明夷〉六爻，都以「鳴雉」為訓。不過，〈明夷・彖辭〉訓為「明入地中，明夷」，而鄭玄也說:「夷，傷也。日出地

23 張立文:《周易帛書今注今譯》(臺北市：臺灣學生書局，1991年)，頁465-466。

上，其明乃光，至其入地，明則傷矣」，可見將「明夷」轉訓為「明傷」，由來已久！因此，歷代易家大多以此為訓，程朱自不例外。以上是「雉」在《易》中的意象。

至於《詩經》中出現的雉，約有九處，除了作為直陳其事之用，如〈小雅．斯干〉：「如鳥斯革，如翬斯飛」，[24]借「翬」展翅而飛」，其勢象宮室屋簷之狀。與〈邶風．簡兮〉：「左手執籥，右手秉翟」，直陳祭舞、裝飾所用的雉羽，上述兩詩中的「雉」，並無明顯的象徵意涵。除此之外，「雉」在《詩經》中的意涵，主要可分為兩類，其一象「匹配」。如〈小雅．小弁〉：「雉之朝雊，尚求其雌」與〈邶風．匏有苦葉〉：「濟盈不濡軌，雉鳴求其牡」、〈小雅．車舝〉：「依彼平林，有集維鷮。辰彼碩女，令德來教。式燕且譽，好爾無射。」上述三詩都有以雉起興，並兼有藉雉求偶以自擬個人的處境。而〈邶風．雄雉〉：「雄雉于飛，泄泄其羽。我之懷矣，自詒伊阻。雄雉于飛，下上其音。展矣君子，實勞我心。」更有如閨怨詩，藉高飛的雄雉以起興，兼喻遠行的良人。其二以雉借喻自我。如〈王風．兔爰〉：「有兔爰爰，雉離于羅。我生之初，尚無為；我生之後，逢此百罹，尚寐無吪。」詩中藉雉遭遇網羅，以借喻自身的罹災。

由上述《詩》、《易》有關「雉」的書寫比較，可以看出兩者的象徵意涵，大異其趣。傳統易學中以雉有文明的象徵意涵，在《詩》中全然未見。代之以「匹配」的意象為多。不過，藉由《詩》、《易》的比較，卻可發現《詩經》中凡使用「于飛」二字者，其前皆有鳥名，原來《易經》中「明夷」二字，其原始意涵即為「雉」之類，至於引申為「明者見傷」，則為後起之意，藉兩者的比較誠可收他山攻錯之效。

（2）鶴

鶴（學名：Gruidae）為鳥綱鶴形目鶴科。在《易經》中唯見於〈中孚．九二〉：「鳴鶴在陰，其子和之，我有好爵，吾與爾靡之」，文中以母鶴

24 翬，指有五彩羽毛的雉。

雖身在幽暗處，然而在深情的叫喚下，鶴子仍能遠聞而相應和。在《易》中借喻至誠之人，雖居幽隱，仍能感通他人。所以王弼說：「立誠篤至，雖在闇昧，物亦應焉。」[25]因此，「鶴」在《易》中有善鳴之意，結合上下文字，遂有至誠感通的意涵。

相較於《易》中「鶴」的善鳴，《詩經》亦有異曲同工之妙。如〈小雅・鶴鳴〉：「鶴鳴于九皋，聲聞于野，魚潛在淵，或在于渚」，鄭《箋》：「皋，澤中水溢出所為坎，自外數至九，喻深遠也。」朱熹《詩集傳》云：「蓋鶴鳴于九皋，而聲聞于野。言誠之不可揜也。」可見有關「鶴」的意象，在上述《詩》、《易》二詩文中，舊說相同。至於《詩經》中另一例在〈小雅・白華〉：「有鶖在梁，有鶴在林。維彼碩人，實勞我心」，詩中則借「鶖」、「鶴」二鳥起興，由於「鶖」有惡鳥之稱，詩人或有借「鶖」之貪惡，[26]以對比「鶴」的良善。

（3）雞

雞（學名：Gallus gallus domesticus）為鳥綱雞形目雉科。在《易經》中唯見於〈中孚・上九〉：「翰音登于天，貞凶」。[27]《程傳》說：「翰音者，音飛而實不從，處信之終，信終則衰，忠篤內喪，華美外颺，故云翰音登天。」所以，歷代易家於《易》中雞的取象大致均以「華而不實」的意涵來取象。

同樣的「雞鳴」，在《詩經》中顯然與《易經》不同，在論及「雞」的四首詩篇中，如〈鄭風・風雨〉：「風雨如晦，雞鳴不已」中，「雞」儼然成為忠貞美善的象徵。又如〈王風・君子于役〉：「君子于役，不知其期，曷至哉？雞棲于塒，日之夕矣，羊牛下來。君子于役，如之何勿思！」詩人更以

---

25 〔唐〕孔穎達：《周易正義》（臺北縣：藝文印書館，景清嘉慶十二年重刊宋本十三經注疏），頁133。

26 「鶖」似鶴而大，色青蒼。性極貪惡。長頸赤目，嘴扁直，頭上毛禿，故亦稱為「禿鶖」。

27 〔唐〕李鼎祚：《周易集解》引侯果：「雞曰翰音」，《爾雅・釋鳥》也說：「翰，天雞」。

雞群的回窩，借喻思婦盼望良人的歸返，更是典型的閨怨詩。再如〈鄭風·女曰雞鳴〉:「女曰雞鳴，士曰昧旦」與〈齊風·雞鳴〉:「匪雞則鳴，蒼蠅之聲」，由於雞鳴報曉，詩人往往藉以起興，其象徵意涵較不明顯。惟雞犬向為普通百姓豢養的動物，上述三詩中除藉此烘托平凡溫馨的氛圍外，亦蘊藉尋常夫妻間款款的深情。因此「雞鳴」諸詩固然有擾人清夢之意，然所呈現的意象毋寧是美好的，相較於「雞」在《易》中負面的形象，誠然天壤有別。

（4）鴻

鴻（學名：Anser cygnoides）為鳥綱雁形目鴨科雁屬[28]。鴻雁主要棲息於湖泊、沼澤、河口、草原及農耕地帶，性群棲，善泳亦善飛，群飛時，會列隊成行，古人云:「雁行有序」是也。鴻雁於《易經》僅見於〈漸卦〉六爻，如:「鴻漸于干」、「鴻漸于磐」、「鴻漸于陸」、「鴻漸于木」、「鴻漸于陵」、「鴻漸于陸」，[29]藉以說明循序漸進之理。至於〈漸卦〉取「鴻」為譬的原因，《程傳》於初六云:「〈漸〉諸爻皆取鴻象，鴻之為物，至有時而群有序，不失其時序，乃為漸也」。《本義》也說:「鴻之行有序而進有漸」。因此，遂藉鴻雁為譬，說明處世哲學中的「漸進」之道。歷代易家解《易》亦大多著重「漸進」的象徵，往往忽略〈漸·九三〉:「鴻漸于陸，夫征不復，婦孕不育。」〈漸·九五〉:「鴻漸于陵，婦三歲不孕，終莫之勝」，另有征人未歸之象。九五雖未明言征夫未返，然由「婦三歲不孕」，亦可反推得之。本卦以「鴻」取象，由於鴻雁為候鳥，常隨季節遷徙秋去春回，故予人有思念征人遊子歸鄉的想像。因此表現於《詩經》中的〈鴻雁〉:「鴻雁于飛，肅肅其羽。之子于征，劬勞于野。爰及矜人，哀此鰥寡。」〈九罭〉:「鴻飛遵

---

28 據《臺灣野鳥圖鑑》（臺北市：亞舍圖書公司，1991年）所記載，全世界雁鴨科有一百五十種。至於《易經》所說的「鴻」，不知究為何種？然為雁鴨科無疑！古人以大者為鴻，小者為雁，如《詩·小雅·鴻雁》:「鴻雁于飛」，《傳》曰:「大曰鴻、小曰雁」，本文姑以雁鴨科中的鴻雁，稱《易經》漸卦中的「鴻」。

29 關於上九「鴻漸于陸」，程頤、朱熹皆承胡瑗之說，以「陸」為「逵」，即雲路（天空）。

渚，公歸無所，於女信處。鴻飛遵陸，公歸不復，於女信宿。」上述二詩中的「鴻」，均頗有別離家室、流落他鄉的意象，而〈九罭〉一詩中：「鴻飛遵渚，公歸無所」、「鴻飛遵陸，公歸不復」的詩句，更顯然脫胎於《周易・漸卦》的爻辭，明顯地呈現兩書相同的象徵意涵與密切的關係。

（5）隼

隼（學名：Falco）為鳥綱隼形目隼科隼屬，屬晝行性猛禽，以動物屍體、小型動物、鳥類、昆蟲等為主食，孔穎達稱之為「貪殘之鳥，鸇鷂之屬」。[30]「隼」的取象，在《易經》中，僅見於〈解卦・上六〉：「公用射隼于高墉之上，獲之，無不利」，《程傳》云：「隼，鷙害之物，象為害之小人」。《九家易》則謂「隼、鷙鳥也，今捕食雀者，其性疾害，喻暴君也。」[31]，無論是以隼喻為害的小人或為暴君，其指涉惡人，一也。這是隼在《易》中的取象。

《詩經》中的「隼」可見於兩處。如〈小雅・采芑〉：「鴥彼飛隼，其飛戾天，亦集爰止。方叔涖止，其車三千，師干之試。」〈小雅・沔水〉：「鴥彼飛隼，載飛載揚，念彼不蹟，載起載行。心之矣，不可弭忘。」兩詩中雖均以「隼」起興，然由於為猛禽，鷹揚天際，在詩中亦兼有隱喻的作用。〈采芑〉一詩借「隼」以讚美周宣王派遣南征荊蠻大將方叔的英武雄姿；〈沔水〉一詩則借「隼」以喻在上位者的為所欲為，與《易經・解卦》象為害的無道之人，兩者意涵相同，只不過《詩經》兼具善惡兩面意象耳。

（6）鳥

鳥（學名：Aves）為脊索動物門（Phylum Chordata）脊椎動物亞門鳥綱。[32]鳥為一切鳥綱的的統稱。在《易經》中出現於〈旅卦・上九〉：「鳥焚

---

30 〔唐〕孔穎達：《周易正義・解卦・上六》，頁94。

31 〔唐〕李鼎祚：《周易集解》引。

32 鳥綱分古鳥亞綱和今鳥亞綱兩個亞綱，現存的鳥綱都可以畫入今鳥亞綱的三個總目：古顎總目、楔翼總目和今顎總目，中國現存的鳥類都屬於今顎總目。古鳥亞綱包括始

其巢，旅人先笑後號咷」與〈小過．初六〉：「飛鳥以凶」、〈上六〉：「弗遇過之，飛鳥離之」二處。由於人們對於鳥的意象，總是環繞在高飛的本能，故在《易》中鳥有高亢的意象，不合於《易經》追求中道的精神。因此，出現於〈旅卦．上九〉與〈小過．上六〉均有以高亢見凶之象。至於〈小過．初六〉亦以違反〈彖傳〉所謂「不宜上，宜下」、「上逆而下順」的宗旨而見凶。

觀察《詩經》中單以統稱的「鳥」為譬者，有十三筆。歸納其主要手法有三：

其一僅直陳其事，或藉資起興，不另作譬喻者。如〈周南．葛覃〉：「黃鳥于飛，集于灌木」、〈大雅．靈臺〉：「麀鹿濯濯，白鳥翯翯」、[33]〈大雅．生民〉：「誕寘之寒冰，鳥覆翼之」、〈商頌．玄鳥〉：「天命玄鳥，降而生商」、〈秦風．黃鳥〉：「交交黃鳥，止于棘」、〈小雅．六月〉：「織文鳥章，白旆央央」、[34]〈小雅．緜蠻〉：「緜蠻黃鳥，止于丘隅」等等。

其二作為起興兼作譬喻者。如〈小雅．伐木〉：「伐木丁丁，鳥鳴嚶嚶。……嚶其鳴矣，求其友聲。相彼鳥矣，猶求友聲；矧伊人矣，不求友生」，此詩以伐木聲與鳥鳴聲起興，帶出鳥尚鳴啼求友，可以人無友乎！又如〈小雅．黃鳥〉：「黃鳥黃鳥，無集于穀，無啄我粟。此邦之人，不我肯穀。言旋言歸，復我邦族。」〈詩序〉云：「黃鳥，刺宣王也。」朱熹《詩集傳》：「民適異國，不得其所，故作此詩，託為呼其黃鳥而告之。」此詩是否為刺宣王不可知，唯「黃鳥」蓋借喻在上剝削者應可推知。再如〈邶風．凱風〉：「睍睆黃鳥，載好其音。有子七人，莫慰母心」，此詩以黃鳥鳴聲清和圓轉可以悅人，以暗喻七子不能安慰母心。由《詩經》中每每出現以「黃鳥」起興，蓋可想見，黃鳥或為尋常可見之鳥，[35]故詩人每易藉以起興並借

祖鳥，今鳥亞綱除了現存的三個總目外，還包括已經滅絕的齒頸總目。鳥綱是陸生脊椎動物中出現最晚，數量最多的一綱。鳥綱現存接近或超過九千種，比哺乳動物種類幾乎要多一倍。

33 翯，潔白貌。

34 鳥章為鳥隼，文古者大夫以上將鳥隼的文彩，著於旗上，軍中士卒則著於背。

35 黃鳥，指黃鶯，亦名黃鸝，又名倉庚。

喻人事。

其三作為譬喻之用。如〈小雅・斯干〉:「鳥鼠攸去，君子攸芋」、[36]「如鳥斯革，如翬斯飛」，[37]詩中「鳥鼠攸去，君子攸芋」，將鳥鼠同列，兩者俱去，君子得以安居。「鳥鼠」或有暗喻在位者。[38]又如〈小雅・菀柳〉:「有鳥高飛，亦傅于天。彼人之心，于何其臻？[39]」此詩借鳥之高飛，以喻凶暴之人，高居在上，其心難以測度。再如〈周頌・小毖〉:「肇允彼桃蟲，拚飛維鳥，未堪家多難。」[40]此詩為〈周頌〉閔予小子之什的第四篇，馬持盈《詩經今註今譯》云:「成王懲管蔡之禍而自儆之詩。」詩意謂初信其為鷦鷯小鳥，後竟翻飛為猛鷙大鳥。俗稱:「鷦鷯生鵰」，《易林》:「桃蟲生鵰」，蓋亦脫胎於此詩。《集傳》:「鷦鷯生鵰，言始小而終大也。」《詩經》此一觀念頗與《易經・解卦・上六》:「公用射隼于高墉之上，獲之，無不利」，有些類似。蓋〈解卦〉以除去小人為務。小人的形成亦是「始小而終大」，〈小毖〉一詩中雖謂明言為何種鳥，不過其為惡鳥，無庸置疑，大概亦是鷹隼之類。

比較《詩》、《易》對「鳥」的書寫，除了二書中原有的專名如隼、鴻、雉、鶴、雞等等外，《易》對「鳥」的書寫，其象徵意涵較為單一，如「飛鳥以凶」、「鳥焚其巢」等等，均著重「高亢見凶」的書寫。反觀《詩》中對「鳥」的書寫，其象徵意涵則較為多元。有相同於《易經》藉刺在上凶惡之人，亦有藉鳥聲悅人以暗喻人子之不孝等等。不過，整體而言，《詩經》中的對「鳥」的書寫，賦比興三種作法均有，不像《易經》僅著重於特定的象徵意涵。

---

36 〔清〕王引之:《經義述聞・君子攸芋》:「芋當讀為宇。宇，居也。」(臺北市:臺灣商務印書館，國學基本叢書)，卷6，頁231。

37 革訓為翼。藉鳥張翼以形容屋簷形狀。

38 可參考上文有關碩鼠的論述，以及下文有關〈菀柳〉、〈小毖〉兩詩的論述。

39 傅、臻均作「至」解。

40 「桃蟲」為鷦鷯，鳥之小者。

3 蟲魚類：龍、魚、龜、貝

雖然《詩經》、《易經》二書均屬北方文學。唯相對於《詩經》中不可勝數的昆蟲，《易經》卻格外罕見，其中除藉「蠱」字為卦名，[41]說明治亂除弊之道；藉「虩」字以喻恐懼脩省而後能保其安裕外，[42]未見其他昆蟲。箇中原因除了《詩經》書寫地域涵蓋面較廣外，或以《易經》不僅為北方文學，而且撰寫者大抵均具官職位階者（如卜官等等），所以更屬廟堂文學，以致取資於大自然中昆蟲的書寫或較疏略。由於《詩經》中未見「虩」、「蠱」二物，無以與《易經》相較，故在此從略，以下僅就兩書水中共有的物種作會通比較。

（1）龍

龍（Dragon）在中國向來被視為祥禽瑞獸。《禮記・禮運》云：「麟鳳龜龍，謂之四靈」[43]，故於傳統中每每衍生出豐富的文化內涵與源遠流長的龍文化。龍，不僅是漢族生活節慶的共同經驗，更是炎黃子孫集體的歷史記憶。《說文》：「龍，鱗蟲之長，能幽能明，能細能巨，能短能長，春分而登天，秋分而潛淵」，由於傳說中龍能飛天潛淵，變化莫測，故《易經・乾卦》中特以「潛龍勿用」、「見龍在田」、「終日乾乾」、「或躍在淵」、「飛龍在天」、「亢龍有悔」等詞來形容天道的變化，所以「龍」在《易經》中，不僅象徵「天」，又由於六爻純剛，故亦象徵天德之剛健。至於〈坤卦・上六〉：「龍戰于野」，則象徵「陽」與「陰」決戰郊野之意。《易》中的「龍」，唯

41 《說文》：「腹中蟲也」。《左傳・昭公元年》：「於文皿蟲為蠱」，指食物在器皿中，因腐而生蟲。《左傳・昭公元年》：「穀之飛，為蠱」，指穀物久積則變為飛蟲，亦即王充《論衡・商蟲》所說的「穀蟲曰蠱，蠱若蛾矣，粟米饐熱生蠱」。

42 《說文》：「恐懼也，一曰：蠅虎」，從虎隙聲，桂馥注云：「陸希聲《易傳》：虩，蠅虎，始在穴中，跳躍而出，象人心之恐動也。」《古今注》：「蠅虎，蠅狐也，形似蜘蛛而色灰白，善捕蠅，一名蠅蝗、一名蠅豹」。見於〈震卦・卦辭〉：「震來虩虩，笑言啞啞」。

43 〔唐〕孔穎達：《禮記正義》（臺北縣：藝文印書館，景清嘉慶十二年重刊宋本《十三經注疏》）。

見於上述〈乾〉、〈坤〉兩卦。

《詩經》中的「龍」約有八處，扣除與「龍」不相干的事物，[44]其餘四處主要作為龍飾圖騰，如〈閟宮〉:「周公之孫，莊公之子，龍旂承祀，六轡耳耳」、〈小戎〉:「騏騮是中，騧驪是驂。龍盾之合，鋈以觼軜」、〈商頌．玄鳥〉:「武丁孫子，武王靡不勝。龍旂十乘，大糦是承」等等。上述詩中雖以「龍」為旂，以「龍」為盾，然都有華美尊貴的象徵，二書取象雖異，但與其中所隱藏中國圖騰文化所賦予「龍」——尊貴、華麗、至高、靈妙不可測度的種種形象仍是相近，祇是不作「陽剛」解耳。

（2）魚

魚（Fish）為脊索動物門中的脊椎動物亞門魚類。由於《易經》為一部論述陰陽哲理的專著。《莊子．天下》篇亦謂:「易以道陰陽」。傳統上將五行中的火屬陽、水屬陰。此觀念溯其本源或與《易經》有關。《易經》中雖不以陰陽二字表達陰陽思想，然而《易》中則處處有陰陽。如以「魚」而言，在《易經》中亦藉以象徵陰柔的事物，如「小人」、「下民」、「女性」等等。如〈剝卦．六五〉:「貫魚以宮人寵，无不利。」《集解》引何妥說:「夫剝之為卦，下比五陰，駢頭相次，似貫魚也，魚為陰物，以喻眾陰」，以魚為陰物，歷代易家大多無異辭，如〈姤卦．九二〉:「包有魚」;〈九四〉:「包无魚」,《程傳》云:「魚，陰物之美者，陽之於陰，其所說美，故取魚象。」〈姤卦〉中隱含了二陽（九二〉、〈九四）求〈初六〉一陰，有雙龍奪珠之象。至於「陰」的意象，究竟何指？各卦又有不同，以〈剝卦〉言，蓋影射「群小」，如《集解》引崔憬說:「魚與宮人皆陰類，以比小人焉」。至於〈姤卦〉之魚，若從〈九四．象傳〉:「无魚之凶，遠民也」來推斷，則或指「下民」為是。

---

44 如〈鄭風．山有扶蘇〉:「山有橋松，隰有游龍。」「龍」為植物名，即水葒。〈商頌．長發〉:「為下國駿厖，何天之龍」、〈小雅．蓼蕭〉:「既見君子，為龍為光」、〈周頌．酌〉:「我龍受之，蹻蹻王之造」，以上「龍」字均作「寵」。惠棟《九經古義》:「寵，榮名之謂。」

由於「魚」所具陰柔的屬性，自然亦可推衍出女性的意象，表現於《詩經》篇章中，便常以魚為婚姻與愛情的隱喻。早在四〇年代聞一多〈說魚〉一文，便從生殖崇拜與男女關係來研究《詩經》中的魚，得出打魚、釣魚喻求偶，烹魚、吃魚喻合歡等等論述。[45]雖然聞一多「離經叛道」的種種論點，頗受衛道之士的批評，然而他許多創新的意見，仍頗具啟發性。如《詩經》言魚之情歌，往往以捕魚、食魚以喻求偶。如〈周南‧關雎〉:「關關雎鳩，在河之洲。窈窕淑女，君子好逑」，河洲雎鳩為食魚之鳥，「魚為陰物之美者，為陽之所說」，於是詩中便有求偶的隱喻，而與下文「淑女好逑」文意相承。另外，〈陳風‧衡門〉:「豈其食魚，必河之魴？豈其娶妻，必齊之姜？」,「食魚」與「娶妻」兩相綰結，亦誠非偶然。靳之林在《緜緜瓜瓞》書中，曾提及陝北延安發現大量鳥銜魚、雞銜魚的剪紙，這類作品多用於婚禮中，用以祝福新婚男女相交，子孫繁衍不絕。[46]由於雞（鳥）屬陽、屬天；魚屬陰、屬地。雞（鳥）銜魚代表天地陰陽交合之象，可為《詩經》與《易經》中，魚的陰陽和合意象，做了實物上的旁證（見本文後附圖）。

（3）龜

龜（學名：Testudines）為脊索動物門爬行綱無孔亞綱龜鱉目。《禮記‧禮運》:「麟鳳龜龍，謂之四靈」,《大戴禮‧曾子天圓》:「介蟲之精者曰龜」，由於龜耐飢渴、壽命長，古人以為靈物，於是灼燒龜甲來占卜。「龜」在《易經》中出現三處，分別為〈頤卦‧初九〉、〈損卦‧六五〉、〈益卦‧六二〉。其主要象徵意涵是用來借喻靈寶之物。由於龜為靈物，古人往往用以決疑。所以牠也象徵不可測知的神靈。因此，在〈損〉、〈益〉兩卦爻辭中：「或益之十朋之龜弗克違」,《程傳》說：「龜是決是非吉凶之物，眾人之公論，必合正理，雖龜策不能違也」,「龜」既能預決吉凶，自為神物。又如〈頤卦‧初九〉:「舍爾靈龜，觀我朵頤，凶」,《程傳》注云：「龜能咽息不

45 聞一多：〈說魚〉，收入《詩經研究》（成都市：巴蜀書社，2002年），頁66-91。
46 靳之林：《緜緜瓜瓞》（臺北市：漢聲雜誌社，1993年）。

食，靈龜喻其明智，而可能不求養於外也」，這是以龜來譬喻初九乃是剛健明智之人，卻不能自守而垂涎外欲，以致凶咎。上述二例前者用於卜筮決疑，後者喻其明智，解釋上雖有不同，然兩者意象均與「龜」做為靈寶之物，能見存亡、明吉凶有關。

在《詩經》中作為動物的「龜」約有六篇。除了〈小雅・六月〉:「飲御諸友，龜鱉膾鯉」、〈大雅・韓奕〉:「其餚為何？龜鱉鮮魚」，二詩均直陳其食用價值外，餘大抵仍與卜筮作用有關。如〈小雅・小旻〉:「我龜既厭，不我告猶」、〈大雅・緜〉:「爰始爰謀，爰契我龜」、〈大雅・文王有聲〉:「考卜維王，宅是鎬京。維龜正之，武王成之」等。至於〈魯頌・泮水〉:「憬彼淮夷，來獻其琛：元龜象齒，大賂南金。」淮夷獻寶，中有「元龜」，主要亦因「龜」為靈物，可用於卜筮決疑有關。

比較《詩》、《易》對「龜」的書寫，除了《詩經》多了日用飲食的抒寫外，兩書在卜筮的意象上相同，唯一不同的是，《詩經》僅作為直陳卜筮之事，與《易經》由原始卜筮之用，另衍生出其背後的指涉意涵。

（4）貝

貝（Shellfish）為軟體動物有介殼者的總稱。《說文》:「貝，海介蟲也」。在《易》中，唯見於〈震卦・六二〉:「震來厲，億喪貝」。由於在《尚書・盤庚》:「茲予有亂政，同位具乃貝玉」，《疏》:「貝者，水蟲，古人取其甲以為貨，如今之用錢然。」可見「貝」當作貨幣，其來久矣！因此，在《易經》中，易家大多將「貝」訓為財貨，如王弼：「初幹其任而二乘之，震來則危，喪其資貨，亡其所處矣。」[47]。而《程傳》亦云：「貝，所有之資也」。因此「貨財」是「貝」在《易》中唯一的意象。

「貝」在《詩經》中唯見兩處，分別在〈魯頌・閟宮〉:「公徒三萬，貝冑朱綅。烝徒增增，戎狄是膺」與〈小雅・巷伯〉:「萋兮斐兮，成是貝錦。彼譖人者，亦已大甚」。前者謂「以貝為盔」雖是直陳其事，但詩中亦寓有

---

47 〔唐〕孔穎達：《周易正義》，頁114。

軍容狀盛之意；後者謂「以貝紋織錦」，詩人或藉以起興，但合上下文句亦隱喻有讒人羅織不實巧言的意涵。

比較《詩》、《易》對「貝」的書寫意涵，兩書不同。不過推究其作為寶貨的原始意涵仍是相近的。唯在詩文中書寫目的不同，以致在詩文中的象徵意涵亦有所不同。

（二）植物方面

1 木本類：桑樹、楊樹、杞樹

（1）桑

桑（Moraceae）為桑科桑屬落葉喬木，偶有灌木。葉為桑蠶飼料，木材可制器具，枝條可編籮筐，桑皮可作造紙原料，桑椹可供食用、釀酒，葉、果和根皮可入藥。因此，在中國各地田宅之間，「桑樹」幾乎隨處可見。桑在《易經》中僅見於〈否卦．九五〉：「休否，大人吉；其亡其亡，繫于苞桑。」其中按《程傳》「苞桑」蓋指叢生的桑根，由叢生桑樹根的根深柢固，藉以象徵「穩固」之意。《詩經》中對「桑樹」的援引，約有二十篇，其作為取象譬喻者，如〈泮水〉：「翩彼飛鴞，集于泮林，食我桑黮，懷我好音」，其中藉「鴞鳥」以喻「淮夷」；藉其食我「桑黮」以喻得我「好處」，終能歸服。不過，在《詩經》中，「桑」的援引，似大多用在起興或直陳其事的賦體上，如〈鄭風．將仲子〉：「無踰我牆，無折我樹桑」、〈小雅．白華〉：「樵彼桑薪」等等，至於《詩經．唐風．鴇羽》：「肅肅鴇行，集于苞桑」，句中亦有「苞桑」一語，其詞意亦近於《易經．否卦．九五》「苞桑」，均作叢生桑樹解。不過，〈鴇羽〉詩中另有「集于苞栩」、「集于苞棘」，足見此三句均做起興之用。衣食二事向為民生之首要，《管子．牧民》云：「衣食足，則知榮辱」，《孟子》云：「五畝之宅，樹之以桑，五十者可以衣帛矣」，是以我國自古即為農桑大國，《舊五代史．王建立傳》云：「桑以養生，梓以送死」，[48]「桑梓」更成為「家鄉」之代名詞。因此「桑」字見於詩篇，幾成為慣用的常語，並為《詩經》中援引樹種之冠，是以「桑」在詩篇中多作為見此物以聯想彼物的起興作用。

（2）楊

楊（Popnulus）是楊柳科楊屬植物落葉喬木的通稱。[49]「楊」的援引見於《易經》者，僅見於〈大過卦〉如〈大過・九二〉：「枯楊生稊」與〈大過・九五〉：「枯楊生華」，在卦爻辭中即藉楊樹具備早期速生、繁殖容易兩大特點，象徵枯木雖難回春，然亦並非絕無希望，藉喻事物「大過其常」之理。觀《詩經》中引「楊」者有七首，如〈陳風・東門之楊〉：「東門之楊，其葉牂牂」、〈小雅・采薇〉：「昔我往矣，楊柳依依」、〈小雅・南山有臺〉：「南山有桑，北山有楊」、〈小雅・菁菁者莪〉：「汎汎楊舟，載沉載浮」、〈小雅・巷伯〉：「楊園之道，猗于畝丘」、〈小雅・采菽〉：「汎汎楊舟，紼纚維之」、〈秦風・車鄰〉：「阪有桑，隰有楊」等。唯各詩引「楊」，其書寫手法似著重起興，不似《易經》做譬喻象徵用。不過，既均重在起興，亦可反映「楊樹」亦如「桑樹」，隨處有之，故詩人亦信口吟詠，借以起興。[50]

（3）杞

杞柳（Salix purpurea）是楊柳科柳屬，為多年生落葉叢生灌木，每作為重要的護岸樹或風景林，其莖可作編筐及工藝品材料。「杞」的援引在《易經》中僅見於〈姤卦・九五〉：「以杞包瓜，含章，有隕自天。」歷來易家於「杞」的訓解殊為不一，如王弼、孔穎達依子夏《易傳》作（枸）杞與匏瓜二物，有「不遇其應」之象。[51]程頤則謂杞為高木葉大可以包物，故解為

---

48 《舊五代史・王建立傳》（臺北市：鼎文書局，1985年），卷91，頁1199。

49 楊柳科有三個屬，即：楊屬、柳屬、鑽天柳屬。楊屬中又分為五個派：胡楊派、白楊派、青楊派、黑楊派、大葉楊派。

50 如〈東門之楊〉：「東門之楊，其葉牂牂」、〈南山有臺〉：「南山有桑，北山有楊」等等。

51 〔唐〕孔穎達：《周易正義》，頁106。

「以至高而求至下，猶以杞葉而包瓜」。[52]文中藉高大的「杞」樹對比低下的「瓜」果，有紓尊降貴、屈己求賢之喻。朱熹則以「瓜，陰物之在下者，甘美而善潰。杞，高大堅實之木也。五以陽剛中正，主卦於上而下防始生必潰之陰」。歷代易家大多藉高大「杞」樹以象在上位者。唯《詩經》中引「杞」者，如〈將仲子〉:「將仲子兮，無踰我里，無折我樹杞」、〈杕杜〉:「陟彼北山，言采其杞」等等，看來杞樹似「可折」、「可采」，恐非程朱所謂「高大堅實之木」，可見杞或為宅園尋常可見植物。清代多隆阿《毛詩多識》於〈將仲子〉:「無折我樹杞」釋云：

> 夫《詩》中所載之杞有三：一枸杞，一杞梓，一杞柳。枸杞不植自生，杞梓不植於里巷，則此杞宜為杞柳也。《說文》云：柳，小楊也。《埤雅》云：柳與楊同類，縱橫顛倒，植之皆生。柳之種類不一，而鄉村所樹者多為杞柳。長條下垂，木性柔軟，用火逼揉之，可為箱篋，告子言杞柳為桮棬者，即此柳。[53]

多隆阿於文中雖未引《易》為說，不過，藉此卻可以解決《易經・姤卦》:「以杞包瓜」的「杞」，究為枸杞、杞梓或杞柳。多氏在文中將杞柳枝條長垂柔軟，用火逼揉，可為箱篋的屬性，表露無遺，可知《易經・姤卦・九五》:「以杞包瓜」應指以杞柳枝條做為箱篋用以盛裝瓜果，藉以比喻在上者包納在下，屈己容賢之意。再從《詩經・小雅・四牡》:「集于苞杞」、〈鄭風・將仲子〉:「無折我樹杞」兩句，一為叢生的杞樹、一為可以折枝的杞樹，足見此樹必非程朱在《易經・姤卦》所釋「高大堅實之木」，較可能的選項是枸杞或杞柳，但枸杞未可以用火逼揉為箱篋，因此《易》中之「杞」其為「杞柳」必矣。藉由《詩》、《易》會通，恰可修正《程傳》以「杞葉包瓜」與「高大堅實之木」的謬誤。

---

52 黃忠天：《周易程傳註評》（高雄市：復文出版社，2006年），頁388。

53 〔清〕多隆阿：《毛詩多識》（上海市：上海古籍出版社，1995年《續修四庫全書》景民國遼海書社遼海叢書本），卷5，葉1。

至於《詩經》七篇中的「杞」，如〈小雅・四牡〉：「翩翩者鵻，載飛載止，集于苞杞。王事靡盬，不遑將母」、〈小雅・北山〉：「陟彼北山，言采其杞；王事靡盬，憂我父母」、〈小雅・南山有臺〉：「南山有杞，北山有李。樂只君子，民之父母」、〈小雅・四月〉：「「山有蕨薇，隰有杞桋。君子作歌，維以告哀」、〈鄭風・將仲子〉：「將仲子兮，無踰我里，無折我樹杞。豈敢愛之？畏我父母」、〈小雅・湛露〉：「湛湛露斯，在彼杞棘。顯允君子，莫不令德」、〈小雅・杕杜〉：「陟彼北山，言采其杞」，或為直陳其事的賦體，或著重在起興，似不做譬喻象徵之用，或以杞亦為尋常可見之植物，有如桑、楊之類。

2 草本類：蒙、茅、棘、蒺藜（茨）、葛藟、瓜

（1）蒙

蒙（Usnea diffracta Vain）本為草名，屬松蘿科松蘿屬植物。[54]性好纏繞，為寄生草本，莖細呈絲，黃白色，隨處生有吸盤，附著在豆科、菊科、藜科等植物上，故有蒙蔽覆蓋之意。在《易經》唯見於〈蒙卦〉，除作為卦名，並藉以象徵蒙昧幼稚之意。《詩經》中引「蒙」者雖有五筆，唯與《易經》相同，已不再作為植物的草名，然其均由女蘿纏繞寄生草本的原始意義脫胎而來，引申為「遮蔽」、「覆蓋」之意。如〈唐風・葛生〉：「葛生蒙楚」、〈君子偕老〉：「蒙彼縐絺」等等。不過，《詩經》另有「女蘿」一詞，如〈小雅・頍弁〉：「蔦與女蘿，施于松柏。未見君子，憂心弈弈；既見君子，庶幾說懌。」詩中「女蘿」實藉女蘿纏繞寄生的特性，以象徵對君子的依戀之情。

---

54 又有女蘿、松上寄生、松落、樹掛、天棚草、雪風藤、山掛麵、龍鬚草、天蓬草、樹鬍子、菟絲種種別稱。

（2）茅

茅（thatch grass）為禾本科，多年生草本植物，亦稱「白茅」。春季先開花後生葉，花穗上密生白毛，根莖可食，亦可入藥，葉可編成裹物、襯墊或作為覆蓋屋頂多種用途。「茅」在《易經》中有三處，如〈泰卦・初九〉、〈否卦・初六〉：「拔茅茹，以其彙」。藉茅根拔其一則牽連其類而起，以象「朋類牽連」。另見〈大過・初六〉：「藉用白茅，無咎」，取茅草柔軟可為襯墊用以藉物，以喻「敬慎」之至。至於《詩經》中引「茅」之詩者有三篇，如〈豳風・七月〉：「上入執宮功。晝爾于茅，宵爾索綯；亟其乘屋，其始播百穀」、〈小雅・白華〉：「白華菅兮，白茅束兮」、〈召南・野有死麕〉：「野有死麕，白茅包之」。在《詩經》中主要就茅草可以覆屋、可以裹物的用途，直陳其事，不像《易經》已由茅草的特性，轉而作為「敬慎」、「朋類牽連」等特殊的象徵意涵。

（3）棘

棘（sourjujube），《說文》：「小棗叢生者，从二朿。」朿為「刺」的本字。兩「朿」並立有多刺之意。棘本為酸棗樹，果實較棗小，味酸，種子、果皮、根可入藥。由於其莖上多刺，因此，「棘」亦泛指有刺的苗木。《易》中引「棘」者，唯見〈習坎・上六〉：「係用徽纆，寘于叢棘」，《周易集解》引虞翻云：「獄外種九棘，故稱叢棘」，藉以喻「牢獄」。《詩經》中引「棘」者雖約有十九篇之多，唯近於酸棗樹或泛指有刺苗木者，約佔其中十篇，[55] 如〈陳風・墓門〉：「墓門有棘，斧以斯之。夫也不良，國人知之，知而不已，誰昔然矣。」〈唐風・葛生〉：「葛生蒙棘，蘞蔓于域。予美亡此，誰與獨息」、〈小雅・青蠅〉：「營營青蠅，止于棘。讒人罔極，交亂四國」、〈魏

55 此十首詩篇判為酸棗樹或泛指有刺苗木者，其依據理由如下：其一為叢生木本植物。其二為棗樹有果，每為鳥類所棲息啄食。而有別於詩中另有帶刺，並匍匐於地的草本植物——蒺藜（茨），或《詩經》中作為與「急」同義的「棘」，如〈小雅・出車〉：「王事多難，維其棘矣」、〈小雅・采薇〉：「豈不曰戒，玁狁孔棘」之類。

風．園有桃〉：「園有棘，其實之食。心之憂矣，聊以行國」、〈小雅．湛露〉：「湛湛露斯，在彼杞棘。顯允君子，莫不令德」、〈小雅．大東〉：「有饛簋飧，有捄棘匕。周道如砥，其直如矢」、〈曹風．鳲鳩〉：「鳲鳩在桑，其子在棘。淑人君子，其儀不忒」、〈唐風．鴇羽〉：「肅肅鴇翼，集于苞棘。王事靡盬，不能蓺黍稷」、〈秦風．黃鳥〉：「交交黃鳥，止于棘。誰從穆公？子車奄息」、〈邶風．凱風〉：「凱風自南，吹彼棘心。棘心夭夭，母氏劬勞。」在上述諸篇中，除〈陳風．墓門〉、〈小雅．青蠅〉、〈邶風．凱風〉三詩除作「起興」兼具譬喻外，[56]其餘多數僅作「起興」之用。「棘」字在《易》、《詩》兩書的象徵雖有別，不過，兩者亦有可作為互動會通者，如《詩經．邶風．凱風》：「凱風自南，吹彼棘心。棘心夭夭，母氏劬勞。」依唐代孔穎達《毛詩正義》解「棘心」為「棘木之心」，毛亨《傳》又如馬瑞辰《毛詩傳箋通釋》釋《詩經．邶風．凱風》云：

> 「吹彼棘心」，《傳》：「棘心，難長養者。」瑞辰按：今本《傳》無心字，蓋傳寫脫誤。《釋名》：「心，纖也。」《易．說卦》：「坎，其於木也為堅多心」，虞翻《註》：「堅多心者，棗棘之屬。」蓋棗棘初生，皆先見尖刺。尖刺，即心。心即纖小之義，故難長養。《正義》以為棘木之心，失之。[57]

在上文中，馬瑞辰援引虞翻於〈說卦傳〉所註「堅多心」為棗棘之屬，頗有其理據。按《周易．坎卦》本有重重險難之意。〈說卦傳〉所謂「堅多心」，狀棗棘之屬的堅硬多刺，藉以喻困難，故〈坎．上六〉：「寘于叢棘」，爻辭亦以「棘」為譬。馬瑞辰以「棘心」為「棗棘初生，皆先見尖刺」為解，觀察可謂細膩。「棘心」蓋為棘木新吐的嫩芽，近似尖刺。有如茶樹新長的嫩

56 〈陳風．墓門〉以野棘擋住墓門，宜以斧金砍伐之，以喻小人當道，國人亦應共除之。在此以「棘」以喻「小人」。另〈小雅．青蠅〉以青蠅以喻小人，「棘」字亦有藉棗棘多刺以寓國事交亂棘手之意。

57 〔清〕馬瑞辰：《毛詩傳箋通釋》（上海市：上海古籍出版社，1995年《續修四庫全書》景道光十五年馬氏學古堂刻本），卷4，葉15。

芽，亦稱為「芽心」，也稱為「芽尖」。茶農採茶往往以採「一心二葉」為上品。[58]因此，〈凱風〉一詩的「棘心」，即合「棘」的「困難」與「心」的「嫩弱」雙重意涵，以喻小兒的稚弱難養，所以下文接有「母氏劬勞」之語。而詩篇首章的「棘心」到二章的「棘薪」，亦有由「心」（纖小稚弱）以至於成「薪」（高大成材）的漸長之意。馬瑞辰謂孔穎達以「棘木之心」解之，於義失之，其實有失公允。大體而言，孔《疏》並無誤，唯未進一步闡釋「木心」所指的究為「木的軸心」或「木的芽心」，恐易導致學者誤解耳。

（4）蒺藜（茨）

蒺藜（Tribulus terrestris），為蒺藜科蒺藜屬，一年生或二年生草本植物，匍匐布地蔓生。其果實為蒴果，五角形，直徑約一公分，中部邊緣有廣展或平生的銳刺一對，下部常有較短的銳刺一對，背面瘤狀突起有短硬毛。《易》中引「蒺藜」者，唯見〈困卦．六三〉:「困于石，據於蒺藜」一處，蓋六三上互艮，有石之象，下乘九二陽剛，有蒺藜之象，以喻進退受困。《詩經》中並無出現「蒺藜」一詞，唯有「茨」字，亦作「蒺藜」解，因此本文視為一物之兩名來觀察。按《詩經》中引「茨」者有四處，一作用蘆葦、茅草鋪蓋屋頂之意，如〈小雅．甫田〉:「曾孫之稼，如茨如梁；曾孫之庾，如坻如京」、〈小雅．瞻彼洛矣〉:「瞻彼洛矣，維水泱泱。君子至止，福祿如茨。韎韐有奭，以作六師」二詩；一作蒺藜解，如〈鄘風．牆有茨〉:「牆有茨，不可掃也。中冓之言，不可道也」、〈小雅．楚茨〉:「楚楚者茨，言抽其棘。自昔何為？我蓺黍稷」二詩。按〈詩序〉云:「〈牆有茨〉，衛人刺其上也。公子頑通乎君母，國人疾之，而不可道也。」使其言然，則此詩中牆上帶刺不可踫觸之「茨」，除作起興之用外，亦暗喻有難以言說的隱情。「蒺藜」在《易經》中象「困難」與在《詩經》中象「難以言說」，其實均含有「困難」之意，皆從「蒺藜」的植物特性引申而來。

---

58 採茶時，採摘一個頂芽和芽旁第一片葉子，謂之「一心一葉」；若多採一葉，則謂之「一心二葉」，凡此採摘的茶葉，均可稱為葉中的上品。

（5）葛藟

葛藟（Vitis flexuosa Thunb）為葡萄科植物，又稱「千歲藟」，為落葉木質藤本，葉廣卵形，夏季開花，圓錐花序，果實黑色味酸可入藥，俗稱「野葡萄」。在《易經》中僅有一處，如〈困卦・上六〉：「困于葛藟。」文中即藉其纏繞攀緣的特性，以象徵為事務糾纏，陷入困境之意。《詩經》中引「葛藟」之詩有三，分別為〈周南・樛木〉、〈王風・葛藟〉、〈大雅・旱麓〉，亦取其纏繞為譬，如〈樛木〉：「南有樛木，葛藟纍之。樂只君子，福履綏之。」即藉葛藟纏繞樛木，以喻福祿依附君子。而〈葛藟〉一詩「緜緜葛藟，在河之滸。終遠兄弟，謂他人父」，更以葛藟以喻流落異鄉者對親情的眷戀牽繫。

關於「葛藟」的象徵，古今易家大抵無異辭，均解作「纏繞」之意。唯「葛藟」究為何物？王弼、朱熹未作疏釋、孔穎達、程頤亦但云：「引蔓纏繞之草」、「纏束之物」。清代馬瑞辰《毛詩傳箋通釋》於《詩經・周南・樛木》曾考釋云：

> 按藟與虆同。《爾雅》：「諸慮山虆」，郭註：「今江東呼虆」。為藤似葛而粗大。《易》「困于葛藟」，《釋文》：「藟，似葛之草。」劉向〈九嘆〉：「葛藟虆於桂樹兮」，王逸《注》：「藟，葛荒也。」竊疑葛藟為藟之別名，以其似葛，故稱葛藟。猶拔之似葛，因呼蘢葛。鄭分葛藟為二，戴震謂葛藟猶言葛藤，皆非。此詩《疏》引陸云：「藟，一名巨苽，似燕薁。」《易》《釋文》引《草木疏》作葛藟，一名巨荒，以葛藟二字連讀。《毛詩題綱》亦云：「葛藟，一名燕薁。」朱開寶《本草註》云：「蘡薁，是山葡萄。」則葛藟蓋亦野葡萄之類。[59]

上述馬氏綜合前人的研究，謂「葛藟」即野葡萄，其說頗為可信。試再由

---

59 〔清〕馬瑞辰：《毛詩傳箋通釋》（上海市：上海古籍出版社，1995年《續修四庫全書》景道光十五年馬氏學古堂刻本），卷2，葉19。

《詩經》〈魏風．葛屨〉、〈小雅．大東〉、〈周南．葛覃〉、〈唐風．葛生〉、〈邶風．旄丘〉、〈王風．采葛〉、〈齊風．南山〉七詩所用「葛」字來比較。其中〈葛屨〉、〈大東〉二詩均有「糾糾葛屨，可以履霜」；而〈葛覃〉一詩更謂：「葛之覃兮，施于中谷，維葉莫莫。是刈是濩，為絺為綌，服之無斁。」足見可用以織鞋、織衣的「葛」與「葛藟」應是二物，而且《詩經》全書未見「藟」字單獨使用者，足證鄭《箋》與戴震解釋上的偶失，亦可藉以類推《易經．困卦》上六：「葛藟」一辭，亦應視為一物，即馬瑞辰所說的「野葡萄」之類。比較《易經》與《詩經》中「葛藟」一辭，兩者雖均有「纏繞」之意，唯《易》藉以象徵「困境」，而《詩》則或作起興或作譬喻，亦不從負面解讀。

（6）瓜

瓜（melon、gourd）的種類繁多，包含對葫蘆科和番木瓜科果實的統稱。早在中國先秦即為吾土吾民的蔬果。由於瓜類大多甘美，更成為歷代詩文中美好的意象；瓜瓞緜緜加以種子繁多，繁殖容易，因此亦有多子多福的寓意；瓜類大多性寒，加以汁多，故被視為陰物。出現於《易經》的「瓜」僅有一例，如〈姤卦．九五〉：「以杞包瓜」，歷代易家程頤從「瓜類甘美」，與在下攀爬屬性，以「瓜」喻在下之賢者；朱熹則謂「瓜」為陰物在下，甘美善潰，故借喻為在下之小人，兩者解說截然不同。《詩經》中出現的「瓜」者有六篇，如〈大雅．緜〉：「緜緜瓜瓞，民之初生，自土沮漆」、〈豳風．七月〉：「七月食瓜，八月斷壺，九月叔苴」、〈豳風．東山〉：「有敦瓜苦，烝在栗薪」、〈小雅．信南山〉：「中田有廬，疆埸有瓜」、〈衛風．木瓜〉：「投我以木瓜，報之以瓊琚」、〈大雅．生民〉：「禾役穟穟，麻麥幪幪，瓜瓞唪唪」，上述諸瓜除〈衛風．木瓜〉有特定指稱，另〈豳風．東山〉或為苦匏（瓜）外，餘無法確知瓜類。至於其中象徵意涵，大致有三：其一借瓜藤連綿不斷結出許多大大小小的瓜，以喻子孫昌盛，如〈緜〉、〈生民〉；其二借苦匏之苦，以烘托行役之苦，如〈東山〉。其三借喻厚往而薄來。如〈木瓜〉一詩。蓋木瓜雖稱甜美，終是平常尋見之物，投人以至賤的木瓜，竟回報以精美的玉佩（瓊琚），以至賤映襯至貴，誠具對比效果。《詩經》與《易經》在「瓜」的意象表現不同，在先秦似已呈現出多元意象。

三　結語：兼論《易經》與《詩經》象徵意涵的比較與互動

《周易・繫辭傳》云：「易者，象也」，章學誠亦謂：「象之所包廣矣，非徒《易》而已，六藝莫不兼之。」透過上文《易經》與《詩經》在動植物象徵意涵上的比較，除可從中看出古人如何近取諸身，遠取諸物，並透過通德類情的方式，藉由卦爻辭來說明人事吉凶之理，或藉由詩篇來抒發個人的情志，而且亦可藉此瞭解兩者在書寫內容的廣狹、書寫手法的異同、象徵意涵的多元。從中藉由會通比較以探索兩者在詮釋上可能的啟發，茲歸納說明如下：

（一）書寫時空的廣狹

據統計《詩經》中草木蟲魚鳥獸等名物，有草名一百〇五種，木名七十五種，鳥名三十九種，獸名六十七種，蟲名二十九種，魚名二十種，[60]這些動植物絕大部分產於我國黃河流域。在二千五百多年前，藉由《詩經》記載著黃河流域如此繁富的動、植物，誠為中外古代文獻所罕見。至於《易經》中草木蟲魚鳥獸等名物，據統計有草名七種，木名三種，鳥名五種，獸名九種，蟲名二種，魚名四種。[61]從數量來比較，明顯地，《詩經》中草木蟲魚鳥獸等名物種類遠較《易經》為多，這其中自然可從幾個方面來探討，其一：書寫時代的短長。就《易經》書寫內容所關涉的時代來看，主要為商周之際至西周初年；《詩經》則跨越西周初年至春秋中葉，遠較《易經》為

---

60 夏傳才：《詩經研究史概要》（臺北市：萬卷樓圖書公司，1993年），頁117。

61 黃忠天：〈從「自然主體觀察」論《周易》經傳的書寫〉，《周易研究》2010年第3期（總101期），頁35-45。

長。其二：書寫地域的廣狹。《易經》卦爻辭的作者雖有一人說（文王所作）、二人說（文王作卦辭，周公作爻辭）與多人說（周代卜官所作）等等。然而上述無論何說為是，其為廟堂文獻，一也。不像《詩經》的作者，不僅成書於多手，十五國風許多詩篇，更採擷自各地的風謠，故能載有各地較多樣貌的風土民情與動植草木，書寫涵蓋面遠較《易經》為廣。其三：書寫字數的多寡。《周易》經傳字數合計雖約有二萬餘字，但若純就《易經》卦爻辭字數而言，卻僅有七千餘字，與近四萬餘字的《詩經》相較，僅其五、六分之一。由於字數的懸殊，兩者在取象譬喻的草木蟲魚鳥獸的數量上，自然亦呈現多寡的不同。

（二）書寫手法的異同

《詩經》在動植物的書寫手法上，賦、比、興三者均有之，不像《易經》較側重譬喻象徵的意涵。如以「馬」為例，《詩經》為北方文學，南船北馬，「馬」既是尋常交通工具，又為重要的資產，詩人賦詩往往就尋常可見之物起興，或直陳其事，故《詩經》中有關馬的描述雖最多，然大多僅作直陳其事之用，不做譬喻象徵之用，不類《易經》大多寓有象徵意涵。而且《詩經》「賦、比、興」的表現，其中「比」、「興」基本上屬託物寓情，往往隱微婉轉，界義模糊，造成後人在解釋上的分歧，所以劉勰《文心雕龍．比興》篇云：「比顯而興隱」，又說「比則蓄憤以斥言，興則環譬以託諷，蓋隨時之義不一，故詩人之志有二也。」由於《詩經》的象徵意涵有時或顯或隱，往往隨著讀者的詮釋，或見其比，或見其興，或見其賦，仁智所見不同，誠難定其是非，無怪乎《春秋繁露．竹林》篇云：「《詩》無達詁，《易》無達占。」不過，大體而言，植物在《易經》中幾無不有其象徵意涵，《詩經》則不必然有之，亦不如《易經》的象徵意涵較為明確。大體而言，動植物在《易經》中，有時僅以單獨的動物即可呈顯其象徵，有時則需合其上下文字以呈顯其象徵意涵，但無論以何種形式，可謂無不有其象徵意涵，《詩經》則不必然有之，這是兩者在書寫手法上最大的不同。

（三）象徵意涵的多元

固然人在相同的時空有可能出現不同的思維，不同的時空亦可能千古同調。尤其中國幅員遼闊，風土民情有如繁花錦簇，一方水土一方人，產生異質現象亦極其自然。然人同此心，心同此理，在人類社會中，對於事物象徵意涵亦有更多超越時空而不謀而合者。

以「豕」為例，《易經》與《詩經》的象徵意涵即頗為不同。在《詩經》中，「豕」無論是執豬圈舍，或在野外發矢獵豬，均含有美好意象，蓋可供宴客餚饌之資，而且在書寫上多屬直陳其事，象徵意義並不明顯。唯《易》中，「豕」，全為負面形象，與《詩》中所見大相逕庭。又如「雞」在《詩經》中有：「風雨如晦，雞鳴不已」的忠貞美善形象，也有「匪雞則鳴，蒼蠅之聲」夫妻間的款款深情。相對來看，《易經》中的「雞」，則「翰音登天」，虛而無實，乏善可陳。又如「羊」在《易》中多象陽剛，而《詩經》在「羊」的書寫上，除了有頗為豐富的象徵意涵外，亦多取陰柔意象，兩者誠大相逕庭。再以「葛藟」為例，《易經》與《詩經》的象徵意涵即有異有同，即兩者均有「纏繞」意，唯《易》藉以象徵「困境」，而〈樛木〉一詩則借喻「依附」、〈葛藟〉一詩借喻「眷戀牽繫」，而且在《詩經》中均不從負面解讀。再如「瓜」的象徵意涵，《易經》中或象徵「賢人」，或象徵「小人」，與《詩經》或隱喻「子孫緜延」、或烘托「行役之苦」、或借喻「厚往薄來」，諸不一一。可見《詩》、《易》在象徵意涵上，雖其中有相似者，然亦呈現了先秦時期多音交響的景況。

（四）象徵意涵的承繼

正如上文所說《周易》經傳大抵撰作於先秦以前，《詩經》大致為西周初期至春秋中葉的作品，雖然兩書在文本相互援引的情形，似不明顯。但由於先秦典籍的定型每每須經歷一段較長的時間，在這段漫長的形塑期間，

《詩》、《易》二書在時代上與地域上頗多重疊，不免在構思與表現的手法上有雷同之處，甚至彼此產生相互影響與承繼的可能。如《詩・大雅・抑》曰：「脩爾車馬，弓矢戎兵，用戒戎作，用逷蠻方。質爾人民，謹爾侯度，用戒不虞」與《周易・萃・象》：「君子以除戎器，戒不虞」，語義上兩者大體相同，由後者文句「除戎器、戒不虞」較諸〈抑〉詩更具嚴整性來看，〈萃卦・大象〉有可能自〈抑〉篇脫胎而來，從中可看出《詩經》對《易傳》的影響。又以「鼠」為例。〈魏風〉的「碩鼠」，與〈晉〉卦的「鼫鼠」，兩者「抗議剝削者」的主題詮釋相似，若再就撰作時代先後來看，〈魏風・碩鼠〉的內容與象徵意涵，或有可能承繼自〈晉卦・九四〉者。至於《詩經・豳風・九罭》：「鴻飛遵渚，公歸無所」、「鴻飛遵陸，公歸不復」的詩句，以及詩中呈顯征人未歸的象徵意涵，更顯然脫胎於《易經・漸卦》：「鴻漸于干」、「鴻漸于陸」等等爻辭而來。透過《詩》、《易》二書會通比較，可呈顯兩書在遣詞用語與象徵意涵的關係與承繼性，並能收到相觀而善的效驗。

（五）會通研究的啟發

由於《易經》與《詩經》都大量使用動植物等名物來傳達訊息。因此，透過二書中的動植物象徵意涵的會通研究，不僅瞭解其象徵意涵，比較其象徵意涵之異同，更進而能逆溯二書象徵意涵的原始意旨。如《詩經》、《易經》二書均屬北方文學。研究中可發現《詩經》有不可勝數的昆蟲，然而在《易經》卻格外罕見，其中雖有「蠱」、「虩」兩字，其原始意義確為昆蟲，然而歷代易家幾已不從昆蟲詮釋，但取其「敗壞」、「恐懼」二義。透過《詩》、《易》的會通比較，除了可從書寫地域涵廣狹來看外，也可據以判斷《易經》不僅為北方文學，更屬廟堂文學，囿於所見所聞，自然取資於大自然中昆蟲類的書寫，遠較《詩經》為疏略。

另在研究中可發現《詩經》中的「鹿」均呈現群聚現象，從出現有關「鹿」的詩篇，幾乎集中於大、小雅，罕見於其他十五國風，再由「雅」詩多半為士大夫之作，足證《詩經》所見的「鹿群」，應屬貴族園囿中的鹿群。此與《易經》中出現的「鹿」，亦為貴族園囿中而由「虞人」所掌管者，如出一轍。

再如「魚」的意象，在《易經》中固有「小人」、「下民」、「女性」的象徵意涵？然藉由與《詩經》有關「魚」的詩篇相互比較，如〈周南・關雎〉：「關關雎鳩，在河之洲。窈窕淑女，君子好逑」、〈陳風・衡門〉：「豈其食魚，必河之魴？豈其娶妻，必齊之姜？」「食魚」與「娶妻」兩相綰結，吾人在解讀《詩經》與《易經》上，誠可相互啟發。

又透過上述的會通研究中，亦解決了易學上幾個久懸未決的疑竇。如《易經・姤卦》：「以杞包瓜」的「杞」，究為枸杞、杞梓或杞柳的問題，亦可糾正程朱解釋上的錯誤。又如《易經・困卦》上六：「葛藟」一辭，其實為一物而非二物，可辨證鄭《箋》與戴震解釋上的偶失。再從《詩經》中使用「于飛」來推斷，《易經》中「明夷」原為鳥的一種。

可見藉由《易經》與《詩經》在動植物象徵意涵上的比較，誠有助於吾人瞭解兩者在書寫時空的廣狹、書寫手法上的異同、象徵意涵的多元、象徵意涵的承繼、會通研究的啟發種種。相信未來若隨著對《易》、《詩》二書研究範疇的擴大，當更有許多可資會通比較，進而獲得相觀而善的助益，而有助於吾人對兩書詮釋上的突破與啟發。

附錄　鳥魚和合圖（以鳥魚兩種動物象徵陰陽兩性和合求偶之意）

由《漢書・五行志》論京房易學的另一面貌*

黃啟書
臺灣大學中國文學系副教授

一 前言

漢代象數易學雖因王弼掃象，逐漸散佚。然由後人苦心輯佚之斷章殘語中，猶可考其梗概。西漢孟喜、京房發皇在先；東漢鄭玄、荀爽、虞翻等映照在後。西漢易學家中名京房者有二，今人習稱者多指元、成之間的京君明（77-47 B.C.）而言。《漢書・儒林傳》云：

> 京房受《易》梁人焦延壽。延壽云嘗從孟喜問《易》。會喜死，房以為延壽《易》即孟氏學，翟牧、白生不肯，皆曰非也。至成帝時，劉向校書，考《易》說，以為諸《易》家說皆祖田何、楊叔〔元〕、丁將軍，大誼略同，唯京氏為異，黨焦延壽獨得隱士之說，託之孟氏，不相與同。房以明災異得幸，為石顯所譖誅，自有傳。房授東海殷嘉、河東姚平、河南乘弘，皆為郎、博士。繇是《易》有京氏之學。[1]

〈儒林傳〉亦云孟喜「得易家候陰陽災變書」，詐言其師田王孫死時枕喜膝所獨傳，但即遭同門梁丘賀所非議。故知漢代易學中，孟喜、焦延壽、京房

---

* 本文原載《臺大中文學報》第43期（2013年12月），頁69-120。茲徵得《臺大中文學報》編輯委員會同意後轉載於此。

1 〔東漢〕班固：《漢書》（臺北市：鼎文書局，1991年），頁3601。

等一系，本以陰陽災變之說見長，初時並不為其他易學博士所容。[2]《漢書・藝文志》(以下簡稱《漢志》) 記載與京房相關之著作，唯《孟氏京房》十一篇、《災異孟氏京房》六十六篇，《京氏段嘉》十二篇等三種而已；[3]但至《隋書・經籍志》(以下簡稱《隋志》) 中則增至二十餘種。[4]上述諸書率多亡佚，今已難見全貌。然其中或有名異而實同者；[5]亦不乏出自後人偽托。[6]至於附益轉訛，淩雜稗秕，亦未可詳析也。

至今可考見之京房著作，約可概分三類：其一，是保存在《漢書》之〈五行志〉(以下如與其他史傳對舉時，則簡稱《漢五行志》)、〈藝文志〉及京房本傳者。因班固 (32-92) 於距京房卒年，不過百餘年；而相關材料多經劉向、歆父子校中祕書之整理、編輯。相較於後世傳注與輯佚文句，自是

2 閆平凡：〈「唯京房為異黨」說考辨〉，《周易研究》2007年第5期，頁59-63。針對傳世或有「唯京氏為異黨」之說，加以辨證。認為：顏師古注言「黨與儻同」，黨字當屬下讀。「唯京氏為異」為考集異同之語；「黨焦延壽獨得隱士之說」為敘述源流之語。閆氏並譯為：「大概是焦延壽的《易》說得自隱士，而其托為孟氏之說，其實是和孟氏《易》說不相同的。」按：閆氏辨黨字屬下讀，甚是；但釋「不相與同」者乃對比孟氏《易》，或有失實。蓋〈儒林傳〉云孟喜「得易家候陰陽災變書」甚明，所謂「不相與同」，當對比上文所稱其他易家而言。

3 《漢書》，頁1073。

4 凡《周易》(本注：漢魏郡太守京房章句)、《周易錯》、《京氏征伐軍候》、《京氏釋五星災異傳》、《京氏日占圖》、《京氏要集曆術》、《風角要占》、《風角五音占》、《風角雜占五音圖》、《逆刺》、《方正百對》、《晉災祥》、《周易占事》、《周易占》、《周易守林》、《周易集林》、《周易飛候》、《周易飛候六日七分》、《周易四時候》、《周易錯卦》、《周易混沌》、《周易委化》、《周易逆刺占災異》、《京君明推偷盜書》及《占夢書》等。詳參〔唐〕魏徵等：《隋書》(臺北市：洪氏出版社，1974年)，頁909、911、1015、1020、1023、1027、1030-1034、1037。

5 任莉莉：《七錄輯證》(上海市：上海古籍出版社，2011年)，頁46。即以《周易錯》與《周易錯卦》相差一卷，實為同一書。其他如《逆刺》與《周易逆刺占災異》、《周易飛候》與《周易飛候六日七分》的情形，亦可能與此相仿。

6 如《晉災祥》一書。鄭樵：《通志》(臺北市：新興書局，1959年)，頁805。逕錄此書時，已不題為京房之作。而《占夢書》者，周壽昌《漢書注校補》則云：「《通志》有京房、崔元、周宣《占夢書》三種，〈志〉未錄，殆後來偽託也。」詳參〔清〕周壽昌、陳直：《周陳二氏《漢書》補證合刊》(臺北市：鼎文書局，1977年)，頁496。

最為近古、可信之文獻。再如兩《漢書》及相關史料中尚記錄許多京氏易學者，[7]顯示漢代易學中以京氏易之傳佈獨盛，[8]唯史傳只載學者傳經歷程而鮮及其經說內容。或更有線索可考知其曾運用京氏易而倡言災異者，如谷永、蘇竟、謝夷吾、樊英、唐檀、郎宗、郎顗、李固、朱穆、楊秉等，其中又以谷永、蘇竟及郎顗等傳世奏疏，記錄較為詳細的京氏易說，最值得留意。其他諸如東漢應劭《漢書注》、[9]魏孟康《漢書音義》、[10]晉司馬彪《續漢書・五行志》[11]、齊沈約《宋書・五行志》、[12]梁劉昭《續漢書・五行志》注[13]及蕭子顯《南齊書・五行志》[14]、北齊魏收《魏書・靈徵志》[15]等漢魏六朝史家所保留京房之材料，乃至漢魏六朝諸子如王充《論衡》、[16]干寶《搜神記》[17]等等，遠較隋唐輯佚，信而可徵。在勾勒兩漢京房易說的可能面貌時，則可作為旁證。其二、則是由唐代類書，如《北堂書鈔》、[18]《藝文類聚》、[19]《初學記》[20]與《法苑珠林》，[21]以及星占文獻如李淳風《乙巳占》[22]

---

7 如西漢殷嘉、姚平、乘弘；東漢戴憑、魏滿、孫期、沛獻王劉輔、楊由、段翳、折象、李郃、杜喬、崔駰、許峻、徐穉、劉寬與鄭玄等。

8 徐芹庭：《漢易闡微》（北京市：中國書店，2010年），頁13-24。

9 《漢書・成帝紀》，頁304，應劭注曰：「案京房《易傳》云『君弱如婦，為陰所乘，則兩月出』」。

10 〔漢〕司馬遷：《史記》（臺北市：洪氏出版社，1974年），頁1350。又《漢書》，頁1965、3166。

11 司馬彪《續漢書・五行志》凡十一條。詳參〔南朝宋〕范曄：《後漢書》（臺北市：洪氏出版社，1978年）。

12 〔南朝齊〕沈約：《宋書》（臺北市：洪氏出版社，1975年），凡四十二條。

13 劉昭《續漢書・五行志》注，凡二十四條。

14 〔南朝梁〕蕭子顯：《南齊書》（臺北市：洪氏出版社，1975年），凡九條。

15 〔北朝齊〕魏收：《魏書》（臺北市：洪氏出版社，1975年），凡五條。多與《漢書・五行志》同，唯頁2918云：「京房傳曰：『凡妖象其類足多者，所任邪也。』京房易：『妖曰豕生人頭豕身者，邑且亂亡。』」為《漢書》所無。

16 黃暉：《論衡校釋》（臺北市：臺灣商務印書館，1983年），頁632〈寒溫〉所引。

17 〔東晉〕干寶：《搜神記》（臺北市：洪氏出版社，1982年），凡二十九條。

18 〔唐〕虞世南：《北堂書鈔》（北京市：清華大學出版社，2003年《唐代四大類書》本），該書為虞世南於隋為祕書郎時所作，書中所引京房災異說，凡二十六條。

19 〔唐〕歐陽詢等：《藝文類聚》（北京市：清華大學出版社，2003年《唐代四大類書》

與瞿曇悉達《開元占經》等所輯佚而得者。上述類書所引書名，大抵可與《隋志》相參，並為宋代類書奠定基礎。其後如王謨、黃奭、王保訓等人輯佚時，亦得力於斯。然因類書編輯體例寬嚴不一，或語多削節而未為全文、[23]或揀擇材料淩雜難辨，[24]故亦未可盡信。其三、則是今日學者所習見三卷本《京氏易傳》，此書於公私書目中雖至南宋晁公武《郡齋讀書志》方為著錄，[25]但據北宋政和五年晁說之〈書《京房易傳》後〉，[26]則北宋時已可

本），凡十九條。紀昀等：《四庫全書總目》（臺北縣：藝文印書館，1979年），卷135，頁5云：「是書比類相從，事居於前，文列於後，俾覽者易為功，作者資其用。於諸類書中，體例最善。」

20 〔唐〕徐堅等：《初學記》（北京市：清華大學出版社，2003年《唐代四大類書》本），凡九條。體例略仿《藝文類聚》，《四庫全書總目》，卷135，頁10云：「在唐人類書中，博不及《藝文類聚》，而精則勝之。」

21 〔唐〕釋道世：《法苑珠林》（臺北市：新文豐出版公司，1993年），頁479-480、493、942、1036-1037。

22 案：唐貞觀十五年召于志寧、李淳風等人同修《五代史志》，合記梁、陳、北齊、周、隋之事，至高宗顯慶元年始成，其後併入《隋書》。其中〈五行志〉部分多出於李淳風之手，〈經籍志〉中術數諸書，亦在李淳風專長所攝。李氏《乙巳占》則於貞觀十九年（乙巳）成書，較《開元占經》為早。但且《四庫全書》採訪遺書時並未進獻，所以清代諸家輯佚多未錄。以李淳風對《五代史志》之編撰，則其所親見之京房著作，當較其他唐代文臣可信。唯《乙巳占》並不明確注明占文出處，參〔唐〕李淳風：《乙巳占》（蘇州市：古吳軒出版社，2004年《隋唐雜著叢編（四）》影印清光緒年間陸心源《十萬卷樓叢書》本），頁253-254。

23 如〔清〕永瑢等：《四庫全書簡明目錄》（臺北市：洪氏出版社，1982年），頁514。便稱《北堂書鈔》乃「多摘錄字句，而不盡註所出，不及歐陽詢書首尾完具。」今所言出處多由後人補註方知，倘未與《藝文類聚》等並參，更難考見其原書所引篇題與原貌。

24 如《漢書》，頁1502云：「京房《易傳》推以為是時日食從旁右，法曰君失臣。明年丞相公孫弘薨。日食從旁左者，亦君失臣；從上者，臣失君；從下者，君失民。」〔唐〕瞿曇悉達編，李克和點校：《開元占經》（長沙市：岳麓書社，1994年），頁105-106。對於日食從下的解釋尚與〈五行志〉近；但從上、從旁左、右皆異。頁103則又將日食與五行休王說結合，但〈五行志〉並無此看法，歷來學者亦未有討論，恐非皆出於京房之說。

25 〔南宋〕晁公武：《郡齋讀書志》（臺北市：廣文書局，1979年《書目續編》本），頁

見此書。再由陸德明《經典釋文》每於《周易》六十四卦之下採八宮世應卦之說悉註某宮一世、二世諸名，則此書於唐代或已存在。[27]更甚者以為《京氏易傳》既有三國陸績註，設使陸註不出偽造，則此書至少為漢末可見之京房易說。此書自晁說之以下至《四庫總目》，卷目並無太大歧異，學者亦多持肯定態度。故南宋以下研治京房之學者，多依此為據；[28]即民國以辨偽為尚之著作，亦不懷疑此書之真偽。[29]然仍偶有持反對意見者，如吳承仕認為：舊無其目而晚世始出、術數占驗諸書依托尤眾、《隋志》所錄《晉災祥》已見偽托，故主張為後師之作，傳之者誤仞為京氏之書。[30]沈延國以為：《京氏易傳》前無著錄，至宋忽現；又經晁說之糾繆，即非晁氏偽作，亦必唐宋間術士之書，經晁氏潤色而始顯。再徵引《漢書》所見京房卦氣寒溫之說，以為今本悉出術家，其法淺陋。三考其文辭，以《漢志》所引檏

306-309。但題為《京房易傳》四卷。王先謙考袁州本《郡齋讀書志》則作「《京房易》三卷」。在此之前如北宋官藏《崇文總目》中尚未見得，詳參〔宋〕王堯臣等編，錢東垣輯釋：《崇文總目輯釋》(臺北市：廣文書局，1968年《書目續編》本)，頁25-38。

26 〔宋〕晁說之：《嵩山文集》(臺北市：臺灣商務印書館，1966年《四部叢刊續編》本)，卷18，頁3-7云：「而其《傳》者曰：《易傳》三卷，《積算雜占條例法》一卷，或共題《易傳》四卷，而名皆與古不同。今所謂《京氏易傳》者，或題曰京氏《積算易傳》，疑《隋》、《唐志》之《錯卦》是也；《錯卦》在隋七卷，唐八卷。所謂《積算雜占條例法》者，疑隋《逆刺占災異》十二卷是也。至唐《逆刺》三卷而亡其九卷。元祐八年高麗進書有京氏《周易占》十卷，疑《隋志》《周易占》十二卷是也。」《郡齋讀書志》幾全襲此跋語。後人不察，常誤為晁公武之言。

27 〔唐〕陸德明：《經典釋文》(臺北市：臺灣商務印書館，1965年《四部叢刊初編》本)，頁19-30。《四庫全書總目》，卷109，頁16-18，便批評其以京氏說附合經義的做法甚誤。

28 如〔清〕惠棟：《易漢學》(臺北市：成文出版社，1976年《無求備齋易經集成》本)，卷四至五載有京君明易二卷，主要申明《京氏易傳》之說，凡有八卦六位、八卦宮次、世應、飛伏、五行、占驗等章。

29 如梁啟超：《古書真偽其及年代》(臺北市：臺灣中華書局，1982年)、張心澂：《偽書通考》(臺北市：鼎文書局，1973年)、鄭良樹：《續偽書通考》(臺北市：臺灣學生書局，1984年)等，皆不討論《京氏易傳》。

30 吳承仕：《經典釋文序錄疏證》(北京市：中華書局，1984年)，頁32。

雅；而今本未離術家之訣。末引賈公彥《儀禮疏》指證以錢代筮乃後世之法，朱熹誤指《火珠林》出自京房，誤也。[31]江弘遠承沈氏觀點而申其說從其說，[32]其後更針對堅信《京氏易傳》者之批評，申述多篇論文，轉而提出：今本《京氏易傳》可能是前京房之筮法轉為民間密傳之本。[33]但這些主張，隨即又遭到支持《京氏易傳》之學者強烈反駁。[34]

上述三類素材中，學界對於三卷本《京氏易傳》之論述，豐富且深刻。相較之下，對於《漢書》，乃至於唐代輯佚之作，反而鮮有討論。輯佚材料，固因其駁雜難理，倘置諸弗論，無可厚非；但兩漢材料猶斑斑可考，京房遺說更未必無跡可循。是故，本文即專就兩《漢書》所見，尤其是《漢書．五行志》所呈現材料之現象，試圖透過傳世文獻的分析，勾勒一二。冀能提供學界研究京氏易學一些不同的觀點。

二 《漢書》所明京氏易之二種性質

姑不論《隋志》所增益之多種京房著作，即以《漢志》所著錄，班固將《孟氏京房》與《災異孟氏京房》對舉，乃以牽涉災異與否，將孟喜與京房之易學著作分為二種。後人輯佚時亦多留意此一提示，唯諸家對於著作之定名則不一。如王謨指出：

---

31 沈延國：〈《京氏易傳》證偽〉，《中國語文學研究》（臺北市：臺灣中華書局，1956年），頁7-18。

32 江弘遠：《京房易學流變考》（臺中市：瑞成書局，1996年），頁255-261。

33 江弘遠：〈漢代兩京房易術考〉，《中臺學報》第19卷第3期（2009年），頁1-13。

34 如許老居：《京氏易傳發微》（臺北市：新文豐出版公司，2007年），頁2-5，認為沈氏指此書必唐宋術士之書而由晁說之潤色的說法，為厚誣古人。更反對沈氏以文章辭氣辨偽，以為不足為據。至於《隋志》與《開元占經》援引京氏之說別名甚多，皆非《京氏易傳》之內容，乃是隨文稱名。再如郜積意：〈論三卷本《京氏易傳》兼及京房的六日七分說〉，《中國文哲研究所集刊》第33期（2008年），頁205-251，則比對各家著錄與版本，指出眾多研究京房易學者之瑕疵。更特別從文獻學的角度，批駁沈、江之言不可據。

> 《京氏易傳》已刊入何氏叢書（指何鏜所增刻程榮《漢魏叢書》），即晁氏所謂《積算易傳》三卷也。而諸經註疏及史志所引《易傳》文尤多，又皆不類，意即所謂《雜占條例法》，或共題《易傳》者是也。大抵京氏說《易》長于災異，凡風角、占候諸書，皆可通為《易傳》。今故仍從諸書鈔補。……以《史記索隱》所引《京氏章句》冠列篇首，明章句文體，本當如此，且以存隋、唐二《志》舊目也。至於其《五星占》、《別對災異》諸條，仍附入《飛候》，別自為卷。[35]

王氏雖注意京房著作內容的歧異，就所輯得書名以《京房易傳》與《易飛候》區別之。但卻忽略班固對於京房著作的基本界說，況且兩《漢書》〈五行志〉所引京房說如與後世所傳《易飛候》諸語相較，內容亦近。故王氏的分判並不能實質釐清京房易說的內容。相對地，黃奭《黃氏逸書考》中，《漢學堂經解》部分錄有京房《易章句》一卷；另於《子史鉤沈》則錄有京房《易雜占條例法》一卷，[36]分析便較王氏更為精當。王保訓蒐羅較上述二人為廣，其《京氏易》雖不特別分立兩類，但首卷為《周易章句》；卷二以下則分別輯錄如《易傳》、《易占》、《易飛候》、《五星占》、《風角要占》等內容。[37]

---

35 〔清〕王謨：《京房易傳・序錄》，《增訂漢魏叢書》（臺北市：大化書局，1983年），頁3654。

36 〔清〕黃奭：《黃氏逸書考》（臺北縣：藝文印書館，1972年《叢書集成三編》本）《京房易章句》主要徵取《釋文》、李鼎祚《周易集解》等材料。《京房易雜占條例法》其蒐集體例，略依經注、史籍、類書方式排列。

37 〔清〕王保訓：《京氏易》（上海市：上海書店，1994年《叢書集成續編》本），頁1。據〔清〕嚴可均：《鐵橋漫稿》（臺北市：新文豐出版公司，1989年《叢書集成續編》本），卷5，頁1。載嘉慶十二年〈京氏易敘〉云：「王氏於三卷外，采錄遺文，得四萬許言。尋以病，卒於都下。其同年友嚴可均，理而董之，正其訛、補其闕，仍分八卷。……今輯易傳、易占、飛候、五星、風角等篇，雖京氏占候不盡此，亦大端具矣。」

（一）《孟氏京房》

《漢志》尚著錄有孟氏《章句》二篇，因此所謂《孟氏京房》者內容為何，並無確證。姚振宗《漢書藝文志條理》分析云：

> 此篇凡分四類：其一、《經》三家；其二、《傳》七家；其三、「別傳」八家；其四、《章句》三家。[38]

姚氏認為《漢志》中《古五子》十八篇至《京氏段嘉》十二篇等，為古今雜說陰陽災異占候之書，為《易傳》之別派，正與周王孫、楊何、丁寬等人之《易傳》區別之。其說極有見地。不過即此《易傳》別派中，班固猶析分了《古雜》八十篇、《雜災異》三十五篇，一如《孟氏京房》與《災異孟氏京房》的關係。則知所謂《孟氏京房》者，雖非當時正統易學一派，但相較於《災異孟氏京房》，其與《易》學原本面目相近而災異色彩較淡。後世多有將其與歷代著錄不斷之京房《周易章句》相比類。雖未必是東漢文獻之實情，但性質亦相去不遠。[39]《漢志》著錄《孟氏京房》十一篇；梁阮孝緒《七錄》載京房《周易》注十卷，錄一卷，目（一卷）；[40]《隋志》亦存京房《周易章句》十卷，《經典釋文》即藉以比對諸家異文；唐以後，後晉劉

---

38 〔清〕姚振宗：《漢書藝文志條理》（臺北市：臺灣開明書店，1959年《二十五史補編》本），頁14。

39 學者或云積算條例法如今本《京氏易傳》之倫，因未有任何占候資料，就其性質而言，亦當如此類。劉玉建：《兩漢象數易學研究》（南寧市：廣西教育出版社，1996年），頁194-195，便以為：《漢書．五行志》所引京房說，均非注《易》之章句，純屬陰陽五行災異之說。對於《漢志》易類未加著錄，尚有情可原。但五行等類亦未著錄，則說明《漢志》疏漏此書。而班固〈五行志〉所引《易傳》均屬陰陽五行災異說，與今本《京氏易傳》依八宮六十四卦所論述的占筮學說絕不相同，自當是另一種《易傳》。筆者以為：假設《京氏易傳》是另一種《易傳》，尚屬合理的推測。但如認為《漢志》未著錄京房「陰陽五行災異之說」則未必，蓋「災異孟氏京易」即是。

40 見《經典釋文》，頁6，所引〈序錄〉。目「一卷」二字，則據姚振宗說補。詳參《漢書藝文志條理》，頁12。

昫《舊唐書》、北宋歐陽修《新唐書》著錄皆同。[41]據晁說之〈書《京房易傳》後〉云：

> 《隋經籍志》有《京氏章句》十卷，又有《占候》十種，七十三卷。《唐藝文志》有《京氏章句》十卷，而《占候》存者五種，二十三卷。今其章句亡矣，乃略見於僧一行及李鼎祚之書。[42]

則京房《章句》或至南宋應已難得見。[43]後世輯佚者如張惠言、[44]孫堂、[45]馬國翰、[46]王保訓、黃奭、胡薇元、[47]王仁俊等人。[48]各家輯本詳略不一，但大抵本諸《經典釋文》、李鼎祚《周易集解》等。今觀其遺文，猶可考知京房與漢代其他易家文字、經說之出入。

倘由京房雜占條例中，部分引述《周易》文句觀察：[49]

---

41 〔五代晉〕劉昫等：《舊唐書》（臺北市：鼎文書局，1980年），頁1966。〔宋〕歐陽修等：《新唐書》（臺北市：鼎文書局，1980年），頁1423。唯歐陽修曾參與編纂之《崇文總目》並未著錄京房《周易章句》。

42 《嵩山文集》，卷18，頁3-7。

43 《通志》，頁755尚載之。但鄭樵編纂多為迻錄歷代書志著錄，未必寓目諸書。

44 〔清〕張惠言：《易義別錄》（臺北縣：藝文印書館，1986年《皇清經解易類彙編》本），頁20-21輯《周易京氏章句》1卷。

45 〔清〕孫堂：《漢魏二十一家易注》（臺北市：成文出版社，1976年《無求備齋易經集成》本），輯《京房周易章句》1卷。

46 〔清〕馬國翰：《玉函山房輯佚書》（臺北市：文海出版社，1967年），頁77-85輯《周易京氏章句》1卷。

47 〔清〕胡薇元：《漢易十三家》（臺北縣：藝文印書館，1971年《叢書集成續編》本），卷上，頁11-18錄有京房《章句》。

48 〔清〕王仁俊：《玉函山房輯佚書續編》（上海市：上海古籍出版社，1995年《續修四庫全書》本），經編易類有《周易京氏章句》二條；《京房易傳》由唐劉賡《稽瑞》一書補出五條。子編雜占類有《京氏易占》由《稽瑞》補出四條。

49 詳見《漢書．五行志》。上述皆京房明引《周易》者。如徐芹庭：《兩漢京氏陸氏易學研究》（北京市：中國書店，2011年），頁29、33、36、42。將京房《易傳》之「亡師」比於〈師〉、「歸獄」比之〈噬嗑〉、「德無常」比之〈恆〉、「下不節」比之〈節〉等，則皆引申太過。

五行五事	易卦	京房《易傳》
雞禍	明夷	賢者居明夷之世，知時而傷，或眾在位，厥妖雞生角。雞生角，時主獨。婦人顓政，國不靜；牝雞雄鳴，主不榮。
毛孽	震	廢正作淫，大不明，國多麋。「震遂泥」，厥咎國多麋。
白祥	復	「〈復〉，崩來無咎。」自上下者為崩，厥應泰山之石顛而下，聖人受命人君虜。石立如人，庶士為天下雄。立於山，同姓；平地，異姓。立於水，聖人；於澤，小人。
草妖	大過	「枯楊生稊」，枯木復生，人君亡子。
恆風	乾	「潛龍勿用」，眾逆同志，至德乃潛，厥異風。其風也，行不解物，不長，雨小而傷。政悖德隱茲謂亂，厥風先風不雨，大風暴起，發屋折木。
黃祥	觀、大畜	《經》稱「觀其生」，言大臣之義，當觀賢人，知其性行，推而貢之，否則為聞善不與，茲謂不知，厥異黃，厥咎聾，厥災不嗣。黃者，日上黃光不散如火然，有黃濁氣四塞天下。蔽賢絕道，故災異至絕世也。《經》曰「良馬逐」。逐，進也，言大臣得賢者謀，當顯進其人，否則為下相攘善，茲謂盜明，厥咎亦不嗣，至於身僇家絕。
金木水火沴土	剝	「小人剝廬」，厥妖山崩，茲謂陰乘陽，弱勝彊。
下人伐上之痾	豐	君暴亂，疾有道，厥妖長狄入國。「豐其屋」，下獨苦。長狄生，世主虜。
下人伐上之痾	蠱	「幹父之蠱，有子，考亡咎」。子三年不改父道，思慕不皇，亦重見先人之非，不則為私，厥妖人死復生。
下人伐上之痾	睽	「睽孤，見豕負塗」，厥妖人生兩頭。下相攘善，妖亦同。人若六畜首目在下，茲謂亡上，正將變更。凡妖之作，以譴失正，各象其類。二首，下不壹也；足多，所任邪也；足少，下不勝任，或不任下也。

五行五事	易卦	京房《易傳》
日月亂行	小畜	「婦貞厲，月幾望，君子征，凶。」言君弱而婦彊，為陰所乘，則月並出。晦而月見西方謂之朓，朔而月見東方謂之仄慝，仄慝則侯王其肅，朓則侯王其舒。

上述諸例中，如對「觀其生」、「良馬逐」或「幹父之蠱」等，京房尚對易理有所引申；但如「震遂泥」、「枯楊生稊」、「潛龍勿用」、「豐其屋」諸例皆近讖語，但何以造成國多麋、人君亡子、厥異風、長狄生世主虜等妖異現象，京房並未提出任何合理的線索。再如《易》言「見豕負塗」，何以占主人生兩頭之妖？亦未見其詳。其下所述二首、足多、足少云云，皆泛言畸形兒的樣態與所主吉凶，更與《周易》無關。至於以「崩來無咎」解釋泰山之石顛而下；「小人剝廬」比喻山崩為陰乘陽，弱勝強之象；「婦貞厲，月幾望，君子征，凶」證成君弱而婦強，為陰所乘，則有兩月並出之異，才是以《周易》文字討論災異發生之因由。但京房是否曾大量針對《周易》經傳，悉論其可佐證災異占候之處？茲參考谷永元延元年對策所言：

> 諸夏舉兵，萌在民饑饉而吏不恤，興於百姓困而賦斂重，發於下怨離而上不知。《易》曰：「屯其膏，小貞吉，大貞凶。」《傳》曰：「饑而不損茲謂泰，厥災水，厥咎亡。」《訞辭》曰：「關動牡飛，闢為無道，臣為非，厥咎亂臣謀篡。」王者遭衰難之世，有饑饉之災，不損用而大自潤，故凶；百姓困貧無以共求，愁悲怨恨，故水；城關守國之固，固將去焉，故牡飛。[50]

此處所引〈屯〉卦爻辭，主要在強調「不損用而大自潤（屯其膏），故凶（大貞凶）」。故孟康解釋：乃言遭屯難飢荒，君當開倉廩賑濟百姓。可見谷永並非以該爻來斷言當時災異之所由；其對災異占辭主要仍透過《傳》[51]與

50 《漢書》，頁3470。

51 此即京房《易傳》，顏師古注誤為《洪範傳》之辭。

《易訞辭》來推知。在傳世的文獻上，皆未見到京房或谷永在《周易》的文本上發展出一套占候原則或項目的現象，而只是在其災異雜占中徵引《周易》作為經典證據以自重。因此，不宜將雜占中的《周易》引述，視作京氏《章句》的遺文。

（二）《災異孟氏京房》

此類既特別標明「災異」二字，顯示班固將京房易學中與災異相涉者，離析開來。皮錫瑞曾指出：漢初說《易》皆主義理、切人事，不言陰陽術數，至孟、京出而說始異。[52]如與京氏易相左的梁丘易，〈儒林傳〉曾載梁丘賀針對宣帝行祠孝昭廟時所發生之異象，以筮占斷有兵謀之徵。賀即因此筮有應，而得以近幸。[53]故以筮法、易辭推論人事諸象，即為易家之本色。《左傳》屢言易筮，亦足佐證。[54]進一步分析：災、異二字先秦固然常見，然至春秋公羊家方加以界說，進而成為漢代災異之專有名詞。[55]然〈藝文志〉除了《雜災異》外，其他易說並不見標明「災異」者。因此《災異孟氏京房》與《雜災異》，當吸納了有別於傳統易筮的方法，且聚焦於漢人關注災異事項上。據京房本傳所言「其說長於災變，分六十四卦，更直日用事，以風雨寒溫為候」諸語，則班固不只因其身受災異風尚所襲，更考量孟、京易學之學術特長，原即在災異占候與卦氣之說上。

卦氣說，簡言之乃是將《周易》六十四卦與一年中所體現陰陽消長之四時、十二月、二十四節氣，乃至七十二候，相互結合的理論。由此所產生出

52 〔清〕皮錫瑞：《經學通論》（北京市：中華書局，1989年），頁16-19。

53 《漢書》，頁3600。

54 如高亨：《周易古經通說》（臺北市：樂天出版社，1972年），頁122-130。所引《左傳》、《國語》所記筮事凡十六條。

55 黃啟書：《董仲舒春秋學中的災異理論》（臺北市：臺灣大學中國文學研究所碩士論文，1995年），頁44-62。

的四正卦說、十二消息卦說、六日七分說等，皆屬卦氣說之範疇。[56]倘稱其為對易卦之架構重整，屬一單純易理推演，並無不可。但參考京房建昭二年災異封事云：

> 辛酉已來，蒙氣衰去，太陽精明，臣獨欣然，以為陛下有所定也。然少陰倍力而乘消息。臣疑陛下雖行此道，猶不得如意，臣竊悼懼。守陽平侯鳳欲見未得，至己卯，臣拜為太守，此言上雖明下猶勝之效也。臣出之後，恐必為用事所蔽，身死而功不成，故願歲盡乘傳奏事，蒙哀見許。乃辛巳，蒙氣復乘卦，太陽侵色，此上大夫覆陽而上意疑也。己卯、庚辰之間，必有欲隔絕臣令不得乘傳奏事者。[57]

即是運用卦氣說的分卦值日之法，來解釋災異之發生與可能演變。孟康注曰：

> 分卦直日之法，一爻主一日，六十四卦為三百六十日。餘四卦，〈震〉、〈離〉、〈兌〉、〈坎〉，為方伯監司之官。所以用〈震〉、〈離〉、〈兌〉、〈坎〉者，是二至二分用事之日，又是四時各專王之氣。各卦主時，其占法各以日觀其善惡也。

此一分卦值日之法，又有「六日七分」之稱。屈萬里分析六日七分，凡有孟喜、京房及唐代李鼎祚引述《易軌》等三說：其中孟喜說大要以六十四卦中〈坎〉、〈離〉、〈震〉、〈兌〉四正卦各統二十四節氣之六節氣後，其餘六十卦均分三百六十日（所餘五點二五日亦均分在六十卦中），合每卦占候值六又八十分之七日。其以一陽初生之〈復〉卦當冬至的起點，依序〈臨〉、〈泰〉、〈大壯〉、〈夬〉、〈乾〉、〈姤〉、〈遯〉、〈否〉、〈觀〉、〈剝〉、〈坤〉等十二消息卦。十二卦所值皆為辟（君王）位；其餘四十八卦則稱雜卦，主臣下，以公、侯、大夫、卿配之。此法最為後人最習用。[58]京房說，據唐僧一

56 陳伯适：《惠棟易學研究》（臺北市：政治大學中國文學研究所博士論文，2005年），頁75。

57 《漢書》，頁3164。

58 屈萬里：《先秦漢魏易例述評》（臺北市：聯經出版公司，1984年），頁83-88。

行分析：乃是將二至二分前的〈頤〉、〈晉〉、〈井〉、〈大畜〉諸卦扣去八十分之七十三日，歸諸代表二至二分的〈坎〉、〈離〉、〈震〉、〈兌〉四正卦當值，其餘各卦仍值六又八十分之七日不變。如此孟喜卦氣之「六十卦用事」，便調整為「六十四卦用事」。一行認為：此乃京房為附會緯文「七日來復」所做的調整，不足為取。[59]就上述京房建昭二年災異封事，盧央分析：建昭元年十一月二十七日辛酉，由代表君王（辟）的〈復〉卦當值，故云「太陽精明」。至該年十二月十五日己卯間，凡歷〈屯〉、〈坎〉、〈謙〉等卦，除〈坎〉屬搭配節氣之四正卦外，〈屯〉、〈謙〉二卦皆屬少陽臣下之象，故京房言「少陰倍力而乘消息」，即指內臣（少陽少陰皆為臣下，陽主外而陰主內）必有秉權蔽主之象。十七日辛巳少陽〈睽〉卦當值，時蒙氣復生，正臣下復蒙蔽君上之象。京房推測在其初拜太守後己卯、庚辰兩日之間，必有小人欲隔絕京房與元帝的通聯。[60]郜積意則批評：盧氏忽略錢大昕對「建昭二年二月朔」之校正（當為三月朔），[61]致使對京房封事之解釋，年月顛倒。[62]按傳文明言「京房以建昭二年二月（三月）拜（為太守）」，盧氏對己卯日之定位，顯然不符。如依錢大昕說，則當修正為：建昭二年一月二十八日辛酉，〈泰〉當值（辟），至二月十六日己卯間，凡歷〈需〉、〈坎〉、〈隨〉等卦，除〈坎〉屬搭配節氣之四正卦外，〈需〉、〈隨〉二卦皆屬少陽臣下之象。十八日辛巳〈晉〉當值，蒙氣復生。春分後〈解〉、〈大壯〉用事，太陽侵色（依張晏注，即指〈大壯〉）。連同次則封事，京房皆運用其擅長之分卦值日法，參以天文、氣象，對蒙氣興衰狀態、時間及其占候詳作推測，此正為京氏易學的精髓。《漢書》雖不載谷永運用卦氣之實例，但其元延元年對策提到：王者躬行道德，則卦氣理效、五徵時序；失道妄行，則卦氣悖亂、咎徵著郵。[63]則是將京氏易學之卦氣順悖與《洪範五行傳》休咎之徵，視為

59 參《新唐書》，頁598-599。唯「七日來復」乃〈復〉卦之卦辭。故說京房用以解釋〈復〉卦的「七日來復」尚可，一行言其附會《易緯》，似有倒置。

60 盧央：《京房評傳》（南京市：南京大學出版社，1998年），頁66-79。

61 〔清〕錢大昕：《廿二史考異》（臺北市：洪氏出版社，1971年），頁336。

62 〈論三卷本《京氏易傳》兼及京房的六日七分說〉，頁207。

63 《漢書》，頁3467。

災異占測的指標。再如東漢郎顗於陽嘉二年所上對策四通，其中有：

> 今立春之後，火卦用事，當溫而寒，違反時節，由功賞不至，而刑罰必加也。
>
> 正月三日至乎九日，三公卦。三公上應台階，下同元首。政失其道，則寒陰反節。
>
> 去年已來，兑卦用事，類多不效。……占曰：「日乘則有妖風，日蒙則有地裂。」如是三年，則致日食，陰侵其陽，漸積所致。立春前後溫氣應節者，詔令寬也。其後復寒者，無寬之實也。
>
> 今年少陽之歲，法當乘起，恐後年已往，將遂驚動，涉歷天門，災成戊己。今春當旱，夏必有水，臣以六日七分候之可知。
>
> 孔子曰：「雷之始發大壯始，君弱臣彊從解起。」今月九日至十四日，大壯用事，消息之卦也。於此六日之中，雷當發聲，發聲則歲氣和，王道興也。[64]

是亦善用卦氣說以推度災異時日、所主對象等。唯與京房不同者，在於「涉歷天門，災成戊己」，乃是《詩氾歷樞》之說。故引用郎顗之京易說時，自宜考量其他學說摻入的可能。

孟、京卦氣說，不只提出一套易卦與時日（歷法、月令）結合的系統，更運用樸素的陰陽原則解釋寒溫之理。劉向曾引述卦氣說，解釋魯隱公時大雨震電之災異。[65]王充《論衡．寒溫》亦云：

> 《易》京氏布六十四卦於一歲中，六日七分，一卦用事。卦有陰陽，氣有升降，陽升則溫，陰升則寒。由此言之，寒溫隨卦而至，不應政治也。案《易》無妄之應，水旱之至，自有期節，百災萬變，殆同一曲。[66]

---

64 《後漢書》，頁1055-1072。

65 《漢書》，頁1363-1364。

66 《論衡校釋》，頁632。

以王充「疾虛妄」的立場，猶然肯定京房六日七分說。蓋相對於變復家用人主之喜怒刑賞作為氣候寒溫異常之論點；京房說可謂是一種理性推論方法。因此，卦氣說未必一定依附在災異理論之中，它更可能形成一種廣為漢人所接受的氣化宇宙論。除卦氣說之外，由《漢書》、《隋志》、《乙巳占》、《開元占經》所引，意外地多半以京房雜占條例為主。這是否代表漢、唐以來所重視的京房易學主要特色，即在於此？〈五行志〉諸多雜占條例，自是吾人架構京房災異說重要的素材。不宜因其駁雜，而將其自京房易說中摒除。[67]今對於京氏雜占之輯佚，主要出於王謨、王保訓、黃奭三人。但三人蒐羅廣度、編輯體例不一：王謨由輯錄出處之書名，概分《易傳》、《易飛候》二部分，前者略依諸經註疏、史志、類書順序羅列；後者包含《易飛候》、《易占》、《五星占》、《別對災異》四種，但排列似又照雜占項目，體例並不一致。黃奭《易雜占條例法》排列亦略依經注、史籍、類書之序。如此分法，就事類分析上檢索不易；就材料可信度考量言，經注亦未必較史傳可靠。王保訓因廣泛蒐集《開元占經》、《乾象通鑒》[68]等，所得遠過於王、黃。嚴可均代為董理成八卷，其法近於王謨，以所輯得之書名別卷，是試圖復原唐以來傳本之舊。各書以下，則略依天地、日月、星字、氣候、水旱、草木、人痾、動物等序，蓋取法《藝文類聚》與《開元占經》例。蒐羅最稱完備，但正因如此，在斟別材料上不無令人疑慮之處。

---

67 如惠棟《易漢學》之京君明易二卷雖有占驗一章，但其占驗部分亦只引《漢書·天文志》與《論衡》言風雨寒溫，及本傳及〈五行志〉言蒙氣之事占象而已。其他雜占，俱不在討論之列。再如牟宗三：《周易的自然哲學與道德函義》（臺北市：聯經出版公司，2007年《牟宗三先生全集》本），頁24-36。分析《隋志》與王保訓《京氏易》中的京房著作，認為大都是不關易旨，烏煙瘴氣的占卜話。強烈排斥京房雜占有任何易學意義。

68 〔南宋〕李季：《乾象通鑑》（上海市：上海古籍出版社，1995年《續修四庫全書》本），據孫星衍識語：此書南宋建炎二年高宗賜序，體例仿北宋景祐楊維德《乾象新書》，李季增損以為己書。王保訓自《乾象通鑑》所輯出之京房說，凡有題為京房易傳、京氏外傳、京氏星經外傳、京房易飛候氣候、京房易妖占、京房易占、京氏五星占、京房災異後序、災異後論等。其中災異後序、災異後論等獨見《乾象通鑑》者，乃別立他卷，蓋亦有所疑。

三 〈五行志〉所載京房災異說

（一）內容分析

《漢書・五行志》所載災異說雖出於多人，然大體以春秋公羊災異說、洪範五行傳說及京房易學說為主。三家之說，春秋公羊災異說最早提出，討論條例與內容則奠基在《春秋》經文與《公羊傳》。運用洪範五行傳說的劉向、劉歆，雖也引述了《春秋》的災異史事，但推演法則乃改為以《洪範五行傳》所建立的五行五事咎徵，以及增益出的妖、孽、禍、痾、等項目。這是此二家最大的差異。至於京房易學說的特色，除了上述的分卦值日之法外，便是許多雜占條例。這些條例是否與春秋公羊災異說、洪範五行傳說相關，正是本節試圖了解的問題。

首先可以發現：《漢書》只有在京房本傳中陳述其卦氣推度；至於〈五行志〉則記錄京房雜占凡七十二條，數量遠遠超過前者，而且除少數諸例外，悉題曰「京房《易傳》」。漢代諸家易學著作，多有題為《易傳》者，或有明乎易筮，亦有闡揚災異者。[69]班固於〈五行志〉獨標京房，一則不與他家相混，再則看出京房於此有獨到之處。以下先就《漢五行志》所見條目分析其條例，其次再引漢魏六朝史籍或諸子，為之佐證。就內容而言，如以下二例：

> 京房《易傳》曰：「君暴亂，疾有道，厥妖長狄入國。」又曰：「豐其屋，下獨苦。長狄生，世主虜。」
>
> 京房《易傳》曰：「距諫自強，茲謂卻行，厥異鶂退飛。適當黜，則鶂退飛。」[70]

---

69 《漢書藝文志條理》，頁9-14。姚振宗指出：參考〈儒林傳〉可知《漢志》中「《易傳》周氏二篇」的《易傳》實與下文相貫，即此數家皆有《易傳》之作；而《古五子》等八家（《災異孟氏京房》在其中）亦為《易傳》之名，乃《易傳》之別派。

70 《漢書》，頁1471、1519。

《春秋》所載長狄入國與六鶂退飛等異象，皆屬難以重複發生之事。故京房宜有針對《春秋》災異案例之討論。再如下列二例：

> 元狩元年五月乙巳晦，日有食之，在柳六度。京房《易傳》推以為是時日食從旁右，法曰君失臣。明年丞相公孫弘薨。日食從旁左者，亦君失臣；從上者，臣失君；從下者，君失民。
>
> 元帝初元中，丞相府史家雌雞伏子，漸化為雄，冠距鳴將。永光中，有獻雄雞生角者。京房《易傳》曰：「雞知時，知時者當死。」房以為己知時，恐當之。劉向以為房失雞占。雞者，小畜，主司時，起居人，小臣執事為政之象也。言小臣將秉君威，以害正事，猶石顯也。……京房《易傳》曰：「賢者居明夷之世，知時而傷，或眾在位，厥妖雞生角。雞生角，時主獨。」又曰：「婦人顓政，國不靜；牝雞雄鳴，主不榮。」故房以為己亦在占中矣。[71]

二者皆針對漢朝當時現實災異加以占斷，尤其第二例中京房更倫比相同事件，藉以分析雞禍之可能預兆。文中劉向、京房的歧見，除是觀察點的不同，亦反映了學說立論的差異。不過，〈五行志〉所見發生於元帝建昭二年（京房卒年）之後的占斷，除谷永引述者外，率為班固之補充。茲舉二例：

> （哀帝建平二年）京房《易傳》：「令不修本，下不安，金毋故自動，若有音。」
>
> （平帝元始元年）京房《易傳》曰：「『睽孤，見豕負塗』，厥妖人生兩頭。下相攘善，妖亦同。人若六畜首目在下，茲謂亡上，正將變更。凡妖之作，以譴失正，各象其類。」[72]

事件發生於西漢末年，既非劉向所能見，亦不類劉歆所為。宜是班固藉用京房《易傳》雜占之辭，用以補足災異徵候，以明天人相應之道者。此一體例

---

71 《漢書》，頁1502、1370。

72 《漢書》，頁1429、1473-1474。

亦為《續漢書》以下史家編纂〈五行志〉時所沿用。

更有甚者，班固乃大量將京房對於水災、旱災、恆燠與恆陰（蒙氣）等災異現象的分析、觀察，直接抄錄於《洪範五行傳》五行五事相關項目之下。[73]茲以水災、恆燠二項為例：

> 京房《易傳》曰：「顓事有知，誅罰絕理，厥災水，其水也，雨殺人以隕霜，大風天黃。飢而不損茲謂泰，厥災水，水殺人。辟遏有德茲謂狂，厥災水，水流殺人，已水則地生蟲。歸獄不解，茲謂追非，厥水寒，殺人。追誅不解，茲謂不理，厥水五穀不收。大敗不解，茲謂皆陰。解，舍也，王者於大敗，誅首惡，赦其眾，不則皆函陰氣，厥水流入國邑，隕霜殺（穀）〔叔草〕。」
>
> 京房《易傳》曰：「祿不遂行茲謂欺，厥咎奧，雨雪四至而溫。臣安祿樂逸茲謂亂，奧而生蟲。知罪不誅茲謂舒，其奧，夏則暑殺人。冬則物華實。重過不誅，茲謂亡征，其咎當寒而奧六日也。」

如與《洪範五行傳》之《傳》、《說》合而觀之，或易誤認為京房曾對《五行傳》加以詮解；實則二者並非同一系統，占斷亦不同。如《五行傳》主張水災導源於「簡宗廟，不禱祠，廢祭祀，逆天時」；但京房所言顓事有知、飢而不損、辟遏有德、歸獄不解、追誅不解等皆不符《五行傳》所言造成水災的條件。班固在未考慮可能破壞劉向、歆父子為〈五行志〉所奠定的原有體系下，即援引京氏對物異諸象之系統分析，等於是為《五行傳》廣其占候。除上述四類，列於五行五事之總則外，其他諸如隕霜、恆風、蟲災、地震、日食等，皆列在該災異項目之首，作為綱領。[74]其中最明顯者，莫過乎日食，[75]茲依〈五行志〉所引，製簡表如下：

73 詳參《漢書》，頁1342、1386、1406、1460。

74 詳參《漢書》，頁1427、1442、1446、1452、1479。

75 《漢書》，頁1479-1480。

失德之事	不德之目	日食異象之細微區別
亡師	茲謂不御	厥異日食，其食也既，並食不一處
誅眾失理	茲謂生叛	厥食既，光散
縱畔	茲謂不明	厥食先大雨三日，雨除而寒，寒即食
專祿不封	茲謂不安	厥食既，先日出而黑，光反外燭
君臣不通	茲謂亡	厥蝕三既
同姓上侵	茲謂誣君	厥食四方有雲，中央無雲，其日大寒
公欲弱主位	茲謂不知	厥食中白青，四方赤，已食地震
諸侯相侵	茲謂不承	厥食三毀三復
君疾善，下謀上	茲謂亂	厥食既，先雨雹，殺走獸
弒君獲位	茲謂逆	厥食既，先風雨折木，日赤
內臣外鄉	茲謂背	厥食食且雨，地中鳴
冢宰專政	茲謂因	厥食先大風，食時日居雲中，四方亡雲
伯正越職	茲謂分威	厥食日中分
諸侯爭美於上	茲謂泰	厥食日傷月，食半，天營而鳴
賦不得	茲謂竭	厥食星隨而下
受命之臣專征	云試	厥食雖侵光猶明，若文王臣獨誅紂矣
小人順受命者征其君	云殺	厥食五色，至大寒隕霜，若紂臣順武王而誅紂矣
諸侯更制	茲謂叛	厥食三復三食，食已而風，地動
適讓庶	茲謂生欲	厥食日失位，光晻晻，月形見
酒亡節	茲謂荒	厥蝕乍青乍黑乍赤，明日大雨，發霧而寒

引述完京房《易傳》後，班固復總結云：「凡食二十占，其形二十有四。」京房對日食竟有如此詳密之分析，[76]蓋因災異諸目中漢儒特重日食。[77]故無

76 《漢書》，頁1507-1508。尚有對於日色青白、赤黃、或中黑等日色的分析。

77 〔清〕趙翼：《廿二史劄記》（北京市：中國書店，1990年），頁25「漢重日食」一條即言「蓋皆聖賢緒論，期於修德弭災，初不以為次舍躔度之常，不關人事也。」

論是春秋公羊災異說或《洪範五行傳》，皆對日食特加著墨。如比對《春秋》經文對於日食的記錄，京房日食占的豐富，除是災異說的發展外，亦當與漢代天文觀測逐漸發達不無關聯。班固運用最新發展的京氏易說在雜占上的長處，補足洪範五行傳學說所欠缺的災異形態描述，使得災異說更能運用自如。尤值得留意者是：班固在大幅抄錄時，亦同時保存了京房災異說可能的面貌。比起後代輯佚之斷簡殘編，上述提綱式的文字，正可用來分析文例。倘再透過此一文例，將〈五行志〉散見的雜占條目一一繫聯，或能逐漸勾勒出其原始樣態。

（二）文例分析

京房本傳中，已數度引述蒙氣作為占驗之跡；在〈五行志〉更幾近完整地抄錄了京房《易傳》對於蒙氣的分析與描述，其首句即云：[78]

> 有蜺、蒙、霧。霧，上下合也。蒙如塵雲。蜺，日旁氣也。其占曰：

此乃對於三種蒙氣細目的分類與界說，其下便就二十三種蒙氣現象逐一論其占斷。此或即京房《易傳》的完整形式。準此，上述日食占或宜有既、薄、中分、左右等之界說。[79]以下依〈志〉文製表，以明其文例：

類	失德之事	不德之目	蒙氣異象之細微區別
蜺	后妃有專		蜺再重，赤而專，至衝旱
蜺	妻不壹順		黑蜺四背，又曰蜺雙出日中
蜺	妻以貴高夫	茲謂擅陽	蜺四方，日光不陽，解而溫
蜺	內取	茲謂禽	蜺如禽，在日旁
蜺	以尊降妃	茲謂薄嗣	蜺直而塞，六辰乃除，夜星見而赤
蜺	女不變始	茲謂乘夫	蜺白在日側，黑蜺果之，氣正直

78 《漢書》，頁1460-1461。

79 如《漢書》，頁1500所云「凡日食不以晦朔者，名曰薄」，或即其遺文。

類	失德之事	不德之目	蒙氣異象之細微區別
蜺	妻不順正	茲謂擅陽	蜺中窺貫而外專
蜺	夫妻不嚴	茲謂媟	蜺與日會
蜺	婦人擅國	茲謂頃	蜺白貫日中，赤蜺四背
蜺	適不答	茲謂不次	蜺直在左，蜺交在左
蜺	取於不專	茲謂危嗣	蜺抱日兩未及
蜺	君淫外	茲謂亡	蜺氣左日交於外
蜺	取不達	茲謂不知	蜺白奪明而大溫，溫而雨
蜺	尊卑不別	茲謂媟	蜺三出三已，三辰除，除則日出且雨
蒙	臣私祿及親	茲謂罔辟	厥異蒙，其蒙先大溫，已蒙起，日不見
蒙	行善不請於上	茲謂作福	蒙一日五起五解
蒙	辟不下謀，臣辟異道	茲謂不見	上蒙下霧，風三變而俱解
蒙	立嗣子疑	茲謂動欲	蒙赤，日不明
蒙	德不序	茲謂不聰	蒙，日不明，溫而民病。
蒙	德不試，空言祿	茲謂主窳臣夭	蒙起而白
蒙	君樂逸人	茲謂放	蒙，日青，黑雲夾日，左右前後行過日
蒙	公不任職	茲謂怙祿	蒙三日，又大風五日，蒙不解
蒙	利邪以食	茲謂閉上	蒙大起，白雲如山行蔽日
蒙	公懼不言道	茲謂閉下	蒙大起，日不見，若雨不雨，至十二日解，而有大雲蔽日
蒙	祿生於下	茲謂誣君	蒙微而小雨，已乃大雨
蒙	下相攘善	茲謂盜明	蒙黃濁
蒙	下陳功，求於上	茲謂不知	蒙，微而赤，風鳴條，解復蒙
蒙	下專刑	茲謂分威	蒙而日不得明
蒙	大臣厭小臣	茲謂蔽	蒙微，日不明，若解不解，大風發，赤雲起而蔽日
蒙	眾不惡惡	茲謂閉	蒙，尊卦用事，三日而起，日不見

類	失德之事	不德之目	蒙氣異象之細微區別
蒙	漏言亡喜	茲謂下厝用	蒙微，日無光，有雨雲，雨不降
蒙	廢忠惑佞	茲謂亡	蒙，天先清而暴，蒙微而日不明
蒙	有逸民	茲謂不明	蒙濁，奪日光
蒙	公不任職	茲謂不絀	蒙白，三辰止，則日青，青而寒，寒必雨
蒙	忠臣進善君不試	茲謂遏	蒙，先小雨，雨已蒙起，微而日不明
蒙	惑眾在位	茲謂覆國	蒙微而日不明，一溫一寒，風揚塵
蒙	知佞厚之	茲謂庳	蒙甚而溫
霧	君臣故弼	茲謂悖	厥災風雨霧，風拔木，亂五穀，已而大霧
霧	庶正蔽惡	茲謂生孽災	厥異霧

蜺主君后夫婦；[80]蒙、霧主君臣上下，對象有別。各項災異因其溫度、時間、日象、顏色與同時產生的氣候等不同，占應亦殊。其文例語法與日食相仿，尤需注意以下數則：

> 厥異日食，其食也既，並食不一處
>
> 厥異蒙，其蒙先大溫，已蒙起，日不見
>
> 厥災雨霧，風拔木，亂五穀，已而大霧

諸例多列在該項目之首條，而在異象樣態（日食、蒙、霧）之說明前，多有如「災」、「異」等區分字眼。我們可試圖擬出一完整句型為：

> （失德之事），茲謂（不德之目），厥（災異區分）（異象種類），（異象之詳細描述區分）。

80 《漢書・天文志》，頁1274，「抱珥虹蜺」引如淳注云：「蝃蝀謂之虹，表云雄為虹，雌為蜺。」蜺為出現在虹之外，光帶較暗淡的光影現象。故古人分虹蜺為雄雌。

再用此句型檢視其他散見雜占。在總數七十二條雜占之中，唯日食占五條及以下九例不符：

青祥	子不子，鼠食其郊牛
草妖	枯楊生稊，枯木復生，人君亡子
草妖	王德衰，下人將起，則有木生為人狀
羽孽	人君暴虐，鳥焚其舍
恆寒	夏雨雪，戒臣為亂
鼓妖	令不修本，下不安，金毋故自動，若有音
魚孽	海數見巨魚，邪人進，賢人疎
下人伐上之痾	妖言動眾，茲謂不信，路將亡人，司馬死
日月亂行	「婦貞厲，月幾望，君子征，凶。」言君弱而婦彊，為陰所乘，則月並出。晦而月見西方謂之朓，朔而月見東方謂之仄慝，仄慝則侯王其肅，朓則侯王其舒。

其餘諸例，則皆符合此一文例。至於日食占五條，總綱中京房《易傳》已有陳述「厥異日食」之語，故此五例班固凡言「京房《易傳》以為」、「京房《易傳》推以為」、「谷永以京房《易占》對曰」等，為節取京房之說，已非原文。[81]如再扣去日食諸占，則符合此一文例者已逾百分之八十五。此一現象當非偶然，值得吾人重視。

分析諸例雜占，首先可注意到京房對於災異區分之類名，如以下諸例所示：

服妖	行不順，厥**咎**人奴冠，天下亂，辟無適巠，妾子拜。又曰：君不正，臣欲篡，厥**妖**狗冠出朝門。
白祥	「『《復》，崩來無咎。』自上下者為崩，厥**應**泰山之石顛而下，聖人受命人君虜。」又曰：「石立如人，庶士為天下雄。立於山，同姓；平地，異姓。立於水，聖人；於澤，小人。」

81 《漢書》，頁1428、1502、1505。

草妖	臣有緩茲謂不順，厥**異**霜不殺也。
恆寒	興兵妄誅，茲謂亡法，厥**災**霜，夏殺五穀，冬殺麥。誅不原情，茲謂不仁，其霜，夏先大雷風，冬先雨，乃隕霜，有芒角。
金木水火沴土	臣事雖正，專必震，其震，於水則波，於木則搖，於屋則瓦落。大經在辟而易臣，茲謂陰動，厥**震**搖政宮。大經搖政，茲謂不陰，厥**震**搖山，山出涌水。

除了前述水患之「災」、日食之「異」外，尚有妖、咎、應、震等字眼，其中應、震二字皆屬孤例，文獻不足論析。至於災、異、妖、咎者，京房皆前有所承。災、異二字先秦已見，但由春秋公羊家發展成災異理論中之專有名詞。至於妖字，先秦亦可考見，如《中庸》云：「國家將亡，必有妖孽。」《左傳》更稱：

> 妖由人興也。人無釁焉，妖不自作。人棄常，則妖興，故有妖。天反時為災，地反物為妖，民反德為亂，亂則妖災生。[82]

《洪範五行傳》中更配合五行，發展出服、詩、草、鼓、脂夜、射等妖。不過由上表所引「厥咎人奴冠（服妖）」、「厥異霜不殺（草妖）」來看，京房並不依循《洪範五行傳》；而是取法先秦舊說。而咎字，《周易》數見，但並未密切與災異現象結合；反倒是《尚書·洪範》將與休徵、咎徵對應。京房是否受到《洪範五行傳》影響？宜再由類名所屬的物象交叉分析，才易明瞭。如下表所示：

---

82 楊伯峻：《春秋左傳注》（臺北市：復文書局，1986年影印改題《春秋左傳會注》），頁197、763。此外，先秦兩漢典籍尚有做「祅」者，如〔吳〕韋昭：《國語韋昭注》（臺北縣：藝文印書館，1974年），頁297-298云：「風聽臚言於市，辨祅祥於謠」李滌生：《荀子集釋》（臺北市：臺灣學生書局，1979年），頁524云：「忌諱不稱，祅辭不出。」似與妖字純屬異文通用。然《漢書·天文志》輒言「迅雷風祅」、「天祅」、「祅星」等，則與〈五行志〉所云物妖有別，當出諸班固之判分。

災	水、旱、霜、蟲、不嗣。
異	霜不殺、寒、水異、風、黃、蒙、日食、日色異、鴟。
妖	火、狗冠、雞、鼠、城門壞、天雨羽、木、天雨草、鳥、魚、豕、牛、山崩、龍蛇、馬、長狄、人變、天雨星。
咎	人奴冠、多麋、門牡亡、燠、狂、燕生爵、天雨血、聾、生蜮、亡。

《公羊傳》中言災者僅限於螟、大水、旱、螽及火災等；其餘如天文的日食、隕石、星孛；氣象的震雷、大雨雪、無冰、隕霜不殺草，地變的山崩、地震與物異的多麋、有蜮、鸛鵒來巢、皆言其異也。[83]京房說如就水、旱、蟲災等看，則似與《公羊》同；但列霜為災、列火為妖則與《公羊》歧出。按：《左傳》已有「凡物，不為災，不書」之言，[84]《太平御覽》引《洪範五行傳》曰：

> 凡有所害謂之災，無所害而異於常謂之異。故災為已至，異為方來。[85]

《白虎通．災變》所引《春秋潛潭巴》亦稱：

> 災之言傷也，隨事而誅；異之言怪，先發感動之也。[86]

故以害物與否來判定氣候物象變異之性質，實為一樸素的見解。故稱霜為災，並不特別；倒是稱火為妖，除非京房另有定義，否則便與傳統觀念大相逕庭。《公羊》但分災、異；但《洪範五行傳》除了有五行之變外，五事中又有妖、孽、禍、痾、眚、祥等項目。考諸京房言「妖」一類中，凡有狗冠（服妖）、雞（雞禍）、鼠（青祥）、木（草妖）、鳥（羽孽）、人變（人痾）

83 《董仲舒春秋學中的災異理論》，頁53。

84 《春秋左傳注》，頁244。

85 〔宋〕李昉等：《太平御覽》（臺北市，新興書局，1959年），卷874，頁3794。此一詮釋，《漢書．五行志》不載，即陳壽祺所輯《尚書大傳》中《洪範五行傳》亦無收錄。詳參〔漢〕伏勝：《尚書大傳》（臺北市：臺灣商務印書館，1967年《四部叢刊初編》本），頁38-46。

86 〔清〕陳立著，吳則虞點校：《白虎通疏證》（北京市：中華書局，1994年），頁268。

等，益可證實京房並不沿用《洪範五行傳》之說。倘再比較京房異、妖二類，尚可看出其多將天文氣象歸諸異；物候怪變稱為妖之傾向。這點亦與《左傳》「天反時為災（異），地反物為妖」之語相當。所以京房對於災、異、妖等界說，大抵與先秦舊說相近。然最為紛雜者，乃京房特殊標出的「咎」類。《洪範五行傳》中咎只是對應休字的善惡名稱，本身並不作為災異類名。《尚書・洪範》言：

> 咎徵；曰狂，恆雨若；僭，恆陽若；舒，恆奧若；急，恆寒若；蒙，恆風若。[87]

則京房將燠、狂歸於咎，看似受到其影響。[88]再如聾在《洪範五行傳》當屬聽不聰之耳痾，〈五行志〉無事例可徵。京房則云：

> 聞善不予，厥咎聾。（恆寒）
>
> 聞善不與，茲謂不知，厥異黃，厥咎聾，厥災不嗣。（黃祥）

當是因「聞善不與」之失德，所以「厥咎聾」，其意當如聽不聰，而與恆寒、雲氣赤黃無關。再由門牡亡／城門壞、燕生爵/妖鳥諸占、天雨血／天雨羽等歸類或妖、或咎，則京房的分法未必更為合理。整體而言，京房雜占之類名定義，文獻上找不到與易學之淵源；但大抵與《左傳》所載先秦舊說相似。

---

87 屈萬里：《尚書集釋》（臺北市：聯經出版公司，1984年），頁124。

88 狂字是否為災異項目難定。蓋京房在水災的總綱言「辟遏有德茲謂狂，厥災水，水流殺人，已水則地生蟲。」而羽孽這條則稱「辟退有德，厥咎狂，厥妖水鳥集于國中。」其中「厥咎狂」或為「茲謂狂」之誤。類似的情形如總綱言「飢而不損茲謂泰，厥災水，水殺人」；而〈五行志〉木沴金條則引作「飢而不損茲謂泰，厥災水，厥咎牡亡」；谷永本傳引京房《易傳》作「飢而不損茲謂泰，厥災水，厥咎亡」。則所謂「厥咎（牡）亡」，應是谷永針對城門牡自亡所推演，並非京房水災的原占。

四　文例分析所引發之問題

（一）雜占與卦氣說的可能關聯

由上述文例的分析，今再深入討論如災異譴告說是否適用之理論問題。自公羊家別立災異以來，姑不論董仲舒所建立的災異譴告模式，[89]前述《洪範五行傳》及《春秋潛潭巴》所稱「災為已至（隨事而誅），異為方來（先發感動之）」，即為漢代災異說學者所依循共識。以較無爭議的旱災與日食例驗證之：旱災例中，班固所引董仲舒、劉向的占斷詮釋多在災異之前（先是……），即班固所推驗的漢代災異亦同；[90]相對地，日食例董、劉占斷則多在災異之後（其後……）。漢代日食班固所引劉向說，其占亦皆在後。至於京房說，如以下二例：

> 京房《易傳》以為：桓三年日食貫中央，上下竟而黃，臣弒而不卒之形也，後數年楚莊稱王，兼地千里。
>
> 京房《易傳》推以為：是時日食從旁右，法曰君失臣。明年丞相公孫弘薨。日食從旁左者，亦君失臣；從上者，臣失君；從下者，君失民。[91]

足見京房對於「災為已至，異為方來」原則大致遵循。再則，諸家災異說對於災異與事件的對應關係，多數是以一則災異對應一則事件為主。自董仲舒

89　董仲舒在〈天人三策〉中建構出一套「災小異大」、與「先以災譴，後以異威」的譴告模式，但由〈五行志〉所存董仲舒說，以及其〈高廟園災對〉的現實災異推測，卻皆看不出董仲舒實踐此一災異理論的例證。詳參黃啟書：《春秋公羊災異學說流變研究：以何休《春秋公羊解詁》為中心之考察》（臺北市：臺灣大學中國文學研究所博士論文，2003年），頁48-50。

90　《漢書》，頁1386-1393。

91　《漢書》，頁1482、1502。

以下，如劉向、何休在面對歷史災異事件的分析皆然。[92]這或許是占候之術的本然面貌，畢竟在術數理論發展之初，一事一占模式既可控制問題的變因，相對地更容易牽連到占問者所欲探知的答案上。京房雜占大致也呈現這種的樣態，唯以下數例值得留意：

日食	縱畔，茲謂不明，厥食先大雨三日，雨除而寒，寒即食。
日食	同姓上侵，茲謂誣君，厥食四方有雲，中央無雲，其日大寒。
日食	公欲弱主位，茲謂不知，厥食中白青，四方赤，已食地震。
日食	弒君獲位，茲謂逆，厥食既，先風雨折木，日赤。
日食	諸侯更制，茲謂叛，厥食三復三食，食已而風，地動。
日食	酒亡節，茲謂荒，厥蝕乍青乍黑乍赤，明日大雨，發霧而寒。
霧	君臣故弼，茲謂悖，厥災雨霧，風拔木，亂五穀，已而大霧。

京房於總論日食或蒙氣現象時，已同時考慮其他災異並生之情形。如上述占例中，日食相伴而出者，尚有大雨、大寒、地震、大風等等。[93]此在〈五行志〉顯得十分特殊，蓋如以洪範五行說占候，勢必同時運用數則條例，方足以完整解釋。[94]再如以下諸例：

服妖	行不順，厥**咎**人奴冠，天下亂，辟無適，妾子拜。又曰：君不正，臣欲篡，厥**妖**狗冠出朝門。
木沴金	饑而不損茲謂泰，厥**災**水，厥**咎**牡亡。
羽孽	辟退有德，厥**咎**狂，厥**妖**水鳥集于國中。
恆寒	有德遭險，茲謂逆命，厥**異**寒。誅過深，當奧而寒，盡六日，亦為

92 劉向說極容易由《漢書・五行志》所引，得到印證。至於何休說，詳參《春秋公羊災異學說流變研究》，頁158-170。

93 《京房評傳》，頁280。比較《開元占經》所引《京房易傳》，以為京房更注意到日食所伴隨的現象為其特色之一。

94 如魯僖公十六年「隕石于宋，五；六鶂退飛過宋都」一事，劉向凡以白祥、青祥同占，而劉歆則視為恆風。參《漢書》，頁1442-1443、1518-1519。

	雹。害正不誅，茲謂養賊，寒七十二日，殺蜚禽。道人始去茲謂傷，其寒物無霜而死，涌水出。戰不量敵，茲謂辱命，其寒雖雨物不茂。聞善不予，厥**咎聾**。
黃祥	經稱「觀其生」，言大臣之義，當觀賢人，知其性行，推而貢之，否則為聞善不與，茲謂不知，厥**異**黃，厥**咎聾**，厥**災**不嗣。黃者，日上黃光不散如火然，有黃濁氣四塞天下。蔽賢絕道，故災異至絕世也。經曰「良馬逐」。逐，進也，言大臣得賢者謀，當顯進其人，否則為下相攘善，茲謂盜明，厥咎亦不嗣，至於身僇家絕。

上述五例乃指一件失德之事，或將導致二種以上災異類別的異徵產生。誠然，上述諸例尚多疑義，[95]但第五例同時言「厥異黃，厥咎聾，厥災不嗣」，其下便就何以造成此三項災異加以申說。即便「不嗣」或歸為災；或書為咎，恐有訛誤，仍無礙此條強調多重災異的觀念。

災異事件，本就不依循人類「設定」之頻率與界說而發生。尤其隨著對災異項目之擴大解釋，並敏感地看待周遭異象時，災異事件益顯「層出不窮」。回溯漢代災異說的發展歷程：董仲舒雖曾因應策問，依經義建立了災異譴告模式，但因董仲舒、眭孟等公羊大家皆曾為災異說而下吏，災異說並未充分蓬勃發展。宣帝時，固為眭孟平反。但至崇尚儒術的元帝即位，災異議政的風氣為之昌盛，已不可同日而語。儒生眼中，未克清明的朝政就造就了災異頻仍的景況。[96]如劉向永光元年〈條災異封事〉稱「初元以來六年矣，案《春秋》六年之中，災異未有稠如今者也。」封事將「日月無光，雪霜夏隕，海水沸出，陵谷易處，列星失行」統歸為「皆怨氣之所致」一語，

---

95 如服妖條則可視為異文。木沴金條乃就水災總綱別出「厥咎牡亡」四字，谷永本傳引京房《易傳》則作「飢而不損茲謂泰，厥災水，厥咎亡」。則所謂「厥咎（牡）亡」，應是谷永針對城門牡自亡所推演，並非京房水災的原占。再如羽孽條，如參水災總綱則「厥咎狂」似為「茲謂狂」之誤。恆寒條「聞善不予，厥咎聾」亦似與上文不相銜接。

96 黃啟書：〈《漢書・五行志》之創制及其相關問題〉，《臺大中文學報》第40期（2013年），頁152-153。

並不一一占候。蓋劉向進諫的目標，已明確指向弘恭、石顯等人。但京房建昭年間封事云：

> 乃丙戌小雨，丁亥蒙氣去，然少陰並力而乘消息，戊子益甚，到五十分，蒙氣復起。此陛下欲正消息，雜卦之黨並力而爭，消息之氣不勝。強弱安危之機不可不察。己丑夜，有還風，盡辛卯，太陽復侵色，至癸巳，日月相薄，此邪陰同力而太陽為之疑也。臣前白九年不改，必有星亡之異。[97]

文中除仍以蒙氣度外，更雜有風異、日色、日月亂行，以及其預測的星亡。再如谷永成帝建始年間對策中，亦同時討論元年蒙氣變化、三年大水、地震、日食等。[98]凡此，皆已非單一災異事類對應。當災異理論不再只是單純的歷史因果考證，以闡述天人之應時；其對於災異，乃至於敗亡的時日占測需求，就益發強烈。這項因應現實災異的需求，在早先以歷史災異分析為主的春秋公羊災異說中並未能發展；即便洪範五行說，亦無法適切提供。相對地，卻正是孟喜、焦贛以至於京房所發展的卦氣說所專擅。武田時昌注意到：在孟喜、京房之前，宣帝時的魏相同時提出了象數易與災異說。本傳中所載魏氏的奏疏將月令的五行說與八卦方位相互搭配而立論，末尾更提到選拔明經通知陰陽者，則災異說的流行肯定蔓延到易學之中。[99]是魏相結合月令說與象數易，對於孟、京卦氣說具有一定的啟發。但觀京房初次嶄露頭角的占測即云：

> 永光、建昭間，西羌反，日蝕，又久青亡光，陰霧不精。房數上疏，先言其將然，近數月，遠一歲，所言屢中，天子說之。[100]

---

97 《漢書》，頁3165。

98 《漢書》，頁3452。

99 〔日〕武田時昌：〈京房の災異思想〉，《緯學研究論叢：安居香山博士追悼》（東京都：平河出版，1993年），頁81。

100 《漢書》，頁3160。

京房的「先言其將然」，是許多災異學者共同的標準。但「所言屢中」，就必須具有一套足以服人的推算法則，即分卦值日的方法。同一時間與京房運用相同手法競衡者，尚有翼奉的齊詩災異說。[101]武田氏便認為：《春秋》災異項目限制了儒生恣意解釋的空間，以致在實際運用上存有很大的障礙。而翼奉、京房等《齊詩》與《易》的災異理論，對於發生的災異現象運用公式化地準確占斷，並且對於天候災異間的分析，也運用了詳密的方法。因此足以彌補了《春秋》災異學的缺點，是故易學派的災異主張在東漢以後，便取代了《春秋》派在災異學上首席的地位。[102]承載於《西漢經學與政治》所論的意見，大致與武田氏相仿。但認為：

> 這就是由魏相首先提出，孟喜、京房發展之的象類推演法。由於易象變化無窮，以自然氣候變化為人事的依據。所以隨意性更大，神祕色彩也更濃。[103]

其所謂「象類推演法」者，尚待商榷。蓋就現今《漢書》所存翼奉、京房之說，並看不到二人由易象推演出周密的圖式用以災異占候。單就京房而論，由前文分析便知京氏災異說真正落實在災異現象上，乃是雜占，並非易象。而以承載所定義的「象類推演法」，反較合乎《洪範五行傳》的推演法則，也只有《洪範五行傳》方能「以天地、四季、萬物為象，滲透到日常人事的每一個細微處」。[104]綜而言之，京房災異說中雜占條例作為天變物異的具體分類與占斷；分卦值日的卦氣說則作為進一步的時日預測推算。前者諸家或許各有來由；卦氣說才是京房說的強項所在，但觀王充的態度，足以明之。或正因此，即便京房於建昭二年涉與淮南憲王舅張博通謀，誹謗政治而遭

---

101 《漢書》，頁3160-3172。〈眭兩夏侯京翼李傳〉將翼奉列在京房之後。但京房於元帝初元四年以孝廉為郎；而翼奉早在元帝初即位時，即待詔宦者署，初元二年便提出其災異封事。

102 〈京房の災異思想〉，頁80。

103 湯志鈞等：《西漢經學與政治》（上海市：上海古籍出版社，1994年），頁212。

104 《西漢經學與政治》，頁216。

誅。但〈儒林傳〉仍提及：「元帝世，復立《京氏易》。」[105]京房災異說的數理性既然如此獨特，但保存在〈五行志〉中卻猶是以與方士共通的雜占為重，著實令人費解。

（二）讖緯與京氏易的糾葛

今人對於孟喜、京房卦氣說的內容分析，除透過《漢書》之外，絕大部分來自《易緯稽覽圖》。足見讖緯與京氏易學之關係密切。今所習稱之讖緯，《四庫總目》以為：「讖者，詭為隱語，預決吉凶」、「緯者，經文支流，衍及旁義。」[106]陳槃則主張讖緯名義雖有先後不同，但實質則一也。[107]綜而言之，蓋指興於西漢哀、平之際，由方士所造作，依傍經術的書籍。而與災異關係密切之讖緯言論，正兼具此兩種性質。光武帝劉秀受赤伏符渲染之益，君臨天下。中元元年宣布圖讖，一方面肯定自身正統之神聖權威；另一方面亦防堵後世再藉圖讖符命而興。此舉卻使讖緯得與經書等同，儒生論學議政輒引讖緯為證，政府詔書亦明援讖緯為法，[108]儼然已成東漢公認之顯學。章帝時白虎觀會議，即是「傳以讖記，援緯證經」，[109]後由班固所集結之《白虎通》一書中明引讖緯處，俯拾即是。蓋因當時徵引讖緯，並不以為嫌。[110]在此風潮下，除少數如桓譚、張衡等反對外，「儒者爭學圖緯，兼復附以訞言」。[111]東漢學風已崇兼通，不似西漢專守一經。反映在災異說上，學者多有兼習公羊災異說、洪範五行傳說、京房易學說等三主要流派，並兼

---

105 《漢書》，頁3621。

106 《四庫全書總目》，卷6，頁60。

107 陳槃：《古讖緯研討及其書錄解題》（臺北市：國立編譯館，1991年），頁148-171。

108 《後漢書》，頁111。載明帝永平八年日食詔云：「日食之變，其災尤大，《春秋》圖讖所為至譴。」

109 莊述祖〈白虎通義考〉語。參《白虎通疏證》，頁609。

110 《古讖緯研討及其書錄解題》，頁541。

111 《後漢書．張衡列傳》，頁1911。

雜讖緯，為之論助。[112]其中又以京氏易學與讖緯之混雜情形，最為顯著。蓋因京氏易學中有一大部分涉及星象物異之測候雜占，可能源自更早期的方士之術（即〈儒林傳〉所謂「獨得隱士之說」）。[113]如《史記．天官書》即陳述天官占候職掌，[114]《漢志》復著錄《漢日旁氣行事占驗》、《漢日食月暈雜變行事占驗》、《國章觀霓雲雨》、《人鬼精物六畜變怪》及《變怪誥咎》等書，[115]諸書雖未必早於京房，但由著錄情況觀之，諸般天文雜占亦非屬京房易學系統。而此天文雜占，同時亦是讖緯的源頭，[116]只不過二者在詮釋方法上，各異其趣。盧央指出：

> 因此無論是相信讖緯的儒生，或是謀求附會儒術的方士等等，會盡量援引《京氏易》作為自己的論據。因此在繼續發展的讖緯之學，也就大量抄引京氏的著述。並不是說京房的著作在東漢才被引入緯書，只是在當時的緯書，特別是《易緯》中已經大量地充斥了孟京易的內容。[117]

方士術數既是京氏雜占的原型；而後起的讖緯復極力引述京氏之說，或因襲其文、或接其餘緒，目的皆在求與經術相附，所以兩者面貌就更不易區分。

---

112 〔日〕日原利國：《漢代思想の研究》（東京都：研文出版，1986年），頁73。認為：在西漢哀平之際，李尋、解光等人的災異詮釋已有預言化的傾向，這正是受到夏賀良等人圖讖之說的影響。致使東漢災異說逐漸與讖緯說混同，並日益傾向咒術式的預言占候。

113 《經學通論》，頁16-19。針對〈藝文志〉中有「雜災異三十五篇」，認為孟氏得易家書，焦延壽得隱士說，是當時易家本有專言災異一說，非其自創。然其傳此說，仍屬易家別傳而非正傳。

114 《史記》，頁1351。

115 《漢書》，頁1764、1772。

116 〔日〕安居香山：〈緯書の天文氣象雜占の成立と展開〉，《讖緯思想の綜合的研究》（東京都：國書刊行會，1984年），頁21-54。考察馬王堆帛書〈天文氣象雜占〉與敦煌抄本〈占雲氣書〉二種圖象資料，認為發展為：戰國、秦時的天文氣象雜占——馬王堆的天文氣象雜占——緯書的讖文（天文氣象雜占）——敦煌抄本占雲氣書。

117 《京房評傳》，頁235。

西漢末年谷永「其於天官、《京氏易》最密，故善言災異」，然其災異說並沒有讖緯的影子。但西漢平帝時以明易為博士的蘇竟，王莽時曾與劉歆等共典校書，[118]其本傳所載〈與劉龔書〉，凡用占星分野揆度當時天文變異，證明光武應符而興，當掃除叛逆。並申言曰：

> 今年〈比〉卦部歲，〈坤〉主立冬，〈坎〉主冬至，水性滅火，南方之兵受歲禍也。德在中宮，刑在木，木勝土，刑制德，今年兵事畢已，中國安寧之效也。五七之家三十五姓，彭、秦、延氏不得豫焉。如何怪惑，依而恃之？
>
> 圖讖之占，眾變之驗，皆君所明。善惡之分，去就之決，不可不察。無忽鄙言！

其中凡雜用卦氣說，並引緯書《春秋運斗樞》「五七三十五、人皆共一德」為據，終歸諸於星占、圖讖之明驗。此正說明西漢末年以後，學者逐漸雜用京氏易與讖緯之說的傾向。東漢最為重要災異學者郎顗，在順帝時對策中，明白徵引的經籍凡《易內傳》(《易稽覽圖》)、《易天人應》、京房《易飛候》、《易中孚傳》、[119]《老子》、《易經》《春秋》、《易傳》、《詩氾歷樞》、《易雄雌祕歷》、《詩經》、《孝經鉤命決》、《尚書洪範記》及《石氏經》等十餘種。其中除京房易說外，更雜用大量讖緯。讖緯影響災異說之情形，更甚光武之時。盧央便稱：在讖緯盛行之時，京《易》只剩下占驗的軀殼，並成為讖緯之學的附庸，而京氏易學整體上也被讖緯之學所竊據。[120]然盧氏又稱：

> 論事必依經典，不用讖緯。郎顗進入朝廷後一年，就有張衡奏請禁絕圖讖，蓋郎顗與有力焉。郎顗在其具體占測中，總是將其所學與圖讖等區別開來。由此可見《京易》與讖緯實非一類。但諸緯採納《京

---

118 《後漢書》，頁1041-1046。

119 《後漢書》，頁1058。所載郎顗封事云：「《易中孚傳》曰：『陽感天，不旋日。』」。此語亦不見於今本《周易》中孚卦諸傳中，故學者多視為易緯之一。

120 《京房評傳》，頁239。

> 易》之論，京氏自身材料又散失殆盡，《京易》與諸緯混雜，而造成後世對《京易》的懷疑。[121]

言「《京易》與諸緯混雜」自是確詁；但以為郎顗「論事必依經典，不用讖緯」，甚至認為其對於張衡禁絕圖讖之事與有力焉，恐怕值得商榷！首先，史傳無任何根據說明郎顗支持禁絕圖讖，何況其既明引諸多讖緯之書（暗用者尚不在其數），豈有何立場主張禁絕圖讖？再則四通奏疏中，亦看不出郎顗「總是將其所學與圖讖等區別開來」的作法。盧氏或看到郎顗每並舉經傳與圖讖，以為他刻意將其區別；但忽略此乃郎顗依附經義，甚至是炫博才學的手段。觀其所引，五經具全，旁及《論語》、《老子》、《石氏星經》、《齊詩》「四始五際」說等，足見一斑。安居香山〈郎顗とその緯書思想〉一文除分析郎顗在京氏易與緯書上的修為外，更指出其舉薦的黃瓊、李固皆是精通緯書者，黃瓊又薦舉了樊英、楊厚，並惋惜楊秉外遷，故由郎顗開始形成一個精通緯書的學者集團。[122]是故，郎顗正代表東漢中葉讖緯之學的倡導者，而非禁絕者。有了郎顗博通經、緯的示範，至東漢末年鄭玄引經注緯，復援緯釋經。[123]京氏易與讖緯的關係，已難切割。特別是京氏《易傳》與《易緯》諸書同經亡佚後，學者欲重新輯佚時則不免糅雜難分。[124]今人欲從東漢災異學者言論中離析出京氏易，便很難擺脫讖緯糾葛。

然而上述顧慮，於班固〈五行志〉中並不存在。學者或有以為班固身處東漢讖緯大興之世，又著有《白虎通》，則其〈五行志〉應受到讖緯之影響；[125]其實未必然也！蓋〈五行志〉並不如《白虎通》般逕引讖緯，甚至

---

121 《京房評傳》，頁249-250。

122 〔日〕安居香山：〈郎顗とその緯書思想〉，《大正大學研究紀要》（1984年），頁265-278。

123 參呂凱：《鄭玄之讖緯學》（臺北市：臺灣商務印書館，2011年），頁182-233。

124 讖緯自三國以下，晉泰始、北魏太和、隋開皇、唐大曆皆有禁讖之舉，故逐漸散佚。元陶宗儀、明孫瑴、清黃奭皆有輯佚之作，而近以日人安居香山所輯，最廣為人引述。

125 如〔清〕浦起龍：《史通通釋》（臺北市：里仁書局，1980年），頁67-68。劉知幾即云：「漢自廣川董氏，湛深經術，頗雜緯書。伏勝、更生，後起應和，率取《春秋》、

連與讖緯發展最密切之李尋，[126]只載其以《洪範五行傳》申說論鼓妖一事，而未及讖緯。這並不表示班固對於讖緯有特別之顧忌與疑慮，[127]乃是因〈五行志〉所載史事以及災異學者言論，皆在讖緯興起之前。再則，作為〈五行志〉最重要文獻基礎之《洪範五行傳論》，其作者劉向更曾嚴正批駁甘忠可、夏賀良之流。故著作中自不會引述尚未發展成熟的炫世異說。[128]同樣，班固基於史家的職分亦不會用東漢的風尚，添加新說來改易前賢著述之原貌。

（三）傳世所載京房說之再檢驗

〈五行志〉所見京房說既是未經讖緯雜亂過最可靠之材料，故以其文例衡量後人所載京房說，則更可釐清紛雜。首先西晉司馬彪《續漢書・五行志》十一條中，悉與《漢五行志》相同皆題為「京房《易傳》」，而其中內容與《漢五行志》相近者佔八條，[129]唯以下三條相異：

> 時李固對策，引京房《易傳》曰「君將無道，害將及人，去之深山〔以〕全身，厥（災）〔妖〕狼食人」。陛下覺寤，比求隱滯，故狼災息。
>
> 京房《易傳》曰：「上不儉，下不節，盛火數起，燔宮室。」儒說火以明為德而主禮。
>
> 京房《易傳》曰：「地裂者，臣下分離，不肯相從也。」[130]

〈洪範〉，影附粘連，其流益蕃矣。世祖中興，喜徵符讖。孟堅撰史，特志〈五行〉，亦會逢其適歟？」

126 《漢書》，頁3192。即載李尋與解光支持夏賀良依圖讖，主導哀帝做更號再受命之事。

127 蘇德昌：《《漢書・五行志》研究》（臺北市：臺灣大學中國文學研究所博士論文，2011年），頁142-143。認為班固對於讖緯的引述出於特別的考量。

128 〈《漢書・五行志》之創制及其相關問題〉，頁179-181。

129 凡內容皆同者，自無疑義。倘其內容大同，唯文字稍有歧異者，亦在其列。

130 《後漢書》，頁3285、3292、3332。

第一條李固所引，文例與《漢五行志》同，不排除即為京房《易傳》之遺文。至於火災、地震，《漢五行志》一則只見孤例；一則以總綱方式陳述，未敢遽言其與《漢五行志》之關係。再看東晉干寶《搜神記》所錄材料，凡二十九條。內容亦與《漢五行志》相近者凡二十一條；相異者八條，如下表：[131]

夏桀至漢昭帝末	京房《易傳》	山默然自移，天下兵亂，社稷亡也。
周隱王二年	京房《易妖》	地四時暴長占：春、夏多吉，秋、冬 多凶。
晉武帝太康中	京房《易妖》	魚去水，飛入道路，兵且作。
晉惠帝太安中	京房《易妖》	牛能言，如其言占吉凶。
晉懷帝永嘉五年	京房《易傳》	人生他物，非人所見者，皆為天下大兵。
晉元帝建武一年	京房《易傳》	牛生子，二首，一身，天下將分之象也。
晉元帝太興初	京房《易妖》	人生子，陰在首，則天下大亂。若在腹，則天下有事。若在背，則天下無後。
晉明帝太寧初	京房《易傳》	蛇見于邑，不出三年，有大兵，國有大憂。

除了首條之外，其餘皆非兩漢史事，而其中四條題為「京房《易妖》」。則干寶所錄，應非班固所見。從文例看，亦不可能出於班固之前。誠然，因今二十卷本《搜神記》內容多有因襲史志以及《風俗通》處，《四庫總目》便疑為「後人綴合殘文，傅以他說。」[132]現今學者則多同意今本《搜神》早非原貌，唯何者為舊？何者出於後人拼合，則尚需斟酌。[133]因此上述數字只能算是參考。[134]但如與司馬彪所引對照，則其於《妖占》與異文的數量皆有增加，反映出東晉以下漸有號稱京房所著之《妖占》混同進來。

---

131 《搜神記》，頁67、69、96、101、102、106、107、109。

132 《四庫全書總目》，卷142，頁14-15。

133 參李劍國：〈二十卷本《搜神記》考〉，《文獻》第4期（2000年10月），頁56-81。〔日〕佐野誠子：〈志怪書誕生の素地としての《風俗通義》:《風俗通義》における災異と怪異〉，《中國：社會と文化》18期（2003年），頁106。

134 如《搜神記》，頁80。引京房《易傳》曰：「賊臣在國，厥咎燕生雀，諸侯銷。」又曰：「生非其類，子不嗣世。」考諸《漢五行志》，「生非其類，子不嗣世」一語乃出「一曰」，而非「又曰」。此難以判斷是輯者之誤，抑或干寶時即已混同？

再以蕭齊沈約《宋書·五行志》為證，該書錄京房說凡四十二條，與《漢五行志》相近者凡二十七條；相異者則增多至十五條（一條兩見），如下表：[135]。

《易傳》	君用婦人言，則雞生妖。	
《易妖》	山見葆，江于邑，邑有兵，狀如人頭赤色。	
《易妖》	魚去水，飛入道路，兵且作。	干寶同
《易妖》	豕生人頭豕身者，邑且亂亡。	《魏書》同
《易妖》	牛能言， 如其言占吉凶。	干寶同
《易傳》	殺無罪，則牛生妖。	
《易傳》	地坼裂者，臣下分離，不肯相從也。	司馬彪同
《易妖》	龍乳人家，王者為庶人。	
《易妖》	蛇見於邑，不出三年，有大兵。國有大憂。	干寶同
《易傳》	至陰為陽，下人為上。	
《易妖》	人生子，陰在首，天下大亂；在腹，天下有事；在背，天下無後。(兩見)。	干寶同
《易妖》	人生他物，非人所見者，皆為天下大兵。	干寶同
京房占	日蝕乙酉，君弱臣強。司馬將兵，反征其王。	劉昭注同
京房占	黑者，陰也。臣不揜君惡，令下見百姓惡君則有此變。	

首先「君用婦人言，則雞生妖」，乃源於《漢五行志》「婦人顓政」諸語，意同而文異。其餘皆不見《漢五行志》。當中與司馬彪、干寶同者，則知其材料源於二人。可佐證上述干寶所出現之異文，當屬六朝所見。且《宋書·五行志》除題為《易傳》者外，如《易妖》、京房占者，皆與《漢五行志》異，當為干寶、沈約諸人已知其所見非班固之舊，而改題之名。而其記錄，

135 《宋書》，頁892、946、971、973、987-988、998、1001-1004、1007、1012、1017。

更往下影響了劉昭與魏收。[136]再看《宋書・五行志》與《漢五行志》相近者，如毛孽、羊禍兩處，沈約雖引述《漢五行志》中京房對於畸形兒之描述，但只節用「足少者，下不勝任也」一語，卻引申在其他物異上。[137]更甚者如以下諸條：

> 京房《易傳》曰：「前樂後憂，厥妖天雨羽。」又曰：「邪人進，賢人逃，天雨毛。」其《易妖》曰：「天雨毛羽，貴人出走。」三占皆應也。
>
> 京房《易傳》曰：「無德專祿，茲謂不順。厥震動，丘陵涌水出。」又曰：「小人剝廬，厥妖山崩。茲謂陰乘陽，弱勝強。」又曰：「陰背陽，則地裂。父子分離，夷、羌叛去。」[138]

第一條前兩句出自《漢五行志》；但第三句則由《易妖》補之。第二例前兩句，《漢五行志》引述分於兩處，當然不排除原屬同一則。但第三句則是沈約增出，內容亦與司馬彪他處所補入者相近。由此兩例都可看到後代增益之痕跡。如上表「至陰為陽，下人為上」一語，《漢五行志》原云：「一曰：『至陰為陽，下人為上。』」[139]但《宋書》卻誤入為京房《易傳》之語。東漢以來，類似這樣方式誤入，或刻意附益的「京房說」可能不少。

到了梁朝，增益的現象更為明顯，如劉昭《續漢書・五行志》注二十四條中，獨有一條《易傳》言「海出巨魚，邪人進，賢人疏」者為引《漢五行志》文，[140]卻有二十條引自「京房占」（尚有二條只題京房），皆與《漢五

---

136 魏收《魏書・靈徵志》紀錄不多，唯見五條。其一條與《漢五行志》異者，即本諸《宋書》。

137 《宋書》，頁921、945。

138 《宋書》，頁926、993。

139 《漢書》，頁1473。

140 《後漢書》，頁3369，尚有一條云「谷永上書：『飲酒無節，君臣不別，姦邪欲起。』《傳》曰：『酒無節，茲謂荒，厥異日蝕，厥咎亡。』」考諸《漢五行志》，則《傳》曰云云，乃京房《易傳》語，唯增出「厥異日蝕，厥咎亡」數字。

行志》相左。其中最大宗者，皆屬日食諸占：[141]

《春秋潛潭巴》	京房或京房占
甲子蝕，有兵敵強	北夷侵，忠臣有謀，後大水在東方
丙寅蝕，久旱，多有徵	小旱災
乙未蝕，天下多邪氣，鬱鬱蒼蒼	君責眾庶暴害之
甲辰蝕，四騎脅大水	主后壽命絕，後有大水
壬午蝕，久雨，旬望	三公與諸侯相賊，弱其君王，天應而日蝕。三公失國，後旱且水
戊戌蝕，有土殃，主后死，天下諒陰	婚嫁家欲戮
丙申蝕，諸侯相攻	君臣暴虐，臣下橫恣，上下相賊，後有地動
戊子蝕，宮室內婬，雌必成雄	妻欲害夫，九族夷滅，後有大水
乙亥蝕，東國（發）兵	諸侯上侵以自益，近臣盜竊以為積，天子未知，日為之蝕
乙酉蝕，仁義不明，賢人消	君弱臣強，司馬將兵，反征其王
	骨肉相賊，後有水
甲戌蝕，草木不滋，王命不行	近臣欲戮，身及戮辱，後小旱
丁亥蝕，匿謀滿玉堂	君臣無別
丁卯蝕，有旱有兵	諸侯欲戮，後有裸蟲之殃
	庚辰蝕，君易賢以剛，卒以自傷，後有水

劉昭或許為了補正司馬彪，因此大量引述司馬彪所未述及之材料，特別是讖緯。日食諸條，劉昭幾乎一一引述《春秋潛潭巴》對於干支與日食對應之解釋，同時引述了京房占。由上表比較，京房占與《潛潭巴》異同不一，可能是來自不同源頭的占候說；也可能是同一時期不同占驗的分化。這些京房占

141 《後漢書》，頁3357-3369。

是否只是單純占候而不涉及干支？由其中庚辰條及乙酉條在《宋書・五行志》的引述顯示，在沈約之時，這些以詳述干支之日食占候的京房占已然出現。有趣的是，如果以西漢所流傳的卦氣說來推日食，不應當有這種單調對應的占候事驗，因為卦氣講究的是陰陽、五位的變動。而《漢五行志》京房的二十種日食占講究的日食諸象所主的占測，對應到干支上，不是增添詮釋的矛盾、衝突？由劉昭大量將其與《春秋潛潭巴》同時引用的情形看，可能是受到《春秋緯》影響下所創造出來的京房說，蓋就以今日所見的《易緯》尚無以干支對應日食的占驗。[142]與京房易說關係密切之《易緯》尚且無此占候；則欲以為諸說出自京房，定無此理。準此，《開元占經》專節討論六十甲子日食之占，每並列《春秋潛潭巴》與京房說，亦是務求泛博而不甄真偽。吾人對於不加斟酌而混同古今材料申說，便易誤判學術思想之內容及發展脈絡。[143]最後蕭子顯《南齊書・五行志》九條中，雖引有「京房《易傳》」五條，但除「樹枯冬生，不出二年，國喪，君子亡」、「君不思道，厥妖火燒宮」二條與《漢五行志》文字略有異同外，其餘皆異。茲如下例：

> 京房《易傳》曰：「生子二胷以上，民謀其主。三手以上，臣謀其主。二口已上，國見驚以兵。三耳已上，是謂多聽，國事無定。二鼻以上，國主久病。三足三臂已上，天下有兵。」其類甚多，蓋以象占之。[144]

---

142 〔日〕安居香山、中村璋八：《重修緯書集成》（東京都：明德出版社，1967年），卷1上，頁129。《易緯稽覽圖》云：「正陽者二至四月，陽氣用事時也。或二月之末、三月之末、四月之本。蝕日月相薄之，日在前後，各鄉陰之地侵之，或不從陰所來者，有行事師不載。」鄭玄注以為日食對人君、世子人民之占驗。又卷1下，頁48《易緯通卦驗》云：「冬三月候卦氣，比不至則赤氣應之。期在百二十日，內有兵、日食之災，期三百六旬也。」皆無干支與日食對應之法。

143 《京房評傳》，頁275-276。盧央對於《開元占經》亦毫無懷疑的徵引，並認為；「按京房八宮卦的思想，干支是其八宮卦結構的運算基礎，因此京房的這個整理是必然的。」但盧氏似未思考這些說法與分卦值日說的矛盾，亦未留意這套方法獨見於《春秋緯》而非《易緯》的重要線索。

144 《南齊書》，頁386。

蕭子顯每舉京房說於前，方陳述妖異之事。如此條，俱不見於上述諸子史籍所錄，而蕭氏所引其他出處者亦然，豈蕭子顯又另有所本？[145]但從文例觀之，蕭氏所引亦多是晚起之說，而非班固所遺。綜合以上分析，則自東漢讖緯大興之時，西漢所傳之京房說可能已開始為其滲透，一方面將京氏易轉化成為易緯形式；[146]另一方面或亦已開始出現託名京房的雜占作品[147]。但西晉司馬彪所錄尚稱謹嚴，至干寶、沈約以降，則大量湧現並記錄這些後起之說。《隋志》所著錄二十餘種京房著作，基本上即是這些大量新創、層累的京房說之集大成。

五　結語

京房著作由《漢志》的數種演變至《隋志》的二十餘種，其間真偽雜糅，自難悉辨。幸而《漢書》中仍保留一定數量的京房說，不僅時代最早，更經劉向、歆父子與班固之考訂，最為可信。而且更點明了京房易學著作的兩種形態。今欲探究兩漢京房易說，自當以《漢書》所見材料為根基，分析其條例，作為判準的定位。既可避免陷入東漢以後京氏易與讖緯之錯綜糾葛外，再依此檢視後世集結的文獻，方不至於誤用唐宋星占、類書等未加甄辨的素材，以今論古地推出原不屬於京房易說的結論。

即《漢志》所言《災異孟氏京房》，有保留於京房本傳的卦氣說與傳抄於〈五行志〉的七十二條雜占條例。就此數量眾多之雜占，既有針對歷史災異的論述，亦有漢朝當時現實災異占候。更特別的是班固更在《洪範五行傳》五行五事的架構下，大量抄錄京房對於水災、旱災、恆燠、恆陰、隕霜、恆風、蟲災、地震、日食等等災異現象的分析。班固當是為了京房雜占

145 《南齊書》，頁369、370、375、378、379、387。

146 如存在於《易緯乾鑿度》的卦氣說。又如郎顗封事所引《易傳》(《易內傳》)，內容或有與讖緯相近者。但史注甚至輯佚家多逕以為是京房說。

147 如郎顗封事所引《飛候》，《漢書》不載。郎顗亦未言京房所作，但唐李賢注，便逕與京房鉤連在一起。

在判分物象形態的專長，彌補洪範五行傳學說之缺陷，使得災異說更能運用自如。而這些材料，正留下京房災異說較為原始、可靠的面貌。首先，班固徵引時幾乎皆題曰「京房《易傳》」，在文例上逾八成皆為「(失德之事)，茲謂(不德之目)，厥(災異區分)(異象種類)，(異常的詳細差異)」之句型。在災異區分上，京房主要使用了災、異、妖、咎等字眼此雖可能受到公羊災異說與洪範五行說之影響，卻不為其所限。但其就物象的歸類，雖有大致方向，然偶亦見未必合理之處。

再文例分析出發，首先考察京房對於詮釋災異與人事對應的關係，其大致沿用漢代災異說學者所通用的「災為已至，異為方來」模式，屬於單一對應為主。但其日食占的描述中，提示了日食相伴而出者的風雨、地震現象；另一方面也論述一件失德之事，可能導致多種以上災異產生。如此多重災異的詮釋，並非立基於歷史分析的災異說所能發展；而當是因應元帝以來現實災異頻仍的詮釋需求。當災異事件再不是徵其原委而已時，其對於災異乃至於敗亡的時日占測需求，就益發強烈——此正是孟喜、京房一派卦氣說所專擅。是故京房雜占作為天變物異的具體分類與占斷；分卦值日的卦氣說則作為進一步的時日預測推算。其次重新依文例檢視傳世所載京房說，西晉司馬彪距班固最近，題篇與《漢五行志》相同，內容亦多相近。但干寶、沈約以下，開始逐漸引述《妖占》等名，內容、文例亦漸與《漢五行志》相遠。梁劉昭注則更大量引述了與《春秋潛潭巴》體例相仿的京房占，其內容強調干支與日食對應。該災異說既不見於《易緯》，則其與西漢京房易說的關係應更為疏遠。故東漢讖緯興盛，西漢所傳京房說已開始為讖緯所滲透，或將其易說轉化成為易緯；或託名京房造出雜占。

綜觀京房易學，其由《周易》到災異之間，分別存在著章句、卦氣、雜占等多種樣態。班固既已明白交代京房著作的二元性，亦提示其學說的長處在分卦值日用事，以風雨寒溫為候。但為何〈五行志〉對京房易學較具數理性的分卦值日未多著墨；反只借重其雜占中對天文、氣候的詳細分析？首先作為太學博士（不一定是京房，很可能是殷嘉等人），其傳經者除如費直專以〈彖〉、〈象〉、〈繫辭〉等解說上下經，班固特明其「亡章句」外，其他易學博士當有章句傳世，此即《孟氏京房》十一篇。然而京氏易得立博士，並不在其章句有何高明之處；而是其分卦值日之法，適切災異占候之時用，且大有過人之處。同時其自先秦方術所吸取的物象雜占，亦最為豐富。這些材料或許龐雜、分歧，故〈藝文志〉著錄多達六十六篇，統言之《災異孟氏京房》，明其非章句之體，乃屬災異之術。雜占諸例與卦氣說，現今並存於《漢書》之中。前者是面對災異現象的分析原則，後者卻是賴以占驗災異之所由，進而預測可能發生的凶兆或敗亡之事的推算法則。史傳本以政事為主，且自《春秋》以下本有記錄災異之傳統，災異說因其分析舊史或占驗時事，故每加輯錄以明天人之應，漢儒災異說便因此機緣，保留在史傳之中。相對的，除有影響學術演變之事件外，史家並無詳細載某家經注之必要。因為章句主要是透過六藝傳經的過程傳抄下來，並非史籍所關切的核心。在〈五行志〉中，班固既承襲劉向、歆父子《洪範五行傳論》之著作，故在洪範五行說體系下，唯求強化五行五事的事類倫比即可，無需橫生枝節。至於卦氣，則或為求簡明而刪去繁複推演過程；抑或此本是京氏專門之學，班固唯能存其結論，故於本傳中藉由奏疏識其梗概耳。自班固以來，便不斷強調京房易學的長處，一直到唐代李淳風《乙巳占》以及瞿曇悉達《開元占經》所錄京房說都以雜占為重。這或許代表由漢至唐，廣為災異學者間流傳的京房易，首是雜占、其次是卦氣，而非章句。

魏晉清談中三種易學型態之舉隅

——以管何之論與殷孫之辯為例

謝綉治

嘉南藥理科技大學儒學所副教授、臺南大學國語文學系兼任副教授

一　前言：問題的提出

清談的內容包羅萬象，其中很重要的談資便是「三玄」，即《易》、《老》、《莊》。《周易》的易理、易象、易數蘊藏著深微的哲學性、也充滿著神秘性，自然成為清談家援以論辯的資料來源，其中大衍、太極、天道、性、言象意、易象、數術等內容都是重要的談論議題。以義理論之者又不僅限於《老》、《莊》之學，或兼融儒道之思；以數術論之者，未必全訴之於陰陽象占之說，或有玄遠之論；以易象論之者，更有幽微之意，而本文舉隅管何之論與殷孫之辯二例來說明三個易學型態的內涵與特色，並從中省思一些問題，希望藉此比較其異同旨趣？並探討學者逕歸其為某某易學型態是否適切？

何晏與殷浩一系，不只是代表他們二人的詮《易》主張，而是意指魏晉以《老》、《莊》論《易》的整個學術體系。這一系往往談玄論道，以「玄」、「道」、「神」、「妙」等意涵說《易》，因此學者有以「玄理易」稱之，有以「三玄易」稱之，究竟這樣的稱名是否妥適，這正是本文要處理的問題。

管輅與何晏論《易》九事，曾以浮虛評論何晏，並以占驗名聞於時，故《三國志》這樣把他列入「方技傳」中；然他也以以「神」、「妙」、「玄」、「深」來看待《周易》，因此也有學者將他排入「玄學家」的行列。究竟管輅之說與何、孫一係出現何種實質性的差異？其易學型態何歸何從？這也是

本文要思索的問題。

至於孫盛與殷浩辯論「易象」一事，乃是孫盛反對玄學家跳脫「象」而論《易》，故提出「易象妙於見形論」來強調「易象」之妙用。孫盛此論是為了支持「妙象盡意」之說？還是為了糾正殷浩、王弼等人貴道忽器之失？亦或具備著更深的易學思想，這也關乎其易學型態的歸屬，唯有將二件清談論《易》的經過及其所呈現的內涵做一番詳細的探研，才能使以上的這些問題得以澄清。

二　管何之論與殷孫之辯

以《易》為主的談題在清談出現的議題甚多，而管何之論與殷孫之辯有些近似之處，孫盛反對殷浩、王弼論《易》不重卦象而重玄理，其情形類似管輅對何晏的評論，[1]然而管輅與孫盛之論《易》卻又有各自不同的規路，從其與玄學家們論《易》的原委可見一斑。

（一）管何之論

同樣熟悉《易》、《老》、《莊》的何晏、管輅又是如何演繹《易》的精神？又如何發展出各自論易的思想脈絡呢？想要了解管何之論就得從當時亦為清談大家的裴徽談起，根據《管輅傳》及〈管輅別傳〉所載，何晏與裴徽都是管輅清談的論友，趙孔曜曾經對管輅讚譽裴徽的玄論之才說：「冀州裴使君才理清明，能釋玄虛，每論《易》及《老》、《莊》之道，未嘗不注精於嚴、瞿之徒也」(〈管輅別傳〉)，[2]同時也將管輅推薦給裴徽，並極力稱揚管

---

1 唐翼明《魏晉清談》:「孫盛之論《易》較為保守，他反對王弼論《易》時不注重卦象而著重探討玄理的態度，這有點像正始間管輅對何晏的批評。」(臺北市：東大圖書公司，1992年10月初版)，頁98。

2 見盧弼《三國志集解》(臺北市：漢京文化公司，2004年3月初版)，頁697。以下凡引《管輅傳》及《管輅別傳》皆出自此版本，故不再做註，僅標頁數。嚴指的是嚴君

輅神妙之才說：「平原管輅……仰觀天文則能同妙甘公、石申，俯覽周易則能思齊季主，游步道術，開神無窮，可謂士英。」（〈管輅別傳〉，頁697）從這些描述一方面得知裴徽既通透《老》、《莊》之道熟絡嚴君平與商瞿之學，是個兼綜儒道且博學多識之人。另一方面也得知管輅之才可與戰國時期著名的天文學家晉卜偃、宋子韋、楚甘公、魏石申等人共登靈臺、披神圖、步三光、明災異、運蓍龜、決狐疑，與漢代司馬季主遊步道術以論「法天地，象四時，順仁義」之道，可見二人路數並不相似，儘管如此，管、裴二人第一次相見便「清論終日，不覺罷倦」，於是有了二見、三見、四見之舉，終在正始九年管輅被裴徽舉為秀才，可見二人四見之「清論」，必然交涉許多內容，不僅僅限於卜筮數術，也不止囿於《易》、《老》、《莊》之道。

管輅辭別裴徽，裴徽曾介紹他與何晏、鄧陽等人共論《易》，裴徽同時告知管輅說：

> 何尚書神明精微，言皆巧妙，巧妙之志，殆破秋毫，君當慎之！自言不解《易》九事，必當以相問。比至洛，宜善精其理也。（〈管輅別傳〉，頁697）

裴徽讚嘆何晏精微巧妙的風華，以「神明精微，言皆巧妙，殆破秋毫」等語來稱美何晏辯才無礙、神妙超絕，《世說新語．文學》六條注引《魏氏春秋》說：「晏少有異才，善談《易》、《老》」，[3]又見《北堂書鈔．九八》引《何晏別傳》說：「曹爽常大集名德，長幼莫不預會。晏清談雅論，紛紛不竭。曹羲嘆曰：『妙哉！何平叔之論道，盡其理矣！』」[4]這些記載更證明何

平，事蹟見《漢書．王貢兩龔鮑傳》：「蜀有嚴君平，皆修身自保，……君平卜筮於成都市，以為『卜筮者賤業，而可以惠人。有邪惡非正之問，則依蓍龜為言利害。』」；瞿指的是商瞿，孔子傳《易》於瞿之說見於《史記．孔子弟子列傳》。

3 見劉義慶撰，余嘉錫注：《世說新語箋疏》（北京市：中華書局，1989年3月初版），頁196。

4 見虞世南：《北堂書鈔》，《文淵閣四庫全書》（臺北市：商務印書館，1986年3月初版），第889冊，頁475。

晏熟悉《易》、《老》之學且析道辯理超拔絕妙，然而他卻對《周易》有九事不解，因而請教於管輅，〈管輅別傳〉說：

> 若九事皆至義者，不足勞思也。若陰陽者，精之以久。……輅為何晏所請，果共論《易》九事，九事皆明。晏曰：「君論陰陽，此世無雙。」時鄧颺與晏共坐，颺言：「君見謂善《易》，而語初不及《易》中辭義，何故也？」輅尋聲答之曰：「夫善《易》者不論《易》也。」晏含笑而讚之「可謂要言不煩也」。因請輅為卦。輅既稱引鑒戒，晏謝之曰：「知幾其神乎，古人以為難；交疏而吐其誠，今人以為難。今君一面而盡二難之道，可謂明德惟馨。詩不云乎，『中心藏之，何日忘之』！」（頁697-698）

何晏善《老》、《易》，卻有不解的《易》之九事，〈管輅別傳〉提及陰陽一事，《南齊書．張緒傳》提及時義一事，其餘七事並沒有足夠的材料以資佐證，[5]然而從管輅的言論，顯然已經道出管、何在理解《周易》時存在著不

---

5 九事並見於以下的資料一、《世說新語．規箴篇．注引〈管輅別傳〉》說：「冀州刺史裴徽舉輅秀才，謂曰：『何尚書神明清徹，殆破秋毫，君當慎之，自言不解易中九事，必當相問，比至洛，宜善精其理。』輅至洛陽，果為何尚書問九事，九事皆明，何曰：『君論陰陽，此世無雙也。』」二、《三國志集解》引〈管輅別傳〉說：「輅辭裴使君，使君言：『何、鄧二尚書，有經國才略，於物理不精也。何尚書神明精微，言皆巧妙，巧妙之志，殆破秋毫，君當慎之！自言不解易九事，必當以相問。比至洛，宜善精其理也。』」三、《南齊書．張緒傳》說：「何平叔所不解《易》中七事，諸卦中所有時義，是其一也。」四、《梁書．儒林傳》伏曼容說：「何晏疑《易》中九事，以吾觀之，晏了不學也，故知平叔有所短。」五、王應麟《困學紀聞》說：「晏以《老》《莊》談《易》，係小子觀朵頤，所不解者，豈止七事哉？」於何晏不解《易》者究竟是九事或七事？實無足夠材料以資佐證，徐芹庭在《魏晉七家易學之研究》中說：「所言七事，其除陰陽與時義二者耶？」 意謂本有九事，今除了《世說新語．規箴篇．注引〈管輅別傳〉》所說的陰陽一事以及《南齊書．張緒傳》所提的時義一事外，尚有七事。本文以為〈管輅別傳〉為其弟所作，而《世說新語》又較《南齊書》、《梁書》接近管輅時代，《困學紀聞》乃又其後，所以推論九事應較七事為可靠爾！然而九事為何？除陰陽一事與時義之事外，餘則不可知矣！參見拙著：《魏晉象數易學研究》（臺北市：花木蘭文化出版社，2010年3月初版），上冊，頁92。

同的思想理路。

何晏善談《易》、《老》，且為正始談玄論道的宗主，倡以無為本的形上本體，對於玄遠之思、形上之道、天人之際等豈有不知之理？怎會對《周易》陰陽一義不解？又怎會不盡「知幾其神」之道？其所不解者應是管輅為何能將陰陽九事運用在卜算占驗及人生日常當中且顯得如此出神、如此奇妙？

因此當二人共論之後，何晏以「君論陰陽，此世無雙」來稱揚管輅，且對管輅「善《易》者不論《易》」之說讚以「要言不煩」，說的便是管輅體《易》用《易》的實證功夫，因為，管輅之《易》既不可思辯，又超乎言語所能形容，完全是一種「推陰陽、極幽明」[6]的覽道功夫，這個功夫十分玄妙神秘，故管輅言「九事皆至義者，不足勞思也。若陰陽者，精之以久」（〈管輅別傳〉，頁697），攸關《易》之九事是不可勞心於思辯言語，必須精義入神，推步天元方可證得，這種超乎言語思辯的方式與何、王論《易》的境界貌似；然而不同的是，管輅的易學內涵在於「入神」，而何晏則在於「玄智」。「入神」者，通神靈應；「玄智」者，玄遠極理。由此推知，兩人雖然都有玄遠神妙的論點，然所論之易學哲思與內涵必然有所迥異。將於下一節述之。

（二）殷孫之辯

在東晉有一場精彩絕倫的清談，由殷浩、孫盛所展開，那就是攸關易象的論辯，《世說新語・文學》第五十六條，記載著：

> 殷中軍、孫安國、王、謝能言諸賢，悉在會稽王許。殷與孫共論〈易象妙於見形〉。孫語道合，意氣干雲。一坐咸不安孫理，而辭不能屈。會稽王慨然嘆曰：「使真長來，故應有以制彼。」即迎真長，孫

6　《管輅別傳》：「夫入神者，當步天元，推陰陽，探玄虛，極幽明，然後覽道無窮，未暇細言」，同註2，頁697。

意己不如。真長既至，先令孫自敘本理，孫麤說己語……孫理遂屈。[7]

這場盛會同時記載在《晉書・孫盛傳》及《晉書・劉惔傳》中，〈孫盛傳〉說：「盛又著醫卜及〈易象妙於見形論〉，浩等竟無以難之，由是遂知名」，[8]〈劉惔傳〉說：「時孫盛作〈易象妙於見形論〉，帝使殷浩難之，不能屈，帝曰：『使真長來，故應有以制之』，乃命迎惔，盛素敬服惔，及至，便與抗答，辭甚簡至，盛理遂屈。」（同前，頁1991）殷浩、孫盛就「易象妙於見形」的問題展開論辯，一開始孫盛勝過殷浩，後來又被劉真長（劉惔）折服，此為殷、孫論辯之大要。

孫盛反對王弼、殷浩等人以玄旨解《易》，認為王、殷二人著重在玄理的探討而不重視卦象的功用，因而強調易象的重要性。《三國志・魏書・鍾會傳》裴松之注引孫盛批評王弼《易》學的一段文字，可窺其易學思想梗概。

《易》之為書，窮神知化，非天下之至精，其孰能與於此？世之注解，殆皆妄也。況弼以附會之辨而欲籠統玄旨者乎？故其敘浮義則麗辭溢目，造陰陽則妙賾無間，至於六爻變化，群象所效，日時歲月，五氣相推，弼皆擯落，多所不關。雖有可觀者焉，恐將泥夫大道。[9]

孫盛對王弼易學的批評如同對玄理易學的批駁，也就是對殷浩論《易》方式的反動，因為玄學家雖融合儒、玄注《易》，然其專以玄旨附會易義，如王弼詮〈復〉卦，不從「一陽復始」之「爻象」草木萌生及春回大地之象來詮釋，反而改以「寂然至無是其本」[10]作解，就孫盛而言，像這樣忽視易象的

---

7 《世說新語箋疏》，頁238。

8 見唐房玄齡等：《晉書・孫盛傳》（北京市：中華書局，2006年6月第8次印刷），頁2147。

9 《三國志集解》，頁681。

10 見孔穎達《周易正義》引王弼語：「復者，反本之謂也。天地以本為心者也。凡動息則靜，靜非對動者也；語息則默，默非對語者也。然則天地雖大，富有萬物，雷動風行，變化萬端，寂然至無是其本矣。」引自王弼、韓康伯注，孔穎達等正義：《十三經注疏・周易正義》（臺北縣：藝文印書館，1982年8月9版），頁65。

作用便是違背了聖人作《易》的原意，〈繫辭下傳〉說：「是故《易》者象也，象也者像也」，又〈繫辭上傳〉說：「是故夫象，聖人有以見天下之賾，而擬諸其形容，象其物宜，是故謂之象」，易象之妙在於蘊藏萬事萬物變化之理，神妙之道則必須藉由卦爻象去符徵並感通，如果一味地擯落易象而直契玄思妙意，即使粲然可觀，也會因為過於推極玄智妙解而造成浮義麗辭，如此一來，恐反失了聖人作《易》之本旨。

易象本身含藏著深奧的形上義理，這一點，孫盛與王弼、殷浩等人並無不同。不同的是，孫盛重視卦象，藉卦象以探賾精深的聖人微意，而殷、王二人則重釋玄理，把「象」放在次要的地位，僅視為得「意」的工具。基於此，孫盛對王弼擯落「日時歲月，五氣相推」的看法不表贊同，因而提出易象之妙用，主張神妙之道都必須藉由卦爻象去表達，豈可忘象而直述《易》之理？又豈可擯落卦爻象數而敷以玄旨麗辭？

三　三種易學型態的論《易》特色

明瞭了管何之論與殷孫之辯的事件始末及思想梗概，就必須進一步地探討其論《易》的方式及哲思內涵，才能相較其異同何在？論《易》者個個學問廣袤精深，然都有其一定的基調，主玄者以玄論之，主神者以神感之，主象者以妙象契之，因為不同的路徑，遂顯發出不同的論《易》的方式及思想內涵，也就形成了不同特色的易學型態。

（一）以玄理論《易》

何晏、王弼為魏晉玄學架構了一個以無為本的理論體系，甚且援道以入《易》，以玄解《易》，新意迭生，玄理易學因此盛行而蔚為大觀。此一系所體現出來的詮《易》方法便是忽視易象而重視玄思，無論是何晏的「差次《老》、《莊》而參爻、象」，亦或王弼的「得意忘象」，都是企圖超越現象形器，尋求形而上的某種玄冥之境。這樣的玄思即表詮出其論《易》的特殊內涵。

然而，何晏到底呈顯何種論《易》的方法及路數呢？《文心雕龍・論說》：「迄至正始，務欲守文，何晏之徒，始盛玄論，於是聃、周當路，與尼父爭塗矣！」[11]《文心雕龍》說何晏雖始盛玄論卻不純乎玄，而在於聃周當路，儒道兼綜，意謂其易學思想是《老》、《莊》、《易》三者共融共論的結果。然而從馬國翰所輯的《周易何氏解》很明顯地看到何晏《易》注都是以儒家義理解《易》，不涉象數之說，[12]其或有些散見於《論語》一書及其他典籍裡的論《易》之說，[13]也大都以儒家的義理為尚，鮮少「玄思」之論，

11 見劉勰：《文心雕龍注》（臺北市：宏業書局，1975年2月初版），頁327。

12 見馬國翰《玉函山房輯佚書・周易何氏卷》（京都市：株式會社中文出版社，1979年9月），頁191-193。第一條：〈需〉卦辭說：「需。有孚。光亨貞吉。利涉大川。」何晏注說：「大川，大難也，能以信而待，故可移涉。」馬國翰輯此條乃就義海引錄，然李鼎祚卻引為何妥之說，黃師慶萱認為這一條應不是何晏所作，他說：「此當是何妥周易講疏語而誤引作何晏者也。」（黃師慶萱《魏晉南北朝易學書考佚》說：「妥安形似而誤，後人復於安上加日字，遂成晏字矣。何妥《周易講疏》，舊唐書經籍志誤題何晏，新唐書經籍志誤題何安，是妥安晏相沿致誤之例證。」臺北市：幼獅文化公司，1975年11月，頁4） 所以此條存疑而不論。第二條：〈師〉卦辭說：「師。貞。丈人吉。無咎。」何晏注說：「師者，軍旅之名。故《周禮》云：二千五百人為師。」何晏對師卦不作卦變或象數解，直接就卦辭之義解之，此則引《周禮・夏官司馬》：「二千有五百人為師，師帥皆中大夫。」 之文以說明師為軍旅之名。第三條：〈比・象〉說：「地上有水，比。」何晏注說：「水性潤下，今在地上，更相浸潤，比之義。」第四條：〈益・象〉說：「風雷，益。」，何晏注說：「六子之中，並有益物。獨取風雷者，取其最長可久之義也。」。

13 何晏注〈里仁〉：「子曰德不孤必有鄰。」則說：「方以類聚，同志相求，故必有鄰，是以不孤。」此顯然以〈繫辭上傳〉說：「方以類聚，物以群分。」及〈乾九五・文言〉說：「子曰：『同聲相應，同氣相求』」之義解之。又注〈公冶長〉：「夫子之言性與天道，不可得而聞也。」則說：「性者人之所受以生也，天道者，元亨日新之道深微，故不可得而聞。」元亨為《周易》常用之辭，日新在《周易》有〈繫辭上傳〉說：「富有之謂大業，日新之謂盛德。」又〈大畜・彖〉說：「剛健篤實輝光，日新其德」，故知此一注解亦是結合《論語》與《易傳》者。又注〈雍也〉：「有顏回者好學，不遷怒，不貳過。」則說：「不貳過者有不善未嘗復行」，此以〈繫辭下傳〉說：「子曰：顏氏之子，其殆庶幾乎！有不善未嘗不知，知之未嘗復行也。《易》曰：『不遠復，無祇悔，元吉。』」之義解之。又注〈述而〉：「加我數年，五十以學《易》，可以無大過矣。」則說：「易窮理盡性以至於命，年五十而知天命，以知命之年讀至命之書，故可以無大

那麼將如何證明他是以玄論《易》呢？〈管輅別傳〉說：

> 輅言：「何若巧妙，以攻難之才，游形之表，未入於神。……若欲差次老、莊而參爻、象，愛微辯而興浮藻，可謂射侯之巧，非能破秋毫之妙也。（頁697）

管輅重視易象的神妙作用，批評何晏將參爻、象之事置於《老》、《莊》玄理之下，忽象數而重玄理，逞微言之辯，興浮藻之辭，棄形器而遊乎象數之外，這種才華如同射侯中的，看似絕佳巧妙卻無什內涵可言，故以「游形之表，未入於神」來形容何晏論《易》之精神——「浮虛」而不紮實。因此與何晏共論九事畢，管輅評之：

> 其才若盆盎之水……欲以盆盎之水，求一山之形，形不可得，則智由此惑。故說老、莊則巧而多華，說易生義則美而多偽；華則道浮，偽則神虛……輅以為少功之才也。（〈管輅別傳〉，頁698）

裴徽稱譽何晏的「辭妙於理」，正是管輅所評述的「浮藻」、「微辯」，換句話說，只要何晏在易學的內涵裡注入玄思的妙道，其所說的卦爻之理不達乎性命人事者即是管輅所謂的浮虛，用此方式不管是論《老》、《莊》或論《易》，都落得巧美多華、道浮神虛的指摘。此管輅對何晏的評論正好證明何晏是融通《老》、《莊》與《易》，甚者，差次爻、象於《老》、《莊》之下，以《老》、《莊》來論《易》，故王應麟稱何晏：「以《老》、《莊》談《易》」（《困學紀聞》）[14]，簡博賢在《今存三國兩晉經學遺籍考》也說：

> 觀輅所評，則晏之說《易》，趣尚可覘。不能推陰陽以極幽明一也。以《老》《莊》之言，共爻、象為說二也。夫不推陰陽者，是退斥象

過。」此以〈說卦傳〉說：「和順於道德而理於義，窮理盡性以至於命。」之義解之。見何晏：《論語集解》（臺北縣：藝文印書館，1982年8月9版《十三經注疏》本）。以下所引《論語》及《論語集解》皆自此書。

14 王應麟說：「愚謂晏以老莊談易，係小子觀朵頤所不解者。」見王應麟《困學紀聞．卷一》，《四部叢刊》（臺北市：臺灣商務印書館，1966年10月臺1版），頁22。

> 數；而漢易為變。若欲差次《老》《莊》而參爻、象，是《老》、《易》同流，而經義玄化矣！[15]

何晏捨棄象數改以《老》《莊》參之，落得「美而多偽」之評，這就是為什麼其《易》論被視為玄理化的原因。

至於王弼則有《周易注》及《周易略例》等作，其易學兼融儒家義理與道家義理，然因為倡導以《老》解《易》，故晁說之說：「《易》雜《老》、《莊》而專明人事則自王弼始，弼好《老》，魏晉談玄，皆弼輩倡之。」[16]弼好《老》學，故時時以《老》解《易》，其易學自此走上了玄理的道路，朱伯崑《易學哲學史》說：「王弼易學的形成是曹魏時期古文經學的發展和《老》《莊》玄學興起相結合的產物」，[17]雖儒道兼論，然其宗旨仍以道家為尚，故可以視為以玄理解《易》一系。

王弼為了求得「易理」（意），「忘象」更成為「得意」的必要方法。[18]其後，韓康伯注〈繫辭上傳〉亦循王弼之思而有「忘象遺數」之說，[19]對於玄理易學家而言，「理」（意）是超越象與數的形上本體，象與數都只是「通理得意」的工具，因此欲求「聖人之意」就必須「忘象遺數」。另外，主張「一爻為主說」也是以至寡、至少的一爻來掌握全卦之義理，這也是王弼易學「執一統眾」方法的運用，與「大衍之數」以不用之一（道、無）來統馭有物之極數（四十九、有）的道理是相通的，湯用彤說：「王弼注《易》擯

---

15 見簡博賢：《今存三國兩晉經學遺籍考》（臺北市：三民書局，1986年2月初版），頁386。

16 見朱彝尊《經義考》卷十引（北京市：中華書局，1998年11月），頁63。實際上，在王弼的著作裡不見有以《莊》解《易》者，晁說之說《易》雜《莊》，不知何憑？若僅以「忘象得意」之說得自《莊子》「得魚望筌」之論，此證據似乎過於單薄。

17 見朱伯崑：《易學哲學史》（臺北市：藍燈文化公司，1991年9月初版），頁279。

18 王弼的《周易略例．明象》說：「象生於意，故可尋象以觀意，……象者，所以存意。得意而忘象，……象者，意之荃也。」見樓宇烈校釋：《王弼集校釋》（臺北市：華正書局，1992年12月初版），頁609。

19 韓康伯注〈繫辭上傳〉說：「非忘象者，則無以制象。非遺數者，則無以極數。至精者無籌策而不可亂，至變者體一而無不周，至神者寂然而無不應。斯蓋功用之母，象數所由立」（注〈繫辭上傳〉，《周易正義》引），同註10，頁154。

落象數而專敷玄旨。其推陳出新，最可於其大衍義見之。」[20]王葆玹說：「將『大衍之數五十，其用四十有九』中『不用的一』，解為《易》之太極，又循由以《老》解《易》的思路，將這《易》之太極與《老子》的『無』等同起來」。[21]不管是「得意忘言」的「意」，亦或「一爻為主」之「一」，或者是「其一不用」的「一」，此「意」、此「一」不僅僅指稱《周易》的易理與宗旨，其實更意指萬物的本體「無」、「道」。[22]，所以王葆玹說的「《易》之太極與《老子》的『無』等同起來」就是湯用彤所謂的「專敷玄旨」，如此看來，即使王弼論《易》儒道兼綜，仍以玄為宗。

至於殷浩，並無攸關《周易》的著作傳世，其論《易》的主張就只能從這一場論辯及其家學淵源推敲而得。基本上他與其叔殷融對於易學的主張應是一致的，承繼何、王之學，不注重卦象而著重在《周易》的玄理妙義的發揚，《世說新語・文學》所載殷融撰有〈象不盡意〉，這個論點基本上與何晏、王弼的理路是相似的。[23]因此殷浩沿襲其叔之易學思想，與何、王一脈

20 見湯用彤：《魏晉玄學・王弼大衍義略釋》（臺北市：佛光文化公司，2001年4月初版），頁79。

21 見王葆玹：〈王弼《周易大衍論》佚文研究〉，《道家文化研究》（北京市：生活、讀書、新知三聯書店，1998年1月第1版），第12輯，頁393。

22 「其一不用」的「一」就是「《易》之太極」，也就是演天地之數的宗元，更是統馭萬象的本體，掌得此本體，則千變萬化的現象，便可貞一於道。因此王弼的「一」就是「道」、「無」，如注老子三十九章說：「一，數之始而物之極也。各是一物之生，所以為主也。物皆各得此一以成，既成而舍一以居成，居成則失其母，故皆裂、發、歇、竭、滅、蹶也。」 這個「一」與注《易》的「一」，都是指稱為萬物生成的根源，若居成而失其母，便會發生「裂、發、歇、竭、滅、蹶」的情況而混亂不已，因此「一」就是萬物之母、萬物之本體。「一」與「四十有九」即「一眾」、「體用」、「有無」、「本末」、「母子」之關係，故知「一」雖是數之極，卻非數，亦不可用數來表達，於是借用「四十有九」的「有」來體現這個非數的「一」。「一」者，並非於太極之外別有一個實體，而是當下便蘊攝在萬有紛紜的現象中，所以雖稱「四十有九」為數之極，「一」為非數，意謂「一」是「四十有九」的本體，「四十有九」是「一」的運用，這便是王弼體用合一的思想，也是玄學家體外無用，用外無體的哲學體系。

23 見唐翼明先生在其《魏晉清談》的第六章〈清談的重振與衰落〉說：「推測殷氏叔姪論《易》皆承王弼之說，屬於魏晉清談中的主流派。」（臺北市：東大圖書公司，1992年10月初版）頁270。

相承，都屬於以玄理解《易》一系。

此一型態以玄理解《易》，融《老》、《莊》之理以論經，輕象數而重玄思，其所謂的易道，就是與太極玄通的形上道體。

（二）以通神體《易》

管輅批評何晏「未入於神」，這就是個關鍵，因為《周易》作為卜筮之來源，理論上就已預設一個超驗不可知的抽象存在，或謂鬼神，或謂規律，或謂無形之主宰者，主宰曰道，變化曰神，「神」與「道」同源於天人共生、天人合一之理，而《易》之神寓於數，數寓於著，著為神物，其德圓而神，神不離乎物，即物之變化而不可測，不疾而速，不行而至，妙萬物而不囿於物，推極其數可以通神，就能使心之靈明感通天地之神明，知來物之妙，靈氣所鍾，便能洞燭先幾，善必先知之，不善亦先知之，此即《易》之神可以「逆數」，可以「前知」之道。人們讚嘆管輅自小即為奇才，稱之為神童，及長，擅長陰陽曆算，為人卜卦決疑，無不應驗，且能預知其命數之將終。其弟管辰曾稱管輅之德術已至出神入化之境，處於魏、晉之際，能藏智以朴，卷舒有時，可說是纖微委曲，盡其神妙者。[24]與時人論《易》，時人亦時時以「神」或「妙」稱之，[25]連何晏都以「著爻神妙」、「知幾其神」來稱譽管輅之質。[26]

---

24 《管輅別傳》：「輅處魏、晉之際，藏智以朴，卷舒有時，妙不見求，愚不見遺，可謂知幾相邀也。」（同註2，頁702）。

25 稱其為神者，如《管輅傳》：「聞君著爻神妙」，又《管輅別傳》有「英神以茂」、「號之神童」、「謂之神人也」、「開神無窮，可謂士英」、「聖人運神通化，連屬事物，何聰明乃爾」、「邠……所不解者，皆以為神」、「見輅道術神妙，占候無錯」等，管輅也有許多論神的理論。稱其為妙者，如《管輅傳》：「晏謂輅曰『聞君著爻神妙，試為作一卦，知位當至三公不？』」又《管輅別傳》稱輅「用思精妙」、「為劉奉林卜婦死亡日，何其詳妙」、「輅為開爻散理，分賦形象，言徵辭合，妙不可述」、「卿有水鏡之才，所見者妙」、「仰觀天文則能同妙甘公、石申」、「邠所解者，皆以為妙，所不解者，皆以為神」、「君雖神妙，但不多藏物耳，何能皆得之？」、「妙不見求，愚不見遺」等。

26 《管輅傳》：「晏謂輅曰：『聞君著爻神妙，試為作一卦，知位當至三公不？』」（同註這個神既有「鬼神」之意，又兼融「通神明之德」與「陰陽不測之謂神」的意味，[27]「神」既是存在於心靈層次的一種無所不能、通曉一切的力量，又展現變化無常、陰陽不測、無方無體、不疾而速，不行而至、知來藏往等特質與作用，唯有具備神明之德的人能感通之，管輅以其高深道行體證「知幾其神」的妙智，精深陰陽，審度時勢，故能「步天元，推陰陽，探玄虛，極幽明」（同前），久之，心體瑩然，隨觸而覺，然後推陰陽之數，極幽明之義，不需勞思勞心，不須玄智思辯，自然知曉「天有常期，道有自然」之理而達到神化之境，這就是管輅所強調的「夫卜非至精不能見其數，非至妙不能睹其道。」（〈管輅別傳〉，頁702）的通神之道。

管輅的通神之功就存在陰陽之數與運蓍之神當中。他認為一個人若能體得易道，一切的陰陽變化、生死幽明皆備乎象數之中，故說：

> 天地者則乾坤之卦，蓍龜者則卜筮之數，日月者離坎之象，變化者陰陽之爻，杳冥者神化之源，未然者則幽冥之先，此皆《周易》之紀

2，頁697）《管輅別傳》：「晏謝之曰：『知幾其神乎，古人以為難；交疏而吐其誠，今人以為難。今君一面而盡二難之道，可謂明德惟馨。詩不云乎，中心藏之，何日忘之！』」（同註2，頁698）

27 朱伯崑《易學哲學史》一、從神道論神。二、從不疾而速論神。三、從思想深刻處論神。四、從事物妙變論神。見朱伯崑：《易學哲學史》（臺北市：藍燈文化公司，1991年9月初版），頁110。實際上，從不疾而速論神與從事物妙變論神皆可視為一種神之作用與性質。以鬼神論之者有〈乾・文言〉：「與鬼神合其吉凶」，〈謙卦・彖〉：「鬼神害盈而福謙」，〈觀卦・彖〉：「觀天之神道，而四時不忒；聖人以神道設教，而天下服矣」，〈豐・彖〉：「與時消息，而況於人乎? 況於鬼神乎？」〈繫辭上傳〉：「精氣為物，遊魂為變，是故知鬼神之情狀」、「天生神物，聖人則之」、「興神物以前民用」、幽贊於神明而生蓍」等。以神明之德論之者有〈繫辭上傳〉：「顯道神德行，是故可與酬酢，可與祐神矣」、「蓍之德圓而神，卦之德方以知」、「聖人以此齊戒，以神明其德」；〈繫辭下傳〉：「通神明之德」、「窮神知化，德之盛」、「神而明之存乎其人，默而成之，不言而信，存乎德行」等。以作用與性質而言神者有〈繫辭上傳〉：「所以成變化而行鬼神也」、「知變化之道者，其知神之所為」、「利用出入、民咸用之謂之神」、「神以知來，知以藏往」、「神而化之，使民宜之」、「神無方而《易》無體」、「陰陽不測之謂神」、「《易》無思也，無為也，寂然不動，感而遂通天下之故」、「唯神也，故不疾而速，不行而至」、「神也者，妙萬物而為言者也」、「知幾其神乎？」等。

綱，何僕之不謙？（〈管輅別傳〉，頁701）

融合術數的「神妙精微」與《周易》的「精義入神」，這是管輅「通神」的思想基礎，稱之為「周易之紀綱」。《周易》之紀綱有六，天地、日月代表卦義與卦象，蓍龜象徵神物與易數，變化不測代表神化的作用，杳冥、未然體現神之境界，管輅以此徹底發揮《周易》所謂「感應」、「通神」的特質，那是因為一個深通易學之人，明白天地運行有一定的理路與規則，無論是永恆不變之理或變化莫測之道都有圓活不滯的神道運乎其中，不囿於形跡，不為形器所限，人若能以德侔神，配合宇宙運行之規律，不失其明、不亂綱紀，不背吉凶之道，就能與鬼神合其吉凶。當然，他有一套通神的方法，那就是「象」與「數」。

「象」的多義隱喻性與「數」的高度抽象性是人與神感通的媒介，也是管輅折服時人的本事。入於「神」者，明白天地、日月、陰陽及萬化之理皆具備於卦爻象數之中，依其「象」與「數」所符徵的盈虛消息、吉凶之幾即可推測幽明之事，逆證未來變化，體現神知之用。他反對何晏的論《易》屏棄象數，脫離運蓍之法，直接參以玄外之微意，一味地付諸玄理，不思害盈之數，這並非諳於《易》道之人。對於管輅而言，卦爻象的符號系統並非如玄學家所謂的言外、象外之意，玄智純粹在思辯的形上層次極力表達抽象的本體，其所謂的神也非真正的「神」，真通神者，至誠感通，天人無蔽，極盡天下之深情，舉凡天地間萬事萬物的各種情狀與事理都洞澈無礙，只要透過運蓍之法，便能從安卦生象中直接感悟吉凶得失之理，未形之幾，隨感而應，所以說：「輅每開變化之象，演吉凶之兆，未嘗不纖微委曲，盡其精神。」[28]管輅認為所有的人事之理皆已具存於陰陽之數與蓍龜神靈之中，所以聖人之意不煩注釋，也不必落乎言詮，當鄧颺問管輅為何善易卻不及義中辭義，管輅卻答以「夫善《易》者不論《易》也。」又平原太守劉邠往問管

28 為時人說解爻象皆從吉凶之情即變化之數論之，如為鮑子春「論爻象之旨，說變化之義，若規圓矩方，無不合也」，為景春「分賦形象，言徵辭合，妙不可述」，為鍾毓「分張爻象，義皆殊妙」，從卦中取象，進而察象、悟象、冥象，然後從中斷象明義而見吉凶。見〈管輅傳〉及〈管輅別傳〉。

輅注《易》之要，管輅也以「易安可注也」回應之，管輅不注《易》，亦不多講卦爻辭中的義理，乃以為達道之人洞燭陰陽感應變化之數，便能明白死生幽明同化於太極之道，故又說：

> 吾與天地參神，蓍龜通靈，抱日月而游杳冥，極變化而覽未然，況茲近物，能蔽聰明？（〈管輅別傳〉，頁701）
>
> 靈蓍者，二儀之明數，陰陽之幽契，施之於道則定天下吉凶，用之於術則收天下豪纖。（〈管輅別傳〉，頁700）

一切不可見之理蘊乎陰陽之數當中，萬物莫逃乎數，數是一切事物變化的法則，也反映著萬事萬物的變化與流行，管輅認為人、事、天時皆有其定數，此定數則稱之為卜筮之數，也就是所謂的「陰陽之數」，陰陽之數通於萬類，然此數必須通過人之神明（靈明之德）才能與天地參合，與鬼神相通，與日月幽冥同游，主觀的心靈透過推步陰陽之數的蓍筮而與神感通，術足數成，數成則通神，其耳、目、思、智透過感、應、通、合，隨感而應，隨遇而合，通達宇宙萬物的定數，明白消息盈虛之理，了悟生死危亡之道，故勸誡何晏：「不可不思害盈之數，盛衰之期。」（〈管輅別傳〉，頁698）人以神明之德，知幾逆數，洞澈吉凶之原，而後得以「藏智以樸，卷舒有時」以保全其身。

由此視之，可知管輅的「善《易》」乃是以卦爻象結合陰陽之數的神道來占算人事之吉凶，垂神幽藪，推步陰陽，揭櫫象數之微旨，凸顯術數家通神至妙的天人合一觀，故反對何、王等以玄理論《易》之風。此管、何之爭，實際上也代表著象數易學與玄理易學的異論。

（三）以妙象契《易》

孫盛著〈易象妙於見形論〉，[29]其中劉孝標注《世說新語・文學》時，

---

29 有關此篇的作者，清嚴可均於《全晉文》中也認為此文是殷浩所作。而馬國翰輯此佚

在「殷與孫共論〈易象妙於見形〉」下接著注解說：

> 其論略曰：聖人知觀器不足以達變，故表圓應於蓍龜。圓應不可為典要，故寄妙跡於六爻。六爻周流，唯化所適。故雖一畫而吉凶並彰，微一則失之矣。擬器託象而慶咎交著，繫器則失之矣。故設八卦者，蓋緣化之影跡也。天下者，寄見之一形也。圓影備未備之象，一形兼未形之形。故盡二儀之道，不與〈乾〉、〈坤〉齊妙。風雨之變，不與〈巽〉、〈坎〉同體矣。[30]

〈易象妙於見形〉一文代表著孫盛的易象觀。此外，還著有〈老聃非大賢論〉、〈老子疑問反訊〉二文，除表達他對貴無論與崇有論的觀點外，也提出對易象的看法，此二文一方面反對王弼貴無之思，另一方面又對裴頠的崇有之說有所詰難，於是在〈老聃非大賢論〉一文中提出「圓化之道」，[31]就是

文則依據《晉書·孫盛傳》、《晉書·劉惔傳》的記載，判定為孫盛所作。朱伯崑《易學哲學史》推斷此為殷浩所作，其所持的理由是：一、他認為把此段放在「殷與孫共論〈易象妙於見形〉」一語的後面，而不放在「孫語道合」的後面，從行文筆法來看殷為主詞，所以「其」指的是殷浩。二、整段文意似乎與王弼一派的「象不盡意」類近，故判為殷浩之作。是殷浩對孫盛〈易象妙於見形論〉的反駁。見朱伯崑：《易學哲學史》（臺北市：藍燈文化公司，1991年9月初版），頁377-378。筆者歸此文為孫盛所作，有四個理由。一、劉孝標的「其論略」並無交代「其」是指孫盛或殷浩。雖以殷為第一位，然既說「共論」，則表示二人皆有作此文之可能，故直接斷為殷浩，此證據則略顯薄弱。二、根據《晉書·孫盛傳》、《晉書·劉惔傳》的記載，都指稱孫盛著有〈易象妙於見形論〉。今不信《晉書》，反信清人嚴可均《全晉文》之說，不甚合理。三、既然以「易象妙於見形」為題，其重易象可知。四、嚴可均與朱伯崑先生皆認為「易象妙於見形」一文較近「象不盡意」之宗旨，故判此文為殷浩的玄理易之作。參見拙著第三章，同註5，頁100-101。

30 〔晉〕孫盛：〈易象妙於見形論〉見劉義慶撰，余嘉錫注：《世說新語箋疏》（北京市：中華書局，1989年3月），頁238。並見於見馬國翰：《玉函山房輯佚書》（京都市：株式會社中文出版社，1979年9月），頁247。

31 孫盛說：「道之為物，唯怳唯惚，因應無方，唯變所適。……，而伯陽以執古之道，以御今之有；逸民欲執今之有，以絕古之風。吾故以為彼二子者，不達圓化之道，各矜其一方者耳！」（〈老聃非大賢論〉）見《大藏經》第52冊《廣弘明集》卷五中（臺北縣，無量壽出版社，1988年），頁120。孫盛認為，貴無之思固然不可，崇有之論亦非

希望融合儒道二者，藉由形下的器象去妙合形上之玄理，藉由「有」之跡去體證「無」之體，這是他一貫的思想，也是論《易》的依據。〈易象妙於見形〉基本上也是呈現這樣的理路，以下將把此文分為幾段並作如下之分析，以凸顯孫盛重視妙象的易象觀。

（一）「聖人知觀器不足以達變，故表圓應於蓍龜。圓應不可為典要，故寄妙跡於六爻。六爻周流，唯化所適。」孫盛反對王弼、殷浩貴道賤器，所以主張要觀象知器，即便如此，卻又認為不可執著於象器，因為一旦拘泥於象，必無法圓活應用而通達無礙。所以主張推及於圓而神之蓍德，[32]蓍龜圓應活脫不滯，其妙理不可捉摸，不囿於一方，只能寄其妙理於六爻畫卦之形跡上。雖然如此，卦爻象也只是妙理的形跡而已，不可執泥，故又說：「繫器則失之矣」。

（二）「故雖一畫而吉凶並彰，微一則失之矣。擬器託象而慶咎交著，繫器則失之矣。」卦爻象具有高度抽象的象徵意義，能代表宇宙間一切事理的變化，一爻的符號可以表徵凶象，也可以表徵吉象，只要對爻象之義稍有誤解，就無法掌握《周易》真正的微言妙意。所以藉由象器與形跡去表達吉凶禍福，就不可過度泥滯，唯有適當地看待易象，才能由「跡」冥「道」，而不會只有「跡」而無「道」，否則就落入執「有」的僵化中，無法圓通。從這個角度來看，孫盛既重視易象與觀器，也與王弼、殷浩一樣重視象外之理，不同的是，他反對殷浩等人以王學掃象立說，有道而無跡，落入另一個浮虛之弊端。真正體道的人，在「跡」與「所以跡」中間是融合無間的，不可廢跡而貴無。反之，他也反對執著於「有」，執「有」便不達「虛勝」之道，又陷入另一個困境，因此主張不可「繫器」為有，以有為本，就無法唯

圓熟之道，故提出「圓化之道」來調合貴無、崇有二者之失，期待能夠「玄通有無」，使「有為」、「無為」兩不相礙。因此著〈老聃非大賢論〉、〈老子疑問反訊〉二文來表達他的玄學思想。此二文皆收錄在《大藏經》第52冊《廣弘明集》，以下凡引此二文者，皆出自此版本，故不再作註，僅標頁數。

32 〈繫辭上傳〉說：「是故蓍之德圓而神」。

變所適，通達無礙。[33]

（三）「故設八卦者，蓋緣化之影跡也。天下者，寄見之一形也。圓影備未備之象，一形兼未形之形。」卦爻象是陰陽變化與吉凶慶咎之影跡，也是《易》理「因應無方，唯變所適」的形跡，圓通的易理（形上之理）可以兼備未備之象（可見之象），形下的卦爻象（可見之象）可以兼備未形之形（形上之理），透過《周易》兼備未備之象與未形之形，藉由影跡，冥合象外之意，便能得聖人之微意。

（四）「故盡二儀之道，不與〈乾〉、〈坤〉齊妙。風雨之變，不與〈巽〉〈坎〉同體矣！」乾坤二卦雖表天、地之象，但不可侷限於天、地，它們也可代表父母、首腹、龍馬等象及「健」與「順」之德，並由此作多種喻義的衍生；巽坎二卦雖表風、雨之象，但亦不可侷限在風、雨，它們也可代表長女中女、雞豕、股耳等象及「入」與「險」之德，並由此作更多抽象義的廣衍，因為象具有袤廣深妙的象徵義，因此藉由跡象逆求聖人之意，就能尋得真正之至理妙意，這就是「易象妙於見形」的真正意蘊，也就是融通「有」與「無」、「形而上」與「形而下」的圓化之道。

孫盛以「妙」來描摹易象之用，即是希望在「妙象」極廣闊、極深沉的抽象性之下建構一套「有無圓通」的理論。這種觀點同樣見於他所重視的「觀象知器」上，孫盛論《易》重視卦爻象，認為卦爻象是體現萬事萬物變化的「跡」，聖人之意是不可脫離形器與事跡去求形上之道，因此卦義就必須要建築於易象之上，若無易象而空談義理則易落入殷浩等人的浮辭玄虛。反之，若只是執著於易象又會造成繁瑣僵化而失去真正的卦義，也無法體得聖人微意。所以「妙象盡意」不只為了糾正殷浩、王弼等人貴道賤器之失，其所表達的更是一種體用相契的「圓化之道」，融通「跡」與「道」，從「形跡」與「象器」當中去體會卦義與形上義理。

---

33 貴無、崇有一樣，都患了「定於一玄、矜於一方」的毛病，孫盛的目的，就是希望找出一個圓融的理論來調和二者之說，解決貴無與崇有中間之爭辯，以期重新建立玄學的理論。他說：「昔裴逸民作崇有貴無二論，時談者或以為不達虛勝之道，或以為矯時流遁者。余以為尚無既失之矣；崇有亦未得也。……吾故以為彼二子者，不達圓化之道，各矜其一方者耳！」（〈老聃非大賢論〉），同註31，頁120。

四 論三種易學型態的問題

從二場攸關論《易》的清談中，可以清楚地看到三派各自有不同的易學理路，本文以玄理論《易》、以通神體《易》、以妙象契《易》稱之，乃因為其中尚存在一些問題值得思索，故無法截然地給予一個確切且適當的稱名，僅能以三種型態歸之。

（一）「以玄理論《易》」是否可稱為玄理易？三玄易？

前文已論及何、王、孫三人的三玄之思，從《三國志・卷九・何晏傳》、《世說新語・文學》第六條引《魏氏春秋》及〈管輅別傳〉引裴徽之語等證明何晏好《老》、《莊》或《易》、《老》。又從《世說新語・文學》的記載知王弼十餘歲便好《莊》、《老》，後更有注《易》之作。又《世說新語・文學》二七條注引《殷浩別傳》及《世說新語・賞譽》八六條注引《中興書》都載有殷浩善《老》、《易》之說，以及《世說新語・文學》七四條劉注引《中興書》載有殷融撰有〈象不盡意〉之說。[34]又《晉書・王衍傳》說：「魏正始中，何晏、王弼等祖述《老》、《莊》，立論以為：「『天地萬物皆以無為。』」[35]到《晉書・殷浩傳》說殷浩與殷融俱好《老》、《易》等說，[36]這些清談的資料在在都證明何晏、王弼、殷浩等人的易學思想，基本是以玄論易，故名此派為玄理易尚稱合宜。

稱三玄易或玄學易不妥之因有二：一是三玄本身已包含《周易》，不必刻意強調三玄之一的《易》，否則三玄之一的《老》或《莊》，是否也稱為三玄老或三玄莊？二是此易學型態，雖留下以玄論易的資料，但反觀他們的

---

34 《世說新語箋疏》，頁256。

35 《晉書・王衍傳》，同註8，頁1236。

36 《晉書・殷浩傳》：「浩識度清遠，弱冠有美名，尤善玄言，與叔父融俱好《老》《易》」，同註8，頁2043。

《易》注，多以《老》論《易》，少以《莊》論《易》者，既然缺乏以《莊》論《易》之理論系統，如何能稱三玄易？

首先，《顏氏家訓．勉學》篇，其文略說：「何晏、王弼，祖述玄虛，遞相誇尚，景附草靡，……直取其清談雅論，辭鋒理窟，剖玄析微，妙得入神……洎于梁世，茲風復闡，《莊》、《老》、《周易》，總謂三玄。」[37]在魏晉時期《周易》與《老》、《莊》一樣皆被學者援之以剖玄析微，闡揚妙理，已屬三玄之一，何需以三玄易來稱之？況且「三玄」是個以《老》、《莊》、《易》為特定內涵的學術名詞，當中已包含《周易》，又何需再加一個「易」字，正如我們也不會稱《老》、《莊》為「三玄老」、「三玄莊」一樣，因此用「三玄易」來稱名，反而顯得突兀且多此一舉。何況「三玄易」一詞除用在易學外，也有其他不同的視域與用法。如袁枚則將之視為形容詞之用，他在〈存素堂詩初集序〉：「以『三玄易』一句，其深造也，能以萬象入端倪。」[38]意謂作詩與易象變化的道理都是一樣的，需有其獨至之思，專精之詣，「三玄易」一詞在此並無構成特定概念的要素或內容，只是作為形容詞之用，意謂《易》象通於《詩》道。然潘雨廷則將三玄易特指為王、韓之《易》注本，而非意指清談時的論易型態，他說：

> 故王、韓《易》注成，方有屬於「三玄易」之注本。王、韓注《易》的特色為掃象，有取於《莊子》之義而自加變化，對《老子》的原義亦每多去其徵實之言而全部空論之。[39]

以王、韓的《易》注本為三玄易，乃意謂《易》取《老》、《莊》之意並以玄虛之辭潤飾之。其特色便是忘象遺數，表現玄緒、玄理、玄風特色之易學精神。若是如此，只見「《易》為玄」而不見「三玄」之由，更何況王、韓

---

37 王利器：《顏氏家訓．勉學》（臺北市：漢京文化公司，1983年），頁179。

38 袁枚的〈存素堂詩初集序〉不為《袁枚全集》所載錄，而是學者陳少松整理法式善的《梧們詩話》時所發現，法式善的《梧們詩話》藏於南京圖書館，見陳少松〈袁枚佚文兩篇〉，《文學遺產》2001年第1期。

39 見潘雨廷：《易學史叢論》（上海市：上海古籍出版社，2007年6月），頁309。

《易》注本是否有系統地取《莊子》之義而自加變化？這還是個見仁見智的問題，因此，若以「三玄易」成為以玄論《易》的專稱，似乎還有待商榷。

其次，我們必須檢視此派學者是否以《莊》論《易》？有學者認為此一易學派別乃實融通《老》、《莊》之理以解《易》者，如徐芹庭在《魏晉七家易學之研究》說：「何晏在三國時代，乃融通《老》、《莊》之理以解《易》，實闢易學之新途徑」，[40]何晏雖參爻象於《老》、《莊》之下，實際上在今日所見的三條注《易》之文中，也不見以《莊》注論之跡。而殷浩等人同樣缺乏以《莊》論《易》之理論系統。只有王弼之說爭議頗大，王葆玹認為：「王弼未注《莊子》，但《莊子》影響的痕跡在《易》、《老》兩注中屢屢出現。」[41]張善文在〈論王弼易學之時代精神與歷史意義〉中也認為王弼使用「筌蹄之喻」和「得意忘言」的論點更是源自於《莊子》之論，[42]儘管隱約可見王弼之論《易》的確受到《莊子》的影響，卻不似以《老》注《易》般明顯地形成一套體系。因此，要嚴肅地歸屬一個學術型態，不能零落地以貌似之言東拼西湊，得有一定比例及數量去建構一個完整的思想系統，然而從前面的論述，只能證明此系學說共論《易》、《老》、《莊》或以《老》論《易》，缺乏強而有力的證據來證明以《莊》論《易》的成立，因此稱名「三玄易」並不十分妥適。

綜述之，從以上持論三玄易的理由來看，都是指稱《易》具有寂然虛無、微妙深遠的通玄之意，有別於儒家之論《易》。然而，若用「玄學」之

---

40 見徐芹庭：《魏晉七家易學之研究》（臺北市：成文出版社，1977年2月初版），頁290。

41 王葆玹認為王弼注《老子注》的第十三、十八、二十、四十二章都引用到《莊子》之《齊物論》、《讓王》、《大宗師》、《駢拇》等篇目原文，所以肯定王弼的以《莊》解《老》、以《莊》解《易》。見《玄學通論》（臺北市：五南圖書出版公司，1996年4月初版），頁306-307。

42 張善文對王弼的「得意忘象」認為是受《莊子》影響他說：「直接影響王弼此說的，當推《莊子》的得意忘言論」，又說：「王弼此說雖與莊子的論調有直接的沿承關係，但兩者卻不可渾同等視，更不可簡單地認為王弼是毫無抉擇地機械地援引老莊玄學以入《易》。」文見陳鼓應主編：《道家文化研究》（北京市：三聯書店，1998年1月），前則引文見頁342，後則引文見頁343。

稱論《易》，其失與以「三玄」論《易》一般，界定模糊不明確，因此，筆者以為用「玄理易」來稱明此派的易學型態或許比以「三玄易」或「玄學易」來得適切些。

（二）「以神妙體《易》」的管輅可視為玄學家嗎？

管輅論《易》因時時顯「神」、「妙」之境，使學者認為其說與玄學不可言喻且神祕的玄冥之境的思路或境界相暗合，故而將他歸入玄學家之列。然而事實是否如此呢？唐翼明《魏晉清談》說：[43]

> 他（管輅）的談《易》相當注重哲理，並不只是說吉凶禍福 ，例如此處的「善《易》者不論《易》」，一語，即與王弼的「得意忘象，得象忘言」說暗合。

認為「夫善《易》者不論《易》也」、「《易》安可注」文辭思路似乎與王弼的「得意忘象，得象忘言」貌近。又王葆玹在《玄學通論》提到：

> 他（管輅）的言論多有玄遠色調，如說「樂與季主論道，不欲與漁父同舟」，有似於王弼與曹爽的「論道」；主張「背爻象而任胸心」，有似王弼的「忘象」；稱「善《易》者不論《易》也」；有似王弼的「忘言」；斷定「物不精不為神」，「可以性通，難以言論」，「言不盡意，意之微也。」乃是玄遠之論，屬形上學範圍。[44]

此論以為管輅玄遠之論近似王弼的忘言、忘象及微意論道之說。實際上，與季主「論道」，所論者乃游步道術之道，開神無窮，具備「法天地，象四時，順仁義」之情，此乃術數與儒思兼備之妙道，絕非王弼、曹爽等「神明精微，清言絕妙」之玄道。再者，管輅的「背爻象而任胸心」、「善《易》者

---

43 見唐翼明：《魏晉清談》（臺北市：東大圖書公司，1992年10月初版），頁94。

44 《玄學通論》，同註41，頁293。

不論《易》也」、「可以性通，難以言論」、「言不盡意，意之微也。」等論，表象上雖與殷、王「得意忘言」、「得意忘象」貌近，然「實質」則建立在步運之術上，對於八卦之道、爻象之精，已至窮神知化、靈驗若神之境界，故劉邠才以「妙」、「神」之境稱之。[45]管輅之所以臻至神妙之境，乃藉由「象」之「精」通神化之玄，然後再脫離「象」之羈限，洗心全神，在凡天理萌動之幾，極陰陽變化之數，感知萬物之精，故能覽未然而斷吉凶，達到無所不知之境。既然一切的陰陽變化、生死幽明皆備乎「象數」之中，又何需講述卦爻辭之義理呢？又何需注《易》？這樣的把握「意之微」的方法絕非與邏輯思辯的玄智、玄辯、玄思一樣，從其發軔、過程及歸契皆非玄學家「得意忘象」之進路。

事實是，管輅主張的「言不盡意」，其所依恃者非玄學家「得意忘言」這種剖玄析微、辭妙於理的玄思方式，乃是心靈直覺，直湊造化之源的方法，也就是「神智遇合」的感應方式，管輅說：

> 夫物不精不為神，數不妙不為術，故精者神之所合，妙者智之所遇，合之幾微，可以性通，難以言論。是故魯班不能說其手，離砞不能說其目。非言之難，孔子曰書不盡言，言之細也，言不盡意，意之微也，斯皆神妙之謂也。(〈管輅別傳〉，頁699)

「神智遇合」便能「感數而動」，陰陽之數就是一種幽明之理，感數者，感此幽明之理，這是術數家之軌路。因此管輅藉由揲蓍運數，感通爻象之旨而契悟神通，因而推得生死休咎之理，故有「故精者神之所合，妙者智之所遇」之說，這就是管輅「神智遇合」的方法論。因此，立根基於術數者，與立根基於玄理者，雖然都有「超越象數」及「言不盡意」的玄遠之境，然其中所感、所性通的方式與內涵卻大異其趣。

---

45 〈管輅別傳〉:「輅於此為論八卦之道及爻象之精，大論開廓，眾化相連。邠所解者，皆以為妙，所不解者，皆以為神。」同註2，頁700。

況且「感」隨人之「性通」亦各有不同解讀，[46]玄學家所說的「感」與宗教家、術數家所謂的「感」大異其趣，不同旨趣其神化的理路與內蘊自然就隨之而異。玄旨之神藉由無形無跡、無方無體的變化之功來論感、論神，透過玄智、玄思去做邏輯的推論與闡述，使「神」成為顯示「道」超乎經驗的一種玄冥之境。[47]如何晏不用卦爻之象，直接以《易》之哲理來表徵「性與天道」幽隱之理，故有「不可得而聞」深微之論，[48]但這只是闡發玄理之奧微，非真通達天道、神道之境者，何晏終因不解陰陽之數與盛衰之期而被殺，[49]可證玄智之感通並非是管輅式之通神。

管輅的「言不盡意」實質上更在凸顯儒家多切人事的實踐功夫，絕非道家道心那種窈冥深遠的玄智、玄德。管輅的「通神之道」有別於玄學家的「玄遠之神」，藉由爻象的神祕符示性以通神，卻以體《易》用《易》的精

46 《世說新語・文學》第六十一條說：「殷荊州曾問遠公：『易以何為體？』答曰：『易以感為體。』殷曰：『銅山西崩，靈鐘東應，便是易耶？』遠公笑而不答。」以「感」為體，說明銅山西崩，靈鐘就會東應，銅與山為母與子，子母相感就如同陰陽氣類相感，山將頹，鐘先鳴，這樣陰陽蔽匿之數互感，有似管輅所說：「陰陽之數通於萬類」、「各感數而動」。

47 何晏在《論語集解》中往往融入《周易》的思想，所以其易學思想未必放在注《易》上，如注《論語・公冶長》：「子貢曰：『夫子之文章，可得而聞也；夫子之言性與天道，不可得聞。』」時則說：「性者，人之所受以生也。天道者，元亨日新之道。深微，故不可得而聞也。」性是人之所受以生的本質。而天道指的就是深微不可得聞的「元亨日新」之理。何晏要盡之性確實是得自此深微不可得聞的天命，故注《論語・述而》：「加我數年，五十以學《易》，可以無大過矣。」天道玄奧而隱微，人秉天而生，必合天而體證，此十分玄遠窈冥，何晏故以「深微」表之。此引文見何晏集解，邢昺疏：《十三經注疏・論語》（臺北縣：藝文印書館，1982年8月9版），頁43。

48 王弼說：「天地萬物之情，見於所感」（注〈咸卦・彖辭〉）；韓康伯說：「神無方而易無體，而道可見矣。故窮以盡神，因神以明道。」（注〈繫辭上傳〉「一陰一陽之謂道」）這裡的「感」與「神」都是藉由無形無跡、無方無體的變化之功來論者。

49 與何晏共論《易》後，何晏以夢見青蠅數十頭來駐鼻上驅之不去之事，請教於管輅，管輅為其卜筮解夢，並從〈艮卦〉、〈謙卦〉、及〈大壯卦〉的三個卦的「妙象」感通陰陽之數、吉凶之兆，告誡何晏當收斂含藏，謙虛懷德，動合乎禮，履道休應，「上追文王六爻之旨，下思尼父彖象之義」（〈管輅傳〉），否則，將因害盈高危而招致敗亡。然何晏至死皆未能了悟，故而遭致殺身之禍。

神履踐德行之真誠，從對生命的觀照出發，時時察照天道人性之不二，故能朗鑒於未形之幾，洞燭於不測之微。因此，管輅不只在通神之玄，更在體貼文王、孔子之德行旨義，其學說已然綜合眾說，立論既關乎《易》，又異乎《易》，以術數為主，兼融儒玄，謂其神才奇士則可，謂其為玄學家尚未十分適切，既非玄學家，就不能逕稱其易學為玄理易之一環，牟宗三《才性與玄理》說：

> 善《易》者不言《易》，此既與章句訓詁不同，亦與智解玄悟有異，此亦可說「經外別傳」。[50]

意謂步運之術不在《易》中，卻又借《易》蓍筮爻象以通神，與玄思神妙同歸於窮神知化之道，卻又非玄學家之玄解、玄悟，因此對於這位開創新軌路的術數易學家，逕稱其為魏晉玄學家，並不十分妥適。本文則定其為合術數儒玄之思的新易學型態較為適切。

（三）「以妙象契《易》」可視為玄解的一種嗎？

孫盛之《易》正是兼融「儒與道」、「有與無」的「圓化之道」，此「道」需要玄通無礙、窮通變化、因時順勢，融合《老子》「怳與惚」無形無狀的形上義；[51]又要有儒家聖人隨時設教之「德跡」，[52]故主張大賢之人要觀象知器，[53]才能運形斯同，御治因應，隨時設教，變通無礙。

立足在「玄通有無」的觀點，卻偏重在有，這是孫盛的立場，因此他反

50 見牟宗三：《才性與玄理》（臺北市：臺灣學生書局，2002年8月，9刷），頁87。

51 他說：「道之為物，唯怳與惚，因應無方，唯變所適。」同註31，頁120。

52 孫盛：「夫有仁聖必有仁聖之德，跡此而不從，則陶訓焉融？」（〈老子疑問反訊〉）」同註31，頁120。

53 孫盛說：「大賢庶幾觀象知器，觀象知器，豫籠吉凶，豫籠吉凶，是以運形斯同，御治因應，對接群方，終保元吉，窮通滯礙，其揆一也。」（〈老聃非大賢論〉）同註31，頁119。

對無言、無跡之論，故說三皇以來之聖，莫不有作，六經敷訓爛然炳著，聖人並非不言，而是順時而言，因時而著，因為體道通玄，才能與時而興，唯變所適。

所以孫盛主張「易象妙於見形」，就因為易象本身就蘊含「唯變所適」、「妙化無窮」的特色，以「圓應」、「窮變」的「妙象」言之，說明「妙象」本身含藏著通玄之微意，以象備非象之道，由「象」而體「道」，方能「實用」。因此主張「易象」在「妙於見形」，「妙於見形」即「妙通微意」。從這個角度而言，我們可以說孫盛之論《易》雖有儒家解《易》之風，但也摻雜了玄解之意，故不可純以儒家易歸之，其易學風格亦可判屬玄理之一支。

五　結論

〈繫辭上傳〉:「聖人立象以盡意」，成了各派易學的理論基礎及基本議題，也由此演繹出各種不同型態的易學思想與內涵。「言意象」是三派都共同關心的議題，「意」無可異議都指向「理之微」，然因三派的基調不同，論「理之微」的同時都有各自的表述與體系，以至於宗玄者以玄理論之，感神者以神智體之，表象者以妙象論之，各展其風。

何、王、殷等人論《易》，往往《老》、《莊》、《易》共論。以《老》論《易》已有定勢，以《莊》論《易》者則零落不見體系。況且，《周易》在魏晉時期已與《老》、《莊》同列「三玄」，本身既已為三玄之一，又何需以「三玄易」稱之？本文為求慎重起見，故歸稱為「以玄理論《易》」之易學。

管輅固有玄深色調，亦不可過飾，其「物之精」、「數之妙」、「意之微」的妙道皆在生命的朗照中自然體現，內涵絕非玄學家「得意忘言」、「得意忘象」之路數。管輅聚神斂視，洗心於密，覽道於無窮，體現出「神」與「道」融合為一的獨特神祕形上學，他的易學思路因為調和玄、儒與術家之說，不能逕歸為玄學家，其《易》也無法直稱為玄理易，故歸稱為術數儒玄合一的新型態易學。

孫盛批評王弼麗辭溢目，與管輅批評何晏浮辭華藻一樣，都認為玄學家所謂的「得意忘象」、「象外之言」只有「道」而無實「跡」，乃屬玄智之悟解，缺乏具體及踐履的內涵。因此主張「妙象」在於「見形」，「妙象」不僅具有象徵指示性，且圓應萬變與形上之道相通，不離「跡」又不泥於「跡」，故以「援妙象以契易理」的易學型態稱之。

在魏晉學術思潮的激盪下，不管是名理派的學者，亦或站在象數立場反對玄理易的學者，或多或少都受到時代風尚的影響，融合玄學論《易》的方式已成為時人共識，故要歸屬其易學型態，就必須爬梳各派之易學思想、風格與路數，才不致剖判失當，引發爭議。

圖書易學的延續與開展
——論元代張理圖書易學之重要內涵*

陳睿宏
政治大學中國文學系副教授

一　前言

宋代經學走向因經明道的高度義理化的路線，易學亦以義理為重，而從陳摶（？-989）、劉牧（1011-1064）、邵雍（1011-1077）、周敦頤（1017-1073）等人所開展的圖書之學，成為這個時代一種新興的圖式學說，一種重視圖式與數論的象數及義理結合的易學發展取向，圖書之學儼然已為自此以降易學認識的重要視域，並為易學家所爭相論說的重要議題。圖書之學結合數論之主張，成為宋代易學的重要特色。

圖書之學發展至宋元之際，丁易東（？-？）、朱元昇（？-1273）、雷思齊（1231-1302）、胡一桂（1247-？）、吳澄（1249-1333）、張理（？-？）可以視為重要的繼承者，[1]其中又以丁易東與張理為大宗。丁氏著重於複雜數論的建構，而張理則關注天地之數與《河圖》、《洛書》的衍生關係，以及太極生次衍化所構築出的先後天八卦與六十四卦的形成，著重於天地之數的數值結構、《河圖》和《洛書》，以及先後天卦圖結構諸圖式，與傳統易學理論的應合與詮釋，某程度上可以視為傳統易學思想透過圖式化數值化的理解，

* 本文已發表於《東華漢學》第19期（2014年6月），頁195-242。

1 有關易學家之易學圖式，詳見其有關之論著，包括宋代朱元昇之《三易備遺》、元代丁易東之《大衍索隱》、雷思齊之《易圖通變》、胡一桂之《周易啟蒙翼傳》、吳澄之《易纂言外翼》，以及張理之《易象圖說》。其中以丁易東及張理可以視為繼宋代以來之大宗。

以及接受諸圖式主張，可以作為易學原理下的必然產物。張理的《易象圖說》，可以視為宋代主流圖書易學觀點的延續，並在元代易學史上具有承先啟後的地位。

張理為元代清江（今江西清江）人，早年從杜清碧（1276-1350）[2]學《易》，「盡得其學，以其所得于《易》者，演為十有五圖，以發明天道自然之象」，肯定其立圖述《易》為本，善於闡發自然運化之象，《宋元學案》列為杜氏門人。《宋元學案》並記載其著有《易象圖說》三卷，以及《大易象數鉤深圖》三卷。知其著以《易》為主，並任為儒學副提舉，必以儒學為專。[3]朱睦㮮（1518-1587）《授經圖》著錄有《周易圖》三卷、《易象數鉤深圖》六卷，以及《易象圖說》六卷，其他包括如焦竑（1540-1620）《經籍志書目》、明代《正統道藏》，乃至相關的史志皆有著錄。參照三著之內容，並綜合歷來之記載，以及前人之考證與論述，認為三書當中，僅《易象圖說》作為代表其易學論著，並為其思想觀點的文獻依據。[4]

---

2 杜本，字原父，號清碧，以經史為志，博學善文，天文、地理、律曆、度數等無不通習。以南人處士征授翰林待制、奉訓大夫，兼國羅院編修官。兼通醫學，於順帝至正元年（1341）撰《敖氏傷寒金鏡錄》一卷，為現存最早的舌診專著，另有《四書表義》之儒學論著。

3 括弧與論述，參見〔清〕黃宗義著，〔清〕全祖望補修，陳金生、梁運華點校：《宋元學案．草廬學案》（北京市：中華書局，2007年1版北京3刷），卷92，頁3091。

4 《授經圖》載錄三著，焦竑《經籍志書目》亦同，唯《大易象數鉤深圖》作三卷。《正統道藏．洞真部．靈圖類》收錄張理論著《易象圖說內篇》三卷、《易象圖說外篇》三卷，以及《大易象數鉤深圖》三卷；《四庫全書》同《道藏》，只不過《易象圖說》內外篇各三卷並為一著。其他如《續文獻通考》、《遼史藝文志》、《補遼史藝文志》、《元史藝文志》、《補元史藝文志》等諸著，亦皆有著錄。《周易圖》今錄存於《道藏》，但未名作者。有關三著作者的問題，《易象圖說》歷來並無異議，而《大易象數鉤深圖》方面，《道藏提要》提到：「劉師培《讀道藏記》考證是書實宋人《六經圖》之第一卷。」任繼愈主編《道藏提要》，認為是書當為楊甲（？-？）等人編撰，而張理則參與增補。有關此著作者問題，章偉文先生詳作考實，認為該書當不為張理所著，但有過對相關易圖進行增補。（見章偉文：〈試論張理易圖學思想與道教的關係〉，《中國道教》2006年6期，頁19-24）考索《大易象數鉤深圖》所論《河圖》與《洛書》，以朱震所載劉牧「河九洛十」之說，而《易象圖說》則指為陳摶《龍圖》誤作九數，當以朱張理廣摭前代《易》說，融通陳摶、劉牧、邵雍、周敦頤、朱震（1072-1138）、朱熹（1130-1200）等名家主張，並自製創說，建構龐富的易學圖式，同時結合《易》數之運用，透顯出以圖式為主體，詮解易學觀點而傳遞豐富的易學生成變化思想。張理於《易象圖說》之序文中，認為「《易》之象與天地準，故於天地之理，無所不該。是以陰陽錯綜、奇偶離合，無不有以相通焉」。[5]《易》以象見而準於天地自然之陰陽衍化，天地之數所表徵的陰陽奇偶錯綜、交互離合，莫不合於天地之道，昭顯之《易》象，周於先後天卦位與《河圖》、《洛書》之中。自然萬象之生成，莫不得之於氣，並以數列形之；張理指「天地之間一氣而已，分而為二，則為陰陽，而五行造化，萬物終始，無不管於是焉」。一切的變化與存在，皆由氣而生，氣判陰陽，陰陽具體化的知識系統建立，以符號及圖式結構呈現，其最根本的概念與元素即天地之數，透過此數「所以成變化而行鬼神」者。他指出，「凡奇為陽，陽者天之數；凡偶為陰，陰者地之數」，「天地變化，陰陽屈伸，舉不出乎此數。是數也，兩之為二儀，參之為三才，伍之為五行，分之為八卦，究之為九宮，此其大要也」。[6]陰陽為萬有之根本，萬有源於陰陽，以天地之數

熹以降所言「河十洛九」為正，可見二著對《河圖》與《洛書》用數的主張相異，是《大易象數鈎深圖》當非張理所著，或有關係也當僅為增補編收圖式之功。關於這樣的認識，朱伯崑《易學哲學史》中亦有論及（見朱伯崑：《易學哲學史》第三卷，北京市：華夏出版社，2005年北京1版1刷，頁42），所言確是。至於《周易圖》，《道藏》未錄姓名，比對該書所收圖式，與《大易象數鈎深圖》大致相同，則該著或當非張理所作。林忠軍先生認為該書恐是張理《大易象數鈎深圖》的別本（見林忠軍：《象數易學發展史》第二卷，濟南：齊魯書社，1998年初版，頁523）。本人詳閱《周易圖》所載，諸多圖式建構思維與構圖內容，與《易象圖說》多有不同，較為明顯的問題，即同為《河圖》與《洛書》用數方面，《周易圖》取朱震傳劉牧之說，肯定當為「河九洛十」，與《易象圖說》的觀點，有明顯之扞格。參照三著之內容，並綜合歷來之著錄，以及前人之考證與論述，認為三書中當以《易象圖說》作為代表張理的易學論著，本論文並以此著作為文獻論述之主要依據。

5 見〔元〕張理：《易象圖說．原序》（臺北市：臺灣商務印書館，1983年景印文淵閣四庫全書本），第806冊，頁372。本文採此本，並參考，《道藏》本進行校覈，故不再詳註。

6 相關引文與論述，參見〔元〕張理：《易象圖說．內篇》，卷上，頁380。

表之，則一切的陰陽變化，三才、五行、八卦、九宮，乃至六十四卦之推衍，皆天地之數所變而得之。一切肇端於數，成之於象，變化生成，衍為各種數列、象列的宇宙圖式，並構成張理的圖式符號結構的易學理解。

張理的圖式《易》說，過去關注且進行研究討論的學者，主要有朱伯崑（1923-2007）先生於其《易學哲學史》中，從「河天洛地說」與「太極圖說」兩個主題範疇，取其九個圖式進行闡釋。[7]另外，林忠軍《象數易學發展史》中亦專章論其圖式化的象數易學，從「圖說陳摶《龍圖序》」、「圖說畫八卦」、「圖說六十四卦排列」、「圖說六十四卦卦象」等幾個方面，取《易象圖說》與《大易象數鈎深圖》十六個圖式進行釋說。[8]二家呈現了一定的成果，也開啟學者對張理的重視。但是，朱氏從其二方面所論，僅能反映張理的部分圖說思想，其核心的儒學內涵並沒有被開顯出來，而所謂「陷入了唯心主義」[9]的批評，又似乎過於沉重；而林氏所析，屬於《大易象數鈎深圖》的部分圖式之運用，未必可以代表張理之觀點，且圖式背後的哲學意涵性與易學理論主張相對薄弱。另外，章偉文探討張理易圖學思想與道教的關係，圍繞在道教的主體視域看待張理的《易》圖觀，肯定其《易》說的道教性格，卻無意於具體圖式上作詳細之論證。[10]因此，本人認為張理之圖說，仍有可觀且值得再深入爬梳之處，可以對其易學主張的認識，作再深入與延展、補充與更周全的詮釋與建構。

本文主要從天地之數的分合推變、《河圖》及《洛書》衍生之重要特性與結構意涵、太極生次之圖式系統、先後天圖式的對待流行與合德之性、六十四卦變通致用之變化系統等幾個論題，期許能夠較為全面而有系統的探析其圖式之可能理解範疇，特別關注圖式符號結構原理與重要易學內涵之梳理，申明其圖書易學的實質內容與與所傳達的重要意義。

---

7 見朱伯崑：《易學哲學史》（第三卷），頁42-67。

8 釋說十六幀圖式中，取《易象圖說》十一幀，取《大易象數鈎深圖》五幀。專章論述內容，參見林忠軍：《象數易學發展史》（第二卷），頁523-548。

9 見朱伯崑：《易學哲學史》（第三卷），頁67。

10 見章偉文：〈試論張理易圖學思想與道教的關係〉，《中國道教》2006年6期，頁19-24。

二　天地之數的分合推變

宇宙的一切變化源自氣的變化，氣化由始生而分合交變，展現出自然萬物生息不已的狀態；以數值推衍開顯氣的初始之未分，入於變化的分判。此天地陰陽之變，藉數值的推立，體現出體與用、象與形、動與靜之性，並本此特性，進而衍生圖書與先後天的圖式系統。

（一）天地未分數列結構之形成

天地自然即陰陽的變化，陰陽以數值呈現即為天地之數，天地陰陽之分合，即天地之數圖式結構之布列。天地自然的衍化，即陰陽由分而合的歷程，從天地之未合，進而衍化為天地之已合，分合確立，萬物由是而生。張理以陳摶《龍圖》立說，確立「天地未合之數」的布列結構，其圖式如下所示：[11]

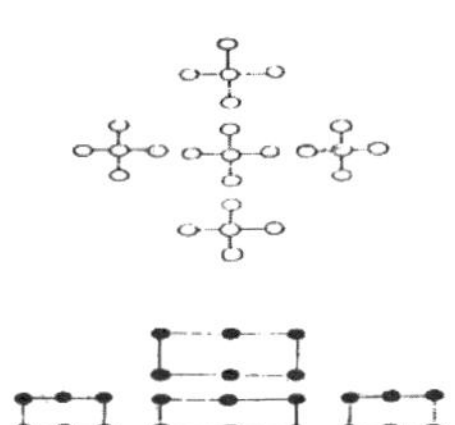

天地之數總合五十五，其未分之狀，乃以天地之數的中數五與六，分別代表天地未合之布列推演之基本結構。「乾坤成列，而易立乎其中」，[12]「易」居陰陽變化之「中」，如「河洛×十生成之象」的圖式中，強調其圖式結構之「中」為「易」，[13]總天地陰陽柔剛之變，為一切變化的核心與初始之狀，同於太極之性。故天地之數，取「五」、「六」為「中」，為天地運化初始的未分之狀，也就是尚未分成一、二、三、四、五、六、七、八、九、十，而總合仍為五十五的合數，藉由五與六進行建構，並呈現五行布列的狀態。

在天數未合方面，即上圖之上列圖式，張理指出「天數中於五，分為五位，五五二十有五，積一、三、五、七、九，亦得二十五焉。五位縱橫見三，

11　圖式見〔元〕張理：《易象圖說・內篇》，卷上，頁376。

12　見〔元〕張理：《易象圖說・外篇》，卷中，頁416。

13　〔元〕張理：《易象圖說・外篇》，卷上，頁413。

縱橫見五，三位縱橫見九，縱橫見十五」。[14]以天地之中的五、六二數進行五方布局。天數以「五」數為組，分立五位，五五二十五，即天地之數的天數一、三、五、七、九總合之數。天數之五位，每位皆五，縱橫皆見三位，每位之縱橫亦各三；縱橫可見之三位，合列可縱橫見九，即合每位之三，三三為九。

地數之未合結構，即上圖之下列圖式，張理亦指出「地數中於六，亦分為五位，五六凡三十，積四、二、六、八、十，亦得三十焉」。[15]地數以「六」數為組，亦立五位，六五三十，合於天地之數的地數二、四、六、八、十總合之數。天數二十五，地數三十，個別分立，並以五行之位建構其個別的序列，成為天地陰陽變化尚未決然分判為十數之狀。

（二）天地已合生成數列衍化之內涵

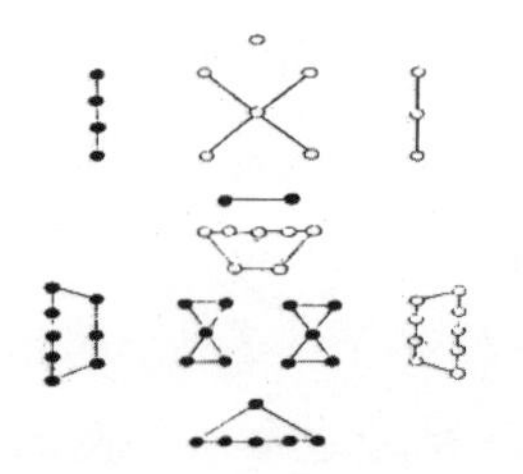

由天地之未合，推演至天地之相合，從未合之天數二十五數與地數三十數，變成天地已合的生數與成數結構，即未合的天數衍化為已合天地之生數結構，由未合的地數衍化為已合的天地之成數結構，圖式如右所示。[16]

1 天地已合之生數結構

由未合的二十五天數所推演的相合之天地生數結構，即上圖之上部，為「合一、三、五為參天，偶二、四為兩地，積之凡十五，五行之生數」。乃「參天兩地」的天地之數連結五行所形成的五行之生數結構，其參天合數為九，兩地合數為六，九與六正為陰陽之爻名、陰陽之代稱。天地相合的五位布列，由天數的未合之數列所衍化，「上五去四得一，下五去三得二，右五

---

14 見〔元〕張理：《易象圖說・內篇》，卷上，頁376。

15 〔元〕張理：《易象圖說・內篇》，卷上，頁376。

16 圖式見〔元〕張理：《易象圖說・內篇》，卷上，頁376。

去二得三，左五去一得四，惟中×不動」，形成上天一、下地二、右天三、左地四、中天五的五位序列。此上方天一之位，張理稱之為「陽之始」，表徵「—」（陽氣、陽爻）之象；下方地二為「陰之始」，表徵「--」（陰氣、陰爻）之象。一、二立位，正是上天下地的天地定位陰陽二始確立自然的剛柔之性，故云「合二始以定剛柔」。右方天三代表「三才之象，卦之所畫三」，以三見天、地、人並體，同卦之三畫以成其形。左方地四則為「四時之象，蓍之所以揲四」，[17]以四列位四方，序為四時，代為推蓍揲四以象四時之變。

中間天五之位，表徵的是「四象五行」的概念：其左上為太陽，五行為火象；右上為少陰，五行為金象；左下為少陽，五行屬木象；右下為太陰，五行屬水象；中間為土象，「沖氣居中，以運四方，暢始施生，亦陰亦陽」，[18]中土布運四方，合陰陽之性，作為氣化生成之中。天地兩儀，從空間的角度言，即包絡上下左右四方之方位，則兩儀生四象，而四象又含五行，也就是五行在四象之中，從五行的方位而言，也同於四象之方位概念，四個元素合四方，土位則處中央之位。這樣的已合生數之位，即陰陽合和變化所確立的初始狀態。

天地相合的生數結構，即氣化生成的開端與主體結構，其陽始之一，在其氣行運化中，更具初始之義，故所謂「天一居上為道之宗者」。[19]至於中五之位，更強調陰陽之變與五行布列的運動與初生之功能，包絡與含控陰陽二個始生元素，乃至三才之道與四時的推衍。

2 天地已合之成數結構

未合的三十地數所推演的相合之天地成數結構，即前列圖式之下部。五位皆以六為其用數，建構出「置一在上六而成七，置二在左六而成八，置三在右六而成九，惟下六不配而自為六」；至於其十數，張理雖未明言，則當為置四在中而成十者。如此而形成六、七、八、九、十所組成的成數結構，

---

17 相關引文與論述，見〔元〕張理：《易象圖說・內篇》，卷上，頁376-377。

18 相關引文與論述，〔元〕張理：《易象圖說・內篇》，卷上，頁376-377。

19 見〔元〕張理：《易象圖說・內篇》，卷上，頁376。

為陰陽之盛，亦五行變化之盛，所謂「九、八、七、六，金、木、火、水之盛，數中見地十，土之成數」。[20]五行與陰陽成數之相配，即地六配水、天七配火、地八配木、天九配金，以及地十配土。

天地相合以成形者，即由天地之成數所構築的陰陽概念，五個成數正表徵易學推數上的基本認識。少陽七數，合其成乘數是四十九，正是大衍推蓍所用之數。少陰八數，為八卦與四正四隅的八方之數，乘數六十四正為重卦之數。老陽九數，為陽之用數，也就是「參天」合一、三、五為九之數，即卦爻用陽之數，六十四卦三百八十四爻中的一百九十二陽爻之用數。老陰六數，為陰之用數，乃「兩地」合二與四為六之數，即六十四卦中一百九十二陰爻的卦爻用陰之數。地十滿數與五數相乘，周全天地之數與五行之合，得五十之數，也就是大衍推蓍之總數，以茲為體，推引觸類，周全變化，道顯吉凶，天下之事畢，萬物之跡全。[21]因此，天地相合而形成之成數象位，散為數列之變，天下所以然者則無乎不通，正是布現宇宙生成變化的基本圖式。

（三）體用、象形與動靜之性

天地陰陽數列之未合，變化進入天地陰陽數列之已合，藉由生成之數的布位，展現出一種如北宋程頤以來所謂的「體用一源，顯微无間」[22]的體用觀之普遍性理解；張理以體用的觀點確認數值變化的關係，對於天地相合之位的生數與成數之關係，天數推變相合為生數在上，地數推變相合為成數在下，上者以象顯，下者以形現，數值化的象顯與形現，構築一切的變化與存在。張理具體的指出，「上象一、二、三、四者，蓍數、卦爻之體也。下位

---

20 〔元〕張理：《易象圖說・內篇》，卷上，頁377。

21 〔元〕張理：《易象圖說・內篇》，卷上，頁377。

22 程頤云：「至微者理也，至著者象也。體用一源，顯微无間。」（見〔宋〕程頤：《伊川易傳・序》，收入《大易類聚初集》第1輯，臺北市：新文豐出版公司，1983年10月影印中華書局聚珍做宋版，頁795）程氏之體用觀，重於從天理、天道之隱微相應於占象關係而論體用之一源。張理之體用觀，無程氏立說之系統化，亦非程氏思想的具體展開，而僅著重於體用概念之運用。

形也，九、八、七、六」。天地相合為生數，以象而見其體，此一、二、三、四為四方之位，正是推蓍用數與卦爻形成之主體，衍數推蓍之奇即得此生數，並以之得策數而推為卦爻。天地相合為成數，九、八、七、六為成其形而顯其用，所以「下形六、七、八、九者，蓍數、卦爻之用也」。相合所見生數與成數之上下結構關係，「上體而下用，上象而下形，象動形靜，體立用行，而造化不可勝既矣」。[23]除了建立體與用、象與形的關係外，也確立了上位一、二、三、四以動，下位九、六、七、八以靜的變化關係，使立其一、二、三、四之體，而用其九、六、七、八之行，如此展現出天地推衍萬有、變化無窮的造化性能。

此天地已合之位的圖式，張理認為「當如《太乙遁甲陰陽二局圖》，一、二、三、四猶遁甲天盤在上，隨時運轉；六、七、八、九猶遁甲地盤在下，布定不易法，明天動地靜之義」。[24]天地已合之位如遁甲天上地下的盤位，強調天動地靜、陽動陰靜的概念；天位動行，猶一、二、三、四主動，地位不動，則六、七、八、九未移，以天動地靜進行布列，相應出天地陰陽的變化，故自然之變化，正是天地動靜的自然律則。

（四）推衍圖書與先後天圖式系統

透過天地已成之位的運動變化，進一步形成「先天八卦」與「後天八卦」、「河圖」與「洛書」的系統，其運動變化，依準於上天以動、下地以靜的原則，具體的內容，張理明白指出：

> 一在南，起法天象，動而右轉，初交一居東南，二居西北，三居西南，四居東北，四陽班布居上右，四陰班布居下左，分陰分陽而天地設位。再交一居東北，二居西南，三居東南，四居西北，則牝牡相銜，而六子卦生，合是二變而成先天八卦自然之象也。然後重為生成

23 見〔元〕張理：《易象圖說．內篇》，卷上，頁377。

24 〔元〕張理：《易象圖說．內篇》，卷上，頁377。

之位，則一六、二七、三八、四九，陰陽各相配合，即邵子、朱子所述之圖也。三交一居西北，二居東南，三居東北，四居西南，則剛柔相錯，而為坎離震兌。四交一居西南，二居東北，三居西北，四居東南，則右陽左陰，而乾坤成列，合是二變，而成後天八卦裁成之位也，再轉則一復於南矣。[25]

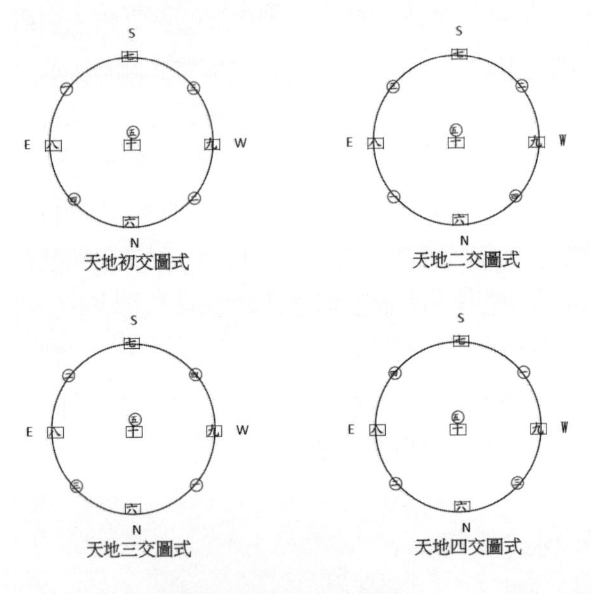

天地初交圖式　天地二交圖式

天地三交圖式　天地四交圖式

天動而地不動，以「一」為天象動行之起始，動性右轉，而與地形相交。形成四次的交動：

其初交為上天向右位移一隅之位，使天位之數各居四隅，而與地位之數相接，形成一居東南、二居西北、三居西南、四居東北的位置，則一、七、三、九等四陽布列於上右，二、六、四、八等四陰布列於下左的陰陽分判之狀態（如左上圖式所示），[26]故稱之為「天地設位」，[27]天地各居其位，上下有別。

天動再交，則「一」動至初交的「四」位，即東北之位，「二」動至初交的「三」位，即西南之位，「三」動至初交的「一」位，即東南之位，「四」動至初交的「二」位，即西北之位；此陰陽相銜，猶摩盪而生成六子卦，形成其所謂的先天八卦自然之象的布局（如右上圖式所示）。二交布列

25 〔元〕張理：《易象圖說．內篇》，卷上，頁377。

26 四個天地交變圖式，為拙自根據張理之所說所製。

27 張理以〈說卦傳〉所云「天地定位，山澤通氣，雷風相薄……」。取其陰陽相分的變化下，天地分定其位的狀態立說。其天地數值之變化，多取自《易傳》思想進行連結論說。

的天地生成之數兩兩相重，使一與六、二與七、三與八、四與九，兩兩陰陽相互配合，形成如邵雍、朱熹所謂的《河圖》圖式結構，即張理所謂的「龍圖天地生成之數」的圖式。

天地生成數再經三交則「一」位再動至二交的「四」位，即西北之位；「二」位動至二交的「三」位，即東南之位；「三」動至二交的「一」位，即東北之位；「四」位動至二交的「二」位，即西南之位（生成圖式如左下圖式所示）。在此三交為剛柔相錯接之狀態，形成四正卦分立的布列：即東（左）為三八二，此陽陰陰而為震☳卦；西（右）為一九四，此陽陽陰而為兌☱卦；南（上）為四七二，此陰陽陰而為坎☵卦；北（下）為一六三，此陽陰陽而為離☲卦。

四交同前三交之變化一般，生數各向前推進一位，則「一」居西南方，「二」居東北方，「三」居西北方，「四」居東南方，形成三、九、一、七在右，六、二、八、四在左，右陽而左陰（見右下圖式所示），陰陽殊判，則乾坤右左布列，並進一步布列出後天八卦之位。

然而後天八卦之位，若單從三交與四交所得的列位，無法得其正確的八卦象位，必須經過人為（聖人）的調整才可致其正位，此即其所謂「先天見自然之象，後天見財成之位」。張理引蔣師文（？-？）之言，指出「觀其初交而兩儀立，再交而六子生，三交震兌相望，而坎離互宅，四交乾坤成列，而艮巽居隅。聖人升離於南，降坎於北，而四方之位正，置乾於西北，退坤於西南，而長女代母之義彰」。[28]天地生成數之初交，最重要的是確立天地兩儀，也就是確立陰陽的具體存在，再交則為陰陽相互摩盪而產生六子卦，三交則立為坎、離、震、兌之四正，四交則序列乾坤，乾坤之交接，皆以艮巽間之而居於隅位。時於四交之位，聖人於離本居北之位，則升離於南方；坎處南位，則降坎於北方；乾本西南，改置於西北；坤本東北，退位於西南。如此一來，後天八卦方位裁制而成。

---

28 見〔元〕張理：《易象圖說・內篇》，卷上，頁378。

三　《河圖》與《洛書》衍生特性及結構意涵

陰陽之神妙，變化生息之無窮，如天地十數推之而不可勝數，如其引《內經》申云，「陰陽者，數之可十推之，可百數之，可千推之，可萬萬之大，不可勝數，範之以易，則不過不遺，而無不通矣」。[29]天地十數之推定，其變化生息之無窮，範定《河圖》與《洛書》，則可行於鬼神之間而無所不通。「圖書者，天地陰陽之象也」，[30]《河圖》和《洛書》確立天地陰陽變化之萬象，透過天地之數的分合與生成變化，構成其數值變化下的宇宙圖式。也就是說，《河圖》與《洛書》為陰陽變化藉天地之數以數值布列之方式呈現，其間有其動態變化的歷程。

（一）相重相交與參伍錯綜之性

《河圖》與《洛書》如何由天地之數之變化，而成就其具體形象，張理指出「一、二、三、四，天之象，象變於上；六、七、八、九，地之形，形成於下。上下相重而為五行，則左右前後，生成之位是也。上下相交而為八卦，則四正四隅，九宮之位是也」。[31]天地相合為生數者，代表天之象，所以生數結構在上，即象徵天在上位的概念，則天體在上，本其變動之性。天地相合為成數者，代表地之形，則成數結構以形定而成於下。天象與地形，即生數與成數結構，上下彼此相重而建立出前後左右中的新的五行系統，即生成之位相重下的《河圖》系統；上下彼此相交變化，而形成周環八方的四正四隅之位，代表著八卦之象位，連結其中位，則為九宮之位，也就是《洛書》之系統。

---

29 〔元〕張理：《易象圖說．內篇》，卷上，頁380。

30 見〔元〕張理：《易象圖說．原序》，頁373。

31 見〔元〕張理：《易象圖說．內篇》，卷上，頁377。

《河圖》與《洛書》藉天地之數的衍化，正是展現《易》道所強調的變化之性，張理特別根據〈繫辭傳〉所謂「參伍以變，錯綜其數」的原則，說明云：

> 「參」謂參於兩間，如《記》云「離坐離立，毋往參焉」之「參」。考之圖變，如一、二、三、四，參居六、七、八、九之間者是也。「伍」謂伍於五位，如什伍、部伍之「伍」。考之圖變，如一、二、三、四，伍於六、七、八、九之上者是也。「錯」者交而互之，一左一右之謂。考之圖變，則三四左右，互居是也。「綜」者綜而挈之，一低一昂之謂。考之圖變，則一二上下，低昂是也。既參以變，又伍以變，錯而互之，綜而交之，而天地之文成，天下之象定，然則《河圖》、《洛書》，其肇天下之至變者與。[32]

「參」即參於兩者之間，引《禮記．曲禮》說明其義，二人之對坐，必有空隙，又如二人之對立，中間亦當有空隙，必依禮儀而不可前往參列其間。天陽之數，即生數一、二、三、四，參於地陰之數，即參於成數六、七、八、九之間。「伍」即以五位為伍，如《尉繚子．伍制令》所謂「什伍相結，上下相關」，[33]什伍彼此聯繫，以立連坐之關係，「什伍」成為一種常態的編制概念。以「伍」於《易》，範定四方五行之數，將生數配於成數之上者，強調序列變化的規律性意義。張理並認為圖書之變化與布列，也在《易傳》所言的「錯綜」下進行，也就是三與四左右交互的錯置之狀，一與二一低一高的上下綜列情形。原來的地合之數六、七、八、九定位未動，所動者為一、二、三、四的天合之數。參伍之位，強調陰陽的變化之性，而錯綜亦言陰陽交互運動之變化，《河圖》與《洛書》正展現出《易傳》所言的變化概念，萬物之生化，萬象之形成，皆由此而牢籠。

---

32 〔元〕張理：《易象圖說．內篇》，卷上，頁380-381。

33 見〔周〕尉繚：《尉繚子．伍制令》（北京市：紫禁城出版社，1998年1版1刷），頁43。

（二）《河圖》之結構意涵

生成數形成《河圖》者，已如前述所言，藉由再交分列生成數，經重合而成《河圖》之象，張理特別名為「龍圖天地生成之數」的圖式，取陳摶用名，唯陳氏所言「龍圖」為九數者（即張理主張的《洛書》），而張理此圖即朱熹以來所說的《河圖》，其圖式與說明如下：

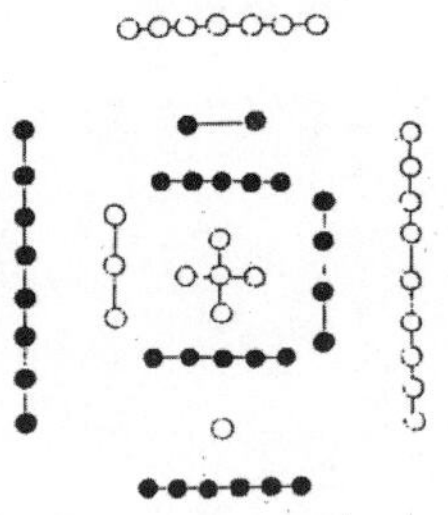

此即前圖一、二、三、四天之象也，動而右旋；六、七、八、九地之形也，靜而正位。是故一轉居北而與六合，二轉居南而與七合，三轉居東而與八合，四轉居西而與九合，五十居中而為天地運行之樞紐。《大傳》言錯綜其數者，蓋指此而言。錯者交而互之，一左一右，三四往來是也。綜者綜而挈之，一低一昂，一二上下是也。分作二層看之，則天動地靜，上下之義昭然矣。[34]

六、七、八、九為地之形，布列於四正之方，靜迎天動之數，則一、二、三、四為動行之天象，以右旋行其布居之位，則一本處上位南方而轉居北方與六合，二本處上位北方而轉居南方與七合，三本處上位西方而轉居東方與八合，四本處上位東方而轉居西方與九合，五與十處中之位，為天地運行變化的主要樞紐。張理特別強調《河圖》的變化與布列，正合《易傳》「錯綜其數」之精蘊，其義已如前面所述，本於天動地靜、上動下靜的原則。

「天之一陰一陽，交而成×，地之一柔一剛，交而成十，×十重而成爻，變動之謂也」。「爻也者，效天下之動者也」。天地之相交，得五與十數，此五與十相重而成爻，因此「爻」反映出天地的變動之性，含有陰陽與柔剛之質，一切的動行變化，以爻擬其性，立其義，故爻以變動作為其主體的本質。爻賦予之動靜性質，有等差之別，即「爻之動靜，有初、二、三、

34 圖式與引文，見〔元〕張理：《易象圖說．內篇》，卷上，頁378。

四、五、上之等，七、八、九、六之差」。[35]爻有六位之別，傳達不同的動靜狀態，也反映出不同的位階屬性，即初、三、五為陽，二、四、上為陰，由初而上，也立庶民至宗廟之不同階級概念，乃至三多凶、四多懼、二多譽、五多功之性。爻的七、八、九、六之差，即陰陽壯究之別，也就是太陰、少陽、少陰、太陽之異。

《河圖》的天地十數之布列，正是陰陽與五行組合的變化與運動結構，張理制列「㐅氣之圖」，正可說明其結構之內容，此圖式如下：[36]

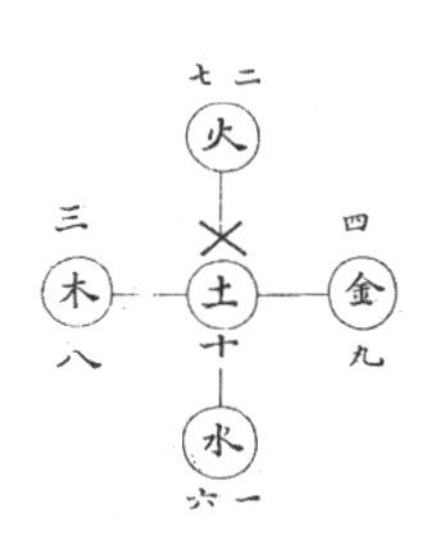

五行東木、西金、南火、北水、中土，張理認為其動行之序為木、火、土、金、水，在陰陽的屬性上，木、火為陽，金、水為陰，土居中央為「亦陰亦陽」。五行的生成之序為水、火、木、金、土，水、木為陽，火、金為陰，土性共陰陽之質。天以一生水，而地以六成之，則《河圖》一六居北而為水；地以二生火，而天以七成之，則《河圖》二七居南而為火；天以三生木，而地以八成之，則三八居東而為木；地以四生金，而天以九成之，故四九居西而為金；天以五生土，而地以十成之，則五十居中而為土。中土之位，「交貫四氣而作其樞紐」，[37]為陰陽五行布列系統的核心。

五行布施天地，故「五行之象見乎天，五行之質具乎地」，五行所生成的天地之形質，同《河圖》之列位，五方各隨其變而局於一偏，張理指出「東方生地，日之所出，故習見其生，而老氏有長生之說。西方收地，日之所入，故習見其死，而佛氏有寂滅之說。南方明盛，陽之伸，而神靈著焉。北方幽翳，陰之屈，而鬼怪見焉」。四方有長生、寂滅、神靈顯著、鬼怪習見之性，而其中者，五數與十數為用，洽通四方，不偏一隅，恆定陰陽五行之變，若聖人稟天地之性以成其德，故張理認為「聖人中天下而立，定四海之民，嚮明而治，無思也，無為也，寂然不動，感而遂通天下之故，天下之

35 諸括弧引文，〔元〕張理：《易象圖說・內篇》，卷上，頁382。

36 圖式見〔元〕張理：《易象圖說・外篇》，卷上，頁410。

37 〔元〕張理：《易象圖說・內篇》，卷上，頁410-411。

至神也」；聖人居天下之中，為四海所本，若寂寥無為，而能通天下之至神，猶周敦頤所言，「聖人定之以中正仁義而主靜，立人極焉」。[38]聖人處人極之位，以靜為主，即五行居中之位，亦《河圖》處中之數，聖人以其陰陽五行運化之「中」之最靈秀者，為中正仁義的自然天道落實於人倫的理想映現。

在《河圖》的數列結構中，張理不斷強調中數的重要，尤其五數居中，更有其特殊之地位。張理指出，「天地之數中乎╳，圖書之象著乎╳，皇極之位建乎╳。╳者中也，中也者，四方之交會也」。[39]強調居中之位的重要性，固為傳統儒家中道思想之優位性意義之彰顯，亦為五行思想的核心與交會之處；此居中之位即「五」，不論是天地之數、《河圖》或《洛書》，乃至《洪範九疇》的皇極之位，皆以五為中。以「五」為中，最重要的是聯繫著五行的概念，也就是陰陽變化與五行的組成，具體而典型的表現在《河圖》之中。宇宙的陰陽運化之有序，若《河圖》之布列，體現於人與自然之道的聯繫，此「中」的理想道德內涵，成為人倫的價值與實踐之期待；張理於此，呈現出一種儒道相摻而重於儒家道德理想的本色。

（三）《洛書》之數列結構

有關《洛書》的圖式結構，張理制說「《洛書》縱橫十五之象」的圖式，即朱熹所言之《洛書》外，並認為此圖即漢儒引《尚書・洪範》所言之《洛書》圖式，[40]並以陳摶稱作《龍圖》，「而啟圖九書十之辨」，[41]當為傳寫之誤；也就是認同朱熹「河十洛九」之說法，否定過去南宋朱震以來載錄「河九洛十」的主張。《洛書》構立九數，依循傳統的說法，以「禹治洪水，錫《洛書》，法而陳之九疇是也」，[42]〈洪範〉之作成，乃禹本諸《洛

38 諸括弧引文，見〔元〕張理：《易象圖說・外篇》，卷上，頁411。

39 〔元〕張理：《易象圖說・內篇》，卷上，頁410。

40 有關之論述，〔元〕張理：《易象圖說・內篇》，卷上，頁410。

41 〔元〕張理：《易象圖說・內篇》，卷上，頁410。

42 〔元〕張理：《易象圖說・內篇》，卷上，頁380。

書》而得其實義，故〈洪範〉記載上天賜與禹以洛出書為《洪範九疇》，見神龜負文而出，其背有九數，禹以其常道成九類以敘其次，為聖王治世之道；十五合數之《洛書》，正合〈洪範〉之意。

除了確立縱橫十五之象的傳統《洛書》圖式外，張理並以天地已合之位的數值變化進行連結，形成《洛書》天地交午之數的圖式，又以《洛書》九宮布列出九州的圖式。

1 天地交午之《洛書》結構

透過天地已合之位的天地之數之數值變化，進一步連結出《洛書》天地交午之數的圖式結構，其圖式如下：

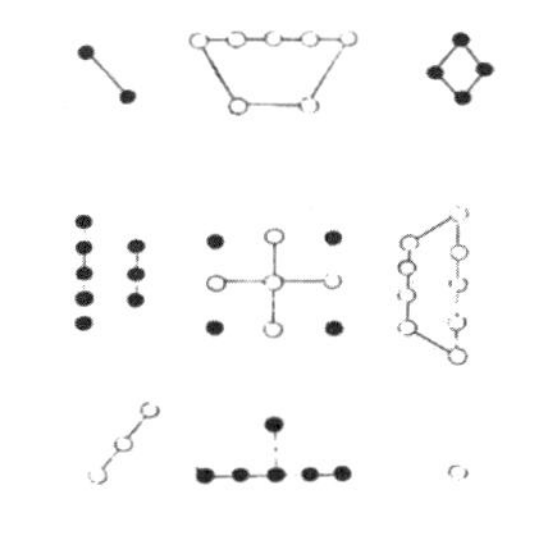

本著天動地靜的變化方式，六、七、八、九已合之地數靜而不動，而一、二、三、四等四數進行變動，即前述天地已合之位的三交之實況，張理稱之為「交午之象」。並且認為揚雄所謂「一與六共宗，二與七為朋，三與八為友，四與九同道，×與×」，指的正是此圖。此一圖式，與前述「龍圖天地生成之數」的圖式或《河圖》相近，也就是一與六、二與七、三與八、四與九等兩兩數值，都處在相近的區域，但《河圖》天地之數的分列，有內外之別，而此圖則八數分列周環，天地已合之天數（即一、二、三、四）處四隅之位。同時以八卦進行布列，故其引朱子之說，認為「析六、七、八、九之合，以為乾、坤、坎、離，而居四正之位；依一、二、三、四之次，以為艮、兌、震、巽，而補四隅之空者」。此八卦布列合先天八卦之位，乾天坤地，天地分列，其他六卦亦分午而立。這樣的布局，其中間五數與十數重合，所以僅見其合數為「九」，即上圖中間「五陽四陰」之部份。此一圖式，黑白子的陰陽數值，形成僅得四十九者，即「大衍之數五十，其用四十有九」的衍數之用，而其四方之七、八、九、六，即同於「蓍策分掛，揲歸四象」者。[43]

43 圖式與括弧相關引文，見〔元〕張理：《易象圖說．內篇》，卷上，頁379。

2 **《洛書》九宮布列九州**

《洛書》九宮數列之運行，本於天左旋、地右轉之自然規律，九數布列而動，畫分九州，張理於此而制列「九宮之圖」，如下所見：

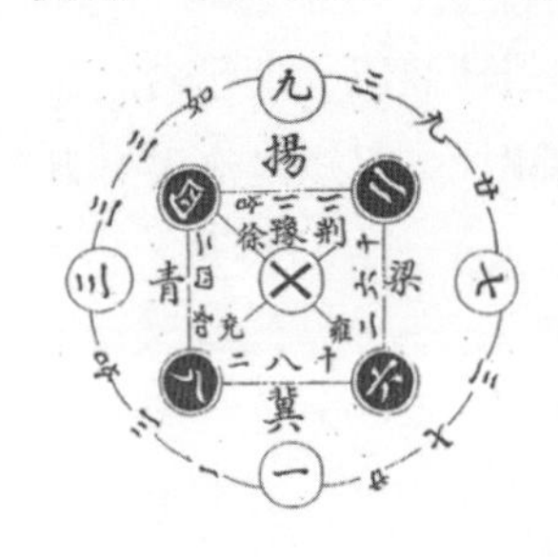

圖式中，一、三、九、七為天數，天數為陽為奇，其象為圓，也就是天以圓為象。天地之數的運化，《易》道所謂「參天兩地」，故周圓之天數，「參於三，其數左旋」，始於「一」之居正北之位，「一如三」，則「三」次於正東之位；「三三如九」，則「九」次於正南之位；「三九二十七」，則「七」次於正西之位；「三七二十一」，則再復歸於「一」。

二、四、八、六為地數，地數為陰為偶，其象為方，即地以方為象。地數以方，「兩於二，其數右轉」，起於西南二位，「二二如四」，則「四」次於東南之位；「二四如八」，則「八」次於東北之位；「二八十六」，則「六」次於西北之位；「二六十二」，則復歸於「二」。

天陽由一、而三、而九、而七，並歸於一之左旋變化，地陰由二、而四、而八、而六，並歸於二之右轉變化，「此陰陽左右運行自然之妙」。九宮以「三而三之合則為九，九分為九野」，以九宮之位擬為九州，其正北為冀州，正東為青州，正南為揚州，正西為梁州，正中為豫州，東北為兗州，東南為徐州，西南為荊州，西北為雍州。歷來包括「運氣、太乙、陰陽、醫家者流，雖純駁不同，要皆不出乎此九宮之數」，也就是《洛書》九宮之數，本陰陽之變，為「造化自然之本原」，[44]故可彌綸天地之道，眾家知識體系或可一體適用。

四　太極生次之圖式系統

「易」之為名，為「天、地、人三才之道」，即「道」即「太極」，從宇

44 圖式與諸引文之論述，見〔元〕張理：《易象圖說．外篇》，卷上，頁412。

宙生成的觀點言，即天地陰陽之變化，張理指出聖人觀察天地自然之衍化，仰觀天象之玄妙，「故畫一『⚊』而擬之於天」，俯察地勢之柔順，「故畫一『⚋』而擬之於地」，天地兩儀由是而立。兩儀進而為四象，則「天有陰陽，地有柔剛，故奇偶各生奇偶，而四象備」，天地分出陰陽柔剛為四象，再進一步分化為八卦，即「天有四時，地有四隅，故四象各生奇偶而八卦彰」；[45]天立春、夏、秋、冬四時之變，地立東、西、南、北四隅之方，八卦以象顯，自然之道彰著。此由太極而衍化八卦的生次系統，本於《易傳》之說；《易傳》確立了太極→兩儀→四象→八卦的生成衍化次序，也就是由氣判陰陽所建立的宇宙生化體系，張理根據傳統易學的生化認識，透過圖式結構的呈現方式，釋說其生化之義。

（一）太極立一以化成萬物

太極的本質，兩漢以來以混沌未分之氣、以「一」確立其物質化存在，成為主流的觀點，至宋明時期受理學的影響，程朱從本體的概念，確立太極為一「理」，打破以漢儒為代表的傳統氣論主張。

以太極為氣之始、為「一」的數值觀，《易傳》太極生次之說，本為數值推論的概念，「兩儀」之前，以太極之「一」立現，且〈繫辭下傳〉也肯定「天下之動，貞夫一者也」，漢儒以之為形氣之始，或為乾元資始之氣，為一種氣化存有的物質化概念之普遍性認識。[46]程朱以太極為理的說法，視

45 相關引文與論述，同前註，頁407。

46 以太極為一，為氣化物質化存有的概念，為漢儒無所爭辯的普遍認識，如〔漢〕揚雄仿《易》，《太玄》強調「生神莫先乎一」，「戴神墨體一，形也」，以一為體為始，為具體的物質化理解。又如董仲舒《春秋繁露》認為「屬萬物于一而繫之元也」，以「一」以「元」為「隨天地終始」，「為萬物之本」的氣化觀。又如《漢書．律曆志》引劉歆之說，指出「太極元氣，函三為一」，以一為元，為氣之始，至大至正，至先至廣，為宇宙萬物之本。又如《周易集解》引虞翻之說，肯定「一謂乾元。萬物之動，各資天。一陽氣以生，故天下之動，貞夫一者也」。又如《易緯乾鑿度》指出「易變而為一」，「易始于一」。鄭玄亦云「一主北方，氣漸生之始」；「炁變而為一，故氣從下生也」。皆強調太極為一為氣的物質存有概念。

「理」為存在的實體，這種實體的存在，不純粹為物質實體的存在觀念；將「氣」作為「理」的作用或物質表現，則「理」作為宇宙的最高主宰者，轉諸於個別事物時，事物的規律就是理，是一種絕對觀念的表現，它雖散於萬物之中，通過事物表現出他的主體，但歸根究柢仍是先於事物而存在，在事物之上支配與主宰著事物。這樣的主張，定位在體用的觀點上，則理是體，氣是用，且理在先，而氣在後。張理之思想，深受宋代學術的影響，特別是周敦頤與朱子學說的融攝。

張理肯定太極為「一」，並為萬化之開端，一切皆由此「太極」此「一」為始。以圖式結構呈現，太極立為一圈之圓圖，他說明云：

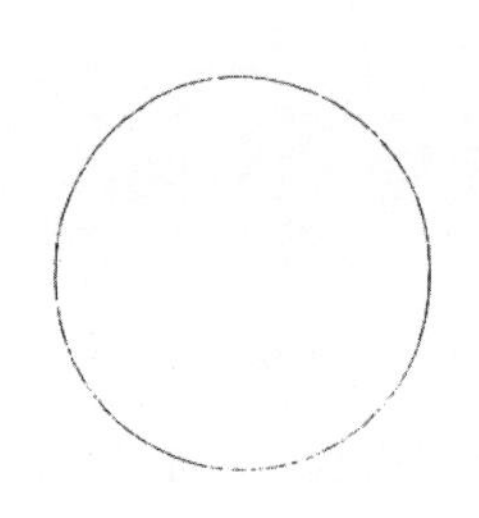

《傳》曰：《易》有太極。朱子曰：《易》者，陰陽之變；太極者，其理也。謂之太極者，至極之義，兼有標準之名，實造化之樞紐，品彙之根柢也。本無形體聲臭之可指，至宋濂溪先生始畫一圈，而今圖因之。《說文》曰：惟初太極，道立于一，造分天地，化成萬物。一者，數之始也。[47]

引朱子之說，太極為陰陽變化之理，不否定太極具有「理」之意涵，也就是除了生成上具氣化的物質化的存在外，也含有規律性的義理之律則，作為含括萬有之道。同時，以太極為「至極之義」，為第一性存在或最高的主宰，「兼有標準之名」，視為一切的依據，萬法皆歸於此，因此是「實造化之樞紐，品彙之根柢」。

至於太極的形象或樣態如何，張理認為「本無形體聲臭之可指」，即無形象與樣態，故周敦頤始畫太極為一圈，正代表此無形之狀。張理特別引《說文》之言進行釋說，以太極為「道」，並立於「一」，成為萬化之始。太極為「道」，正是「易」道之質，此道「迎之莫探其始，循之莫測其終，其小無內，其大無垠」；道未得其始，即陰陽運化之無始，未測其終極，即其

47 圖式與引文，見〔元〕張理：《易象圖說．外篇》，卷上，頁409。

運動循環之無窮，貫通玄微而小之無內，包納天地而大之無垠，以茲化育萬有，成為一切的根準，故「天得之，揭日月而常運；地得之，載河嶽而不傾」。[48]存有以實為顯，故太極以「一」為稱，作為一切存在之開端，它造分天地，分判陰陽，化成柔剛，萬物因之以生。

此「一」作為數值的概念，即數字之始，代表陰陽氣化的開端，並以天地之數代稱陰陽，「一」即天地之數的起始。從宇宙之生成，從存有衍化的概念言，以太極為「一」，作為氣化的實有之物質化認識，也正是漢儒的普遍化理解，但滲之以「理」的本體意涵，則為程朱理學思想的融攝與再現。然而在整個生化體系的圖式建構之認識上，張理主體上仍傾向氣化存有的範疇，以便於其圖式推布與論述。

（二）太極生兩儀的運化圖象

氣由太極之混合未分，進一步分判為兩儀，即陰陽之氣，也代表天地空間之定象，所以，太極生兩儀之象，即「天地設位」之實。張理列此變化階段的圖式結構，並進行說明：

太極判而氣之輕清者上浮為天，氣之重濁者下凝為地。聖人仰觀俯察，受《河圖》則而畫卦，則天◯以畫—，則地• •以畫--，名—曰奇為陽，名--曰偶為陰，此上奇下偶者，天地之定位，中╳者，天地氣交，四象八卦，萬物化生之本。〈樂記〉所謂一動一靜者，天地之間也。周子曰：太極動而生陽，動極而靜，靜而生陰，靜極復動，一動一靜，互為其根，分陰分陽，兩儀立焉。[49]

太極氣化分判，則天地陰陽之氣決然分立，如《易緯乾鑿度》所言「清輕上

48 二括弧引文，見〔元〕張理：《易象圖說．外篇》，卷上，頁407。

49 圖式與說明，見〔元〕張理：《易象圖說．內篇》，卷中，頁383。

為天，濁重下為地」的氣動之性，聖人仰觀俯察天地自然之變，據《河圖》、立陰陽而畫卦，以天一地二為陰陽之始，故天○之陽以畫陽爻為—，地•• 之陰以畫陰爻為--，上天下地以定自然之位，而其中之╳者，為天地陰陽氣化交感之狀，四象八卦，乃至萬物之化生，皆由陰陽交互作用而形成。

誠如明代章潢（1527-1608）《圖書編》提到，「乾坤列而兩儀之位定，陰陽交而五行之氣固，于是剛柔相摩，八卦相盪，而盈天地間皆易也」。[50] 宇宙自然的一切存在，都是陰陽作用的結果，而聖人作《易》本此自然之性，故八卦即陰陽摩盪所反映的八種自然物象的表徵。對於陰陽的質性，張理特別舉〈樂記〉之說，強調天地自然皆是陰陽交感而展現的一動一靜之初始實狀，而具體的動靜變化，則如周敦頤《太極圖說》所言者，太極衍化為陰陽，陰陽的運動為「動而生陽，動極而靜，靜而生陰，靜極復動」的狀態，陽動與陰靜為陰陽之氣的自然流行狀態。陰陽動靜互根，動中有靜，靜中有動，亦即陽中有陰，陰中有陽，彼此互相生成，則陰陽動靜運化，彼此共生並存。陰陽的互根變化，陽動而使陽中有陰，陰靜而使陰中有陽，陽動與陰靜彼此可以相互轉化，陰陽的變化保持永恆的能動性。

（三）兩儀生四象的變化結構

兩儀生成之後，進一步推衍生化，由陽儀與陰儀各生奇偶，則「乾坤成列」以布成四象。張理作「兩儀生四象之象」圖式，並作詳細之論釋：

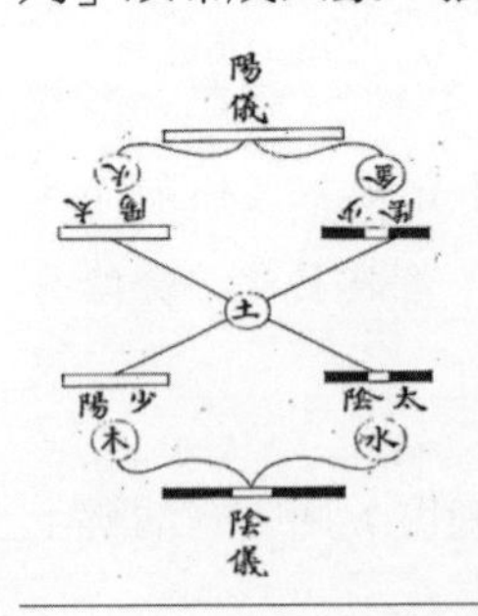

朱子曰：陽儀生奇為太陽，生偶為少陰；陰儀生奇為少陽，生偶為太陰。……今圖陽儀下生一奇一偶為陰陽，陰儀上生一奇一偶為剛柔，四象圜轉，循環不窮。剛交於陰，陰交於剛，陽交於柔，柔交於陽，上下左右相交而萬物生焉。周子曰：陽變陰合，而生水

50 見〔明〕章潢：《圖書編》（臺北市：臺灣商務印書館，1983年景印文淵閣四庫全書本），卷4，第968冊，頁120。

火木金土，五氣順布，四時行焉。《傳》曰：立天之道曰陰與陽，立地之道曰柔與剛，此之謂也。[51]

兩儀生四象，四象之布列，由上陽天象下生陰陽，下陰地形上生剛柔，以合《易傳》立天地之道的陰陽柔剛之質的思想，此即朱熹所言之太陽、少陰、少陽與太陰的四象。四象循環變化，陰陽剛柔彼此相交，萬物因此生生不息。陰陽變化而生成水、火、木、金、土等五氣，五氣列歸其位，四時則健行有序，此正是周敦頤《太極圖說》的五行列生之概念。此一圖式結構的建立，與朱熹所傳不同，朱熹所論為由下而上的四象生成結構，非陰陽對立的天地分判方式，也無五行的結合運用。

四象對應五行之具體內涵，張理指出陰儀上生一陽的陰中之陽，以少陽為名，其屬性為「於時為春，春，蠢也，物蠢生乃能運動，故中規在天為風，在地為木，上為歲星。在德為元，元者善之長也。在體為筋，在藏為肝，通於目。在志為怒，其聲呼，其色蒼，其味酸，其音角，其畜雞，其穀麥，其數三」。[52]少陽之位，即生數天三生木之位，「東方陽氣生物」之時，為春時物動，有其特有之屬象與陽德，特別強調其象德為「元」。

陽儀下生一陽的陽中之陽，以太陽為名，「於時為夏，夏，假也，物假大乃宣平，故中衡在天為熱，在地為火，上為熒惑星。在德為亨，亨者嘉之會也。在體為脈，在藏為心，通於舌。在志為喜，其聲笑，其色赤，其味苦，其音徵，其畜羊，其穀黍，其數七」。[53]太陽之位，即成數天七生火之位，「南方陽氣養物」之時，此夏時物宣茂盛，有熱、火、脈、心諸象，強調其象德為「亨」。

陽儀下生一陰的陽中之陰，以少陰為名，「於時為秋，秋，𥤚也，物揫斂乃能成熟，故中矩在天為燥，在地為金，上為太白星。在德為利，利者義之和也。在體為皮毛，在藏為肺，通於鼻。在志為憂，其聲哭，其色白，其

---

51 圖式與引文，見〔元〕張理：《易象圖說．內篇》，卷中，頁383。

52 〔元〕張理：《易象圖說．內篇》，卷中，頁384。

53 〔元〕張理：《易象圖說．內篇》，卷中，頁384。

味辛，其音商，其畜馬，其穀稻，其數四」。[54]少陰之位，即生數地四生金之位，「西方陰氣斂物」之時，為秋時物斂收成，有燥、皮毛、肺等象，強調其象德為「利」。

陰儀上生一陰的陰中之陰，以太陰為名，「於時為冬，冬，終也，物終藏乃可稱，故中權在天為寒，在地為水，上為辰星。在德為貞，貞者事之幹也。在體為骨，在藏為腎，通於耳，在志為恐，其聲呻，其色黑，其味鹹，其音羽，其畜彘，其穀豆，其數六」。[55]太陰之位，即成數地六生水之位，「北方陰氣藏物」之時，冬時物終天寒，有水、辰星、骨、腎諸象，特別強調其象德為「貞」。

四象之中，處中土之位，掌握陰陽變化之中，為「四方之內，經緯交通，乃能端直，故中繩。於時為四季，在天為濕，在地為土，上為鎮星。在德為誠，在體為肉，在藏為脾，通於口，在志為思，其聲歌，其色黃，其味甘，其音宮，其畜牛，其穀稷，其數五」。中土通四方，類比諸土象。陰陽處中的生數天五生土之位，以「誠」為德，正如周敦頤所言「元亨，誠之通；利貞，誠之復」的誠性本質。[56]

陰陽變化所共構的四象與五行概念，象徵宇宙自然的時序與物象之布列，遠及諸物，近及諸身。同時四象、五行與元、亨、利、貞與誠德進行連結，代表宇宙運化規律、自然之道的展現，也是儒家思想的昭示，證成元、亨、利、貞作為孔門易學可立諸四方的德義，也突出《中庸》所強調的保合太和、致中和之誠道價值，作為天地位、萬物育的自然天道之必然開顯。

（四）四象生八卦的自然象列與人道自性

太陽、太陰、少陽、少陰等四象推衍八卦，張理以〈繫辭傳〉所云伏羲「仰則觀象于天，俯則觀法于地，觀鳥獸之文與地之宜，近取諸身，遠取諸

54 〔元〕張理：《易象圖說．內篇》，卷中，頁384。

55 〔元〕張理：《易象圖說．內篇》，卷中，頁384。

56 括弧諸引文，〔元〕張理：《易象圖說．內篇》，卷中，頁384。

物」之說，觀察天地自然之物象與變化，而作成八卦，「以通神明之德，以類萬物之情」。藉由八卦之推定，以確立一切的吉凶休咎。至於八卦如何從天地兩儀，衍為四象，定為八卦，張理列「四象生八卦」圖式，如下所示：[57]

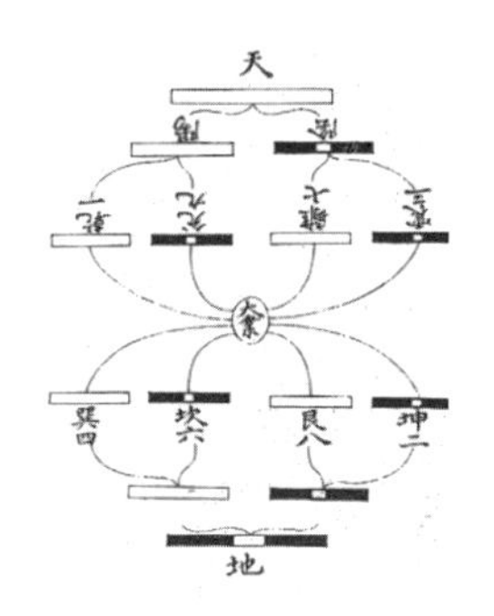

兩儀生四象，四象即天之陰陽與地之剛柔，其天之「陽下交於柔，地之「柔上交於陽」，生成乾、坤、艮、兌四卦；乾坤即《易傳》所言的「天地定位」，而艮兌即「山澤通氣」。地之「剛上交於陰」，而天之「陰下交於剛」，生成震、巽、坎、離四卦；震巽即「雷風相薄」，坎離即「水火不相射」。天秉陽氣則垂日星，故上天之位列離日兌星；此天之四卦為自上而下生者。地秉陰氣則布山川，故下地之位列艮山坎川；此地之卦象為自下而上生者。八卦的相錯變化，產生先後天八卦之結構，張理明白指出，先天八卦的形成，「上者交左，下者交右，則乾南坤北，離東坎西，而先天八卦圓圖之象著矣」。後天八卦的形成，「震艮互觀，反震為艮，反艮為震，則乾、坤、艮、巽居隅，坎、離、震、兌居中，而後天八卦方圖之象著矣」。[58]因此，八卦之形成，根源於天地之造化，上下交互推衍而布列形成，先後天的結構，繼之而後成。

四象八卦分列確立，則氣化四象八卦以成形，自然之萬理亦隨之相類。人當天地之中，從天地自然之氣，人之形亦從八卦之位，此即張理所謂「人受天地陰陽五行之氣以成形，大抵一身同乎天地」，[59]「得是氣而為是形」，形因氣而立，人形亦以氣生，人之體形，亦同氣化之位，故作「四象八卦六位之圖」（如下圖所示），[60]以明人形與四象八卦相類。闡明人秉氣類形之義，故「頭圓居上得之乾，腹虛有容得之坤，股肱動作得之震巽，離目主

57 圖式見〔元〕張理：《易象圖說・內篇》，卷中，頁385。

58 括弧相關引文，見〔元〕張理：《易象圖說・內篇》，卷中，頁385。

59 見〔元〕張理：《易象圖說・外篇》，卷中，頁416。

60 括弧引文與圖式，見〔元〕張理：《易象圖說・內篇》，卷中，頁414。

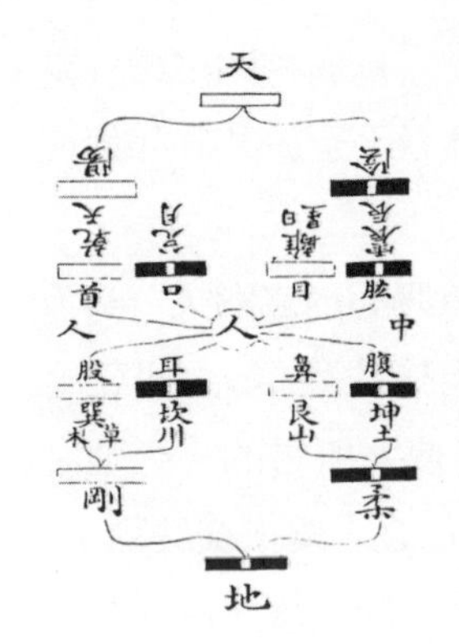

視，坎取善聽，兌口能言，艮鼻處嘿」。[61]乾剛為天為首，故合頭圓之象；坤柔為地之容載，故合廣腹之象；震巽皆動，巽為入而合股象，震為動而合肱象；以目、口皆陽，得天之氣為兌、離，陽主動則其性為動；耳、鼻屬陰，得地之氣為坎、艮，陰主靜則其性為靜。

人之身形合四象八卦之氣，人之臟腑與脈行，亦合此自然運成之氣列，故張理亦制說「四象八卦六體之圖」（如下圖所示），[62]此一圖式說明「背腸腹陰，頭圓象奇，竅陰象偶，身半以上同乎天，身半以下同乎地」，分身形之上同天之性，身形之下同地之質，而督脈與衝脈亦本諸陰陽，以督脈為陽脈，衝脈為陰脈。督脈「起於下極之俞，並於脊裏，上至風府，入屬於腦」；其八卦象位，即從巽卦之中爻，至乾卦之上爻，以象從尻骶至頭頂，此即督脈運行之位。衝脈「起於氣衝，並少陰之經，俠臍上行，至胷中而散」，下行而至少腹；其八卦象位，即從震卦之中爻，至坤卦之下爻，此即衝脈之行道。引《黃帝內經》之說，以陽為背，陽中之陽為心，離為心火，故心列離位；陽中之陰為肺，兌為肺金，故肺列兌位。心、肺居上高位，故為離、兌之象。以陰為腹，陰中之陰為腎，坎為腎水，故腎列坎位；陰中之陽為肝，艮為肝木，故肝列艮位。腎、肝居下低位，故為坎、艮之象。另外，脾居中位，為陰中之至陰，與心、肺、腎、肝相輸應。四象八卦象人之臟腑脈行，乃人為天地所生，本三才之中，故「人能順五氣以攝生，和五味以養身，明五性以全德，循五常以行道，則能參贊而成位育之功」。[63]

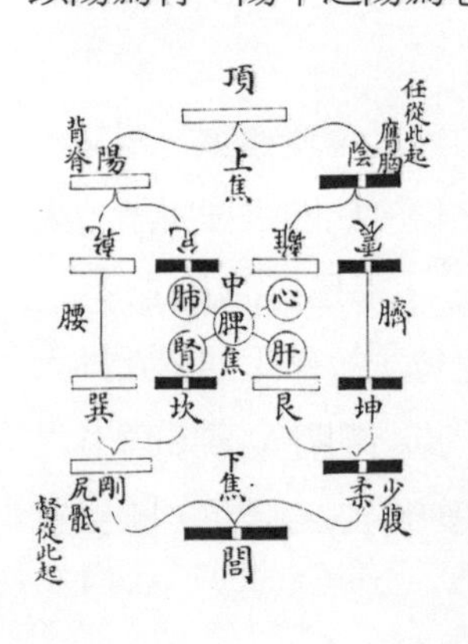

61 諸括弧引文，見〔元〕張理：《易象圖說・內篇》，卷中，頁415。

62 圖式見〔元〕張理：《易象圖說・內篇》，卷中，頁416。

63 相關引文與論述，見〔元〕張理：《易象圖說・內篇》，卷中，頁416-417。

天地之陰陽柔剛的氣化流行，產生四象八卦，而人本天地氣形所顯，體天地之性，而立諸於人，故天地同人，天地之道同於人道，則四象八卦成於天地之中，人之形諸於內亦合四象八卦，張理肯定此理，肯定人與天地同道，所以認為「人也者，天地之德，陰陽之交，鬼神之會，五行之秀氣也」。[64]由人可見天地之理，以一已之身可觀天地之義。四象八卦布列天地之中，天地之中的萬事萬理，亦可與四象八卦相合，人體是如此，人倫綱紀亦同，律呂音聲亦可相合，甚至聖人體察天地之道，合人極之質，其六經聖道，亦可與四象八卦相合。[65]四象八卦化成萬有，布成萬理，一切莫不以此而生，以此而成。

五　先後天圖式的對待流行與合德之性

張理以天地之數推衍萬化，天地分立陰陽、柔剛，合五行、成八卦，進而布列《河圖》與《洛書》，並在交變中確立先後天的八卦圖式，作為宇宙生成變化的自然圖式。

（一）先天八卦之對待

已如前述，先天八卦的布列，本於前已論述之四象生八卦的八卦成列之結構，進一步的運動推衍而產生，衍變後而形成的先天八卦圖式如下：[66]

四象生八卦之後，「陽儀上者交於左，陰儀下者交於右」，即陽儀四卦向左布列，由上而下依次為乾、兌、離、震，而陰儀四卦向右布列，由下而上依次為坤、艮、坎、巽。此正是邵雍所說的「坤北乾南、離東坎西、震東北

64 〔元〕張理：《易象圖說．內篇》，卷中，頁417。

65 參見張理「四象八卦六脈之圖」、「四象八卦六經之圖」、「四象八卦六律之圖」、「四象八卦六典之圖」，以及「四象八卦六師之圖」之說，在此不作詳述。〔元〕張理：《易象圖說．內篇》，卷中，頁417-423。

66 圖式見〔元〕張理：《易象圖說．內篇》，卷中，頁386。

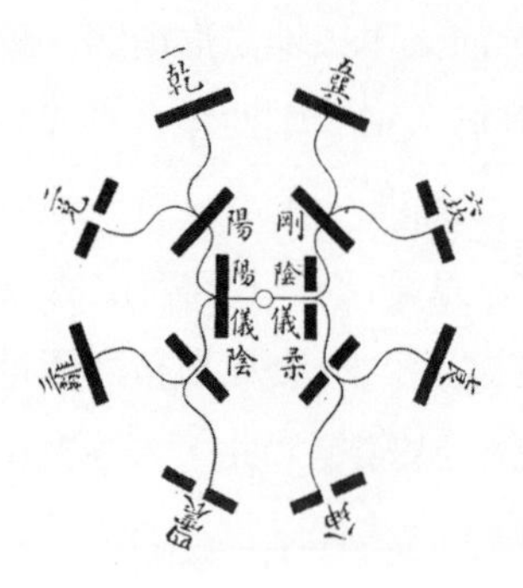

兌東南、巽西南艮西北」的八卦列位。圖示中央「○」為太極，太極左右列位之「－」與「--」為兩儀。張理強調，「陰陽列左右之門，由動靜四時八方推之，而達于外所謂放之則彌六合，一本而萬殊」；[67]陰陽動靜推立四象與八卦，也就是確立四時與八方的時空圖式，一切的存在皆在此宇宙圖式下開展。人人物物的存在，回推八卦、四象，乃至兩儀，終歸於太極，本於太極之「一」，以創生萬有萬象。

由先天圖式推定萬有的生成，張理特別引理學家的觀點，他說「稽之生成圖，則見天地、四象、八卦、萬物皆備於我」，即程頤所云「天然自有之中」。此圖「由一而二，由二而四，由四而八，推而至于百、千、萬、億之無窮。先儒所謂心為太極，具眾理而應萬事」。萬事萬理具足於我，具足於吾心，吾心窮萬理，故心即太極。先天圖式即推衍萬有的宇宙圖式，並以此連結宇宙萬象在窮理盡性之道，故「學者於此虛心以玩之，反身而體之，實見是理，實得是道，默而成之，則道德性命之蘊，禮樂刑政之原，舉不越乎此矣」。[68]以此先天八卦之對待，可見自然運化之理，可得萬化之道，人倫規範、刑法政典、心性德命，皆植顯於其中，通天人之道而粲然可明。

（二）後天八卦之流行

後天八卦之流行，同樣從太極、從天地之氣生化而來，本於四象生八卦的八卦成列結構，推衍變化而形成，其圖式如下所示：[69]

四象生八卦的圖式，「中四卦反觀之，則為震、兌、坎、離，旁四卦正觀之，則為乾、坤、艮、巽」，則坎、離、震、兌居於四方之正，乾、坤、艮、巽居於四隅之偏，同於《河圖》配卦之列位。張理稽考《河圖》，「一六

67 〔元〕張理：《易象圖說．內篇》，卷中，頁386。

68 括弧相關引文，見〔元〕張理：《易象圖說．內篇》，卷中，頁386。

69 圖式見〔元〕張理：《易象圖說．內篇》，卷中，頁387。

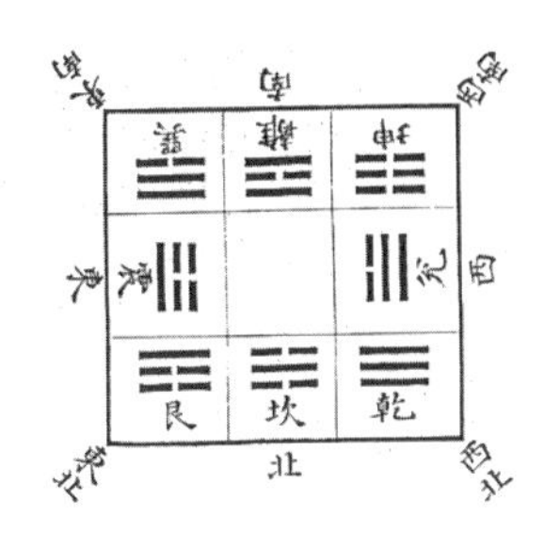

居北為水而坎當之，坎者水也；二七居南為火而離當之，離者火也；三八居東為木而震當之，震為雷，動於春也；四九居西為金而兌當之，兌為澤，虋於秋也。乾為寒為冰，位於西北，附兌而為金；巽為揚為風，位於東南，附震而為木；五十居中為土，而坤地艮山分隸之。坤，陰也，故稽類而退居西南；艮，陽也，亦稽類而奠居東北，此後天八卦方位之所由定也」。[70]後天八卦之流行，由四象生八卦所推變，其八卦布列，周環《洛書》九宮，並考索《河圖》四方卦位，則與《河圖》相繫，八方與屬象之性，同於四正四隅卦位之各居其所。其四方之正：坎水居北為一六之數，離火居南為二七之數，震雷屬木居東為三八之數，兌澤屬金居西為四九之數，冬、夏、春、秋各安其位。

釋說後天八卦之列位，特別連結《易傳》之說，並掌握八卦用象與五行屬性進行論述。陰陽變化所反映出的後天八卦之布列，正展現「協之天時，驗之地利，稽之人事，而四氣運行之序」，八卦之性也由是而立，則如其參之〈說卦〉進一步申說，認為艮卦為「萬物之所成終而所成始」者，居東北而具終始之位。接著，震卦為東方日出之位，以其「物不可以無主，故帝出乎震」。震具長子之身份，則「主器者莫若長子，長子用事」，以合宗法之制。長子配長女，故接著為巽卦，則巽卦「有宗子世婦之象」。儒家之聖道，「家齊而後國治，由家以及國」，故接著為西方之離卦，離日為「明」，則「聖人南面而聽天下」，有「大明中天之象」。離明而後昏，「日中則昃」，故接著為西南坤卦。坤以順為德，則「致役乎坤」，為「休工之義」，故接著為西方兌卦，乃「日之所入」，是兌卦「嚮晦入宴息」，有「說言」之象。又接著為乾陽之卦，乾陽處西北陰方，則「陰陽相薄」，故稱「戰乎乾」。又接著為正北坎水之卦，處「夜半之時，幽陰之象」，故稱「勞乎坎」。坎勞而有

70 〔元〕張理：《易象圖說·內篇》，卷中，頁387。

功，「勞然後有成」，故稱「成言乎艮」，[71]如此循環又以艮卦為終。

後天八卦之流行，與《洛書》九宮相繫，始於東北艮卦，而入於震、入於巽、入於離、入於坤、入於兌、入於乾、入於坎，又終於艮，張理以此布列，並證成《易傳》之說，認為後天八卦歸本於《易傳》之意，合於《易傳》之本旨；既肯定「後天」之存在，必也認同「先天」亦有所本，同本於孔門《易傳》之說。

（三）先後天八卦的合德之性

透過四象生八卦的八卦成列之圖式結構，亦可推衍出先後天八卦德合之圖式，其圖式布列如下所示：[72]

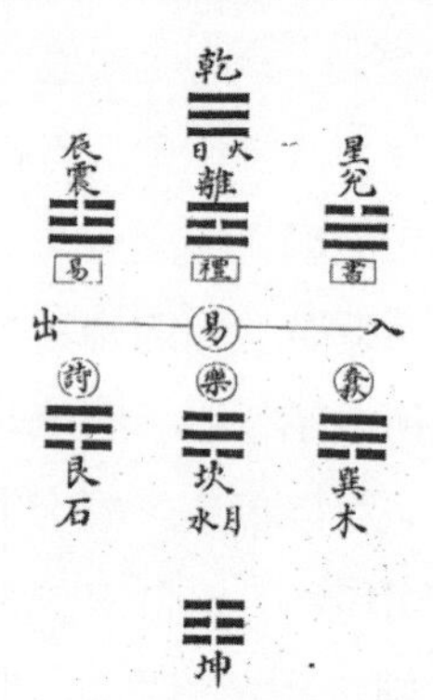

本於四象生八卦的圖式，「左右四卦易位，乾、離、坎、坤居中，頭目心腹之象；震、艮、巽、兌居左右，手足股肱之象」。八卦布列合於人之形象，此正述明「人者天地之合氣也」。這樣的布列，也正合於〈雜卦〉之言，所謂「乾剛坤柔，離上坎下，兌見巽伏，震起艮止」，與八卦合德圖式之列位同義，張理認為〈雜卦〉之作者，稽核此圖而論定此言。此圖式所展現的八卦結構，乾、坤、坎、離居於中間子午列位，亦即《參同契》有得於此之陳說，所謂「乾坤者，易之門戶，眾卦之父母，坎離匡郭，運轂正軸，牝牡四卦，以為橐籥」。[73]乾天坤地，與離日坎月交會其中，構成主體的時空場域，萬物的生化由此可能。天地包絡乾坤與陰陽的概念，使此空間的認識，具有變化性的時間意義。並且，以日月的變化，也概括了陰陽的運動規律，具體象徵宇宙的時間向度，同時也必然連

---

71 相關引文與論述，〔元〕張理：《易象圖說·內篇》，卷中，頁387。

72 圖式見〔元〕張理：《易象圖說·內篇》，卷中，頁388。

73 括弧引文見〔元〕張理：《易象圖說·內篇》，卷中，頁388。

結空間的存在。不論是天地或日月，都凸顯了時間與空間的兩重性內涵。又，天上也同時布列兌星、震辰，天象於斯完備。

乾坤或陰陽，作為宇宙自然的一切生成變化之門戶，即宇宙自然的總體面貌。天為宇宙自然創始之體，具體的就是乾之體，而乾則為天之用，開展宇宙的自然變化。乾天表現出乾氣的生生之性與天體的空間向度。乾與坤並用，生成六子，萬物皆由是生焉。坤地以其深厚廣大，能夠含藏萬物，包容萬有，無所不載。地為宇宙自然生成之體，亦為坤之體，而坤為此體之用，為地體之作用；坤地輔佐乾天而生成萬物，萬物之生成，不能無坤地。

日月在宇宙自然的時空向度中，扮演著舉足輕重的地位。不論是太陽或太陰，除了與地球運動變化關係，圍繞著空間上的聯繫外，二者並為時間序列上的運動推移之重要基準。空間的變動正也是時間的轉變，時間的轉變，也帶動著空間的變異，日月正能凸顯出這樣的時空意識。日月與寒暑，為宇宙自然的變化常態，也是宇宙自然變化的主要象徵標的，更可以視之為變化的源頭，體現出宇宙變化的時空意涵。離日坎月，彼此對立，卻又相互的推移，更象徵陰陽的變化，日月共構陰陽的生生運化。以日月作為陰陽變化的另類主張，為《參同契》以來丹道一系所不斷延續的觀點，藉離卦與坎卦，代表日月的消長運化，具體的將離日與坎月作為宇宙生成變化的重要概念，提高離卦與坎卦在宇宙萬化中的重要性，也就是凸顯離、坎二卦在八卦或六十四卦中的地位。

六　六十四卦變通致用之變化系統

陰陽衍化，八卦生成，進而推定六十四卦，確立六十四卦的變化系統。張理根據〈說卦〉「天地定位」之說，推定邵雍的先天六十四卦圓圖；[74]強調八卦的有序相盪，六十四卦的生成布列，得日月星辰、雷霆風雨之象，顯之以時序之變，該本陰陽之消長，休咎徵而吉凶生，則「天地萬物之理，盡

74　圖式與相關論述，參見〔元〕張理：《易象圖說．內篇》，卷中，頁388。

在其中」。[75]又本〈說卦〉八卦次第之說，重為「六十四卦因重之圖」，亦即邵雍的先天六十四卦之方圖；[76]特別強調從「中」之主張，一切的變化皆從於中，如人之心於中，以中為心，故萬化生成皆從心而生。[77]除了二圖本於邵雍原圖之說外，張理更制說六十四卦剛柔趨時的變通結構與六十四卦的致用結構等圖式，展現出具有高度符號邏輯的陰陽變化之宇宙圖式，並把握與聯繫《易傳》的思想，作為其立說的理論基礎，確立論述的可證性。

（一）六十四卦剛柔趨時的變通結構

張理列說六十四卦變通之圖，引《易傳》「剛柔者，立本者也；變通者，趨時者也」諸說，特別強調變化之義。其圖式如下所示：[78]

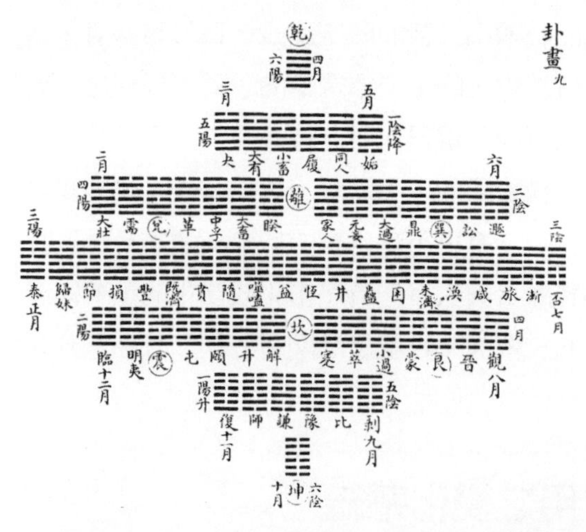

此一圖式正發明後天六十四卦陰陽剛柔的變通之義。他說「剛柔者，變通之本體；變通者，剛柔之時用」，以剛柔為本體，變通為時用，一切的變化與存在的可能，皆為剛柔之變通。此剛柔進一步而言，便是陰陽、便是乾坤；乾性剛健，坤性柔順，二者分別列位上下，象徵天地，為「不易之定體」，合於《易傳》所謂「剛柔者，立本者也」之義。[79]

---

75 〔元〕張理：《易象圖說・內篇》，卷中，頁391。

76 圖式與相關論述，〔元〕張理：《易象圖說・內篇》，卷中，頁392。

77 〔元〕張理：《易象圖說・內篇》，卷中，頁394。

78 圖式見〔元〕張理：《易象圖說・內篇》，卷下，頁395。

79 括弧引文與相關論述，〔元〕張理：《易象圖說・內篇》，卷下，頁396。

剛柔既以變通為用，則乾坤亦以變通行其剛柔的轉化。坤卦為至柔之極，則柔變而漸趨於剛，陽剛初升而漸進，為十一月復卦，次而為十二月臨卦、正月泰卦、二月大壯卦、三月夬卦，進於陽剛亢極的四月乾卦，此時變之用自冬而夏。乾卦至剛而化，漸趨於陰柔之變，一陰降而為五月姤卦，依次而為六月遯卦、七月否卦、八月觀卦、九月剝卦，退於陰柔之極而為十月坤卦，此時變之用自夏而冬。此陰陽剛柔之變化，即傳統所說的陰陽消息之消息卦變化，陰陽剛柔的消息，與時序相繫，故合〈繫辭傳〉所言「變通者，趨時者也」之大義。[80]

乾坤合德並行，剛柔相濟，萬物得以化生有序。由乾坤確立上下陰陽剛柔之定位，藉由剛柔升降、變通推衍而生成上述乾坤之外的十個卦，此十個卦再推變聯繫其他五十二雜卦，張理指出：

> 乾坤以初爻變，而一陰一陽之卦各六，皆自復、姤而推之。二爻變，而二陰二陽之卦各十有五，皆自臨、遯而推之。三爻變，而三陰三陽之卦各二十，皆自泰、否而推之。四爻變，而四陰四陽之卦各十有五，皆自大壯、觀而推之。五爻變，而五陰五陽之卦各六，皆自夬、剝而推之。[81]

由坤陰一陽升為復卦，而乾陽一陰降為姤卦，即乾坤以初爻變而生復、姤二卦，則一陰一陽之各六卦皆自此而推之；[82]自復推之者包括復、師、謙、豫、比、剝等六卦；自姤卦推之者為姤、同人、履、小畜、大有、夬等六卦。二爻變者，即坤陰二陽升為臨卦，乾陽二陰降為遯卦，則二陰二陽之卦各有十五卦，皆從臨、遯推之；自臨推之者為臨、明夷、震、屯、頤、升、解、坎、蹇、萃、小過、蒙、艮、晉、觀等十五卦；自遯推之者為遯、訟、巽、鼎、大過、无妄、家人、睽、大畜、中孚、革、兌、需、大壯等十五卦。三爻變者，即坤陰三陽升為泰卦，乾陽三陰降為否卦，則三陰三陽之卦

80 括弧引文與相關論述，見〔元〕張理：《易象圖說．內篇》，卷下，頁396。

81 見〔元〕張理：《易象圖說．內篇》，卷下，頁396。

82 圖式中復䷗卦之卦畫誤作屯䷂卦之卦畫，當予改正。

皆自泰、否推之，張理認為各有二十卦，實際上是相同的二十卦；從泰卦推之，包括泰、歸妹、節、損、豐、既濟、賁、隨、噬嗑、益、恆、井、蠱、困、未濟、渙、咸、旅、漸、否等二十卦；從否卦推之，亦同此但次序相反的二十卦，即否、漸、旅、咸、渙、未濟、困、蠱、井、恆、益、噬嗑、隨、賁、既濟、豐、損、節、歸妹、泰等二十卦。四爻變者，即坤陰四陽升為大壯卦，乾陽四陰降為觀卦，則四陰四陽之卦各有十五，皆自大壯與觀卦而推之；此四陰四陽之卦，同於二陰二陽之卦，也就是大壯卦所變之十五卦，同於遯卦所變之十五卦，觀卦所變之十五卦，同於臨卦所變之十五卦。五爻變者，即坤陰五陽升為夬卦，乾陽五陰降為剝卦，則五陰五陽之卦各有六卦，皆自夬、剝二卦而推之；此五陰五陽之卦，同於一陰一陽之卦，也就是夬卦所變之六卦，同於姤卦所變之六卦，剝卦所變之卦，同於復卦所變之卦。消息繫月，十二消息變通連結五十二卦，正是趨時而用的變化結構之展現。

以乾坤剛柔之變，推衍出十二消息卦，並進一步結合成六十四卦的變化，一切的剛柔變通之用，皆由消息卦而展開，消息卦成為變通時用的主要中介。但是，整個六十四卦的推變，皆根本於陰陽剛柔之衍化，這樣的衍化體系，即張理所申說的邵雍後天六十四卦之變通系統。以其「縱橫上下，反復相推，無所不可，在識其通變，則無所拘泥而無不通」，上下反復以通其變，建立其規律的變化結構，合於〈繫辭傳〉所云「變動不居，周流六虛，上下無常，剛柔相易，不可為典要，惟變所適」之變動精神。[83]

在此六十四卦的通變體系中，仍可看出其重要的特性與意涵：

首先為「乾上坤下，定體不易」，[84]一切的變化皆有乾坤所含括，也就是由乾坤所表徵之天地之象所確立，乾坤陰陽的變化，正是天地之道的自然律則，也是四時有序的循環變化。

其次，強調陽主進與陰主退之觀點，此陰陽消長之變，為自然變化的實

83 相關之論述與括弧引文，見〔元〕張理：《易象圖說・內篇》，卷下，頁396。

84 〔元〕張理：《易象圖說・內篇》，卷下，頁396。

況，故此六十四卦的變通，張理認為「陽主進，自復而左升，陰主退，自姤而右降」，[85]正說明此變化之道。

再其次，以坎離居內而列位南北，凸顯日月的變化之性，即其所謂「離南坎北，日麗乎晝，月顯乎夜」，[86]日月所展現的晝夜之象，正是剛柔之顯象，也是時序變化的具體化呈現。坎離二卦處位之重要，為自虞翻、《參同契》等傳統所重視的「坎離匡郭」之性的再次顯現。乾、坤、坎、離居中而為上下一體，正反映為天地日月所共構的宇宙變化之圖式。

再其次，以天地定位，確立氣之清濁，並合於人之身形與經脈。張理推此圖，「蓋以人身形合之天地陰陽者也。乾為首而居上，坤為腹而居下。離為心，坎為腎；心，火也，腎，水也，故離上而坎下。陽起於復，自左而升，由人之督脈起自尻，循脊背而上，走於首；陰起於姤，自右而降，由人之任脈至自咽，循膺胸而下，起於腹也」。[87]由復卦自左陽升，以名人之陽脈－督脈，而姤卦自右陰降，以名陰脈──任脈。於此強化復、姤二卦的重要性，即邵氏視之為小父母卦之所由。另外，又以上列二十卦法天為陽之輕清者，故皆為四陽與五陽之卦；下列二十卦法地為陰之重濁者，皆為四陰與五陰之卦；中間二十卦以象人，為天地陰陽之交，故皆為三陰三陽之卦，如同人之經脈手足，各有三陰三陽。此人與天地合德，天地之定位，如同人身形之定位，天地之變化，如同人經脈之運行。

最後，以恆卦居中，表彰恆性，重視恆德，如同儒家倡言之誠道，強調〈彖傳〉所言「日月得天而能久照，四時變化而能久成，聖人久於其道，而天下化成，觀其所恆，而天地萬物之情可見矣」。[88]天地定位，剛柔立本，變通趨時，動靜貞一，皆在恆道，故以恆為性，以恆為心，則恆卦立於此六十四卦變通圖式結構之中，恆卦之地位由是顯赫；恆德、誠德與中道，聯繫著恆卦卦義與處中之位，也強化圖式的哲學意蘊。

85 〔元〕張理：《易象圖說．內篇》，卷下，頁396。

86 〔元〕張理：《易象圖說．內篇》，卷下，頁396。

87 〔元〕張理：《易象圖說．內篇》，卷下，頁396-397。

88 〔元〕張理：《易象圖說．內篇》，卷下，頁397。

（二）六十四卦致用之圖式結構

張理制說「六十四卦致用之圖」，本於〈說卦〉所言「帝出乎震，齊乎巽，相見乎離，致役乎坤，說言乎兌，戰乎乾，勞乎坎，成言乎艮」的後天八卦之布列結構，因此，呈現出「後天六十四卦用圖之象」，其圖式如下所見：[89]

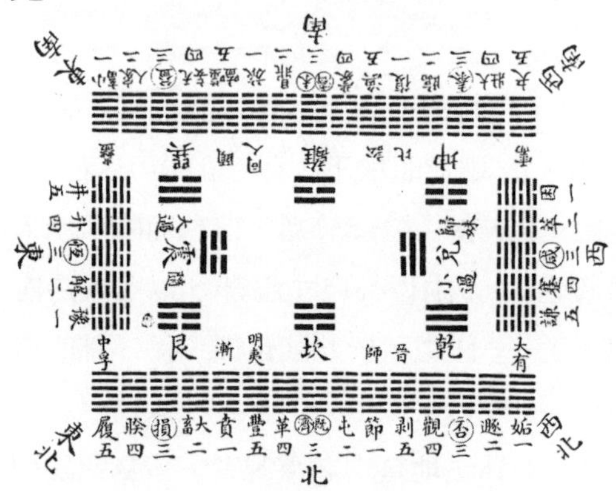

此一圖式之布列，主要根據「《河圖》象數變合，復推先天卦位」，即以先天八卦與後天八卦的卦位關係進行申列，並以變卦與反卦的變化關係進行建構。後天八卦之列位，乾起於西北之位，張理認為即「天傾西北之義」，也就是天地列位，並非決然南北直向，如地球軸位偏傾之狀。乾天既位於西北，對應的坤地當位於東南，但是「以地不滿東南，故巽長女代居其位」，則巽居於東南的後天之位。「巽亦先天兌之反」，東南巽位同於先天兌位，而先天兌與巽位東南與西南相對，兩卦為反卦之關係。坤卦退居西南，與西北乾卦形成縱列之位，坤卦三爻皆變而之乾，乾卦三爻皆變而之坤，彼此形成互相反對之卦。坎卦與離卦的列位關係，「離火炎上而居南，坎水潤下而居北」，二卦形成南北縱列之位；坎卦三爻皆變而之離，離卦三爻皆變而之坎，彼此亦形成互相反對之卦。艮卦位居東北，處位即先天震卦之位，二卦亦為反卦之關係。巽卦位居東南，處位即先天兌卦之位，二卦亦為反卦之關係。艮卦三爻皆變而之兌，反而觀之則為巽卦；巽卦三爻皆變則之震，反而觀之則為艮卦，艮巽二卦互相反卦，也形成縱列之位。震雷居東方，即先天離卦之位；震卦三爻皆變而

89 圖式見〔元〕張理：《易象圖說・內篇》，卷下，頁397。

之巽，反而觀之則為兌卦。兌澤居正西之位，即先天坎卦之位；兌卦三爻皆變而之艮，反而觀之則為震卦。故震卦與兌卦左右相反，而二卦為橫向之處位。邵雍指出「震、兌橫而六卦縱，《易》之用也」，即說明八卦列位，兩兩對應，震、兌為橫向之相反，而乾與坤、坎與離、艮與巽，則為縱向之相反，此八卦布列相反對應，正是《易》之所用，也同為〈說卦〉「帝乎出震」諸言布列之說；以此列位為陰陽變化之用，亦為自然規律之體現。[90]

後天八卦推衍出的六十四卦致用圖式，張理指出與當時所傳的卜筮宮卦之法相同，也就是布列之次第依八宮卦次之序，而其各宮之游魂與歸魂則內居其位。八宮列位，「乾坤相反，坎離相反，震兌相反，艮巽相反」；八宮之各宮諸卦，也彼此相反。以乾宮為例，乾宮依一爻至五爻變的次序為姤、遯、否、觀、剝等卦；游魂卦為本宮乾卦第五爻變，而內三爻亦皆變，則為晉卦；歸魂卦為本宮乾卦第五爻變，但內三爻不變，則為大有卦。乾宮與坤宮相對，乾宮之一陰姤卦，自坤宮反觀則為夬卦；乾宮之二陰遯卦，自坤宮反觀則為大壯卦；乾宮之三陰否卦，自坤宮反觀則為泰卦；[91]乾宮之四陰觀卦，自坤宮反觀則為臨卦；乾宮之五陰剝卦，自坤宮反觀則為復卦；乾宮游魂為晉卦，布於乾卦本宮之左，相對為坤宮歸魂比卦，二卦彼此上卦為變卦關係（晉之上卦為離☲，與比之上卦為坎☵，彼此互為變卦），而下卦相同；乾宮歸魂為大有卦，布於乾卦本宮之右，相對為坤宮游魂需卦，二卦彼此上卦亦為變卦關係（大有之上卦為離☲，與需之上卦為坎☵，彼此互為變卦），下卦亦相同。因此，二對應宮卦之游魂與歸魂卦，無法如其前五卦能夠形成反觀的覆卦關係。又以坎宮與對應之離宮而言，「坎宮之節，自離而反觀之則為渙；坎之屯，反離之蒙；坎之既濟，反離之未濟；坎之革，反離之鼎；坎之豐，反離之旅也」；各前五之卦皆兩兩相對而相反為覆卦關係，但坎之游魂明夷卦對應離之歸魂同人卦，坎之歸魂師卦對應離之游魂訟卦，其對應非相反關係，而是同乾宮與坤宮一樣，下卦相同，上卦為變卦關係。

---

90 引文與相關論述，〔元〕張理：《易象圖說．內篇》，卷下，頁398。

91 圖式中泰䷊卦卦畫誤作大畜䷙卦之卦畫，舛誤當改。

其他包括艮宮與巽宮，以及震宮與兌宮的對應關係，亦同此法。[92]

六十四卦致用圖式，以後天八卦之列位，確立其六十四卦對應之處位，各八宮卦皆以其爻位依次變化而推變出之各五卦，彼此對應而具有反觀的覆卦關係，形成外圍四十卦的有序次第。各八宮卦之另外推立的游魂與歸魂卦，雖無反觀的關係，卻仍於上卦有變卦的關係，合十六個游魂與歸魂卦，以及八個本宮卦，共為二十四卦，布列於圖式之內環。這樣的圖式結構，「周旋左右，升降上下」，張理強調「王者之禮法盡於是矣」。[93]此一圖式除了聯繫先天、後天的關係外，也取對應的變卦、反對（覆卦）關係，各宮依次遞變，確立其有序的變化體系，也正展現對京房八宮卦次之說的運用；京氏之學於元代，已然英華再現，落實在普遍的卜筮術數之中。推定宇宙萬物的災祥進退與生死休咎，其高度的邏輯結構，反映出變化有序的律則，禮法於斯，期於卦卦關係中得以透顯。

七　結論

張理廣引《易傳》之說，作為釋說天地之數的運化布列，兩儀、四象與八卦的建成，乃至《河圖》、《洛書》及先後天卦位的確立，所傳遞的意蘊，本於《易傳》的思想精神。他試圖將宋代以來的圖書之說，結合傳統的易學思想，特別把握《易傳》主張與圖式變化進行連結，為圖式觀點尋找符合傳統《易》說的理論基礎，論證圖式存在的合理性，也就是說，張理試圖為宋代以來的主要圖說觀點，藉由《易傳》的思想，確立其理解上的有效性，這正是張理易學圖式所開展的出的主要特色。此一特色，正為張理與宋元之際易學家之易學圖式的重要判別所在，其強烈的《易傳》所屬的孔門思想之聯繫主張，為同時期易學家所不足者。

陰陽為一切生成之本，聖人觀此萬化之本，作《易》以明變化之道，起

92 引文與相關論述，參見〔元〕張理：《易象圖說．內篇》，卷下，頁398-399。

93 括弧引文〔元〕張理：《易象圖說．內篇》，卷下，頁399。

於天，貫通地道與人道，布成三才之道，也就是張理闡明〈繫辭傳〉「兼三才而兩之」的意蘊。《易》貫三才之道，張理特別強調人道的主體價值，肯定人道的自覺，指出「人稟陰陽之氣以有生，則剛柔之質以有形，具仁義之理以成性，氣形、質具、性成，而三才之道備矣」。陰陽有生，剛柔有形，仁義成性，三才之道兼備，各本之以「兩」，同於立畫八卦的符號結構一般，「故以八卦言，則初二為地，三四為人，五上為天。分而言之，初、三、五為位之陽，二、四、上為位之陰，陽為剛，陰為柔，陰陽剛柔，迭用於一卦六爻之間，相錯而成文章也」。[94]人體天地自然之性，合陰陽剛柔之德，故能與天地合德、日月合明、四時合序，鬼神合吉凶，以成其聖人君子之道。自然之變，陰陽卦象之顯立，皆準之於聖人君子之道，故「故觀變於天之陰陽而卦象立，發揮於地之剛柔而爻義生，和順於道德而條理各適其宜，窮天地陰陽剛柔之理，盡己之性以盡人物之性，則可以贊天地之化育，而與造化之流行者無間，此則聖人至誠之極功也」。[95]以人為核心，以成聖為宗，正是儒家理想之本色，而著實體現在張理易學圖說之中，諸如太極圖式或《河圖》與《洛書》列位及五行布列的人極典範之確立，兩儀四象圖式的中土之定位，先後八卦的對待流行的人道表彰，先天心法以人心為中的自省明悟，六十四卦變通圖式合人體形軀脈理經絡或人倫政典者等等，在在顯示通天道以明人事的積極映現，乃至人性自覺與徵聖明道的理想關懷。此一認識，為將之列入《道藏》典文所不能埋沒而可還原的儒學內涵。

當代著名的物理學家史蒂芬・霍金（Stephen Hawking , 1942-），對宇宙的發生作概括的指稱，認為「我們在談論宇宙發生的事件，不能不提到空間和時間的概念」，[96]時空意識共構宇宙的存在，此宇宙存在的「時空必須具有像氣球內外的球面沒有邊界的連續性」特質。[97]如此，宇宙時空才具有不

94 相關之引文，見〔元〕張理：《易象圖說・內篇》，卷上，頁381-382。

95 〔元〕張理：《易象圖說・內篇》，卷上，頁381。

96 見〔英〕史蒂芬・霍金（Stephen Hawking）著，吳忠超譯：《時間新簡史》（臺北縣：藝文印書館，2006年初版），頁43。

97 參見〔英〕大衛・費爾金（David Filkin）著，陳澤涵譯：《霍金陪你漫遊宇宙》（臺北

斷衍化、不斷的變化而形成的存在。《淮南子》所謂「天之圓也不得規，地之方也不得矩，往古來今謂之宙，四方上下謂之宇」，[98]賦予時空的基本範定；主體宇宙時空的確立之後，存在才有可能。不論是具體存在的形象，乃普遍或特殊的規律與價值，主觀或客觀的一切理解，都無法與時間和空間分割。張理建立天地之數的分合推變圖式，以陰陽氣化作為存在的元素，而從天地之數（陰陽）的未分到已分，本身經歷了時空的衍化歷程，並確立時空變化的主體向度或定勢，展現其體用推變與動靜之性，並推定形成先後天八卦、六十四卦圖式的變化結構，以及《河圖》與《洛書》的衍成，都試圖在創制一種具體描繪與彰顯宇宙時空的動態而擴張的意識。或許從原始《周易》實質內涵的理解，確實帶有穿鑿附會的成分，但在機械化的圖式符號結構之背後，仍表現出圖式推衍的邏輯性特質，以及透過圖像化所凸顯的宇宙時空變化的動態性意義，也正為易學詮釋的創造性開闡尋找可能。

張理確立陰陽與時空連結的基本屬性，動靜相互契應，也確立體用相資的天地對待關係，象立而形見，象與形並顯於四象八卦、先後天卦圖、《河圖》與《洛書》等諸圖式之中。這些圖式的建構，非但為天地自然的生成變化與規律的象徵，也立基於以人為核心的呈現，所以他說，「將以順性命之理，究禮樂之原，成變化而行鬼神者，要皆不出乎圖書之象與數而已」。[99]這些圖式也作為人的身心之映現，性命之理則，人倫之間架，禮樂之根源，植入於「人」的主體價值之中。

張理對於《河圖》與《洛書》，主張「河十洛九」，根本於朱熹一系之說法。從早期朱震傳述劉牧以「河九洛十」立說，至朱熹則攻駁其論為誤，至此以後形成二種立論迴異之紛歧。朱熹作為主流的影響，並不湮沒歷來捍衛朱震為正的觀點，至清代胡渭（1633-1714）《易圖明辨》已給予圖式認識者的普遍認同之證成。同時，可以發現尤其道教丹學系統，大致主張「河九洛

市：新新聞文化公司，1998年初版），頁288。

98 見〔漢〕劉安：《淮南子・齊俗訓》。引自〔清〕劉文典：《淮南鴻烈集解》（北京市：中華書局，1997年1版北京2刷），卷11，頁362。

99 見〔元〕張理：《易象圖說・序》，頁373。

十」，如明代的郝大通（1149-1212）在其《太古集》所見，又如《道藏》所輯，如《大易象數鈎深圖》、《周易圖》等，從陳摶一系的丹道背景，至道教的核心意識不易更迭下的「河九洛十」之說得以保全，張理作為學本朱熹之說，仍可間接證成朱子之學與道教丹學於此的差異，而《道藏》收入張理《易象圖說》，仍不能模糊其更為強烈儒學內涵，與丹道實有所別。

不論是天地之數的生成變化，或是太極生次四象八卦之象的形成，都包括了先天八卦與後天八卦圖式的形成，也包括了《河圖》與《洛書》的交變確立。同時，在天地的交變中，八卦之象形成，也賦予《河圖》之中立乾、坤、坎、離四正之卦，而《洛書》則為坎、離、震、兌四正之卦，也就是將《河圖》與先天八卦、《洛書》與後天八卦進行聯繫，將邵雍的主張與劉牧的說法，作合理的結合。又，五行的高度運用，強調四象與八卦的變化，乃至《河圖》、《洛書》的結構，五行在其中扮演重要的互動與變化關係，這種高度融入五行觀於天地之數與卦位之中者，也成為張理易學圖說的特色。這些重要的主張，都可以視為張理發前人所未發的創造性理解。

天地之數的分合變化，作為陰陽之氣的運行規律，並與先後天八卦及《河圖》、《洛書》系統進行聯繫，同時接受程朱以來的理氣觀，某種程度上為程朱思想的再現；但是，對於理與氣的關係，張理並沒有作有系統的述明，也未建立完整的論述體系。另外，圖式符號與數值變化的圖式系統，機械化的結構下，沒有足夠的合理論述理論，仍無法擺脫刻意的圖式操作與附會成分，這種侷限，正為張理乃至一般圖說所難以突破的限囿，也是圖說理論的內在困難之所在。

《詩經》比與興的辨析

蔡宗陽
臺灣師範大學國文學系兼任教授

一　前言

一般修辭分為字句修辭、篇章修辭。字句修辭的「比」，含有比喻的比（即譬喻）、比擬的比（即轉化）；篇章修辭的「興」，除無比有賦的興外，尚有兼有比喻（即譬喻）有賦的興，兼有比擬（即轉化）有賦的興兩種。茲分為比喻的比、比擬的比、無比有賦的興、有比喻有賦的興、有比擬有賦的興五項，各舉二例，逐項闡論之。

二　比喻的比

字句修辭比喻的比，以往大陸稱為比喻，臺灣稱為譬喻。如今大陸多用比喻、少用譬喻，臺灣多用譬喻、少用比喻。「比喻」一詞，最早見於明朝謝榛《四溟詩話・卷二》：「比喻多而失于難解，故假物之然否以彰之。」「譬喻」一詞，最早見於漢朝王符《潛夫論・釋難》：「夫譬喻也者，生於直告之不明，故假物之然否以彰之。」

比喻的比，臺灣修辭專家多半稱為譬喻，有關《詩經》譬喻的分類、析論，李麗文二〇〇六年東吳大學中文所碩士論文「《詩經》修辭研究」，將譬喻分為明喻、隱喻、略喻、借喻、詳喻五類[1]，以闡析之、詮證之。本文擬

1　黃慶萱：《修辭學》（臺北市：三民書局，1986年1月初版，2002年10月增訂3版1刷），頁377。

補充尚未分類的博喻、合喻。

（一）博喻：又叫複喻，也叫聯比。所謂博喻，是指運用一個本體，兩個或兩個以上的喻體的譬喻，喻詞或有或無，本體有時省略的譬喻，喻旨或有或無。博喻分為詳喻式博喻、明喻式博喻、隱喻式博喻、略喻式博喻、借喻式博喻五種[2]。《詩經》運用詳喻式博喻者，如〈小雅．天保〉：

> 天保定爾，以莫不興，如山如阜，如岡如陵，如川之方至，以莫不增。

「天保定爾，以莫不興」，是本體。五個「如」字，是喻詞。「山」、「阜」、「岡」、「陵」、「川」，是喻體。「以莫不增」，是喻旨，又叫喻解[3]。運用明喻式博喻者，如〈衛風．淇奧〉：

> 有匪君子，如金如錫，如圭如璧。

「有匪君子」是本體。四個「如」字，是喻體。「金」、「錫」、「圭」、「璧」，是喻體。又如〈淇奧〉：「有匪君子，如切如磋，如琢如磨。」也是明喻式博喻。又如〈大雅．常武〉：「王奮厥武，如震如怒。」也是明喻式博喻。運用隱喻式博喻者，如〈小雅．正月〉：

> 謂山蓋卑，為岡為陵。

「謂山蓋卑」，是本體。兩個「為」，是隱喻的喻詞。「岡」、「陵」，是「喻體」，因此是隱喻式博喻。又如〈大雅．瞻卬〉：「懿厥哲婦，為梟為鴟。」也是隱喻式博喻。

（二）合喻：所謂合喻，是指運用兩個或兩個以上詳喻或明喻、隱喻、略喻、借喻的譬喻。運用詳喻式合喻，如〈小雅．天保〉：

---

2 黃慶萱：《修辭學》，頁399；蔡宗陽：《應用修辭學》（臺北市：萬卷樓圖書公司，2001年12月初版，2006年3月初版5刷），頁45-46。

3 黎運漢、張維耿：《現代漢語修辭學》（臺北市：書林出版公司，1993年6月初版），頁102。被比喻的事物叫作本體，用做比喻的事物叫作喻體，聯繫本體和喻體的輔助詞語叫作喻詞，本體和喻體之間的相似點叫作喻解，臺灣修辭學多半稱為喻旨。

如南山之壽，不騫不崩。如松柏之茂，無不爾或承。

「天保定爾」，是本體，省略。兩個「如」字，是喻詞。「不騫不崩」、「無不爾或承」，是喻旨。因此，這是詳喻式合喻。又如〈王・采葛〉：

彼采葛兮，一日不見，如三月兮。
彼采蕭兮，一日不見，如三秋兮。
彼采艾兮，一日不見，如三歲兮。

「一日不見」，係本體。三個「如」字，係喻詞。「三月」、「三秋」、「三歲」，既是喻體，又是層遞。這是三句明喻組成的合喻，兼有層遞，也是兼格修辭。辨析修辭手法有四項原則：一是整體內容，二是部分內容，三是整體形式，四是部分形式。就整體內容言，「一日不見，如三月兮」，是誇飾。就整體形式言，是比喻（譬喻）。就部分內容言，「三月」、「三秋」、「三歲」，是層遞中的遞升。又如〈小雅・大東〉：「周道如砥，其直如矢。」也是明喻式合喻。又如〈小雅・天保〉：「如月之恆，如日之升。」這是省略本體的明喻式合喻。略喻式合喻，如〈周南・螽斯〉：「螽斯羽，詵詵兮，宜爾子孫，振振兮。螽斯羽，薨薨兮，宜爾子孫，繩繩兮。螽斯羽，揖揖兮。宜爾子孫，蟄蟄兮。」這是三句略喻組成的合喻。借喻式合喻，如〈鄭・山有扶蘇〉：「山有扶蘇，隰有荷華。」「扶蘇」，比喻狡童。「荷華」，比喻子都[4]。這是二句借喻組成的合喻。

三　比擬的比

比擬、比喻，皆有「比」字，易於混淆。因此，黃慶萱《修辭學》採用于在春的轉化，陳望道的譬喻[5]，加以區別。轉化、譬喻的相同，在於都由

4　陳子展：《詩經直解》（上海市：復旦大學出版社，1983年10月初版），頁117。

5　黃慶萱：《修辭學》，頁377。于在春〈轉化論〉，收錄於洪北江主編《修辭學論叢》。陳望道《修辭學發凡》，係現代漢語修辭學之父。宋朝陳騤《文則》，既是第一部修辭學

兩件不同事物之間，採用修辭的原則。轉化、譬喻的不同，在於譬喻從本體與喻體之間的相似點著筆，用喻體闡明本體，是觀念內容的修辭，其作用側重「喻」；轉化從兩件不同的可變處著筆，將甲事物獨有的稱謂、動作、性態等，用來描述乙事物，是觀念形態的改變，其作用側重「化」。比喻（譬喻），可以還原本體、喻詞、喻體三項。比擬（轉化），不能還原本體、喻詞、喻體三項，是直接轉化，如朱自清〈春〉：「東風來了，春天的腳步近了。」將抽象的「春天」轉化為具體「人的腳步近了」。

比擬既可強調諷刺幽默，又可增強文學的感染力，《詩經》運用比擬（轉化）者，一般以為是比喻（譬喻），如〈魏．碩鼠〉：

> 碩鼠碩鼠，無食我黍！三歲貫女，莫我肯顧。逝將去女，適彼樂土。樂土樂土，爰得我所。
>
> 碩鼠碩鼠，無食我麥！三歲貫女，莫我肯德。逝將去女，適彼樂國。樂國樂國，爰得我直。
>
> 碩鼠碩鼠，無食我苗。三歲貫女，莫我肯勞。逝將去女，適彼樂郊。樂郊樂郊，誰之永號？

作者將「重斂賦稅之執政者」轉化為「碩鼠」，諷刺執政者，食黍、食麥、食苗，莫我肯顧、肯德、肯勞，闡明「苛政猛於虎」，屬於擬物化（物性化），以加強諷刺作用。朱守亮《詩經評釋》：「以碩鼠喻重斂之執政者。」[6]此就字句修辭言，是比喻（譬喻）；但就篇章言，是比擬（轉化）。易言之，就部分言，是比喻（譬喻）；就整體言，是比擬（轉化）。又如〈鄘．相鼠〉：

> 相鼠有皮，人而無儀。人而無儀，不死何為？

的專書，又是古代漢語修辭之父。陳望道曾任上海復旦大學校長二十五年，享壽八十七歲。二〇一〇年復旦大學主辦陳望道一百二十歲誕辰暨修辭國際學術研討會，鄙人發表論文〈陳望道《修辭發凡》對臺灣修辭學界的影響〉。

6 朱守亮：《詩經評釋》（臺北市：臺灣學生書局，1984年10月初版），頁312。

相鼠有齒，人而無止。人而無止，不死何俟？
相鼠有體，人而無禮。人而無禮，胡不遄死？

作者將「寡廉鮮恥的人」轉化為「鼠」，闡明人而無儀、無止、無禮，「不死何為」、「不死何俟」、「胡不遄死」，以諷刺「寡廉鮮恥的人」不死何為、何俟，「胡不遄死」的層層逼進，令人難以喘息。余培林《詩經正詁》：「三章皆以鼠為喻，鼠乃至卑汙之物。」[7]此就字句修辭言，是比喻（譬喻）；但就篇章修辭言，是比擬（轉化）。易言之，就部分言，是比喻（譬喻）；就整體言，是轉化。此外，如〈檜・隰有萇楚〉一章：「隰有萇楚，猗儺其枝。夭之沃夭，樂子之無知。」陳子展《詩經直解》：「此痛感有知有家有室之苦者，轉羨草木無知無家無室之樂，悲觀厭世之詩[8]。」

四　無比有賦的興

有關《詩經》比興學位論文，有蘇伊文一九八一年五月國立臺灣師範大學國文研究所碩士《詩經》比興研究，林奉仙一九九八年五月國立臺灣師範大學國文研究所博士論文。林奉仙將《詩經》興的類型，分為以草木為興、以鳥獸為興、以蟲魚為興、以天象地文為興、以事為興、以物為興六類。蘇伊文將《詩經》全書運用賦、比、興，暨十四家不同看法，製為總表[9]。林奉仙亦將《詩經》歷代注家標注賦、比、興，凡十八家不同看法[10]，真是後出轉精。茲以修辭學為主，分為無比有賦的興、有比喻的興、有比擬的興三項。

7　余培林：《詩經正詁》（臺北市：三民書局，1993年10月初版，2005年5月修訂2版），頁99。

8　陳子展：《詩經直解》（上海市：復旦大學出版社，1983年10月初版），頁447。

9　蘇伊文：《詩經比興研究》（臺北市：國立臺灣師範大學國文研究所碩士論文，1981年5月），頁125-160。

10　林奉仙：《詩經興詩研究》（臺北市：國立臺灣師範大學國文研究所碩士論文，1998年5月），頁277-294。

《詩經》運用無比有賦的興，如〈周南．關雎〉：

參差荇菜，左右采之。窈窕淑女，琴瑟友之。
參差荇菜，左右芼之。窈窕淑女，鍾鼓樂之。

無比有賦的興，是觸景生情。看到「參差荇菜，左右采之」的景象，抒發「窈窕淑女，琴瑟友之」、「窈窕淑女，鍾鼓樂之」的情感。就部分言，「參差荇菜，左右采之」，是無比的賦。就整體言，一、二章，皆是興。「窈窕淑女，瑟友之」「窈窕淑女，鍾鼓樂之」，也是無比的賦。所謂賦，《文心雕龍．詮賦》：「賦，鋪也，鋪采摛文，體物寫志也。」易言之，一般所謂平鋪直敘。又如〈小雅．蓼莪〉：

南山烈烈，飄風發發。民莫不穀，我獨何害？
南山律律，飄風弗弗。民莫不穀，我獨不卒！

先描繪南山冬天寒冷景象，作者獨不得終養父母，這也是無比有賦的興，觸景生情。就部分言，是賦。就整體，是興。「南山烈烈，飄風發發」、「南山律律，飄風弗弗」，皆沒有「比」。是描述景象的賦。「民莫不穀，我獨何害」、「民莫不穀，我獨不卒」，是抒發情感的賦。

五　有比喻有賦的興

有比喻有賦的興，這是兼有比喻的景象產生的興。《詩經》運用兼有比喻的景象產生的興者，如〈周南．關雎〉：

關關雎鳩，在河之洲。窈窕淑女，君子好逑。

作者由「關關雎鳩，在河之洲」的景象，聯想「窈窕淑女，君子好逑」之情，這是觸景生情的興。朱熹《詩集傳》：「關關雎鳩，雌雄相應之和聲也。[11]」

---

11 朱熹：《詩集傳》（臺北市：蘭臺書局，1979年1月初版），頁1。

高亨《詩經今注》:「關關，鳥鳴聲。雎鳩，一種水鳥名，即魚鷹，雌雄有固定的配偶，古人稱為貞鳥。[12]」張次仲《待軒詩記》:「此以雎鳩和鳴相興，與淑女、君子令德相匹。[13]」因此，「雎鳩」兼有比喻淑女、君子。就部分言，是比喻（譬喻）。就整體言，是有比喻有賦的興。又如〈周南·桃夭〉:

桃之夭夭，灼灼其華。之子于歸，宜其室家。

桃之夭夭，有蕡其實。之子于歸，宜其家室。

桃之夭夭，其葉蓁蓁。之子于歸，宜其家人。

三章前二句之景，兼有比喻，全篇是兼有比喻有賦的興。朱守亮《詩經評釋》:「首章以桃花鮮豔，喻少女美麗。[14]」「次章以桃實碩大，喻少女內在美。」鄙人以為喻少女懷孕，大腹便便，祝福早生貴子。「三章以桃葉茂密，喻家族昌大和諧。」三章以「五世其昌」祝福，古代農業社會需要人力，至盼多子、多孫、多福氣。就部分言，一、二、三章一、二句皆兼有比喻（譬喻）。三、四句皆是抒發情感的賦。就整體言，是有比喻（譬喻）有賦的興。

六　有比擬有賦的興

《詩經》運用有比擬有賦的興者，如〈召南·行露〉:

誰謂雀無角？何以穿我屋？誰謂女無家？何以速我獄？雖速我獄，室家不足。

誰謂鼠無牙？何以穿我墉？誰謂女無家？何以速我訟？雖速我訟，亦不女從。

---

12 高亨：《詩經今注》（臺北縣：漢京文化公司，2004年3月初版），頁2。

13 張次仲：《待軒詩記》，收入《欽定四庫全書》（臺北市：臺灣商務印書館，1983年），卷1，頁4。

14 朱守亮：《詩經評釋》，頁51-53。

屈萬里《詩經詮釋》:「此女子拒婚之詩。[15]」余培林《詩經正詁》:「此女子拒與已有室家之男子重婚之詩。[16]」作者將「強暴之人」轉化為「雀」、「鼠」,以諷刺強暴男子雖強而有力,可以「穿我屋」、「穿我墉」,促我獄訟,但女子仍然不畏獄訟,堅拒與蠻橫男子重婚。王靜芝《詩經通釋》:「以雀之有角,而興起強暴之人,促我獄訟之事。……故我亦決不因為獄訟而從汝也。[17]」「室家不足」,余培林《詩經正詁》:「室家不足,即不足室家之倒文,謂不與汝室家也。亦即下章『亦不女從』之意。[18]」王、余之說,更加印證女子拒婚之堅決。又如〈小雅・蓼莪〉:

> 蓼蓼者莪,匪莪伊蒿。哀哀父母,生我劬勞。
> 蓼蓼者莪,匪莪伊蔚。哀哀父母,生我勞瘁。

余培林《詩經正詁》:「以莪喻美材,蒿喻劣材。」[19]此就字句修辭而言,是比喻(譬喻);但就篇章修辭而言,是比擬(轉化)。其實,就整體言,是有比擬(轉化)有賦的興。父母望子成龍,自已無法實現理想。作者將自己轉為「蒿」、「蔚」,而不是「莪」,闡明無法實現父母的心願,但父母生我、鞠我、拊我、畜我、長我、育我、顧我復我,出入腹我,令作者哀傷,只好以吟詩自責,這也是自我諷刺的詩。

七　結語

《周易・繫辭上》:「仁者見仁,謂之仁;智者見智,謂之智。」公孫龍「堅白論」,同樣一顆石頭,甲以視覺看之,認為是「白色」;乙以觸覺摸之,卻認為是「堅硬」,孰是孰非?角度不同,觀點自然不同。《詩經》的

---

15 屈萬里:《詩經詮釋》(臺北市:聯經出版公司,1983年2月初版),頁30。
16 余培林:《詩經正詁》,頁35。
17 王靜芝:《詩經通釋》(臺北縣:輔仁大學文學院,1968年7月初版),頁65。
18 余培林:《詩經正詁》,頁35。
19 余培林:《詩經正詁》,頁431。

「比」，多以「比喻」解析之，殊不知猶有「比擬」。《詩經》的「興」，多以「有比有賦」的興、「無比有賦」的「興」解之，殊不知「比」有「比喻」、「比擬」。渾言之，二者皆兼有「比」。析言之，「比」有「比喻」、「比擬」之別。是以將「比」分為「比喻」的比、「比擬」的比；「興」分為無比有賦的「興」、兼有「比喻」有賦的「興」、兼有「比擬」有賦的「興」。

《毛詩品物圖考》述評

莊雅州
元智大學中國語文學系兼任教授

一 前言

董仲舒（176-104 B.C.）云：「《詩》無達詁，《易》無達占、《春秋》無達辭。」[1]詩意之艱深，除了主題費解、文字古奧、句式簡省、章法多變之外，名物之難明也是重要原因之一，名物有名實之殊、古今雅俗之變，隔時異地，有時就難以知曉，何況是三千年前《詩經》中的草木蟲魚鳥獸呢？但這些動植物是《詩經》中的主要意象，也是詩人表情達意、寄託比興的重要媒介，如不明其性狀，則難以明白詩意之旨歸。早在漢世，齊、魯、韓、毛各家即已留意解說，但隨文釋義，語焉不詳。三國陸璣（261-303），首創名物研究的專書，對《詩經》動植物的名稱、形態、性質、產地、用途等都詳加描述，唯有文無圖，僅能託諸懸想。梁代以後雖有《毛詩圖》之類問世，均失傳已久。今所能見最早的圖考，在中國首推乾嘉年間徐鼎的《毛詩名物圖說》（1771），在日本則為江戶時代岡元鳳的《毛詩品物圖考》（1784）。岡書雖為日本人之習《詩經》者纂輯，但圖繪生動、解說簡明。出版以後，一紙風行，歷久不衰。據魯迅（1881-1936）《朝華夕拾・阿長與山海經》言當其童蒙時期曾讀此書，[2]可見在中土也是相當通行。近年在臺灣亦曾多次影

1 〔漢〕董仲舒：《春秋繁露・精華》篇（北京市：中華書局，1975年9月），頁106。

2 魯迅：《魯迅全集・朝花夕拾・阿長與山海經》（北京市：人民出版社，1996年），冊2，頁248。

印，不難購得，其流通較之徐書更為廣泛，可惜為文評介者未見其人，因而不揣淺陋，試為初探，以期對《詩經》名物之研究略盡棉薄。

二　《毛詩品物圖考》之成書

（一）岡元鳳及其時代

《毛詩品物圖考》係日本岡元鳳（1737-1787）所撰，元鳳字公翼，通稱慈庵、尚達、元達，號白洲、澹齋、魯庵、隔九所。生於櫻町天皇元文二年（清乾隆二年丁巳），卒於光格天皇天明七年（清乾隆五十二年丁未），年五十一。[3]由於海隅乏書，對其生平不甚清楚。僅知他是浪華（大阪）人，主要活動地區也在浪華，浪華是當時日本的經濟中心，人口超過三十五萬，和京都、江戶（東京）齊名。其時代正值清乾隆年間，中國學術界上承明代中葉以來實學之影響，考據之學十分發達，著名的《詩經》學、《雅》學學者如戴震（1723-1777）、段玉裁（1735-1815）、崔述（1740-1816）、邵晉涵（1742-1796）、王念孫（1744-1832）、郝懿行（1757-1825）、王引之（1766-1834）、胡承珙（1776-1823）和他是同一個時代的人，可惜重洋暌隔，未聞有所交往。

岡元鳳所處的時代叫江戶時代。所謂江戶時代是一六〇三年德川家康受命為征夷大將軍所開創的幕府時代，至一八六七年，王政復古，奉還大政給明治天皇，共二百六十五年。而自一一九二年源賴朝開鎌倉幕府、一三三八年足利尊氏開室町幕府以來，長達六百七十六年的武家政治至此亦告結束。[4]

日本屬於漢文化圈，受到中國文化的影響既早且深。江戶時代的學術以儒學為主流，尤其朱子學更受幕府當局重視。但宗奉王守仁（1472-1528）、的陽明學派、回歸孔孟的古學派、研究日本古來之道的國學派也有一定的勢

3　張文朝：《日本における詩經學史》（臺北市：萬卷樓圖書公司，2012年12月），頁168。
4　林明德：《日本通史》（臺北市：三民書局，1995年5月），頁104、156。

力。在自然科學方面，適於實用的本草學、農學與醫學等頗為發達。一七二〇年第八代將軍德川言宗為了加強統治，提倡實學，改變鎖國政策，解除與天主教無關的書籍禁令，以荷蘭語言為媒介的歐洲近代科學，陸續傳入，稱之為蘭學。[5]

在《詩經》學方面，江戶時代十分發達。除漢、唐、宋、明、清《詩經》著述爭相傳入外，[6]日本學者之《詩經》相關著作，據張文朝（1960-）、《日本における詩經學史》的著錄即有朱子學派五十六名、陽明學派一名、敬義學派二十六名、古義學派十七名。古文辭學派四十一名、古注學派二十九名、折衷學派十八名、考證學派三名，其他七十五名，共二百六十六名，而岡元鳳正屬於其他類的十六名本草學者之一。[7]然則，江戶時代《詩經》學研究風氣之盛，可以窺豹一斑，而岡氏之所以能撰述《毛詩品物圖考》，亦可說拜時代風氣之賜。

（二）《毛詩品物圖考》及其版本

天明四年甲辰（1784）孟冬，《毛詩品物圖考》殺青，準備付梓。那波師曾寫了序，木孔恭寫了跋，岡元鳳也有一篇自序，但未標明時間，想必旋即正式出版。寫作經過雖不得其詳，但木孔恭跋語謂此書係岡氏「說詩之暇，遍索五方，親詳名物」[8]的心血結晶，想必是多年努力的成果。該書有刻本、刊本、寫本，出版地有京都、大阪、江戶，藏書地點有一橋大、九大

5　同上註，頁118、132、139、140。

6　同註3，頁103-120。又，王曉平：《日本詩經學文獻考釋》（北京市：中華書局，2012年4月），頁379-398。

7　張文朝，《日本における詩經學史》，頁121-181。王曉平，《日本詩經學文獻考釋》，頁409-442。又，王曉平：《日本詩經學史》（北京市：學苑出版社，2009年9月），頁101-139亦有詳細介紹。

8　〔日〕岡元鳳：《毛詩品物圖考》（臺南市：新世紀出版社，1975年3月），卷末木孔恭跋，頁1。

等四十處，[9]想必洛陽紙貴，再版多次。甚至連海峽兩岸亦有不少版本，包括：光緒十二年丙戌（1886）上海積山書局翻石印本，宣統二年（1910）上海掃葉山房石印本，一九六七年臺北廣文書局影印本，一九七五年臺南新世紀出版社影印本，一九八〇年臺北大化書局《詩經動植物圖鑑叢書》影印本，一九八五年北京中國書店影印本，二〇〇二年濟南山東畫報出版社出版王承略（1966-）據掃葉山房點校解說本，二〇〇八年西南師範大學、人民出版社《域外漢籍珍本文庫》第一輯影印積山書局本。版本極多，足見其流行之廣。本論文即以新世紀影印積山書局本為文本，注明引用卷數頁碼，必要時再參酌點校解說本。

三　《毛詩品物圖考》的內容及其體例

《毛詩品物圖考》共七卷，卷一、卷二為草部，其餘各卷分別為木部、鳥部、獸部、蟲部、魚部，亦即以動植物為圖考內容，而不涉及天文、地理、宮室、器物、服飾……等其他名物，這可能是因為名物繁多，董理不易，所以鎖定在動植物，以符合孔子所謂「多識鳥獸草木之名」[10]的緣故吧？至於其次序與孔子（551-479 B.C.）之言不同，與《爾雅》草、木、蟲、魚、鳥、獸的次序也有出入，倒是與三國陸璣的《毛詩草木鳥獸蟲魚疏》完全吻合，可能是以陸《疏》為取法的圭臬吧？

岡氏《圖考》自序云：

> 毛、鄭、朱三家為歸，有異同者會稡群書而折之，采擇其物，圖寫其形，要以識其可識者耳，而不識者闕如，庶為讀《詩》之一助也。[11]

這可說是全書最簡要的說明。易言之，全書分為圖與考兩大部分，縱橫交錯，以成大觀。如細而察之，則其內容與體例可分為：

---

9 張文朝：《日本における詩經學史》，頁373。

10 〔宋〕朱熹：《四書集注．論語．陽貨篇》（臺北市：臺灣書店，1971年8月），頁143。

11 《毛詩品物圖考》，卷首，岡元鳳序，頁2。

（一）標舉詩句

《圖考》先依草木鳥獸蟲魚分為七卷，各卷臚舉詩句為題，以《詩經》中出現之先後為次，如草部先〈周南・關雎〉之「參差荇菜」（卷一，頁1），次〈葛覃〉之「葛之覃兮」（卷一，頁1），次〈卷耳〉之「采采卷耳」（卷一，頁2），但僅有詩句，不標篇名。如有相關詩句，則採互見方式，如「齒如瓠犀」條云：「瓠見匏條。」（卷一，頁11）「甘瓠纍之」條亦云：「見匏。」（卷二，頁2）「有鳴倉庚」條云：「見黃鳥條。」（卷四，頁11）如此者約二十條，王承略點校本將互見各條皆會聚為一，雖便省覽，已非全書原次。

（二）安排插圖

各條詩句下，安排相關插圖及文字，據木孔恭跋，圖係出自畫人橘國雄之手。各卷之詩與圖分別為：卷一草部上詩六十四條，圖五十幅，卷二草部下詩二十八條，圖二十幅，卷三木部詩六十條，圖四十四幅，卷四鳥部詩四十一條，圖三十九幅，卷五獸部詩二十六條，圖二十二幅，卷六蟲部詩二十三條，圖二十一幅，卷七魚部詩十六條，圖十五幅，合計詩二百五十八條，圖二百一十一幅。

圖文之位置，或文上圖下，或文下圖上，或文右圖左，或文左圖右，或文在圖中，靈活變化，並無一定規則，要以文上圖下超過一百五十條，占百分之七十以上，為數最多。

詩文之分配，通常是一圖一物，但亦有二物共一圖者，如卷一頁十一王芻與萹竹，卷五頁八貆與貉。宣統本在圖旁均標物名，光緒本則偶一為之。以此重新檢視《圖考》動植物之有圖者，計草部上有五十四種，草部下有二十二種，木部四十五種，鳥部三十九種，獸部二十三種，蟲部二十三種，魚部十六種，合計二百二十二種，亦即植物一百二十一種，動物一百〇一種。

這當然不表示《詩經》中的動植物只有這些，[12]因為《圖考》所引詩句，闕疑不詳者有十五種，如卷一頁七菲、卷五頁十羆；有詩無圖者間亦有之，如卷一頁二十一萇楚、卷七頁二鮪；《詩經》中品物詩句，《圖考》未收者亦有若干，如〈大雅・江漢〉：「秬鬯一卣」的鬯、〈小雅・巧言〉：「居河之麋」的麋。但《詩經》中較重要的動植物，大抵略備。

（三）引用文獻

在文字方面，《圖考》以毛《傳》、鄭《箋》、朱子（1130-1200）《集傳》為依歸，有異同或補苴者則在圓圈下會萃群書加以辨說。其中引毛《傳》者一百八十五次，引鄭《箋》者三十二次，引朱《傳》者一百九十五次。圓圈下之群書，引用次數較多者為《爾雅》及古注，郭《注》、邢《疏》三十五次、陸璣《毛詩草木鳥獸蟲魚疏》三十次、《本草》系列二十二次、孔穎達（547-648）《毛詩正義》十六次、陸佃（1042-1102）《埤雅》十三次、嚴粲《詩緝》十一次、羅願（1136-1184）《爾雅翼》十次、稻生若水（1655-1715）《毛詩小識》十次、江村如圭《詩經辨解》七次、毛晉《陸疏廣要》六次，其餘一至五次者近五十種，資料可說不少。其引書，或並稱作者書名，如卷四頁十七崔豹《古今注》、卷五頁十〈急就篇師古注〉；或用作者書名簡稱，如卷二頁八孔《疏》、卷四頁九陸《疏》；或單稱作者，如卷一頁四李時珍（1518-1593）、陳藏器；或單稱書名，如卷一頁一《顏氏家訓》、卷四頁十〈易通卦驗〉；或暗引前說，如卷一頁二十二「謝安乃云」，暗用《世說新語・排調篇》郝隆語，卷六頁七「東方朔云」，暗用《漢書・東方朔傳》文，體例並不一致。

---

12 陸文郁收植物一百三十二種，見陸文郁：《詩草木今釋》（臺北市：長安出版社，1975年4月）。高明乾收動物一百一十三種，見高明乾、佟玉華、劉坤：《詩經動物解詁》（北京市：中華書局，2005年9月）。

（四）考訂文字

文獻資料有訛誤衍奪則訂正之，以期恢復本來面目，協助讀者讀通古書的文字，如：

> 《集傳》依陸《疏》「數寸」下當補入「高丈餘」三字。（卷一，頁3）
> 萑當作茬，孔《疏》引《爾雅注》誤作萑，《集傳》亦訛耳。郭《注》本作茬，《埤雅》亦同。（卷一，頁13）

此類為數極少，較多的是交代異文，如：

> 穋，《說文》作稑，云：「疾熟也。」（卷一，頁25）
> 蜂，本作䗬。（卷六，頁11）

也是在幫助讀者理解。

（五）標注讀音

古書因時空隔閡，有古音難通者則以今音注之，如：

> 駮、駁音同。（卷三，頁15）
> 鶺鴒音烏澤。（卷四，頁9）

此類亦不多見，但以和音注其日本讀音者則多達二十餘次，如：

> 鳩，古云「也埋法禿」、對「異園法禿」。今人偏呼綠色者為「也埋法禿」，是青鵻也；鴿為「異園法禿」。（卷四，頁2）
> 此方古名「吉里吉里斯」，故與蚣蝑易混。（卷六，頁4）

皆有助於日人之解讀。

（六）考辨名實

物名因時空變化，常有古今、雅俗之異，導致名實相混之現象，故釐清名實為名物研究之要務。《圖考》云：

> 此（邛有旨苕）與〈苕之華〉不同。（卷一，頁21）
> 《圖經》：「鼠梓，楸屬。」鼠李一名鼠梓，或云即此，然花實都不相類，恐別一物而名同爾。（卷三，頁19）

此為同名異實。又如：

> 黃鳥，鶯，即黃鸝，一名摶黍，一名倉庚，一名商庚，一名鵹黃，一名鸝鶬，一名楚雀，一名黃袍，一名金衣公子。（卷四，頁1）
> 蝤蠐，一名蝎，一名木蠹蟲，一名蛣蝠，生腐木中。（卷六，頁2）

此為異名同實，又如：

> 匏苦瓠甘，本是兩種，只以味定之，不可以形狀分別也。（卷一，頁7）
> 椅、梓同類而小異，在古不甚分別，故《爾雅》同釋，詩人則分稱，無有一定已。（卷三，頁6）

此則辨別二物之異同。唯有確實釐清名實的異同，才不致名實混淆，指鹿為馬。

（七）區分品種

生物的品種數以百萬計，即使同一界、門、綱、目、科、屬的，也可細分許多種，例如雎鳩即鶚，又稱魚鷹，是鳥綱、隼形目、鷹科鳥類，屬猛禽。鷹科全世界有六十屬，二百一十六種，單是中國就有二十一屬，四十八種。[13]岡元鳳亦已注意及此，所以對於中、日生物品種之異，總是特別著墨，例如：

> 此方荇葉圓而稍羨，又不若蓴之尖也。彼中書多言蓴似荇而圓，蓋土產之異也。（卷一，頁1）
>
> 《本草》：「鶉大如雞雛，頭細而無尾，有斑點。雄者足高，雌者足卑。無斑者為鵪，有斑者為鶉。」此方未見無斑者。（卷四，頁6）

而同一種生物也可能因大小、性別、性狀、功用等而有不同名稱，所以《圖考》云：

> 〈伐木〉：「既有肥羜」，羜，未生羊也。〈苕之華〉：「牂羊羵首。」牂羊，牝羊也。〈生民〉：「先生如達。」達，小羊也。「取羝以軷。」羝，牡羊也。（卷五，頁2）
>
> 〈盧令〉：「盧令令。」田犬也。〈駟驖〉：「載獫歇驕。」皆田犬名，長喙曰獫，短喙曰歇驕。（卷五，頁3）

將不同篇章貫通而觀之，確實有助於品種之區分。

（八）描述性狀

除了繪製圖影之外，描述性狀也是了解生物的重要途徑，這不僅有賴於文獻資料的提供，有時也須資取於目驗。《圖考》云：

> 莔，一作蓨。方莖，蔓生，葉似棗，每節四、五葉對生，至秋開花，結實如小椒。（卷一，頁15）
>
> 禿鶖，一名扶老。狀如鶴而大，頭項皆無毛，張翼廣五、六尺，舉頭高七、八尺，鳥之大者。〈魯語〉：「海鳥曰爰居，止於東門之外。」是也。（卷四，頁17）

---

13 《詩經動物解詁》，頁2。

透過類比，加以描述，與插圖參觀，印象更為深刻。

（九）評隲得失

文獻資料固然有不少詳略互補之處，也提供了許多研究的素材，但不同的文獻，往往說法各異，令人難以適從。這時彌綸群言，折衷至當就變得非常重要了。《圖考》在臚列眾說之餘，往往穿插自己的判斷與取捨，如：

> 按《通雅》謂葵為款冬，非。《爾雅》云：「菟葵，顆凍。」其非葵明也。方氏疑於葵後人不復食之，故生此說，苟以不食，則菽亦采葉以為藿芼，大牢饗賓客筐之筥之，其謂之何？食膳之宜，古今異同，不可強論也。（卷一，頁24）

此引《爾雅》證明方以智（1611-1671）《通雅》不可取。又如：

> 《傳》：「駮如馬，倨牙，食虎豹。」《集傳》：「駁，梓榆也。其青皮白如駁。」○駮、駁音同。《集傳》依陸《疏》。《辨解》云：「青皮，當作皮青。」陸《疏》云：「山有苞棣，隰有樹檖，皆山隰之木相配，不宜謂獸。」（卷三，頁15）

「隰有六駮」，駮，毛《傳》謂獸，朱《傳》從陸《疏》謂木，岡氏雖未明言短長，然既引陸《疏》，又列之於木部，其意甚明。

（十）付諸闕如

《論語．為政》篇云：「知之為知之，不知為不知，是知也。」[14]《說文解字．敘》云：「其於所不知，蓋闕如也。」[15]在在顯示古人為學處事何

14 《四書集注．論語．陽貨篇》，頁151。

15 〔清〕段玉裁：《說文解字注》（臺北市：洪葉文化公司，2005年9月），頁773。

等審慎。岡氏對於文獻不足，無從說解之處也採取此種態度，如：

> 《爾雅》：「須，蕵蕪。」注：「似羊蹄，葉細，酢可食。」然則須，今思各莫拔姑也；《集傳》從鄭氏云蔓菁，則今葛不賴也。二說不同。菲未詳。（卷一，頁7）
>
> 稻氏云：「伊賀州荒木川有魚形似燕，青色，能飛躍，名『施耶十』，土人食之，疑此鱨魚也。」此說未詳，姑錄備考。（卷七，頁4）

其說葑（須），二說並陳，說菲則逕云：「未詳。」說鱨，雖引日人稻生若水之說，唯未知然否，故僅聊備一格，皆見其慎。

四 《毛詩品物圖考》之優缺點

（一）《毛詩品物圖考》之特色

1 圖文並茂

名物之研究，徒託空言，難免瞎子摸象，徒有圖像，也難見其生態。唯有圖文相輔相成，始能相得益彰。《三禮》、《爾雅》、《本草》之有圖，由來已久。《毛詩》在梁有《毛詩圖》三卷，唐有《毛詩草木蟲魚圖》二十卷，宋有馬和之《毛詩圖》，惜久失其傳。[16]《毛詩品物圖考》集圖文於一帙，寫其圖狀，繫以辨說，用筆精細，行文簡明，兼具學術性與藝術性。光緒年間，戴兆春〈序〉稱其：

> 採擇則匯集諸說，考訂則折衷先賢，不特標其名，且為圖其象，俾閱者開卷了然。綜見見聞聞之類，極形形色色之奇，罔不搜采備至，誠有《爾雅》所不及載，《山經》所不及詳者。吁！大觀哉！[17]

16 《毛詩品物圖考》，卷末，木孔恭跋，頁1。

17 《毛詩品物圖考》，卷首，〔清〕戴兆春序，頁1-2。

洵非虛言，其書雖較清人徐鼎《毛詩名物圖說》之出版晚十餘年，但在東瀛已屬創舉，後有馬場克昌（1785-1854）《詩經物產圖譜》、小原良直《詩經名物圖解》、細井洵（？-1852）《詩經名物圖解》相繼問世，[18]可說都受其影響。茲錄《圖考》插圖三幅：舜（卷三，頁11）、鴻（卷四，頁6）、鱨、鯊（卷七，頁4），以見其工筆摹繪，栩栩如生。

18 張文朝：《日本における詩經學史》，頁170、375。

2 兼宗漢宋

《圖考》徵引文獻，以毛《傳》、鄭《箋》、朱子《集傳》三家為主。毛、鄭為漢學，專宗訓詁考據；朱為宋學，崇尚義理而亦不廢格致之學。《圖考》對兩大派文獻之引用，均在二百次左右，可謂兼宗漢宋，此與同一時期淵源於明代實學的乾嘉學派之偏於考據者大不相同，可能是由於江戶時代的學術以儒學為主流，朱子學派聲勢鼎盛，古學派亦有相當勢力的緣故吧！岡氏在評論各家說法時，也表現出獨立自主，不偏漢宋的精神，例如：

> 于以采蘋　《傳》:「蘋，大蓱也。」《集傳》:「水上浮萍也。江東人謂之薸。」◯毛氏與《爾雅》「苹，蓱，其大者蘋。」相合。朱《傳》誤以小萍為大萍。說者不一。（卷一，頁4）

此是毛而非朱。又如：

> 綠竹猗猗　《傳》:「綠，王芻也。竹，萹竹也。」《集傳》:「綠，色也。淇上多竹，漢世猶然，所謂淇園之竹是也。」◯綠竹之解，《集傳》為勝，但毛氏舊說，不可不存焉。（卷一，頁10）

此謂朱勝於毛。又如：

> 蔦與女蘿　《傳》:「女蘿，兔絲，松蘿也。」《集傳》:「女蘿，兔絲也，蔓連草上，黃赤如金。」◯《廣雅》:「兔邱，兔絲也。女蘿，松蘿也。」陸《疏》:「兔絲蔓連草上，黃赤如金，松蘿自蔓松上，生枝正青，與兔絲殊異。」此等說二物辨得明白，毛《傳》既失，朱說亦錯，遂致混淆，《說約》辨之。（卷二，頁7）

此則據《廣雅》、陸《疏》及顧夢麟（1585-1653）《詩經說約》，以松蘿與菟絲為二物，認為毛《傳》和朱《傳》皆非。無論其說是否為後世所贊同，其力求客觀公正的精神則是不容置疑的。

3 行文簡明

漢代今文家說經，常借題發揮，繁瑣寡要，相形之下，古文家如毛公者則頗為簡約，鄭康成（127-200）兼通今古文，而以古文為主，其解經亦簡淺明確，條理井然。至於朱子，一反漢學，對注釋體例尤多所省減改造。岡氏既以毛、鄭、朱為宗，其《圖考》自然力求簡潔明快，一句可了，不煩二句；一家可明，不引二家。其文字最長者如「六月莎雞振羽」（卷六，頁5）不過一百七十六字，「魚麗于罶鱨鯊」（卷七，頁4）亦僅一百三十七字。其引文家數最多者，如「其檉其椐」（卷三，頁22）不過八家，「于以采蘋」（卷一，頁4）、「爰采唐矣」（卷一，頁9）、「有條有梅」（卷三，頁14）、「流離之子」（卷四，頁5）亦皆僅六家。至於其論斷之不蔓不枝，更不待言。

4 考辨用心

《圖考》參考文獻至少有六十餘家，每條只徵引三、五家，文字最多只有百餘字，在採擷時必須取精用宏，格外用心，才能得到精準的結果。韓國南基守、高載祺通過對毛《傳》、朱《集傳》、《爾雅》、陸璣《詩疏》、《本草綱目》等的檢討及中、韓植物圖錄的比對，發現《毛詩品物圖考》所畫的草本植物正確的四十九種，畫得不正確的有二十五種，另有幾種未曾畫圖。[19] 這雖僅就插圖而言，但插圖正確與否必取決於考辨是否無誤。三分之二的正確率誠然不甚理想，但就二百多年前的古書而言，這樣的成果已屬難能可貴了。同樣地，我們若根據相關的古籍及近人研究成果去檢驗《圖考》的其他部分，也可發現準確者亦復不少，例如：

> 無折我樹杞　《集傳》：「杞，柳屬也。生水傍，樹如柳，葉麄而白，色理微赤。」　○嚴《緝》：「《詩》有三杞：〈鄭風〉『無折我樹杞』，柳屬也。〈小雅〉『南山有杞』、『在彼杞棘』，山木也。『集于苞杞』、『言采其杞』、『隰有杞桋』，枸杞也。」（卷三，頁10）

---

19 〔韓〕南基守、高載祺：〈毛詩品物圖考所見之草本植物考〉，《詩經研究叢刊》（北京市：學苑出版社，2004年3月），第6輯，頁215-230。

集于苞杞　《傳》:「杞,枸檵也。」(卷三,頁18)

南山有杞　《集傳》:「杞樹如樗,一名狗骨。」(卷三,頁19)

杞在《詩經》中凡七見,[20]《圖考》據嚴粲《詩緝》說分為三類:〈鄭風・將仲子〉:「無折我樹杞」的杞,《圖考》釋為杞柳,與陸文郁、潘富俊、吳厚炎之解為楊柳科者相同。[21]〈小雅・四牡〉:「集於苞杞」的杞,《圖考》釋為枸杞,與陸文郁、潘富俊、吳厚炎之解為茄科枸杞者亦同。[22]唯〈小雅・南山有臺〉:「南山有杞」的杞,《圖考》解為山木,與潘富俊解為冬青科之枸骨者相同,與陸文郁、吳厚炎之解為枸杞,則有出入。[23]綜合觀之,《圖考》所釋,與今人所見大致相同,足見用心。

又如:

匪兕匪虎　《傳》:「兕,虎,野獸也。」《集傳》:「兕,野牛,一角,青色,重千斤。」○《典籍便覽》:「其皮堅厚,可以制鎧。」或云:「兕即犀之特者,一角,長三尺。」又云:「古人多言兕,今人多言犀;北人多言兕,南人多言犀。」(卷五,頁11)

兕、犀,古今南北常有相混,然《爾雅・釋獸》云:「兕,似牛;犀,似豕。」[24]《說文解字》云:「𤉡,如野牛,青色,其皮堅厚可製鎧。象形。兕,古文从儿。」又:「犀,徼外牛,一角在鼻,一角在頂。」[25]《周禮・考工記》:「函人為甲,犀甲七屬,兕甲六屬,合甲五屬;犀甲壽百年,兕甲

---

20 上引嚴粲《詩緝》之說凡六見,乃因「言采其杞」重見於〈杕杜〉及〈北山〉。

21 陸文郁,同註12,頁51。潘富俊:《詩經植物圖鑑》(臺北市:貓頭鷹出版社,2001年6月九刷),頁132。吳厚炎:《詩經草木匯考》(貴陽市:貴州人民出版社,1992年12月),頁246。

22 同上註,陸文郁,頁93,潘富俊,頁178,吳厚炎,頁249。

23 同註21,潘富俊,頁228,陸文郁,頁93,吳厚炎,頁244。

24 〔清〕郝懿行:《爾雅義疏・釋獸》(臺北市:中華書局,1966年3月),卷下之6,頁8。

25 同註15,頁53、463。

壽二百年，合甲壽三百年。」[26]足見二者原本有其區別，《圖考》雖未旁徵博引，然既言其同，又知其異，足見用心。

5 重視鄉土

岡氏以漢字文言書寫《圖考》，乃因日本屬於東亞漢文化圈，不少古書是用漢字寫作，且該書又係《詩經》學專著的緣故。但作者既係日人，主要的閱讀對象也是自己的同胞，則書中自然會有不少本土的資料。這些資料主要表現在三方面：一是採擷日人的著作，如引用稻生若水的《毛詩小識》十次、江村如圭的《詩經辨解》七次、貝原益軒（1630-1714）的《太和本草》、松岡恕庵（1668-1746）的《詩經名義考》、佚名的《物類品隲》各一次。二是介紹日本的物產，如「（楚）享保中來漢種，今多有之。其葉頗似參，故俗呼參樹，形狀如時珍所說。」（卷三頁1）此言荊楚係由中國傳入。又：「無斑者為鵪，有斑者為鶉。此方未見無斑者。」（卷四頁6）此言中日品種不同。三是交代日本的異稱，如：「（鳲鳩）此方呼『紫紫禿利』者是也，一名『勿勿』。或以『禿施搖利谷衣』充之，非也。」（卷四頁10）此以日音稱之。諸如此類，對比較生物學或中日文化交流史都是有所助益的。

（二）《毛詩品物圖考》的疏失

1 體例未純

一本書甚至一篇論文往往有其體例，作者可據以寫作，讀者可便於閱讀，但正如許多古書一樣，《圖考》的體例只隱藏於書中，岡氏未曾明言，而且為例不純。首先是《圖考》以詩句作為品物的標題，但一個標題中往往不只一種品物，到底本條是講哪種品物，必須看看圖名，甚至解說的文字才能判斷，像光緒本多無圖名，就常莫名所以了。其次，同物異名多採互見方

---

26 〔漢〕鄭玄注，〔唐〕賈公彥疏：《周禮注疏．冬官．考工記》（臺北縣：藝文印書館，1985年12月），頁620。

式，為了顧及《詩經》出現的次序，並未併條，如常棣（卷三，頁18）、常（卷三，頁18）、棣（卷三，頁15）一物而分見三條。而同名異物或注或不注，如「鶉之奔奔」（卷四，頁6）之鶉為鵪鶉，「匪鶉匪鳶」之鶉為猛禽，分見兩處而未相繫，若此，既不便於考索，更無從進行統計。其三，文獻之引用，體例不一，交代不清，上文已言之，遇有陌生之人、冷門之書，如江氏（卷二，頁5）、《因樹屋書影》（卷四，頁5）、《物類品隲》（卷七，頁7），不知何人何書，遑論按圖索驥。又如「禮『稷曰明粢。』」（卷一，頁12）「沈存中乃謂黃蘗也。」（卷一，頁8）須仔細考察，始知其出自《禮記・曲禮》，而非《儀禮》；出自沈括（1029-1093）《夢溪筆談》，而非《蘇沈良方》，豈非虛擲時日？

2 **文獻不足**

《圖考》徵引的文獻，單以中國的《詩經》學著作而言，除毛《傳》、鄭《箋》、孔《疏》、陸璣《詩疏》、朱子《集傳》外，有宋呂祖謙（1137-1181）《呂氏家塾讀詩記》、嚴粲《詩緝》、明胡廣（1370-1418）《詩傳大全》、何楷《詩經世本古義》、顧夢麟《詩經說約》、馮復京（1573-1622）《六家詩名物疏》、毛晉《毛詩草木鳥獸蟲魚疏廣要》，在江戶時代中期以前傳入日本的《詩經》學著作應該不止乎此，岡氏自然不可能每本都有展讀的機會，其他《雅》學、本草學乃至與《詩經》名物相關著作更不待言。所以文獻之不足乃是無可避免之事。

《圖考》一書之中，往往有付諸闕如或有文無圖之處，這固然是態度矜慎使然，但有時也緣乎文獻不足，或雖有文獻而未加使用。如岡氏自承不詳者不下十餘處，但後世學者多能補之。例如：

> 無折我樹檀　《傳》：「檀，彊韌之木。」《集傳》：「檀，皮青滑澤，材韌，可為車。」〇未詳。（卷三，頁11）
>
> 維熊維羆　《集傳》：「羆似熊而長頭高腳，猛憨多力，能拔樹。」〇羆未詳。（卷五，頁10）

檀，陸文郁、潘富俊、吳厚炎、胡淼（1937-）皆解為榆科青檀。[27]羆，高明乾、胡淼皆解為熊科之棕熊。[28]所據亦不過《爾雅》、《說文》、陸璣《詩疏》、《爾雅翼》、《本草綱目》而已，此固岡氏所常引者，尤其《本草綱目》檀分黃白二種，熊分熊、羆、魋，言之綦詳，且有插圖，[29]不能充分運用既有的文獻進而蒐集更多的文獻，豈不可惜？

3 **圖文有誤**

岡氏徵引文獻時除了體例不一外，有時亦有張冠李帶之誤，如：

> 四月秀葽　嚴《緝》：「葽，今遠志也。其上謂之小草。」謝安乃云：「處則為遠志，出則為小草。」（卷一，頁22）
>
> 鴛鴦于飛　鴛鴦、鸂鶒一類別種而鸂鶒殊美。故謝靈運賦云：「覽水禽之萬類，信莫麗於鸂鶒。」（卷四，頁16）

所謂謝安（320-385）之語出自《世說新語・排調》篇，其實應為郝隆之語；所謂謝靈運（385-433）賦應是謝惠連（397-433）的〈鸂鶒賦〉，[30]大概岡氏憑記憶引用，故爾筆誤。

至於在名物考釋方面，岡氏不甚精準之處尤在所難免，上文曾言及南基守、高載祺曾摘其草本植物插圖不正確的有二十五種。其他部分之誤釋者自亦不在少數，如：

> 葛之覃兮　《傳》：「葛，所以為絺綌也。」（卷一，頁1）
>
> 葛藟累之　《集傳》：「藟，葛類。」毛氏無解，乃知葛藟是一類，不應解為別物。（卷一，頁2）

---

27 同註21，陸文郁，頁51，潘富俊，頁134，吳厚炎，頁253。胡淼：《詩經的科學解讀》（上海市：上海人民出版社，2007年8月），頁137。

28 同註12，高明乾，頁234。同上註，胡淼，頁470。

29 〔明〕李時珍：《本草綱目》（臺北市：鼎文書局，1973年9月），頁1150、1553。

30 王承略點校解說：《毛詩品物圖考》（濟南市：山東畫報出版社，2002年8月），頁54、176。

葛藟，朱《傳》以為二物，《圖考》因毛《傳》無解而斷為一物，可謂尊毛已甚，而證據未免薄弱。葛之與藟，形近易混，但〈王風・葛藟〉、〈大雅・旱麓〉，鄭《箋》均言「葛也，藟也。……」《說文》、陸璣《詩疏》、《廣雅・釋草》以降亦多視為二物，[31]今之學者陸文郁、潘富俊、吳厚炎、胡淼等詳加考證，以為葛屬豆科，藟屬葡萄科，[32]二者確實有所不同，可以正《圖考》之失。又如：

> 熠燿宵行　傳：「熠燿，燐也。燐，螢火也。」《集傳》：「宵行，蟲名，如蠶，夜行，喉下有光如螢。」〇二說不同，稻氏云：「張華詩：『涼風振落，熠燿宵流。』是熠燿之為螢也。」此說為得。但燐非螢火，孔《疏》詳之。（卷六，頁8）

「熠燿宵行」（〈豳風・東山〉）毛《傳》、朱《傳》二說不同，毛以熠燿為螢，朱以宵行為螢，《圖考》從毛，但謂燐非螢火。王承略評其只知燐為鬼火，不是螢火蟲，而不知燐通𧓍，《經典釋文》：「燐字又作𧓍。」就是明證。[33]足證岡氏只知其一，不知其二。至於螢是熠燿，抑或宵行，岡氏固然從毛，但《本草綱目》及今之學者高明乾、胡淼，皆從朱《傳》以宵行為螢，[34]足見這個問題還是有討論的空間。

4 罕說詩意

草木蟲魚鳥獸是與人類生活關係最為密切的夥伴，不僅為延續生命之所資，也是怡情養性之所賴，所以在《詩經》中出現的動植物多達二百餘種，直接涉及的篇章高達二百五十篇。它們在詩作中必然有其多方面的作用，那波師曾序云：「是故欲知其義者，先求于其性；欲求于其性者，先求于其

---

31 同註21，吳厚炎，頁10-13。

32 同註21，陸文郁，頁2-4，潘富俊，頁18、22，吳厚炎，頁8-3。同註27，胡淼，頁6、12。

33 同註30，頁227。

34 同註29，李時珍，頁1310。同註12，高明乾，頁189。同註27，胡淼，頁262。

物；欲求于其物者，必先求于其形；其形不可常得，圖解其庶幾乎！」[35]就是在講動植物的性狀與詩意的理解有密切的關係。岡氏在《圖考》偶然也會提及動植物所要表現的詩意，例如：

> 菁菁者莪　《傳》:「莪，蘿蒿也。」○……按蘿蒿今人呼為朝鮮菊，葉似青蒿而細，又似胡蘿蔔葉，四月開白花，類茼蒿。〈蓼莪〉所謂「匪莪伊蒿」，蓋以相似而起興也，蒿即青蒿。(卷二，頁3)
>
> 時維鷹揚　《裴氏新書》:「鷹在眾鳥間若睡寐然，故積怨而後全剛生焉。」《詩·大雅》:「維師尚父，時維鷹揚」，言其武之奮揚也。(卷四，頁18)

此類解說，的確有助於讀《詩》，可惜為數至尠，主要還是要讀者自行以意逆志。這固然顯現岡氏作為一位本草學者的客觀，但就身兼《詩經》學者而言，終不能不說是一個缺憾。拙作〈多識於鳥獸草木之名——從詩經、楚辭到爾雅、本草、類書〉曾論及草木蟲魚鳥獸在《詩經》中的作用有六：鋪敘情境、塑造意象、抒發情感、烘托氣氛、寄托比興、呈現意境，[36]每項各舉數例為證，也不過拋磚引玉而已，詳盡而全面的研究還有待專家學者的努力。

五　結論

經由以上的論述，可以發現：

（一）岡元鳳的《毛詩品物圖考》是日本江戶時代重要的《詩經》學著作，圖文相輔相成，通行極廣，影響亦極大，而其成書則係拜時代風氣之賜。

（二）《圖考》之內容涵蓋《詩經》草木蟲魚鳥獸二百餘種之考釋及插圖。編排體例可分為標舉詩句、安排插圖、引用文獻、考訂文字、標注讀

35 同註8，卷首，那波師曾序，頁1。

36 莊雅州：〈多識於鳥獸草木之名——從詩經、楚辭到爾雅、本草、類書〉，《中國語文》618期（2008年12月），頁23-31。

音、考辨名實、區分品種、描述性狀、評隲得失、付諸闕如等十項。岡氏雖未嘗自行揭示，而其體例實籠罩全編，故其書井然有序，便於閱讀。

（三）全書有圖文並茂、兼宗漢宋、行文簡明、考辨用心、重視鄉土等五大特色。但亦有體例未純、文獻不足、圖文有誤、罕說詩意四項疏失。整體而言，瑕不掩瑜，手此一編，對《詩經》之研讀頗有參考價值，但若逐條深入檢討，則非短期所能蕆事。

《禮記・鄭注》對釋讀二聲字之貢獻

——以〈中庸〉、〈緇衣〉為例

邱德修

臺灣師範大學國文學系退休教授

一　前言

凡治《三禮》者，必讀鄭康成之注，自古以來，咸謂「三禮鄭氏學」，無論陸氏《經典釋文》[1]，或是陳氏《東塾讀書記》[2]均作相同主張，可謂已定論矣。凡欲學三禮者，捨《鄭注》而不讀則莫由也。非但如此，如今治二聲字之學者，則非依賴《三禮・鄭注》不可。即目前所知，尤以《禮記》與《鄭注》二者為最重要[3]。本文嘗試以〈緇衣〉〈中庸〉為經與〈鄭注〉為緯，作為論述依據，指出〈鄭注〉之勝場，或可供後學參考之用。由於學殖麤疏，見識淺陋，其中有不周之處，固所難免。諸希國內鴻儒，海外碩彥，不吝垂教，則幸甚幸甚！

1　〔唐〕陸德明：《經典釋文・敘錄》：「（鄭）玄治小戴禮，後以古經校之，取其於義長者，順者，故為『鄭氏學』。……唯鄭注《周禮》、《儀禮》、《禮記》並列學官。……今三禮俱以鄭為主。」（臺北市：鼎文書局，1975年），頁21下-22上。

2　〔清〕陳澧：《東塾讀書記》：「孔沖遠云：『禮是鄭學』。考兩漢書〈儒林傳〉：以《易》、《書》、《詩》春秋名家者多，而禮家獨少。《釋文・序》：漢儒自鄭君外，注《周禮》及《儀禮・喪服》者，惟馬融；注《禮記》者，唯盧植。鄭君盡注《三禮》，發揮旁通，遂使《三禮》之事，合為一家之學，故直斷之曰：『禮是鄭學也。』」（臺北市：世界書局，1980年），卷15，頁1。

3　邱德修：〈簡本〈緇衣篇〉校注舉例——兼論〈緇衣・鄭注〉之貢獻〉，收入《第一屆古文字與出土文獻學術研討會論集》（臺北市：中央研究院歷史語言所，2000年）。

二　二重證據法對研究「二聲字」之重要性

研究二聲字必須仰賴出土新材料與傳世資料，此為眾所皆知之事實。此其中，傳世資料又以《禮記》與《鄭注》最為豐富。首先，就出土材料與傳世資料互相印證，以明「二聲字」之例，在《上博簡》有「麋」字。字形分析而言，字从「鹿」省聲、从「彔」聲，自是屬於「二聲字」[4]。推測其原始，甲骨文有「鹿」字，見劉釗教授《新甲骨文編》卷十，頁五四四；又有「彔」字，見《新甲骨文編》卷七，頁四一二至四一三。據此可知，遠在甲骨文字時代「鹿」與「彔」二字並存共呈，同時出現。且夫是二字上古音相同，同為盧谷切，古聲屬來紐，古韻為三部。此其一。且夫，於用字方面是二字可以互為轉注，亦即段氏所謂「轉注者，所以用指事、象形、形聲、會意四種文字者也。數字同義，則用此字，可；用彼字，亦可。」[5]者也。於焉，造字用「鹿」與「彔」組合而成「麢」字，即筆者所謂从「鹿」，从「彔」皆聲之「二聲字」。又由於楚簡狹長窄小，為節省書寫空間，省「鹿」聲作成「麋」之「二聲字」。所以知有「麢」字者，雖迄今為止尚未見於出土新材料，然於《說文》所收重文，足以間接證實該字的確存在。〈竹部〉云：

簏，竹高匧也。从竹，鹿聲。
箓，「簏」或从「彔」。[6]

〈林部〉云：

麓，守山林吏也。从林，鹿聲。一曰林屬於山為「麓」。《春秋傳》

4　馬承源：《上海博物館藏戰國楚竹書》（一），《孔子詩論》（上海市：上海古籍出版社，2001年），〈圖版〉23，頁35；李守奎：《上海博物館藏戰國楚竹書（一－五）文字編》）（北京市：作家出版社，2007年），頁461。

5　〔漢〕許慎撰，〔清〕段玉裁注：《說文解字注》，卷15上，頁5上。

6　〔漢〕許慎撰，〔清〕段玉裁注：《說文解字注》，卷5上，頁11下。

曰：「沙麓崩。」

禁，古文从「彔」。[7]

〈水部〉云：

漉，浚也。从水，鹿聲。一曰水下皃也。

渌，「漉」或从「彔」。[8]

由此看來，正篆从「鹿」聲作，重文从「彔」聲作者，究其原始，原來有個「𪋯」字从「鹿」，从「彔」皆聲之「二聲字」，其後分裂作「鹿」聲，作「彔」聲，造字取「鹿」聲作「簏」、「麓」、「漉」等字，自成一系；另一造字者又取「彔」聲，造「箓」、「禁」、「渌」等字又自成一系。唯「簏」與「箓」二字互為轉注；「麓」與「禁」二字互為轉注；「漉」與「渌」二字互為轉注；許氏著《說文》時，收「箓」為「簏」字之重文；收「禁」字為「麓」字之重文，收「渌」為「漉」字之重文。據此可知，古文字確有「𪋯」之二聲字在焉。足證研究「二聲字」不能不善於利用傳世資料也。為清楚起見，將以上論述，表示如下，俾供參考：

7 〔漢〕許慎撰，〔清〕段玉裁注：《說文解字注》，卷6上，頁67下-68上。修案：《段注》云：「彔聲」是也。

8 〔漢〕許慎撰，〔清〕段玉裁注：《說文解字注》，卷11上2，頁32下。修案：《段注》云：「彔聲也」是也。

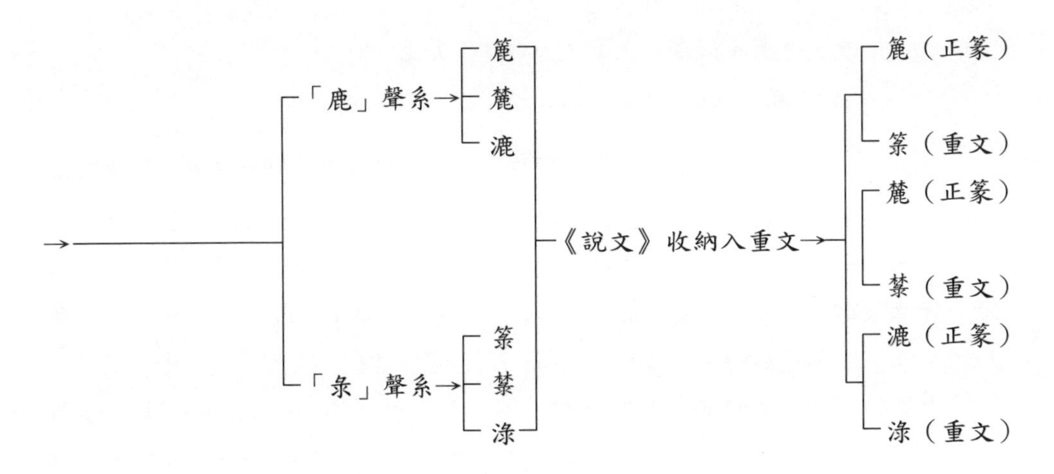

以上係利用傳世資料印證出土新材料，來考證「⿱鹿彔」字其確為「二聲字」之實例。

三　《鄭注》對釋讀〈中庸〉所隱藏「二聲字」之貢獻

〈中庸〉殘存許多「二聲字」分裂後之隻字片語，彌足珍貴。唯若無《鄭注》之說解，亦至難得其證印者矣。例如：〈中庸〉云：

> 凡為天下國家者有九經，曰：……子庶民也。……子庶民，則百姓勸。[9]

經文二「子」字，《鄭注》云：「子，猶愛也。」[10]據此可知，「子」宜讀作

9　〔漢〕鄭玄：《禮記鄭注》，頁693。

10　〔漢〕鄭玄：《禮記鄭注》，頁693。

「慈」字，訓作「愛也」義；蓋鄭氏提醒讀者，不宜訓「子」為「父子」之「子」也。至於「子」可讀作「慈」字，訓作「愛也」之義者，係源自於二聲字「孶」字，「孶」字分裂為二，一作「子」字，一作「𢆶」字，而「𢆶」系字則孳乳為「茲」，為「慈」字，試表列如下，以清眉目，俾供參考：

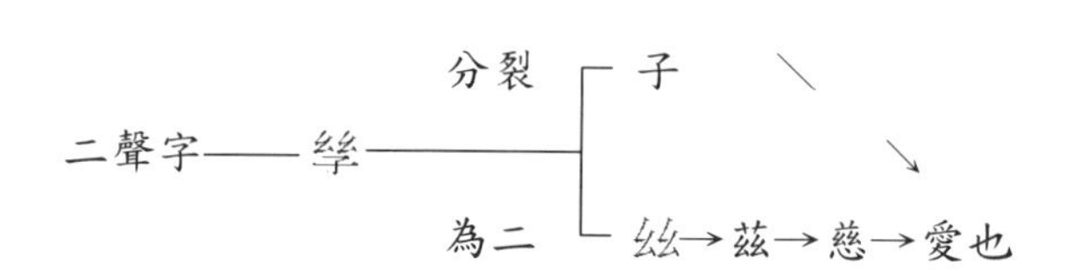

凡二聲字分裂後各字，必可表示對方未分裂時之意思。既然「子」自二聲「孶」字分裂而來，「子」可以表示「慈」義。職是之故，《鄭注》訓「子」為「愛也」義，誠有理據之主張也。此其一。又如〈中庸〉云：

> 子曰：天下國家，可均也；爵祿，可辭也；白刃，可蹈也；中庸，不可能也。[11]

《鄭注》釋「不可能也」為「言中庸難為之難」[12]者也。鄭氏所以作如此解釋，必是有其依據。經文「能」字係源自二聲「罷」字分裂而後散出一「能」字存於經文中者。若自〈緇衣〉引《詩》云：

> 淑人君子，其儀一也。[13]

而《郭簡・五行》引同一篇《詩》則作：

> 淑人君子，其義罷也。[14]

兩兩對照，即知簡文「罷」即作「一」字解。以彼證此，則〈中庸〉之「不

---

11 〔漢〕鄭玄：《禮記鄭注》，頁682。

12 〔漢〕鄭玄：《禮記鄭注》，頁682。

13 〔漢〕鄭玄：《禮記鄭注》，頁739。

14 劉釗：《郭店楚簡校釋》，頁77。

可能也」，亦宜釋作「不可一也」。此「能」字係自二聲「⿱羽能」字分裂而來，既分裂後之「羽」字，「能」字均可訓讀作「一」字義。考其流變，有如下表所示者：

分裂 ┌ 羽———一也
二聲字——⿱羽能——┤
為二 └ 能———一也

至若「不可能也」句宜讀作「不可一也」之理由凡二：

一曰〈中庸〉作者之書寫句型，常謂「某某一也」，如：

> 凡為天下國家有九經，所以行之者，一也。[15]
>
> 知、仁、勇三者，天下之達道也，所以行之者，一也。[16]
>
> 或生而知之，或學而知之，或困而知之；及其知之，一也。[17]
>
> 或安而行之，或利而行之，或勉強而行之；及其成功，一也。[18]

凡此四句句法則與前引〈中庸〉所謂：

> 天下國家，可均也；爵祿，可辭也；白刃，可蹈也；中庸，不可一也。[19]

句法正同。可證句中「能」字，宜讀作「一」義也。

二曰〈中庸〉云：

> 凡為天下國家有九經，所以行之者，一也。[20]

---

15 〔漢〕鄭玄：《禮記鄭注》，頁694。

16 〔漢〕鄭玄：《禮記鄭注》，頁692。

17 〔漢〕鄭玄：《禮記鄭注》，頁692。

18 〔漢〕鄭玄：《禮記鄭注》，頁692。

19 〔漢〕鄭玄：《禮記鄭注》，頁682。

20 〔漢〕鄭玄：《禮記鄭注》，頁694。

《鄭注》云：「『一』，謂當豫也。」[21]鄭氏訓「一」為「豫」者，可與二聲「䎛」字系聯而互相發明也。《說文・象部》：

> 豫，象之大者。賈侍中說：不害於物。从象，予聲。[22]

「豫」字，羊茹切，古音定紐，五部；「羽」字，王矩切，古音匣紐五部；「匣紐」古歸「定紐」，則「豫」、「羽」二字古音同。此說若然，則「豫」可讀「羽」字，而「羽」係二聲「䎛」字分裂後之流裔，則「羽」必可讀作「一」也。《鄭注》讀「一」作「豫」字，並非無據。據此二證，改讀經文「中庸不可能也」為「中庸不可一也」，自是辭理咸通，文從字順矣。此其二。又如：〈中庸〉云：

> 故天之生物，必因其材而篤焉；故栽者，培之；傾者，覆之。[23]

《鄭注》云：「『栽』，讀如『文王初載』之『載』。栽猶殖也。培，益也。今時人名草木之殖曰『栽』；築墻立板亦曰『栽』。『栽』或為『茲』。覆，敗也。」[24]陸氏《經典釋文》云：「『初載之載』，並音『災』，本或作『哉』，同。」[25]唯陸氏未針對鄭氏所云「『栽』或為『茲』」作說解，稍嫌不足。「栽」字者，《說文・木部》：

> 栽，築牆長版也。从木，𢦏聲。《春秋傳》曰「楚圍蔡里而栽」。[26]

〈戈部〉又云：

> 𢦏，傷也。从戈，才聲。[27]

---

21 〔漢〕鄭玄：《禮記鄭注》，頁694。

22 〔漢〕許慎撰，〔清〕段玉裁注：《說文解字注》，卷9下，頁45下。

23 〔漢〕鄭玄：《禮記鄭注》，頁687。

24 〔漢〕鄭玄：《禮記鄭注》，頁687。

25 〔唐〕陸德明：《禮記音義》卷4，頁2下。

26 〔漢〕許慎撰，〔清〕段玉裁注：《說文解字注》，卷6上，頁29下-30上。

27 〔漢〕許慎撰，〔清〕段玉裁注：《說文解字注》，卷12下，頁40下。

茲依許氏說解，由知「栽」字从「𢦏聲」，而「𢦏」字从「才聲」，將其繫聯之，則屬「分別詞三段變化」[28]之例，表示如下，以清眉目：

（一）才⟶（二）𢦏⟶（三）栽

據此則「才」字為聲母，而「栽」字為聲子也。至於鄭氏何以謂「『栽』或為『茲』」邪？「栽」與「茲」之關係，亦源自於二聲「𢇁」字也。二聲「𢇁」字分裂後，「𢆶」系字則孳乳為「茲」為「慈」，而「才」系則孳乳為「𢦏」為「栽」也。其演變過程，表列如下，以清眉目，俾供參考：

分裂 ┌ 𢆶 ⟶ 茲 ⟶ 慈

二聲字—— 𢇁 ——┤ ＼

為二 └ 才 ⟶ 𢦏 ⟶ 栽

凡此說解，足以說明鄭氏謂「『栽』或為『茲』」之原理也。此其三。

凡此三例，足以證成〈中庸・鄭注〉為研究「二聲字」隱藏於《中庸》經文中之重要依據。捨《鄭注》則無法徵知：二聲字分裂後，散落於經籍各個角落之隻字或片語也。

四　《鄭注》對釋讀〈緇衣〉所隱藏「二聲字」之貢獻

至若《禮記》經注，可供研究「二聲字」實例，頗為豐富，於此略舉一二例，以概其餘。例如：今本〈緇衣〉云：

〈葛覃〉曰「服之無射。」[29]

28 邱德修：《新訓詁學》，頁705-719。

29 〔漢〕鄭玄：《禮記鄭注》（臺北市：學海出版社，1992年），頁740。

郭簡引《詩》作「備（服）之亡懌。」[30]古本作「亡」，今本「無」，乍看之下，兩者字形相去遠甚。唯《說文・亡部》有「𣞤」，說解云：

> 𣞤，亡也。从亡，無聲。[31]

《段注》云：「按：不用『莫聲』而用『無聲』者，形聲中有會意。凡物必自多而少而無。《老子》所謂『多藏必厚亡也。』……其轉語，則《水經注》云：『燕人謂「無」為「亡」』；《楊子》以『曼』為『無』；今人謂『無有』為『沒有』；皆是也。」[32]許氏著《說文》受其五百四十部首之侷限，必須說解作「从亡，無聲。」事實上，宜說解作「从亡、从無，皆聲」之「二聲字」，方為確詁。其後「二聲字」的「𣞤」字分裂為二，即成為今本〈緇衣〉作「無」字，古本〈緇衣〉作「亡」之依據。試表示如下，以清眉目，俾供參考：

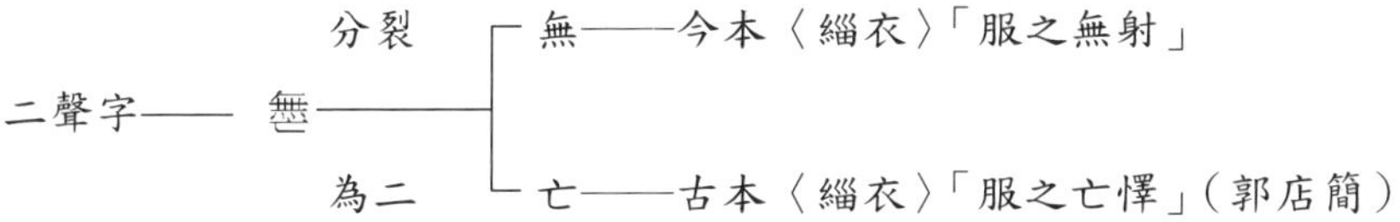

二聲字—— 𣞤 ——（分裂為二）
- 無——今本〈緇衣〉「服之無射」
- 亡——古本〈緇衣〉「服之亡懌」（郭店簡）

此其一。

又如今本〈緇衣〉引《詩》云：

> 淑人君子，其儀一也。[33]

《郭簡》引《詩》作「淑人君子，其義（儀）弌（一）也。」[34]唯《郭簡・五行》引《詩》則作「淑人君子，其義（儀）䍲也」[35]；簡文作者加以引申云：

---

30 劉釗：《郭店楚簡校釋》（福州市：福建人民出版社，2005年），頁65。

31 〔清〕段玉裁：《說文解字注》（臺北市：洪葉文化公司，1999年），卷下，頁46。

32 〔清〕段玉裁：《說文解字注》（臺北市：洪葉文化公司，1999年），卷12下，頁46。

33 〔漢〕鄭玄：《禮記鄭注》（臺北市：學海出版社，1992年），頁739。

34 劉釗：《郭店楚簡校釋》（福州市：福建人民出版社，2005年），頁64。

35 劉釗：《郭店楚簡校釋》（福州市：福建人民出版社，2005年），頁70。

> 能為翟，然後能為君子。〔君子〕[36]慎其獨也。[37]

劉釗教授釋之云：

> 「義」本「儀」之本字。「翟」字，從「羽」從「能」，在楚簡中皆用為「一」。[38]

至於何以能釋「翟」為「一」，劉教授並未作進一步說明。

首先，以上三則引文，典出《詩・曹風・鳲鳩》。今本《毛詩》作：

> 鳲鳩在桑，其子七兮。淑人君子，其儀一兮。[39]

句末今本〈緇衣〉引作「也」字，而今本〈鳲鳩〉作「兮」，其餘皆同。「一」字今本〈緇衣〉作「一」，《郭簡・緇衣》作古文「弌」[40]，而《郭簡・五行》則作「翟」字[41]，與其他本子截然不同，兩兩對照，由知「翟」當對譯成為「一」字，自是不成問題。至於何以「翟」字能對譯成為「一」字者，則今人無說。事實上，「翟」字，為从「羽」、从「能」皆聲之「二聲字」，其字分裂，成「羽聲」系，成「能聲」系之後，照樣可以交互借作「一」字用。像《郭簡・六德》云：

> 能（一）牙（與）之齊，終身弗改之矣。[42]

劉釗教授云：「『能』，即『翟』字之省，楚簡中『翟』字用為『一』。」[43]其謂楚簡中「翟」字用為「一」字是也；謂「能」，即「翟」字之省說，則

---

36 修案：「君子」二字依劉釗教授《郭店楚簡校釋》，頁70補。
37 劉釗：《郭店楚簡校釋》（福州市：福建人民出版社，2005年），頁70。
38 劉釗：《郭店楚簡校釋》（福州市：福建人民出版社，2005年），頁77。
39 〔漢〕鄭玄：《毛詩鄭氏箋》（臺北市：新興書局，1966年），卷7，頁9下。
40 劉釗：《郭店楚簡校釋》（福州市：福建人民出版社，2005年），頁60。
41 劉釗：《郭店楚簡校釋》（福州市：福建人民出版社，2005年），頁70。
42 劉釗：《郭店楚簡校釋》（福州市：福建人民出版社，2005年），頁108。
43 劉釗：《郭店楚簡校釋》（福州市：福建人民出版社，2005年），頁114。

非。凡「二聲字」之結合與分裂係非常活潑，非常自由；就如同上古主要元音與韻尾之分合亦非常活潑，非常自由。不論「二聲字」之分分合合，或合合分分，而其表意之功能始終如一，絲毫不變。凡此為「二聲字」之價值及其特質。即「⿱羽能」字言，其能表「一」字義，縱使分裂成為「羽聲」、成「能聲」二系，壹皆能表示「一」字義。職是之故，「⿱羽能」字能表示「一」字義，分裂後之「羽聲」，之「能聲」，壹皆能表示「一」字義。試表列如下，以清眉目，俾供參考：

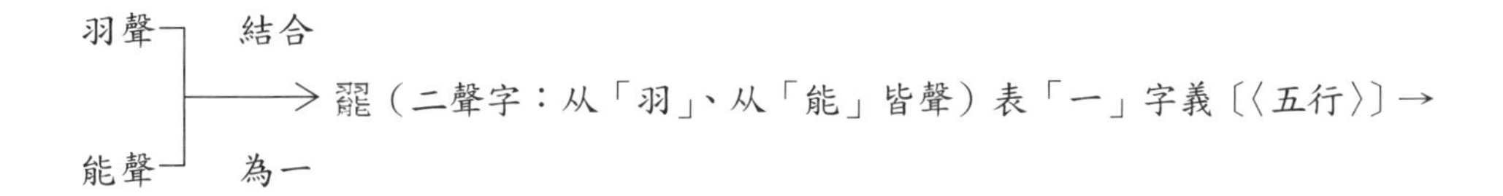

分裂　　羽聲（可表「一」字義）
→
為二　　能聲（可表「一」字義）〔〈六德〉〕

此其二。

再如今本〈緇衣〉曰：

> 子曰：南人有言曰：「人而無恆，不可以為卜筮。」古之遺言與？龜筮猶不能知也，而況於人乎？[44]

《郭簡・緇衣》作：

> 子曰：宋人有言曰：「人而亡恆，不可為卜筮也。」其古之遺言與？龜筮猶弗知，而皇於人乎？[45]

劉釗教授釋云：「『皇』，讀為『況』，古音『皇』在匣紐陽部，『況』在曉紐

44 〔漢〕鄭玄：《禮記鄭注》（臺北市：學海出版社，1992年），頁741。

45 劉釗：《郭店楚簡校釋》（福州市：福建人民出版社，2005年），頁51。

陽部，聲為一系，韻部相同，於音可通。」[46]此以「皇」、「況」二字為通借關係說解之。其實「皇」與「況」之關係不僅僅止於通借而已。首先，注意及此一問題者，當推吳大澂，其所著《字說》於〈「兄」、「況」字說〉條云：

> 《書・無逸》：「無皇曰則」、「皇自敬德」；《漢石經》皆作「兄」。《正義》云：「王肅本『皇』作『況』。」
>
> 〈秦誓〉：「我皇多有之」，《公羊傳》作「而況乎我多有之」。
>
> 伏生《大傳》：「皇于聽獄乎」，《注》：「皇，猶況也。」
>
> 馮氏《石經考異》云：「兄，古『況』字。」引《詩・桑柔》、〈召閔〉《釋文》：「兄，音『況』。」〈常棣・釋文〉：「況，或為『兄』。」《白虎通》：「兄，況也」為證，謂「兄」與「皇」聲近，「皇」、「遑」，「兄」，皆古通字。
>
> 彝器「兄」字多作「⿰兄㞷」，大澂謂「先生」為「兄」，「㞷」即「先生」二字省文。《說文解字》：「㞷，艸木妄生也。从『之』在『土』上。讀若『皇』。」漢儒以「㞷」、「皇」同音，遂疑「⿰兄㞷」為「皇」字古文，而隸書即改「⿰兄㞷」為「皇」。此師說相傳之不同，故一字而或釋「兄」，或釋「皇」也。
>
> 「兄」、「況」二字，古本通用。素孟蟾方伯訥所藏〈史臬敨〉有「[illegible]」字；《積古齋款識・兄光敨》「[illegible]」字，疑皆「況」字異文。舊釋「兄光」，未塙。[47]

吳氏釋「㞷」為「先生」合文，非也。又謂「此師說相傳之不同，故一字或釋『兄』，或釋『皇』也」說，亦非也。古文字有从「兄」、从「皇」皆聲之「二聲字」——「⿰㞷兄」若「⿰兄皇」字，該字既分裂之後，或取「皇」字用，即見於《郭店・緇衣》之「皇」字，或取「兄」字用，即成今本〈緇衣〉本作「兄」字。又其後也，漢儒經師改「兄」讀為「況」，而字則作「況」字。

---

46 劉釗：《郭店楚簡校釋》（福州市：福建人民出版社，2005年），頁67。

47 〔清〕吳大澂：《字說》（臺北縣：藝文印書館，1975年），頁51-52。

為清楚起見，將其演變過程，表列如下，俾供參考：

皇聲 組合
→「⿰皇兄」或「⿰兄皇」（兩周金文，《金文編》，頁616）→
兄聲 二聲字

分裂 皇（郭簡）
→ 「兄」、「況」
為二 兄（今本原文）→ 況（今本〈緇衣〉）
古 通 互 用

此其三。

綜而論之，無論〈緇衣〉經注，無論《郭簡·緇衣》唯有兩兩互證，始能將簡文之內容大白於世，亦唯有善於利用簡文，始能彰顯今本〈緇衣〉經注彌足珍貴之所在。二者合則兩贏，離則兩傷。無論偏重於簡文者，無論偏重於〈緇衣〉經注者，則不無患一偏之失焉。

五　結論

總之，研究《禮記》也好，研究《禮記·鄭注》也好，研究楚簡也好，研究古器物也好，彼此之間，關係密切，環環相扣，務必緊密繫聯，始能對古籍或出土新材料作最完美之釋讀或詮釋。

本文以《禮記》與《禮記·鄭注》為主要，再以楚簡、古器物為經緯，試作理解，幾經爬梳，得其梗概，歸納結論，得以下數則：

一曰善於傳世資料與出土材料，兩兩互證，為研究二聲字之不二法門。

二曰〈中庸·鄭注〉提供「二聲字」隻字片語，斷簡殘編最佳之例證。

三曰〈中庸〉「子庶民」句，依〈鄭注〉讀「子」為「愛」者，係源自二聲「⿱丝子」字分裂而後得者。

四曰〈中庸〉「中庸，不可能也」句，《鄭注》釋作「言中庸難為之難」

者，係源自二聲「⿱羽能」字分裂後而得者，宜釋「不可能也」作「不可一也」。

五曰〈中庸〉「栽者培之」句，《鄭注》謂「『栽』或為『茲』」者，係源自二聲「孳」字分裂後，而得者。

六曰、利用「二聲字」之知識，檢視今本〈緇衣〉與出土新材料之異文，而得其答案者有三：

一是「服之無射」與「備之亡懌」句，一作「無」，一作「亡」，蓋自二聲字「⿱無心」字分裂而來，一取「無」字則作「無射」，一取「亡」字則作「亡懌」是也。

二是「其儀一也」與「其儀⿱羽能也」句，一作「一」，一作「⿱羽能」，蓋二聲字「⿱羽能」分裂後，用「羽聲」表示「一」字義，可；用「能」聲表示「一」字義，亦可。《郭簡》有用「⿱羽能」字表「一」字義例，亦有用「能」表「一」字義例。唯書同文後，則僅作「一」若「弌（古文「一」）」者也。

三是「而況於人乎」與「而皇於人乎」句，一作「況」，一作「皇」，或以通借角度釋之，或以「㞷」為「先生」合文說之，均非的論。兩周金文有「⿰皇兄」若「⿰兄皇」字，係从「兄」、从「皇」皆聲之二聲字，其分裂後取「皇」作，即楚簡之「而皇於人乎」。至若今本作「況」字者，古本以「兄」為「況」，其後為借義造本字而有「況」字，今本〈緇衣〉遂作「而況於人乎」是也。

由此觀之，傳世古籍像《禮記》、《禮記・鄭注》自是探索古文字之寶藏，釋讀簡牘銘文之管鑰，豈容今人忽視，而束之高閣也歟。

二〇一五年三月二十四日再修訂稿於望炊樓

從敘事學角度論《春秋》三《傳》中魯隱公的特殊形象

李隆獻
臺灣大學中國文學系教授兼系主任

一　前言

（一）研究主題

孟子論孔子之作《春秋》有云：

> 王者之迹熄而《詩》亡，《詩》亡然後《春秋》作。晉之《乘》、楚之《檮杌》、魯之《春秋》，一也。其事則齊桓、晉文，其文則史。孔子曰：「其義則丘竊取之矣。」[1]

孟子認為孔子作《春秋》，將微言大義寄託於「史事」之中。董仲舒亦嘗論孔子之作《春秋》云：

> 仲尼之作《春秋》也，上探正天端王公之位，萬民之所欲，下明得失，起賢才，以待後聖。……十二公之間，皆衰世之事，故門人惑。孔子曰：「吾因其行事而加乎王心焉。」以為見之空言，不如行事博

1　《孟子・離婁上》，〔宋〕孫奭：《孟子注疏》，卷8上，頁12上。為免繁瑣，本文引用之「十三經」經、傳、注、疏、《校勘記》，皆據臺北市：藝文印書館，1976年景〔清〕嘉慶二十年（1815）阮元江西南昌府學開雕之《十三經注疏》本。

深切明。[2]

董仲舒認為孔子以「行事」使「空言」得以「博深切明」。太史公則有更詳盡之發揮：

> 孔子明王道，干七十餘君，莫能用，故西觀周室，論史記舊聞，興於魯而次《春秋》。上記隱，下至哀之獲麟，約其辭文，去其煩重，以制義法。王道備，人事浹。(〈十二諸侯年表〉)[3]
>
> 太史公曰：余聞董生曰：周道衰廢，孔子為魯司寇，諸侯害之，大夫壅之。孔子知言之不用，道之不行也，是非二百四十二年之中，以為天下儀表，貶天子、退諸侯、討大夫，以達王事而已矣。子曰：我欲載之空言，不如見之於行事之深切著明也。(〈太史公自序〉)[4]

史遷認為孔子依魯史而作《春秋》，始自隱公，歷敘二百四十二年間事，「以制義法」；又引孔子之言，謂《春秋》以「記事」的方式使其義更「深切著明」。

孟子、董仲舒、司馬遷皆認為孔子以「史事」寄託「大義」，但「史事」究竟如何承載「大義」，三賢雖皆有所闡釋，卻非十分明晰，說法亦未盡相同。清・章學誠《文史通義・言公》有云：

> 夫子因魯史而《春秋》，孟子曰：「其事齊桓、晉文，其文則史」，孔子自謂竊取其義焉耳。載筆之士，有志《春秋》之業，固將惟義之求，其事其文，所以藉為存義之資也。[5]

章實齋謂「義」藉由「事」、「文」而存。旨哉斯言！唯後世欲求大義者往往

---

2 〔漢〕董仲舒撰，〔清〕蘇輿義證，鍾哲點校：《春秋繁露義證》(北京市：中華書局，1992年)，〈俞序〉，卷6，頁158-159。《春秋繁露》之真偽，前賢或有疑焉，茲不詳論。

3 〔漢〕司馬遷撰，〔日〕瀧川資言：《史記會注考證》(東京都：東方文化學院東京研究所，昭和七年〔1932〕)，卷14，頁6。

4 〔日〕瀧川資言：《史記會注考證》，卷130，頁21。

5 葉瑛：《文史通義校注》(北京市：中華書局，2000年)，頁171。

各逞胸臆，遂致異說蠭起，流衍既烈，致使隱公之論積案盈牘，而莫衷一是，此蓋歐陽文忠公發「義在《春秋》，不在起止」[6]之誡之因。

漢唐以下，《春秋》始於隱公及其意義，即為經學史之大論題。其中以顧炎武、毛奇齡、章太炎三人之說較為特殊：顧氏以為「《春秋》不始於隱公」、[7]毛氏以為《春秋》始於隱公並無深意，[8]章氏以為「魯則隱公時始有春秋耳，非孔子有意託始於隱公」。[9]顧亭林、毛西河、章炳麟三說皆乏實證，不免流於臆測。

筆者曾於〈春秋始於魯隱公探義〉中將《春秋》始於魯隱公之歷代諸說歸納為五端：一、魯隱賢且讓，故始於隱公。二、魯桓弒隱公，《春秋》為惡桓而作。三、周平王歿於魯隱公時，故始於隱公。四、始於桓王，故託始於隱公。五、取法天地四時十二月之數。[10]清儒毛奇齡，曾就諸說提出辯駁：

> 若夫《春秋》始魯隱，並無義例。或者曰「以平王東遷而王室卑也」。夫平王東遷在魯孝二十七年，又一年而魯惠立；是魯惠之立，正當平遷洛之際；且在位四十六年，正與平之五十一年相表裏，乃舍

6 歐陽脩：〈春秋或問〉，收入〔宋〕歐陽脩撰，李逸安點校：《歐陽脩全集》（北京市：中華書局，2001年），頁310-311。文長不錄。

7 顧炎武：《原抄本日知錄》（臺北市：明倫出版社，1970年）：「《春秋》不始于隱公：晉韓宣子聘魯，觀書于太史氏，見《象》與《魯春秋》，曰：『周禮盡在魯矣，吾乃今知周公之德與周之所以王也』。蓋必起自伯禽之封，以洎于中世。當周之盛，朝覲會同征伐之事皆在焉，故曰『周禮』。而成之者古之良史也。自隱公以下，世衰道微，史失其官，于是孔子懼而修之。自惠公以上之文無所改焉，所謂『述而不作』者也；自隱公以下則孔子以己意修之，所謂『作春秋』也。然則自惠公以上之《春秋》，固夫子所善而從之者也。惜乎其書之不存也！」（卷4，「魯之春秋」條，頁83）

8 說見毛奇齡：《春秋毛氏傳》，文詳下引。

9 章太炎：《國學略說》（臺北市：河洛圖書出版社，1974年）：「魯之《春秋》始於隱公元年，當平王四十九年，上去共和元年歷一百一十九年。其所以始於隱公者，漢儒罕言其故。杜元凱謂平王東周之始王，隱公讓國之賢君，故託始于此。此殆未然。列國春秋，本非同時並作，魯則隱公時始有春秋耳，非孔子有意託始於隱公也。」（頁90）

10 〈春秋始於魯隱公探義〉，《中國學報》第36輯（1996年8月），頁67-87。因鄙文已有論述，茲不再就此五說進行討論。

> 惠不始，而反始之平王四十九年垂盡之隱公，無是理也。若曰「《春秋》本據亂而作」，則亂不自隱始也。以為「王室亂」耶？則戎狄弒王，當始孝公。以為「本國亂」耶？則伯御弒君，當始懿公。以為「列國亂」耶？則晉人連弒其君，當始惠公。乃舍懿、孝、惠三公不始，而始之隱公，隱亦不受也。
>
> 至于《公羊》以隱公讓位為賢，曰「《春秋》善善長，當從善始」；《穀梁》以隱成父之惡為惡，曰「春秋惡惡之書，當從惡始」，則又誰得而定之？故先仲氏曰：「《春秋》，魯史也。或隱以前亡其書則不修，隱以後有其書則修之；或隱以前有其書而不必修，則不修，隱以後有其書而當修，則修之。」此非明白了義乎？[11]

毛氏扼要分判三《傳》之基本立場：《公羊》「以隱公讓位為賢」、《穀梁》「以隱成父之惡為惡」、《左傳》「《春秋》本據亂而作」。其說洵具卓識，然逕以舊史之有無論《春秋》之所以始，則猶可商榷。[12]

《春秋》何以始於魯隱公，蓋有其深意焉；唯或因文獻不足，其義不得不闕疑，[13]然由三《傳》之鋪敘，推敲論斷其對《春秋》始於隱公之認知，及此認知造成之敘事差異，或屬可能。讀《春秋》而不依傍三《傳》，恐將流於徒逞胸臆，重蹈宋儒覆轍。[14]解《春秋》既不能不倚傍三《傳》，則釐清三《傳》之敘事立場，尋求理解三《傳》之敘事與詮釋，實不可不為之事。是以本文擬由三《傳》之「魯隱公敘事」切入，觀察三《傳》如何綰合《春秋》之簡潔斷語與複雜之歷史情境，[15]蠡測三《傳》敘事之特色與異

---

11 〔清〕毛奇齡：〈春秋毛氏傳序．總論〉，《春秋毛氏傳》，《清經解》（臺北市：復興書局，1972年景〔清〕庚申〔咸豐十年，1860〕補刊王先謙學海堂刻本），第2冊，卷120，頁11。

12 可參拙作：〈春秋始於魯隱公探義〉，頁69。

13 拙作〈春秋始於魯隱公探義〉曾略事推測。

14 宋儒主張捨《傳》而逕求《經》義者甚多，不煩縷舉；宋儒治《春秋》之蔽，因捨《傳》而生者正亦不少，此亦不待枚舉。

15 〔元〕楊維楨：〈春秋左氏傳類編序〉：「聖人之經，斷也；左氏之傳，案也。欲觀經之

同，並思索因文獻性質之異而產生的種種敘事議題。

（二）研究方法

歐陽脩〈春秋論上〉針對學者信三《傳》而輕《春秋》，曾有如是之批評：

> 孔子，聖人也，萬世取信，一人而已。若公羊高、穀梁赤、左氏三子者，博學而多聞矣，其傳不能無失者也。孔子之於經，三子之於傳，有所不同，則學者寧捨經而從傳，不信孔子而信三子，甚哉其惑也！經於魯隱公之事，書曰「公及邾儀父盟于蔑」，其卒也，書曰「公薨」，孔子始終謂之公。三子者曰：非公也，是攝也。學者不從孔子謂之公，而從三子謂之攝。其於晉靈公之事，孔子書曰「趙盾弒其君夷皋」；三子者曰：非趙盾也，是趙穿也。學者不從孔子信為趙盾，而從三子信為趙穿。其於許悼公之事，孔子書曰「許世子止弒其君買」；三子者曰：非弒也，買病死而止不嘗藥耳。學者不從孔子信為弒君，而從三子信為不嘗藥。其捨經而從傳者何哉？經簡而直，傳新而奇，簡直無悅耳之言，而新奇多可喜之論，是以學者樂聞而易惑也。……經之所書，予所信也；經所不言，予不知也。
>
> 難者曰：「子之言有激而云爾。夫三子者，皆學乎聖人，而傳所以述經也。經文隱而意深，三子者從而發之，故經有不言，傳得而詳爾，非為二說也。」予曰：「經所不書，三子者何從而知其然也？」曰：「推其前後而知之，且其有所傳而得也。國君必即位，而隱不書即位，此傳得知其攝也。……」予曰：「然則妄意聖人而惑學者，三子之過而已。使學者必信乎三子，予不能奪也。使其惟是之求，則予不

所斷，必求傳之所紀、事之本末，而後是非見、褒貶白也。」（《東維子集》〔臺北市：臺灣商務印書館，1965年〕，卷6，頁44）

得不為之辨。」[16]

由歐公之文，清楚可見《春秋》學研究徑路之拉扯：「難者」代表的是東漢以降經學史學化之進徑，視經典為待理解之文獻，試圖透過傳注建構經典指涉之世界，是以往往藉三《傳》——尤其是《左傳》——豐富之歷史背景支柱經典之詮釋；歐陽脩等宋儒則踵承中唐啖助、趙匡以降之新《春秋》學進路，主張治經重在尋求大義、掌握聖人之心，是以雖未至「春秋三傳束高閣」的地步，卻大有「獨抱遺經究終始」之心態。[17]在此種認知下，《春秋》位居一切理解之核心，所有詮釋僅在「合經」一前提上獲得意義，因而三《傳》有關《春秋》不載者之外的論述，便有導致「大義」扭曲失真之嫌。

不論採取何種研究進徑，無可爭議的事實是：三《傳》中確有不少乍看之下與《春秋》未盡契合之載錄，尤以《左傳》為多，如歐公文中所舉「趙盾弒其君夷皋」、「許世子止弒其君買」與「隱公稱公」三事。趙盾、許世子事與本文無涉，茲專論魯隱稱公事。

欲論析魯隱公敘事，筆者以為須先釐清「公」所含攝之雙重意象：一為作為「個人」之實體意涵，一為作為「國家」之象徵意涵。若將焦點置於前者，則多偏向關懷個人意志之實踐，即人物之精神、形象；若聚焦於後者，則「公」之種種言行兼具魯國在當時各國政治縱橫捭闔下之象徵性反映。事實上，人之為人，本即兼具「群」「己」二性，既不可能如小說人物般純為角色之鋪演，亦不可能純如棋子般為歷史所擺弄，因而論述時，既不宜如小說分析般架空歷史以形塑人物，亦不當將人物僅僅視為事件之執行者，而應

16 〔宋〕歐陽脩撰，李逸安點校：《歐陽脩全集》，卷18，頁305-306。歐公之說可代表中唐以降捨《傳》求《經》學風之一斑。關於中唐以降之《春秋》學風，可參林慶彰、蔣秋華主編：《啖助新春秋學派研究論集》（臺北市：中央研究院中國文哲研究所，2002年）；楊世文：《走出漢學——宋代經典辨疑思潮研究》（成都市：四川大學出版社，2008年）；拙作：〈宋代經生復仇觀的省察與詮釋〉，（《臺大中文學報》第31期〔2009年12月〕）亦稍有論及。

17 語出韓愈〈寄盧仝〉：「《春秋》三《傳》束高閣，獨抱遺經究終始。」見〔唐〕韓愈撰，錢仲聯集釋：《韓昌黎詩集繫年集釋》（上海市：上海古籍出版社，1984年），頁782。

將焦點置於人如何在歷史中做出抉擇、產生行動、呈顯自我，進而影響歷史、創造歷史。

「公」之雙重性為本文尋繹「魯隱公」人格特質的切入角度之一。前賢以人物形象為主之論述，在論析鄭莊、齊桓、晉文、秦穆、楚莊、楚靈等雄圖大略之君時固然十分精彩；[18]然而，在論析如魯隱公「謚號」所喻涵的「不尸其位」、[19]較少個人主動作為之君時，卻有一定的困難度。「公」與「國家」在《春秋》中既往往疊合為一，則魯國之歷史境遇與隱公之自我抉擇，亦必相當程度反映「公」之形象，因此本文擬綰合「群」／「己」二性，分析三《傳》中之「魯隱公」，比較其形象之差異及其可能之敘事意涵。

事實上，《春秋》經、傳之體例──「以公繫年」之時間式敘事──恰正符合此一「群」／「己」二性之探討。後代正史與編年史多以君主繫年，因此「以公繫年」成為「理所當然」之「體例」，然詳觀上古史籍，即可知此一體例並非「常體」。如《尚書》乃由一系列零散、偶發性重大事件之文告、記錄集結成編，雖有相對之時代順序，彼此之間卻未必有所關聯，亦乏明確之時間順序。《詩經》所載之歷史亦不具繫屬性，其篇章之先後亦未盡依時代為序，而採先「等級」後「國別」之方式，[20]其後方為跳躍式之時間順序。《國語》亦為帶有等級性之國別序列。[21]近年出土之《清華大學藏戰

18 可參何欣文：《左傳人物論稿》（北京市：中國社會科學出版社，2004年），第四章〈《左傳》人物形象系列論〉之二〈《左傳》中的霸主與「明君」〉、第五章〈《左傳》人物專論〉中對鄭莊、晉文、秦穆、楚靈之專論。

19 〔唐〕陸德明：《經典釋文》（臺北市：漢京文化公司，1980年景〔清〕乾隆五十六年〔1791〕盧文弨抱經堂重雕本）引《謚法》：「不尸其位曰隱。」（〈春秋左氏音義之一〉「隱公」條，頁2上）；孔穎達《左傳正義》引《逸周書．謚法》：「隱拂不成曰隱。」（《左傳正義》，卷2，頁1）

20 「等級」，指〈風〉、〈雅〉、〈頌〉；「國別」，指〈風〉有〈周南〉、〈召南〉、〈邶〉、〈鄘〉、〈衛〉、〈王〉、〈鄭〉、〈齊〉、〈魏〉、〈唐〉、〈秦〉、〈陳〉、〈檜〉、〈曹〉、〈豳〉；〈頌〉有〈周〉、〈魯〉、〈商〉等。

21 依序為：周、魯、齊、晉、鄭、楚、吳、越八國。至於其順序及其意義，學者多有論析，唯尚無定說。可參俞志慧：〈《國語》的文類及八《語》遴選的背景〉，《文史》總75輯（2006年）。

國竹簡二・繫年》，[22]釋文者雖題名為「繫年」，但通觀二十二章中，並無明確以某「公」繫年之「體例」。[23]

史官淵源久遠，然金文中雖多見有關王年之記載，如〈師遽簋蓋〉[24]、〈九年衛鼎〉、[25]〈十五年趞曹鼎〉、[26]〈伊簋〉[27]等，各條皆為散見之個別銘文，並非連續性載述，無法證明其為每年、每季均有之載錄，抑有事時方予載記之文。又，《竹書紀年》有事始繫年記錄，無事則並不另繫年；[28]《史記》敘述諸王、諸公時，若無特別事件，亦僅謂「某即位」，其歿，則謂「某卒／若薨」。此等現象，可能都反映出較早之史書傳統。早期之「王官學」與「歷史記錄」，恐皆無法得出「以公繫年」之必然性。

要言之，《春秋》「以公繫年」，乃至每年各繫春夏秋冬四季以為事件座標之記錄方式，[29]一方面使歷史得以擺脫隱約曖昧，清楚標誌其先後關聯，

---

22 清華大學出土文獻研究與保護中心編，李學勤主編：《清華大學藏戰國竹簡（貳）》（上海市：中西書局，2011年）。

23 可參朱曉海：〈論清華簡所謂《繫年》的書及性質〉，「經學與文學國際學術研討會」（臺北市：國立臺灣大學中國文學系，2012年3月16-17日）；抽作：〈先秦敘史文獻「敘事」與「體式」隅論──以晉「欒氏之滅」為例〉之〈三〉，《臺大文史哲學報》第80期（2014年5月），頁1-44。

24 〈師遽簋蓋〉（西周中期，4214）：「隹王三祀四月既生霸辛酉，王才周，客（各）新宮。」本文引用之金文於器名後以括號注明之數字，表示該器在中國社科院考古所編：《殷周金文集成》（上海市：中華書局，1980-1983年）之編號。各器時代如無特別說明，均依中央研究院歷史語言研究所「殷周金文暨青銅器資料庫」（http://www.ihp.sinica.edu.tw/~bronze/）所訂。

25 〈九年衛鼎〉（西周中期，2831）：「隹九年正月既死霸庚辰，王才周駒宮，各廟。」

26 〈十五年趞曹鼎〉（西周中期，2784）：「隹十又五年五月既生霸壬午，恭王才周新宮，王射于射廬。」

27 〈伊簋〉（西周晚期，4287）：「隹王廿又七年正月既望丁亥，王才周康宮。旦，王各穆大室，即位。」

28 《竹書紀年》之性質與實質內涵猶欠明朗，茲不詳論。可參屈萬里先生：〈汲冢竹書考略〉、〈談竹書紀年〉，《屈萬里先生文存》（臺北市：聯經出版公司，1985年），第2冊，頁650-663；頁665-679。

29 隱六年《春秋》「秋七月」，杜《注》：「雖無事而書首月，具四時以成歲也。」（《左傳正義》，卷4，頁1）。杜預〈春秋經傳集解序〉：「記事者，以事繫日，以日繫月，以月

串聯隱伏不明之因果關係；另方面，透過「公」作為一時代之標誌，賦予一較長時段相對完整之內在書寫邏輯。當然，即便身為國君，其存歿亦未必直接關聯時代，因此論述時須嚴格區分書寫之「比喻」與「實然」，但就敘事策略而言，透過群體之代表隱喻該時代之特色與精神，或不失為一可行之探研視角。

《禮記・經解》有云：

> 孔子曰：入其國，其教可知也。其為人也，溫柔敦厚，《詩》教也；……屬辭比事，《春秋》教也。[30]

三《傳》自屬《春秋》，雖其解經方式有異，但應皆自有其「屬辭比事」之法。本文即由此觀點切入，兼採西方敘事學觀點，[31]而聚焦於三《傳》之敘事方式與褒貶差異，及敘事主題之整體經營。〈二〉以下將依《公羊》、《穀梁》、《左傳》之次分論。其中《公》、《穀》二節聚焦於《傳》文環繞隱公之敘事，並略論二《傳》解《經》之互文性；《左傳》節則將視野擴展至隱公所代表之魯國對外紛紜複雜之國際情勢，藉以呈現不同體式之文獻如何開展出迥然不同之敘事風貌。

筆者學殖淺陋，強作解人，或不免「過度詮釋」[32]之譏，敬祈海內外博雅君子針貶斧正，是所盼禱！

繫時，以時繫年，所以紀遠近，別同異也。」(《左傳正義》，卷1，頁2)

30 〔唐〕孔穎達等：《禮記正義》，卷50，頁1上。

31 關於敘事理論與先秦／《左傳》敘事之相關論題，可參張素卿：《敘事與解釋——左傳經解研究》(臺北市：書林出版社，1998年)；李惠儀：*The Readability of the Past in Early Chinese Historiography* (Cambridge: Harvard University Press, 2007年)；拙作：〈敘事理論與實踐——以《左傳》為對象・敘論〉,「經典詮釋教學與研究方法座談會」(臺北市：國立臺灣大學中國文學系，2008年4月12日)。

32 關於詮釋與過度詮釋，可參〔義大利〕艾柯（Umberto Eco）等著，王宇根譯：《詮釋與過度詮釋》(*Interpretation and Over Interpretation*)(香港：牛津大學出版社，1995年)。

二 《公羊傳》「魯隱公敘事」的省察

（一）敘事主題

依《春秋》「體例」，魯君即位，皆應書「公即位」；隱公乃春秋首公，《春秋》開篇卻僅書「元年春，王正月」，而未言「公即位」。《公羊》釋之云：

> 「公何以不言即位？」「成公意也。」「何成乎公之意？」「公將平國而反之桓。」「曷為反之桓？」「桓幼而貴，隱長而卑。其為尊卑也微，國人莫知。隱長又賢，諸大夫扳隱而立之。隱於是焉而辭立，則未知桓之將必得立也。且如桓立，則恐諸大夫之不能相幼君也。故凡隱之立，為桓立也。」「隱長又賢，何以不宜立？」「立適以長不以賢，立子以貴不以長。」「桓何以貴？」「母貴也。」「母貴則子何以貴？」「子以母貴，母以子貴。」（《公羊傳注疏》，卷1，頁9上-12上）

由「其為尊卑也微，國人莫知」一語，可知《公羊》蓋以為隱、桓皆非嫡子，[33]否則不至於「國人莫知」。而隱公雖長於桓公，但因桓公母貴於隱公母，故依「立子以貴不以長」原則，桓公方為該即位之君。唯因箇中差別極微，國人不甚知悉，又因惠公駕崩時桓公年紀尚幼，是以得人心又年長之隱公為眾大夫所擁立。隱公擔心若於焉辭立，國人不必然忠心扶立桓公；即便桓公得立，朝中大夫亦不必然誠心輔相幼君，是以決定暫時接受國人擁立，待情勢穩定後再還位桓公。

熟悉《左傳》的讀者，容易不自覺將「攝位」概念帶入《公羊》，但《公羊》似無此意。《公羊》認為：一、桓公於禮當立；二、隱公考量實際

---

33 「隱」、「桓」皆謚號，其逝世之前本不宜如此稱呼，為便理解，茲姑從俗，以謚代名，讀者察之。

情境而暫時接受君位；三、隱公有意還位桓公。亦即，在《公羊》之敘述中，隱公並非「無位」而「暫代」之攝位者，而是不得不「居非其位」而「欲讓」之正式國君。

「其為尊卑也微，國人莫知」，此一奇特話語尚值得進一步省思：依情理言，若隱桓之母實有尊卑之分，則無論如何「隱微」，應無「國人莫知」之理。關於隱、桓二母地位之尊卑，可以考量之解釋有三：一為隱公母乃賤妾，故卑；惠公愛桓公母，登為夫人，故貴。[34]二為桓公母乃宋武公女，桓立可有強大外援，故貴。[35]但以「國人莫知」衡之，二說恐皆難成立，是以難以不聯想到《穀梁》「先君欲與桓」之說，亦即，二人貴賤之別，極可能僅建立在惠公之好惡。就《穀梁》言，如此之「貴賤」於「禮」有違，故逕以「邪志」目之。[36]然而《公羊》雖以「其為尊卑也微」暗示此一隱微情況，最終仍以「立子以貴不以長」為判準，亦即終究承認此一「貴賤」之別。於是，就禮法言，隱公不當居位；就情理言，不當居位之因實不成原因；就情勢言，隱公不得不暫居君位。是以此三線終在「隱公為君，但有意讓位於桓」此一結局上聚攏。此一初始之不平衡狀態，使隱公朝十一年間之相關敘事，均籠罩在不平衡之矯正與回應中，而此一由「不當居位」與「不得不居位」拉扯出之緊張關係，又在在顯示回歸秩序之艱困，乃至不可能。

筆者大膽以為「在不平衡中回歸秩序之努力與困難」，正是《公羊》魯隱公敘事之基調與主題。司馬遷嘗言：

> 有國者不可以不知《春秋》，前有讒而弗見，後有賊而不知。為人臣

---

34 《史記．魯周公世家》：「初，惠公適夫人無子，公賤妾聲子生子息。息長，為娶於宋。宋女至而好，惠公奪而自妻之，生子允。登宋女為夫人，以允為太子。及惠公卒，為允少故，魯人共令息攝政，不言即位。」（《史記會注考證》，卷33，頁25-26）

35 隱元年《左傳》：「惠公元妃孟子，孟子卒，繼室以聲子，生隱公。宋武公生仲子。仲子生而有文在其手，曰『為魯夫人』，故仲子歸于我。生桓公而惠公薨；是以隱公立而奉之。」（《左傳正義》，卷2，頁2上-4下）然《左傳》之敘事並不特別強調此點，說詳下文。

36 說詳下文〈三〉之（一）。

> 者不可以不知《春秋》，守經事而不知其宜，遭變事而不知其權。為人君父而不通於《春秋》之義者，必蒙首惡之名；為人臣子而不通於《春秋》之義者，必陷篡弒之誅、死罪之名。其實皆以為善，為之不知其義，被之空言而不敢辭。[37]

太史公雖相信治國有一恆常不變之大經大法，然世事糾纏紛繞，難持一端而治，是故因不知「義」而誤陷是非中之善者比比皆是。《春秋繁露．竹林》云：

> 凡人之有為也，前枉而後義者，謂之中權，雖不能成，《春秋》善之，魯隱公、鄭祭仲是也。前正而後有枉者，謂之邪道，雖能成之，《春秋》不愛，齊頃公、逢丑父是也。[38]

《繁露》以魯隱公、祭仲與齊頃公、逢丑父對比，肯定魯隱、祭仲二人為「中權」者；但桓十一年《春秋》「秋，七月，葬鄭莊公。九月，宋人執鄭祭仲」，《公羊傳》釋之云：

> 「祭仲者何？」「鄭相也。」「何以不名？」「賢也。」「何賢乎祭仲？」「以為知權也。」「其為知權奈何？」「古者鄭國處于留。先鄭伯有善于鄶公者，通乎夫人，以取其國而遷鄭焉，而野留。莊公死已葬，祭仲將往省于留，塗出于宋，宋人執之，謂之曰：『為我出忽而立突。』祭仲不從其言，則君必死、國必亡；從其言，則君可以生易死，國可以存易亡。少遼緩之，則突可故出，而忽可故反，是不可得則病，然後有鄭國。古人之有權者，祭仲之權是也。權者何？權者反於經，然後有善者也。權之所設，舍死亡無所設。行權有道：自貶損以行權，不害人以行權。殺人以自生，亡人以自存，君子不為也。」（《公羊傳注疏》，卷5，頁7下-9上）

---

37 〈太史公自序〉，《史記會注考證》，卷130，頁24-25。

38 《春秋繁露義證》，卷2，頁60-61。

公羊家治《春秋》之要，正在由「事之深切著明者」細膩釐析「義」之經常權變。所謂權者，「反於經，然後有善者也」。《春秋》首隱公乃為成全「應然」（桓應即位）而不得不暫行之「變通」（隱攝君位），正屬「權變」之體現。《繁露》認為隱公與祭仲因「中權」而為《春秋》所「善」。然而值得注意的是，由上引《公羊》文，可知終春秋之世，公羊認為得「知權」之名者，僅祭仲一人。《公羊》認為隱公之「即位」雖為「行權」，然其行為似又不盡「中節」[39]，可知《公羊》與《繁露》不同，並不認同魯隱公為「中權」者。[40]

上文釐清《公羊》以「權變」為核心關懷之敘事基調，並說明了「前枉」之背景，下文將透過若干事件，進一步省察《公羊》如何透過隱公敘事帶出「反經行權」之主題及其褒貶。

（二）敘事舉隅

透過《公羊》關於隱公處理其生母與桓公母喪之記述，前述之勉力維持平衡與挫折庶幾可見。《經》元年「秋，七月，天王使宰咺來歸惠公仲子之賵」，《公羊》釋之曰：

> 「仲子者何？」「桓之母也。」「何以不稱夫人？」「桓未君也。」……「桓未君，則諸侯曷為來賵之？」「隱為桓立，故以桓母之喪告于諸侯。」「然則何言爾？」「成公意也。」……「其言『惠公仲子』何？」「兼之。兼之，非禮也。」「何以不言『及仲子』？」「仲子，微也。」（《公羊傳注疏》，卷1，頁17上-20上）

《經》二年「十有二月，乙卯，夫人子氏薨」，《公羊》云：

> 「夫人子氏者何？」「隱公之母也。」「何以不書葬？」「成公意也。」

39 說詳下文（二）。

40 由《公羊》論「知權」不繫於隱公，而於魯桓時始論祭仲之「中權」可知。

> 「何成乎公之意？」「子將不終為君，故母亦不終為夫人也。」（《公羊傳注疏》，卷2，頁5下-6上）

隱公元年，桓公母仲子過世，隱公依諸侯母喪之禮赴告天下，藉此將仲子與其母之「貴賤」昭告天子、諸侯與國人，故周王使宰咺來餽贈助喪之物，卻發生一意外插曲：天子雖配合隱公之赴告遣使贈賵，卻未依「各使一使所以異尊卑」[41]之禮，而同時餽贈惠公與仲子之賵。此雖不合禮，然因桓公未即位，仲子實非夫人乃不爭之事實，己既不合經在先，於他人之失禮亦未可多言。隱公為桓公「正名」之苦心，因其身居君位，仲子實不得居「君母」之名，即使周王違禮而賵人之妾，又因宰咺之不當處置而使天子蒙受非禮之名。二年，隱公生母聲子過世時，隱公再次宣告仲子與其母貴賤之別，蓋二者雖同屬媵妾，但因隱公身居君位，母以子貴，當行夫人之禮。然隱公因「不終為君」，故不復以君母之禮行喪，遂無諸侯贈賵事。此舉於人子之禮雖或有闕，但前既以仲子之卒告諸四方，則勢不可再告，隱公再次「反經行權」。

《春秋》有關仲子之載事，尚有五年九月之「考仲子之宮」與「初獻六羽」二事，《公羊》釋之云：

> 「考宮者何？」「考，猶入室也，始祭仲子也。」「桓未君，則曷為祭仲子？」「隱為桓立，故為桓祭其母也。」「然則何言爾？」「成公意也。」（《公羊傳注疏》，卷3，頁2下-3上）
>
> 「初者何？」「始也。」「六羽者何？」「舞也。」「初獻六羽何以書？」「譏。」「何譏爾？」「譏始僭諸公也。」「六羽之為僭柰何？」「天子八佾，諸公六，諸侯四。」（《公羊傳注疏》，卷3，頁3）

依禮，得入室受祭者唯配公之夫人與繼任國君之母。仲子既非夫人，桓公又未即位，實不當入室受祭。然隱公為宣示其與桓公身分貴賤之別，故透過祭祀桓母以明己終不有君位之意。此事本當至此而止，不料祭儀用舞出了問

41 何休語，《公羊注疏》，卷1，頁20上。

題。按《公羊》所本之制，祭舞「天子八佾，諸公六，諸侯四」，故即便依夫人之禮，仲子亦僅能「用四」，隱公卻僭用「天子三公」與「王者之後」之「六羽」。[42]《公羊》指出此一不合禮後旋即補充：

> 「始僭諸公，昉於此乎？」「前此矣。」「前此，則曷為始乎此？」「僭諸公，猶可言也；僭天子，不可言也。」（《公羊傳注疏》，卷3，頁4下）

「前此矣」，何休注云：「前僭八佾於惠公廟，大惡不可言也，還從僭六羽議。本所當託者，非但六也。」[43]謂隱公祭惠公不僅僭禮「用六」，更僭禮「用八」。然傳文前此並無祭祀惠公之相關敘述，何休此解頗嫌唐突。胡安國解之云：

> 初者，事之始。魯僭天子之禮樂舊矣，是成王過賜而伯禽受之非也，用於大廟以祀周公已為非禮，其後群公皆僭用焉。仲子以別宮，故不敢同群廟，而降用六羽。書「初獻」者，明前此用八之僭也。[44]

魯之初封，因周公之功，特許用天子之八佾，遂相延不易。[45]魯隱雖欲以君母之禮崇仲子，卻未敢貿然用八，唯亦不敢過度貶抑，故亦不敢逕用四羽，遂折衷用六。是《公羊》表面上雖「譏」，卻由後文「前此」之「僭天子」，暗許隱公之「權宜」。然而，行「權」終非正道，故行權時，分寸之拿捏實關鍵所在。「用六」祭仲子，《公羊》以為僭禮，雖或責之過深，唯亦可見「行權」之難。《公羊》於五年春「公觀魚於棠」一事，便逕指隱公「行

---

42 隱五年《公羊傳》：「諸公者何？諸侯者何？天子三公稱公，王者之後稱公，其餘大國稱侯，小國稱伯子男。」（《公羊傳注疏》，卷3，頁3下-4上）

43 《公羊傳注疏》，卷3，頁4下。

44 〔宋〕胡安國：《春秋傳》（上海市：涵芬樓《四部叢刊．續編．經部》景常熟瞿氏鐵琴銅劍樓藏宋刊本，1934年），卷2，頁4下。

45 《論語．八佾》「季氏八佾舞於庭」，何晏《集解》引馬融之說云：「佾，列也。天子八佾，諸侯六，卿大夫四，士二。……魯以周公故，受王者禮樂，有八佾之舞。」（〔宋〕邢昺：《論語注疏》，卷3，頁1上）

權」而未能「合節」：

> 「何以書？」「譏。」「何譏爾？」「遠也。」「公曷為遠而觀魚？」「登來之也。百金之魚，公張之。」「登來之者何？」「美大之之辭也。」「棠者何？」「濟上之邑也。」（《公羊傳注疏》，卷3，頁1）

依何休之說，登來即齊語「得來」之意。[46]言隱公命人於棠地張網障谷，得魚百萬，故遠行而觀魚獲。《春秋》所以譏者，表面上因棠地與魯都曲阜距離遙遠，實則蓋如何休所言之「恥公去南面之位，下與百姓爭利，匹夫無異，故諱。使若以遠觀為譏也」。[47]相較於《左傳》、《穀梁》以不合「禮」釋之，《公羊》批判之意似更強烈。然而，若將視野擴大，讀者或能同情理解隱公之不得已：春秋時公室收入除固定之微薄稅收外，僅能倚靠山澤漁獵之利。由史傳載述可知，此時隱公既須維持周邊諸國之友好關係，又要面對崛起之鄭與擾攘不休之宋、衛，所費恐怕不貲。[48]是則此一「非禮」之舉或許未必全出私人之貪利，在某種程度上亦屬「反經行權」。然而遠離國都觀賞魚獲終非一國之君所當為，是以《公羊》譏貶之，並藉此強調：「反經」之「權」仍須建立於「合道」之基礎上，故孔子有「可與適道，未可與立；可與立，未可與權」之歎。[49]

隱公在位凡十一年，《公羊》卻將其「結局」安排在四年「秋，翬率師會宋公、陳侯、蔡人、衛人伐鄭」條下：

> 「翬者何？」「公子翬也。」「何以不稱公子？」「貶。」「曷為貶？」「與弒公也。」「其與弒公奈何？」「公子翬諂乎隱公，謂隱公曰：

---

46 何休《解詁》：「『登』讀言『得來』。得來之者，齊人語也。齊人名求得為『得來』。作『登來』者，其言大而急由口授也。」（《公羊傳注疏》，卷3，頁1上）阮元《校勘記》「登讀言得來」條：「按：此當作『登讀言得』，猶云『登讀為得』也。『來』當誤衍。」（《公羊注疏校勘記》，卷3，頁1上）

47 《公羊傳注疏》，卷3，頁1。

48 說詳下文〈四〉之（二）。

49 語見《論語‧子罕》，《論語注疏》，卷9，頁10上。

> 『百姓安子，諸侯說子。盍終為君矣？』隱曰：『吾否。吾使脩塗裘，吾將老焉。』公子翬恐若其言聞乎桓，於是謂桓曰：『吾為子口隱矣，隱曰：「吾不反也。」』桓曰：『然則奈何？』曰：『請作難，弒隱公。』於鍾巫之祭焉弒隱公也。」（《公羊傳注疏》，卷2，頁13上-14上）

《公羊》於史事未多著墨，而以《經》逕稱公子翬之「名」為焦點，帶出隱公之死。論者或持《左傳》議，以為《經》稱「翬」乃疾其未獲公命而私自行事之辭。此說乍看似乎合理，細究之則不盡然。蓋魯隱元年已先有公子豫未獲公命而出兵伐鄭事，此事不見於《春秋》，唯《左傳》載之，而以「非公命」為《春秋經》不書之由。[50]依此，則公子翬事亦當「不書」，《春秋》何以自壞體例而書之？是知《公羊》之說雖未必即為事實，蓋亦非妄言臆說。

《公羊》將隱公遭弒始末提前七年揭曉，除貶斥公子翬外，恐尚有另一層用意：由公子翬「百姓安子，諸侯說子。盍終為君矣」之語，可以得到幾項訊息：一、隱公蓋透過諸多作為宣示其不終居位之心意，公子翬始有「盍終為君」之建議；二、公子翬「百姓安子，諸侯說子」云云，代表隱公相當程度穩定了魯國國情，亦即隱公成功因應情勢，並維持了禮法秩序之平衡。然而，若一切皆維持恰當，何以會出現「盍終為君」之建議？由此可見，《公羊》似乎委婉暗示隱公因處境曖昧而難免引起誤會，如清儒龍啟瑞即謂：

> 今有方食而執芻豢之味者，而曰「吾弗食」，人必有所不信也。何也？食固在其手也。……社稷宗廟之重器，其美不啻於食也。……隱雖曰討國人而喻以致位於桓之意，其能盡信乎？為隱計者，莫若躬攬大權而不急居其名。……視時之可禪而禪之可也，身退功成，白諸國人而告於先君之廟，不亦休乎？……圖名之念急，則其跡轉疑於偽，

---

50 隱元年《左傳》：「鄭共叔之亂，公孫滑出奔衛，衛人為之伐鄭，取廩延。鄭人以王師、虢師伐衛南鄙，請師於邾。邾子使私於公子豫，豫請往，公弗許，遂行，及邾人、鄭人盟于翼。不書，非公命也。」（《左傳正義》，卷2，頁26）

於是姦邪之臣得乘其間而進之以邪謀。[51]

龍氏認為「讓」非常人所能，隱公雖有難能之行，世人未免以人情之常衡之，故雖屢屢宣示讓位之志，然既不能即刻踐履，則人或不免以為圖名焉爾，是以其宣示愈切，小人愈以為偽，故認為隱公當暫且假位不歸，待國家安頓之日再宣明讓位之本心，而不當於不可讓時屢屢宣示以啟遐想。龍氏以「圖名」評隱公，未免過苛，然於人情之剖析則頗為深切。事實上，不僅公子翬如此，後之大儒，如何休者亦所不免。何休於八年《經》「九月，辛卯，公及莒人盟于包來」條，即據《公羊傳》「公曷為與微者盟？稱人，則從不疑也」逕自發揮云：

隱為桓立，狐壤之戰不能死難，又受湯沐邑，卒無廉恥，令翬有緣諂，為桓所疑，故著其不肖，僅能使微者隨從之耳，蓋痛錄隱所以失之。又見獲受邑，皆諱不明，因與上相起也。(《公羊傳注疏》，卷3，頁13上)

「狐壤之戰」，指隱公為公子時與鄭戰於狐壤，為鄭所獲。[52]「受湯沐邑」，指八年三月鄭伯使使來歸邴事。[53]以此二事非議魯隱，誠可謂莫須有。何休既不能同情理解隱公所處之困境，遂有何以久居君位，多生是非，而不早讓之疑，故又於十一年「秋七月，壬午，公及齊侯、鄭伯入許」條痛斥隱公云：

日者，危錄隱公也。為弟守國，不尚推讓，數行不義，皇天降災，諂

---

51 〔清〕龍啟瑞：〈隱公論〉，《經德堂文集》(上海市：上海古籍出版社，2002年)，卷1，內集，頁11。

52 隱六年《經》「鄭人來輸平」，《公羊》：「輸平者何？輸平，猶墮成也。何言乎墮成？敗其成也。曰：吾成敗矣。吾與鄭人末有成也。吾與鄭人則曷為末有成？狐壤之戰，隱公獲焉。然則何以不言戰？諱獲也。」(《公羊傳注疏》，卷3，頁6下-7上) 亦見《左傳》隱十一年，詳下文〈四〉之(二)。

53 隱八年《經》「三月，鄭伯使宛來歸邴」，《公羊》：「宛者何？鄭之微者也。邴者何？鄭湯沐之邑也。天子有事于泰山，諸侯皆從泰山之下，諸侯皆有湯沐之邑焉。」(《公羊傳注疏》，卷3，頁11上)《左傳》「邴」作「祊」，以為鄭欲以泰山之祊易魯之許田。

臣進謀，終不覺悟；又復構怨入許，危亡之釁，外內並生，故危錄之。(《公羊傳注疏》，卷3，頁16下）

逕以隱公為貪利無恥之徒，終因戀棧君位而為桓公所弒，斥責貶抑堪稱深重。

透過何休之「誤讀」，吾人亦可見《公羊傳》因「體例」而受到之限制：由於《公羊》主在說明、闡釋《春秋》之「義例」，於史事僅簡略交代，甚或不交代；而於《春秋》所未載述者亦少鋪述，故難以凸顯隱公如何糾纏繚繞於錯綜複雜之國際情勢中而無法抽身。於此，吾人亦可體會《公羊》特意提前於隱四年揭露公子翬弒隱公之苦心。如此筆法，不僅就歷史載錄而言頗為唐突，就故實敘事而言亦有違情節安排之邏輯；然而，《公羊》恐也意識到隨著時間推移，隱公之本心與處境將隱沒在日益紛雜零碎之事件中，因此特藉公子翬之出場帶出結局，由斬釘截鐵之「吾否」二字，清楚標識其貫徹不渝之讓位初衷，並於十年公子翬再度登場時又一次強調所以逕稱其名之因：

「此公子翬也，何以不稱公子？」「貶。」「曷為貶？」「隱之罪人也，故終隱之篇貶也。」(《公羊傳注疏》，卷3，頁14下-15上）

透過「終隱之篇貶」，以映襯對隱公之肯定與對其遭弒之惋惜。

綜上所述，可見《公羊》作者一方面承認隱、桓兄弟於禮制上貴賤之別雖微，桓公仍具有即位之正當性，然又十分同情隱為桓立之苦心，試圖透過十一年間之敘事，彰明隱公在此不得不居之位上如何戒慎恐懼維持應然之平衡，亦即如何「處權」、「行權」，以消解初始造成不得不即位之尷尬情勢，無奈終究功虧一簣，未得善終，呈顯隱公企圖恢復秩序之用心與處境之艱難。

三 《穀梁傳》「魯隱公敘事」的省察

（一）敘事主題

相較於《公羊》之迂曲，《穀梁》之開場堪稱明白顯豁：

「公何以不言即位？」「成公志也。」「焉成之？」「言君之不取為公也。」「君之不取為公何也？」「將以讓桓也。」「讓桓也[54]乎？」曰：「不正。」「《春秋》成人之美，不成人之惡。隱不正不[55]成之，何也？」「將以惡桓也。」「其惡桓何也？」「隱將讓而桓弒之，則桓惡矣。桓弒而隱讓，則隱善矣。」「善則其不正焉何也？」「《春秋》貴義而不貴惠，信道而不信邪。孝子揚父之美，不揚父之惡。先君之欲與桓，非正也，邪也。雖然，既勝其邪心以與隱矣，已探先君之邪志，而遂以與桓，則是成父之惡也。兄弟，天倫也。為子，受之父；為諸侯，受之君。已廢天倫，而忘君父，以行小惠，曰小道也。若隱者，可謂輕千乘之國，蹈道則未也。」(《穀梁傳注疏》，卷1，頁2上-3上)

《穀梁》直接點出「先君欲與桓」，並斥之為「邪志」。既以「邪」稱，可知《穀梁》亦不採前述登桓母為夫人或有大國之援二角度論隱桓尊卑。事實上，《穀梁》似乎未將生母貴賤納入隱、桓事件中考量。相對於《左傳》、《公羊》之糾結，《穀梁》顯得十分明朗：一、惠公私心欲立桓公，但此舉並無任何正當理由，因此惠公最後放棄此一「邪志」而立本該即位之隱公。二、隱公揣摩君父心意，希望成全其立桓之「志」，是以欲讓位於桓。

如此孝悌能讓之行，在禮儀制度崩壞、人人爭權奪勢的春秋時代，豈不值得大大稱揚？然《穀梁》於陳述事件本末之後，卻為隱公冠上「成父之惡」的罪名，並毫不留情評曰「已廢天倫，而忘君父，以行小惠，曰小道也。若隱者，可謂輕千乘之國，蹈道則未也」。落差之大，超乎意料，清儒陳廷敬即對《穀梁》持論之苛頗不諒解：

昔者，周之始興也，泰伯之讓，孔子賢之。當春秋之世，視泰伯之時何時也？有能以讓而身蒙禍患，猶刻責之，追詬其所為，曰「探先君

---

54 獻案：「也」乃「正」之訛。

55 獻案：「不」乃「而」之訛。

之邪志」，曰「成父之惡」，使此人之隱衷大節既無以白於天下，而世不復知讓為盛德，以篡奪為固然，將陰以生亂臣賊子之心，其何以勸善而懲惡也？[56]

陳氏之論，亦有可商。渠似未留意《穀梁》於隱公之「能讓」基本上持肯定態度。事實上，《穀梁》之第一主題，本在說明《春秋》「不書即位」乃為透過隱公之「善」彰顯桓公之「惡」；是隱公之「讓」本為《穀梁》所肯定，問題在此舉雖「善」，卻屬「不正」，且其「不正」之最大問題在不符《春秋》「貴義」、「伸道」之大原則，故雖能「輕千乘之國」，卻未合乎「大道」，此方為《穀梁》所難認同、批判者。

前文提及，《穀梁》似乎有意避開隱、桓生母身分地位之討論，亦即將屬於「禮」之貴賤尊卑屏除於討論範圍之外，而將事件之主因聚焦於隱公。無論是使事件節外生枝的「探先君之邪志」，或探知父志後「遂以與桓」的非禮決定，都繫於隱公之個人意志。有趣的是，《穀梁》雖稱許隱公能「輕千乘之國」，卻對其孝、悌行為未嘗稱揚，亦即雖讚賞隱公之「能讓」，卻不與其「所以讓」。更有意思的是，《穀梁》不與隱公之「讓」，正在其認為此舉實為「不孝」、「不悌」。《傳》文中，「廢天倫」指破壞兄弟長幼之倫次，「忘君父」指未能忠於君父授予之「君位」。隱公因「探父邪志」而做的決定，破壞了應然的秩序，並使惠公成為此一脫序狀態之始作俑者，是謂「成父之惡」。由此可知，《穀梁》在此「非常」之「讓」，與「孝」、「悌」、「忠」等「常德」間畫出一道明確的界線——後者必須依屬於倫理網絡方能真正成全，而前者卻是對其前提之破壞。[57]《穀梁》敘事中隱公之困境並非

56 〔清〕陳廷敬：〈春秋始隱公論〉，《午亭文編》（北京市：商務印書館，2006年），卷22，頁268。

57 《穀梁》對「讓」的態度，或可由其「不書」推得端倪。《左傳》所載讓位事計九條，分別為一、隱元年魯隱公、桓公事。二、隱三年宋穆公、殤公事。三、僖八年宋襄公、公子目夷事。四、文十四年齊懿公、公子元事。五、宣四年鄭公子良、鄭襄公事。六、成十五年曹國子臧、曹成公事。七、襄十四年吳子諸樊、季札事。八、哀三年衛公子郢、出公輒事。九、哀六年楚昭王、公子西、公子期、公子閭、楚惠王事。

源於先天之名份或不可抗拒之外在環境，而在其意圖透過倫常之外的途徑（讓位）成全倫常之內的德行（孝悌）。

若回歸春秋之時代脈絡，吾人或可同情理解此一「孝之不得成全」實非隱公個人之病。范甯〈春秋穀梁傳序〉即言：

> 昔周道衰陵，乾綱絕紐，禮壞樂崩，彝倫攸斁。弒逆篡盜者國有，淫縱破義者比肩。是以妖災因釁而作，民俗染化而遷。……故父子之恩缺則〈小弁〉之刺作，君臣之禮廢則〈桑扈〉之諷興，夫婦之道絕則〈谷風〉之篇奏，骨肉之親離則〈角弓〉之怨彰，君子之路塞則〈白駒〉之詩賦。天垂象，見吉凶；聖作訓，紀成敗。欲人君戒慎厥行，增脩德政。蓋誨爾諄諄，聽我藐藐。履霜堅冰，所由者漸。（《穀梁傳注疏・序》，頁2上-4上）

范甯並非單純認為因禮壞樂崩，故產生種種不忠不孝不仁不義之舉，而是特別指出由於原本繫屬於其內之忠孝仁義之端無由依循，遂流蕩失正，終而產生種種偏差惡行。「故父子之恩缺則〈小弁〉之刺作」云云所描繪的，正是詩人在此潰散之始，如何將逸離之德行一一拾回，透過歌詠其於倫常網絡應然之展現而委婉諷喻。然而正如孟子所言，「《詩》亡然後《春秋》作」，當整體的離心力量已非委婉諷喻與應然之展示得以挽回，《春秋》此種著意於「褒貶」之新載體便應運而生。

《春秋》本意是否真如范甯所謂「一字之褒，榮踰華袞之贈；片言之貶，辱過市朝之撻」，[58]固尚待討論，但至少在《穀梁》中，吾人可以明顯覘知其所理解、詮釋之《春秋》，正透過一套細緻之「體例」[59]指陳出禮與

其中一、二、七之三事，《公羊》雖亦有載錄，唯記事稍異；並於昭公三十一年追述春秋前邾婁叔術事。《穀梁》則除隱公事外一概不錄。箇中雖非皆為「不成人之惡」，然《穀梁》不以「讓」為其論述體系與價值判準，似亦可由此窺豹一斑。

58 《穀梁傳注疏・序》，頁5下-6上。

59 此套「體例」偏重在運用「詞彙」進行「褒貶」，如「賢」、「善」、「美」、「惡」、「譏」、「刺」、「甚」、「非」、「責」、「抑」、「卑」、「微」，乃至「日」、「不日」等。說可

非禮、善與不善、正與不正、道與不道，並據以為判衡之準繩。《穀梁》魯隱公敘事之主軸，便在經由「體例」之詮解，具體說明回歸倫理綱常之重要性；而隱公之悲劇，恰正呼應著孟子「徒善不足以為政」[60]的告諭與感嘆。

（二）敘事舉隅

承繼上小節所言魯隱公「孝之不得成全」，可先由隱五年《穀梁》對「考仲子之宮」的解說進行省察：

> 「考者何也？」「考者，成之也，成之為夫人也。禮：庶子為君，為其母築宮，使公子主其祭也。於子祭，於孫止。仲子者，惠公之母。隱孫而脩之，非隱也。」（《穀梁傳注疏》，卷2，頁3下）

或許為了避開隱桓複雜之身分背景，不同於《公羊》、《左傳》將「仲子」解為桓公生母，《穀梁》提出「惠公之母」一新解。[61]依禮，庶子為君，則母以子貴，雖非正娶，卻能享有夫人身分而築宮，由公子祭祀，此祭祀之禮維持一代，至其孫輩而止。隱公為惠公之子，則為仲子之孫，不當祭其祖母，卻修宮而祭之，故有違「禮」之譏。然而仲子之逝在隱公元年，若依常禮，則因卒於其子惠公之後，將不得築宮，遂亦無人祭祀。隱公蓋不忍如是，故為之築宮。然而，正如隱公因不忍惠公欲立桓之「志」不成而欲讓之舉，終

參拙作：〈穀梁傳概說〉，收入葉國良、夏長樸、李隆獻著：《經學通論》（臺北市：大安出版社，2014年）。

60 語見《孟子・離婁上》，《孟子注疏》，卷7上，頁2上。

61 隱元年《春秋》：「秋，七月，天王使宰咺來歸惠公仲子之賵」，《穀梁》云：「母以子氏。仲子者何？惠公之母孝公之妾也。禮：賵人之母則可，賵人之妾則不可。君子以其可辭受之。其志，不及事也。」（《穀梁傳注疏》，卷1，頁6上）同條《公羊》、《左傳》皆以桓公生母釋「仲子」。又《經》二年：「十有二月乙卯，夫人子氏薨」，《穀梁》：「夫人薨，不地。夫人者，隱之妻也。卒而不書葬，夫人之義，從君者也。」（《穀梁傳注疏》，卷1，頁11下）同條《公羊》解作「聲子卒」，《左傳》未釋。要言之，《穀梁》於開首隱公、桓公之背景未帶入二人之母，是以終《傳》不言之。

使惠公蒙受「邪志」惡名，此處強考仲子之宮，亦使仲子蒙受非禮之祀而不得歆享，並使隱公遭到「非禮」之譏貶。

《經》文於「考仲子之宮」下言「初獻六羽」，《穀梁》之詮解十分值得玩味：

> 初，始也。
>
> 穀梁子曰：「舞夏：天子八佾，諸公六佾，諸侯四佾。初獻六羽，始僭樂矣。」
>
> 尸子曰：「舞夏：自天子至諸侯皆用八佾。初獻六羽，始厲樂矣。」（《穀梁傳注疏》，卷2，頁4）

《傳》文似將穀梁子與尸子之相反意見並列，以示闕疑。[62]傅隸樸批評《穀梁》云：「他是在想包舉左氏公羊兩家之意，卻正好揭露了他認禮不清的矛盾，殊無足取。」[63]然而，考量《穀梁》成書乃經口授數代後，始由弟子整理著於竹帛，[64]又其立於學官本建立在致力抗衡《公羊》之背景，[65]則此處

---

62 范甯《集解》：「言時諸侯僭侈，皆用八佾。魯於是能自減厲而用六，穀梁子言其始僭，尸子言其始降。」（《穀梁傳注疏》，卷2，頁4下）

63 傅隸樸：《春秋三傳比義》（臺北市：臺灣商務印書館，1983年），頁44-45。

64 徐彥曰：「問曰：『《左氏》出自丘明，便題云「左氏」；《公羊》、《穀梁》出自卜商，何故不題曰「卜氏傳」乎？』荅曰：『《左氏傳》者，丘明親自執筆為之，以說經意，其後學者題曰左氏矣；且《公羊》者，子夏口授公羊高，高五世相授。至漢景帝時，公羊壽共弟子胡毋生乃著竹帛，胡毋生題親師，故曰「公羊」，不說卜氏矣；《穀梁》者亦是著竹帛者題其親師，故曰「穀梁」也。』」（《公羊傳注疏》，卷1，頁4）

65 《漢書．儒林傳》：「宣帝即位，聞衛太子好《穀梁春秋》，以問丞相韋賢、長信少府夏侯勝及侍中樂陵侯史高，皆魯人也，言穀梁子本魯學，公羊氏乃齊學也，宜興《穀梁》。時千秋為郎，召見，與《公羊》家並說，上善《穀梁》說，擢千秋為諫大夫給事中，後有過，左遷平陵令。復求能為《穀梁》者，莫及千秋。上愍其學且絕，乃以千秋為郎中戶將，選郎十人從受。汝南尹更始翁君本自事千秋，能說矣，會千秋病死，徵江公孫為博士。劉向以故諫大夫通達待詔，受《穀梁》，欲令助之。江博士復死，乃徵周慶、丁姓待詔保宮，使卒授十人。自元康中始講，至甘露元年，積十餘歲，皆明習。乃召五經名儒太子太傅蕭望之等大議殿中，平《公羊》、《穀梁》同異，各以經處是非。時《公羊》博士嚴彭祖、侍郎申輓、伊推、宋顯，穀梁議郎尹更始、待詔劉向、周慶、丁姓並論。《公羊》家多不見從，願請內侍郎許廣，使者亦並內《穀梁》家

在穀梁子後又列尸子之說，或當視為補充、澄清，而非單純之「並列」。[66]

穀梁子之解釋僅引各階層所當用之禮數，而對隱公下了「始僭樂」之批判。傳者似乎擔心讀者真依字面理解，以隱公為首惡，故特引尸子之言補充說明當時「自天子至諸侯皆用八佾」，隱公用六，實為減抑之始。值得注意的是，加了尸子之語後，穀梁子之貶抑並未消失。透過此一表面矛盾之並呈，《穀梁》將「行為本身」之討論，提高到「禮」的思考。本文〈二〉在《公羊》「初獻六羽」之論析中已提及，魯因周公故，特許「用八」。不論是出於仲子「妾」的身分，抑因隱公「以孫修宮」之特殊情況，隱公實較「皆用八佾」之魯國歷代君主謹守分際，[67]因而特降禮用六。如此作為，理當大大稱揚，何以反指謫其「非禮」？《穀梁》之並列，似乎正是要讀者產生此一疑惑，透過此疑惑迫使讀者仔細探索穀梁子之意。[68]

首先當注意者為「始僭樂」之「始」字，此處固然可以如《公羊》以「僭諸公猶可言也，僭天子不可言也」解，則「始」實非始。然而考量《穀梁》與《公羊》爭勝之背景，此處之「始」或有別於《公羊》，即確為「始」用六佾。如此，則《穀梁》不同於《公羊》，不以魯在特許狀況下用

中郎王亥，各五人，議三十餘事。望之等十一人各以經誼對，多從《穀梁》。由是《穀梁》之學大盛。」(〔清〕王先謙：《漢書補注》〔上海市：上海古籍出版社，2008年〕，頁5453-5454）關於《公羊》、《穀梁》二《傳》之撰作與寫定年代，可參拙作〈公羊傳概說〉、〈穀梁傳概說〉，收入葉國良、夏長樸、李隆獻著：《經學通論》。

66 整部《穀梁傳》，對一事之評論同時引二人意見者嚴格而論僅此一條。另一條為桓三年「夫人姜氏至自齊」，《傳》曰：「其不言翬之以來，何也？公親受之于齊侯也。子貢曰：『冕而親迎，不已重乎？』孔子曰：『合二姓之好，以繼萬世之後，何謂已重乎！』」(《穀梁傳注疏》，卷3，頁8）此條乃子貢問，孔子答，顯非並列正反意見。

67 隱五年《左傳》：「九月，考仲子之宮，將萬焉。公問羽數於眾仲。對曰：『天子用八，諸侯用六，大夫四，士二。夫舞，所以節八音而行八風，故自八以下。』公從之。於是初獻六羽，始用六佾也。」(《左傳正義》，卷3，頁25下-27上）由《左傳》隱公與眾仲之問答亦可知此情形之特殊，否則國家吉凶諸禮自有典常，豈勞隱公問而後始舉？若忽略此一背景，三《傳》對「考仲子之宮」之論述將不可解。

68 關於史傳透過不同評論造成之敘事辯證性，可參拙作：〈《左傳》「仲尼曰」敘事芻論〉，《臺大中文學報》第33期（2010年12月）。

八佾為「僭」。既不以「用八」為僭越，何以「用六」反遭譏貶？於此，《穀梁》蓋又回歸「倫常」立論。「用八」作為特許，本為原初秩序之一部分，故不屬非禮；然而今既因意識到應有之分際而放棄此一特許儀節，則當回歸本然之禮，亦即「天子八佾，諸公六佾，諸侯四佾」之脈絡中。隱公之行為，雖具自我抑制之美，但就應然分際言，卻屬兩失之，故穀梁子斷之曰「始僭」。

此類「因無所依循而無法成全之善」不僅發生於私領域。魯惠晚年與鄭有狐壤之役，與宋有黃之役，是隱公即位之初國家情勢並不穩定，因此元年三月先與邾儀父盟，九月復使卑者與宋之卑者盟，二年初又有會戎之事。這一連串作為，《左傳》皆釋為隱公「修惠公之好」，均屬為維持對外關係而做的努力。[69]《穀梁》卻在「二年春，公會戎于潛」條下云：

> 會者，外為主焉爾。知者慮，義者行，仁者守；有此三者，然後可以出會。會戎，危公也。（《穀梁傳注疏》，卷1，頁8下-9上）

《穀梁傳》認為會盟之前提在有能查安審危之知者規畫，有行事合宜臨危能斷之義者同行，有愛民輔眾之仁者守國。《傳》文列舉此三條件後筆鋒一轉，以「會戎，危公也」作結，可知《穀梁》不與隱公有此三條件。《穀梁》於此雖未明言，卻委婉對甫即位便屢屢貿行會盟的隱公略有微辭，亦暗示當「會盟」之有效基礎不存在時，單純會盟並無法有效穩定國情。因此，與邾之盟旋即失效，與宋之關係亦在鄭宋交惡下破裂。關於國際情勢，《穀梁》雖礙於體例，未能如《左傳》清楚交代，卻透過緻密之「體例」闡發，吾人亦可見《穀梁》如何以後見之明指出賴以成善之規矩法度。

同樣在不安的國際情勢之下，《穀梁》對五年「觀魚于棠」之解讀也頗堪玩味：

> 傳曰：「常事曰視，非常曰觀。」
> 禮：「尊不親小事，卑不尸大功。」

---

69 說詳下文〈四〉之（二）。

> 魚，卑者之事也。公觀之，非正也。（《穀梁傳注疏》，卷2，頁3上）

為利比較，茲引《左傳》「觀魚」之論述以資參照：

> 春，公將如棠觀魚者。臧僖伯諫曰：「凡物不足以講大事，其材不足以備器用，則君不舉焉。君將納民於軌物者也，故講事以度軌量謂之軌，取材以章物采謂之物。不軌不物，謂之亂政。亂政亟行，所以敗也。故春蒐、夏苗、秋獮、冬狩，皆於農隙，以講事也。三年而治兵，入而振旅，歸而飲至，以數軍實，昭文章，明貴賤，辨等列，順少長，習威儀也。鳥獸之肉，不登於俎；皮革、齒牙、骨角、毛羽，不登於器，則公不射，古之制也。若夫山林川澤之實、器用之資、皁隸之事、官司之守，非君所及也。」公曰：「吾將略地焉。」遂往，陳魚而觀之。僖伯稱疾不從。
>
> 書曰「公矢魚于棠」，非禮也，且言遠地也。（《左傳正義》，卷3，頁20上-24下）

前已論及，「觀魚」實乃隱公於棠地張網障谷，尋求額外收入以維持國際關係及國防之龐大經費。然而，不同於《公羊》將焦點置於「圖利」之價值批判，《穀梁》、《左傳》皆隱約接受「圖利」之實然目的，而將重點置於更抽象之「合禮」與否。《左傳》不厭其詳引述臧僖伯之諫言，說明如「蒐、苗、獮、狩」一類事務，雖非君主之常務，仍具象徵意義，使君主在此模擬之場域中具體而微展演秩序之運行，透過自身將抽象之軌物具體呈現，使人民得以有所遵循依傍。在此意義上，這些「非常」之事在一定限度內獲得允許——「於農隙以講事」。《左傳》在陳述一番道理之後，始言「鳥獸之肉，不登於俎；皮革、齒牙、骨角、毛羽，不登於器，則公不射」，亦即「利」與「義」並非沒有兼存的空間，但必須合於「禮」，至於「禮」之外的物利，則非人君之所當求。

不同於《左傳》委婉迂迴說明「禮」之範圍與象徵意義，將隱公「如棠觀魚」定位為「非禮」；《穀梁》開門見山便以「常事曰視，非常曰觀」，將隱公「觀魚」歸入「非常」之行，並再追加一句「禮：尊不親小事，卑不尸大功」，將屬於卑者之事的「魚」畫入貴為國君的隱公所不當親事的「非禮」之行，進而得出「公觀之，非正也」的結論。同樣以「禮」為評論基準，對比《穀梁》之簡潔與《左傳》之詳細，可見《穀梁》與《左傳》之輕重所在。《左傳》之成書背景，舊禮已崩，新典未成，因而其論禮之要，在說明禮之所以為禮，即透過說明「用」以證成禮之必要。《穀梁》成書時，新制已逐漸確立，其議論之重點，則轉向如何行禮、合禮。因其重點在禮之服膺，故特別強調尊卑貴賤之別，亦即禮所賴以貫徹之「等差」。《穀梁》中隱公之最大問題在不斷「為了成全某事」而破壞了維繫等差的原則。殊不知原則一旦破壞，賴以衡量之標準將亦隨之喪失，故謂之「非正」。

同樣的邏輯也運用在七年夏「城中丘」之解讀：

> 城，為保民為之也。民眾城小，則益城，益城無極。凡城之志，皆譏也。（《穀梁傳注疏》，卷2，頁6下-7上）

不同於《公羊》、《左傳》著重於論工程之重與不時，《穀梁》再次將問題聚焦於「城之本」與「隱公所以城」之差距上。范甯《集解》云：

> 建國立城邑有定所，高下大小存乎王制。刺公不脩勤德政，更造城以安民。……夫保民以德不以城也。如民眾而城小輒益城，是無限極也。（《穀梁傳注疏》，頁7上）

依禮，國家與城邑皆有定制，其大小皆當依等差定制建造。固然可能發生人口過多，舊城不足容納，因而無法充分發揮保護作用之狀況。但若因此而破壞常規，將無法維持定制，且此種作法也只能暫時抒緩，並無助於真正解決問題，反將使人民日夜勞於繇役，不得安身。

總歸而言，《穀梁》之隱公形象遠較《公羊》明確。《公羊》中隱公之悲劇在缺乏規範參照——禮——個人之力終究無法校正初始之不平衡；《穀梁》中隱公之悲劇則在逐漸與禮脫節之外在環境，遂使個人德性、國家利益與應然之「禮」間之裂縫日益擴大，而身為國家代表與真實個體之隱公，便在此群／己矛盾之下成為犧牲。《穀梁》於隱公之薨曰：

> 隱十年無正，隱不自正也。元年有正，所以正隱也。（《穀梁傳注疏》，卷2，頁13上）

「不自正」指隱公當居君位卻執意讓位於桓公，亦為其在位十一年，一再為求暫時成全而逸離應然倫常之外的寫照。《穀梁》於其「不自正」固多非議，然亦非不知隱公用心之「善」，故以《春秋》繫正於元年為「正隱」，堪稱范甯所謂的「一字之褒」。[70]

四　《左傳》「魯隱公敘事」的省察

（一）敘事主題

不同於《公》、《穀》之亟亟於褒貶，《左氏》對隱公元年「不書即位」，僅以中性之陳述式語言「攝也」二字詮釋，[71]卻又以「先經以始事」[72]的方式對事件背景做了較為詳細的敘述，充分展現不同於《公》、《穀》的敘事特質。

茲先粗略爬梳前賢對《左傳》「攝位」說之討論。歐陽脩〈春秋論上〉云：

> 《經》於魯隱公之事，書曰「公及邾儀父盟于蔑」，其卒也，書曰「公薨」，孔子始終謂之公。三子曰：非公也，是攝也。學者不從孔

70 范甯《集解》於「元年有正，所以正隱也。」下云：「明隱宜立。」（《穀梁傳注疏》，卷2，頁13上）

71 隱元年《左傳》：「不書即位，攝也。」（《左傳正義》，卷2，頁13上）

72 杜預〈春秋經傳集解序〉謂《左傳》之解經：「或先經以始事，或後經以終義，或依經以辯理，或錯經以合異。」（《左傳正義》，卷1，頁11上）《左傳》於《春秋》「元年春，王正月」之前敘述隱公身分，即屬「先經以始事」。文見下引，說詳下文。

子謂之「公」，而從三子謂之「攝」。[73]

問題之關鍵在隱公元年《春秋》未書「公即位」。《春秋》「不書即位」之君凡四：隱公、莊公、閔公、僖公。既以「公即位」為「書法」常例，則例外皆須有所解釋，如莊元年，《左傳》以「不稱即位，文姜出故也」[74]釋之；《公羊》則謂「《春秋》，君弒，子不言即位。……隱之也」；[75]《穀梁》則曰「繼弒君不言即位。……先君不以其道終，則子不忍即位也」。[76]閔、僖二公，《左傳》亦皆以變亂為言，《公》、《穀》則逕承「繼弒君不言即位」之義例。[77]是則不書即位雖屬非常，要非無解。而除「不書即位」與謚「隱」之外，《春秋》初無隱公「攝位」之辭，於諸會盟行事亦皆以「公」稱，難怪歐公有三《傳》悖《經》之論。

歐公之說雖具見地，亦非無蔽：一則，三《傳》中以隱公居攝者實唯《左傳》而已。再則，歐公之論須建立在「攝位」則不稱「公」之預設前提上。然而即如《左傳》明以隱公居攝，行文仍稱「公」。是「攝位」與「稱公」在《左傳》並不如歐公所言之勢同水火。

歐陽脩之後，學者對隱公之討論轉向「實有其位而讓」一路。如宋儒劉敞即云：

未有當其位而云「攝」者也，未有攝其位而云「讓」者也。……讓則

73 《歐陽脩全集》，頁305。

74 《左傳正義》，卷8，頁3上。

75 《公羊傳注疏》，卷6，頁1上。

76 《穀梁傳注疏》，卷5，頁1上。

77 閔元年不書即位，《左傳》曰：「亂故也。」（《左傳正義》，卷11，頁1下）《公羊》曰：「繼弒君不言即位。孰繼？繼子般也。孰弒子般？慶父也。」（《公羊傳注疏》，卷9，頁11下-12上）《穀梁》曰：「繼弒君不言即位，正也。親之非父也，尊之非君也，繼之如君父也者，受國焉爾。」（《穀梁傳注疏》，卷6，頁18下-19上）
僖元年不書即位，《左傳》曰：「不稱即位，公出故也。」（《左傳正義》，卷12，頁3上）《公羊》曰：「繼弒君，子不言即位。此非子也，其稱子何？臣、子一例也。」（《公羊傳注疏》，卷10，頁1上）《穀梁》曰：「繼弒君不言即位，正也。」（《穀梁傳注疏》，卷7，頁1上）

> 不攝，攝則不讓，而《傳》謂「隱公攝」，是非其位而據之者也，于王法所不得為；于王法所不得為，則桓之弒隱，惡少減矣。《春秋》不宜深絕之；今以其深絕之，知隱公乃「讓」也，非「攝」也。[78]

劉敞由「攝」與「讓」之本質對立為言：欲「讓」，則所讓之物須為已所本有，既為已所本有，則乃實有而非「攝」；反之，若為「攝」，則君位本非其所有，既本非其所有，自無所謂「讓」。釐清此一對立概念後，劉敞提出一條不見於《春秋》之判準：「攝」為「王法所不得為」。據此，若隱公為「攝位」，則其「不法」在前，《春秋》於桓之弒隱，必不至深絕之；由《春秋》深絕桓公反推，可知隱公乃「讓」而非「攝」。清儒張尚瑗亦有類似之見，唯推論稍異：

> 非其有而居之者，攝也——故周公即政，而謂之「攝」；推己所有以與人者，讓也——故堯、舜禪受而援謂之「讓」。惠無嫡嗣，隱公繼室之子，于次居長，理當嗣世；其欲受桓，所謂「推己所有以與人」者也，豈曰「攝」之云乎？[79]

張氏認為隱公之「攝位」與周公之「攝政」[80]不當混為一談。蓋「攝」本指非常時期之「暫代」，「攝政」指暫代政事，「攝位」則包含「身分」與「位置」。清儒徐廷垣亦指出：

> 隱不書「即位」，《左氏》以為「攝」。夫攝者，行其事而不居其位之

78 〔宋〕劉敞：《春秋權衡》，《通志堂經解》（臺北市：漢京文化公司，1979年景〔清〕徐乾學輯、納蘭成德校訂本），第19冊，卷1，頁3。

79 〔清〕張尚瑗：《三傳折諸》，《四庫全書》（臺北市：臺灣商務印書館，1983年景《文淵閣》庫），經部171冊，卷1，頁6下-7上。

80 歷代學者對周公究係「攝政」，抑「踐阼稱王」亦有爭訟，說可參徐復觀先生：〈與陳夢家屈萬里兩先生商討周公旦曾否踐阼稱王的問題〉、〈有關周公踐阼稱王問題的申覆〉，《周秦漢政治社會結構之研究》（臺北市：臺灣學生書局，1975年），頁420-456；457-480；屈萬里先生：〈關於所謂周公旦「踐阼稱王」問題敬覆徐復觀先生〉，《屈萬里先生文存》，第2冊，頁621-650。

> 謂。若伊尹之相太甲、周公之輔成王，皆嗣主幼弱，不能臨御，故總其政以居攝，非敢踐天子位，自以為天子也，四海臣民亦無有以天子目之者。今隱公自稱曰「寡人」，臣民稱之曰「君」，天子聘之，大國會之，小國朝之，孰曰「非君」也者，而豈得謂之「攝」？《穀梁》以為「成公之志」是也。[81]

非常時期須暫攝君位以佐孺子，但何種情況會需要一位連名分亦暫攝之君呢？隱元年《左傳》如此敘事：

> 惠公元妃孟子。孟子卒，繼室以聲子，生隱公。宋武公生仲子，仲子生而有文在其手，曰「為魯夫人」，故仲子歸于我，生桓公而惠公薨，是以隱公立而奉之。(《左傳正義》，卷2，頁2上-4下)

此段敘述可補《公》、《穀》之不足，有助於較明確了解隱、桓事件之原委。首先，《左傳》多了惠公元妃孟子一角，及孟子卒後聲子為繼室之身分說明。依孔穎達之說：「繼室雖非夫人，而貴於諸妾。惠公不立大子，母貴則宜為君，隱公當嗣父世。」[82]是惠公元妃既無子，身為繼室之聲子理當貴於其他姬妾，而依「立子以貴不以長」之原則，隱公應為繼位之第一人選。此乃隱公之出身背景。

其次，關於仲子身分，《左傳》較《公》、《穀》多了「宋武公之女」與「生而有文在手」兩項資訊。仲子既為宋武公女，即是宋穆公之姊妹，則仲子之子桓公為宋穆公之甥。在國際情勢詭譎多變，小國多依倚大國以自保的春秋時代，有了此層關係，自較純為媵妾之聲子有利。但《左傳》並不循此方向立論，而著力於仲子生而有「為魯夫人」之文此一奇異事件。「仲子生而有文在其手」云云，自「生而有文」以下，一氣呵成，彷彿仲子之嫁、桓公之立、隱之奉桓，一切皆繫於此天賜奇蹟，而本為繼室之子的隱公，就在

---

81 〔清〕徐廷垣：《春秋管窺》(臺北市：藝文印書館《四庫善本叢書初編．經部》景故宮博物院藏《文淵閣四庫全書》1969年)，卷1，頁2下。

82 《左傳正義》，卷2，頁4下。

此「天意」之下失去君位繼承權。又因惠公薨時桓公年紀尚幼，故隱公不得不暫時「攝位」。同屬「不得不」，《公羊》之隱公至少獲得一定程度的承認，因而自隱之立至其遭弒，主導敘事基調的是隱公努力維持平衡之意志；《左傳》之隱公卻處於「居攝」之「不定」位子上，非但無法成為主導敘事的力量，反而如浮萍飄蓬般在諸多不可抗拒的力量下輾轉流離，這也成為《左傳》魯隱公敘事之基調。

（二）敘事舉隅

茲先論隱公之處境：《左傳》開篇即再三強調隱公乃「攝位」之君，除已見前文之隱元年「不書即位，攝也」外，「三月公及邾儀父盟于蔑」下又釋之云：

> 公攝位，而欲求好於邾，故為蔑之盟。（《左傳正義》，卷2，頁15上）

接著又以「無經之傳」的方式補充《春秋》所未記：

> 冬十月，庚申，改葬惠公。公弗臨，故不書。
> 惠公之薨也，有宋師，太子少，葬故有闕，是以改葬。（《左傳正義》，卷2，頁25下）

杜預《集解》：

> 以桓為大子，故隱公讓而不敢為喪主。隱攝君政，故據隱而言。（《左傳正義》，卷2，頁25下）

再如隱三年「夏，四月，辛卯，君氏卒」，《公》、《穀》「君氏」皆作「尹氏」，以為天子之大夫；《左氏》則作「君氏」，並以隱公生母聲子釋之，透過其不稱夫人，再度強調隱公之「居攝」。[83]

---

[83] 杜預《集解》：「隱不敢從正君之禮，故亦不敢備禮於其母。」（《左傳正義》，卷3，頁2下）

以上敘述除一再重申隱公「攝位」外，更暗示其攝位之因，以及此一身分造成之困境。首先，自即位伊始，隱公便一再試圖與周邊國家建立友好關係。除三月與邾盟外，九月又與宋盟：

> 惠公之季年，敗宋師于黃。公立而求成焉。九月，及宋人盟于宿，始通也。(《左傳正義》，卷2，頁25下)

與前引「惠公之薨也，有宋師，太子少」合觀，可知魯惠薨前正與宋交戰，若由年幼之桓公即位，恐難安定國情，是以由隱公攝位。《左傳》透過事件之敘述，並接連以密集之與邾盟、與宋盟、與戎修好，乃至六年「始與齊平」等敘事，暗示魯惠朝對外之緊張關係，勾勒出隱公力圖彌復、穩定飄搖國勢之正面形象。

然而，「攝位」卻成為隱公還政之最大阻力。關於此點，由《左傳》於隱公元年連續記錄三件「無經之傳」可見一斑：

> 夏四月，費伯帥師城郎。不書，非公命也。(《左傳正義》，卷2，頁15上)
>
> 鄭共叔之亂，公孫滑出奔衛，衛人為之伐鄭，取廩延。鄭人以王師、虢師伐衛南鄙，請師於邾。邾子使私於公子豫，豫請往，公弗許；遂行，及邾人、鄭人盟于翼。不書，非公命也。(《左傳正義》，卷2，頁26)
>
> 新作南門。不書，亦非公命也。(《左傳正義》，卷2，頁26下)

《集解》：

> 「非公命不書」三見者，皆興作大事，各舉以備文。[84]

杜預認為興作乃國家大事，故雖非君意，仍加記載以資史文。然而應該問的是：如此重大事件，費伯、公子豫焉能在未獲「國君」許可之下而逕自執

84 《左傳正義》，卷2，頁26下。

行？這些具體事例一方面賦予《公羊》「且如桓立，則恐諸大夫之不能相幼君也」之顧慮更形生動具體，自然呈顯魯惠朝遺老之跋扈擅權。同時也可以想像，「攝位」此一游離於系譜之外的尷尬身分，多少使本即相對弱勢的隱公更乏發言權。作為個人，隱公未有較其他公子更「貴」的位階，而其作為集體象徵又不過是暫時性的，其母既不能因此禮享夫人之禮，其子亦無法克紹君位，[85]是以其意志既缺乏如正式國君之正當性，亦不具貫徹政令之必然性。

其次論析主導敘事的力量：由於《左傳》較《公》、《穀》詳載魯史以外之列國史事，是以《左傳》之魯國敘事往往被編織在較《公》、《穀》遠為複雜之網絡中，事件之主導力量亦由單純的個人，轉而為牽連甚廣之國際情勢。在隱公十一年間的敘述中，可以具見隱公之意志如何一再因外在難以抗拒之國際情勢而不得不屈服之無可奈何。

首先是前述元年公子豫私許邾出兵事：鄭莊同母弟共叔段之子公孫滑於鄭莊克段之後出奔衛，衛人為之伐鄭。鄭人遂於魯隱元年冬請得聯軍報伐衛。甫與隱公結盟之邾國亦在聯軍之列，私下依恃公子豫向魯請師。初即位的隱公無論出於考量國家情勢尚不穩定，不願為較遠的鄭國得罪接壤的衛國，抑對此輾轉借師之舉有所不滿，總之否決了公子豫的提議；然而，公子豫竟不顧隱公反對而自行出兵，與邾人、鄭人結盟。[86]於是，隱公努力維持之國際友好關係遭到破壞。

接著是四年秋的伐鄭之役：

> 宋殤公之即位也，公子馮出奔鄭，鄭人欲納之。及衛州吁立，將脩先君之怨於鄭，而求寵於諸侯，以和其民。使告於宋曰：「君若伐鄭以

---

85 不妨思索隱三年《左傳》宋穆公之言：「宋穆公疾，召大司馬孔父而屬殤公焉，曰：『先君舍與夷而立寡人，寡人弗敢忘。若以大夫之靈，得保首領以沒，先君若問與夷，其將何辭以對？請子奉之，以主社稷。寡人雖死，亦無悔焉。』」（《左傳正義》，卷3，頁7下-8上）不同於單純之「一繼一及」制，身為攝位之主，有責任將君位傳回兄長之子，而其子自然無名分。

86 事見隱元年，《左傳正義》，卷2，頁26。文已見前引。

除君害，君為主，敝邑以賦，與陳蔡從，則衛國之願也。」宋人許之。於是陳蔡方睦於衛，故宋公、陳侯、蔡人、衛人伐鄭，圍其東門，五日而還。（《左傳正義》，卷3，頁15下-16下）

魯隱二年底，宋穆公逝世前傳位於其兄宣公之子殤公，而將己子公子馮流放至鄭國。四年春，衛宣公寵子州吁弒其君桓公自立。為報元年鄭伐衛之仇，又欲尋求國外之奧援與承認，遂與宋殤約同陳蔡共伐鄭，除掉公子馮，以去宋殤公心頭大患，此即有名的「東門之役」。[87]由於牽連在內之宋、衛皆為鄰國，隱公對此十分關心，是以有如下對話：

公問於眾仲曰：「衛州吁其成乎？」對曰：「臣聞以德和民，不聞以亂。以亂，猶治絲而棼之也。夫州吁阻兵而安忍；阻兵無眾，安忍無親，眾叛親離，難以濟矣。夫兵，猶火也。弗戢，將自焚也。夫州吁弒其君，而虐用其民。於是乎不務令德，而欲以亂成，必不免矣！」（《左傳正義》，卷3，頁16下-17上）

隱公預見州吁為亂必不止此，宋又為魯之盟邦，州吁之成敗勢將影響應對策略，故問於眾仲。眾仲答以州吁不能以德和民，反而興兵虐民、恃兵安忍，必不免於敗亂。該年秋，諸侯又聯兵攻鄭，宋果至魯乞師，隱公因仲眾之言選擇推辭。公子翬再請，隱公仍不答應，未料公子翬竟堅持帥兵前往，並與宋、陳、蔡、衛共伐鄭，擊敗鄭師。[88]

值得注意的是，《左傳》對公子翬的跋扈，一如隱元年之公子豫私與邾人、鄭人盟于翼般彰顯其桀傲，並以「書曰翬帥師，疾之也」加以貶抑，[89]而未如《公》、《穀》不約而同在公子翬初次登場時即揭示其弒君惡行，並強烈批判。[90]事實上，公子翬於此事或未必純出私心。正如隱公在東門之役時

---

87 《左傳正義》，卷3，頁15下-16下。文長不錄。

88 《左傳正義》，卷3，頁16下-17上。文長不錄；部分文字見註89。

89 隱四年《左傳》：「秋，諸侯復伐鄭。宋公使來乞師，公辭之。羽父請以師會之，公弗許，固請而行。故書曰『翬帥師』，疾之也。」（《左傳正義》，卷3，頁17上）

90 《公羊》之說已見上文〈二〉之（二）。隱公四年《春秋》：「秋，公子翬帥師會宋公陳

有「衛州吁其成乎」之問，身在其中者並無後見之明，當同盟國與鄰國皆選擇出兵時，貿然拒絕出兵同樣可能破壞友好關係，因此與眾人一起出兵不失為值得嘗試之選擇。無論如何，隱公之意志再次在現實情勢下遭到挫敗。

隨著時間推移，隱公決策之正確性逐漸嶄露。自五年起，鄭人開始連續反擊：先是四月「侵衛牧，以報東門之役」，[91]同年秋，又因宋人取邾田事，與邾同伐宋：

> 宋人取邾田，邾人告於鄭曰：「請君釋憾於宋，敝邑為道。」鄭人以王師會之，伐宋，入其郛，以報東門之役。宋人使來告命。公聞其入郛也，將救之。問於使者曰：「師何及？」對曰：「未及國。」公怒，乃止，辭使者曰：「君命寡人同恤社稷之難。今問諸使者，曰『師未及國』，非寡人之所敢知也。」（《左傳正義》，卷3，頁27下）

邾、宋本皆魯之與國，雙方既已交惡，魯國勢須有所取捨。或許有見於國力強弱，或許因桓公生母為宋女，隱公選擇與宋並肩抗鄭。然而在隱公聽聞鄭人已入宋都外城之際，宋國使者竟答以「未及國」。如此回答激怒了魯隱，因而拒絕援助。魯宋本即脆弱之友好關係開始出現裂痕。

魯在鄭、宋交惡時與宋決裂，多少意味著傾向鄭國，因而六年春，鄭人更盟，釋出善意。亟需新與國的魯隱，同年夏又重拾與齊之交好。未料兩年之後，宋、鄭言歸於好，與宋交惡的魯，便須設法討好宋國，以免淪為鄭、宋交好下之犧牲。是以在七年秋「公伐邾」下，《左傳》特標「為宋討也」[92]，說明隱公雜廁諸國之間，不得不犧牲即位之初苦心經營修好盟國關係之苦心。

無論魯隱如何委屈求全，如何運籌帷幄，依然無法弭平魯、宋間已然形成之裂痕，是以兩年後（隱九年），當宋、鄭再度反目，鄭以王命伐宋時，

侯蔡人衛人伐鄭」，《穀梁傳》：「翬者何？公子翬也。其不稱公子何也？貶之也。何為貶之也？與于弒公故貶也。」（《穀梁傳注疏》，卷2，頁2上）

91 《左傳正義》，卷3，頁25上。

92 《左傳正義》，卷4，頁5下。

宋人懷入郛之役的舊怨不來告命，隱公憤怒之餘竟再絕宋使。[93]十年，魯且與齊、鄭共伐宋。

值得注意的是，公子翬於此再度登場。《經》曰「夏，翬帥師會齊人、鄭人伐宋」，《左傳》曰：

> 夏，五月，羽父先會齊侯、鄭伯，伐宋。（《左傳正義》，卷4，頁17上）

若隱公已絕宋使，並於年初與齊侯、鄭伯約盟共伐宋，公子翬何以要先會齊侯、鄭伯？《左傳》又為何要特別點出其「先會」？關乎此，或許可由接敘伐宋之載錄略見端倪：

> 六月，戊申，公會齊侯、鄭伯于老桃。壬戌，公敗宋師于菅。庚午，鄭師入郜。辛未，歸于我。庚辰，鄭師入防。辛巳，歸于我。（《左傳正義》，卷4，頁17上）

公子翬之先行與會，或許為了談得有利於魯之條件，可能未必純出私利。《公》、《穀》二《傳》於此皆聚焦於責備魯國不當「一月再取」、「乘敗人而深為利」；[94]《左傳》則著眼於稱美鄭莊公：

> 君子謂鄭莊公「於是乎可謂正矣」。以王命討不庭，不貪其土，以勞王爵，正之體也。（《左傳正義》，卷4，頁17）

兩相對照，公子翬「先會」之意或許可以推知。同時，由此二例，已隱約可

93 隱九年《左傳》：「宋公不王。鄭伯為王左卿士，以王命討之，伐宋。宋以入郛之役怨公不告命；公怒，絕宋使。」（《左傳正義》，卷4，頁14）

94 《公羊》：「取邑不日，此何以日？一月而再取也。何言乎一月而再取？甚之也。」（《公羊傳注疏》，卷3，頁15上）《穀梁》：「內不言戰，舉其大者也。辛未，取郜。辛巳，取防。取邑不日，此其日，何也？不正其乘敗人而深為利，取二邑，故謹而日之也。」（《穀梁傳注疏》，卷2，頁12上）

見公子翬之形象在《左傳》並不似《公》、《穀》所貶斥之絕對的惡。[95]公子翬雖數度忤逆君意，專擅行事，但其出發點未嘗不在圖利魯國。且相對於隱公，公子翬顯然能動性較高——明快掌握國際情勢，果絕行事。《左傳》似乎也有意透過與公子翬之對比，暗示隱公性格之欠缺。如十一年隱公遇難前，《左傳》特意記錄滕、薛二國爭長事：

> 春，滕侯、薛侯來朝，爭長。薛侯曰：「我先封。」滕侯曰：「我周之卜正也。薛，庶姓也。我不可以後之。」公使羽父請於薛侯曰：「君與滕君辱在寡人。周諺有之曰：『山有木，工則度之。賓有禮，主則擇之。』周之宗盟，異姓為後。寡人若朝于薛，不敢與諸任齒。君若辱貺寡人，則願以滕君為請。」薛侯許之，乃長滕侯。（《左傳正義》，卷4，頁19上-20下）

由此事例，可以具見公子翬之明快能言，遂得順利化解僵局。在如此對比之後，再以公子翬弒隱公畫下句點，無疑是極富象徵性的敘事技巧：

> 羽父請殺桓公，將以求大宰。公曰：「為其少故也，吾將授之矣。使營菟裘，吾將老焉。」羽父懼，反譖公于桓公，而請弒之。
>
> 公之為公子也，與鄭人戰于狐壤，止焉。鄭人囚諸尹氏。賂尹氏，而禱於其主鍾巫，遂與尹氏歸，而立其主。
>
> 十一月，公祭鍾巫，齊于社圃，館于寪氏。壬辰，羽父使賊弒公于寪氏。立桓公，而討寪氏，有死者。
>
> 不書葬，不成喪也。（《左傳正義》，卷4，頁26下-27上）

不同於《公羊》，《左傳》並未詳載公子翬「請殺桓公」之因，而僅以「將以求大宰」顯示翬之恃權專擅。因《左傳》之隱公形象本不似《公羊》之兢兢業業，因此「百姓安子，諸侯說子」之原因／藉口難以成立；另一方面，也

---

95 三《傳》對公子翬褒貶之異，亦可由《公》、《穀》二《傳》皆逕名之曰「翬」，而《左傳》稱「羽父」窺豹一斑。

為符合公子翬在《左傳》中一貫之明快勢利而非諂媚逢迎形象。此外，《公羊》中公子翬之建議僅為「盍終為君」，並未提及桓公，是「終為君」與否之決定權端在隱公。《左傳》中公子翬之建議卻是「請殺桓公」，並以大宰之位交換。如此鋪陳之下，桓公之存在明顯對隱公造成一定程度的威脅，而「終為君」與否亦不僅為隱公個人意向而已。此皆合乎《左傳》中隱公較乏主動之形象。歷代學者對隱公此處之反應大致有兩種不同面向的批評：一則如蘇東坡著眼於隱公對公子翬之態度，責怪公子翬有此大逆不道之言，隱公竟不誅除；[96]或則如呂東萊著眼於隱公之答語何以若此泰然，而推言其「貪慕顧惜之形有以召之」。[97]然若將此對話回歸《左傳》之敘事脈絡，即可具見隱公之被動與公子翬之強勢，則事件之發展似乎自然而然，並無枘鑿之跡。

《左傳》另一貫串隱公敘事之要素——不可抗拒之外在情勢——亦在隱公遭弒之結局時再次展現。《左氏》不厭其煩於隱公遇難前鋪陳了一段隱公為公子時之史事，說明其於鄭狐壤之役戰敗，為鄭人所獲，囚諸尹氏家，藉由賄賂尹氏，並祭拜尹氏奉祀之鍾巫，乃得以說服尹氏助其歸魯，從此之後隱公便有祭祀鍾巫之習。十一年冬，公子翬選擇在隱公祭鍾巫時弒君。如此選擇固有祭祀出宮方便下手之考量，也展現公子翬明確掌握隱公之居處行事。《左傳》特意安插此一追述，可能意在隱公臨終前貶斥其迷信，終至遭到弒殺；也可能側筆暗示隱公之重情、重信。

96 〔宋〕蘇軾：〈論魯隱公李克李斯鄭小同王允之〉：「隱公追先公之志，而授國焉。可不謂仁乎？惜乎其不敏於智也。使隱公誅翬而讓桓，雖夷齊何以尚茲？」（孔繁禮點校：《蘇軾文集》〔北京市：中華書局，1986年〕，頁145）

97 〔宋〕呂祖謙：〈羽父弒隱公〉：「今羽父敢對隱公明發戕殺之言而不忌，是隱公貪慕顧惜之形有以招之也。隱公尚不自警，方且告羽父曰：『為其少故也，吾將授之矣。使營菟裘，吾將老焉。』『將』之一字，是隱公貪慕顧惜之心形於言者也。當授即授，何謂將授？當營即營，何謂將營？投機之會，間不容髮，豈容有所謂將者耶？此所以招羽父之侮，起桓公之疑，而迄至於殺其身也。噫！隱公遜國之義，心如此之明，迹如此之顯，秋毫不盡，遽受大禍；況心迹未如隱公之所見者，其敢不自勉乎？」（〔宋〕呂祖謙撰：《足本東萊左氏博議》〔臺北：廣文書局，1973年景清光緒十四年（1888）錢塘瞿氏校刊足本〕，卷3，頁8上）

細繹《左傳》此一「不可抗拒之外在情勢」，即可知此實為貫串隱公敘事之重要因素。本文之〈一〉已論述隱公作為「群體」與「個人」之雙重性。《左傳》之隱公明顯較《公》、《穀》更缺乏個人性，將此一缺乏個人自主性置於較大之國際脈絡中，不難窺知隱公作為魯國縮影的意味。終隱公年間之敘事，《左傳》對隱公之主動作為，無論事之大小，皆詳為記述；而對隱公愈後愈自限於「攝」之身分，被動而不思進取，束縛於齊、鄭、宋等大國與公子豫、公子翬等權臣，遂不復即位之初心，亦未嘗不深惜憾恨，既呈顯春秋時期外在情勢之動蕩難違，更為隱公之不能積極奮發揚厲深致惋惜憾恨之意。

五　結論

綜上所論，可知三《傳》對魯隱公詮解之最大差異，實源於隱、桓之關係：《穀梁》認為隱公繼位具有絕對正當性，在此正當性之下，隱公「讓位」之心志實屬不合禮，遂有「廢天倫，忘君父」之貶；《左傳》則認為依貴賤言，桓公有繼承權，隱公乃「攝位」之君，理當「歸位」；《公羊》則一方面如《左傳》般承認隱公與桓公間確有貴賤之別，另一方面又基於同情與現實之考量而認可隱公「居位」之正當性，遂以「讓位」為隱桓事件應然之圓滿結果。

由於立場有異，三《傳》敘事下之隱公形象亦形貌各異：大致而言，《穀梁》之隱公出於「孝心」，為了成全君父心志，而欲「讓位」；穀梁子則認為孝悌忠信等「善行」，須維繫於整體倫常網絡之下，方能得以踐履。隱公雖以孝為初心，卻選擇了倫常以外之「讓」，終使其「孝」不得成全。由此展開，《穀梁傳》隱公敘事之主題，遂聚焦於「倫常」與「成全之前提」之連結與扞格：一則為「徒善不足以為政」之誡，另則蘊涵了對春秋時代舊有秩序崩壞，人欲行善而無所依循的喟嘆。

《公羊》之隱公形象遠較《穀梁》複雜，因魯隱公一出場即被置於不平衡之狀態，故終隱公朝之敘事，皆以如何於「非常」中尋求平衡——「行權」──之形象貫串。然而所謂「行權」，乃在「反經」中尋求「合道」，殊屬非易。事實上隱公之舉措亦往往不得中道，《公羊》之隱公敘事，便在透過「事之深切著明者」，細膩釐析《春秋》「大義」之經、常、權、變，藉此褒貶隱公。

《左氏》較《公》、《穀》對《春秋》國際情勢有更為詳明豐贍之載述，因此隱公作為「個人」之能動性相對降低，轉而加重其作為「群體」之象徵面，亦即魯國之縮影。因此，貫徹《左傳》之隱公敘事，乃是面對時代趨勢下不斷飄零屈折之形象，象徵魯國在春秋伊始，強權崛起下之無奈，委婉表達對隱公終不能積極發揚奮厲之痛切惋惜。

本文〈一〉之（二）曾提及「以公繫年」書寫模式有二大特色：首先，透過明確之時間座標與四季嬗遞，每一事件都被編織在龐雜的歷史脈絡中。然而，「以公繫年」式的書寫，其事件之因果關係又與單純之線性敘述不同，在線性敘述中，因果是作者有意的安排，亦即在時間之外，尚有作者意志推動事件。「以公繫年」的敘事特色在於，事件在某種意義上跳脫個人意志，事件之因果關係相對隱微，如此既營造出與時代相呼應的隨機、混亂之感，以及牽一髮而動全身的氛圍，同時也暗示了春秋初期天子失勢、諸侯無主的時代特性。其次，透過「公」塑造出一貫的敘事基調，亦即藉由某公即位至崩殂之明顯起訖，標誌出一段自成一體的時期，並透過「公」作為群體象徵與個人之雙重意義，作為此一時期主題、國際情勢更形象化之提點。

緣此，吾人可以回頭思考本文〈一‧（一）〉提及之「《春秋》何以始於隱公」，或者更確切而言──傳注者如何詮釋《春秋》之「始於隱公」。此一問題，雖因資料不足而無法明確回答，但只要對《春秋》稍有研究者，皆有解答之企圖；三《傳》作者自不例外。《春秋》未於書中提供足夠資訊，三《傳》作者遂各憑揣測而形成一套認知，此套認知不可避免反映在其詮釋春秋伊始之魯國君主隱公身上。三《傳》之隱公形象，恐不免為作者對「春秋」時代想像之縮影──一個統合群己、義利的「禮」逐漸失效的時代，一個初始便失去平衡以至於再難恢復舊有秩序的時代，一個由不可捉摸的新規則運行的時代。在如此時代中，人能有什麼樣的選擇？如何順應新時代的規律？如何在順應的同時又不違背不該違背的原則？這些問題，作為「傳」是無法迴避的，而三《傳》作者透過隱公敘事，蓋即試圖塑造、回答這些問題，並顯示其立場與原則；本文試圖加以勾勒，進而詮釋其立場與原則，唯恨力有未逮耳。

附識：本文乃筆者二〇一一年國科會專題研究計畫「先秦兩漢歷史敘事的省察與詮釋」之部分成果，蒙胡頎女棣協助蒐輯資料、擘畫論題、商兌疑義，撰擬草稿；初稿曾於「第八屆中國經學國際學術研討會」（國立臺灣大學中國文學系主辦，中國經學研究會合辦，2013年4月20-21日）宣讀，渥蒙特約討論人王初慶教授質疑匡謬，並垂賜卓見；修訂稿復蒙《東華漢學》第18期二位不具名審查委員謬加肯定，惠賜寶貴意見，得以補苴訂正，謹此一併致謝。

孔子與陽虎

劉文強
中山大學中國文學系教授

一 前言

本人曾為文論晏子與孔子，[1]以為二人乃春秋晚期階層流動的代表人物。唯除此二人之外，是否還有其他？蒐檢之餘，陽虎亦然。蓋陽虎一生實甚有功業，何以未為後世所重？莫道不比孔子，竟連晏子都不如？故本人擬就兩方面著手，一是個人條件，包括家世、身貌、勇、學能、生徒等等，其次是仕途事功，將陽虎與孔子互為比較，以見出處異同云。

二 個人條件

（一）家世

陽虎出身不明，但可確定是孟孫氏枝屬，《左傳・定公八年》：

> 季寤、公鉏極、公山不狃皆不得志於季氏，叔孫輒無寵於叔孫氏，叔仲志不得志於魯，故五人因陽虎。陽虎欲去三桓，以季寤更季氏，以叔孫輒更叔孫氏，己更孟氏。[2]

1 劉文強：〈晏子與孔子……出土文獻與傳世典籍的詮釋〉，《記念譚樸森先生逝世兩周年國際學術研討會》（上海市：復旦大學出版社，2009年6月）。

2 《左傳注疏》（臺北縣：藝文印書館，1993年5月景印清嘉慶二十年（1815）《重刊十三經注疏附校刊記》），頁965。

據陽虎的謀畫：「以季寤更季氏，以叔孫輒更叔孫氏，已更孟氏」，欲立季寤為季孫氏、立叔孫輒為叔孫氏、已則自立為孟孫氏宗主。由此判斷，其為孟孫氏枝屬無疑。至於孔子，有《史記・孔子世家》記載：

> 其先宋人也，曰孔防叔。防叔生伯夏生梁紇。紇與顏氏女野合而生孔子。……仲尼，姓孔氏，丘生而叔梁紇死。[3]

可知二人出身皆非顯赫，在世卿世祿的當時，二人縱有才能，亦難發揮。為求仕進，二人只能委身於季氏，為季氏家臣。陽虎初所職掌乃為季氏饗士之事，可見其位階之低。就身世而言，孔子較為不幸，陽虎也未稱顯赫。陽虎中上之質，久處卑位，內心不平，行陽繳倖，終為小人；孔子聖人，處下自得，持中行庸，故為萬世師表。惟平心而言，二人都屬努力向上的士階層分子，道不同耳，謂其出身相差不多，當非過論也。惟孔子與孟僖子雖無血緣，竟得賞識稱為知禮：陽虎身為孟氏宗族，甚有才能，卻未受宗主重視，所謂「是可忍，孰不可忍」矣。在此情況刺激之下，謂陽虎心中對孔子都無芥蒂，蓋難矣哉，宜其擯排孔子也，《史記・孔子世家》：

> 季氏饗士，孔子與往，陽虎絀曰：「季氏饗士，非敢饗子也。」孔子由是退。[4]

---

3 〔漢〕司馬遷著，〔劉宋〕裴駰集解，〔唐〕司馬貞索隱，〔唐〕張守節正義：《新校本史記三家注并附編二種》（臺北市：鼎文書局，1981年），頁1905。

4 《新校本史記三家注并附編二種》，頁1907。孔子被擯，張守節（正義）以為：陽虎以孔子少故折之也。（《新校本史記三家注并附編二種》，頁1907）但與饗之士眾多，未必皆長，何獨孔子以少被擯？證以後事，陽虎實有勇有謀之人，蓋其鋒穎早現，但未置囊中，不得展現耳。故本人以為孔子被擯，不宜排除陽虎的心結，報復被自己宗主冷落的不快。此事又見《孔子家語・子夏問》：孔子有母之喪，既練，陽虎弔焉。私於孔子曰：「今季氏將大饗境內之士，乙聞諸？」孔子曰：「丘弗聞也。若聞之，雖在衰絰，亦欲與往。」陽虎曰：「子謂不然乎？季氏饗士，不及子也。」陽虎出。曾參問曰：「語之何謂也？」孔子曰：「己則喪服，猶應其言，示所以不非也。」（〔魏〕王肅注：《孔子家語》〔臺北市：世界書局，1991年〕，頁113）唯曾參一段稍有可疑。瀧川龜太郎引諸家說，定為孔子年十七時事。（〔日〕瀧川龜太郎考證：《史記會注考證》，臺北市：洪氏出版社，1977年5月，頁744）

陽虎或較孔子少長，先仕為季氏家臣，故能絀孔子不能饗；孔子亦曾為季氏圉牧、會計，[5]以今日視之，謂陽虎為孔子之學長、前輩可也。

（二）身貌

除了家世之外，陽虎與孔子在個人條件上似乎也頗有共同之處。雖然我們不知道陽虎的身材，但是我們知道孔子身軀雄偉，《史記・孔子世家》云：

> 孔子長九尺有六寸，人皆謂之長人而異之。[6]

按：春秋時一尺的長度可能為現代尺二十一公分之間，[7]換算起來，孔子的身高應該超過二百公分，雖非魁偉最巨，唯即以今日而言，依然可列長人之林。陽虎的身材不知如何，唯在戰場上能令鄭師畏懼，身材自非短小。至於二人的樣貌，（孔子世家）云：

> 將適陳，過匡，顏刻為僕，以其策指之曰：「昔吾入此，由彼缺也。」匡人聞之，以為魯之陽虎，陽虎嘗暴匡人，匡人於是遂止孔子。孔子狀類陽虎，拘焉五日。[8]

《莊子・秋水》：

5 《史記・孔子世家》云：「孔子貧且賤，及長，為季氏史，料量平；嘗為司職吏，而畜蕃息。」同註3，頁1909。《孟子・萬章下》：「孔子嘗為委吏矣，曰：「會計當而已矣」；嘗為乘田矣，曰：「牛羊茁壯長而已矣。」」，《孟子注疏》（臺北縣：藝文印書館，1993年5月景印清嘉慶二十年（1815）《重刊十三經注疏附校刊記》，頁185）

6 《新校本史記三家注并附編二種》，頁745。

7 依目前出土實物，商代一尺之長度約為十六至十七公分左右，戰國、秦漢一尺長度則增至二十三公分，目前並無出土春秋之尺。（丘光明、邱隆、楊平著：《中國科技學術史・度量衡卷》，北京市：社會科學出版社，2001年，頁66）依照歷代度量衡變化情況，推測春秋時代一尺之長度在十九至二十一公分之間；孔子處春秋晚期，按時代比例來看，尺的長度已經逐漸進入戰國二十一至二十三公分之間。取其折衷，姑定孔子當時一尺為二十一公分，其身高為二百〇一點六公分。

8 《新校本史記三家注并附編二種》，頁1919。

> 孔子遊於匡，宋人圍之數匝，而絃歌不綴。……無幾何，將甲者進，辭曰：「以為陽虎也，故圍之。今非也，請辭而退。」[9]

可見二人面貌相似，至於實際的長相，據《左傳・哀公二年》陽虎自云：

> 陽虎曰：「吾車少，以兵車之旆與罕、駟兵車先陳。罕、駟自後隨而從之，彼見吾貌，必有懼心，於是乎會之，必大敗之。」[10]

陽虎認為敵人見了自己的樣貌「必有懼心」，由是可知其樣貌屬橫眉怒目，乃至窮凶惡極之狀。陽虎如此，則孔子樣貌姑且為之諱矣。由於孔子與陽虎身材樣貌頗類，故能為戰陳之勇當亦不相上下，謂二人如孿生兄弟，或未推論過當也。

（三）勇

在「勇」的方面，孔子的部分，詳見本人論孔子與晏子篇。[11]此處略可補充：孔子與晏子的身材可謂極端，但是在「勇」的表現上，各擅勝場；另外，孔子明斥「暴虎馮河」之「勇」，晏子亦以二桃殺三士，除驕橫之徒，與孔子異曲同工。至於陽虎，由上引：

> 陽虎曰：「彼見吾貌，必有懼心，於是乎會之，必大敗之。」

可知陽虎必屬勇力之士，素為人畏懼也。此役陽虎一方兵車較少，當然知道不會僅憑藉一張臉能夠嚇人，就能大敗對方。除了其洞察機先，調度得當，將劣勢化於最小，將強項發揮最大；臨戰交兵，更以其一貫「勇」的威名，示鄭人真面目，大敗鄭師，可見陽虎非暴虎馮河、匹夫之勇者。另外，

---

9 〔戰國〕莊子著，郭慶藩集釋，王孝魚點校：《莊子集釋》（北京市：中華書局，1995年），頁595。

10 《左傳注疏》，頁994。

11 劉文強：〈晏子與孔子……出土文獻與傳世典籍的詮釋〉。

在陽虎奔齊之前，不懼追兵，從容而行，亦可見其「勇」之一面，說詳下文。由是可知，陽虎之「勇」或不能與孔子比，至少與子路不相上下，則其為「勇」也，亦足有稱道之處也。

（四）學能

在個人為學與能力方面，孔子好學知禮，博學多聞，行己有恥，為政有方。尤其在孔子年輕之時，便受當時貴族看重，《左傳·昭公七年》：

> 九月，公至自楚。孟僖子病不能相禮，乃講學之，苟能禮者從之。及其將死也，召其大夫，曰：「禮，人之幹也。無禮，無以立。吾聞將有達者曰孔丘，聖人之後也，而滅於宋。其祖弗父何以有宋而授厲公；及正考父佐戴、武、宣，三命茲益共，故其〈鼎銘〉云：『一命而僂，再命而傴，三命而俯，循牆而走，亦莫余敢侮。饘於是，鬻於是，以餬余口。』其共也如是。臧孫紇有言曰：『聖人有明德者，若不當世，其後必有達人。』今其將在孔丘乎！我若獲沒，必屬說與何忌於夫子，使事之，而學禮焉，以定其位。」故孟懿子與南宮敬叔師事仲尼。[12]

《史記·孔子世家》亦云：

> 孔子年十七，魯大夫孟釐子病且死，誡其嗣懿子曰：「孔丘，聖人之後，滅於宋。其祖弗父何，始有宋而嗣，讓厲公。及正考父佐戴、武、宣公，三命茲益恭，故〈鼎銘〉云：『一命而僂，再命而傴，三命而俯，循牆而走，亦莫敢余侮。饘於是，粥於是，以餬余口。』其恭如是。吾聞：『聖人之後，雖不當世，必有達者。』今孔丘年少好禮，其達者歟？吾即沒，若必師之。」及釐子卒，懿子與魯人南宮敬

12 《左傳注疏》，頁765-766。

叔往學禮焉。[13]

正因為孔子博學多能，為時人稱讚，尤其是在「學禮」方面特享盛名，所以孟僖子才會遺命其子往學孔子。另外在行政能力方面，為中都宰時制禮守法，為大司冦時外交、軍事，都是孔子強項，說詳見下。其他等等，不一而足。至於陽虎，下文詳述，於此略說，若是庸懦無能或泛泛之輩，又焉得以陪臣執國政？又如何能獲得齊君重視？在齊被禁錮，竟能兩度脫逃。若無狡計，焉能得逞？及其奔趙簡子，若無才能勇力，焉能受到重用？其後在鐵之戰時，若不知軍旅之事，又焉能調兵遣將，指揮若定？若素無威名，焉能為鄭人所懼，因而大勝於鐵？孔子與陽虎二人俱為能人材士，建立功業，甚有可觀。在所學方面，孔門所傳，號曰六經，不待詳述。陽虎雖無明文載其經學，亦不乏片言隻句。如《史記》云「孔子晚而喜易」，[14]《論語》有孔子對《易》的若干說明。[15]陽虎雖無專門論述留傳，但是對於《易》仍然瞭解，而且能親自占筮，《左傳・哀公九年》：

> 晉趙鞅卜救鄭，遇水適火，占諸史趙、史墨、史龜。史龜曰：「是謂『沈陽』，可以興兵，利以伐姜，不利子商。伐齊則可，敵宋不吉。」史墨曰：「盈，水名也；子，水位也。名位敵，不可干也。炎帝為火師，姜姓其後也。水勝火，伐姜則可。」史趙曰：「是謂『如川之滿，不可游也。』鄭方有罪，不可救也。救鄭則不吉，不知其他。」陽虎以《周易》筮之，遇（泰）之（需），曰：「宋方吉，不可與也。微子啟，帝乙之元子也。宋、鄭，甥舅也。祉，祿也。若帝乙之元子歸妹而有吉祿，我安得吉焉？」乃止。

---

13 《新校本史記三家注并附編二種》，頁1907。

14 《新校本史記三家注并附編二種》，頁1937。

15 如《論語・述而》：「子曰：『加我數年，五十以學易，可以無大過矣。』」《論語注疏》（臺北縣：藝文印書館，1993年5月景印清嘉慶二十年（1815）《重刊十三經注疏附校刊記》），頁62。《論語・子路》：「『不恆其德，或承之羞。』子曰：『不占而已矣。』」，頁119）

史趙、史墨、史龜是晉國三位著名史官，以龜占卜，得出「伐齊則可，敵宋不吉」的結論。《左傳》載此三人之言，雖略有小異，而結論相同，蓋示慎重也。陽虎若未聞其所學，唯《左傳》載彼以《周易》筮，言之有物，判斷結果與三位名史相同，顯示陽亦精於此道。何況就判斷的內容言，三位史官所據雖學有專精，畢竟幽遠縹緲，傾向天意；陽虎所言則重在人事經驗，實際可證，亦得為論《周易》之補充。總之，二人評價的高低，固在於德性高下，而非事功。因此在學能方面，二人皆學有專精，能力出眾。唯孔子更為高明，影響更加深遠也。

（五）生徒

最後，在生徒方面，孔子號稱高足七十二，從者乃至三千，並且有《家語》、《論語》等相關篇章，乃至六經皆謂孔子所傳，雖曰太過，唯必與孔門有關。自孔子始，暨戰國，乃至以下，形成號稱顯學之儒家學派，傳之久遠，千古不衰。總之，孔子開後世平民教育之先河，其生徒甚眾也。陽虎在這個部分雖乏充分記載，但在陽虎出奔時，其徒曾警告後有追兵，可見陽虎必有徒眾。另外，據《韓非子・外儲說左・下》所載，陽虎自稱不善樹人：

> 陽虎去齊走趙，簡主問曰：「吾聞子善樹人。」虎曰：「臣居魯，樹三人，皆為令尹；及虎抵罪於魯，皆搜索於虎也。臣居齊，薦三人，一人得近王，一人為縣令，一人為候吏；及臣得罪，近王者不見臣，縣令者迎臣執縛，候吏者追臣至境上，不及而止。虎不善樹人。」[16]

為其所樹者所賣，可見其徒有出仕者，如孔門子路、冉求等等。孟子又嘗引陽虎之言曰：「為富不仁矣，為仁不富矣」，[17]可見陽虎必有生徒記其所言所行，因得留下記錄。陽虎之生徒固不如孔子之眾，影響不若孔子之甚，唯其有生徒，有言辭，亦一時之桀黠也。

---

16 〔戰國〕韓非著，陳奇猷校注：《韓非子集釋》（北京市：中華書局，1959年），頁704。
17 《孟子注疏》，頁91。

三　本仕（一）陽虎

陽虎出仕，據上引《史記・孔子世家》：

> 季氏饗士，孔子與往，陽虎絀曰：「季氏饗士，非敢饗子也。」孔子由是退。

此孔子年十七事，當魯昭公七年，陽虎已任季氏低階家臣；二十年後，陽虎已領兵作戰，嶄露頭角矣，《左傳・昭公二十七年》：

> 秋，會于扈，令戍周，且謀納公也。宋、衛皆利納公，固請之。范獻子取貨于季孫……二子懼，皆辭。乃辭小國，而以「難」復。孟懿子、陽虎伐鄆。……公徒敗于且知。[18]

杜《注》：

> 陽虎，季氏家臣。伐鄆，欲奪公。[19]

孔《疏》：

> 伐鄆，欲奪公鄆，使公不得居也。不書者，伐公逆事，不可以告廟，國史無由得書。[20]

以季氏為首的三桓賄賂晉卿范獻子，為三桓開脫，並強迫小國放棄支持魯昭公復位。三桓公然討伐國君，表面上得志，其實受益最多者是陽虎，他佐助孟懿子打敗魯昭公的部隊，證明了自己的能力，提高了自己的身價。[21]有此

---

18 《左傳注疏》，頁909。

19 《左傳注疏》，頁909。

20 《左傳注疏》，頁909。

21 竹添光鴻以為「此乃意如之偵」。（竹添光鴻箋：《左氏會箋》，臺北市：新文豐出版公司，1987年，卷26，昭公二十七年，頁8）對比鐵之役，陽虎之有勇有謀，其受季平子重用，豈偶然哉？故知竹添氏未通觀《左傳》也。

功績，陽虎顯然受到季平子的看重；再加上隨後十年的侍從左右，陽虎從季氏低階的家臣，一躍而位居要津，也為季平子的左右手，展現其才能。不過當時還有另一家臣與其並列，陽虎尚未能專權自恣，《左傳．定公五年》：

> 六月，季平子行東野。還，未至，丙申，卒于房。陽虎將以璵璠斂，仲梁懷弗與，曰：「孔步改玉。」陽虎欲逐之，告公山不狃，不狃曰：「彼為君也，子何怨焉？」既葬，桓子行東野，及費。子洩為費宰，逆勞於郊，桓子敬之；勞仲梁懷，仲梁懷弗敬。[22]

陽虎為討好季氏，欲用貴重的璵璠陪葬季平子，但是仲梁懷卻回陽虎：「改步改玉」，當場給了陽虎一個硬釘子。仲梁懷在季氏家臣中必有分量。能與陽虎相抗衡，故不為下。陽虎欲逐之，唯未得到另一實力派人物公山不狃的同意，所以不敢動手。但是沒想到仲梁懷恃寵而驕，得罪了季氏家中另一實力人物費宰子洩。陽虎得到子洩的主動支持，實力和信心大增，不但放逐死對頭仲梁懷，甚至連季桓子都予以因禁。自此開始，陽虎把持魯國的政權，成為魯國實際的主宰者，登上其仕途的巔峰，稱得上其個人的重大成就，《左傳．定公五年》：

> 子洩怒，謂陽虎：「子行之乎？」乙亥，陽虎囚季桓子及公父文伯，而逐仲梁懷。冬十月丁亥，殺公何藐。己丑，盟桓子于稷門之內。庚寅，大詛。逐公父歇及秦遄，皆奔齊。[23]

掌權之後，陽虎先從開罪衛國下手，意圖切斷魯國最堅定的支持者，《左傳．定公六年》：

> 二月，公侵鄭，取匡，為晉討鄭之伐胥靡也。往，不假道於衛．及還，陽虎使季、孟自南門入，出自東門，舍於豚澤。衛侯怒，使彌子瑕追之。公叔文子老矣，輦而如公，曰：「尤人而效之，非禮也。昭

---

22 《左傳注疏》，頁958。

23 《左傳注疏》，頁958。

> 公之難，君將以文之舒鼎，成之昭兆，定之鞶鑑，苟可以納之，擇用一焉。公子與二三臣之子，諸侯苟憂之，將以為之質。此群臣之所聞也。今將以小忿蒙舊德，無乃不可乎？大姒之子，唯周公、康叔為相睦也，而效小人以棄之，不亦誣乎？天將多陽虎之罪以斃之，君姑待之，若何？」乃止。[24]

往不假道，反不告知，這在當時都是國際間的忌諱，除非別有用心，否則不會如此妄為。[25]且魯、衛關係之密切早自西周初年開始，數百年來不曾間斷也，二國之間親近，有如兄弟，非其他諸侯國可比。從公叔文子敘述當年衛國如何為魯昭公說項，就可知二國關係依然深厚：

> 昭公之難，君將「以文之舒鼎，成之昭兆，定之鞶鑑，苟可以納之，擇用一焉。公子與二、三臣之子，諸侯苟憂之，將以為之質。」此群臣之所聞也。[26]

當年衛國為了魯昭公能夠回國復位，可以提供鼎、龜等貴重物品，也可以將國君自己或大臣的子弟為人質。魯、衛關係這麼密切，陽虎怎會不知？如果能夠斷絕衛國的援助，魯國的內政將更容易掌握。所幸衛靈公在大臣的勸阻之下，沒有輕啟戰端。但陽虎居心之險惡，亦可知矣。唯好兵不好德，前車已覆轍，春秋初年之衛州吁，大興軍旅，擊鼓其鏜，終於落得以被殺收場，陽虎未借鑑也；[27]要想穩當地掌握政權，就必須和民以德，尤其是取得貴族的支持。陽虎既伐其君，囚其主；又欲弒其主，而虐用其民，簡直是州吁的

24 《左傳注疏》，頁960。

25 《左傳・宣公十四年》：楚子使申舟聘于齊，曰：「無假道于宋。」亦使公子馮聘于晉，不假道于鄭。申舟以孟諸之役惡宋，曰：「鄭昭、宋聾，晉使不害，我則必死。」（《左傳注疏》，頁405）

26 《左傳注疏》，頁960。

27 《左傳・隱公四年》：公問於眾仲曰：「衛州吁其成乎？」對曰：「臣聞以德和民，不聞以亂。以亂，猶治絲而棼之也。夫州吁，阻兵而安忍。阻兵，無眾；安忍，無親。眾叛、親離，難以濟矣。夫兵，猶火也；弗戢，將自焚也。夫州吁弒其君，而虐用其民，於是乎不務令德，而欲以亂成，必不免矣。」（《左傳注疏》，頁56）

翻版，所以衛公叔文子認為：「天將多陽虎之罪以斃之，君姑待之，若何？」非空穴之泛語，實識者之遠見。

雖然未能斷絕衛國與魯國的關係，但陽虎並未就此罷手。他回頭鞏固自己的權力，驅使三桓奔走諸侯之間。蓋三桓雖然失去政治上的權力，畢竟在外交上仍有其象徵性的意義。陽虎安內不暇，攘外無暇，不得已遣三桓出使晉國，孟懿子趁機向范獻子求助，希望強迫陽虎奔晉，《左傳・定公六年》：

> 夏，季桓子如晉，獻鄭俘也。陽虎強使孟懿子往報夫人之幣，晉人兼享之。孟孫立于房外，謂范獻子曰：「陽虎若不能居魯，而息肩於晉，所不以為中軍司馬者，有如先君！」獻子曰：「寡君有官，將使其人，鞅何知焉？」獻子謂簡子曰：「魯人患陽虎矣。孟孫知其釁，以為必適晉。故強為之請。以取入焉。」[28]

范獻子不願在陽虎聲勢正盛時開罪，推給趙簡子，或許這就為日後陽虎奔晉不投范氏，反而投入趙簡子的旗下埋下伏筆，說詳下。陽虎雖然大權在握，但亦自知權力基礎不穩，擬尋求知名之士的支持，例如《論語》載陽虎曾饋豚孔子，便屬一例，惟恐子不出，故成效不彰耳。

陽虎伐衛，衛人不墮其計，魯、衛之交不絕；強三桓出使晉國，反讓三桓尋求外援；招攬賢才，或許也有應聘者，但真正的賢才，如孔子，並不為所用。由是觀之，他已經頗類似當年阻兵安忍的州吁，難以繼矣。陽虎心不自安，再度強與魯君、三桓及國人盟詛，《左傳・定公六年》：

> 陽虎又盟公及三桓於周社，盟國人于亳社，詛于五父之衢。[29]

去年才「盟桓子于稷門之內。庚寅，大詛」，強迫魯國上下的支持。顯然是盟並未如陽虎所預期，所以今年又故技重施。或許國人從命，貴族則迫於形勢，口頭接受，內心依然不從。因此這次的盟詛非但未能爭取到貴族的支

28 《左傳注疏》，頁960-961。

29 《左傳注疏》，頁961。

持，反而洩漏了其內心的不自安，以及接下來反對者接二連三的出現。為了避免對方有樣學樣地製造政變推翻自己，陽虎必須尋求安全之處以防不測。他先取得齊國支持，並且在齊歸還鄆與陽關於魯之後，隨即離開都城曲阜，遷到距離齊國較近歸地以為恃，《左傳・定公七年》：

> 齊人歸鄆、陽關，陽虎居之以為政。[30]

無論陽虎如何努力，三桓依舊不甘權力被奪；他們或許無法直接對抗，卻能安排人馬掣肘，不讓陽虎隨心所欲，《左傳・定公七年》：

> 齊國夏伐我，陽虎御季桓子，公斂處父御孟懿子，將宵軍齊師。齊師聞之，墮，伏而待之。處父曰：「虎不圖禍，而必死。」苫夷曰：「虎陷二子於難，不待有司，余必殺女。」虎懼，乃還，不敗。[31]

陽虎想要趁著兩軍交戰之際借刀殺人，終被公斂處父及苫夷阻止，奸計未能得逞。這是魯國膽敢與陽虎對抗者，他們或許位階不甚高，但是都屬於實力派，有些還掌握著某些封邑。除此之外，其他的反對者雖不明示，卻不肯為陽虎盡力，因而削剪陽虎的威望，《左傳・定公八年》：

> 公侵齊，攻廩丘之郛。主人焚衝，或濡馬褐以救之，遂毀之。主人出，師奔。陽虎偽不見冉猛者，曰：「猛在此，必敗。」猛逐之，顧而無繼，偽顛。虎曰：「盡客氣也。」[32]

這場戰役打得有如兒戲，陽虎自然不是滋味，又無法激勵全體士氣，只能針對個別的人冷嘲熱諷。被點名的冉猛好不容易奮勇向前，卻不見後繼的魯軍支援，只得假裝跌落，趁機脫離戰場，故陽虎說魯人「盡客氣也」，顯見魯國貴族毫無士氣，也反映了陽虎不能服眾的窘境。

陽虎專制自尊，不能獲得支持，但是他仍然想孤注一擲。為求一勞永

30 《左傳注疏》，頁962。

31 《左傳注疏》，頁962。

32 《左傳注疏》，頁964。

逸，企圖採用釜底抽薪之計，欲剷除季桓子等三桓舊主，立自己及自己的人馬為三桓新主，以有效地掌握權力。三桓子弟中既多有不得志者，彼等與陽虎的出身相類，與陽虎的欲求相同，故此數人一拍即合，《左傳．定公八年》：

> 季寤、公鉏極、公山不狃皆不得志於季氏，叔孫輒無寵於叔孫氏，叔仲志不得志於魯，故五人因陽虎。陽虎欲去三桓，以季寤更季氏，以叔孫輒更叔孫氏，己更孟氏。[33]

陽虎的謀畫雖好，但是反對者並不順從，反而倒戈幫助三桓，《左傳．定公八年》：

> 冬十月，順祀先公而祈焉。辛卯，禘于僖公。壬辰，將享季氏于蒲圃而殺之，戒都車，曰：「癸巳至。」成宰公斂處父告孟孫曰：「季氏戒都車，何故？」孟孫曰：「吾弗聞。」處父曰：「然則亂也！必及於子，先備諸與？」孟孫以壬辰為期。陽虎前驅，林楚御桓子，虞人以鈹、盾夾之，陽越殿。將如蒲圃，桓子咋謂林楚曰：「而先皆季氏之良也，爾以是繼之。」對曰：「臣聞命後。陽虎為政，魯國服焉。違之徵死，死無益於主。」桓子曰：「何後之有？而能以我適孟氏乎？」對曰：「不敢愛死，懼不免主。」桓子曰：「往也！」孟氏選圉人之壯者三百人，以為公期築室於門外。林楚怒馬，及衢而騁。陽越射之，不中，築者闔門。有自門間射陽越，殺之。陽虎劫公與武叔，以伐孟氏。公斂處父帥成人自上東門入，與陽氏戰于南門之內，弗勝；又戰于棘下，陽氏敗。[34]

陽虎的美夢先受挫於林楚抗命，並且倒戈效忠季氏。林楚御季桓子，抓住時機怒馬直衝，進入孟氏的陣地。孟氏趁機將門關上，季桓子獲免，陽虎

---

33 《左傳注疏》，頁965。

34 《左傳注疏》，頁966。

失去最重要的人質。由於成宰公斂處父既先有備，又即時率師攻入都城；雖然先敗於南門，但終能激勵士氣，在棘下打敗陽虎的軍隊，破碎了陽虎的美夢。

四　本仕（二）孔子

從上述的討論中，可知陽虎仕途的梗概。不過有一個較少為人注意的問題，那就是陽虎步向仕途高峰時，孔子的蹤影何在？孔子並非沒沒無聞，他曾獲孟僖子如此稱道，連陽虎都不曾受此禮遇。孔子（魯襄公二十二年生，551 B.C.）自云三十二立，四十而不惑，五十而知天命。孔子四十歲為魯昭公三十年（512 B.C.），陽虎已浮上檯面已四年；至魯定公五年（505 B.C.）陽虎初掌大權，孔子依然無由出仕。於不惑之年，孔子曾前往齊國，齊景公問政於孔子，有「君君臣臣」的名言。但先有晏子之沮，後有「齊大夫欲害孔子」，終不得用，不得不返魯。就在孔子棲棲遑遑，始終不用之際，也正是陽虎意氣風發的日子。陽虎或在早年曾擯孔子不得與饗，但時移勢變，如今執政專權，為求鞏固權位，亦招攬賢俊，以助功業。於是陽虎對於孔子改絃更張，擺出禮賢下士的身段，《論語・陽貨》：

> 陽貨欲見孔子，孔子不見，歸孔子豚。孔子時其亡也，而往拜之，遇諸塗。謂孔子曰：「來！予與爾言。」曰：「懷其寶而迷其邦，可謂仁乎？」曰：「不可。」「好從事而亟失時，可謂知乎？」曰：「不可。」「日月逝矣，歲不我與。」孔子曰：「諾！吾將仕矣。」[35]

此事不知何年，唯必在陽虎執政，亟於拉攏人材之際。若在定公九年，陽虎救難不暇，當無法如此從容矣。我們亦可由此看出，陽虎由早年嫉妒孔子，擯孔子不得與季氏饗；到後來禮賢下士，親自歸豚孔子，此中轉變不可謂小。陽虎問孔子「懷其寶而迷其邦，可謂仁乎？」孔子為避免觸怒陽虎，不

35　《論語注疏》，頁154。

願逕拒，亦不願接話，以沈默暗示婉拒。陽虎未得孔子回應，故自問自答「曰：不可」，以示有心招攬，而孔子不應；接著再度暗示「好從事而亟失時，可謂知乎？」孔子依然不言，於是陽虎又「曰：不可」，以自我解嘲。最後，陽虎見孔子終無應允之意，仍然強調「日月逝矣，歲不我與」，寄最後的希望，冀孔子早日投靠。但孔子的回答卻是不痛不癢的「諾！吾將仕矣。」豈以陽虎「親富不親仁」，道不同，不相為謀；又不能顯拒，故輕描淡寫，不得罪以避禍，不躁進以求仕。陽虎固然權謀善變，但的確對孔子釋出善意，此點罕為學者所道，應該提出。當然，更可注意的是，自從陽虎逃離魯國，季桓子重掌政權之後，就是孔子出仕的開始。這也使得孔子回答陽虎「諾！吾將仕矣」之句，特別耐人尋味。

綜理上述，回到孔子的仕途，在陽虎執政之初，孔子也正值「膂力方剛」的四十歲，卻未出仕，乃發出「四十而不惑」的名言，當意有所指。孔子早已受到孟僖子的重視，孟懿子兄弟更是學禮於孔子，是貴族向平民學習的首例。陽虎執政時雖欲延攬孔子，故有饋豚之事，但為孔子婉拒。逮陽虎出奔，權力再度回到季桓子，孔子也剛好在此時出任中都宰。我們相信：孔子出仕應是受到孟懿子推薦，獲季桓子同意。至於季桓子願意任用孔子，應是回報孟懿子之援救，對孟懿子所薦舉自可接受。且孔子之前已拒陽虎之召，季桓子當有所聞，對孔子的取捨必也首肯，故《孔子家語・致思》載：

> 孔子曰：「季孫之賜我粟千鍾也，而交益親；自南宮敬叔之乘我車也，而道加行。」[36]

孔子受季氏千鍾粟、南宮敬叔贈車，蓋皆此時事。陽虎出奔，孔子否極泰來，終於踏上仕途。

孔子先任中都宰，《左傳》未載此事，〈世家〉僅敘孔子為中都宰、司空而不詳其事，蓋以二官位階不高。直到孔子為大司寇，夾谷之會始詳其事。《孔子家語》則詳載孔子仕事，其初為中都宰也，《孔子家語・相魯》云：

---

36 《孔子家語》，頁15。

> 孔子初仕為中都宰，制為養生送死之節，長幼異食，強弱異任，男女別塗，路無拾遺，器不雕偽。為四寸之棺，五寸之槨，因丘陵為墳，不封不樹。行之一年，而西方之諸侯則焉。定公謂孔子曰：「學子此法，以治魯國，何如？」孔子對曰：「雖天下可乎，何但魯國而已哉！」[37]

孔子為中都宰一年大展長才，民生日用，無所不用心，「行之一年，而西方之諸侯則焉」，廣受各方肯定，有些成效，之後便升為司空，《孔子家語・相魯》云：

> 於是二年，定公以為司空。乃別五土之性，而物各得其所生之宜，咸得厥所。先時，季氏葬昭公于墓道之南，孔子溝而合諸墓焉。謂季桓子曰：「貶君以彰己罪，非禮也。今合之，所以揜夫子之不臣。」[38]

升為司空的孔子，免除了原來掌管民生日用的瑣事，卻開展更高層次的政治空間，也讓孔子得以發揮尚未彰顯的長才，「別五土之性，而物各得其所生之宜，咸得厥所」，提高農業生產以改善人民的生活，增加國家的稅收。並且在維護季桓子名譽的理由下，「貶君以彰己罪，非禮也。今合之，所以揜夫子之不臣」，順利地將魯昭公的墓合諸於先君墳塋。有此功勞後，又被提拔為（大）司寇，《孔子家語・相魯》云：

> 由司空為魯大司寇，設法而不用，無姦民。
>
> 強公室，弱私家，尊君卑臣，政化大行。初，魯之販羊有沈猶氏者，常朝飲其羊以詐市人；有公慎氏者，妻淫不制；有慎潰氏，奢侈踰法。魯之鬻六畜者，飾之以儲價。及孔子之為政也，則沈猶氏不敢朝飲其羊，公慎氏出其妻，慎潰氏越境而徙。三月，則鬻牛馬者不儲價，賣羊豚者不加飾，男女行者別其塗，道不拾遺，男尚忠信，女尚

---

37 《孔子家語》，頁1。

38 《孔子家語》，頁1。

貞順，四方客至於邑，不求有司，皆如歸焉。[39]

《孔子家語‧始誅》載孔子誅少正卯，或有異說。唯孔子必有政績，才會受到重用。且孔子以知禮聞名，當年孟僖子就是因為不能相禮而自悔恨，還特別告誡其子要向孔子學禮。此次魯、齊夾谷相會，孔子成為相君的不二人選，也成就了孔子仕途的高峰，《孔子家語‧相魯》詳載其事而多與《左傳》相同，[40]為省篇幅，只引《左傳‧定公十年》的記載：

> 夏，公會齊侯于祝其，實夾谷。孔丘相，犁彌言於齊侯曰：「孔丘知禮而無勇，若使萊人以兵劫魯侯，必得志焉。」齊侯從之。孔丘以公退，曰：「士兵之！兩君合好，而裔夷之俘以兵亂之，非齊君所以命諸侯也。裔不謀夏，夷不亂華，俘不干盟，兵不偪好——於神為不祥，於德為愆義，於人為失禮，君必不然。」齊侯聞之，遽辟之。將盟，齊人加於載書曰：「齊師出竟而不以甲車三百乘從我者，有如此盟！」孔丘使茲無還揖對，曰：「而不反我汶陽之田，吾以共命者亦如之！」齊侯將享公。孔丘謂梁丘據曰：「齊、魯之故，吾子何不聞焉？事既成矣，而又享之，是勤執事也。且犧、象不出門，嘉樂不野合。饗而既具，是棄禮也；若其不具，用秕稗也。用秕稗，君辱；棄禮，名惡。子盍圖之！夫享，所以昭德也。不昭，不如其已也。」乃不果享。齊人來歸鄆、讙、龜陰之田。[41]

二書記載大同小異，相同者如相禮、化劫、定盟、拒享、歸地等，相異者如斬侏儒、歸邑數目；更值得注意的是，《左傳》載齊人認定孔子「知禮而無勇」，但是《孔子家語》中就不見此句，可見二書於記載時各有取捨。雖然，孔子的功業仍為人所重，故二書皆詳載此事也。

夾谷之會帶給魯國重大的外交勝利，在兵不血刃的情況下，收回失去已

---

39 《孔子家語》，頁1-2。

40 《孔子家語》，頁1-2。

41 《左傳注疏》，頁976。

久的汶陽之田。這麼重大的成就不但使孔子聲名大振，更為魯定公重振失去已久的國君權威。打鐵趁熱之際，孔子實踐他張公室杜私門的信念，欲將三桓封邑的城牆拆除，使三桓無法割據抗命，俯首君命，《孔子家語．相魯》云：

> 孔子言於定公曰：「『家不藏甲，邑無百雉之城』，古之制也。今三家過制，請皆損之。」乃使季氏宰仲由隳三都。叔孫不得意於季氏，因費宰公山弗擾率費人以襲魯。孔子以公與季孫、叔孫、孟孫，入于費氏之宮，登武子之臺，費人攻之，及臺側。孔子命申句須、樂頎勒士眾下伐之，費人北，遂隳三都之城。[42]

孔子認為「今三家過制，請皆損之」，這是「張公室」的最有力的做法，也是孔子堅持的信念。但是力主「張公室」卻非僅孔子一人，時人亦有此說辭，唯彼等假為口實耳，如《左傳．昭公十二年》：

> 南蒯之將叛也，其鄉人或知之，過之而歎，且言曰：「恤恤乎！湫乎！攸乎！深思而淺謀，邇身而遠志，家臣而君圖，有人矣哉！」[43]

南蒯的鄉人說南蒯「家臣而君圖，有人矣哉」，也就是說，南蒯的說辭是「張公室」，但不為鄉人看好耳，兩年之後，南蒯失敗奔齊，對齊國君臣的說辭依然是「臣欲張公室也」。如此不慚的大言，遭到齊國貴族當面指責，《左傳．昭公十四年》：

> （南蒯）遂奔齊。侍飲酒於景公，公曰：「叛夫！」對曰：「臣欲張公室也。」子韓皙曰：「家臣而欲張公室，罪莫大焉。」[44]

「家臣而欲張公室，罪莫大焉。」也就是說：家臣沒有義務，甚且沒有名分可以出面「張公室」。至於誰才應該「張公室」呢？自然是那些執政的貴族

42 《論語注疏》，頁2。

43 《左傳注疏》，頁792。

44 《左傳注疏》，頁819。

大臣。他們把持政權，架空國君，已非朝夕，魯國尤其嚴重。結果魯國的三桓不出面「張公室」反倒是小小的家臣「張公室」，豈非南蒯自我角色混殽？貴族豈不罪加一等？家臣不知國，蓋有人知之矣，《左傳．昭公二十五年》：

> 公使郈孫逆孟懿子。叔孫氏之司馬鬷戾言於其眾曰：「若之何？」莫對。又曰：「我，家臣也，不敢知國。凡「有季氏與無」，於我孰利？」[45]

家臣不知國政，以其身分地位不宜，而家臣之強禦者乃假為借口，欲欺世盜名，適見其自曝其短，孔子則不然，身為魯國大臣，欲實現君君臣臣，堅持張公室以抑權臣。之前或只能託諸空言，如今挾勝利餘威，為魯國上下敬服，故能付諸實踐。唯三桓所以倨傲不馴者，以其封邑牆高且厚，食足兵強也。若能將其城牆摧壞，使彼無所屏障，必然俯首就範，竟為純臣矣。孔子此時的重點就是拆毀三桓封邑的城牆，叔孫氏無力反抗，郈邑最先被拆除。棘手的是季孫氏的費邑，不過孔子也早有安排，他先使子路為費宰，以控形勢。但在墮費的過程中，仍受到季氏強權家臣的反抗，《左傳．定公十二年》：

> 仲由為季氏宰，將墮三都，於是叔孫氏墮郈。季氏將墮費，公山不狃、叔孫輒帥費人以襲魯。公與三子入于季氏之宮，登武子之臺。費人攻之，弗克。入及公側，仲尼命申句須、樂頎下，伐之，費人北。國人追之，敗諸姑蔑。二子奔齊，遂墮費。將墮成，公斂處父謂孟孫：「墮成，齊人必至于北門。且成，孟氏之保障也。無成，是無孟氏也。子偽不知，我將不墮。」冬，十二月，公圍成，弗克。[46]

將墮費，費宰公山不狃及陽虎同黨叔孫輒抗命不墮，並且率費人偷襲魯君，定公、孔子與三桓登季武子之臺以避難。費人攻勢猛烈，進逼至臺下，情勢

---

45 《左傳注疏》，頁894。

46 《左傳注疏》，頁980。

危急。孔子命申句須樂頎至臺下力抗，又在國人的支援下，於姑蔑打敗費人，叛臣公山不狃及叔孫輒奔齊，於是子路得以墮費的城牆。叔、季二邑既被已，只剩下孟孫氏的郕待墮；一旦墮郕，就可完成孔子張公室，杜私門的理念。不料孟懿子私心作祟，在成宰公斂處父的勸誘下反悔。魯國雖然圍郕，卻無法攻克。季桓子和叔孫武叔當也暗中呼應，孔子的心願不但無法達成，還被迫出奔，不得不周遊列國。孔子在魯的仕途告終，蓋始料未及也。[47]

五　遊仕

（一）陽虎

其實陽虎經過幾年的執政，屢盟國人，其執政威權已經為國人接受。甚至當季桓子要求林楚援救時，林楚的答覆是「陽虎為政，魯國服焉」，可見魯國國人和貴族步調不同。唯陽虎雖能得到國人的順服，但遭貴族強烈反對，故不能稱心如意耳。蓋陽虎為孟孫氏支屬，其宗主孟懿子豈肯受脅？孟孫氏的成宰公斂陽又豈肯受陽虎之命？故陽虎雖能執國政，但是在孟孫氏的宗族之內，他仍然屬於邊緣份子，終不能掌握孟孫家族以為已用。一旦孟懿子帶頭反抗，並救出季桓子之後，季、孟為一，形勢底定。陽虎雖然挾持魯定公和叔孫武叔，依然擋不住對方的攻勢，終以戰敗收場，《左傳．定公八年》：

> 陽氏說甲如公宮，取寶玉，大弓以出，舍于五父之衢，寢而為食。其徒曰：「追其將至。」虎曰：「魯人聞余出，喜於徵死，何暇追余？」從者曰：「嘻！速駕，公斂陽在。」公斂陽請追之，孟孫弗許。陽欲殺桓子，孟孫懼而歸之。子言辨舍爵於季氏之廟而出。陽虎入于讙、陽關以叛。[48]

47　見《史記．孔子世家》，《新校本史記三家注并附編二種》，頁1917。

48　《左傳注疏》，頁965-966。

陽虎說自承：「魯人聞余出，喜於徵死，何暇追余？」由是可見陽虎在魯國的威名多麼震懾人心。他「說甲如公宮，取寶玉、大弓以出」，連甲冑都不穿著，顯見其毫無忌憚。盜了寶物之後，在五父之衢休息進食，他的部下提醒他「追其將至」，他卻毫不擔心，斷定「魯人聞余出，喜於徵死，何暇追余？」不過他的部下卻知道他最畏懼的人是誰，勸他「嘻！速駕，公斂陽在。」雖然有公斂處父在，但陽虎還是毫不擔心，因為三桓不比公斂陽那麼有勇氣，當「公斂陽請追之，孟孫弗許」，可見孟孫之畏懼。其實公斂陽對季孫並無好感，對於季孫氏久執魯國大權也不以為然，遂欲趁機殺季桓子，使孟孫氏獨大。可惜他的主人沒有他的勇氣與見識，「陽欲殺桓子，孟孫懼而歸之」，於是季桓子又重拾大權。但三桓已被看破手腳，所以連季氏的叛人子言在出奔之前，都敢「辨舍爵於季氏之廟而出」，完全無視季桓子的存在，可見彼等對三桓心無畏懼也。

陽虎雖然在魯國被公斂陽擊敗，但他並不死心，想要找齊國以為奧援，助其伐魯，奪回權力，《左傳．定公九年》：

> 六月，伐陽關。陽虎使焚萊門。師驚，犯之而出奔齊，請師以伐魯，曰：「三加，必取之。」齊侯將許之。[49]

陽虎憑著三寸不爛之舌，說得齊景公怦然心動，只要三次出兵魯國，便可將整個魯國吞下，這是多麼誘惑的說辭。不過務實派的貴族則提出較現實的看法，並揭穿陽虎的真面目，《左傳．定公九年》：

> 鮑文子諫曰：「臣嘗為隸於施氏矣，魯未可取也。上下猶和，眾庶猶睦，能事大國，而無天菑，若之何取之？陽虎欲勤齊師也！齊師罷，大臣必多死亡，己於是乎奮其詐謀。夫陽虎有寵於季氏，而將殺季孫，以不利魯國，而求容焉。親富不親仁，君焉用之？君富於季氏，而大於魯國，茲陽虎所欲傾覆也。魯免其疾，而君又收之，無乃害乎？」[50]

49 《左傳注疏》，頁968。

50 《左傳注疏》，頁968。

魯國的情況不如陽虎所說的那麼糟，「上下猶和，眾庶猶睦，能事大國，而無天菑，若之何取之？」僅憑三次出兵，不可能消滅魯國，收為己用。非但如此，連番的戰爭會遭成齊國重大的損失，以及「齊師罷，大臣必多死亡」。趁著這個機會，陽虎必會「奮其詐謀」，剷除異己，獨攬大權。且陽虎的劣跡，齊景公豈有不知？他在魯國的做為：「夫陽虎有寵於季氏，而將殺季孫，以不利魯國，而求容焉。」為陽虎之上者，豈易為哉？陽虎的人格特質是「親富不親仁」，是個視利鬼，見利忘義，所以「君焉用之」？更何況「君富於季氏，而大於魯國，茲陽虎所欲傾覆也。魯免其疾，而君又收之，無乃害乎？」如果貿然留用陽虎，那麼前一個受害者是季桓子，下一個就是齊景公。

經過鮑文子的慷慨陳辭，齊景公終於打消侵魯的念頭。同時，為了免除可能的禍害，又將陽虎囚禁到遠處。但是陽虎就是能虛實莫測，明明在西才容易逃到晉國，陽虎卻故意說是願意囚於齊東，使齊人中計，順利奔逃。窺此一斑，亦可知陽虎多謀，《左傳．定公九年》：

> 齊侯執陽虎，將東之。陽虎願東，乃囚諸西鄙。盡借邑人之車，鍥其軸，麻約而歸之。載葱靈，寢於其中而逃。追而得之，囚於齊。又以葱靈逃，奔宋，遂奔晉，適趙氏。仲尼曰：「趙氏其世有亂乎！」[51]

陽虎不知有何魅力，以一個被囚禁的魯國人，竟然能夠「盡借邑人之車」，可見其詭謀確有過人之處。借車之後，陽虎便「鍥其軸，麻約而歸之」，然後躲在棺材之中逃跑。沒想到齊人竟能「追而得之，囚於齊。」陽虎不死心，故計重施，「又以蔥靈逃，奔宋。」宋國小，不足以讓陽虎發揮，於是陽虎「遂奔晉，適趙氏。」晉國當時六卿豈相傾軋，陽虎卻選擇勢力並非最強大的趙氏。除了先前范獻子與三桓關係太密之外，豈以其與趙簡子氣味相投乎？豈趙簡子亦非善類，不懼桀黠，反能善用此輩之陽虎？孔子判斷「趙氏其世有亂乎」，蓋陽虎奸狡難御，為其上者易罹禍，季桓子是顯例。且以

51 《左傳注疏》，頁968。

大國之齊尚不敢用，何況趙簡子並非晉卿之最強？故孔子並不看好。但趙簡子正因重用陽虎，一再打敗范氏、中行氏以及諸侯的聯軍，成為最大的勝利者。趙簡子能御，故重用陽虎；陽虎亦有其過人之處，能助趙簡子反敗為勝，能為自己增添功績，更能使孔子的預測失準，《左傳．哀公二年》：

> 六月乙酉，晉趙鞅納衛大子于戚。宵迷，陽虎曰：「右河而南，必至焉。」使大子絻，八人衰絰，偽自衛逆者。告於門，哭而入，遂居之。秋八月，齊人輸范氏粟，鄭子姚、子般送之。士吉射逆之，趙鞅禦之，遇於戚。陽虎曰：「吾車少，以兵車之旆與罕、駟兵車先陳。罕、駟自後隨而從之，彼見吾貌，必有懼心，於是乎會之，必大敗之。」從之。[52]

> 鄭師大敗，獲齊粟千車。[53]

此役陽虎大展長才有三，一、明地理。趙簡子大軍「宵迷，陽虎曰：『右河而南，必至焉。』」熟知地理是知兵的重要關鍵，趙簡子大軍迷路，陽虎卻能率全軍脫困，可見其對地理之明察。二、多謀略。「使大子絻，八人衰絰，偽自衛逆者。告於門，哭而入，遂居之。」使衛大子蒯聵假扮喪家，騙過關門，入據戚地。三、善軍旅。鐵之戰時，趙簡子居於劣勢，但是陽虎能使之置死地而後生，其云：

> 吾車少，以兵車之旆與罕、駟兵車先陳。罕、駟自後隨而從之，彼見吾貌，必有懼心，於是乎會之，必大敗之。

在其精心策劃之下，趙軍以寡擊眾，終於「鄭師大敗，獲齊粟千車」，再創事業高峰。相較之下，衛靈公問陣，孔子不答而去。雖曰君子有所為有所不為，唯仕途再挫，才無所用。身處後世，見小人陽虎尚能大放異彩，孔子君子反倒千山寂寥，將如何感歎？

---

52 《左傳注疏》，頁994。

53 《左傳注疏》，頁996。

鐵之戰後七年，陽虎仍然活躍在趙簡子陣營，上引《左傳・哀公九年》：

> 晉趙鞅卜救鄭，遇水適火，占諸史趙、史墨、史龜。史龜曰：「是謂「沈陽」，可以興兵，利以伐姜，不利子商。伐齊則可，敵宋不吉。」史墨曰：「盈，水名也；子，水位也。名位敵，不可干也。炎帝為火師，姜姓其後也。水勝火，伐姜則可。」史趙曰：「是謂『如川之滿，不可游也。』鄭方有罪，不可救也。救鄭則不吉，不知其他。」陽虎以《周易》筮之，遇（泰）之（需），曰：「宋方吉，不可與也。微子啟，帝乙之元子也。宋、鄭，甥舅也。祉，祿也。若帝乙之元子歸妹而有吉祿，我安得吉焉？」乃止。[54]

可見陽虎仍為趙簡子謀主，在其陣營中活躍，唯於《左傳・哀公十年》：

> 夏，趙鞅帥師伐齊，大夫請卜之。趙孟曰：「吾卜於此起兵，事不再令卜不襲吉。行也！」於是乎取犁及轅，毀高唐之郭，侵及賴而還。[55]

卻不見陽虎事蹟，蓋陽虎卒於此後。再過六年，即魯哀公十六年，孔子亦卒。二人年壽相當，才能相若，仕途相類，浮沈相似，可謂一生與共矣。

（二）孔子

孔子以直道事人，卻被三桓強迫出奔，心不能平，《論語・微子》載柳下惠云：

> 直道以事人，焉而不三黜；枉道以事人，何必去父國之國？[56]

此慨君子同有。相較之下，陽虎既囚其主季桓子，又卻殺之；若非最後逆天

---

54 《左傳注疏》，頁1014。

55 《左傳注疏》，頁1015。

56 《論語注疏》，頁164。

違人，早已叱吒魯國，高下由心矣，其被迫出奔，良有以也。反之，孔子尊君守禮，謹遵臣節，為張公室，墮三都，竟遭三桓忌恨，被迫出奔。孔子與陽虎道不同，不相為謀，卻落得同樣的下場，豈不令人多有感慨？直道、枉道，殊途同歸，世事之弔詭，莫此為甚也。

孔子離開魯國，可謂千萬般不願，《孟子．萬章下》：

> 孔子之去齊，接淅而行；去魯，曰：「遲遲吾行也。」去父母國之道也。可以速而速，可以久而久，可以處而處，可以仕而仕，孔子也。[57]

如此重大事情，而《孔子家語》不載，當有其意。孔子既去魯，遂前往衛國，再次出仕，但隨即遭讒言離開，《史記．孔子世家》：

> 孔子遂適衛，主于子路妻兄顏濁鄒家。衛靈公問孔子：「居魯得祿幾何？」對曰：「奉粟六萬。」衛人亦致粟六萬。居頃之，或譖孔子於衛靈公。靈公使公孫余假一出一入。孔子恐獲罪焉，居十月，去衛。[58]

不久，孔子又回到衛國，期能再仕，終以志向不合又去，《史記．孔子世家》：

> 去即過蒲。月餘，反乎衛，主蘧伯玉家。靈公夫人有南子者，使人謂孔子曰：「四方之君子不辱欲與寡君為兄弟者，必見寡小君。寡小君願見。」孔子辭謝，不得已而見之。夫人在絺帷中。孔子入門，北面稽首。夫人自帷中再拜，環佩玉聲璆然。孔子曰：「吾鄉為弗見，見之禮答焉。」子路不說。孔子矢之曰：「予所不者，天厭之！天厭之！」居衛月餘，靈公與夫人同車，宦者雍渠參乘，出，使孔子為次乘，招搖市過之。孔子曰：「吾未見好德如好色也。」於是醜之，去衛，過曹。[59]

---

57 《新校本史記三家注并附編二種》，頁176。

58 《新校本史記三家注并附編二種》，頁1919。

59 《新校本史記三家注并附編二種》，頁1920-1921。

《論語．衛靈公》載孔子離開衛國的原因是：

> 衛靈公問陳於孔子，孔子對曰：「俎豆之事，則嘗聞之矣；軍旅之事，未之學也。」明日遂行。在陳絕糧。從者病，莫能興。子路慍見曰：「君子亦有窮乎？」子曰：「君子固窮；小人斯濫矣。」[60]

孔子離開衛國，棲棲遑遑，希望有重用自己的君主，有發揮長才的空間，因此孔子曾一度興起投奔他處之想，《史記．孔子世家》：

> 佛肸為中牟宰，趙簡子攻范、中行，伐中牟。佛肸畔，使人召孔子，孔子欲往，子路曰：「由聞諸夫子『其身親為不善者，君子不入也』。今佛肸親以中牟畔，子欲往，如之何？」孔子曰：「有是言也：『不曰堅乎？磨而不磷；不曰白乎？涅而不淄。』我豈匏瓜也哉！焉能繫而不食？」[61]

中牟地小，佛肸非主，不足聖人發揮，唯孔子終難避免興念，蓋積鬱已久，不吐不快耳。且當時另有一人或更優於佛肸，但為理念之故，使孔子裹足不前，《史記．孔子世家》：

> 孔子既不得用於衛，將西見趙簡子。至於河而聞竇鳴犢、舜華之死也，臨河而歎曰：「美哉水，洋洋乎！丘之不濟此，命也夫！」子貢趨而進曰：「敢問何謂也？」孔子曰：「竇鳴犢、舜華，晉國之賢大夫也。趙簡子未得志之時，須此兩人而後從政；及其已得志，殺之乃從政。丘聞之也：『刳胎殺夭，則麒麟不至郊；竭澤涸漁；則蛟龍不合陰陽；覆巢毀卵；則鳳皇不翔。』何則？君子諱傷其類也。夫鳥獸之於不義也尚知辟之，而況乎丘哉！」乃還息乎陬鄉，作為（陬操）以哀之，而反乎衛，入，主蘧伯玉家。[62]

---

60 《論語注疏》，頁137。

61 《新校本史記三家注并附編二種》，頁1924。

62 《新校本史記三家注并附編二種》，頁1926。

我們不知「趙簡子未得志之時，須此兩人而後從政；及其已得志，殺之乃從政」是在什麼時候，但我們可以懷疑：此二人之死是否與陽虎有關？孔子所以臨河興歎，是否也因為陽虎此時正受趙簡子重用？以陽虎邪僻之行徑、與孔子之不合，如果貿然投奔，幸運的，或許逃死，但也很難與其共事；若不幸，為陽虎所譖，則死無日矣。謀定後動，孔子終於打消投奔趙簡子的念頭。

孔子自魯定公十四年周遊列國，漂泊不定；陽虎則於二年後大放異彩於鐵之役，並於其後七年又助趙簡子伐齊。哀公九年之後陽虎無聞，孔子則回到魯國，雖被尊為國老，終不能一展長才。二人境遇，一彼一此，可謂小人之幸，聖人之不幸耳。

六　結語

其實陽虎與孔子相交集的時間甚長，二人甚至早在年輕的時候，交際就已開始，只不過在此階段孔子頗受陽虎打壓而已，以孔子早受孟僖子誇讚，陽虎大不平也。證以後事，陽虎實有勇有謀之人，其鋒穎早現，但未置囊中，不得展現耳。故本人以為孔子被擯，不宜排除陽虎的心結。由此推論，陽虎睚眦之人，既先投趙簡子，宜孔子臨河而歎也。

再就陽虎與孔子仕途的比對而言，自定公五年陽虎開始掌握魯國大權，至定公九年陽虎出奔，前後約有五年時間，雖以出奔收場，亦可謂當時獨領風騷。尤可說明者，陽虎還曾經有意提拔孔子，唯孔子婉拒耳。陽虎出奔後，孔子正式踏上仕途，但是一開始僅為中都宰，至定公十年升為司空、為大司寇，於夾谷之會為魯國取回汶陽之田，是魯對齊外交的重大勝利，更將孔子推向仕途的高峰。定公十二年墮三者，弗克。逮定公十三年饋肉不至，孔子便周遊列國。總計孔子在魯的仕途前後只有五年，高峰算是四年，勉強與陽虎相同，但未專有魯政，風光的程度比陽虎還不如。二者先後出奔，下場相同，正所謂「同是天涯淪落人，相逢何必曾相識」。

接下來就出奔、周遊比較而言，孔子周遊列國，除了衛靈公曾短暫禮聘之外，其餘諸侯莫肯用者。陽虎雖然被孔子批評，但是至少受到趙簡子的重用。雖未臻卿相，至少得意於一時。相較之下，孔子在匡被圍，陳、蔡乏糧，楚君弗用，越王弗納，最後雖回到魯國，依然只為國老，未能發揮所長，境遇之悽慘，過於陽虎。

就生徒部分而言，上引陽虎雖自云「不善樹人」，卻又一一歷數被所樹者出賣，可見隨從陽虎因而出仕者不少。孔子未云其善樹人否，唯隨從孔子因而出仕者如子路、冉求、子貢、子羔等等，皆孔子所樹也。孔子有《家語》、《論語》載其言行，陽虎雖不如，亦曾有「為富不仁」之言流傳，為孟子所述。

對比以上可知：陽虎所有，即孔子所有；陽虎所行，即孔子所行。雖正邪不同，唯相似相類之處，何其多也。例如：陽虎欲張公室，孔子亦欲張八室，此二人相同之處；陽虎假借張公室以遂私欲，孔子實踐張公室以尊君權，此二人相異之處。陽虎、孔子俱不得志而出奔，此二人相同之處；陽虎逞私欲而被逐，孔子因公利而被放，此二人相異之處。但不論如何，陽虎小人，為逞私欲，被迫出奔也固宜；孔子聖人，為堅持理念，致使仕途生波，被迫周遊，能不感慨？又同是遊仕，陽虎依然大展長才，鐵之役更一戰成名；孔子雖也被問軍旅，卻選擇拒絕回答，以至無所發揮。聖人小人，殊途同歸，同歸殊途，能不令人浩歎乎。

本篇之作，承國科會補助，謹此致謝。計畫編號：NSC 101-2410-H-110-047 流水號：102WFA0800095

今存輯本所見徐邈注解《穀梁》方式析論*

吳智雄

臺灣海洋大學共同教育中心、海洋文化研究所教授

一　前言[1]

徐邈，東晉康帝建元二年（344）生，安帝隆安元年（397）卒，年五十四。字仙民，東莞姑幕人。據《晉書・儒林列傳》所載，徐邈「姿性端雅，勤行勵學，博涉多聞，以慎密自居」，其「所注《穀梁傳》，見重於時」。[2]又據《晉書》范甯本傳曰：「初，甯以《春秋穀梁氏》未有善釋，遂沈思積年，為之集解。其義精審，為世所重。既而徐邈復為之注，世亦稱之。」[3]可知徐邈乃為東晉穀梁學大家。

徐邈的穀梁學著作，《隋書・經籍志》所載如下：

《春秋穀梁傳》十二卷，注云：「徐邈撰。」王熙元云：「《隋志》題『春秋穀梁傳十二卷，徐邈撰。』『撰』字誤，兩《唐志》作『徐邈注』是

* 本文為國科會補助專題研究計畫（NSC 96-2411-H-019-003）之部分研究成果。

1 筆者另有〈徐邈穀梁學思想要義探賾〉一文，刊於《政大中文學報》第20期（2013年12月），頁161-192。該文與本文皆為徐邈穀梁學之同系列研究，故兩文前言所述問題意識與研究背景之行文大抵相似，特此說明，讀者幸察。

2 以上所引《晉書・儒林列傳》文字，俱見〔唐〕房玄齡等：《晉書》（北京市：中華書局，1974年），卷91，頁2356、2358。

3 〔唐〕房玄齡等：《晉書》，卷75，頁1989。

也。《經義考》云：『佚。』」[4]

《春秋穀梁傳義》十卷，注云：「徐邈撰。」姚振宗考證曰：「傳義似義疏、講疏之類。」[5]簡博賢云：「考莊二十六年『無命大夫而曰大夫，賢也』之傳，注文凡三百餘字；閔三十二年『晉侯重耳卒』，注文凡二百餘字；而文逾百者，所存尤夥。細覈其文，實類晉宋講疏之體。姚謂傳義似義疏、講疏之類，殊非無見也。」[6]

《徐邈答春秋穀梁義》三卷。[7]簡博賢云：「《隋志》著錄其穀梁學之作，有《徐邈答春秋穀梁義》三卷。姚振宗謂《新唐志》有《蕭邕問義》三卷，似即此書。《舊唐志》云：『《穀梁義》三卷，蕭邕注。』與徐邈傳義相類從，則又甚似此書矣（《隋志》考證）。是書今已亡佚，無從徵考；或如姚說然？」[8]

由上述可知，徐邈於《穀梁》既有大義之闡發，復有注釋之作；然其著作今皆不存，簡博賢認為「殆亡佚於趙宋之際」[9]。今可見者僅馬國翰所輯一卷，題為《春秋穀梁傳注義》（以下簡稱《穀梁注義》）。又，《隋書・經籍志》錄有徐邈所著《春秋左氏傳音》3卷，[10]且《晉書・儒林列傳》有載徐邈「開釋文義，標明指趣，撰正五經音訓，學者宗之」，[11]可知徐邈治《春秋》亦兼通三傳。

馬國翰序《穀梁注義》云：「《春秋穀梁傳注義》一卷，晉徐邈撰。邈有《春秋音》，已著錄。《隋志》有《春秋穀梁傳》十二卷、《春秋穀梁傳義》十卷，並題徐邈撰。又別有《徐邈答春秋穀梁義》三卷，《唐志》作徐邈注

---

4 王熙元：《穀梁著述考徵》（臺北市：廣東出版社，1974年），頁31。

5 〔清〕姚振宗：《隋書經籍志考證》，收入《續修四庫全書》（上海市：上海古籍出版社，2002年），第915冊，卷6，頁111下。

6 簡博賢：《今存三國兩晉經學遺籍考》（臺北市：三民書局，1986年），頁494-495。

7 〔唐〕魏徵、令狐德棻：《隋書》（北京市：中華書局，1973年），卷32，頁931。

8 簡博賢：《今存三國兩晉經學遺籍考》，頁494。

9 簡博賢：《今存三國兩晉經學遺籍考》，頁494。

10 〔唐〕魏徵、令狐德棻：《隋書》，卷32，頁928。

11 〔唐〕房玄齡等：《晉書》，卷91，頁2356。

十二卷，又《傳義》十卷、《音》一卷，今並佚。注疏引九十一節，《北堂書鈔》引二節，《初學記》引一節，並據輯錄。注、義二書不能區分，總以注義題之。本傳稱所注《穀梁傳》見重於時。范為集解，引述獨多，則以其書辭理典據，實有可觀；亦以為豫章時，採求風教，邈與甯書，極論諸曹，心折有素。」[12]楊鍾羲云：「從陸德明《釋文》參《集韻》輯《春秋徐氏音》一卷。」[13]馬國翰所輯徐邈穀梁學文字，共計八十九條，魯十二公中，僅哀公時代無錄，輯文數量為晉人七家九種穀梁學輯佚著作之冠。[14]因原帙已亡，所輯文字無法亦無從分屬注、義二書，故馬國翰總以注義並題，蓋合「注」、「義」二書為一也。

除了著作存佚之文獻問題外，與徐邈穀梁學有關之經學史問題，則為徐邈注與范甯注二作成書先後之糾結。如據《晉書》先敘范甯為《穀梁集解》後，徐邈復為之注，則范注似先於徐注，主此說者如柳興恩、王熙元等人。[15]但如從范注徵引徐說十數次來看，則似乎徐注又先於范注，阮元、周何、簡博賢即主此說。[16]上述兩說，范甯捃拾徐邈講席之語一說，無以駁斥

12 〔清〕馬國翰：《玉函山房輯佚書》（揚州市：廣陵書社，2004年影印本），頁1403上。

13 王雲五主編：《續修四庫全書提要》（臺北市：臺灣商務印書館，1972年），頁843-844。

14 馬國翰所輯晉人穀梁學著作，計有下列七家九種：麋信《春秋穀梁傳注》；鄭嗣《春秋穀梁傳鄭氏說》；江熙《春秋公羊穀梁二傳評》；劉兆《春秋公羊穀梁傳解詁》；徐乾《春秋穀梁傳注》；徐邈《春秋穀梁傳注義》、《春秋穀梁音》；范甯《薄叔元問穀梁義》、《春秋穀梁傳例》。詳見〔清〕馬國翰：《玉函山房輯佚書》，頁1379-1435。

15 柳興恩云：「序疏云『故吏，謂昔日君臣，江、徐之屬是也』，則江熙、徐乾、徐邈，皆范氏故吏，與於講席，故亦說《穀梁》，甯得以捃拾之，未必邈書定前成也。」見柳興恩：《穀梁大義述》，卷14，收入《皇清經解續編》（臺北市：藝文印書館，1986年），卷1002，頁3243下。王熙元云：「范、徐二注成書先後，以柳氏之說較為近理。」見王熙元：《穀梁著述考徵》，頁32。

16 阮元云：「晉書范傳云：『徐邈復為之注，世亦稱之。』似徐在范後，而書中乃引邈注一十有七，可知邈成書於前，范甯得以捃拾也。讀釋文所列經解傳述人，亦可得其後先矣。」見阮元：〈春秋穀梁傳注疏校勘記序〉，收入〔晉〕范甯集解，〔唐〕楊士勛疏：《春秋穀梁傳注疏》（臺北縣：藝文印書館，1989年，十三經注疏本），卷1，頁16下。王熙元云：「阮氏謂范注（筆者按：王書原作「汪」，疑為「注」之誤）引邈說一十有七者誤也，以余檢之，實得一十有九。」見王熙元：《穀梁著述考徵》，頁32。周

徐邈可能成書於前之說；而范注徵引徐說的文獻現象，亦無法否認范甯捃拾徐邈講席之語的可能性。因此兩說皆各自成理，《四庫全書》提要故云「未詳其故」。今在史料所限之下，既不能斷，亦無從斷起，僅得姑存兩說，以俟來者。[17]

關於徐邈穀梁學的研究，或因僅存輯本之故，今僅見簡博賢於《今存三國兩晉經學遺籍考》中曾論及，[18]具開創之功；然所論得其簡而要，未見詳而深。此外，馬國翰所輯八十九條，於《穀梁》全文發傳共計七百四十一條的份量中，約僅佔十分之一；若就《春秋》經文數量而言，則其所佔比例則更低。[19]在文獻極不足徵的限制下，當可想見全面建構徐邈注解《穀梁》方式之不能；但若詳加分析輯文中的吉光片羽，仍可一窺徐邈穀梁學內容的概貌與大要。

因此，以下便據馬國翰所輯《穀梁注義》一卷八十九條的內容，分從解

何先生云：「范《注》既引邈說，則邈書當成於前也。」見周何：《春秋穀梁傳傳授源流考》(臺北市：國立編譯館，2002年)，頁29。簡博賢云：「甯與邈皆為帝所任使，共補朝廷之闕（見晉書徐邈傳)。是甯、邈本同官，故甯以二三學士稱之；非其門生故吏，尤非范序所譏膚淺末學之選也。柳興恩沿楊疏之誤，遂曲辨成說；殆未可據信也。」見簡博賢：《今存三國兩晉經學遺籍考》，頁495。

17 《四庫全書總目》云：「《晉書》本傳稱此書『為世所重，既而徐邈復為之注，世亦稱之』。今考書中乃多引邈注，未詳其故。」見〔清〕紀昀等：《四庫全書總目》(臺北縣：藝文印書館，1989年)，卷26，頁539下。趙伯雄云：「徐邈、徐乾也撰有《穀梁》注，《隋志》有著錄；《晉書》范甯本傳在述甯著《集解》『為世所重』之後，緊接著寫道：『既而徐邈復為之注，世亦稱之。』但從《集解》多引二徐之說來看，徐邈、徐乾的注本似乎都在范甯《集解》之前。」見趙伯雄：《春秋學史》(濟南市：山東教育出版社，2004年)，頁305。

18 簡博賢：《今存三國兩晉經學遺籍考》，頁493-506。

19 李甲孚曰：「《春秋》經文共一千八百九十八條（根據《春秋穀梁傳》所列而統計)，穀梁子就經文寫的傳文衹有七百四十一篇，其餘的一千一百五十七條經文都沒有寫傳。」見李甲孚：〈春秋穀梁傳及其作者〉，《中央月刊》第5卷第12期（1973年10月)，頁146。另，謝金良云：「特別值得注意的是，《穀》有經文不立傳的約一千一百三十條，佔總數的三分之二。」見謝金良：《穀梁傳漫談》(臺北市：頂淵文化公司，1997年)，頁7。

釋書法義例、敘解史事制度、訓詁文字意涵等三個面向，探討徐邈注解《穀梁》方式之大要。

二　解釋書法義例以注解《穀梁》

孔子筆削《春秋》時是否設有各種「例」以作為褒貶的依據？論者正、反意見皆具，實情如何，如今已不可詳知。不過三傳確有此說，如《左傳》有五十凡例，《公羊》、《穀梁》二傳又各有自家義例之發明；自此以往，據「例」以說《春秋》大義，便多為後世學者闡述《春秋》微言大義的重要途徑與依據，「因義說例，藉例顯義」遂為春秋學研究的必要面向。

徐邈注《穀梁》、發大義，關於書法義例宜為其所重，亦為後作發明引述之大宗，於輯文數量中約佔四分之一多，是為徐邈注解方式之重心，且成其一家之言。[20]今於輯本所見者，概以《春秋》書法、時月日例、用字例三者為最，以下分論之。

（一）《春秋》書法

所謂解釋《春秋》書法者，指徐邈對《春秋》史事記載原則的解釋，或徐邈對《穀梁》解釋《春秋》記載原則的再解釋，並可能由此見出《春秋》書法的意義，所見者如下列諸例。

〈隱公三年〉經云：「春，王二月，己巳，日有食之。」傳云：「言日不言朔，食晦日也。」徐邈云：

> 己巳為二月晦，則三月不得有庚戌也。明宣十年四月丙辰、十七年六月癸卯，皆是前月之晦也。則此己巳正月晦，冠以二月者，蓋交會之正，必主於朔，今雖未朔而食，著之此月，所以正其本，亦猶成十七

20　如簡博賢云：「徐邈注傳，獨詳義例；蓋傳固有之耳。然依附傳例，而攄思陳義；固亦一家之言。」見簡博賢：《今存三國兩晉經學遺籍考》，頁502。

> 年十月壬申而繫之十一月也。取前月之日，而冠以後月，故不得稱晦。以其不得稱晦，知非二月晦也。[21]

徐邈主要說明傳文「晦」乃正月晦，經文記於二月下者，因「交會之正，必主於朔」，有「正本」之書法大義。對此，柳興恩云：「《春秋》二百四十有二年，日食者，凡三十有六，四者之例盡之矣。其一言日不言朔，傳云『食晦日』者，徐邈之說最精。」[22]簡博賢則進一步說明道：「案經書三月庚戌天王崩，計自己巳至庚戌凡四十二日；故云：『己巳為二月朔，則三月不得有庚戌也。』成十七年十有一月，公至自伐鄭。壬申公孫嬰齊卒于貍蜃。傳曰：『十一月無壬申，壬申乃十月也。致公而後錄，臣子之義也。』故云取前月之日，而冠以後月也（本柳興恩說）。柳氏以為徐說最精，不可易矣。」[23]皆以徐邈之說不可易也。

〈桓公十四年〉經云：「秋，八月壬申，御廩災。乙亥，嘗。」傳云：「御廩之災不志。此其志，何也？以為唯未易災之餘而嘗可也。志，不敬也。」徐邈云：

> 御廩之災不志，不足志。[24]

徐邈解釋傳文「御廩之災不志」的原因，在於事微而沒有特別需要記載價值的《春秋》書法之義，如楊疏云：「傳云『御廩之災不志』者，謂不當兼志之也。今以為微者，直謂御廩災也。故徐邈云『不足志』，是也。」[25]

〈莊公二十三年〉經云：「春，公至自齊。」無傳。徐邈云：

---

21 〔清〕馬國翰：《玉函山房輯佚書》，頁1403下。本文所引徐邈穀梁學著作文字，概依馬國翰輯文，馬國翰所據之汲古閣本與現傳十三經阮元刻本之文字如有出入，則隨文註明。

22 柳興恩：《穀梁大義述》，卷2，收入《皇清經解續編》，卷990，頁3081上。

23 簡博賢：《今存三國兩晉經學遺籍考》，頁503。

24 〔清〕馬國翰：《玉函山房輯佚書》，頁1405下。

25 〔晉〕范甯集解，〔唐〕楊士勛疏：《春秋穀梁傳注疏》，卷4，頁39下。

> 不以禮行，故致以見危。[26]

魯莊公（693-662 B.C.在位）於二十二年（672 B.C.）冬如齊納幣，隔年春至自齊。依《穀梁・莊公二十七年》「桓會不致，安之也。桓盟不日，信之也」，以及〈定公八年〉「公如，往時致月，危致也。往月致時，危往也。往月致月，惡之也」之傳例，《春秋》於齊桓之會本不書「至」，但此處卻書「至」，故徐邈引「往月致時，危往也」之例，特下注語解釋莊公不以禮行，所以《春秋》書「至」以見其危之書法大義。

〈莊公二十八年〉經云：「大無麥、禾。」傳云：「大者，有顧之辭也。」徐邈云：

> 至冬無禾，於是顧錄無麥。
>
> 不言水旱者，麥禾自死，不繇水旱是也。[27]

徐邈解釋傳文「大者」為「有顧之辭」，乃指等到冬天無禾，所以回頭記載無麥，如楊疏所云：「經言大無麥禾者，謂一災不書，待冬無禾，然後並錄無麥，故經稱『大』而傳云『有顧之辭也』，顧猶待也。」[28]此外，徐邈又解釋經不言水旱的原因，在於麥禾為自死，而非由於水災或旱災的緣故，因此經文未書水旱。

〈莊公三十一年〉經云：「冬不雨。」無傳。徐邈云：

> 僖十一年傳曰：「雩，不得雨曰旱。」然則此云不雨者，或當不雩也。[29]

徐邈引〈僖公十一年〉「雩得雨曰雩，不得雨曰旱」之例，認為經文書「不

---

26 〔清〕馬國翰：《玉函山房輯佚書》，頁1406上。

27 「不繇水旱是也」，馬國翰輯本無「是也」二字，據十三經注疏本補。見〔晉〕范甯集解，〔唐〕楊士勛疏：《春秋穀梁傳注疏》，卷6，頁63上。徐邈語見〔清〕馬國翰：《玉函山房輯佚書》，頁1407上。

28 〔晉〕范甯集解，〔唐〕楊士勛疏：《春秋穀梁傳注疏》，卷6，頁63上。

29 〔清〕馬國翰：《玉函山房輯佚書》，頁1407下。

雨」，可能指還沒舉行雩祭而言，故經文既未言雩，亦未言旱。

〈成公十三年〉經云：「春，晉侯使郤錡來乞師。」傳云：「乞，重辭也。古之人重師，故以乞言之也。」徐邈云：

> 引古以刺今耳。[30]

楊疏云：「古人以師之為重，故以重辭言之。」徐邈認為《穀梁》傳文所言，表示《春秋》的記載方式具有引古以刺今之大義。

《穀梁注義》輯本所見徐邈注《春秋》書法之例雖少見，但仍可藉此見出徐邈於此種注解方式之應用。

（二）時月日例

在《穀梁》書法義例中，時月日例是《穀梁》解釋《春秋》經文與發揮《春秋》微言大義的重要依據，[31]其「所闡發的日月時例在三傳中最多，也最為系統完備」[32]，是故徐邈亦常以時月日例注解《穀梁》。今於《穀梁注義》輯本中所見者，依義例之使用情形可區分為兩大類，各類下各有例子若干，其中以討論月例被引述者為多。

---

30 〔清〕馬國翰：《玉函山房輯佚書》，頁1412上。

31 如戴君仁云：「《穀梁》之義，不及《公羊》多，而賴時月日以表義的，則比《公羊》多得多，可以說時月日例在《穀梁傳》尤為重要。」見戴君仁：《春秋辨例》（臺北市：國立編譯館中華叢書編審委員會，1964年），頁59。趙伯雄亦云：「在發揮經義的方法上，《穀梁傳》比《公羊傳》更注重運用『日月時例』，這也構成了《穀梁傳》解經的一個特色。所謂『日月時例』，是指《春秋》記事有的要詳記事情發生的具體日期（日），有的只記月份（月），有的則只記季節（時），而據說這些記法都有其特別的意義。」又云：「《穀梁》在運用『日月時例』的時候加入了不少主觀的善惡評價，於是所謂『日月時例』就成了褒貶進退的工具。」見趙伯雄：《春秋學史》，頁64、65。

32 趙友林：《《春秋》三傳書法義例研究》（北京市：人民出版社，2010年），頁73。另，趙友林亦云：「據筆者統計，《穀梁》所闡發的日月時例約一百一十餘例。……其中，以『時』作為書法，更是《穀梁》的一個發明。」見趙友林：《《春秋》三傳書法義例研究》，頁72-73。

1 擴用引申《穀梁》義例

指《穀梁》已有明文傳例，徐邈於注解引用該傳例時，或擴大其適用範圍，或引申其傳例意義，以闡明其主張，下列七例屬之。

（1）出境有危書月，無難則不書月

> 會戎雖危，有三臣之助，不至於難，故不月也。[33]
>
> 傳例曰：「往月，危往也。」齊受天子罪人，為之興師，而魯與同，其理危也。[34]
>
> 諸侯不奉王命，朔遂得篡，王威屈辱，有危，故月也。救衛於義善，故重子突功。不立，故著其危。[35]

徐邈引《穀梁》「往月，危往也」之例，分別解釋《春秋》於莊公三年（691 B.C.）「溺會齊侯[36]伐衛」、莊公六年（688 B.C.）「王人子突救衛」、隱公二年（721 B.C.）「公會戎於潛」三事書月之因。徐邈所引傳例，見於《穀梁・莊公二十三年》傳云：「公如，往時，正也。致月，故也。如[37]往

---

33 《穀梁・隱公二年》經：「春，公會戎于潛。」傳：「知者慮，義者行，仁者守，然後可以出會。會戎，危公也。」見〔晉〕范甯集解，〔唐〕楊士勛疏：《春秋穀梁傳注疏》，卷1，頁12下-13上。徐邈語見〔清〕馬國翰：《玉函山房輯佚書》，頁1403下。

34 《穀梁・莊公三年》經：「春，王正月，溺會齊侯伐衛。」傳：「溺者何也？公子溺也。其不稱公子何也？惡其會仇讎而伐同姓，故貶而名之也。」見〔晉〕范甯集解，〔唐〕楊士勛疏：《春秋穀梁傳注疏》，卷5，頁46上。徐邈語見〔清〕馬國翰：《玉函山房輯佚書》，頁1405下-1406上。

35 《穀梁・莊公六年》經：「春，王二月，王人子突救衛」傳：「王人，卑者也。稱名，貴之也，善救衛也。」見〔晉〕范甯集解，〔唐〕楊士勛疏：《春秋穀梁傳注疏》，卷5，頁48上下。徐邈語見〔清〕馬國翰：《玉函山房輯佚書》，頁1406上。

36 「侯」，閩、監、毛本同，石經作「師」。阮元校云：「按隱二年疏引正作『師』」。見〔晉〕范甯集解，〔唐〕楊士勛疏：《春秋穀梁傳注疏》，卷5，頁55上。

37 「如」，王引之云：「下如字蓋衍，公如乃統下之辭。」見王引之：《經義述聞》（臺北市：臺灣商務印書館，1979年），卷25，頁988。周何先生云：「是也。」見周何：《新譯春秋穀梁傳》（臺北市：三民書局，2000年），頁246。

月、致月，有懼焉爾。」[38]又見於〈定公八年〉傳云：「公如，往時致月，危致也。往月致時，危往也。往月致月，惡之也。」[39]《穀梁》此例本就魯公而言，[40]今徐邈不僅將該義例適用範圍通之於大夫，又擴而施用於魯國之外，如楊士勛疏曰：「日月之例，見危者唯施於內。今施之於外者，范荅薄氏云：『王者安危，天下所繫，故亦與內同也。』」[41]在擴用引申《穀梁》義例中，屬於適用範圍擴大的類別。

（2）一時之事不書月

> 傳：「無冰，時，燠也。」謂無冰書時。燠，煖也。時字上屬為句。成元年正月公即位，二月葬宣公，三月作邱甲，「無冰」在其中，不是為無冰書月可知也。此「正月，公會鄭伯於曹」，下云「無冰」，則「正月」者，直為公會鄭伯，不為無冰。何者？無冰，一時之事，固當不得以月書也。[42]

徐邈以「無冰，一時之事，固當不得以月書也」之說，解釋傳文「無冰，時燠也」之意。徐邈認為無冰屬於一個季節之事，既是如此，當然不得以月來記載。其實「無冰書時」之例，《穀梁》已有明文，〈成公元年〉云：「終時無冰則志。」范注云：「謂終寒時無冰，當志之耳。」[43]因此鍾文烝補注云：「無冰例時，襄二十八年有著例，成元年傳又云『終時則志』，舊解

38 〔晉〕范甯集解，〔唐〕楊士勛疏：《春秋穀梁傳注疏》，卷6，頁59上。

39 〔晉〕范甯集解，〔唐〕楊士勛疏：《春秋穀梁傳注疏》，卷19，頁191上。

40 關於魯公如、至的時月日例的討論，詳參李紹陽：《《春秋穀梁傳》時月日例研究》（臺北市：國立臺灣師範大學國文研究所碩士論文，1995年），頁183-210。

41 〔晉〕范甯集解，〔唐〕楊士勛疏：《春秋穀梁傳注疏》，卷5，頁48上。

42 《穀梁・桓公十四年》經：「無冰。」傳：「無冰，時燠也。」見〔晉〕范甯集解，〔唐〕楊士勛疏：《春秋穀梁傳注疏》，卷4，頁39上下。徐邈語見〔清〕馬國翰：《玉函山房輯佚書》，頁1405下。另，「燠也」之「燠」字，十三經注疏本作「煖」；「上屬為句」之「屬」字，十三經注疏本作「讀」。

43 〔晉〕范甯集解，〔唐〕楊士勛疏：《春秋穀梁傳注疏》，卷13，頁128上。

及徐得之。」[44]徐邈除申明「無冰書時」之義例外，更引申為「一時之事不書月」的通例，在擴用引申《穀梁》義例中，屬於引申傳例意義的類別。

（3）**齊桓末年用師及會，皆危之而月**

案齊桓末年，用師及會，皆危之而月也。[45]

徐邈提出齊桓末年用師及會皆危之而月之例，《穀梁》在〈莊公十三年〉、〈莊公二十七年〉皆有「桓盟不日，信之也」之例，但無危之而月之說，是徐邈擴大《春秋》書齊桓時月日例的範圍。

（4）**國滅，君有賢德者書日**

蕭君有賢德[46]，故書日也。[47]

《穀梁》本有「卑國滅書月」之例，[48]徐邈解釋宣公十二年（597 B.C.）「楚子滅蕭」書日之文時，認為因蕭君有賢德而書日，是為「卑國滅書月」之引申，可視為正例外之變例。[49]

---

44 〔清〕鍾文烝：《春秋穀梁經傳補注》（北京市：中華書局，1996年，十三經清人注疏本），卷4，頁117。

45 《穀梁．僖公十五年》經：「秋，七月，齊師、曹師伐厲。」無傳。見〔晉〕范甯集解，〔唐〕楊士勛疏：《春秋穀梁傳注疏》，卷8，頁83下。徐邈語見〔清〕馬國翰：《玉函山房輯佚書》，頁1408上。

46 「德」，十三經注疏本作「得」。見〔晉〕范甯集解，〔唐〕楊士勛疏：《春秋穀梁傳注疏》，卷12，頁121下。

47 《穀梁．宣公十二年》經：「冬，十有二月，戊寅，楚子滅蕭。」無傳。見〔晉〕范甯集解，〔唐〕楊士勛疏：《春秋穀梁傳注疏》，卷12，頁121下。徐邈語見〔清〕馬國翰：《玉函山房輯佚書》，頁1410下。

48 《穀梁．宣公十五年》云：「滅國有三術：中國謹日，卑國月，夷狄不日。」〈襄公六年〉云「中國日，卑國月，夷狄時。」見〔晉〕范甯集解，〔唐〕楊士勛疏：《春秋穀梁傳注疏》，卷12，頁122上、149下。關於《穀梁》的滅國時月日例主張，詳參李紹陽：《《春秋穀梁傳》時月日例研究》，頁304-312。

49 如李紹陽云：「《穀梁》解釋《春秋》滅國的時月日書法的正例：凡是滅中國書日；而滅微國（包括卑國及夷狄二者）不書日（可以書月或書時）。」見李紹陽：《《春秋穀梁

（5）大夫出奔，不絕其祀，詳而書日以紀之

案襄二十三年「臧孫紇出奔齊」，傳曰「其日，正臧紇之出也」。禮，大夫去，君埽其宗廟，不絕其祀。身雖出奔，而君遇之不失正，故詳而紀之，明有恩義也。[50]

徐邈從禮的角度論大夫出奔例書日，主張大夫雖出奔，君仍以正道待之，埽其宗廟，不絕其祀，以明君臣恩義；徐氏並援引襄公二十三年（550 B.C.）臧孫紇出奔書日之例，是為擴用引申《穀梁》義例。范甯逕引徐邈文而未另下己注，楊士勛則疏曰：「僑如為君遇之不失所書日，臧紇則正其有罪而書日，二者不同，范引之者，欲明二者不異。臧孫云正，其有罪亦兼為君遇之，不失所書日；僑如言君有恩而書日，亦兼正其罪。可知是互以相包，故引之。」

（6）伐，不月；為卑國滅，書月

伐不月而書月者，為滅厲書。[51]

本例所提之「伐國」書月例，《穀梁》本無明文。徐邈則認為伐本不書月，今經文因諸侯伐吳後遂滅厲國而書月，而厲為卑國；也就是說，徐邈擴用《穀梁》「滅國三術」中「卑國滅書月」的適用範圍，加入了「伐他國遂滅卑國則書月」一例。

傳》時月日例研究》，頁307。

50 《穀梁・成公十六年》經：「冬，十月乙亥，叔孫僑如出奔齊。」無傳。見〔晉〕范甯集解，〔唐〕楊士勛疏：《春秋穀梁傳注疏》，卷14，頁142上。徐邈語見〔清〕馬國翰：《玉函山房輯佚書》，頁1412下。

51 《穀梁・昭公四年》經：「秋，七月，楚子、蔡侯、陳侯、許男、頓子、胡子、沈子、淮夷伐吳，執齊慶封，殺之，遂滅厲。」傳長不贅錄。見〔晉〕范甯集解，〔唐〕楊士勛疏：《春秋穀梁傳注疏》，卷17，頁166上下。徐邈語見〔清〕馬國翰：《玉函山房輯佚書》，頁1413下。

（7）外大夫出奔，為害重者書月

> 月者，蓋三卿同出，為禍害重也。君以臣為體，民以君為命，凡為憂者大，害民處甚，《春秋》皆變常文而示所謹，非徒足以見時事之實，亦知安危監戒云耳。[52]

徐邈認為宋國華亥、向寧、華定三大夫同時出奔，為害甚重，所以《春秋》憂而書月。《穀梁》義例中僅有魯大夫（即內大夫）出奔書日以謹之或正其罪之例，而無外大夫出奔之時月日例。[53]徐邈將內大夫出奔之例，擴用於外大夫，同屬適用範圍擴大之類。

2 新創新設《穀梁》義例

指《穀梁》本無明文傳例，徐邈於注解時新創義例以釋經、傳之義，下列六例屬之。

（1）霸主服遠功重，詳而月之

> 霸主服遠之功重，故詳而月之也。[54]

徐邈認為霸主服遠之功重，故《春秋》書月以詳之。《穀梁》時月日例中與霸主有關者，為「齊桓之盟不日」，如《穀梁．莊公二十七年》云：「桓

52 《穀梁．昭公二十年》經：「冬，十月，宋華亥、向寧、華定出奔陳。」無傳。見〔晉〕范甯集解，〔唐〕楊士勛疏：《春秋穀梁傳注疏》，卷18，頁178上。徐邈語見〔清〕馬國翰：《玉函山房輯佚書》，頁1414上下。

53 王熙元云：「凡內大夫出奔，書日以謹之，或以正其罪。」至於外大夫出奔例，《穀梁》則無明文，如王熙元云：「外大夫出奔，傳無明例，注推以知之。」見王熙元：《穀梁范注發微》（臺北市：嘉新水泥公司文化基金會，1975年），頁522-523。

54 《穀梁．莊公三十一年》經：「六月，齊侯來獻戎捷。」傳：「齊侯來獻捷者，內齊侯也。不言使，內與同，不言使也。獻戎捷，軍得曰捷，戎菽也。」見〔晉〕范甯集解，〔唐〕楊士勛疏：《春秋穀梁傳注疏》，卷6，頁64下。徐邈語見〔清〕馬國翰：《玉函山房輯佚書》，頁1407上。

盟不日，信之也。」[55]但無書月以詳霸主之功之例。

（2）**諸侯出奔而歸書月，執而歸不書月**

> 凡出奔歸月，執歸不月者，奔[56]則國更立主，若故君還入，必有戰爭禍害，所以謹其文。執者，罪名未定，其國猶追奉之，歸無犯害，故例不月。[57]

徐邈提出「出奔歸月，執歸不月」之例。范甯於注中雖曾提出「凡有所歸，例時」（〈隱公八年〉）、「諸侯出奔，例月」（〈襄公十四年〉）之說，但未見諸《穀梁》明文，且亦無徐邈所謂「執歸不月」之例。[58]

（3）**圍久，書月以惡之**

> 圍例時，此圍久，故書月以惡之也。[59]

徐邈提出「圍例時」以及「圍久書月以惡之」之例，柯劭忞注《穀梁》有「圍時，謹之則月」之說，[60]《春秋》書圍國或圍邑亦皆例時，[61]但《穀

55 〔晉〕范甯集解，〔唐〕楊士勛疏：《春秋穀梁傳注疏》，卷6，頁62上。

56 「奔」原作「齊」，據《春秋穀梁經傳補注》改。見〔清〕鍾文烝：《春秋穀梁經傳補注》，卷12，頁346。

57 《穀梁．僖公三十年》經：「衛侯鄭歸于衛。」無傳。見〔晉〕范甯集解，〔唐〕楊士勛疏：《春秋穀梁傳注疏》，卷9，頁94下。徐邈語見〔清〕馬國翰：《玉函山房輯佚書》，頁1408上下。

58 賴炎元於歸納《穀梁》義例時，僅提出「諸侯大夫出奔，返，以善曰歸。歸書日者，見知弒也，惡之也」與「奔書日者，正其出奔為有罪也」兩例。見賴炎元：〈春秋穀梁傳義例〉，《慶祝瑞安林景伊先生六秩誕辰論文集》（臺北市：國立政治大學中國文學研究所，1969年），頁225。李紹陽亦同，李氏曰：「《春秋》記載諸侯或大夫歸其國時，正例不書日，若有惡則變例書日。」見李紹陽：《《春秋穀梁傳》時月日例研究》，頁326。

59 《穀梁．宣公十四年》經：「秋，九月，楚子圍宋。」無傳。見〔晉〕范甯集解，〔唐〕楊士勛疏：《春秋穀梁傳注疏》，卷12，頁121下。徐邈語見〔清〕馬國翰：《玉函山房輯佚書》，頁1411上。

60 柯劭忞：《春秋穀梁傳注》（臺北市：力行書局，1970年），卷9，頁284。

61 《春秋》書圍例時之文，例如僖公二十六年「冬，楚人伐宋圍閔」、文公十二年「夏，

梁》中未見與「圍」相關之時月日例。

（4）強使民作丘甲，書月以譏之

> 甲有伎巧，非凡民能作，而強使作之，故[62]書月以譏之。[63]

徐邈承《穀梁》「甲非人人之所能為」之意，除了提出「甲有伎巧，非凡民能作」的看法，並進一步提出《穀梁》所無之「書月以譏」之例，譏刺魯成公不當使用民力之行。

（5）國都遷徙無常，略而不月

> 許十八年又遷于白羽。許比遷徙，所都無常，居處薄淺，如一邑之移，故略而不月，不得[64]從國遷常例。[65]

徐邈認為許國遷都次數過於頻繁，「居處薄淺，如一邑之移」，所以「略而不月」而未從「國遷常例」。在「國遷」例方面，《穀梁》僅於〈莊公十年〉發傳云：「遷，亡辭也。……遷者，猶未失其國家以往者也。」[66]未涉及時月日例的設定，以此，徐邈「略而不月」之例是為新創。

楚人圍巢」、宣公十二年「春，楚子圍鄭」、哀公七年「秋，宋人圍曹」等。

62 「故」，馬國翰輯本作「使」，據十三經注疏本改。見〔晉〕范甯集解，〔唐〕楊士勛疏：《春秋穀梁傳注疏》，卷13，頁128上。

63 《穀梁．成公元年》經：「三月，作丘甲。」傳長不贅錄。見〔晉〕范甯集解，〔唐〕楊士勛疏：《春秋穀梁傳注疏》，卷13，頁128上。徐邈語見〔清〕馬國翰：《玉函山房輯佚書》，頁1411上。

64 「得」原作「想」，鍾文烝《春秋穀梁經傳補注》、馬國翰輯本皆作「得」。

65 《穀梁．昭公九年》經：「許遷于夷。」無傳。見〔晉〕范甯集解，〔唐〕楊士勛疏：《春秋穀梁傳注疏》，卷17，頁169上。徐邈語見〔清〕馬國翰：《玉函山房輯佚書》，頁1414上。

66 〔晉〕范甯集解，〔唐〕楊士勛疏：《春秋穀梁傳注疏》，卷5，頁51上。

（6）改元即位書王，書王以月承之

> 案傳定元年不書正月，言「定無正也」。然則改元即位在于此年，故不可以不[67]書王。書王，必有月以承之，故因其執月以表年首爾，不以謹仲幾也。[68]

由於《穀梁》無外國執外大夫書月之例，為說明《春秋》於「晉人執宋仲幾于京師」書月之因，徐邈從魯公元年即位書王的角度來解釋。徐邈認為「改元即位在于此年，故不可以不書王。書王，必有月以承之」，在此前提下，徐邈強調以晉人執宋仲幾的三月，來代表定公即位元年的首月，因此經文書月，不是特別重視仲幾被執之事，乃是謹定公即位元年而書月。[69]而《穀梁》對於魯公即位的記載，主要著重於書不書「公即位」的討論，再輔以「王正月」的說明，[70]並無「改元即位→書王→書月」連帶命題的設立，以此是為徐邈之新創。

在上述兩種類型中，未見徐邈直接採《穀梁》時月日例以說經解傳之文，十三例中若非擴用引申，便是新創新設。造成此現象的原因，應與輯本的文獻限制有關。因輯本乃輯錄散見於諸家著作的引述文字，徐邈不同於

---

67 「不」，馬國翰輯本缺，據十三經注疏本補。見〔晉〕范甯集解，〔唐〕楊士勛疏：《春秋穀梁傳注疏》，卷19，頁186上。

68 《穀梁‧定公元年》經：「春，王。三月，晉人執宋仲幾于京師。」傳：「此其大夫，其曰人，何也？微之也。何為微之？不正其執人於尊者之所也，不與大夫之伯討也。」見〔晉〕范甯集解，〔唐〕楊士勛疏：《春秋穀梁傳注疏》，卷19，頁186上下。徐邈語見〔清〕馬國翰：《玉函山房輯佚書》，頁1414下。

69 徐邈此說得到鍾文烝的認同，鍾氏曰：「凡執史皆書月，而此之仍史文書月者，其義不從執起，徐注是也。」見〔清〕鍾文烝：《春秋穀梁經傳補注》，卷23，頁671。

70 關於魯公元年即位記載的詳細分析，可詳參下列資料。吳智雄：《穀梁傳思想析論》（臺北市：文津出版社，2000年），頁144-176。吳智雄：〈論《春秋》三傳對魯公元年即位記載的解釋觀念〉，《經學論叢》（臺北市：洪葉文化公司，2006年），第2輯，頁43-77。至於魯公即位首年時月日例的討論，可詳參李紹陽：《《春秋穀梁傳》時月日例研究》，頁45-69。

《穀梁》的主張，較易被引述為討論的資材，因此形成了現今所見的注解方式。

此外，徐邈與當時另一位穀梁學大師范甯的同異，也可藉此見得端倪。在主張相同方面，共分三種情形：一種是范甯未下己注而逕引徐邈之說，計有第一類的（1）、（3）、（6）、（7）以及第二類的（2）共五例；一種是范甯解釋其他面向，而於時月日例方面則採徐邈之說，計有第二類的（5）、（6）兩例；最後一種是後人推測徐、范兩人意思相當，此為第一類的（4）例，楊士勛於〈宣公十四年〉疏云：「何休亦然，范意或當不異也。」至於在主張相異方面，僅見於第一類的（6）一例，徐邈認為《春秋》乃因滅厲而書月，范甯則認為：「眾國之君，傾眾悉力以伐彊敵。內外之害重，故謹而月之。定四年伐楚亦月，此其例也。」（〈昭公四年〉）可知在時月日例方面，徐邈與范甯意同者居多。此現象可能與輯文多輯自范注、楊疏二書，而范、楊二人應多引與己意相同者居多的因素有關。[71]

再者，徐邈與何休的主張也有若干相同或相通之處。如第一類的（1）例，徐邈與何休對《春秋》書月之因的解釋雖有不同，但皆屬負面性質的認知則一致。[72]第二類的（1）例，徐邈與何休的基本主張相同，皆從霸主的角度來評論此事。[73]第二類的（2）例，徐邈與何休之意相通。[74]第二類的

71 馬國翰所輯八十九條輯文，二十五條輯自范甯《集解》，六十一條輯自楊士勛疏文，一條輯自隋．虞世南《北堂書鈔》卷94，一條輯自〔唐〕徐堅《初學記》卷14，一條輯自〔唐〕陸德明《經典釋文》。

72 《公羊．莊公三年》何注云：「月者，衛朔背叛出奔，天子新立衛公子留，齊、魯無憚天子之心而伐之，故明惡重於伐，故月也。」徐疏云：「正以侵伐例時，即上二年『夏，公子慶父伐於餘丘』之屬是也。今此月者，背叛出奔，罪重故也。其背叛出奔之事者，即桓十六年『衛侯朔出奔齊』是也。」見〔漢〕何休解詁，〔唐〕徐彥疏：《春秋公羊傳注疏》（臺北縣：藝文印書館，十三經注疏本，1989年），卷6，頁75上。

73 《公羊．莊公三十一年》何注云：「楚獻捷時，此月者，刺齊桓憍慢持盈，非所以就霸功也。」見〔漢〕何休解詁，〔唐〕徐彥疏：《春秋公羊傳注疏》，卷9，頁110下。

74 《公羊．僖公三十年》何注云：「据未至而有專殺之惡，與入惡同。」見〔漢〕何休解詁，〔唐〕徐彥疏：《春秋公羊傳注疏》，卷12，頁156上。

（3）例，《公羊》無傳，徐邈與何休的基本主張相同，皆主書月以惡之。[75]第二類的（4）例，徐邈與《公羊》的基本主張相同，皆主《春秋》之譏刺義，但兩者所云譏刺的原因不同。[76]第一類的（7）例，徐邈與何休之意相同，皆以三大夫同時出奔為國家之危。[77]凡此皆顯示徐邈兼採《公羊》義的傾向，前人認為此即徐邈的會通二傳之學。[78]

（三）用字例

《穀梁》認為《春秋》用字皆有其特殊涵義與用心，所謂「一字之褒，寵踰華衮之贈；片言之貶，辱過市朝之撻」[79]，是為《春秋》之微言大義，因此後儒在解釋《春秋》時，常會對某些特定用字進行說解以明其大義，徐邈亦同。今於《穀梁注義》中所見者，約有下列諸例，茲分述如下。

1 與盟奔有關諸例

《穀梁注義》中所見者有兩例，一為言不言及，一為稱名略氏。

---

75 《公羊・宣公十四年》何注云：「月者，惡久圍宋，使易子而食之。」徐疏云：「正以凡圍例時，即上十二年春『楚子圍鄭』之屬是。今而書月，故解之。」見〔漢〕何休解詁，〔唐〕徐彥疏：《春秋公羊傳注疏》，卷16，頁205下。

76 《公羊・成公元年》傳云：「何以書？譏。何譏爾？譏始丘使也。」何注云：「月者，重錄之。」徐疏云：「云月者，重錄之者，欲道宣十五年秋『初稅畝』，哀十二年『春，用田賦』皆書時，今書月，故如此解。」見〔漢〕何休解詁，〔唐〕徐彥疏：《春秋公羊傳注疏》，卷17，頁214上。

77 《公羊・昭公二十年》何注：「月者危，三大夫同時出奔，將為國家患，明當防之。」徐疏：「《春秋》之義，大夫出奔，例皆書時。」又：「莊十二年冬，十月，宋萬出奔陳，一大夫也，亦書月者，使與大國君出奔同，明彊禦之甚是也。」見〔漢〕何休解詁，〔唐〕徐彥疏：《春秋公羊傳注疏》，卷23，頁293下。

78 如簡博賢云：「徐邈注傳，辭理可觀，典據有本；抑亦有得於會通之學耶？昔人固嘗稱之矣。……今考其佚文，頗通《公羊》；知非株守之為學也。」又云：「其會通二傳，不惑於一家之例；是能遠紹劉、尹之風矣。蓋學尚會通，自乖顓家之學。」見簡博賢：《今存三國兩晉經學遺籍考》，頁502-503、504-505。

79 〔晉〕范甯集解，〔唐〕楊士勛疏：《春秋穀梁傳注疏》，〈穀梁疏序〉，頁5上下。

（1）凡書來盟者不言及

> 不言及，謂凡書來盟者也，若宣七年「衛孫良夫來盟」是也。以國與之，謂舉國為主，故直書外來爾。此先聘而後盟，故不言來盟，總言及而不復著其人，亦是舉國之辭。[80]

徐邈認為《春秋》凡書「來盟」者不言「及」，[81]如宣公七年（602 B.C.）經書「春，衛侯使孫良夫來盟」。今此年與荀庚、孫良夫訂盟之前，已先有聘問，經書：「冬，十有一月，晉侯使荀庚來聘。衛侯使孫良夫來聘。」此與宣公七年未聘而盟不同，所以經不書「來盟」而言「及」，且因是舉國之辭，故不著訂盟之人。

（2）小國大夫舉名略氏

> 自此已前，邾畀我、庶其並來奔，今邾快又至，三叛之人俱以魯為主。邾、魯鄰國而聚其逋逃，為過之甚，故悉書之，以示譏也。小國無大夫，故但舉名而略其氏。[82]

徐邈認為魯、邾兩國相鄰，而魯竟聚集了邾國三位叛逃者，[83]其過太甚，所以《春秋》特地全部記載此三人三事，以示譏刺之意，此為《穀梁》

---

80 《穀梁．成公三年》經：「丙午，及荀庚盟。丁未，及孫良夫盟。」傳：「其日，公也。來聘而求盟，不言及，以國與之也。不言其人，亦以國與之也。不言求，兩欲之也。」見〔晉〕范甯集解，〔唐〕楊士勛疏：《春秋穀梁傳注疏》，卷13，頁130下-131上。徐邈語見〔清〕馬國翰：《玉函山房輯佚書》，頁1411下。

81 如周何先生云：「來盟或莅盟的記錄方式不同，或云『某來盟』，或云『某如某莅盟』。……其與一般會盟記錄最大的差別有兩點：一是不書『及』字；一是不書地主國的代表。」見周何：《新譯春秋穀梁傳》，頁329。

82 《穀梁．昭公二十七年》經：「邾快來奔。」無傳。見〔晉〕范甯集解，〔唐〕楊士勛疏：《春秋穀梁傳注疏》，卷18，頁181下。徐邈語見〔清〕馬國翰：《玉函山房輯佚書》，頁1414下。

83 鍾文烝認為徐邈三叛之說有誤，鍾氏云：「畀我、快無邑，非叛，注數之為三叛，非也。」見〔清〕鍾文烝：《春秋穀梁經傳補注》，卷22，頁663。

「以義惡內」筆法的運用。[84]但因郲為小國，無賜氏族大夫，如《左傳‧昭公二十七年》杜注云：「快，郲命卿也。」孔疏云：「快不書氏，蓋未賜族，無可稱也。」[85]因此經文僅得舉其名而略其氏。

上述兩例，范甯皆未下己注而逕引徐邈說，可知范甯意同徐邈。

2 與卒葬有關諸例

《穀梁注義》中與卒葬有關之用字例，約有下列六例。

（1）凡書葬，皆據我而言葬彼

> 文元年傳曰，葬曰會，言有天子諸侯之使，共赴會葬事。故凡書葬，皆據我而言葬彼。所以不稱宋葬繆公，而言葬宋繆公者，弔會之事，賵襚之命，此常事，無所書，故但記卒記葬，錄魯恩義之所及，則哀其喪而恤其終，亦可知矣。若存沒隔絕，情禮不交，則卒葬無文。或有書卒不書葬，蓋外雖赴卒，而內不會葬，無其事則闕其文，史策之常也。[86]

徐邈認為《春秋》書葬，是以魯國為主以言他國之葬，此乃因《春秋》為魯史的緣故，而為《春秋》的書法記載原則。《春秋》書「葬」時，如為常事則不書；若記外國卒葬，則為魯國恩義的表現。如果有天子、諸侯之使參與會葬事曰「會」，有記卒不記葬的情形，則是史事闕文，如簡博賢云：「徐邈注傳，特明史策常例，以為有事則書，無事則闕；日與不日，固無關

---

84 關於《穀梁》「以義惡內」之說，詳參吳智雄：〈《穀梁傳》中關於《春秋》史事記載原則的解釋觀念〉，《國立編譯館館刊》第30卷第1、2期（2001年12月），頁49-53。

85 〔晉〕杜預注，〔唐〕孔穎達疏：《春秋左傳注疏》（臺北縣：藝文印書館，1989年，十三經注疏本），卷52，頁906下。

86 《穀梁‧隱公三年》經：「癸未，葬宋繆公。」傳：「日葬，故也，危不得葬也。」見〔晉〕范甯集解，〔唐〕楊士勛疏：《春秋穀梁傳注疏》，卷1，頁16上。徐邈語見〔清〕馬國翰：《玉函山房輯佚書》，頁1404上。

葬義也。是知史有闕文之例，而不泥於一字褒貶之說矣。」[87]

（2）國君書葬皆以公配謚，有過則稱公不配謚

> 葬者，臣子之事，故書葬皆以公配謚。此稱侯，蓋蔡臣子失禮，故即其所稱以示過。[88]

所謂「以公配謚」，乃指以公的通稱配上謚號而為列國諸侯卒葬的稱謂。[89]徐邈首先提出國君書葬皆以公配謚的通例，乃因葬國君為臣子之事，故以公配謚乃尊君的表現，知此例乃從臣子的角度而論。今徐邈認為蔡國臣子失禮，故直接以蔡國赴告的稱謂—侯—來稱呼蔡君，以凸顯蔡國臣子之過錯；換句話說，徐邈認為國君書葬的稱謂，即寓含該國臣子是否守禮以及經文有無褒貶之義。

（3）無謚之君以公配，夷狄稱王不書葬

> 傳稱「莒雖夷狄，猶中國也」，言莒本中國，末世衰弱，遂行夷禮。葬皆稱謚，而莒君無謚，謚以公配。而吳楚稱王，所以終《春秋》亦不得書葬。[90]

徐邈於文中提出「葬皆稱謚」的通例，且另在〈桓公十七年〉中更明確指出：「葬者，臣子之事，故書葬皆以公配謚。」但莒君無謚，只好稱公（爵名），故《春秋》書曰：「莒子朱卒。」此外，由於《穀梁》曾於〈成公

87 簡博賢：《今存三國兩晉經學遺籍考》，頁496。

88 《穀梁・桓公十七年》經：「癸巳，葬蔡桓侯。」無傳。見〔晉〕范甯集解，〔唐〕楊士勛疏：《春秋穀梁傳注疏》，卷4，頁41下。徐邈語見〔清〕馬國翰：《玉函山房輯佚書》，頁1405下。

89 周何先生云：「《春秋》記載列國諸侯的卒葬，都是根據該國的赴告文書，而且照例都稱之為公，公是諸侯的通稱。」見周何：《新譯春秋穀梁傳》，頁148。

90 《穀梁・成公十四年》經：「春，王正月，莒子朱卒。」無傳。見〔晉〕范甯集解，〔唐〕楊士勛疏：《春秋穀梁傳注疏》，卷14，頁139下。徐邈語見〔清〕馬國翰：《玉函山房輯佚書》，頁1412上。

九年〉提出「莒雖夷狄，猶中國也」的主張，所以徐邈不僅以莒在末世衰弱遂行夷禮來解釋傳義，更從華夷之辨的角度，提出夷狄的吳、楚稱王而不書葬，以對比「莒雖夷狄猶中國」之說。鍾文烝曰：「楚、吳之不葬，當並為史例，莒號夷而楚、吳號嫌，吳號嫌而又夷，魯史之法，周禮所在，故知楚、吳當本不葬也，吳、楚稱王，故不葬。」[91]

（4）殺無罪大夫，君不書葬

> 《春秋》之例，君殺無罪之大夫，則是失德，不合書葬。今襄公書葬，則是無罪，而以累上之辭言之者，以襄公漏泄陽處父之言故也。[92]

在國君書葬方面，徐邈認為國君若殺無罪大夫，是為失德之行，因此不應書葬。《穀梁・隱公三年》范注云：「《穀梁傳》稱變之不葬有三，弒君不葬，國滅不葬，失德不葬。……失德之主，無以守位，故沒葬文。」[93]又，《穀梁・僖公七年》與〈宣公九年〉皆有「稱國以殺（其）大夫，殺無罪也」之例，而〈文公六年〉與〈襄公二十三年〉則有「稱國以殺，罪累上也」之說，可知對經文「稱國以殺」的記載，《穀梁》有「殺無罪」與「罪累上」兩種解釋，其中「殺無罪」乃以被殺的大夫為解釋對象，「罪累上」則就殺大夫的國君而言。因所殺無罪，故殺人之罪便牽累於君，在解釋脈絡上，前者為後者的基礎。徐邈在此先承《穀梁》「殺無罪」之說，提出國君失德不書葬的主張，可視為正例；再繼而以《穀梁》「罪累上」之說，解釋晉襄公書葬的原因，可視為變例。

---

91 〔清〕鍾文烝：《春秋穀梁經傳補注》，卷18，頁506。

92 《穀梁・文公六年》經：「晉殺其大夫陽處父。」傳：「稱國以殺，罪累上也。襄公已葬，其以累上之辭言之，何也？君漏言也。」見〔晉〕范甯集解，〔唐〕楊士勛疏：《春秋穀梁傳注疏》，卷10，頁101下。徐邈語見〔清〕馬國翰：《玉函山房輯佚書》，頁1409下。

93 〔晉〕范甯集解，〔唐〕楊士勛疏：《春秋穀梁傳注疏》，卷1，頁16上。

（5）先君未葬，嗣子稱公以出，失禮也

> 僖九年傳曰：「禮，柩在堂上，孤無外事。」今衛宣未葬，而嗣子稱侯以出，其失禮明矣。宋、陳稱子而衛稱侯，隨其所以自稱者而書之，得失自見矣。[94]

徐邈承《穀梁・僖公九年》「禮，柩在堂上，孤無外事」的主張，認為舊君未葬，新君便稱爵名以出會諸侯，是一種失禮的行為。並另引僖公九年（651 B.C.）宋襄公稱子、僖公二十八年（632 B.C.）陳共公稱子之經例以強化此主張。僖公九年春三月，宋桓公薨，襄公繼位，與諸侯會於葵丘，《左傳》云：「未葬而襄公會諸侯，故曰子。凡在喪，王曰小童，公侯曰子。」[95]知宋襄公稱子乃因舊君（桓公）未葬，僖公二十八年陳共公稱子的情形亦同。但桓公十三年衛惠公稱侯的情形便有所不同，如周何先生云：「去年十一月衛宣公卒，衛惠公即位，至今三月不滿五個月，是衛宣公尚未下葬，而惠公可以稱侯參與外事者，踰年稱君是也，故經傳無譏。」[96]又云：「衛宣公卒於桓公十二年十一月，在十三年三月間，魯、紀、鄭三國和齊、宋、衛、燕四國交戰，經文稱衛新君惠公為『衛侯』，和此經宋桓公卒不滿五月，尚未下葬，且未踰年，故宋襄公稱『宋子』不同例。」[97]雖然踰年得以稱君，但《穀梁》有「禮，柩在堂上，孤無外事」的主張，今衛惠公

---

94 《穀梁・桓公十三年》經：「春，二月，公會紀侯、鄭伯。己巳，及齊侯、宋公、衛侯、燕人戰。齊師、宋師、衛師、燕師敗績。」傳：「其言及者，由內及之也。其曰戰者，由外言之也。戰稱人，敗稱師，重眾也。其不地，於紀也。」見〔晉〕范甯集解，〔唐〕楊士勛疏：《春秋穀梁傳注疏》，卷4，頁38下-39上。徐邈語見〔清〕馬國翰：《玉函山房輯佚書》，頁1405上。

95 〔晉〕杜預注，〔唐〕孔穎達疏：《春秋左傳注疏》，卷13，頁218上。

96 周何：《新譯春秋穀梁傳》，頁129。另，《左傳・桓公十三年》楊伯峻亦注云：「是時衛宣公未葬，然死于去年，新君踰年即位，例得稱爵。《春秋》之例，舊君死，新君立，當年稱子，踰年稱爵。」見楊伯峻：《春秋左傳注》（高雄市：復文圖書出版社，1991年），頁135。

97 周何：《新譯春秋穀梁傳》，頁364。

在宣公未葬前便出會諸侯，所謂「背殯而出會」，顯現其「無哀」的心意，故徐邈以「失禮」評之。此外，徐邈並進一步指出宋、陳、衛三君稱子、稱侯的不同，乃《春秋》隨各國赴告之文稱之，未作更改，而褒貶得失便自然而然地在當中顯現出來。

（6）公及大夫卒在師言師，在會言會

> 公及大夫所會諸侯在師言師，在會言會。[98]

在書卒方面，依國君與大夫所卒之地言之，在師言師，在會言會。《穀梁》曰：「公、大夫在師曰師，在會曰會。」楊士勛疏曰：「諸侯或從會，或從伐，皆閔其在外而死，故云卒于師于會也。」[99]知徐邈此說乃承《穀梁》傳義而來。

在卒葬有關諸例中，可發現徐邈在稱謂上有「隨其所稱以見得失」的主張，見於桓公十三年「隨其所以自稱者而書之，得失自見矣」以及桓公十七年「即其所稱以示過」中。而與稱謂有關的注解，輯文中尚可見得以下一例。〈昭公元年〉經云：「秋，莒去疾自齊入于莒。莒展出奔吳。」[100]《穀梁》無傳，徐邈云：「不為內外所與也，不成君，故但書名。」徐邈認為展輿未得到莒國內外的承認而不成君，因而經以其名書之。

三　敘解史事制度以注解《穀梁》

（一）史事背景的敘明

徐邈注解《穀梁》時，或因《穀梁》重義略事之故，是以於史事源流、

---

98 《穀梁・成公十三年》經：「曹伯廬卒于師。」傳：「傳曰：閔之也。公、大夫在師曰師，在會曰會。」見〔晉〕范甯集解，〔唐〕楊士勛疏：《春秋穀梁傳注疏》，卷14，頁139上。徐邈語見〔清〕馬國翰：《玉函山房輯佚書》，頁1412上。

99 〔晉〕范甯集解，〔唐〕楊士勛疏：《春秋穀梁傳注疏》，卷14，頁139上。

100 〔晉〕范甯集解，〔唐〕楊士勛疏：《春秋穀梁傳注疏》，卷17，頁165上。

人物身份多所敘明，今於輯本中所見概有下列兩種。

1 補充史事源流

補述史事因果者，為經、傳文內容所形成原因及其結果的說明，多屬史事性質。今所見者，略有下列數例。

〈莊公十八年〉經云：「春，王三月，日有食之。」傳云：「不言日，不言朔，夜食也。」徐邈云：「夜食則星無光。」[101]徐邈補充說明發生夜食時，當夜會呈現星空無光的現象。

〈莊公三十一年〉經云：「六月，齊侯來獻戎捷。」傳云：「齊侯來獻捷者，內齊侯也。不言使，內與同，不言使也。獻戎捷，軍得曰捷，戎菽也。」徐邈云：「齊還經魯界，故使人獻捷。」[102]徐邈說明齊侯來獻戎捷的原因，為齊還師回國時經過魯國邊界，所以派人來魯獻捷。

〈文公三年〉經云：「雨螽于宋。」傳云：「外災不志，此何以志也？曰：災甚也。其甚奈何？茅茨盡矣。」徐邈云：「禾稼既盡，又食屋之茅茨。」[103]徐邈解釋傳文「茅茨盡矣」的原因，在於禾稼已被蝗蟲吃盡，所以又接著吃蓋屋用的茅茨或已蓋成屋頂的茅茨，范注所云「茅茨猶盡，則嘉穀可知」意同。

〈成公十六年〉經云：「乙酉，刺公子偃。」傳云：「大夫日卒，正也。先刺後名，殺無罪也。」徐邈云：「偃為僑如所譖，故云無罪。」[104]徐邈說明公子偃無罪的原因，在於被叔孫僑如所譖，所以《穀梁》以其無罪也。[105]

〈襄公八年〉經云：「鄭人侵蔡，獲蔡公子濕。」傳云：「人，微者也。侵，淺事也。而獲公子，公子病矣。」徐邈云：「公子病，不任為將帥，故

---

101 〔清〕馬國翰：《玉函山房輯佚書》，頁1406上。

102 〔清〕馬國翰：《玉函山房輯佚書》，頁1407上。

103 〔清〕馬國翰：《玉函山房輯佚書》，頁1409上。

104 〔清〕馬國翰：《玉函山房輯佚書》，頁1412下。

105 鍾文烝認為徐邈「偃為僑如所譖」之說誤，鍾氏云：「此猶外之稱國以殺也。偃但為穆姜所指，不與謀，故無罪。杜預以鉏得不殺，臆度偃亦與謀，非也。疏引徐邈云『偃為僑如所譖』，亦非也。」見〔清〕鍾文烝：《春秋穀梁經傳補注》，卷18，頁515。

獲之。」楊士勛依此疏云：「《公羊》以為『侵而言獲者，適得其意』，謂值其無備，故獲得之。此云公子病矣，謂侵是淺事，所以得公子者，由公子病弱矣。」[106]徐邈解釋公子濕被擄獲的原因為公子病，「病」指病弱而不任為將帥，所以被鄭國所擄獲。[107]

〈昭公元年〉經云：「秋，莒去疾自齊入于莒。莒展出奔吳。」《穀梁》無傳。徐邈云：「不為內外所與也，不成君，故但書名。」[108]徐邈解釋莒展書名的原因，在於莒展之立未得到莒國內外的承認，不成其為君，所以經書莒展之名。因《穀梁》無傳，徐邈此注乃補《穀梁》未發傳之闕。

2 說明人物身份

說明身份者，為解釋經、傳文中所提及人物之身份，於《穀梁注義》中所見者概有下列諸例。

〈莊公二十三年〉經云：「祭叔來聘。」傳云：「其不言使何也？天子之內臣也。不正其外交，故不與使也。」徐邈云：「祭叔為祭公使。」[109]徐邈解釋祭叔為祭公所派遣的使者，以解傳文為何書「不言使何也」之因。[110]

---

106 〔清〕馬國翰：《玉函山房輯佚書》，頁1413上。

107 徐邈解「病」之義恐有誤，鍾文烝云：「王引之曰：『〈士冠禮〉注曰：「病，猶辱也。」故凡羞愧者皆曰病，曰為天子病矣，曰公子病矣，此類以由己羞之者言也。曰病公子，曰所以病齊侯也，此類以為人羞之者言也。徐邈於襄八年傳注誤以為疾病之病，楊氏於哀九年傳疏又誤以為病患之病，古訓疏而經說遂踳矣。』」又云：「經以為病，與華元不病文相顧。疏引徐邈云：『公子病，不任為將帥，故獲之。』大誤。」見〔清〕鍾文烝：《春秋穀梁經傳補注》，卷19，頁94、538。柳興恩亦云：「此通傳病字例也。徐注、楊疏未通檢前後傳文，各就本處生訓，故有此失。王通檢而直糾之，益見屬辭比事，《春秋》之教嚴矣。」見柳興恩：《穀梁大義述》，卷11，收錄於《皇清經解續編》，卷999，頁3193下。

108 〔清〕馬國翰：《玉函山房輯佚書》，頁1413下。

109 〔清〕馬國翰：《玉函山房輯佚書》，頁1406上。

110 鍾文烝認為徐邈所云為《穀梁》家古義，鍾氏云：「杜預引《穀梁》，正同徐語，此必《穀梁》家古義。」見〔清〕鍾文烝：《春秋穀梁經傳補注》，卷7，頁197-198。但柯劭忞有不同意見，柯氏云：「鄭義謂祭叔欲外交於魯，無王命，自來聘魯，不與使，與祭伯之不與朝，文義相同，無可疑者。徐邈說祭叔為祭公使，自造故實，不經甚矣，鍾文烝申徐駁鄭失之。」見柯劭忞：《春秋穀梁傳注》，卷4，頁113。

〈宣公五年〉經云：「秋，九月，齊高固來逆子叔姬。……冬，齊高固及子叔姬來。」傳云：「及者，及吾子叔姬也。」徐邈云：「傳言吾子，是宣公女也。」[111]徐邈解釋《穀梁》傳文中所云「吾子」，指的是魯宣公之女。

〈文公十二年〉經云：「二月庚子，子叔姬卒。」傳云：「其曰子叔姬，貴也，公之母姊妹也。其一傳曰，許嫁，以卒之也。」徐邈：「上傳云子叔姬者，杞夫人見出，故不言杞。下傳云許嫁者，言是別女，非杞叔姬也。」[112]徐邈解釋傳文中「子叔姬」為杞夫人，但因見出，故經文不加國氏。另解釋傳文「許嫁」之義，認為許嫁者乃別女，而非杞叔姬。其解與楊士勛二者皆為同一人的主張不同，然楊疏云：「理亦足通。」[113]

《穀梁》解釋《春秋》之重點在其大義，較少涉及史事背景、成因之說明；然《春秋》本為魯史性質，徐邈從史事背景的角度注解《穀梁》，在明白史事之來龍去脈後，有助於《穀梁》傳義之了解。

（二）相關制度的說解

《穀梁》重禮，不僅重視禮義、禮情，也重視禮制、禮儀，所以在《穀梁》中常見與禮相關的觀念。[114]以此，徐邈解釋禮制以注解《穀梁》，宜為必然。今可見者，概有下列六端。

1 釋婦人之禮

言佾則羽[115]在其中，明婦人無武事，獨奏文樂。[116]

111 〔清〕馬國翰：《玉函山房輯佚書》，頁1410下。

112 〔清〕馬國翰：《玉函山房輯佚書》，頁1410上。

113 〔晉〕范甯集解，〔唐〕楊士勛疏：《春秋穀梁傳注疏》，卷11，頁108下。

114 關於《穀梁》的禮觀念，詳參吳智雄：《穀梁傳思想析論》，頁61-84。

115 「羽」，原作「干」，阮元校云：「閩、監、毛本，干作羽。補：此干字作羽。」見〔晉〕范甯集解，〔唐〕楊士勛疏：《春秋穀梁傳注疏》，卷2，頁26下。

116 《穀梁．隱公五年》經：「九月，考仲子之宮，初獻六羽。」傳：「舞夏，天子八佾，諸公六佾，諸侯四佾。」見〔晉〕范甯集解，〔唐〕楊士勛疏：《春秋穀梁傳注疏》，卷2，頁21上下。徐邈語見〔清〕馬國翰：《玉函山房輯佚書》，頁1404上。

徐邈認為佾舞中有羽旄，說明婦人無武事，故於樂舞中僅奏文樂。如楊士勛疏云：「禮有文舞，有武舞。文舞者，羽籥是也；武舞者，干戚是也。……今仲子特為築宮而祭之，婦人既無武事，不應得用干戚，故云獨奏文樂。」[117]周何先生則云：「經文用『羽』，傳解為舞『夏』，所以夏是文舞的一種。」[118]

2 釋喪葬禮

《穀梁注義》中與喪葬有關的禮制解釋，約有下列兩例。

> 謂之虞者，親喪已入壙，皇皇無所見求，而虞事之。虞，猶安也。虞主用桑者，桑猶喪也，取其名與其麤觕，所以副孝子之心。練主用栗者，謂既埋虞主於兩階之間，易用栗木為主，取其戰栗，故用栗木為主。士虞記曰：「桑主不文，吉主皆刻而謚之。」蓋為禘時別昭穆也。[119]

> 案經文是己丑之日葬，喪既出而遇雨，若未及己丑而卻期，無為逆書此曰葬。禮，喪事有進無退。又〈士喪禮〉有潦車載蓑笠。則人君之張設，固兼備矣。禮，先遷柩於廟，其曰昧爽而引。既及葬日久晨，則祖行遣奠之禮設矣，故雖雨猶終事，不敢停柩久次。[120]

徐邈解釋了喪禮中虞祭、練祭的內容及出葬遇雨的處理方式。所謂虞祭，范注曰：「禮，平旦而葬，日中反而祭，謂之曰虞。」[121]徐邈認為虞祭

---

117 〔晉〕范甯集解，〔唐〕楊士勛疏：《春秋穀梁傳注疏》，卷2，頁21下。

118 周何：《新譯春秋穀梁傳》，頁39。

119 《穀梁・文公二年》經：「丁丑，作僖公主。」傳：「立主，喪主於虞，吉主於練。」見〔晉〕范甯集解，〔唐〕楊士勛疏：《春秋穀梁傳注疏》，卷10，頁98下。徐邈語見〔清〕馬國翰：《玉函山房輯佚書》，頁1408下-1409上。

120 《穀梁・宣公八年》經：「冬，十月己丑，葬我小君頃熊。雨，不克葬。」傳：「葬既有日，不為雨止，禮也。雨，不克葬，喪不以制也。」見〔晉〕范甯集解，〔唐〕楊士勛疏：《春秋穀梁傳注疏》，卷12，頁119上。徐邈語見〔清〕馬國翰：《玉函山房輯佚書》，頁1410下。

121 〔晉〕范甯集解，〔唐〕楊士勛疏：《春秋穀梁傳注疏》，卷10，頁98下。

在安頓神靈，鍾文烝亦云：「虞，安也，以安神。」[122]虞祭時的神主使用桑木，取其與「喪」同音，以符孝子之心。所謂練祭，范注曰：「期而小祥，其主用栗。」[123]也就是喪滿一年後所舉行的小祥之祭，徐邈認為練祭之神主使用栗木，取其戰慄謹敬之意。而在出葬遇雨時，徐邈認為「雖雨猶終事，不敢停柩久次」；也就是說，出葬時如遇雨，為免停柩過久，所以仍須繼續進行以完成葬禮。[124]而此主張，乃受「禮，喪事有進無退」核心觀念的影響而成。

3 釋夫婦婚姻之禮

> 宋公不親迎，故伯姬未順為夫婦，故父母使卿致伯姬，使成夫婦之禮，以其責小禮違大節，故傳曰：不與內稱，謂不稱夫人而稱女。[125]

劉向《列女傳》曰：「嫁伯姬於宋恭公，恭公不親迎，伯姬迫於父母之命而行。既入宋，三月廟見，當行夫婦之道。伯姬以恭公不親迎，故不肯聽命。宋人告魯，魯使大夫季文子如宋，致命於伯姬，還復命，公享之。」[126]

---

122 〔清〕鍾文烝：《春秋穀梁經傳補注》，卷13，頁362。

123 〔晉〕范甯集解，〔唐〕楊士勛疏：《春秋穀梁傳注疏》，卷10，頁98下。

124 關於出葬遇雨的處理方式，歷來說法不一，鍾文烝總結云：「竊嘗論之，〈王制〉、《左氏》說『庶人不為雨止』，《公羊》說『兼及卿大夫』，其言已歧異矣。〈王制〉下文言『喪不貳事』，亦屬庶人，而《穀梁》此年傳『不為雨止』、文十六年傳『喪不貳事』，皆言人君之禮，則知〈王制〉為記述之疏謬，而《左氏》、《公羊》皆宋可用，許慎、何休、鄭君、孔穎達及《穀梁》舊解皆失之也。雨有甚不甚，葬有未發已發之別，傳但大概言之，謂葬既卜得日，於禮無止，止則以為非制耳。徐注、楊疏、孔廣森亦皆失之也。」見〔清〕鍾文烝：《春秋穀梁經傳補注》，卷15，頁440。所以王熙元說：「（范甯）此引徐說，釋葬禮不為雨止之事，先儒異說多端，蓋古籍所載，已紛歧不一。」見王熙元：《穀梁范注發微》，頁204。

125 《穀梁・成公九年》經：「夏，季孫行父如宋致女。」傳：「致者，不致者也。婦人在家制於父，既嫁制於夫。如宋致女，是以我盡之也。不正，故不與內稱也。逆者微，故致女詳其事，賢伯姬也。」見〔晉〕范甯集解，〔唐〕楊士勛疏：《春秋穀梁傳注疏》，卷14，頁137上。徐邈語見〔清〕馬國翰：《玉函山房輯佚書》，頁1412上。

126 張敬：《列女傳今註今譯》（臺北市：臺灣商務印書館，1994年），頁133。

鍾文烝曰：「劉子政用《穀梁》家舊說，而徐注因之，大意皆是。」[127]在婚禮儀式中，《穀梁》有「親迎」的主張，[128]徐邈於此亦主宋恭公未親迎伯姬，以致兩人尚未成為正式的夫婦，故魯使卿至宋致伯姬，使成夫婦之禮。

4 釋郊禮[129]

> 宮室，謂郊之齊宮，衣服、車馬、器械[130]，亦謂郊之所用。言一事闕，則不可以祭。何得九月用郊？[131]

徐邈解釋《穀梁》傳文「宮室不設，不可以祭。衣服不脩，不可以祭。車馬器械不備，不可以祭」之義。先言宮室即郊之齊宮（即齋宮），再言衣服、車馬、器械等，皆為郊禮之所用。所以，如果其中一事有闕，則不可以祭，因違反了傳文所謂「薦其時，薦其敬，薦其美」的誠敬精神。徐邈此說，為《穀梁》義之承繼與發揮。

5 釋宗廟禮

> 《禮記》曰「君執鸞刀而刲牲」是也。[132]

---

127 〔清〕鍾文烝：《春秋穀梁經傳補注》，頁494。

128 關於《穀梁》的婚禮親迎主張，詳參吳智雄：《穀梁傳思想析論》，頁111-113。

129 關於魯於九月用郊的分析討論，詳見周何：《春秋吉禮考辨》（臺北市：嘉新水泥公司文化基金會，1970年），頁46-48。

130 「器械」二字原缺，據《春秋穀梁經傳補注》補。見〔清〕鍾文烝：《春秋穀梁經傳補注》，卷18，頁517。

131 《穀梁．成公十七年》經：「九月辛丑，用郊。」傳：「九月用郊，用者，不宜用也。宮室不設，不可以祭。衣服不脩，不可以祭。車馬器械不備，不可以祭。有司一人不備其職，不可以祭。」見〔晉〕范甯集解，〔唐〕楊士勛疏：《春秋穀梁傳注疏》，卷14，頁142下。徐邈語見〔清〕馬國翰：《玉函山房輯佚書》，頁1412下。

132 《穀梁．文公十三年》經：「大室屋壞。」傳：「禮，宗廟之事，君親割，夫人親舂，敬之至也。」見〔晉〕范甯集解，〔唐〕楊士勛疏：《春秋穀梁傳注疏》，卷11，頁109下。徐邈語見〔清〕馬國翰：《玉函山房輯佚書》，頁1410上。

徐邈引《禮記》以釋傳文「君親割，夫人親舂」之宗廟祭禮。所引文見於兩處：一是《禮記‧祭義》：「祭之日，君牽牲，……鸞刀以刲取膟、膋，乃退。」孫希旦云：「祭，謂祭宗廟也。君牽牲者，謂二灌後，君出迎牲，牽之而入也。……鸞刀，刀之有鈴者。刲，割也。膟，血也。膋，腸間脂也。取血以告殺，又與膋並以供爇蕭也。」[133]二是《禮記‧祭統》：「君執鸞刀，羞嚌，夫人薦豆，此之謂夫婦親之。」[134]楊士勛注曰：「然彼據初殺牲之時，非是割牲之事，徐言非也。」[135]

6 釋田賦制

除去公田之外，又稅私田之十一也。[136]

《穀梁》評論「初稅畝」為「非正」，並認為其制度為「公之去公田而履畝十取一」，《公羊》「何以書？譏。何譏爾？譏始履畝而稅也」[137]的主張亦同。楊疏引徐邈語則明確說明，該制度為除去公田之外，在私田另課十分之一的田賦，並云：「傳稱『以公之與民為已悉矣』，則徐言是也。」[138]

以上關於徐邈從制度說明的角度注解《穀梁》，可見者計有婦人之禮、喪葬之禮、夫婦婚姻之禮、郊禮、宗廟之禮、田賦制度等六種，所注內容基本上都能進一步說明《穀梁》傳文所提到的制度禮制而具有補苴之功。

---

133 〔清〕孫希旦：《禮記集解》（臺北市：文史哲出版社，1990年），卷46，頁1215-1216。

134 〔清〕孫希旦：《禮記集解》，卷47，頁1240。

135 〔晉〕范甯集解，〔唐〕楊士勛疏：《春秋穀梁傳注疏》，卷11，頁109下。

136 《穀梁‧宣公十五年》經云：「初稅畝。」傳：「初稅畝者，非公之去公田，而履畝十取一也，以公之與民為已悉矣。」見〔晉〕范甯集解，〔唐〕楊士勛疏：《春秋穀梁傳注疏》，卷12，頁122上下。徐邈語見〔清〕馬國翰：《玉函山房輯佚書》，頁1411上。

137 〔漢〕何休解詁，〔唐〕徐彥疏：《春秋公羊傳注疏》，卷16，頁207下。

138 〔晉〕范甯集解，〔唐〕楊士勛疏：《春秋穀梁傳注疏》，卷12，頁122下。

四　訓詁文字意涵以注解《穀梁》

以訓詁方式解釋典籍中的字詞意義，進而闡發其所蘊涵之思想主張，一直是先秦以來重要的注解方式，徐邈注解《穀梁》亦同，所見者概有訓釋字詞義與句讀標音兩種。

首先，在訓釋字詞義方面。從訓詁術語使用的角度來看，《穀梁注義》中所見者計有下列五種。

第一種句型形式為「某，某／某，某也／某，某某也／某某，某某也」。「此為最常見之訓詁術語，以『也』字明一字之義已盡」[139]，主要以判斷句的形式解釋字詞義，解釋字詞與被釋字詞之間常具有音、義相近或相同的關係，因此得以解釋被釋字詞之音、義，是傳統典籍注解常見的訓詁方式。在聲音的關係上，《穀梁注義》中所見者有〈宣公十五年〉徐邈云：「藉，借也。」其後再以「謂借民力治公田，不稅民之私也」解釋傳文「古者什一，藉而不稅」之義。在意義的關係上，使用「某，某（也）」句型的有〈隱公四年〉與〈宣公元年〉徐邈云：「挈，舉。」[140]分以解釋傳文「祝吁之挈」(〈隱公四年〉) 與「遂之挈」(〈宣公元年〉)。使用「某，某某也」句型的有〈桓公三年〉徐邈云：「鞶，佩褁也，紳帶也。」[141]用以解釋傳文「諸母施鞶紳」之義；〈莊公二十三年〉徐邈云：「黝，黑柱也。堊，白壁也。謂白壁而黑柱。」[142]解釋傳文「禮，天子、諸侯黝堊」之義；〈昭公八年〉先以「流，至也」、「握，四寸也」解釋「流」「握」之義，再以「門之廣狹，足令[143]車通。至車兩軸，去門之旁邊一握」「轚者不得入，轚謂挂著，若車挂著門，則不使得入，以恥其御拙也」，[144]詳細說明傳文「流旁

139 林尹：《訓詁學概要》(臺北市：正中書局，2007年)，頁193。

140 〔清〕馬國翰：《玉函山房輯佚書》，頁1404上、1410上。

141 〔清〕馬國翰：《玉函山房輯佚書》，頁1405上。

142 〔清〕馬國翰：《玉函山房輯佚書》，頁1406上。

143 「令」，閩本同，監、毛本誤作「合」，馬輯本作「合」。

144 〔清〕馬國翰：《玉函山房輯佚書》，頁1414上。

握，御鑿者不得入」之義。使用「某某，某某也」句型的有〈僖公五年〉徐邈云：「塊然，安然也。」[145]解釋傳文「塊然受諸侯之尊己」之義。

第二種句型形式為「某某（者），謂某某（也）」。林尹曰：「凡言謂者，皆以狹義釋廣義，或以直義釋曲義，分名釋總名。」[146]主要說明被釋字詞在句中所指意義或事物，除上述訓釋內容外，還有以別名釋類名、以具體釋抽象、以小名釋大名等。今於《穀梁注義》中所見者，有〈閔公元年〉經云：「夏，六月辛酉，葬我君莊公。」傳云：「莊公葬而後舉諡。諡，所以成德也，於卒事乎加之矣。」徐邈云：「成謂定其德之優劣。」[147]〈僖公九年〉經云：「冬，晉里克殺其君之子奚齊。」傳云：「其君之子云者，國人不子也。」徐邈云：「不子者，謂不子愛之也。」[148]此兩者皆以直義釋曲義。〈莊公二十五年〉經云：「六月辛未，朔，日有食之。」傳云：「天子救日，置五麾，陳五兵、五鼓。」徐邈云：「五兵者，矛在東，戟在南，鉞在西，楯在北，弓矢在中央。」「五鼓者，東方青鼓，南方赤鼓，西方白鼓，北方黑鼓，中央黃鼓。」[149]徐邈注解語中雖無「謂」字，但此乃以分名釋總名，仍是此法之應用。

第三種句型形式為「某，猶某也」。清人段玉裁（1735-1815）曾云：「凡漢人作注云猶者，皆義隔而通之，如《公》《穀》皆云『孫猶孫也』。」「以今語釋古語，故云猶。」「凡漢人訓詁，本異義而通之曰猶。」[150]《穀梁注義》中所見者皆屬「義隔而通之」之類，林尹云：「意思本來不同，然展轉可通，所謂義隔而通之者也。」[151]如〈僖公二年〉經云：「虞師、晉師滅夏陽。」傳云：「滅夏陽，而虞、虢舉矣。」徐邈云：「舉，猶拔也。言晉

145 〔清〕馬國翰：《玉函山房輯佚書》，頁1407下。
146 林尹：《訓詁學概要》，頁195。
147 〔清〕馬國翰：《玉函山房輯佚書》，頁1407下。
148 〔清〕馬國翰：《玉函山房輯佚書》，頁1408上。
149 〔清〕馬國翰：《玉函山房輯佚書》，頁1406下。
150 〔清〕段玉裁：《說文解字注》（臺北市：黎明出版公司，1990年），頁90、129、203。
151 林尹：《訓詁學概要》，頁194。

滅夏陽，則虞、虢自此而拔矣。」[152]〈成公九年〉經云：「春，王正月，杞伯來逆叔姬之喪之歸。」傳云：「傳曰『夫無逆出妻之喪而為之也』。」徐邈云：「為，猶葬也。」[153]〈襄公二十七年〉經云：「衛殺其大夫甯喜。」傳云：「嘗為大夫，與之涉公事矣。」徐邈云：「涉，猶歷也。」[154]

第四種句型形式為「某某曰某」。「『曰』、『為』，皆直陳其事之辭也」，[155]主要解釋被釋字詞義而具有下定義的功用，解釋詞在前，被釋詞在後。於《穀梁注義》見得一例，〈襄公二十四年〉經云：「大饑。」傳云：「五穀不升為大饑，一穀不升謂之嗛，二穀不升謂之饑，三穀不升謂之饉，四穀不升謂之康，五穀不升謂之大侵。」徐邈云：「有死曰大餓，無死曰饑。」[156]以「有死」、「無死」分別補充解釋傳文「大餓」、「饑」之義。

第五種句型形式為「某某，今之某某」。乃以今語釋古語、今名釋古名、今物釋古物，與「古曰某，今曰某」之用法相同。於《穀梁注義》中見得一例，〈莊公三十一年〉經云：「六月，齊侯來獻戎捷。」傳云：「齊侯來獻捷者，內齊侯也。不言使，內與同，不言使也。獻戎捷，軍得曰捷，戎菽也。」徐邈云：「戎菽，今之胡豆也。」[157]乃以今之胡豆釋傳文「戎菽」所指之物。

除了應用上述訓詁術語的方式外，徐邈在某些注解中不使用訓詁術語，而是直接以義訓的方式界定、訓釋被釋字詞之意涵。[158]例如：

〈隱公九年〉經云：「俠卒。」傳云：「俠者，所俠也。」徐邈云：「尹更始云『所者，俠之氏』。」[159]徐邈解釋經文「所」是俠之氏。

---

152 〔清〕馬國翰：《玉函山房輯佚書》，頁1407下。

153 〔清〕馬國翰：《玉函山房輯佚書》，頁1412上。

154 〔清〕馬國翰：《玉函山房輯佚書》，頁1413下。

155 林尹：《訓詁學概要》，頁196。

156 〔清〕馬國翰：《玉函山房輯佚書》，頁1413上。

157 〔清〕馬國翰：《玉函山房輯佚書》，頁1407上下。

158 林尹云：「義訓是指字義的解釋不以字音為訓，不以字形為訓，只求說明其相當的意義者，都可歸之於義訓。」見林尹：《訓詁學概要》，頁164。

159 〔清〕馬國翰：《玉函山房輯佚書》，頁1404下。

〈昭公八年〉傳云：「以葛覆質以為槷。」徐邈云：「恐傷馬足，故以毛布覆之。」[160]徐邈補充解釋葛為毛布，覆之以免傷馬足。

〈僖公九年〉經云：「九月戊辰，諸侯盟於葵丘。」傳云：「葵丘之會，陳牲而不殺，讀書加于牲上。」徐邈云：「陳牲者，不殺埋之，陳示諸侯而已。加于牲上者，亦謂活牲，非死牲。」[161]徐邈分別解釋傳文「陳牲」、「加于牲上者」之義。

〈文公二年〉經云：「丁丑，作僖公主。」傳云：「作，為也，為僖公主也。」徐邈云：「主，蓋神之所馮依，其狀正方，穿中央，達四方。天子長尺二寸，諸侯長一尺。」馬國翰自注：「集解文。楊疏云，何休、徐邈並與范注同。」[162]《穀梁》僅解釋經文「作」之義，徐邈解釋經文「主」之義，有補充傳義的用意。

〈襄公二十五年〉經云：「十有二月，吳子謁伐楚，門于巢，卒。」傳云：「以伐楚之事，門于巢，卒也。于巢者，外乎楚也。門于巢，乃伐楚也。」徐邈云：「巢，偃姓之國。」[163]徐邈補充說明「巢」為偃姓之國。

〈宣公二年〉經云：「春，王二月壬子，宋華元帥師及鄭公子歸生帥師，戰於大棘，宋師敗績，獲宋華元。」傳云：「獲者，不與之辭也。」徐邈云：「獲是不與之辭，與者當稱得也。故定九年『得寶玉、大弓』是也。」[164]徐邈解釋「與」是得的意思，並引定公九年經文為證。

其次，在句讀標音方面。徐邈也注意到句讀的問題，《穀梁注義》輯錄者如下兩條：

〈桓公十四年〉經云：「無冰。」傳云：「無冰，時燠也。」徐邈云：

---

160 「故以毛布覆之」之「布」字，十三經注疏本作「市」。見〔晉〕范甯集解，〔唐〕楊士勛疏：《春秋穀梁傳注疏》，卷17，頁168下。徐邈語見〔清〕馬國翰：《玉函山房輯佚書》，頁1414上。

161 〔清〕馬國翰：《玉函山房輯佚書》，頁1408上。

162 〔清〕馬國翰：《玉函山房輯佚書》，頁1409上。

163 〔清〕馬國翰：《玉函山房輯佚書》，頁1413上。

164 〔清〕馬國翰：《玉函山房輯佚書》，頁1410上。

「傳：『無冰，時燠也。』謂無冰書時。燠，煖也。時字上屬為句。」[165]徐邈認為傳文「時」字屬上為句，亦即傳文應句讀為「無冰時，燠也」。

〈桓公十四年〉經云：「秋，八月壬申，御廩災。乙亥，嘗。」傳云：「御廩之災之志。此其志，何也？以為唯未易災之餘而嘗可也。志，不敬也。」徐邈云：「御廩之災不志，不足志。而嘗可也。嘗可，上屬。」[166]徐邈認為「嘗可」二字應屬上為句。

再者，徐邈也注意到文字的異同問題，今見有一例。〈隱公三年〉經云：「癸未，葬宋繆公。」傳云：「吐者外壤，食者內壤。」徐邈云：「壤作傷。」馬國翰注云：「楊疏云壤字為穀梁音者，皆為傷，徐邈亦作傷。」[167]

此外，音韻學更為徐邈所擅長。《晉書》徐邈本傳有云：「年四十四，始補中書舍人，在西省侍帝。雖不口傳章句，然開釋文義，標明指趣，撰正五經音訓，學者宗之。」[168]據《隋書．經籍志》所載，徐邈在音韻方面有下列專著：

《周易音》一卷，注云：「東晉太子前率徐邈撰。」

《古文尚書音》一卷，注云：「徐邈撰。梁有《尚書音》五卷，孔安國、鄭玄、李軌、徐邈等撰。」

《毛詩音》十六卷，注云：「梁有《毛詩音》十六卷，徐邈等撰；《毛詩音》二卷，徐邈撰。」

《禮記音》三卷，注云：「梁有……徐邈音三卷，劉昌宗音五卷，亡。」

《春秋左氏傳音》三卷，注云：「徐邈撰。」

《論語音》二卷，注云：「徐邈等撰，亡。」

《五經音》十卷，注云：「徐邈撰。」

《莊子音》三卷、《莊子集音》三卷，注云：「徐邈撰。」

---

165 〔清〕馬國翰：《玉函山房輯佚書》，頁1405下。

166 〔清〕馬國翰：《玉函山房輯佚書》，頁1405下。

167 〔清〕馬國翰：《玉函山房輯佚書》，頁1403下。

168 〔唐〕房玄齡等撰：《晉書》，卷91，頁2356。

《楚辭音》一卷，注云：「徐邈撰。」[169]

徐邈音韻學著作遍及經、子、集，是為東晉音韻學大家。今於《穀梁注義》中所見音韻著有一例，〈文公十四年〉經云：「秋，七月，有星孛入于北斗。」傳云：「孛之為言，猶茀也。」徐邈云：「茀，扶勿反，一音步勿反，又音弗。」若徐邈穀梁學著作能留存至今，定有相當豐富之音韻注解內容。

五　結論

據《晉書》徐邈本傳所載，徐邈所注《穀梁》為世所重，是徐邈為東晉穀梁學大家。但其穀梁學相關著作，今皆已亡佚，所得見者僅清人馬國翰所輯《春秋穀梁傳注義》一卷，共計八十九條。本文即以該輯文內容為對象，專論徐邈之注解方式。

《穀梁注義》中所涉及徐邈的注解方式，可得「解釋書法義例」、「敘解史事制度」、「訓詁文字意涵」等三個層面。

在「解釋書法義例」方式中。有對《春秋》經文記載原則的說明，如莊公至自齊為危、經書不雨為不雩等；亦有對《穀梁》傳文的再說明，如御廩之災不志為不足志、以乞師為引古以刺今等；還有同時對經、傳文進行解釋者，如以正本說解釋經、傳文關於食、晦的記載與解釋、以「顧錄無麥」與「麥禾自死」解釋經、傳文之義等，注解的範圍可謂廣泛。而在義例方面則以時月日例的分析為主，兼及用字例。所述時月日例計十三例，共可分兩種類型，其一為擴用引申《穀梁》義例，其二為新創新設《穀梁》義例，兩種類型的比例大致相當。在所述兩種類型中，未見依《穀梁》既有時月日例者，此概與輯本的文獻限制有關。徐邈所述時月日例，與當時另一位穀梁學大家——范甯，兩者意同者居多；如再比較《公羊》義，則徐邈具採《公羊》義以說《穀梁》之傾向。而在用字例方面，以與盟奔、卒葬兩種有關者

169 以上所引徐邈音韻學專著，依序俱見〔唐〕魏徵、令狐德棻：《隋書》，卷32，頁909、913、916、922、928、936、937；卷34，頁1001；卷35，頁1055。

稍多，其中分述來盟者不言及、小國大夫舉名略氏、書葬皆據我言彼、殺無罪大夫君不書葬、無諡之君以公配、夷狄之王不書葬、卒在師言師、卒在會言會等數例。

在「敘解史事制度」方式中。《穀梁注義》所收輯文約略涉及「補充史事源流」與「說明人物身份」兩端。《春秋》本為魯史，所記皆史事，因此補充史事發展之源流，是明瞭《春秋》及《穀梁》之必要途徑，此即「治經終不能不通史」[170]的基本概念。徐邈所述之史事源流，既有天文異象，亦有人事互動與國際往來。而在敘述史事背景時，徐邈亦對若干人物進行身份的說明，凡此皆有助於經、傳義之理解。至於在相關制度的說解方面，分述婦人之禮、喪葬之禮、夫婦婚姻之禮、郊祭之禮、宗廟祭禮、田賦制度等六種。徐邈主張婦人無武事，故於佾舞中僅獨奏文樂；於喪葬禮中，徐邈解釋了虞祭、練祭的內容，並闡發喪事有進無退的精神，主張出葬遇雨猶終事。在夫婦婚姻之禮方面，則與《穀梁》同主親迎的主張。至於郊禮，徐邈認為郊祭首重誠敬精神，若一事有闕則不可以祭，此說為承繼《穀梁》義而來。而在宗廟祭禮方面，乃引《禮記・祭義》與〈祭統〉文以說明「君親割」之義。至於在田賦制度，則說明了初稅畝制度為公田之外稅私田十分之一的具體內容。

在「訓詁文字意涵」方式中，徐邈以義訓方法為主，聲訓方法為輔，並善用「某，某／某，某也／某，某某也／某某，某某也」、「某某（者），謂某某（也）」、「某，猶某也」、「某某曰某」、「某某，今之某某」等五種訓詁術語，為《穀梁》與《春秋》進行文字意義方面的注解。此外，徐邈亦注意句讀歸屬，並擅長音韻學，於《穀梁注義》中皆得見注例。

以上所論，雖在文獻上受輯佚內容之所限，無法盡窺徐邈於《穀梁》注解方式之全貌，亦無法於每一方式等量齊觀；然吉光片羽，聞一以知百，或亦可藉此得其大要矣。

---

170 錢穆：《兩漢經學今古文平議》（臺北市：東大圖書公司，1989年），頁4。

駱成馸《左傳五十凡例》評介

陳溫菊
銘傳大學應用中國文學系副教授

一 前言

以「例」作為研究《春秋》書法的一個術語，大概是在西漢初年出現，例如何休（129-182）作《春秋公羊解詁》，多依西漢先儒胡毋生的《條例》[1]。其實漢儒有自覺地用「例」來闡釋《春秋》意旨，首先是來自研究《左傳》的古文學者[2]，不過後來《公羊》和《穀梁》二傳與其研治者，也都通過立「例」的方式來探求《春秋》書法，反成其特色。至於「凡例」一詞，蓋起於杜預（222-285）《春秋經傳集解．序》：「其發凡以言例，皆經國之常制，周公之垂法，史書之舊章。」[3]杜氏此處所謂的「發凡言例」，是指

1 《春秋公羊傳注疏》序曰：「略依胡毋生《條例》，多得其正，故遂隱括使就繩墨焉。」參見〔東漢〕何休解詁，〔唐〕徐彥疏：《春秋公羊傳注疏》，〔清〕阮元校勘：《十三經注疏》本（臺北縣：藝文印書館，1955年），頁4下。

2 例如《隋書．經籍志》著錄，漢大司農鄭眾著有《春秋左氏傳條例》九卷，梁時尚存。參見〔唐〕魏徵等撰，楊家駱主編：《新校本隋書》（臺北市：鼎文書局，1980年），卷32〈經籍志〉第27，頁928。又賈逵著有《左氏條例》二十一篇、穎容著有《春秋左氏條例》五萬餘言，見〔劉宋〕范曄撰，〔唐〕李賢等注，楊家駱主編：《新校本後漢書》（臺北市：鼎文書局，1986年）卷36〈賈逵傳〉及卷79〈儒林傳〉，頁1234、2584。

3 〔晉〕杜預：《春秋經傳集解．序》曰：「仲尼因魯史策書成文，考其真偽而志其典禮。上以遵周公之遺制，下以明將來之法……。左丘明受經於仲尼……其發凡以言例，皆經國之常制，周公之垂法，史書之舊章。」見《春秋經傳集解》（臺北市：七略出版社，1991年二版影印相臺岳氏本），頁39上。

國家編訂史書的一種基本制度，有其自身的歷史演變和傳統。但就《左傳》而言，正好有五十條以「凡」字開頭的條例，因此後人便有《左傳》「五十凡」、「五十凡例」之說，相信透過此書寫原則或書寫樣態，必可考察孔子作《春秋》褒貶善惡、微言大義等深刻意蘊。

凡治《春秋》者，貴在得其義理；而義理之所歸，當根據客觀的事實。若脫離事實臆度褒貶，其說不免流於空疏武斷。《左傳》「以史傳經」[4]，以歷史敘事的方式解釋《春秋經》，故研治《春秋經》，務必自《左傳》入手。而《左傳》的「五十凡例」，對經文書法的解釋提供了概括性的論述，可作為理解《經》文、《傳》文的指標，後世研經者多會參詳其文字，以關照《經》、《傳》的內容與事例。但由於「五十凡」簡略不文，闡述不夠詳盡，與《經》文、《傳》文的扞格矛盾又多有所見，故歷代論《經》研《傳》者流漫紛紜，多異說異解，爭辯不已。近人駱成駫，作《左傳五十凡例》二卷，依次闡發五十凡例，雖非開宗立派的名儒鉅著，但論說條例分明，平實有據，略有可觀之處，唯其書罕見流傳，故撰本文評介之。

二　駱成駫生平事略

駱成駫[5]，字孝馴，生卒年不詳，清末民初四川資州（今資中縣）人[6]。終生以教職為業，未曾出仕。著有《儀禮喪服會通》，《左傳五十凡例》[7]等書。

4　詳見徐復觀（1904-1982）：《兩漢思想史・第三卷》「十、左氏以史傳經的重大意義與成就」（臺北市：臺灣學生書局，1982年六版），頁270-275。

5　駫，音ㄐㄩㄥ（jōng）。

6　一說駱氏家族之祖籍應是四川酉陽州（今酉陽土家族苗族自治縣小垻鄉），後遷居資州，故以為籍貫。參見黃節厚：〈駱成驤桑梓新說〉，《四川文物》1988年第4期，頁65。

7　《儀禮喪服會通》，又稱《儀禮喪服會通淺釋》；《左傳五十凡例》，或稱《左傳五十凡》。駱成駫此二書，常被誤植為駱成驤所作。如黃節厚〈駱成驤桑梓新說〉一文（《四川文物》1988年第4期，頁65），趙義山為曾訓騏的《駱狀元詩歌賞析》（北京市：人民文學出版社）所作之序文，以及維基百科、互動百科、巴蜀網等網路資料，可參以下網站：
http://zh.wikipedia.org/wiki/%E9%A7%B1%E6%88%90%E9%A9%A4

駱成駫一生無顯赫事蹟，但有一族弟駱成驤（1865-1926），為清末乙未科（1895）進士，殿試後得光緒帝賞識，獲欽點狀元，成為有清一代唯一出身四川的狀元。駱成駫與駱成驤的年歲相近，兄弟情誼深厚，兩人的學經歷頗相類同，生卒年似乎也相當接近。據駱成駫在《儀禮喪服會通》序中自言：

> 余于前清丁亥年秋九月，同叔父文廷來省，住錦江院攻讀，族弟公繡則先在先焉。既又同住尊經院，彼時皆強壯，謂功名何難立就？十年辛苦，弟則鵬飛，兄仍蠖屈。後又同遊外省，未能如願。民國光復後，咸歸故鄉。壬戌年同處國學校，以教授為事，屈指已四十餘年矣。[8]

由上文可知兩人先後皆曾進入成都錦江書院[9]、尊經書院[10]攻讀，唯駱成驤天資聰穎，早年即功名立就[11]，鵬飛入仕。相較之下，駱成駫終生寥落，無

---

http://www.baike.com/wiki/%E9%AA%86%E6%88%90%E9%AA%A7
http://www.phoer.net/ people/l/luochengxiang.htm

8 駱成駫：《儀禮喪服會通》序。見林慶彰主編：《民國時期經學叢書第四輯30》（臺中市：文听閣圖書公司，2009年9月），頁1。

9 設立於成都的「錦江書院」，為清代中前期四川的最高學府，是清代四川地區延續最長的官辦省級書院。康熙四十三年（1794）由四川按察使劉德芳興建，諸生挑選秀才以上生員入學，無秀才、舉人資格者，不得入學。光緒二十七年（1901），與尊經書院合併，次年，在錦江書院原址設成都府中學堂，於尊經書院原址設立四川通省大學堂，旋即改名四川省城高等學堂。錦江與尊經二書院，皆是今日四川大學的歷史淵源之一。參見蕭衛東：〈清代四川的書院〉，《文史雜誌》2006年第5期，頁76-78；以及謝春燕：〈書院改學堂的歷史嬗變〉，《科教文化》2008年第7期（上旬刊），頁224-225。

10 設立於成都的「尊經書院」，為十九世紀後期四川的教育中心和傳播文化訊息、培養人才的中心，與錦江書院並列為四川的最高學府，但實際地位超過錦江書院。一八七五年，四川學政張之洞奏請朝廷批准，創辦「尊經書院」，首批學生是從全省百餘州縣的三萬多名生員中，擇優錄取，之後，每逢歲考，再從各府縣的一、二名秀才中，調取俊秀者入院學習。至一九〇二年，改為四川省城高等學堂，其存在時間僅二十八年，但影響頗為深遠，開創四川近代教育之先河。參見何一民：〈試論尊經書院與四川士林風氣的變化〉，《四川師範大學學報》1991年第1期，頁87-95。

11 據《四川方志．人物志》所述：「成驤九齡即隨父讀錦江。時丁文誠督川，創尊經院，延湘大師王壬秋（闓運）主講筵，院生皆由學使調入。成驤得尊經父執誨，學益富，十四為文即奇邁。歸應州試，同郭燦、周如漢，皆為州牧貴筑（今貴州貴陽市）高怡

緣宦祿。駱成駫自言在丁亥年（1887）隨叔父駱文廷到錦江書院，當時文廷（騰煥）之子、堂弟駱成驤（公驌）[12]已先在此攻讀。成驤早在九歲（1874）便入錦江，十四歲（1879）取得生員資格，後以生員歲試第一名的資格調入尊經書院，唯不確知是哪一年。據成駫之言，成驤選入尊經書院的時間必在丁亥年（1887）以後，兩人才能在錦江書院碰面。駱成駫又提到自己有一段時間和成驤「同住尊經院」，表示成駫至少也具有秀才資格，才能選入尊經書院，而駱成驤在癸巳年（1893）二十八歲中舉，所以兩人「同住尊經院」的時間，當在一八八七年至一八九三年數年之間。成駫又說：「十年辛苦，弟則鵬飛，兄仍蠖屈」，所謂「鵬飛」，必然是指駱成驤乙未年（1895）獲欽點狀元的榮耀，而成駫自己卻遭遇尺蠖之屈，只能屈身求隱，待展鴻圖。之後，成駫與成驤「同遊外省，未能如願」，顯示兩人之間手足情深，相互提攜的狀況。駱成驤出仕後，曾應廣西巡撫張鳴岐之聘，主持桂林法政學校（1908），後又奉派至山西出任山西學司（1910），駱成駫可能跟隨「同遊外省」，目的是待機求仕，一展才能，不過世事蒼黃，時勢不允，故「未能如願」。民國之後（1911），兩人都回到成都，從事教育以終老。壬戌年（1922）國學校校長廖平年老請辭[13]，駱成驤繼聘為校長，成駫提到兩

樓聘衡文楊銳、胡延、范溶等所雋拔。成驤尤奇特，試終，置首選，遂入泮食餼。後歲試，以第一調入尊經。癸巳舉於鄉，甲午春闈躓留京師，大困。……乙未，成進士。……景帝（德宗光緒）臨軒策問，……策入，李若農、汪柳門兩侍郎爭置第一，徐蔭軒相國以第三進。景帝睿賞，欽定第一。」可知駱成驤九歲（1874）即就讀錦江書院，十四歲時（1883）應州試，得到知州高怡樓和襄理考試的楊銳等人賞識，獲首選，以生員入學。後又以歲試第一調入尊經書院（但不確知在何年），刻苦勤學，二十八歲（1893）鄉試第三名中舉，三十歲（1895）成狀元。詳見吳鴻仁、黃清亮等修纂：《資中縣續修資州志》卷5〈人物志．宦業〉，《新修方志叢刊．四川方志》（臺北市：臺灣學生書局，1971年3月），頁450-453。

12 一說駱成驤原籍雲南會澤，姓李，其父家境貧困。七歲時，碰上駱文廷夫婦到會澤經商，李父便將其子過繼給駱氏夫婦，改名駱成驤，隨後帶回四川求學，故駱成驤實為駱文廷養子。見楊寶康：《彭桂萼傳》序文（北京市：學苑出版社，2008年），頁1。

13 國學學校，前身為一九一〇年設立的存古學堂，保存了錦江書院、尊經書院兩書院的藏書、刻版及成都府中所遺部分國學書籍，收藏豐富。一九一二年改為四川國學院，

人在「壬戌年同處國學校」,「國學校」即「四川省國學專門學校」,其前身為「存古堂」、「四川國學院」、「四川國學學校」。大概是因成驤擔任校長,成駫也受聘為國學專門學校的教授。《儀禮喪服會通》序又說:

前日以七古詩一首贈余,推挹雖有過量,然未嘗非知我者,何意竟以此詩作紀念也。痛何如之!余感其知己,恐久散失,適值撰述告訖,遂將此贈刻于其前,以示不忘耳![14]

駱成駫的《儀禮喪服會通》是民國十五年(1926)刊行[15],駱成驤也在此年夏季病逝,駱成駫有感於堂弟的知己和離世,便收錄成驤的〈贈族兄孝馴五哥老經師〉詩作為紀念。詩云:

錦江春水涵碧空,中有少年成老翁。
來往不隨波上下,流連止在磽西東。
萬里磽東百花院,桃李蔭蔭人不見。
晝擁臯比席幾重,夜搜蠹簡書千卷。
萬里磽西萬竹樓,竹聲樓影入江流。
抱雲高臥披風立,辜負滄海一釣舟。
兄弟雁行年六十,夷吾畏事口先吃。
每驚世變染蒼黃,不改心期盟甲乙。
聖德難分習禮名,機雲誰辨讀書聲。
淹中稷下今猶古,齊魯同風望後生。[16]

一九一四年又更名為四川國學學校,一九一八年再改名為四川國學專門學校,至一九二七年併入公立四川大學,國學專門學校改為四川大學的文學院。參見楊正苞:〈四川國學院述略〉,《西華大學學報》(哲學社會科學版)第28卷第1期(2009年2月),頁27-30。

14 駱成駫:《儀禮喪服會通》序,頁2。

15 此書內頁書影有「民國十五年,歲在丙寅,小陽月上浣新刊」字樣。小陽月是指農曆九月,上浣即上旬之意,指每個月的初一至初十期間。唐代定制,官吏每十天一休浴(休息、沐浴),每月分為上浣、中浣、下浣,後來借做上旬、中旬、下旬的別稱。

16 此詩駱成駫自行收錄於《儀禮喪服會通》首頁序文之前,頁1。

由詩題、詩句的內容推知，駱成駫的家族排行是第五。詩句「兄弟雁行年六十」，指出這是他六十歲時，成驤寫的贈詩。由於成驤過世時是六十一歲（虛歲六十二），而此詩寫作的時間距成驤離世的時間不久，推測兩人的年紀相當，可能同年，或者成駫略長於成驤。根據詩文內容，可知駱成駫長年在成都萬里橋東的百花院「晝擁臯比」，教習弟子，講授經義，故「桃李蔭蔭」，不知凡幾；課後居住於萬里橋西的萬竹樓，過著「夜搜蠹簡」、「抱雲高臥」的清貧生活。觀其平生，駱成駫確實是一個以教授為事，皓首窮經的「老經師」。其人卒年不詳，唯據《左傳五十凡例》刊行的時間[17]，推知當在民國十六年（1927）以後。

三 《左傳五十凡例》的寫作動機與體例

駱成駫的《左傳五十凡例》一書，分卷上、卷下，共二卷，前面附駱氏的自敘，民國十六年（1927）四川岳池縣刊本[18]，罕見流傳，臺灣地區僅見中央研究院傅斯年圖書館館藏，大陸地區經搜尋結果，似未有館藏。根據卷上作者落款「國學專門學校教授．資中孝馴駱成駫撰」一語，可推知此書的寫作時間應該是在一九二二至一九二六年間完成[19]，可能是駱氏任教時的講學之作，也是他作為經師，一生研讀《春秋》、《左傳》的總體成果。

（一）寫作動機

此書的寫作動機，駱成駫並未明言，但根據他在自敘中論述有關「凡例」的某些觀點，可以推測其作書意旨。駱氏曰：

17 《左傳五十凡例》內頁書影有「民國十六年，歲次丁卯，正月上浣新刊」字樣。

18 據卷下末終行，有刻工姓名：「岳池明青楊世元刊刻」。

19 駱成駫於壬戌年（1922）開始至國學專門學校任教，至民國十六年年初出版此書，故推定其寫作時間在一九二二至一九二六年間。

《春秋》者，明是非，辨善惡，譏得失，賢其賢，貴其貴，賤其賤。因其可褒者褒之，應貶者貶之，以人治人，因事立法，聖人固無所庸心於其間。何所謂「凡」？又何所謂「例」耶？然其立言自有方類，則自有體制……左丘明親遊其門，則不得不因其方類體制，以求其所謂分別部居，不相雜廁之意，以為後之習是經者方術也。[20]

首先，駱成馸以為《春秋》的褒貶譏刺，孔子並未刻意用心於「書法」，只是依循「可褒者褒之，應貶者貶之」的立言原則，意即仲尼作《春秋》本無所謂的「凡、例」，然當其記錄二百四十二載春秋史事時，「以人治人，因事立法」，以明辨是非善惡與得失，見其賢賢、貴貴、賤賤之況，卻自然形成一定的「方類」、「體制」。《左傳》中「發凡言例」的「凡例」，正是由左丘明依據《春秋》立言的「方類體制」加以歸納統領，「分別部居」後形成的，是後人研習《春秋》可以依據的方術、入門綱領。他又說：

凡者，包括也，故有發於前者，以前包後也；發於後者，以後包前也；發於中者，以中包其前後也；發於小國者，以小包大也；發於遠裔者，以夷包諸夏也。言內以明外，言遠以知近。其事同而不言者，悉包於此焉。明一義以求他義，習一凡以推他凡，執簡馭繁，綱舉目張，習《春秋》者，舍此固不能為功也。今特於凡例外，更錄後儒之習《左氏春秋》者。尤推出無數細碎體例，頗能發人智趣，啟人領悟，於《春秋》不能為無益，於丘明不能為無助也。（卷上自敘，頁1b-2a）

駱氏相信，「凡例」對於研習《春秋》者，能收執簡馭繁、綱舉目張的功效，所以「習《春秋》者，舍此固不能為功也」。他解釋「凡」字，有包含、總括之意，則《左傳》凡例的主要功能是「發凡舉例」，故前例可包後事，後例可攝前事，中例則盡括前後事；發凡於小國之事例，可以小包大；

20 駱成馸：《左傳五十凡例》卷上自敘，頁1a-1b。本文所引，皆據此本。故再次徵引時，僅標明頁碼。

發凡於夷狄之事例，也可含括中原諸夏；言魯國事，自可曉明其他諸侯國事；凡論一事，則同類之事悉可包括。因此，理解凡例，不可拘泥於一事一例，當轉相推求，以一義求他義，以一凡推他凡，以「凡例」為習《春秋》、《左傳》之要領，則孔子的微言大義，自能順理而成。故凡例之研究，乃習《春秋》、治《左傳》之首要。

再者，左丘明之後，歷代許多研治《左傳》者，對於《春秋》和《左傳》的書法、義例陸續增補，先後提出許多獨到觀點，駱氏以為，後儒的著作也頗有開導智慧、啟迪才識，令人有所領悟的見解，對於《春秋》和《左傳》的研究自有裨益。推敲其意，駱成駫博覽群書，對於後儒見解大加稱揚，因此其案語旁徵博引，廣納前人之說，然在徵引資料當中，也經常揉雜自己的觀點。他所謂「錄後儒之習《左氏春秋》者」，大抵也包含自己的評論觀點和見解，其寫作動機，表面上是稱揚歷代先儒對《春秋》和《左傳》的貢獻，其實是藉此闡發個人看法，將其終生研究成果保留下來，冀能「發人智趣，啟人領悟」，有所貢獻與影響，這大概才是他著作的真正意旨與動機。

（二）書寫樣式

《左傳五十凡例》將《左傳》中五十條以「凡」字開頭的文字，依時間先後臚列，立「第一凡、第二凡、第三凡……第五十凡」為標題。先書明魯公的諡號和年份，續錄與傳例相應的經文，再錄傳文；若此凡本無經文，則於魯公年號下逕錄傳文。經文、傳文的正文之下，另以較小字體抄錄杜預的注釋和孔穎達《正義》的內容。有時版心的上方（即「天頭」）會附眉批，註明《公羊傳》、《穀梁傳》的說法，或者補充《正義》和案語中所論事例對應的傳文事件。凡例的最後，除了第四凡、第二十四凡、第二十七凡、第四十一凡、第五十凡之外，共有四十四條案語[21]，闡發駱氏個人的觀點或考證

21 《左傳五十凡例・自敘》曰：「余撰集《左傳五十凡例》，遇有同類引證者，則案數語於各凡之後，無則已焉。」（卷上，頁2a-2b）如駱成駫所言，「五十凡」中並非每一凡

的論述，透過這些案語，可略窺駱氏的《春秋》學和《左傳》學觀點。

綜觀其寫作案語的體例，大要而言，可包括三種方式：第一，廣引諸說以證之，即錄經典文獻或前人之說，以為闡發、佐證凡例之明文；第二，屬辭比事以釋之，即統計和比較、歸納《經》、《傳》事例，通過類比相關的事件和記載，分析凡例與《經》、《傳》矛盾或相左之處，探求其義；第三，獨抒己見以斷之，即申述一己之見，斷論凡例所發之旨正確無誤。以下舉例，逐一說明。

1 **廣引諸說以證之**

在《左傳五十凡例》一書的案語中，駱氏廣泛援引經典文獻和前儒之說，考括墳籍，博採群議，作為參驗凡例之明文，以論證其有所本、有所據，則凡例可信，自不待言。例如：

> 第十一凡案：日食本有一定度數，可豫為推算者，常道也。昔者湯若望、南懷仁、徐光啟諸賢，豫為推算，即至日食，時不差絲毫。……故《記·昏義》言曰：「日食，天子素服，以脩六官之職；月食，后素服，以脩六宮之職。」其意與《春秋》書日食同，不可厚非也。……（卷上，頁25a-26a）
>
> 第十四凡案：《穀梁傳》曰：「延廄者，法廄也。」《周禮》：「天子十二閑，馬六種；邦國六閑，馬四種。每廄一閑。言法廄者，六閑之舊制也。」六種之馬，其駕馭亦各有其所。……國之大小，視馬之多少為比例。故魯僖作〈頌〉，首詠牡馬，車亦千乘。馬重廄亦重，非其時而作，則譏之也。疏曰：「名之為延，其義不可知。」《說文》：「延者，引也、長也。」……（卷上，頁29b-30a）
>
> 第十六凡案：《春秋》書內之物災，實計書螟者三，書螽者十，書蝝生者一，書多麋者一，書有蜮者一，共計十有六。……故〈尹訓〉

皆有案語，共有五個凡例無案語。另外，第三十九凡、第四十凡的案語合併書之，故其案語共計四十四條。

曰：「鳥獸魚鱉咸若。」〈湯誥〉曰：「賁若草木，兆民允殖」是也。〈大田〉詩云：「去其螟螣，及其蟊賊。」鄭箋曰：「君能正心以去之」，則物不為災也。……《穀梁傳》曰：「外災不志。其所以志者，甚之也。」杜預則云：「來告故書，不然則否。」之說為可據。（卷上，頁31b-32a）

上引三則案語，駱氏援引了湯若望、南懷仁、徐光啟等科學家的天文知識，以及《禮記》、《周禮》、《穀梁傳》、《說文》、《尚書》、《詩經》、《毛詩鄭箋》[22]等經典文獻，對十一、十四、十六凡例[23]進行補充以為佐證，此乃其案語的書寫常例。其他案語中尚見引《論語》、《孟子》、《儀禮》、《公羊傳》等典籍的文字，或者其他先儒對駱氏的觀點與立論有所影響者，特別是杜預、孔穎達等人。有時駱氏雖未明言，但闡釋雷同，引述和補益之跡昭著，例如第十一例，孔疏引了《易經》、《尚書》、《周禮》、《穀梁傳》之說為《左傳》解析，駱氏案語則增加《禮記・昏義》推證；第十四例，孔疏釋經文僅引了《公羊傳》的說法，駱氏在案語中便補上穀梁之說以相參照；第十六例經無傳有，駱氏特別先將《春秋》書災的情況做一統計，再引《尚書》、《詩經》、《穀梁傳》、鄭玄、杜預之說驗證。總觀而論，駱氏其人，博覽群書，尤其對《春秋》經傳精通熟習，治學態度縝密詳審，故能旁徵博引，廣引諸說，轉相參驗，以抒己見。

---

22 第十六案語中的〈尹訓〉、〈湯誥〉，出自《偽古文尚書》，唯〈尹訓〉當是〈伊訓〉篇之誤。〈大田〉則為《詩經・小雅・甫田之什》的第二篇，鄭玄箋其詩句曰：「故明君以正己而去之。」見〔漢〕鄭玄箋：《毛詩鄭箋》（臺北市：新興書局，1981年8月校相臺岳氏本），頁92下。第四十七凡中的仲尼曰：「羔裘玄冠不以弔」，出自《論語・鄉黨》第6章，見〔魏〕何晏等注，〔宋〕邢昺疏：《論語注疏》，〔清〕阮元校勘：《十三經注疏》本（臺北縣：藝文印書館，1955年），頁88下。

23 十一凡：「凡天災，有幣無牲。非日月之眚不鼓。」十四凡：「凡馬，日中而出，日中而入。」十六凡：「凡物，不為災，不書。」分別載於莊公二十五年、莊公二十九年春、莊公二十九年秋傳文。見〔西晉〕杜預注，〔唐〕孔穎達疏：《春秋左傳正義》，〔清〕阮元校勘：《十三經注疏》本（臺北縣：藝文印書館，1955年），頁174下、178下、178下。本文所引《左傳》之文，皆據此版本。以下見引，僅標明頁碼。

2 屬辭比事以釋之

《禮記．經解》曰：「屬辭比事，《春秋》教也。」鄭玄注：「屬，猶合也。《春秋》多記諸侯朝聘、會同，有相接之辭，罪辯之事。」孔穎達疏：「屬，合也；比，近也。《春秋》聚合會同之辭，是屬辭；比次褒貶之事，是比事也。」[24]換言之，《春秋》之作，是聚合、連綴相關文辭，比次、排列相關事實，因而後世的《春秋》學者，都將「屬辭比事」視為是理解、詮釋《春秋》的一種方法，常運用「屬辭比事」來闡明《春秋》義理。觀駱氏案語，他也善用此法，先統計和比較、歸納《經》、《傳》事例，通過類比相關的事件和記載，分析凡例與《經》、《傳》矛盾或相左之處，再推衍其義。例如以下三例：

> 第九凡案：《春秋》書「次」共十三。「次」非虛次，事有所在，意有所指，推尋前後事蹟，則知其「次」之所在。但勞師費財，兵無所加，如此者有七焉，譏之也。「次」有書「伐」、書「俟」、書「救」者，原為伐、俟、救而「次」，不驟加人以兵，待事機而動，如此者有六焉，善之也。曰「公」，曰「師」，曰「諸侯」，曰「人」，據實而書，本無內外之別，而褒貶之意，自寓于其中矣。公次于滑（莊三年），師次于郎（莊八年）；齊師、宋師次于郎（莊十年），次于郕（莊三十年），次于聶北（僖元年），次于陘（僖四年），遂次于匡（僖十五年）；楚子、蔡侯次于厥貉（文十年）；仲孫蔑會齊崔杼、曹人、邾婁人、杞人次于鄫（襄元年）；叔孫豹帥師救晉次于雍榆（襄二十三年）；；齊侯、衛侯次于五氏（定九年）；齊侯、衛侯次于垂葭（定十三年）；齊侯、衛侯次于籧篨（定十五年）。（卷上，頁18b-19b）
>
> 第十三凡：《周禮》：「四縣為都，四井為邑。」是都大於邑，邑則屬於都，此古之制也。杜注魯邑，每云「下邑」是也。然邑固無大小之殊，唯據有無宗廟之別。有先君之宗廟，雖「邑」，名為「都」，尊先

---

24 見〔漢〕鄭玄注，〔唐〕孔穎達疏：《禮記正義》，〔清〕阮元校勘：《十三經注疏》本（臺北縣：藝文印書館，1955年），頁845上。

君也；無仍為「邑」，守國制也。至於修造，邑則云「築」，都則曰「城」，嚴為區別，以是土功之重也。攷《春秋》書「築」者一，書「城」者二十三，何「邑」之太少，而「都」之太多乎？非體國經野之制，亦非控馭輕重之權，魯制果如是乎？是知仁賢不用而用公子、公孫者眾，因建宗廟，立先君主，遂改「邑」為「都」，改「築」為「城」，所以都多於邑，其實邑多於都也。《春秋》志而晦，隱責魯不用仁賢之意也。（卷上，頁28a-28b）

第三十五凡案：《春秋》之弒君，書於經者實有二十四，其稱謂不得一致。有稱臣名者，有稱君名者，有稱人者，有稱國者，有稱世子者，有稱公子者，有稱閽者。其稱臣名者十，衛州吁弒其君完（隱四年）、宋督弒其君與夷及其大夫孔父（桓二年）……此稱臣之名也；稱人弒者三，宋人弒其君杵臼（文十六年）、齊人弒其君商人（文十八年）、莒人弒其君密州（襄三十一年），此稱人以弒君也；稱國以弒者四，莒弒其君庶其（文十八年）、晉弒其君州蒲（成十八年）、吳弒其君僚（昭廿七年）、薛弒其君比（定十三年），此稱國以弒者也；稱世子者三，楚世子商臣弒其君頵（文元年）、蔡世子般弒其君固（襄三十年）、許世子止弒其君買（昭十九年），此稱世子弒君者也；稱公子者三，齊公子商人弒其君舍（文十四年）、鄭公子歸生弒其君夷（宣四年）、楚公子比自晉歸于楚弒其君虔于乾谿〔筆者案：此事見昭公十三年，駱氏遺漏〕，此稱公子弒者也；稱閽者一，閽弒吳子餘祭（襄二十九年）。……弒逆之惡，君子難言。仲尼懼之，故書於經，以為人道之炯鑒，後世之大防。傳則分為罪君、罪臣二例以包之也。其稱世子、稱公子，即稱臣名之例也；稱人、稱國，即稱君名之例也；閽不言弒其君，微者不得有其君，責君輕近罪人也。君臣父子，一體關係，故君稱元首，臣稱股肱，以此而相殘殺，臣固不免誅戮，君豈得無過乎？他經祇罪臣而無罪君之文，《春秋》則罪君、罪臣，平分其責，傳亦因之，以發為凡，此聖賢之為旨也。（卷下，頁20a-22a）

上引第九凡案語，見莊公三年《傳》文曰：「凡師，一宿為舍，再宿為信，過信為次。」（頁139上）駱氏先統計《春秋》書「次」的次數，將這些事例聚合類比，依其見載方式分為兩組，單純書「次」字一組，計有七事例，書「次」又加「伐、俟、救」者另一組，共六事例[25]；再解釋孔子書法有別之因，以為前者是譏刺而貶，後者是嘉善而褒。第十三凡，見莊公二十八年《傳》文：「凡邑，有宗廟先君之主曰都，無曰邑。邑曰築，都曰城。」（頁178上）駱氏先引《周禮》、杜預之說解釋「都、邑、築、城」四字意義上的差別，再統計歸納《春秋》書魯國「築」邑、「城」都的次數[26]，然後闡釋邑少城多的現象，寄託《春秋》「志而諱」的書法，「隱責魯不用仁賢」的意涵。第三十五凡出自宣公四年傳文：「凡弒君：稱君，君無道也；稱臣，臣之罪也。」（頁369上）駱氏先歸納統計《春秋》書「弒」君次數，再比較孔子對被弒之君和弒君者的稱謂記載，依其異同分類，將稱臣名、稱人、稱國、稱世子、稱公子、稱閽者，各計其數，最後則通解經文書法的微言要義和傳文發凡言例的旨意。駱氏解釋凡例的主要方式，多是先將經文同類事件進行比較，加以歸納推衍，以明書法上的共同性，揭示其普遍性，這是歸納法；又在同類事件中，經由比較，發現《春秋》書法的差異性，或者闡明經傳疑義與異文，強調書法的特殊性，這是比較法。比觀其事，詳加考證，明其異同，從而辨嫌疑，明是非，據此推求其事，決其嫌疑，則可使人自觀鑑

25 此凡駱氏統計有誤。《春秋》書「次」，實共有十六處，駱氏遺漏了昭公二十六年：「公次于陽州」（頁900上），昭公二十八年和昭公二十九年所載的「次于乾侯」（頁910下、頁921上）等三處。故依駱氏之說，《春秋》書「次」以譏者，應有十處。至於「次」有書「伐」、書「俟」、書「救」者，分別指莊公八年：「師次于郎，以俟陳人、蔡人。」（頁143下）、僖公元年：「齊師、宋師、曹伯次于聶北，救邢。」（頁197下）、僖公四年：「公會齊侯、宋公、陳侯、衛侯、鄭伯，許男、曹伯侵蔡。蔡潰，遂伐楚，次于陘。」（頁201上）、僖公十五年：「公會齊侯、宋公、陳侯、衛侯、鄭伯、許男、曹伯盟于牡丘，遂次于匡。公孫敖帥師及諸侯之大夫救徐。」（頁229上）、襄公元年：「夏，晉韓厥帥師伐鄭。仲孫蔑會齊崔杼、曹人、邾人、杞人次于鄫。」（頁496上）、襄公二十三年：「八月，叔孫豹帥師救晉，次于雍榆。」（頁601下）等六處經文。

26 此凡中，駱氏所說《春秋》書「築」者一，書「城」者二十三，皆專就魯國築邑、城都之事而言，不包含他國築城之事。

戒，知其褒貶。這種對《春秋》的經文進行分類、合併，加以比較、詮釋，連結並疏通傳文凡例的功夫，就是「屬辭比事」之法。

3 獨抒己見以斷之

駱氏寫作案語，除了採取引證諸說和通過屬辭比事闡發微言大義的方式外，有時也會申述個人一己之見，臆議左氏發凡言例之因或要旨，堅信凡例正確無疑的立場。

> 第七凡案：雩祀之禮有二。夏正建巳之月，蒼龍之宿昏見東方，即角、亢星是也。萬物暢茂，待雨而大。有國家者，預脩雩祀，早為百穀祈甘雨。據禮依時在所，不書。又有因旱而雩，旱無常月，則雩亦無常月。故《春秋》之雩，書於秋者二十，書於冬者一。周正之秋，當夏正之夏，百穀最盛，炎暑亦烈，遇旱則雩，不能拘龍見之制，故書大旱止有二，僖公（二十一年夏）、宣公（七年秋），喜雩之有益也。《穀梁傳》曰：「雩而得雨曰雩，不得雨曰旱」是也。左氏之凡曰：「龍見而雩」，原因旱雩而發禮雩。禮雩不書，特因此以明之。故云「書不時」者，《傳》意明此為「旱雩」，非「禮雩」。杜知《傳》言而未疏通其意義耳。（卷上，頁16a-16b）

桓公五年，《經》曰：「秋，大雩。」《傳》云：「秋，大雩，書不時也。凡祀，啟蟄而郊，龍見而雩，始殺而嘗，閉蟄而烝。」（頁107上-109上）經文於此年首書「大雩」，傳文因而發凡，此為第七凡例。杜預注「龍見而雩」曰：「龍見，建巳之月。蒼龍宿之體，昏見東方，萬物始盛，待雨而大，故祭天，遠為百穀祈膏雨。」（頁108下）《春秋釋例》又云：「常事不書，諸書雩而《傳》不以旱釋之者，皆過雩也。」[27]傳以「龍見而雩」發例，杜預又解釋《傳》謂「不時」而書，乃是過了建巳之月（即夏正四月）舉行雩祭的意思，此說引發後儒的駁斥和批評。例如：

---

27 〔西晉〕杜預：〈郊雩烝嘗例第二十四〉，《春秋釋例》（臺北市：臺灣商務印書館，1983年），卷3，《景印文淵閣四庫全書．經部》146冊，頁60上。

> 趙匡：「左氏云：『龍見而雩，過則書之。』又曰：『書不時也。』蓋並為踰建巳之月，為不時耳。若然，則但言某月日雩可知也，不時，何用書『大』哉？故知此說非也。雩者，為旱書也，以明旱而雩有益也。憂民，故書之，與書不雨義同。《穀梁》云：『雩，得雨曰雩，不得曰旱。』此說是也。……《公羊》曰：『大雩者，旱祭也。何以不言旱？言雩則旱見，言旱則雩不見。』此說亦非也。雩，祭名爾，旱乃災也。以雩言旱，非舉重之義。」[28]
>
> 劉敞：「大雩，傳曰：『書不時也』，非也。龍見而雩，常事爾。遇旱而雩，非常也。非常當書，書為旱發，非為過時發也。」[29]
>
> 蘇轍：「夫龍見而雩，常祀也。旱雩而以常祀言之，失之也。」[30]
>
> 葉夢得：「凡雩，以建巳之月而預祈者，常雩也，法不應書。以建巳月而書者，以旱得見其雩也，傳不知此，以龍見為節，謂過則書。若然，過則旱則不雩乎？……旱，雩祭也。凡書雩，皆為旱而祈雨，記得不得，以重民事爾。若書皆為過，則旱不得祈乎？此固全不可為義矣！……亦可見左氏為例，初無所據，大抵皆率意自為，不可信類如此。」[31]

唐、宋前儒的批評焦點有二：其一，《經》書大雩，並非都是「龍見」的夏曆四月，反而集中在周正之秋的八、九月，即夏曆的六、七月，與傳例「龍見而雩」相左；其二，左氏以為「書不時」，杜預表示《左傳》此言強調的是時間而非關原因，即《經》書大雩是因為「過雩」而非因旱而祭。趙匡、

---

28 〔唐〕陸淳：〈郊廟雩社例第十二．雩〉，《春秋集傳纂例》（臺北市：臺灣商務印書館，1983年），卷2，《景印文淵閣四庫全書．經部》146冊，頁402下。

29 〔宋〕劉敞：《春秋權衡》（臺北市：臺灣商務印書館，1983年），卷2，《景印文淵閣四庫全書．經部》147冊，頁188下。

30 〔宋〕蘇轍：《蘇氏春秋集解》（臺北市：臺灣商務印書館，1983年），卷2，《景印文淵閣四庫全書．經部》148冊，頁12下。

31 〔宋〕葉夢得：《春秋三傳讞．春秋左傳讞》（臺北市：臺灣商務印書館，1983年），卷2，《景印文淵閣四庫全書．經部》149冊，頁514上-514下。

陸淳、蘇轍、葉夢得諸人皆贊同「龍見而雩」是常祀，法不應書；《經》書大雩者，皆是因旱而祈雨，事非尋常而書之，因此認為左氏「不時」、杜預「過雩」之說誤不可信。駱成駫對此爭議提出折中調解的說法，他採納了《穀梁》「得雨曰雩」的詮釋，以及「龍見而雩」為常祀和常祀不書的論點，將雩祀分為禮雩和旱雩二種，第一類禮雩，即傳例「龍見而雩」所指的雩祀，舉行時間是夏正四月，此時萬物繁茂，待雨而盛大，故各國舉行雩祀，提早為百穀祈甘雨，這是依禮舉行的常祀，《經》不書，故《左傳》特別發例以明之；第二類旱雩，即《春秋經》所書「大雩」者，就時序而言，周曆的秋季正當夏曆的五、六、七月，值百穀正盛而炎暑最烈之際，容易發生旱災，影響作物生長，因此即使過了禮雩的時間，各國當「遇旱則雩，不能拘龍見之制」，一旦發生旱災，不限定時間，就特別舉行雩祀，故《傳》云「書不時」乃為此。駱氏又說：「《傳》意明此為旱雩，非禮雩。杜知《傳》言而未疏通其意義。」以求《傳》說圓融可通，為凡例和《傳》文的解釋進行佐護之跡非常明顯。又如第十一凡案：

> 日食本有一定度數，可豫為推算者，常道也。昔者湯若望、南懷仁、徐光啟諸賢，豫為推算，即至日食，時不差絲毫。今時言天文者，更表而出之，則無復疑義矣。日、月、地三者，錯行則無食，同道則有食。地行於日、月之間，則地遮日光，月無所借光，為月食；月行於日、地之間，則月遮日光，地面見日有缺點處，則為日食。日、月、地之行動，各有遲速，則能推算某時起，某刻復圓，非有一定之度數，何能如是耶？豈夫子而不知乎？蓋君權時代，為君萬能，特藉日食以警君，為神道設教之意也。故《記．昏義》言曰：「日食，天子素服，以脩六官之職；月食，后素服，以脩六宮之職。」其意與《春秋》書日食同，不可厚非也。群經言日食者，皆此意耳。所不安者，後學言《春秋》日食三十六，則弒君三十六，穿鑿附會，不深攷校之過也。（卷上，頁25a-26a）

莊公二十五年《傳》：「凡天災、有幣、無牲。非日月之眚不鼓。」（頁174

下）此凡說明日食祭祀之禮。駱氏的案語先以西方天文學知識解釋日食發生的原因，據科學的角度聲明日食為日、月運行產生的自然現象，再推論孔子和群經記載日食的作用，「藉日食以警君」，以防止君權過度膨脹，毫無節制。他還為孔子設教之意加以袒護申辯，指出孔子並非不知日食可以推算，而是對應君權時代的環境刻意立說，《春秋》有這樣的歷史成因，故書日食無可厚非。但對於劉向以日食三十六之數附會春秋弒君之事[32]，則提出批判。駱氏處於清末民初時代，科學昌明初興，得以習見西學知識，故對日食的認識能跳脫許多前儒的侷限、框架，不落入迷信附會的窠臼，展露個人見識。

四　駱成馸的《左傳》學觀點

（一）「凡例」之設，繼《春秋》筆法

首先，駱氏對於《春秋》的態度是絕對尊崇的，他對《春秋》經不敢稍有批評反駁之語，肯定孔子立言必有大義。一方面，他贊同《春秋》繼承了史書的體例，而有「遠略而近詳、遠詳而近略、省文以包之、據實而書」等史家之筆；另一方面，《春秋》又兼具經書的性質，因此有「諱辭、非之、褒貶、譏刺、別尊卑內外」等書法。由案語的言論觀察，他顯然相信《左傳》的發凡言例繼承了《春秋》的筆法，目的是為闡明《春秋》褒貶譏刺的聖賢微旨。其第三凡案語曰：

> 《春秋》者，魯史也，記本國之事詳，記他國之事略，體制然也。他國之事，來告則書，不然則否。告有虛實，或因之，或改之，不失懲

32 據《漢書．楚元王傳》記載劉向上「條災異封事」曰：「（春秋）二百四十二年之間，日食三十六，地震五，山陵崩地二，彗星三見……。當是時，禍亂輒應，弒君三十六，亡國五十二，諸侯奔走，不得保其社稷者，不可勝數也。」此即以春秋日食三十六，附會對應弒君三十六之數。見《新校本漢書》（臺北市：鼎文書局，1986年），頁1936-1940。

勸之意而已。後儒有所謂不因來告而書者，如朝、聘、會、盟、戰、伐、圍、滅、奔、出、執、獲、水、火、災害等重件，其事多矣，豈孔子能憑虛而搆之歟？然國史記載之例，他國有專使來告者，則記于方策，無則詳於簡牘，孔子修《春秋》，取方策以成文，所謂信而有徵者也。或曰孔子欲脩《春秋》，特取百二十國寶書，善足法，惡足戒，取以成一經通例，非是則刊而去之。孔子所取寶書，左氏所稱「來告」，其義固不殊也。後儒不疏通其義，而以據「來告」為惑，是不攷校之過也。（卷上，頁5a-5b）

其意以為，《春秋》原為魯史之書，孔子「取方策以成文」而脩《春秋》，故「信而有徵」；但孔子脩《春秋》的動機並非記史，而是「改舊史以立法」[33]，取其「善足法，惡足戒」的通例加以刊定，如其自敘所言：「可褒者褒之，應貶者貶之」，以「明是非，辨善惡，譏得失，賢其賢，貴其貴，賤其賤」。太史公說，孔子作《春秋》的目的在於「貶天子，退諸侯，討大夫，以達王事而已矣。」[34]為了彰明王道，孔子以《春秋》「別嫌疑，明是非，定猶豫，善善惡惡，賢賢賤不肖。」[35]駱氏對《春秋》的定位也是如此，《春秋》寄寓了孔子「隱而顯，志而晦」的大義。不過，這並不能否認《春秋》具有記載史實的原始，所以，凡例案語中，他循例解經，經常提到《春秋》記事的體裁，其書或不書，有時採用「遠略而近詳」、「遠詳而近略」或「詳內而略外」的書法；也有因為「以小包大」、「以前包後」、「省文以相包」的緣故，前書而後不書的；還有「據實而書」，無內外之別者，這些都是史家之筆法，例如：

第一凡案：春秋魯君薨，書「路寢」者正，否則非正。……諸書「卒」者，魯往弔也；書「葬」者，魯往會也。《傳》不發于宋公和

---

33 見《左傳五十凡例》卷下，第四十三凡案語，頁33b。

34 《史記》130卷〈太史公自序〉。見〔日〕瀧川龜太郎：《史記會注考證》（臺北市：宏業書局，1987年7月再版），頁1337上。

35 同前註。

卒（隱三年），而發于小國之滕者，小國且用同盟禮，況大國乎？此以小包大，省文之法也。（卷上，頁2a-3a）

第五凡案：《春秋傳》曰：「君舉必書，書而不法，後世何觀？」……僖文以上，書夫人之「如某」；以下，不書夫人之「如某」，悉省文以相包。《春秋》記事，遠略而近詳，此遠詳而近略者，因夫人多守禮故耳。（卷上，頁8b-9a）

第九凡案：《春秋》……曰「公」，曰「師」，曰「諸侯」，曰「人」，據實而書，本無內外之別，而褒貶之意，自寓于其中矣。（卷上，頁18b-19b）

第十五凡案：……定、哀之時，戰爭亟烈矣。仲尼傷之，特據實書之，而是非得失自明。盟主帥諸侯以侵伐則近是，而諸侯恃勢之侵伐則皆非。變本加厲，春秋之末，已成戰國之風矣。可勝歎哉！（卷上，頁30b-31a）

第十六凡案：……鄭箋曰：「君能正心以去之，則物不為災也。」《春秋》之書物災，即此意也。所謂「隱而顯，志而晦」，非仲尼之微意也耶？《春秋》詳內而略外。《穀梁傳》曰：「外災不志。其所以志者，甚之也。」……（卷上，頁31b-32a）

第一凡見於隱公七年：「凡諸侯同盟，於是稱名，故薨則赴以名，告終稱嗣也，以繼好息民，謂之禮經。」（頁72上）案語的內容在於闡明書「薨」、書「卒」或書「葬」的差別，又解釋《左傳》發凡，並不一定都是首見言例，還有以小包大的省文之法。雖然經文首見諸侯卒葬的記事是在魯隱公三年：「宋公和卒……葬宋穆公」一條，但傳文發凡卻在隱公七年的「滕侯卒」時，《傳》曰：「不書名，未同盟也。」（頁72上）駱氏以為：滕與魯非同盟國，故君卒不書名；宋與魯為同盟國，故君卒書名。《傳》不發凡於宋穆公之卒而以滕侯之卒言例，是由此觀彼、以小包大的省文之法。滕為小國，尚且遵循諸侯同盟之禮，何況大國呢？《傳》發凡於此，更能凸顯《春秋》慎名重禮的意涵。第五凡原是說明當時諸侯出行和歸來應舉行的禮節，以及經文記載諸侯相見的規則[36]，案語除了通釋諸侯或夫人出行的記載方式和不記的緣故外，還推斷僖公以上經文詳記夫人出行之舉，而僖公以下則不記錄[37]，這種遠詳而近略的情況，異於《春秋》記事「遠略而近詳」的常態，除了省文以相包的史家筆法外，另一個原因是《春秋》記「夫人姜氏如某」諸事，皆因行不合禮，故孔子所記，當有罪責、非之的貶意，而文公以後的夫人既能守禮出行，故不見錄。在第九凡、第十五凡中，駱氏肯定《春秋》有「據實而書」、「據實書之」的直書筆法，這是《春秋》記事的主要原則，前人多有闡發，不必贅言；第十六凡提到《春秋》有「詳內而略外」之法，這是《公羊》解經的義例之一[38]，也是史家錄筆的一種原則，駱氏以此說明《春秋》或不書災的理由。由以上諸例所見，駱氏確信《春秋》具有史家之筆。

然則史家記事，由於身分地位、時代環境的因素，很難事事秉筆直書，其中諱辭、諱書，以及當書不書的情況亦不能免。何況孔子修《春秋》本有微旨深意，所以駱氏解說傳例，提到經文慎名諱辭以褒貶譏刺的書法，處處可見[39]。例如前文已經見引的第五、第九、第十三、第十四、第十五等諸凡，又如：

> 第十九凡案：……澶淵之會謀歸宋財，既而無歸，貶卿稱人，譏其無

---

36 見桓公二年傳文：「凡公行，告于宗廟；反行，飲至、舍爵，策勳焉，禮也。特相會，往來稱地，讓事也。自參以上，則往稱地，來稱會，成事也。」（頁96上）。

37 經文當中，記夫人「如某」的文字共六條，僖公以前五條，文公時一條，分別為：桓公十八年：「公與夫人姜氏遂如齊」（頁130上），莊公五年：「夫人姜氏如齊師」（頁140下），莊公十五年：「夫人姜氏如齊」（頁156下），莊公十九年：「夫人姜氏如莒」（頁160上），莊公二十年：「夫人姜氏如莒」（頁160下），文公九年：「夫人姜氏如齊」（頁320下）。

38 《公羊傳．隱公十年》曰：「《春秋》錄內而略外。於外，大惡書，小惡不書；於內，大惡諱，小惡不諱。」「錄內而略外」即是詳記魯國之事，而簡略記載他國之事的筆法。見《春秋公羊傳注疏》，頁41上。

39 根據筆者統計，在四十四條案語中，駱氏至少有二十八條案語提及經文的褒美、罪責或隱諱之筆。

信。……《傳》言侯伯，謂其有「專征伐之權」，注言州長，謂其九州之長有統治之力，其他有力諸侯，不拘本國、他國，能行此三者糾正諸侯及卿大夫，行得其宜，《經》書《傳》發，以為褒美；行不得其宜，《經》書《傳》發，以為貶責，此《春秋》以人治人，無所容心於其間也。（卷上，頁37b-39a）

第二十六凡案：傳曰：「凡師能左右之曰以。」止詁「以」字之意義，未明「以」字之褒貶。《春秋》以一字為褒貶，此類是也。……春秋貴朝聘，以和諸侯，不貴借人之力以逞一時之忿，故書「以」以譏之。……（卷下，頁1b-2a）

第三十五凡案：《春秋》之弒君，書於經者實有二十四，其稱謂不得一致。……弒逆之惡，君子難言。仲尼懼之，故書於經，以為人道之炯鑒，後世之大防。傳則分為罪君、罪臣二例以包之也。其稱世子、稱公子，即稱臣名之例也；稱人、稱國，即稱君名之例也；閽不言弒其君，微者不得有其君，責君輕近罪人也。君臣父子，一體關係，故君稱元首，臣稱股肱，以此而相殘殺，臣固不免誅戮，君豈得無過乎？他經祇罪臣而無罪君之文，《春秋》則罪君、罪臣，平分其責，傳亦因之，以發為凡，此聖賢之微旨也。（卷下，頁20a-22a）

第三十七凡案：《春秋》外大夫出奔，書名者四十一，不書名與奔者四，書氏族者一，書官者一，書字者四，書弟者四。事實不同，書法自異，先詳書法，後證傳例，則知褒貶之所在也。……其稱弟者，《春秋》之例，稱弟以罪兄，去弟以罪弟……凡出奔者，多屬舉族而出，不書氏族而書出奔者之名，罪其人也，……則知其他書名不書氏者，皆其罪也。（卷下，頁25b-26b）

前儒對於《春秋》「字字褒貶」之說，或贊同，或反駁，各自論說，紛爭不已。駱氏在第二十六凡解「以」字之例時，將此例歸為「一字之褒貶」的類型，顯見他說《春秋》，同意有「一字褒貶」的書法，不過，他似乎以「一字之褒貶」為《春秋》書法的一種類型而已，未遽以斷論《春秋》「字字褒貶」。但說他以褒貶譏刺是《春秋》微旨的核心思想，大體無誤。第十九凡說當代諸侯之有力者，「行得其宜，《經》書《傳》發，以為褒美；行不得其宜，《經》書《傳》發，以為貶責。」春秋時代的周天子勢衰力微，真正能號令諸侯國的是當代的強權盟主，這才是具有「專征伐之權」的有力諸侯，他們的一舉一動，孔子都透過《春秋》的記載評斷，宜者褒美讚許，不宜者貶降罪責，而《傳》例之作，便據此褒貶原則而發；第三十五凡當中，他歸納《春秋》弒君稱名的情況，大膽立說，以君臣為一體，被弒之君亦有罪過的理由，平分其責，故《春秋》書「弒」，乃罪君又罪臣的書法，藉此發揮「凡弒君：稱君，君無道也；稱臣，臣之罪也。」（頁73上）的解釋，是因於聖賢微旨而發例；第三十七凡是有關《春秋》記載出奔或見逐的大夫，對各國通告時的稱名方式。駱氏以為，因事實情況有別，經文書法各異，然《傳》例之發，必是依據經文書法而訂定，他說：「先詳書法，後證傳例，則知褒貶之所在也。」表示《傳》例不但是據《春秋》書法而立，且以闡明褒貶大義為依歸。由此觀之，駱成駫對於《左傳》和凡例的態度，不但肯定其價值，也深信《傳》文記事和《傳》例之設，皆依憑《春秋》書法和微言大義而來。所以他理解經文或解釋大義，主要參照比附凡例之說。

（二）「凡例」乃左丘明所作，宜信例而不泥於例

在案語當中，駱氏對於「凡例」的作者、歷史淵源、使用態度等基本問題，有所說明；另外，對於「凡例」本身的矛盾和變化，也提出他的看法。以下分別略論之。

1 左丘明作凡例

首先，駱氏對「凡例」的作者和來源提出明確的看法。他在自敘中便指出，「凡例」是左丘明歸納《春秋》方類體制所得，為求不相雜廁，造成錯亂，因此加以分別部居，共得五十例，故《左傳》凡例的作者是左丘明無疑。其言曰：

> 《春秋》者，明是非，辨善惡，識得失，賢其賢，貴其貴，賤其賤。因其可褒者褒之，應貶者貶之，以人治人，因事立法，聖人固無所庸心於其間。何所謂「凡」？又何所謂「例」耶？然其立言自有方類，則自有體制，亦如古人所謂仰觀俯察，近取遠法，各如其事而已。固未嘗云某事用某起例，某事用某發凡，細碎繁雜，咬文嚼字，聖人立言，豈如是之費辭乎？左丘明親遊其門，則不得不因其方類體制，以求其所謂分別部居，不相雜　之意，以為後之習是經者方術也，此五十例之所以名，而經之所由解釋也。（卷上敘，頁1a-1b）

又說：

> 有無經而發凡者，以明典禮也；有禮無所出而發凡者，以明意出於古人，而辭實出丘明也。故云凡例者，周之舊典禮經是也。都計《春秋》，文成一萬七千二百八十三字，為禮義大宗，旨趣無窮，丘明始發為凡例。（卷上敘，頁1b）

觀上文，駱氏謂凡例當中，有無經而發凡和禮無所出而發凡者，既無經文、典禮可據，《傳》卻見其例，可證「辭實出丘明」，「丘明始發為凡例」。由此知，駱氏確信「凡例」為左丘明所作，並將無法和經文相對應的「凡例」，以其「意出於古人」的「周之舊典禮經」包舉。杜預把《左傳》的五十凡歸為「正例」（舊例），以為：「其發凡以言例，皆經國之常制，周公之垂法，史書之舊章。仲尼從而脩之，以成一經之通體。」[40]又說：「凡例乃周公所制禮經也。」[41]因此，五十凡便成為周公的定例，則周公如何盡知春秋之事理，預先定例，恐難辨明之[42]。駱氏之說對杜預釋例的觀點有所修正，也可

---

40 杜預：《春秋經傳集解》序，頁39下。

41 《左傳・隱公七年》杜注。見《春秋左傳正義》，頁72上。

42 唐陸淳（？-806）《春秋集傳纂例》引趙匡之論云：「劉歆云：『左氏親見夫子。』杜預云：『凡例皆周公舊典禮經。』按其傳例云：『弒君稱君，君無道也；稱臣，臣之罪也。』然則周公先設弒君之義乎？又云：『大用師曰滅，弗地曰入。』又周公先設相滅之義乎？……則劉、杜之言淺近甚矣！」故以為凡例絕非周公所設。見〔唐〕陸淳：

解決爭議性的矛盾。不過主張左丘明作凡例的看法，非駱氏首創，前輩如劉敞（？-132）、皮錫瑞（1850-1908）、廖平（1852-1932）等人，皆曾提出相同觀點[43]。其中，同是四川人的廖平或許對駱成駫的《左傳》學觀點有所影響。廖平亦曾就讀尊經書院，一九一四年擔任四川國學學校校長，至一九二二年請辭，才由駱成驤接任，同年，駱成駫也在四川國學專門學校任教，成駫與廖平兩人在尊經書院攻讀和國學學校教授的時間一前一後，雖不能確知是否有私誼，若由廖平在四川學術界與教育界的地位來看，他對駱成駫的觀點，可能產生一定程度的影響。

2 例有常變

「凡例」一詞，蓋起於杜預《春秋經傳集解》序中的「發凡以言例」之語。杜預認為《左傳》五十凡例是出於周公制訂的「舊例」，而另一類「書、不書、先書、故書、不言、不稱、書曰」等解釋經文的義例，是據孔子新意所詮釋的「變例」，故不言「凡」[44]，此為《左傳》義例分正、變

《春秋集傳纂例》（臺北市：臺灣商務印書館，1983年），卷1〈趙氏損益義〉第五，四庫全書本146冊，頁385上-385下。後世同此說者，除了陸淳，還有宋代的劉敞（？-132）、清代的李淳（1734-1784）、皮錫瑞（1850-1908）、劉文淇（1789-1854）等人。

43 〔宋〕劉敞：《春秋權衡》卷二曰：「左氏凡例亦不必皆史書之舊也，乃丘明推己意以解經為凡爾。其合於道者，則周公之典，又仲尼所取也；其考之不合於經如此類者，則臆議而復斷之，加凡於其首云爾，非周公之典、仲尼本意也。」以凡例為左丘明自創解經之作，立說新穎大膽，見頁184下。〔清〕皮錫瑞《經學通論．四．春秋》云：「杜預以前，如賈逵、服虔諸儒說《左氏》者，亦未嘗以凡例為周公作，蓋謂邱明既作《傳》，又作凡例，本是一人所作，故無新例舊例之別也。」（臺北市：學海出版社，1986年），頁3。廖季平（廖平）：〈《左傳》杜氏五十凡駁例箋〉：「杜氏所謂不凡者，若以凡字冠其首，依然文義詳明，與言凡者一律相同。非有古今文字之異，前後體制之殊。可見左氏文筆隨宜，時或言凡，時或不言凡，亦傳記立言之常，初無容心於其間也。……通攷傳文，其言凡與不言凡者，莫不互相補助，水乳交融，合之兩美，皆所以解釋經義，全出筆削之後。」見《圖書集刊》第5期（1943年12月），頁32。

44 杜預曰：「其發凡以言例，皆經國之常制，周公之垂法，史書之舊章。仲尼從而脩之，以成一經之通體。其微顯闡幽，裁成義類者，皆據舊例而發義，指行事以正褒貶。諸稱書、不書、先書、故書、不言、不稱、書曰之類，皆所以起新舊、發大義，謂之變

（或新舊）之始。駱氏說凡與《春秋》義例時，則以常例、變例稱謂之，用此通辨經文記載與凡例不相符的事例。例如第十凡案云：

> 《春秋》書「敗某師」者十，書「戰」者八，書「敗績」者十有三，書「克」者一，書「取某師」者七，書「王師敗績于某」者一，都計之數也。《穀梁傳》曰：「善為國者不師，善師者不陳，善陳者不戰，善戰者不死，善死者不亡。」穀梁之言，尚德尚力，皆不失其正。春秋時，權譎兼用，正詐不常，孟子所謂「無義戰」者是也。左氏所發六者，皆當時用兵之常也。又有「敵已陳曰敗，未陳曰戰，未大崩曰敗績，非覆敗曰取」。不明其常，不足以盡其變。常例熟而變例自可推知矣。（卷上，頁22a-22b）

《左傳》第十凡例見莊公十一年文：「凡師，敵未陳曰敗某師，皆陳曰戰，大崩曰敗績，得儁曰克，覆而敗之曰取某師，京師敗曰王師敗績于某。」（頁152上）駱氏所言，此凡之論戰，所指本皆為用兵常例。唯東周以降，王室日趨衰微，天下無道，「禮樂征伐自諸侯出」[45]，而諸侯興兵行師，經常「侵伐自恣，而喜怒自專」[46]，正詐失常，所以孟子以「春秋無義戰」[47]譏貶之。以此觀《春秋》所載，孔子書「敗、戰、敗績、取某師」四者[48]，有常有變，研治《經》、《傳》，先熟常例之規矩，由常例推衍變例，明常盡變，方可析理發凡言例的法則，對《經》、《傳》之文抉幽闡微。又如：

例。然亦有史所不書，即以為義者，此蓋《春秋》新意，故《傳》不言凡，曲而暢之也。」見《春秋經傳集解》序，頁39下。

45 出自《論語．季氏》。見《論語注疏》，頁147。

46 〔宋〕孫覺：《春秋經解》卷一隱公二年「鄭人伐衛」一條，《叢書集成簡編》（臺北市：臺灣商務印書館，1966年），840冊，頁16。

47 《孟子．盡心下》。〔東漢〕趙岐注，〔宋〕孫奭疏：《孟子注疏》，〔清〕阮元校勘：《十三經注疏》本（臺北縣：藝文印書館，1955年），頁248。

48 至於「得儁曰克」和「王師敗績于某」二例，分別見於隱公元年：「鄭伯克段于鄢。」（頁32上）、成公元年：「王師敗績于茅戎。」（頁419下）《春秋》所書皆僅一見，故無變例。

> 第十二凡案：〈葛覃〉詩詠：「害澣害否，歸寧父母。」文王后妃之歸寧也。女子適人，父母存則有歸寧，禮所制也。仲尼脩《春秋》，亦因以為例，諸侯之女歸寧曰「來」，出曰「來歸」是也。然《春秋》無書諸侯之女歸寧者，因不書諸侯之女行故耳。此「凡」言「諸侯之女」者，魯亦諸侯也，書杞伯姬之「來」，以包魯女之「歸寧」，且包諸侯之女也。至魯夫人之歸寧，則書「如某」，如此者有七焉；書「孫」者二焉，書「歸于」者一焉。而文姜、哀姜於莒、於邾，亦書「如」者，不應「如」而「如」，罪之也。魯夫人無被出者，文姜、哀姜罪大惡極，夫薨而後去，書「孫」不書「出」，夫有出妻之道，子無出母之禮。文公夫人亦因夫薨子殺，自去魯歸于齊，非被出而用被出之文，書「歸于」之常例者，責臣子無君夫人之意也。（卷上，頁26b-27a）

> 第三十六凡案：《春秋》書出師之例，魯公、魯卿自帥師而出，不與他國同行者則不書「會」、「及」，其是非得失自任之，不能委罪過於他國也。而與他國同行者，則以「與謀」、「不與謀」辨之。……故師出書公「及」者九，而魯卿書「及」者統此焉；書公「會」者十六，而魯卿書「會」者亦統此焉，春秋之常也。其變者，應書「及」而反書「會」，作不與謀之行者，諱之也。公會宋公、衛侯、陳侯于袲伐鄭（桓十五年），公會宋公、衛侯、陳侯、蔡侯伐鄭（桓十六年），公會齊人、宋人、陳人、蔡人伐衛（莊五年）。伐鄭者，除世子昭公、納不正之厲公也；伐衛者，伐王所立之黔牟，納衛侯朔也。三者，公皆「與謀」，作「不與謀」之行者，伐王所立，納不正，罪之大者，故諱。見我君之出於不得已也。……（卷下，頁23a-24a）

上引二凡案語，駱氏的闡說重點在於辨析《春秋》書魯女、魯夫人出行和諸侯出師之變例。第十二凡曰：「凡諸侯之女，歸寧曰來，出曰來歸；夫人歸寧曰如某，出曰歸于某。」（莊公二十七年，頁175下），第三十六凡曰：「凡師出，與謀曰及，不與謀曰會。」（宣公七年，頁377下）凡例所言，皆為常例，但《春秋》所書，多見逸出常例規則之外的變例，這些不書、不應書的變例，隱含《春秋》大義所在，駱氏以屬辭比事之法辨覆同異，考核其貶責隱諱的本旨深義，藉此探明《春秋》事例與《左傳》凡例的矛盾。

總括而言，駱成駫的常、變之說，並不單指五十凡有常例、變例而已，包含《春秋》「書、不書、先書、故書、不言、不稱、書曰」一類杜預所謂的「變例」，也有常、變之別，這種以傳例來闡發書法變例的解經方式，和《公羊傳》立正例、解變例的核心概念頗相類同。

3 因例可求經，但不可拘泥

駱氏贊成《左傳》是解經之作，而五十凡例是習《春秋》之方術，故主張後學因例求經，唯《經》文、《傳》文體例有別，書法亦異，遇《傳》例與《經》文有異時，雖求《經》義，但不可執於《經》文；當明《傳》例，而不可拘泥於例。他在自敘中開宗明義曰：

> 然則經固賴例以明之乎？曰：抑又非也。經固不因例而益明，而後之學者不能不因例以求經也。入室必先升堂，豈可躐等耶？《記》曰：「屬辭比事，《春秋》之教。」為學有術，此之謂也。至於渙然冰釋，怡然理順，求經而不執於經，明例而不泥於例，然後為得也。（卷上敘，頁2a）

敘文所論，在於澄清凡例與《春秋經》之間的關係，以及後學對凡例所應遵循的原則。太史公曰：「夫《春秋》，上明三王之道，下辨人事之紀，別嫌疑，明是非，定猶豫，善善、惡惡、賢賢、賤不肖，存亡國，繼絕世，補敝、起廢：王道之大者。……《春秋》辯是非，故長於治人。……《春秋》以道義。撥亂世，反之正，莫近於《春秋》。」[49]《春秋》之教，自不必依賴凡例而明；但君子也說：「《春秋》之稱，微而顯，志而晦，婉而成章，盡而不汙，懲善而勸惡。」（成公十四年《傳》，頁465上）則後學求《春秋》

49 《史記．太史公自序》。見《史記會注考證》，頁1337上-1337下。

之旨，究其閫奧，仍應依升堂入室之術，循明例求經之道，方可怡然理順，渙然冰釋。至於求《經》解例，又當秉持不執著於《經》文，不固執於凡例的條文和表述，否則思慮茅塞，智識凝滯，不免陷於拘泥不通。例如駱氏解例：

> 第三十八凡案：《春秋》之書災，皆為警戒人君也。今分四類言之，則無遺矣。一曰天災，二曰地災，三曰物災，四曰人災。天災者，如日食、震電、星隕、星孛于北斗、孛于大辰、孛于東方、霜雹、冰雪、水旱者是也；地災者，如沙鹿崩（僖十四年）、梁山崩（成五年）、地震（文九年、襄十六年、昭十九年、哀三年）是也；物災者，如螟、螽、蝝、蜮、麋、鸜鵒來巢、六鷁退飛過宋都是也。此三者，古今皆有，《經》、《傳》不諱，是其常也。人以為常，聖人知其常而不以為常，備書之，以為後世人君存心行事之類戒。至於人災者，小言之，如「成周宣榭火」，《傳》曰「人火曰火，天火曰災」是也；大言之，臣之弒君、子之弒父、兄之殺弟、弟之害兄、嬖奪嫡、孽篡宗，《春秋》一十九國，無不皆有，君子有不忍言者，書天災、地災、物災者，通為人災而書也。（卷下，頁27-28）

宣公十六年《傳》例：「凡火，人火曰火，天火曰災。」（頁410下）此凡原是探究火災原因的書法，因自然因素產生的火災記作「災」，因人為因素造成的火災記作「火」。駱氏在此，通解《春秋》書災之例，結合第十六凡：「凡物，不為災，不書。」（莊公二十九年，頁178下），將《經》、《傳》書災細分為天災、地災、物災、人災四類，並推臆聖人備書或不書的幽微隱晦義，在於彰顯人災之禍，以為警惕人君的訓誡。

再者，駱氏言左氏發凡，或有經文、或無經文相對應，此非《經》文或《傳》例錯誤，而是《經》、《傳》體例有別之故，其第二凡案曰：

> 左氏之發凡以解經也，經之體例多，發凡以包之；經之體例少，發凡以明之。如「得儁曰克」，止有「鄭伯克段于鄢」一用；「輕曰襲」，

止有「齊侯襲莒」一用（襄二十三年）。「自外曰戕」，止有「邾人戕鄫子于鄫」一用（宣十八年）。古有此名，因發凡以明其義。更有經無其文，禮無可攷而發凡者，如在喪王曰小童是也（僖九年）。此傳云：凡雨自三日以往為霖。杜以經無「霖」字，為經誤。不知傳本有無經而發凡者，不必以經為誤，義亦可通。（卷上，頁3b-4a）

第二十一凡案、第二十八凡案又云：

第二十一凡案：分至、啟閉，必書雲物，為治國之大經，亦治國之常事。日御掌其事，不書于經者，無褒貶之所寓，無是非之所出故也。此次公既視朔，遂登觀臺以望，而書親臨其事，公之勤于民也，猶不書以表異者，知其常事不必親臨也，以包十二公皆有此政，一概不書，以為常事之準耳，亦以見天子與諸侯同有是政，故《傳》曰：「天子有日官，諸侯有日御，日官居卿以底日，禮也。日御不失日，以授百官于朝是也。」（莊十七年傳）非特此也。國家之大事，在祀與戎，《春秋》無特書四時之祭與郊天者，因其常也；其不常者，如觀魚（隱五年）、觀社（莊廿三年）。事之微小者而必書之，納鼎（桓二年）、納幣（莊廿二年）、丹楹刻桷（莊廿三年、廿四年）等事，皆事之輕碎者，亦必書之者，因其不常，而是非由此出焉。故知《春秋》所書者，事有美惡，意有褒貶，足以勸戒將來則書，不然則否也。（卷上，頁42a-44a）

第二十八凡案：《正義》引劉炫：「魯公新立，鄰國及時來朝，則云『公即位』；而來朝晚，則云『始朝公』也。諸侯自新立，來及時者則云『即位』，而來見晚則云『始見』。霸主即位，魯君往朝，則云『朝嗣君』；魯君新立，往朝大國則云『即位而往見』也。」此皆傳例，而劉炫乃分別言之。然魯君之朝，止言「如」；他君之來朝，則云「來朝」。傳則云「來朝」、「始朝」、「來見」、「始見」、「朝嗣君」與「即位往見」，分別其來之早晚，事大之慇懃。非傳何以知其事之美惡也？此傳之所以翼經，而各有體例也。……（卷下，頁5a-6a）

駱氏在敘言中已論及：他認為左丘明作「傳例」，是依據《春秋》之「方類體制」加以分別部居而成，如此，「傳例」當與經文相符為是，不應有扞格不入、矛盾齟齬之處。但事實上，《經》、《傳》異文頗多，《傳》無《經》有、《傳》有《經》無、《經》《傳》相異者，比比皆是；又《傳》例有而《經》文無，以及《經》文、《傳》文事例少而發凡者亦有，殊難辯解。二十一凡案語便是解釋《經》不書而《傳》發凡的緣故。他指出，《春秋》書法的原則是書「異」不書「常」，不論事之大小，而以寄託美惡、褒貶，足以勸戒將來為準則，孔子作《春秋》的旨意在此，故而非事事盡書；在二十八凡案語中，他明言《左傳》寫作的目的在於「翼經」，以闡發經義微旨，「知其事之美惡」，因此，《經》、《傳》體例不同，其書法亦有差異。他以為《傳》例有時與《經》文不相符，並非《經》文或《傳》例錯誤，乃因於兩者體例有別。蓋《左傳》乃是解經的通史之作，以敘事的方式解釋《春秋》，所以以詳述事件始末為主筆，兼及訓詁經文的字詞，或詮說經文記事所寓寄的褒貶大義[50]，故《左傳》的遣詞用字必須詳實鋪陳加上闡發演繹，自然不像《春秋》「謹嚴而不費辭」、「一字為褒貶」[51]的精煉深刻，《春秋》簡約，《左傳》詳贍，《傳》多《經》少，因此遇《經》文事例多者，自然發凡以包之，因例求經，可收執簡馭繁之效；至於《經》文事例少，如「克」、「襲」僅有一例者[52]，仍見《傳》例，乃至於「無經而發凡者」，或者古有其名，或者禮無可考，則是左氏翼經、解經時，體悟《春秋》旨趣，藉發凡以明其義、明典禮而作，其「明一義以求他義」，大抵如此。駱氏論及《春秋經》的態度，總是尊崇備至，不敢批駁評論，對《左傳》的記載內容也深信不疑，不加指謫，故凡遇《經》文、《傳》例出入的地方，皆力求調和允當，兩相迴護。

---

50 參見張素卿：《敘事與解釋——《左傳》經解研究》第1章第1節《春秋》之「文」、「事」、「義」（臺北市：書林出版公司，1998年），頁35-42。

51 見《左傳五十凡例》卷下，第四十凡案語，頁29b頁；第二十六凡案語，頁1b。

52 「得儁曰克」，出於第十凡，見莊公十一年《傳》，頁152下；「輕曰襲」，出於第十五凡，見莊公二十九年《傳》，頁178下。

（三）例出於禮，納例歸禮

屬合《春秋》經文，比觀其事，這是明大義的一種方法，從杜預作《春秋釋例》開始，即採用這種方法探討經傳的義例，將性質相同的事件聯繫起來考察，從中索隱出聖人書法中的「一字之褒貶」。但這種方法侷限於一字一句之間，易流於細枝末節，產生見樹不見林的弊病。《左傳》也說：「國之大事，在祀與戎。」（成公十三年，頁460下），禮樂征伐才是《春秋》經傳的主要內容，研究者若能掌握經傳中的禮制，一以貫之，則字句之間的褒貶便無須贅言而其義自見。駱成駫研究《左傳》，雖然仍是依傍前人之跡，以屬辭比事的方法為主，但對於大義的推求，也會查驗禮制，依禮而斷。駱氏既以為凡例乃出於「周之舊典禮經」，又說《春秋》經文實是「禮義大宗，旨趣無窮」，故對事件、經文的解釋和判斷，常以得禮、失禮為依據，認為《春秋》書或不書與凡例之言，其中大義的核心思想在於合乎禮義，故而通過對《經》文的辭與事，與對禮的把握，明其褒貶大義。例如以下數凡的案語：

> 第六凡案：婚姻之禮，天子至尊，不行親迎，卿迎而上公監之，禮也；諸侯則親迎，有故則使卿，亦禮也。……文姜之重書，譏其嬌貴以致禍；出姜之賤，逆，示其不允以去魯，必如公子遂如齊逆女（宣元年）、叔孫僑如如齊逆女（成十四年）。《傳》曰：「稱族，尊君命」，謂稱公子叔孫；「舍族，尊夫人」，謂不稱公子叔孫。此為魯逆夫人，適合禮者也。僖、襄、昭、定、哀省文，知為得禮也。或有他故，諱之，知其失禮也。莊則親迎，合諸侯之禮，故《傳》不發也。（卷上，頁10b-11a）
>
> 第十八凡案：獻者，下奉上之辭也，非敵體所宜。捷者，戰勝所得於敵者也。……則知成三年《傳》稱「鄭皇戌如楚獻捷」，僖二十一年「楚人使宜申來獻捷」，皆非禮也，所謂「諸侯不相遺俘」是也。襄

八年邢丘之會，《傳》稱「子產獻捷于晉，一捷於蔡，一捷於陳。」獻其功于盟主，而不敢獻捷于周，知其「中國則否」之制也。至於僖五年晉獻滅虞，脩虞祀，歸其職貢于王，不敢獻捷，故不非之也。……（卷上，頁35a-36a）

第三十一凡案：諸侯朝聘會盟，則以爵之尊卑為序。盟主居首，以次諸侯，《春秋》之常也。稍不守制，則據禮以爭，滕侯、薛侯來朝爭長（隱十一年傳）。……可知諸侯之會盟，以爵之尊卑為序之先後，禮所載也。……諸侯出會盟，以尊卑為序，例也，亦禮也，貶則名之；如失地，滅同姓之故，總則略之。略之亦所以賤之也。（卷下，頁11b-12b）

第四十九凡案：《春秋》書「取」者，皆貶辭也。納鼎易田，獻捷求金，猶書以示貶，況取田邑乎？今以三類言之：宣四年，公及齊侯平莒及郯，莒人不肯，公伐莒取向，《傳》言「非禮也」，平國以禮不以亂，伐而不治，亂也，以亂治亂，何治之有？無治何以行禮？言「伐」、「取」，不為公諱者，罪其未平而取也。通下取根牟、取鄟、取邿、取鄫，皆公之罪也。凡為行禮始而以亂終者，視此焉。襄十三年，取邿，《傳》：邿亂，分為三師救邿，遂取之。《經》不書「師」，《傳》言不滿二千五百人故也。言「救」者，義也；言「取」者，非義也；言「遂」者，生事之辭，見利而動也。凡為救急而起貪利而終者，視此焉。昭四年，取鄫，《傳》：莒亂，著丘公立而不撫鄫，鄫叛而來，故曰「取」。凡為以地出奔而來，或為潰散叛據而來者，視此焉。又有身為不義，恐為人所討，先以田邑餌之，書「取」者、「與」者、「受」者，皆有罪也，亦同此義焉。通檢《春秋》書「取」，皆不出此三類也。……（卷下，頁48b-49b）

以上四凡，駱氏通解《經》、《傳》書法相異的緣由，側重於剖析事件與禮儀制度的關係，依據得禮、合禮或非禮、失禮的標準，判定經文書、不書、重書或總名、略之、省文的原因，蘊含孔子對諸侯行事之譏刺隱諱、尊卑貴賤、褒美貶責的意涵。其中，第六凡講的是諸侯嫁女時送嫁的禮儀[53]，駱成駫考察魯國迎娶夫人的事例，對於經文書不書，傳文發不發例的原因，以合禮而省文、失禮而隱諱鑑別之；第十八凡闡述的是諸侯獻俘的制度[54]，駱氏比類經傳書「獻捷」的史實，考辨諸事合乎傳例禮制之說；第三十一凡是申明諸侯會盟而經文不書的原因[55]，駱氏藉此凡論證諸侯序次的禮儀，並申述諸侯書其名或總、略其名，皆有貶抑卑賤的意思；第四十九凡原是解釋經文書「取」的意涵[56]，然經文所載書「取」之事，卻多見兵伐，有違傳例「不用師徒曰取」的說明，駱氏比類經傳之文，析較其辭而歸分為三類，總謂侵取他國領地為非禮之舉，故推斷《春秋》書「取」皆為貶辭；至於傳例「不用師徒」與經文書「伐……取」、「救……取」、「(叛) 取」之說並不相違，經文書「伐」、「救」，雖顯示諸侯有興兵攻伐之舉，然「不滿二千五百人」，故經亦不書「師」，則知《傳》例「不用師徒曰取」之說，非言諸侯不用兵，而是指諸侯用兵不滿二千五百人時書「取」為常例。

以禮說例，前人有之，宋代張大亨的《春秋五禮例宗》、沈棐的《春秋比事》、元人吳澄的《春秋纂例》、清儒惠士奇的《春秋說》、毛奇齡的《春秋屬辭比事紀》等諸作，皆是以禮說經，對《經》、《傳》的禮制進行歸納和總結而形成系統者。駱氏作《左傳五十凡例》，雖非系統性地專論《經》、《傳》禮制之書，但其人對禮制嫻熟，而有《儀禮喪服會通》之作，也試圖將凡例與禮制緊密結合，故解例的途徑常納例歸禮，以證凡例出於舊典禮經之說。觀其以禮解例的原則，與毛氏：「合典法者即在褒例，違禮度者即在

---

53 桓公三年《傳》:「凡公女嫁于敵國，姊妹，則上卿送之，以禮於先君；公子，則下卿送之。於大國，雖公子，亦上卿送之。於天子，則諸卿皆行，公不自送。於小國，則上大夫送之。」(頁103下)

54 莊公三十一年《傳》:「凡諸侯有四夷之功，則獻于王，王以警于夷。中國則否。諸侯不相遺俘。」(頁180上)

55 文公七年《傳》:「凡會諸侯，不書所會，後也。後至不書其國，辟不敏也。」(頁318上)

56 昭公四年《傳》:「凡克邑，不用師徒曰取。」(頁732上)

貶例。凡所褒貶，皆據禮以斷，並不在字句之間」說不謀而合[57]，在解說《經》文和《傳》例的關係時，能用切實有據的事證來辨別文字的異同，去除前人牽強附會、逞臆瞽說之辭的毛病，顯得較為細密平實，客觀合理。

（四）尊《左》從杜，兼納《公》、《穀》

承前文所述，駱氏之說有博采前儒和西學學說的優點。他對前人傳注的看法，析而條之，可以爬梳為兩點：第一，其基本態度是尊崇《左傳》，兼納《公》、《穀》，似欲折中三傳；第二，解讀《傳》例多從杜預的觀點，但也會覆核校改其說，修正錯誤。

首先，論及他對《左傳》的看法，其推尊崇信之意非常鮮明，三傳之中，他信奉《左傳》，以《左傳》為翼經、解經之傳，在解析經文時，必採取《左傳》的記事與說法論證之，對於《傳》文和《傳》例自然多加袒護。例如：

> 第三凡案：……孔子所取寶書，左氏所稱「來告」，其義固不殊也。後儒不疏通其義，而以據「來告」為惑，是不攷校之過也。（卷上，頁5a-5b）
>
> 第十七凡案：杜氏預曰：「國保於城，城保於民。無城不可守，不脩不可久。」是城為國家之保障、人民之屏藩不可闕者，且常務也，不書於《經》。然《春秋》重土功，雖得其時，猶書之，以為民力財用之重，不可輕於從事也，況不時乎？……非其時而城，有故，《傳》發之，如城祝丘，《傳》云：「齊、鄭欲襲紀。」（桓五年）；城西郛，《傳》云：「懼齊也。」（襄十九年）……周之春，夏之冬，猶十一月、十二月，土功之限，故《傳》云：「書時也。」又引角亢之星，晨見東方，以為戎事之期，即夏九月、周十一月之時，故《傳》即此

57 〔清〕毛奇齡：《春秋毛氏傳》（臺北市：臺灣商務印書館，1983年），卷1，《景印文淵閣四庫全書．經部》176冊，頁11下。

> 發凡，以包前後，時、不時之舉。……（卷上，頁33b-34b）
>
> 第三十四凡案：……《經》總書「諸侯」，除前目後凡五者外，皆有不足之意，《傳》以三義辨之（文十七年）。盟于扈諸侯會義事，公不速討宋弒君之賊，荀林父伐宋，失所稱人，晉侯平宋以無功，不序，總曰「諸侯」，謂其無能為也，《經》則一律書之，《傳》則分別言之。不讀《傳》，烏足以知《經》哉？（卷下，頁16-18）

劉敞曾說：「大率左氏解經之蔽有三：從訃告，一也；用舊史，二也；經闕文，三也。所以使白黑混淆，不可考校。」[58]他認為《左傳》學者解經，遇到無法貫通其說、經傳相違的情況，往往歸之於訃告、闕文等因素，是其弊病。駱成駫對此，也提出論證。在第三凡中，對於左氏「來告」一詞，他特別澄清「來告」有虛有實，孔子或因循、或改變，以及所取「百二十國寶書」，皆是「來告」，後儒誤以為「來告」是單指當時諸侯國實有遣使來告者，才會對經文有不因「來告」而書產生疑惑，爭相攻訐左氏之說；至於《經》闕文之說，他也不贊同，他在第二十八凡案語中表明，他相信《經》本無闕文，《傳》亦無誤，左氏作《傳》以翼《經》，《經》、《傳》之所以出現相異的情況，肇因於《經》、《傳》的書寫體例有別，後人不明此故，導致誤解。在第三十四凡案語中，駱氏舉《傳》文解《經》的例子，證明「不讀《傳》，烏足以知《經》哉？」文公十七年，《春秋》記晉、宋、衛、蔡、陳、鄭、許、曹八國會盟於扈，總書「諸侯會于扈」（頁349上），《傳》文：「書曰：『諸侯』，無功也。」（頁349上）指明《經》文書「諸侯」有譏諷之意，透過《傳》文的敘事始末和解說，後人才能理解其中大義。再由第十七凡案語引《傳》解《經》的情況來看，駱氏對《左傳》的崇信，可謂堅定不移。

不過除了《左傳》之外，駱氏也經常採納《公》、《穀》之說，如第七凡、第十凡、第十四凡、第十六凡、第四十凡、第四十三凡等案語，皆引《穀梁傳》的說法來辨證經文義例與凡例的關聯；至於《公羊》傳文，雖然

58 〔宋〕劉敞：《春秋權衡》，卷7，頁253下。

較少引用，然其闡發《左傳》凡例的方法，如變例之說，或者解釋義例如詳內略外、諱辭、為賢者諱等概念，應是受到《公羊》學派的啟發無疑。對於三傳的態度，頗有折中兼納的色彩，唯三傳說法有異時，當以左氏為宜[59]。

其次，駱氏解說凡例，主從杜預之說，唯不盲目昧從。例如上文已經徵引過的第十三凡、第十六凡、第十七凡、第十九凡等，皆引杜預注，並言其是，或引杜預《釋例》來解例，如第二十三凡：

> 第二十三凡案：《春秋》在喪之稱，《傳》注已詳之，唯伯、子、男無在喪之稱之明文，《傳》以此包之，故不發也。……桓十五年，邾人、牟人、葛人來朝，是杜《釋例》云：「《周禮》：『諸侯之世子誓於天下，下其君禮一等；未誓則以皮帛繼子、男。』此謂五等諸侯之世子出朝聘會盟之禮也。」……然成十年，晉景公有疾，立太子州蒲為君，會諸侯伐鄭，書「晉侯」，杜注云：「生立子為君，乃父不父，子不子，是天有二日，國有二王，家有二尊，無統於一，亂之道也。

---

59 例如其二十二凡案語：「此夫人，三傳各異其辭。《公羊傳》以夫人為齊之媵女也，僖公原聘楚女為嫡，齊女為媵，齊媵先至，脅僖公立之為夫人；《穀梁傳》以夫人為成風，莊公之妾、僖公之母，母以子貴，故因祭廟立之為夫人；而《左傳》則以為莊公夫人哀姜，二十四年如齊親逆者，至僖元年，書『夫人姜氏薨于夷，齊人以歸』是也。此三傳不同之點，今特詳為辨之。僖公作《頌》，賢君不應亂嫡庶如此，且齊桓葵丘之會，以盟諸侯，初命曰：『勿以妾為妻。』豈齊桓既戒諸侯，出爾反爾，何以長諸侯？諸侯何所適從乎？此公羊說之不安者。穀梁以僖公立妾母為夫人，立妾為夫人，本由父命，請於天子，告於諸侯，非人子所敢行之道，妾不能體君與女君，且妾之事女君，與婦之事舅姑等，《儀禮．喪服》經傳俱有明文，果以僖公立妾母為言，是父不立於前，而子立之於後，何以對先君？雖因尊母，實以賤父也，此穀梁說之不安者也。不如左氏以夫人為哀姜允矣。哀姜行不以禮，被殺于外，諱而書『薨』，僖公疑之，歷三禘而始祔之於廟，故《春秋》書『用致』以譏之。用者不宜用，致者不宜致也，以包凡夫人薨於寢，赴於同，葬稱小君，皆宜致廟。不書者，因此以省彼也。」（卷上，頁45b-46b）僖公八年，《經》書：「秋七月，禘于大廟，用致夫人。」（頁216下），《左傳》因而發二十二凡曰：「凡夫人不薨於寢，不殯于廟，不赴于同，不祔于姑，則弗致也。」（頁217上）這是說明國君夫人祔祭之禮的規定。三傳對於經文所記的「夫人」身分，說法不同，駱氏特別辨明，分別從史事和禮文指出《公》、《穀》說之不安處，論理有據，其說當是。

《經》因書『晉侯』，其惡明矣！」則知父在稱爵，與在喪稱爵，皆非禮也。……（卷上，頁48b-49b）

大體而言，駱氏解凡例多從杜預之說，不過並非全盤採信，他也會依個人觀點加以修正，例如：

第二凡案：……此《傳》云：「凡雨自三日以往為霖。」杜以《經》無「霖」字，為《經》誤。不知《傳》本有無《經》而發凡者，不必以《經》為誤，義亦可通。（卷上，頁3b-4a）

第七凡案：……左氏之凡曰：「龍見而雩」，原因旱雩而發禮雩。禮雩不書，特因此以明之。故云「書不時」者，《傳》意明此為「旱雩」，非「禮雩」。杜知《傳》言而未疏通其意義耳。（卷上，頁16a-16b）

駱氏的經學觀點中有一則基本信條，就是不疑《經》、《傳》，但凡諸家言論違背此原則者，一概不取，若遇《經》、《傳》相異處，必試圖調解二說，以求圓融。在第二凡案語中，因杜預逕以「《經》誤」說例，違反駱氏對《春秋經》的絕對尊崇，於是他加以駁斥；在第七凡的案語中，杜預《釋例》以「過雩」來解釋《傳》文「書不時」的意思，卻與事實常法乖違，他便以不違情理和常制的折中說法，刻意為《傳》文辯護，對於杜預的說法，只好以「知《傳》言而未疏通其意義」的結論，含蓄批評一番了。

五　結語

對於《春秋》筆法和《左傳》凡例的探討，一向都是歷代《春秋》學者的熱門話題與關注重點，自兩漢開始，其研究代不乏人，人不乏書。雖則如此，由於駱氏其人其事早已湮沒無聞，其著作《左傳五十凡例》一書，亦有佚失之虞。筆者有幸得其書，讀其文，感其殫思極慮於《左傳》研究之精懇，恐其心血枉費，故為此文略述其書與思想，以存其一二。

綜整其經學觀點，大抵有四：其一，《春秋》乃孔子修魯史而寄褒貶之作，故有史筆，也有書法，如遠略而近詳、遠詳而近略、省文、詳內而略外、據實直書等是「史筆」，諱辭、非之、褒貶、譏刺、別尊卑內外等是「書法」，《左傳》據此發凡言例，故《傳》例實繼承《春秋》筆法而設；其二，孔子取方策修《春秋》，成一經通例，左丘明據此作「凡例」，故因「例」可求經，以例證《經》是習《春秋》之方術；其三，「例」有常變，且《經》、《傳》體例有別，學人宜信例而不泥於例，即可疏通「凡例」不能包舉《經》、《傳》之矛盾；其四，對於三傳的立場，尊崇《左氏》，兼納《公》、《穀》和西學，既折中三傳，又跳脫君權時代迷信附會的樊籠。

總觀而言，駱氏的立場大抵尊《左》信「例」，認為《經》、《傳》之體雖然有別，然《傳》例旨在闡發經義，藉由疏通《經》、《傳》之異，來宣揚《左氏》之文。其說「例」，蓋以得禮或失禮為準則，納「例」歸「禮」；對於凡例之解說雖主從杜預，又能兼納《公》、《穀》和前儒諸家見解，時採近代西學知識，故在杜預釋例的扞格矛盾處，頗有補苴罅漏之功。概言駱氏的《左傳》學觀點，將其歸諸古文經學派，大抵無誤。

朱熹之《春秋》觀
——據實直書與朱子之徵實精神

張高評
成功大學中國文學系特聘教授

一　前言

孔子據魯史作《春秋》，寓含筆削勸懲，微言大義，所謂「其義則丘竊取之」者，其中多刺譏褒諱挹損之文辭。[1]《史記・司馬相如列傳》稱：「《春秋》推見以至隱」，[2]因此，弟子或人人異端，或不能贊一辭。其後，解釋《春秋》有《三傳》，互有異同：《左氏》主敘事解經，以歷史敘事解讀《春秋》經；《公羊》、《穀梁》主義理解經，以歷史哲學詮釋《春秋》經。敘事與義理之二分，當始於南宋大儒朱熹。

朱熹（1130-1200），為南宋大儒，開創閩學，集理學之大成。學術精湛，於《易》、《詩》、《書》、《三禮》、《四書》皆有著述傳世。唯獨於《春秋》，自言不解、難知、不敢說，「終不能有以自信於其心」；因此，終其一生，未嘗致力《春秋》學之專著論述。不過，《朱子語類》輯錄平生與弟子問對之語錄，有〈春秋・綱領〉，一卷一百三十餘則；外加《朱子文集》所載書信、題跋，有關《春秋》學之論述文字，亦有十餘則。其中不乏獨到見解，可資稱揚者。今以此為主要研究文本，以考察朱熹之《春秋》觀。

有關本課題之研究成果，學界發表不豐。直接相關者，多見於專著中之

1　〔漢〕司馬遷著，日本瀧川資言考證：《史記會注考證》（臺北市：大安出版社，2000年），卷14〈十二諸侯年表序〉，頁228。

2　《史記會注考證》，卷117〈司馬相如列傳〉「太史公曰」，頁1232。

一章或一節，如錢穆《朱子新學案》，中有〈朱子之春秋學〉一節；[3]章權才《宋明經學史》、趙伯雄《春秋學史》，亦皆立一節述說；[4]唯蔡方鹿《朱熹經學與中國經學》，設立專章闡論。[5]戴維《春秋學史》、朱漢民等《中國學術史．宋元卷》，則或短文提示，或順帶略及。[6]雖皆各有所見，或有可取，唯短章小幅，以未能周賅盡致為憾。至於姜廣輝主編《中國經學思想史》，但論朱熹之《易》學、《四書》學、《詩》學、《禮》學，於《春秋》學卻付之闕如。[7]林慶彰、蔣秋華主編《中國經學相關研究博碩士論文目錄》，三十年間中國大陸碩博士論文，未有一部選擇朱熹之《春秋》學作研究者。[8]今梳理《朱子語類》、《朱子文集》一百四十餘條文獻，針對朱子《春秋》學作全面論述，希望能拾遺補闕，發微闡幽。

二　據實解經與朱子之徵實與闕疑

錢穆（1895-1990）《朱子新學案》稱：朱子集北宋以來理學之大成，集孔子以下學術思想之大成，為近古學術文化之大宗。[9]朱子著述宏富，體大

3 錢穆：《朱子新學案》（臺北市：三民書局，1971年），第4冊，〈朱子之春秋學〉，頁95-111。

4 章權才：《宋明經學史》（廣州市：廣東人民出版社，1999年），第6章第5節〈《春秋》論、《通鑑綱目》〉，頁203-205。趙伯雄：《春秋學史》（濟南市：山東教育出版社，2004年4月），第7章第1節，一、〈朱熹的《春秋》觀〉，頁484-500。

5 蔡方鹿：《朱熹經學與中國經學》（北京市：人民出版社，2004年4月），第10章〈朱熹的《春秋》學〉，頁462-476。

6 戴維：《春秋學史》（長沙市：湖南教育出版社，2004年5月），第7章第2節〈南宋《春秋》學〉，頁366-369。朱漢民等：《中國學術史．宋元卷》（南昌市：江西教育出版社，2001年），第17章第3節〈以義理解《春秋》，重哲理和倫理〉，頁579-586。

7 姜廣輝主編：《中國經學思想史．第三卷》（北京市：中國社會科學出版社，2010年），第67-70章，頁701-873。

8 林慶彰、蔣秋華主編：《中國經學相關研究博碩士論文目錄》（1978-2007）（臺北市：萬卷樓圖書公司，2009年）。

9 錢穆：《朱子新學案》，頁1。

思精，就經學著作而言，《易》學有《周易本義》等八種，《詩》學有《詩集傳》等三種，一生心血結撰《四書章句集注》。晚年集作《書傳》，未成，命蔡沈足成之；又編修禮書，曰《儀禮經傳通解》。[10]唯獨於《春秋》學未有專書論著，學者惑之。試翻檢《朱子語類》與朱子文集，其所以然之故，朱子已自道其原委。要之，與朱子治學之謹於闕疑，慎行其餘，強調無徵不信之實證精神有關。

《朱子語類》卷八十三〈春秋・綱領〉，開宗明義劈頭就說：「《春秋》煞有不可曉處」。其餘一百三十則語錄，尚有十餘條文獻，謙稱：「《春秋》熹所未學，不敢強為之說」；宣稱《春秋》之「微辭隱義，時措從宜」為難看、難知、自難理會、難說、不可曉，是以「平生不敢說《春秋》」。如云：

> ……某平生不敢說《春秋》。若說時，只是將胡文定說扶持說去。畢竟去聖人千百年後，如何知得聖人之心？……（頁2149-2150）[11]
>
> 《春秋》難看，三家皆非親見孔子。（頁2153）
>
> 程子所謂「《春秋》大義數十，炳如日星」者，……卻恐未必如此。須是己之心果與聖人之心神交心契，始可斷他所書之旨；不然，則未易言也。程子所謂「微辭隱義，時措從宜者為難知」耳。（頁2154）
>
> 問：「胡《春秋》如何？」曰：「胡《春秋》大義正，但《春秋》自難理會。」（頁2155）
>
> 《春秋》今來大綱是從胡文定說，但中間亦自有難穩處。如叔孫婼祈死事，把他做死節，本自無據。……《春秋》難說。若只消輕看過，不知是如何？（頁2156）
>
> 晉里克事，只以《春秋》所書，未見其是非。《國語》載驪姬陰託里

10 〔清〕王懋竑纂訂：《朱子年譜》（北京市：中華書局，1998年），卷4，寧宗慶元二年（1196年）：「始修禮書」；四年戊午：「集《書傳》」，頁403、405、406。

11 本文徵引朱子有關《春秋》之論說，多採自〔宋〕黎靖德編，王星賢點校：《朱子語類》（臺北市：文津出版社，1986年），卷83〈春秋・綱領〉，為節省篇幅，不另作註，但標明頁碼而已。

> 克之妻，……如《春秋》所書，多有不可曉。如里克等事，只當時人已自不知孰是孰非，況後世乎？（頁2165）

據《朱子語類》載錄〈春秋綱領〉，知朱子不說《春秋》之理由有五：其一，《春秋》所書，當時人已自不知；其二，去聖千百年，後人難知聖心；其三，三家皆非親見孔子；其四，《春秋》之微辭隱義，時措從宜為難知；其五，說《春秋》本自無據，不知是如何。學界探討朱子治史之方法論，概括其特色有三：提倡「謹于闕疑」，反對臆斷；強調參互考證，言必有據；主張身到足歷，核其事實。[12]由此觀之，無論《春秋》自身之性質、因素，或後學治《春秋》之誤讀、侷限，皆促使朱子不敢說、不敢作《春秋》。

依據《宋史・道學傳》，稱述朱熹為學：「大抵窮理以致其知，反躬以踐其實」。朱子嘗謂：「聖賢道統之傳散在方冊，聖經之旨不明，而道統之傳始晦。於是竭其精力，以研窮聖賢之經訓。」[13]朱子智足以知聖人，頗推崇《春秋》一書，以為「經世之大法」；按理應殫精竭力闡明經旨，研窮經訓，以顯揚道統為已任方是。實則「平生不敢說《春秋》」，未嘗有專書之撰作，蓋與其主徵實、尚闕疑之治學精神相契合。《朱子語類》云：

> ……問：「先生既不解《春秋》，合亦作一篇文字，略說大意，使後學知所指歸。」曰：「也不消如此！」（頁2157）
>
> 問：「《春秋》一經，夫子親筆，先生不可使此一經不明於天下後世。」曰：「某實看不得。」問：「以先生之高明，看如何難？」曰：「劈頭一箇『王正月』，便說不去。」（頁2175）
>
> 《春秋》，某煞有不可曉處，不知是聖人真箇說底話否。（頁2175）
>
> 問：「先生於《二禮》《書》《春秋》未有說，何也？」曰：「《春秋》是當時實事，孔子書在冊子上。後世諸儒學未至，而各以己意猜傳，

---

12 湯勤福：《朱熹的史學思想》（濟南市：齊魯書社，2000年），第4章〈朱熹的治史方法論〉，頁126-149。

13 〔元〕脫脫主纂：《宋史》（北京市：中華書局，1997年《二十五史》點校本），卷429〈道學三・朱熹傳〉，頁2769。

正橫渠所謂『非理明義精而治之，故其說多鑿』，是也。唯伊川以為『經世之大法』，得其旨矣。然其間極有無定當、難處置處，今不若且存取胡文定本子與後來看，縱未能盡得之，然不中不遠矣。」（頁2175）

《春秋》難看，此生不敢問。如鄭伯髠頑之事，傳家甚異。（頁2176）

朱子既不解說《春秋》，門弟子曾請求「作一篇文字，略說大意」，且示後學以指歸，未料朱子以「不消如此」婉拒。儘管弟子以聖賢道統勸進，謂「先生不可使此一經不明於天下後世」，朱子仍堅持「某實看不得」，謂「《春秋》，某煞有不可曉處」；「《春秋》難看，此生不敢問」，此即不知蓋闕，反躬踐實之治學精神。另外，朱子之所以未說《春秋》者，尚有一大緣由，即是「學未至，而各以己意猜傳」；「非理明義精，其說多鑿！」朱子答弟子張洽（1161-1237）問「《春秋》、《周禮》疑難」，以為「此等皆無佐證，強說不得。若穿鑿說出來，便是侮聖言！」（頁2148）要之，亦是反對臆斷，強調實證治學方法之體現。

著書立說，有益於傳心與薪傳，此人盡皆知之常理。以朱子之高明博厚，既知「聖賢道統之傳播散在方冊」，對於說解《春秋》，何以未如治《易》、治《四書》、治《詩》一般，「竭其精力，以研窮聖賢之經訓」？除上所述《朱子語類》之六大理由外，《朱子文集》所載書信、題跋，亦有明確之述說，可略窺其中端倪，如：

……但《春秋》之說，向日亦嘗有意，而病於經文之太略，諸說之太煩，且其前後牴牾非一，是以不敢妄為必通之計，而姑少緩之。然今老矣，竟亦未敢再讀也。[14]

熹之先君子好《左氏》書，每夕讀之，必盡一卷乃就寢，故熹自幼未受學時已耳熟焉。及長，稍從諸先生長者問《春秋》義例，時亦窺其

14 〔宋〕朱熹撰，郭齊、尹波點校：《朱熹集》（成都市：四川教育出版社，1996年），卷59〈答龔惟微〉，頁3014。

一二大者，而終不能有以自信於其心。以故未嘗敢輒措一詞於其間，而獨於其君臣父子大倫大法之際為有感也。[15]

就《文集》〈答龔惟微〉、〈書臨漳所刊四經後・春秋〉二文顯示，朱子未說解《春秋》，緣由有四：一則經文太略，徵實無從；二則諸說太煩，不得體要；三則牴牾矛盾，前後非一；四則《春秋》義例，穿鑿牽強。連結上文所云，共十大緣由，多出於夫子自道。由於「不能有以自信於其心」，也就「不敢妄為必通之計」，「未嘗敢輒措一詞於其間」，因此，導致「平生不敢說《春秋》」，亦核其事實，謹於闕疑之精神。清納蘭成德曾云：「夫學至朱子，智足以知聖人矣，而於《尚書》、《春秋》無傳。非不暇為，亦慎之至矣。」[16]智足以知聖人，而未為《春秋》作傳；其至慎不苟，與不知蓋闕同風，皆無徵不信之發用。

無中生有之杜撰，牽強附會之穿鑿，華而不實之虛浮，皆有違朱子「據實」求真之治學精神，以及無徵不信之治經信條。因此，無論諸儒說經，或《左傳》敘事，若文章浮豔、文字「粧點」，則朱子指為難信、不可曉、不知如何。如云：

《春秋》之書，且據《左氏》。當時天下大亂，聖人且據實而書之，其是非得失，付諸後世公論，蓋有言外之意。若必於一字一辭之間求褒貶所在，竊恐不然。（頁2149）

……且如讀《史記》，便見得秦之所以亡，漢之所以興；及至後來劉項事，又知劉之所以得，項之所以失，不難判斷。只是《春秋》卻精細，也都不說破，教後人自將義理去折衷。（頁2152-2153）

朱子看《春秋》，獨具慧眼，稱《春秋》所取義，「都不說破」，「蓋有言外之意」，其中留存許多詮釋解讀之空間。《春秋》之難解難曉，以此。筆者以

---

15 《朱熹集》，卷82〈書臨漳所刊四經後・春秋〉，頁4248。

16 〔宋〕張洽：《春秋集註》（北京市：商務印書館，2005年文津閣《四庫全書》本），卷首，〔清〕納蘭成德：〈春秋集註序〉，頁107。

為：此持談禪與說詩比況《春秋》。依程子之見，《春秋》之所以難知，在「微辭隱義，時措從宜」，董仲舒（B.C. 179-B.C. 104）《春秋繁露》所謂「《春秋》無達辭，從變從義」；「《春秋》無通辭，從變而移」。[17]《春秋》之「微辭隱義」所以難於索解，朱子拈出「蓋有言外之意」、「都不說破」云云，可謂二語以蔽之。「言外之意」，又稱意在言外，為詩歌語言之極致，晚唐司空圖（837-908）《二十四詩品．含蓄》所謂「不著一字，盡得風流」；劉禹錫（772-842）所謂「境生於象外」。[18]至於「不說破」，乃禪宗術語，為消解言與意之悖論，從不立文字到不離文字，於是說法講究不犯正位，不妙明體盡，而有「不說破」之提法。[19]朱子曾較論蘇軾（1037-1101）、曾鞏（1019-1083）與歐陽脩（1007-1072）之散文，蘇、曾文「說得透」，而「歐公不盡說，含蓄不盡」；[20]可見，「不盡說」就是「不說破」，「含蓄不盡」就是「言外之意」。《春秋》由事定辭，因辭見義；藉載事屬辭而考求《春秋》之微辭隱義，其難處即在孔子所取義「都不說破」，「蓋有言外之意」。

前乎朱子者，南北宋之交，胡安國（1074-1138）《春秋傳》稱《春秋》，為「史外傳心之要典」；[21]《春秋》因魯史而示義，然「諸史無義，《春秋》有義」[22]，故曰「史外傳心」。除《春秋》三傳外，如何「求聖人之意於聖人所筆之書」，以經求經，無傳而著，則非屬辭比事不為功。《禮記．經解》：「屬辭比事，《春秋》教也」，經由事之比，辭之屬，孔子之志，

---

17 〔漢〕董仲舒著，〔清〕蘇輿注：《春秋繁露義證》（臺北市：河洛圖書出版社，1975年），卷3〈精華第五〉，頁66-67，頁66-67；卷2〈竹林第三〉，頁32。

18 〔唐〕司空圖：《二十四詩品》，〈含蓄〉，〔清〕何文煥：《歷代詩話》（北京市：人民文學出版社，1982年），頁40。〔唐〕劉禹錫：〈董氏武陵集序〉，〔清〕董誥等編：《全唐文》（上海市：上海古籍出版社，1990年），卷605，頁2708。

19 蔣寅：《古典詩學的現代詮釋》（北京市：中華書局，2003年），四、〈不說破〉，頁85-89。

20 〔宋〕黎靖德編：《朱子語類》，卷139〈論文上〉，頁3310。

21 〔宋〕胡安國：《春秋傳》（臺北市：臺灣商務印書館，1966年《四部叢刊》初編本），卷首〈春秋傳序〉，頁1；〈進表〉，頁4。

22 〔清〕萬斯大：《學春秋隨筆》（臺北市：復興書局，1972年《皇清經解》本），卷50〈(隱公）四年，衛州吁弒其君完〉，頁14，總頁767。

《春秋》之義可以考求而得。換言之，比事屬辭而成《春秋》，《春秋》雖據魯史而作，然魯史止是紀事之書；《春秋》則有孔子經世之志，體現為別識心裁，獨斷一心之「義」。後乎朱熹者，宋元之際家鉉翁（1213-1286？）《春秋集傳詳說》申說胡《傳》與朱熹之見，亦稱《春秋》「宏綱奧旨，絕出語言文字之外，皆聖人心法之所寓。夫豈史之謂哉！」[23]清方苞（1668-1749）《春秋通論．序》所謂：「《春秋》之義，則隱寓於文之所不載」；[24]清章學誠（1738-1801）《文史通義．經解》亦謂「夫子之作《春秋》，莊生以謂議而不斷，蓋其義寓於其事其文，不自為賞罰也」；《文史通義．言公》則云：「(《春秋》) 其事與文，所以藉為存義之資也」。[25]由此觀之，朱子拈出「蓋有言外之意」、「都不說破」云云，於理解《春秋》，詮釋孔子「竊取之義」，堪稱一針見血，肯綮精要。

晉范甯（339-401）《穀梁集解．序》稱：「《左氏》豔而富，其失也巫」；」[26]唐韓愈（768-824）〈進學解〉亦謂：「《春秋》謹嚴，《左氏》浮誇」。對於《左傳》一書之文與質、情與采，朱子亦有論述，如：

> 問：「《左氏》駒支之辯，劉侍讀以為無是事。」曰：「某亦疑之。既曰『言語衣服，不與華同』，又卻能賦〈青蠅〉，何也？又，太子申生伐東山皋落氏，攛掇申生之死，乃數公也。申生以閔二年十二月出師，衣之偏衣，佩之金玦，數公議論如此，獻公更舉事不得，便有『逆詐、億不信』底意思。《左氏》一部書都是這意思，文章浮艷，更無事實。」（頁2169-2170）

---

23 〔宋〕家鉉翁：《春秋集傳詳說》（臺北市：臺灣商務印書館，1983年文淵閣《四庫全書》本），〈春秋集傳詳說原序〉，卷首，頁2，冊158，總頁5。

24 〔清〕方苞：《方望溪先生文集》（臺北市：臺灣商務印書館，1979年《四部叢刊》初編本），卷4〈春秋通論序〉，頁3-4，總頁51-52。

25 〔清〕章學誠：《文史通義》（臺北市：華世出版社，1980年），內篇一，〈經解下〉，頁33；內篇四〈言公上〉，頁107。

26 〔周〕穀梁赤傳，〔晉〕范甯《集解》，〔唐〕楊士勛疏：《春秋穀梁傳注疏》（臺北縣：藝文印書館，1955年《十三經注疏》本），卷首〈春秋穀梁傳序〉，頁9，總頁7。

《左傳》語言文章之豔富浮誇，究竟是本色如此，還是經由左氏修飾潤色？唐劉知幾（661-721）《史通．言語》以為：「非但筆削所致，良由體質素美」;「時人出言，史官入記，雖有討論潤色，終不失梗概」。[27]操兩可之說，以為兼而有之。朱子質疑駒支外交賦詩之虛實，可以代答如上。《左傳》載戎子駒支對范宣子（襄公十四年），輕重詳略，字字有法，堪稱絕妙辭令。[28]《左傳》載晉太子申生伐東山皋落氏（閔公二年），眾人議論紛紛，俱教太子遠離免禍，咸謂太子不宜帥師。《左傳》敘事往往逆料禍福，預言成敗，猶奇葩未放，先見滿庭綠影；明月未來，先見一天星斗，令人游目騁懷，愛不忍釋。《左傳》編年記事，事迹不連貫，預敘法可以濟編年之窮。朱子稱：「逆詐，億不信」；懷疑「文章浮豔，更無事實」，大抵指此。日本齋藤謙《拙堂文話》亦懷疑，當時本語恐不至此，以為辭令之典麗，乃出於「《左氏》修飾之善爾。」[29]謂出自《左氏》修飾，則較近朱子「浮豔」、「粧點」之說，如：

> 問：「季札觀樂，如何知得如此之審？」曰：「此是《左氏》粧點出來，亦自難信。如聞齊樂而曰『國未可量』，然一再傳而為田氏，烏在其為未可量也！此處皆是難信處。」（頁2170）

朱子強調：「《春秋》之書，且據《左氏》」；因為左氏身為史官，躬見國史策書，以歷史敘事說經，還歷史以本來面目。猶聖人作《春秋》，「且據實而書之」；經由比事與屬辭，而見「言外之意」，而知「是非得失」。據實而書，崇尚事實，即是《春秋》經與《左氏》傳之共有特質，所謂「備錄是非，使人自見」者。《左傳》載戎子駒支之辯、太子申生伐東山皋落氏，朱子批判「文章浮豔，更無事實」，已如上述；又檢視〈季札觀樂〉（襄公二十九

---

27 〔唐〕劉知幾著，〔清〕浦起龍釋：《史通通釋》（臺北市：里仁書局，1980年），卷6內篇〈言語第二十〉，頁150。

28 〔清〕馮李驊：《左繡》（臺北市：文海出版社，1967年），卷15，襄公十四年，評語，頁24，總頁1104。

29 〔日〕齋藤謙：《拙堂文話》（臺北市：文津出版社，1978年），卷6，頁7。

年)，質疑《左傳》逆料未來何以如此之審？朱子斷定：「此是《左氏》粧點出來，亦自難信！」預言成敗興亡，逆料吉凶禍福，為《左傳》歷史敘事之一大特色。一則提供經世資鑑，再則可以救濟編年體事蹟懸隔、不相連貫之困窮，猶小說之懸念，文章之伏應者然。[30]朱子治學，追求徵實，反對臆斷；由於重道輕文，故對於《左傳》文章浮豔、粧點文字，在所不喜與不信。又如：

> 或問：「申包胥如秦乞師，哀公為之賦〈無衣〉，不知是作此詩，還只是歌此詩？」曰：「賦詩在他書無所見，只是《國語》與《左傳》說，皆出《左氏》一手，不知如何。《左傳》前面說許穆夫人賦〈載馳〉，高克賦〈清人〉，皆是說作此詩。到晉文公賦〈河水〉以後，如賦〈鹿鳴〉、〈四牡〉之類，皆只是歌誦其詩，不知如何。」因言：《左氏》說多難信。(頁2171)

討論有關賦詩是「作詩」、還是「歌詩」問題。[31]朱子發現：《左傳》前期賦詩「皆是作此詩」，如許穆夫人賦〈載馳〉(閔二)、高克(鄭人)賦〈清人〉(閔二)。[32]自晉公子重耳賦〈河水〉(秦穆公賦〈六月〉，僖二十二)、晉樂工賦〈鹿鳴〉、〈四牡〉(襄四)、戎子駒支賦〈青蠅〉(襄十四)、秦哀公賦〈無衣〉(定四)，「皆只是歌頌此詩，不知如何？」何以「賦詩在他書無所見，只是《國語》與《左傳》說，皆出左氏一手，不知如何？」君子於其所不知，則闕如也，朱子二說「不知如何？」可見其謹于闕疑，追求徵實之精神。《朱子語類》前述：「《左氏》所傳春秋事，恐八九分是」；今卻又言：「《左氏》說多難信！」此即《論語．為政》孔子所謂「多聞闕疑，慎行其餘」之意。

---

30 張高評：《春秋書法與左傳學史》(臺北市：五南圖書出版公司，2002年)，〈《左傳》預言之基型與作用〉，頁40-55。

31 參考張素卿：《左傳稱詩研究》(臺北市：國立臺灣大學出版委員會，1991年)，頁1-186。

32 〔宋〕黎靖德編：《朱子語類》，頁2171。其他，《左傳》賦詩指作詩者，尚有衛人賦〈碩人〉(隱三)、秦人賦〈黃鳥〉(文六)。

朱子解說《春秋》，未成專著，自以為《春秋》難曉、難知、難看、難說、多有不可曉、自難理會，是以「此生不敢問」，「平生不敢說《春秋》」，此治學之闕疑精神。諸家說《春秋》，或杜撰、或穿鑿、或虛浮，則違朱子無徵不信之治學精神。朱子於《三傳》，據《左傳》而疑《公》《穀》，然《左傳》敘事有浮豔者、粧點者，朱子亦指為難信、不知如何，可見其闕疑徵實之治學態度。

三　《春秋》直載時事，備錄是非

《公羊春秋》莊公七年載：「《不修春秋》：『雨星不及地，尺而復。』君子修之曰：『星霣如雨。』」[33]錢穆據此推論說《春秋》：謂孔子對《春秋》舊文，必有修正無疑。「但所修者主要是其辭，非其事。由事來定辭，由辭來見事，辭與事本該合一不可分。所以說：屬辭比事，《春秋》教也。」[34]《春秋》所修者其辭，「由事來定辭，由辭來見事」，結合事與辭而一之，可以見其義之隱微，此之謂屬辭比事。

《左傳‧成公十四年》君子曰，揭示《春秋》五例，所謂「微而顯，志而晦，婉而成章，盡而不汙，懲惡而勸善」。前四者示《春秋》「如何書」之書法，即孟子《春秋》學所稱「其文則史」，《禮記‧經解》所謂「屬辭」；勸善懲惡，則揭示《春秋》「何以書」之作用，即孟子所云孔子「竊取」之「其義」。其事，則指《魯春秋》據赴告，孔子《春秋》因魯史，《禮記‧經解》所謂「比事」之倫。《春秋》因事屬辭，讀者即辭以觀義。

《春秋》五例，其四所謂「盡而不汙」，晉杜預（222-284）《春秋經傳集解‧序》釋以「直書其事，具文見意」。[35]唐劉知幾《史通》列有〈直

---

33 〔漢〕公羊壽傳，〔漢〕何休解詁，〔唐〕徐彥疏：《春秋公羊傳注疏》（臺北縣：藝文印書館，1955年），卷6〈莊公七年〉，頁81。

34 錢穆：《中國史學名著‧春秋》（臺北市：三民書局，1973、2006年），頁20-21。

35 〔晉〕杜預注，〔唐〕孔穎達疏：《春秋左傳正義》（臺北縣：藝文印書館，1955年《十三經注疏》本），第6冊，〈春秋序〉，頁14。

書〉一篇，枚舉「董狐之書法不隱，趙盾之為法受屈」，「齊史之書崔弒，馬遷之述漢非，韋昭仗正於吳朝，崔浩犯諱於魏國」諸例，以為「申以勸誡，樹之風聲」，乃作史之要務。[36]通觀《朱子語類》所載，朱子說《春秋》，頗有取於直書。

直書者，出於史家筆削之餘，取捨別裁之後，所筆所取者是。相對而言，要皆客觀呈現著述之旨趣；就筆法而言，多直述其事，不加論斷，而是非功過，見於言外。《史記．太史公自序》引孔子言：「我欲載之空言，不如見之於行事之深切著明」，[37]此《春秋》比次史事之功。宋程頤（1033-1107）《春秋傳》稱：「《春秋》一句即一事，是非便見於此，乃窮理之要。」胡安國《春秋傳》〈述綱領〉本之。[38]元趙汸（1319-1369）引述其師黃澤（1260-1346）之言，以為「《春秋》本是記載之書，……學者只當考據事實，以求聖人筆削之旨」；[39]主張治《春秋》「以考事為先」，必考索事情，方能推校書法。明湛若水（1466-1560）亦以為：治《春秋》者，「必考之於事。事得，而後聖人之心，《春秋》之義得矣。」[40]清顧炎武（1613-1682）《日知錄》揭示：「古人作史，有不待論斷而於序（敘）事之中即見其指者」，所謂「於序（敘）事中寓論斷」，[41]《史記》取法《春秋》而有之也。朱子說《春秋》，主張直載時事，備錄是非，要即顧炎武所云「於序（敘）事中寓論斷」之法。

《禮記．經解》稱：「屬辭比事，《春秋》教也。」辭文之連屬，史事之

---

36 〔唐〕劉知幾著，〔清〕浦起龍釋：《史通通釋》，卷7〈直書〉，頁192-193。

37 〔漢〕司馬遷著，〔日〕瀧川資言考證：《史記會注考證》，卷130〈太史公自序〉，頁1337。

38 〔宋〕胡安國：《春秋胡氏傳》，卷首〈述綱領〉引「河南程頤曰」，頁1，總頁2。

39 〔元〕趙汸：《春秋師說》（臺北市：大通書局，1970年《通志堂經解》本），卷下〈論學春秋之要〉，頁5，總頁14945。

40 〔明〕湛若水：《春秋正傳》（臺北市：臺灣商務印書館，1983年文淵閣《四庫全書》本），卷首〈自序〉，頁1-2，冊167，總頁39-40。

41 〔清〕顧炎武著，黃汝成集釋，欒保群、呂宗力校點：《日知錄集釋》（上海市：上海古籍出版社，2006年），卷26〈史記於序事中寓論斷〉，頁1429。

排比，可以考求《春秋》之微辭隱義。關注史事之類比、對比，以探得孔子之志，《春秋》之義，自司馬遷、黃澤、湛若水、顧炎武諸家，皆知而為之。《朱子語類・春秋綱領》載錄朱熹之言，以為「《春秋》直載時事，備錄是非」，與上述諸家所論，可謂百慮一致，論點相通，皆主比事可以求義。

（一）聖人作經，直述其事，有所抑揚

錢鍾書（1910-1998）《管錐編》訓「盡而不汙」之意云：「不隱不諱而如實得當，周詳而無加飾」；[42]強調如實得當，周詳無飾，其訓釋與宋邵雍（1011-107）、呂大圭（?-1252-1275）、朱子說解「直書」相近似。呂大圭所謂「錄實事，而善惡形於其中」；「據事直書，而善惡自見」；即朱子云：「孔子但據直書，而善惡自著」（頁2146）。[43]朱子認為：《春秋》乃孔子據魯史筆削而成，「聖人只備錄是非，使人自見」，不贊同在「一字兩字上討意思，甚至以日月、爵氏、名字上皆寓褒貶」，如：

> 《春秋》只是直載當時之事，要見當時治亂興衰，非是於一字上定褒貶。……故孔子作《春秋》，據他事實寫在那裡，教人見得當時事是如此，安知用舊史與不用舊史？今硬說那箇字是孔子文，那箇字是舊史文，如何驗得？更聖人所書，好惡自易見。……今要去一字兩字上討意思，甚至以日月、爵氏、名字上皆寓褒貶。……義剛錄云：「某不敢似諸公道聖人是於一字半字上定去取。聖人只是存得那事在，要見當時治亂興衰。（頁2144-2145）
>
> 問《春秋》。曰：「此是聖人據魯史以書其事，使人自觀之以為鑒戒

---

42 錢鍾書：《管錐編》（臺北市：書林出版公司，1990年），「左傳正義」，一、〈杜預序〉，頁163。

43 〔元〕程端學：《春秋本義・綱領》（臺北市：臺灣商務印書館，1983年文淵閣《四庫全書》本），引邵子曰，冊160，頁15；〔宋〕呂大圭：《春秋五論・論二》（臺北市：臺灣商務印書館，1983年文淵閣《四庫全書》本），經部春秋類，頁587。

> 爾。其事則齊威（桓）晉文有足稱，其義則誅亂臣賊子。若欲推求一字之間，以為聖人褒善貶惡專在於是，竊恐不是聖人之意。（頁2145）

《孟子．離婁下》稱孔子作《春秋》，合其事、其文、其義三者而一之。《春秋》之所取義，經由史事與史文之創意纂組，可以呼之欲出。董仲舒《春秋繁露．俞序》引孔子曰：「吾因其行事，而加乎王心焉，以為見之空言不如行事博深切明」；[44]司馬遷《史記．太史公自序》亦引《春秋諱》孔子曰：「我欲載之空言，不如見之於行事之深切著明也。」空言，指褒貶勸懲，是非功過，多為論斷審判；行事，指弒殺滅亡、侵伐戰和、朝聘盟會、治亂興衰諸史事。行事本著明深切，空言則無徵難曉。因此，藉事明義，遠較空言判斷為有說服力。故《朱子語類》稱：「《春秋》只是直載當時之事，要見當時治亂興衰」，此即據事直書，是非自見之意。

因此，北宋孫覺（1028-1090）《春秋經解》說褒貶，崔子方（？-1094-1098-？）《春秋本例》以日月時例為褒貶，[45]所謂「以日月、爵氏、名字上皆寓褒貶」，「於一字半字上定去取」，自然為朱子所反對，以為《春秋》「非是於一字上定褒貶」。於是提出《春秋》「筆削見義」、批判任意褒貶，而凸顯「但據直書，而善惡自見」之《春秋》觀，如云：

> 《春秋》所書，如某人為某事，本據魯史舊文筆削而成。今人看《春秋》，必要謂某字譏某人。如此，則是孔子專任私意，妄為褒貶！孔子但據直書而善惡自著。今若必要如此推說，須是得魯史舊文，參校筆削異同，然後為可見，而亦豈復可得也？（頁2146）

《春秋》之筆削，與魯史記之文獻關係密切。東晉徐邈（344-397）曾云：「史策所錄，不失常法，其文獻之實足徵，故孔子因而修之。事仍本史，而

44 〔漢〕董仲舒著，蘇輿注：《春秋繁露義證》，卷6〈俞序第十七〉，頁111-112。

45 沈玉成、劉寧：《春秋左傳學史稿》（南京市：江蘇古籍出版社，1992年），第8章、二、〈胡瑗、孫覺、王晳、催子方：眾說紛呈〉，頁207-208、209-210。

辭有損益，所以成詳略之例，起褒貶之意。」[46]其中，「事仍本史，而辭有損益」，即是「筆削」之原則；而成例起意，即「筆削」之成效。元趙汸著《春秋屬辭》，指稱孔子作《春秋》，為寄寓其撥亂反正之志，乃別出心裁，筆削魯史，《春秋》於是「有書、有不書，以互顯其義」。藉筆削去取，互顯其義，而見微詞隱旨。由於筆削斷自聖心，故子夏之徒不能贊一辭。趙汸梳理《春秋》筆削之例有三：曰不書，曰變文，曰特筆，要皆孔子「假筆削以行權」之大節目。[47]清章學誠《文史通義・答客問》稱：「《春秋》之義，昭乎筆削。筆削之義，不僅事具始末，文成規矩已也。以夫子義則竊取之旨觀之，……必有詳人之所略，異人之所同，重人之所輕，而忽人之所謹。」[48]孔子作《春秋》，依據魯史舊文，而取捨事跡，修飾辭文，此之謂「筆削」。宋劉敞（1019-1068）《春秋傳》稱《春秋》：「當事不書，有非常然後書。」[49]或書、或不書，即是筆削之謂。其事其文之筆削去取，則與徐邈所謂「事仍本史，辭有損益」，足相發明，相得益彰。求褒貶之義，察善惡之旨，為治《春秋》之志業，徐邈提示「詳略之例」，章學誠揭櫫「詳略、異同、重輕、忽謹」之筆削，大抵經由其事之排比，其文之連屬，而善惡自著，褒貶自見，故總其言曰：「但據直書」而已。

考求《春秋》之義，為治《春秋》者之志業。《春秋》雖本諸魯史，然諸史無義，而《春秋》經孔子筆削，故有義。《春秋》或據赴告而書，或因舊史而作。清萬斯大《學春秋隨筆》以為：《春秋》之義有變有因；據赴告而書者，以因為義也；因舊史而作者，以變為義也。「因與變相參，斯有美必著，無惡不顯。」[50]據赴告與因舊史不同。《朱子語類》提示甚明，如：

---

46 〔清〕馬國翰：《玉函山房輯佚書》（揚州市：廣陵書社，2004年），經編・春秋類，〔晉〕徐邈：《春秋穀梁傳注義》，頁1408。

47 〔元〕趙汸：《春秋屬辭》（臺北市：大通書局，1970年《通志堂經解》本），卷八，〈假筆削以行權第二〉頁1，總頁14801。

48 〔清〕章學誠：《文史通義》，內篇四〈答客問上〉，頁138。

49 〔宋〕劉敞《春秋劉氏傳》，（臺北市：大通書局，1970年《通志堂經解》本），卷三，頁2，總頁10977。

50 〔清〕萬斯大：《學春秋隨筆》，頁14，總頁767。

> ……且如《春秋》(成襄以前),只據赴告而書之。(昭哀以後),孔子只因舊史而作《春秋》,非有許多曲折。(頁2146-2147)

赴告一詞,語出《左傳》。[51]赴告、魯史與《春秋》經三者之間,有密切關係,宋葉夢得(1077-1148)《春秋考》釐清甚明:所謂「諸國不赴告,則《魯史》不得書;魯史所不書,則《春秋》不得載」;總之,「《春秋》從史,史從赴告。」[52]換言之,《春秋》之義,昭乎筆削;筆削所據,為魯史記《不脩春秋》之事與文;魯史所書,則從赴告而來。《春秋》據魯史筆削以成書,孔子但據直書而善惡自著,使人自觀之以為鑑戒。代遠,其事或從赴告,據史文而書之;時近,其事或因舊史,據真實而書之。事外無義,其義即寓乎其文、其事之中。清顧炎武《日知錄》稱古人作史,有「不待論斷,而於序事之中即見其指者」,盛稱太史公《史記》能之。其實,司馬遷私淑孔子,《史記》典範《春秋》;《史記》「於敘事中寓論斷」之法,正有得於《春秋》「據事直書,是非自見」之書法。

孔子作《春秋》,注重修飾其辭,著重「如何書」,藉辭可以見事。後世由事、因辭,不難求義。《朱子語類》所載,朱子說「直述其事,有所抑揚」之《春秋》書法,其例實多,如:

> 問:「《春秋》當如何看?」曰:「只如看史樣看。」曰:「程子所謂『以傳考經之事跡,以經別傳之真偽』,如何?」曰:「便是,亦有不可考處。」曰:「其間不知是聖人果有褒貶否?」曰:「也見不得。」「如許世子止嘗藥之類如何?」曰:「聖人亦只因國史所載而立之

51 〔日〕竹添光鴻:《左氏會箋》(臺北市:新文豐出版公司,1987年),隱公十一年《傳》:「宋不告命,故不書。凡諸侯有命,告則書,不然則否。師出臧否亦如之。雖及滅國,滅不告敗,勝不告克,不書于策。」卷1,頁100-101;其他,見於《左傳》者,如隱公七年《傳》:「薨,則赴以名」,卷1,頁73;僖公廿三年《傳》:「死則赴以名,禮也」,卷6,頁31;昭公三年《傳》:「滕子原卒。同盟(始告以名),故書名」,卷20,頁49。

52 〔宋〕葉夢得:《春秋考》(臺北市:臺灣商務印書館,1983年文淵閣《四庫全書》本),卷3,頁27-28,冊149,總頁294-295。

> 耳。聖人光明正大，不應以一二字加褒貶於人。若如此屑屑求之，恐非聖人之本意。」（頁2148）

《春秋》既為記事之書，故朱子主張「只如看史樣看《春秋》」。程子說《春秋》，拈出「以傳考經之事跡，以經別傳之真偽」之提示，[53]主張以《左傳》輔助《春秋》，經傳相互依存。不過，其中存在經有傳無、經闕傳存之現象，[54]所以朱子知其「亦有不可考處」。文中舉「許世子止嘗藥之類」，指許悼公瘧，太子止進藥，悼公飲之而卒，《春秋》書「許世子止弒其君買」。[55]太子進藥於君父，未經嘗藥，君父飲之而卒，過失致君於死，故難逃弒君之罪名。朱子以為只因「國史所載」如此，故聖人亦因而「立之」，所謂據事直書者是，孔子並未「以一二字加褒貶於人」。簡言之，《春秋》只是「直寫那事」，只是「直述其事」，便見褒貶，自見抑揚。

《春秋》一書，由史事、史文、史義三位一體，脈注綺交，纂組而成；史事經由去取比觀而見筆削，史文經由屬辭微顯而示褒貶，此以經解經之法，於是孔聖「竊取」之義乃昭然若揭。朱子本孟軻論孔子作《春秋》之旨意，以建立其《春秋》觀。故弟子問：「《春秋》當如何看？」朱子回應有三：一則曰「只如看史樣看」；再則曰「聖人作經，直述其事」；三則曰「夫子直書史家之辭」。看史、直述、直書云云，即是司馬遷《史記．太史公自序》所謂「載之空言，不如見之於行事之深切著明」之意。由弟子之問對，可以梳理朱子對《春秋》一書之看法：

> ……但聖人只是書放那裏，使後世因此去考見道理如何便為是，如何

53 〔宋〕程顥、程頤：《二程集》（北京市：中華書局，1981年《四部備要》本），頁266。

54 《春秋》經文總數為一千八百七十條，依經作傳者，《左傳》一千三百條以上，《公羊傳》約五百七十條，《穀梁傳》約七百五十條。就有經無傳言，《左傳》約五百五十條，《公羊傳》一千三百條，《穀梁傳》一千一百條以上。趙生群：《春秋經傳研究》（上海市：上海古籍出版社，2000年），第5章第1節〈三傳有經無傳的數量〉，頁175。

55 〔晉〕杜預注，〔唐〕孔穎達疏：《春秋左傳正義》，卷48，昭公十九年，〈許世子弒其君買〉，頁22，總頁844。

> 便為不是。若說道聖人當時之意，說他當如此，我便書這一字，……「以褒之。」他當如彼，我便書那一字，……「以貶之。」別本云：「如此便為予，如彼便為奪。」則恐聖人不解恁地。聖人當初只直寫那事在上面，如說張三打李四，李四打張三，未嘗斷他罪，某人杖六十，某人杖八十。如《孟子》便是說得那地步闊。聖人之意，只是如此，不解恁地細碎。（頁2155-2156）

朱子所謂：「但聖人只是書放那裏，使後世因此去考見道理如何便為是，如何便為不是。」「聖人當初只直寫那事在上面」，如同說「張三打李四，李四打張三」一般，未嘗斷他罪。有具體著明之事案，是非功過之斷讞判案乃有所本、有所據，褒貶予奪自較容易評定。是非曲直之「道理」寓存於「直寫」之「事」中，考索事情，可以推校聖人之書法；《春秋》既因事屬辭，即事可以顯義，故直書其事，功罪自著。元黃澤（1260-1346）稱：「學者只當考據事實，以求聖人筆削之旨」；」明湛若水亦云：治《春秋》者，當「考之於事」，「事得，而後聖人之心，《春秋》之義得矣。」[56]黃澤、湛若水，皆程朱後學，說《春秋》如此，足相發明。又如：

> ……問：「先生既不解《春秋》，合亦作一篇文字，略說大意，使後學知所指歸。」曰：「也不消如此。但聖人作經，直述其事，固是有所抑揚；然亦非故意增減一二字，使後人就一二字上推尋，以為吾意旨之所在也。」（頁2157）
>
> 荊楚初書國，後進稱「人」，稱爵，乃自是他初間不敢驟交於中國，故從卑稱。後漸大，故稱爵。（頁2162）
>
> ……夫子直書史家之辭。……問：「魯君弒而書『薨』，如何？」曰：「如晉史書趙盾弒君，齊史書崔杼弒君，魯卻不然，蓋恐是周公之垂法，史書之舊章。韓宣子所謂周禮在魯者，亦其一事也。」（頁2164）

---

56 〔元〕趙汸：《春秋師說》，卷下〈論學春秋之要〉，頁2，總頁14943。〔明〕湛若水：《春秋正傳》，卷首〈自序〉，頁1-2；冊167，總頁39-40。

《春秋》於荊楚初書國、後進稱人、稱爵諸稱謂問題；魯君弒而書薨、諸侯書卒諸迒謂修辭，皆是「約其辭文，以制義法」之屬辭課題。後世讀《春秋》，「按所屬之辭，合其所比之事」，[57]試以屬辭比事之法讀之，褒譏抑揚自然見於言外。如此，將可以破譯《春秋》之「言外之意」。質言之，據事直書，是聖人纂修《春秋》之書法；是非自見，予奪自明，敘事中自寓論斷，是後世讀《春秋》的詮釋效果。進退褒貶之「義」，即寓存於其事、其文之中。屬辭比事，為解讀《春秋》書法之津筏。宋胡安國稱：「仲尼因事屬辭」，又曰：「智者即辭以觀義」，[58]由此觀之，考察事跡之排比編纂，可以求得《春秋》之義；推敲辭文之連屬修飾，可以探索孔子「竊取之義」。要之，或屬辭，或比事，多可以「求聖人之意於聖人手筆之書」，[59]所謂「捨傳求經」，「無傳而著」，北宋孫復等《春秋》學風，朱子自有傳承。

就形象語言而論，敘事自較褒貶論斷具體著明。敘事文字較具體，富形象，往往如詩歌語言，留存許多空白、未定性，提供讀者進行「言外之意」之解讀。據事直書之《春秋》書法，可以有「是非自見」之解讀效果，猶即器可以求道、順指可以得月，立象可以見意，或由於此。除《朱子語類》外，朱子文集所載之書信，於此亦頗有申說，如：

> 某讀《春秋》，至「翬帥師，會宋公、陳侯、蔡人、衛人伐鄭」處，略窺見聖人所作《春秋》之意。……聖人豈損其實而加吾一字之功哉？亦即其事之固然者而書之耳，如「翬帥師」之類是也。蓋不待君命而固請以行，則書之如是宜也。……使史筆之傳舉不失其實，聖人亦何必以是為己任？……故聖人即史法之舊例以直書其事，而使之不失其實耳，初未嘗有意於褒之貶之也。以是而觀《春秋》，庶足以見

57 〔清〕紀昀主纂：《四庫全書總目》（臺北縣：藝文印書館，1974年），卷29「經部春秋類四」，〈方苞《春秋通論》提要〉，頁603。

58 〔宋〕胡安國：《春秋傳》，卷首〈述綱領〉，頁2；〈進表〉，頁4。

59 〔元〕汪克寬：《春秋胡傳附錄纂疏》（臺北市：臺灣商務印書館，1983年文淵閣《四庫全書》本），虞集〈原序〉，卷首，頁2；冊165，總頁3。

> 聖人光明正大之意，而非持夫一字之功以私榮辱之權也。夫惟不失其實，則為善者安得不勸，為惡者安得而不懼？[60]

魯公子翬帥師伐鄭，《左傳．隱四》載君命弗許，固請而行，故《春秋》直書「翬帥師」，以見疾惡之意。由此觀之，《春秋》書事，只是「即其事之固然者而書之」，「聖人即史法之舊例以直書其事」，只是「直書其事，不失其實」而已。聖人正大光明，據事直書，而褒貶勸懲自在其中矣。

孔子據魯史記而作《春秋》，當下固「即其事之固然而書之」，然所據之書，所屬之辭，卻不必然皆因仍舊史，其中自有取捨損益。宋葉夢得《春秋考》謂：「《春秋》從史，史從赴告」；「經者，約魯史而為者也；史者承赴告而書者」；「告則書，不告則不言」；[61]此以因為義，常例也。葉氏又稱：「《春秋》無虛加之道」，「然亦有義之所在，而為之變辭者」，[62]晉徐邈所謂「事仍本史，而辭有損益」；錢穆亦稱《春秋》：「所修者主要是其辭」，此以變為義，變例也。如《春秋》書「天王狩于河陽」之例：

> 《春秋》熹所未學，不敢強為之說。然以人情度之，「天王狩于河陽」，恐是當時史策已如此書。蓋當時周室雖微，名分尚在，晉文公召王固是不順，然史策所書，想必不敢明言「晉侯召王」也。[63]

以《春秋》書「天王狩于河陽」為例，認定當時史策已「據事直書」如此，絕不敢明目張膽記載：「晉侯召王」等譏諷貶抑之書法。朱子稱「史策所書，想必不敢明言『晉侯召王』」云云，其說失考不確。試考察《竹書紀年》，《史記》〈周本紀〉、〈晉世家〉、〈孔子世家〉，要皆明言「晉侯召王」，《左傳》以為「以臣召君，不可以訓」，孔子乃修飾其辭文，改書「天王狩于河陽」，是《經》有孔子筆削之明證。換言之，當時史策皆書「晉侯召

---

60 〔宋〕朱熹撰，郭齊、尹波點校：《朱熹集》，卷60〈答潘子善（時舉）〉，頁3141-3142。

61 〔宋〕葉夢得：《春秋考》，卷3〈統論〉，頁27-28，總頁294-295。

62 《春秋考》，卷1〈統論〉，頁25，總頁262。

63 〔宋〕朱熹撰，郭齊、尹波點校：《朱熹集》，卷62〈答張元德（洽）〉，頁3217。

王」，孔子基於「義之所在」，於是「為之變辭」，改書「天王狩于河陽」。[64]朱子論學，以「人情度之」，無徵不信，故不免失準。

《春秋》史事史文與史義之關係，猶如佛教華嚴禪宗所提「理事圓融無礙觀」：使理融於事，事融於理，事理二而不二，不二而二。[65]考事屬文，其義自在言外；其義即寓存於事與文之中，亦一而三，三而一之關係。「事依理立，理假事明」，理與事相資為用；與朱子所謂「但據直書，而善惡自著」，可以作類比，相發明。朱子視《春秋》乃孔子「即其事之固然而書之」，「即史法之舊例以直書其事」，至於「其是非得失，付諸後世公論，蓋有言外之意」，不妨相互印證。

（二）無佐證而強說、自說、穿鑿、杜撰，便是侮聖言

記事真實無妄，為朱子評價史著之不二標準，故《史記》之溢言，《南北史》之小說，《新五代史》與《續資治通鑑長編》之失實，皆極力批判之。[66]此種「徵實」思想，體現於《春秋》觀，故以為《春秋》乃是聖人據實所書，直書其事，至於是非得失，可以訴諸後世公論；「若必於一字一辭之間求褒貶所在，竊恐不然！」（頁2149）朱子深信孔子《春秋》，直書其

---

64 〔周〕左丘明撰，〔晉〕杜預注，〔唐〕孔穎達疏：《春秋左傳注疏》，〈後序〉，卷60，頁17，總頁1063。〔漢〕司馬遷著，日本瀧川資言考證：《史記會注考證》，卷4〈周本紀〉：「晉文公召襄王，襄王會之河陽踐土。諸侯畢朝，書諱曰『天王狩于河陽』」，頁73，總頁76。卷39〈晉世家〉：「晉侯會諸侯於溫，欲率之朝周，力未能，恐其有畔者，乃使人言周襄王狩于河陽。……孔子讀《史記》，至文公曰：『諸侯無召王。王狩河陽者，《春秋》諱之也。』」，頁61，總頁621。又，卷47〈孔子世家〉：「踐土之會，實召周天子，而《春秋》諱之曰：『天王狩於河陽』。」頁84，總頁745。

65 吳言生：《禪宗思想淵源》（北京市：中華書局，2001年），第7章〈《華嚴經》、華嚴宗與禪宗思想〉，引文益《宗門十規論》所謂「事依理立，理假事明。理事相資，還同目足。若有事而無理，則滯泥不通；若有理而無事，則汗漫無歸。欲其不二，貴在圓融。」頁259-266。

66 〔宋〕黎靖德編：《朱子語類》，卷134〈歷代一〉，頁3204、3214。湯勤福：《朱熹的史學思想》，第6章〈朱熹的史學批評思想〉，頁216-219。

事，不失其實，故對於所謂傳例、義例、以例說經、以義理穿鑿，多持反對之見，如：

> 張元德問《春秋》、《周禮》疑難。曰：「此等皆無佐證，強說不得。若穿鑿說出來，便是侮聖言。不如且研窮義理，義理明，則皆可遍通矣。」因曰：「看文字且先看明白易曉者。此語是某發出來，諸公可記取。」時舉。以下看《春秋》法。（頁2148）
>
> ……若謂添一箇字，減一箇字便是褒貶，某不敢信。……又如貶滕稱「子」，而滕遂至於終《春秋》稱「子」，豈有此理。（頁2145-2146）
>
> 或有解《春秋》者，專以日月為褒貶，書時月則以為貶，書日則以為褒，穿鑿得全無義理。（頁2146）

朱子門人張洽（元德），著有《春秋集註》，注重以義例說經。[67]朱子不以為然，答所問《春秋》疑難時，乃藉端申說：若皆無佐證，則強說不得；若強說、穿鑿說出來，無徵不信，便是「侮聖言」！如此指控，何等嚴厲。張洽《春秋集註》，「集諸家之長，而折衷歸於至當，無胡氏牽合之弊」，[68]與朱子主張《春秋》是「紀事之書」，「質實判斷不得」，會當有別。解讀《春秋》，既不可作質實判斷，因此，有以日月、爵氏、名字為褒貶者，則斥其「穿鑿得全無義理」；「若謂添一箇字，減一箇字便是褒貶，某不敢信」；強調「說《春秋》，不當以褒貶看」，聖人「何嘗規規於褒貶？」若此之比，皆過於深求，反失《春秋》之旨。《四庫全書總目》所謂「深文鍛鍊之學」，[69]已彌離其本矣，故朱子非之。

---

67 〔宋〕張洽：《春秋集註》11卷，綱領1卷。車若水：《腳氣集》（上海市：上海古籍出版社，1993年文淵閣《四庫全書》本），曾質疑張洽仿朱熹《四書集注》作《四書集注》，略云：「《春秋》一書，質實判斷不得，文公論之詳矣。……今作集注，便是要質實判斷了，此照《語》、《孟》例不得。《語》、《孟》是說道德，《春秋》是紀事。」冊865，頁520。

68 〔宋〕張洽：《春秋集註》，卷首〈序〉，文津閣《四庫全書》本，卷1，頁107。

69 〔清〕紀昀等主纂：《四庫全書總目》，卷26，經部春秋類一，《春秋尊王發微》提要，頁22，總頁546。

朱子深信孔子作《春秋》，只據赴告而書之，只因舊史而作《春秋》；「但據直書，而善惡自著」，並未「專任私意，妄為褒貶」。《春秋》雖有孔子竊取之「義」，然此一史義之指向，純緣史事而發、純因史文而得，經由比事屬辭，交相映發而來，故《春秋》紀事並未「說破」，自有「言外之意」。《朱子語類》所載朱子言論，頗論褒貶、予奪、功罪、是非於《春秋》之體現，如：

> 世間人解經，多是杜撰。……且如書鄭忽與突事，才書「忽」，又書「鄭忽」，又書「鄭伯突」，胡文定便要說……似此皆是杜撰。……如何卻說聖人予其爵、削其爵、賞其功、罰其罪？是甚說話？……若要說孔子去褒貶他、去其爵、與其爵、賞其功、罰其罪，豈不是謬也！其爵之有無與人之有功有罪，孔子也予奪他不得。（頁2146-2147）
>
> 或說：「沈卿說《春秋》，云：『不當以褒貶看。聖人只備錄是非，使人自見。如「克段」之書，而兄弟之義自見；如蔑之書，而私盟之罪自見；來賵仲子，便自見得以天王之尊下賵諸侯之妾。聖人以公平正大之心，何嘗規於褒貶？』」（頁2147）

史義之生發，實有其本源，蓋來自史事史文之脈注綺交，不是「徒託空言」，絕非「無案而斷」；更非專任私意，妄為褒貶。所以，爵位之予奪，功罪之賞罰，一切據依赴告、因仍舊史，「孔子也予奪他不得」。不過，舊史或有不全，間有舛逸，故《春秋》前後所記不同：成、襄以前，史有遺闕；昭、哀以後，記得其實。《春秋》據史文而書，於是有存有闕：「非有許多曲折」。故曰：「聖人只備錄是非，使人自見」，何嘗規規於褒貶？「孔子也予奪他不得！」

朱子治學，尚徵實、貴考信，故極不贊同「徒託空言」說經，以日月時例為褒貶，以添減一個字便是褒、貶，直言「不敢信」、「侮聖言」、「豈有此理！」曾直截了當言：「《春秋》傳例多不可信。聖人記事，安有許多義例！」推而至於其他無佐證之強說、穿鑿，皆在反對之列。治《春秋》者若如此解經，或斥為全無義理，或指為多是杜撰，或稱多不可信、烏可信、此烏可信；或宣稱「竊恐不然！」如：

> 《春秋》傳例多不可信。聖人記事，安有許多義例！如書伐國，惡諸侯之擅興；書山崩、地震、螽、蝗之類，知災異有所自致也。（頁2147）
>
> 或論及《春秋》之凡例。先生曰：「《春秋》之有例固矣，奈何非夫子之為也。昔嘗有人言及命格，予曰：『命格，誰之所為乎？』曰：『善談五行者為之也。』予曰：『然則何貴？設若自天而降，具言其為美為惡，則誠可信矣。今特出於人為，烏可信也？』知此，則知《春秋》之例矣。」（頁2147-2148）

歷代以例說《春秋》者多，如杜預之釋例、陸淳之纂例、孫復、葉夢得之總例、劉敞之說例；蘇轍《春秋集解》，以史說《經》，亦頗言凡例。胡安國《春秋傳》，本程頤《春秋傳》之遺緒，其〈明類例〉亦云：「《春秋》之文，有事同則詞同者，後人因謂之例；然有事同而詞異，則其例變矣。」[70]同時，有崔子方（？-1094-1098-？）著《春秋本例》，強調日、月、時例。朱子對於北宋以來治《春秋》者，空言說義例、凡例、變例，「必於一字一辭之間求褒貶所在」，質疑批駁，無所不在。且謂：「若欲推求一字之間，以為聖人褒善貶惡專在於是，竊恐不是聖人之意！」[71]朱子反對後世空言說經，以為猶世人談命格，並非「自天而降」，「特出於人為」而已。後設之理論，如何規範前賢之體式？董仲舒、司馬遷皆申明：空言不如行事；宋胡安國《春秋傳・序》亦以為：「空言獨能載其理，行事然後見其用」。[72]凡此，皆朱子以實事求是之徵實精神說《春秋》，故其依違取捨如此。《四庫全書總目》「春秋本例」〈提要〉稱：「《公羊》、《穀梁》以日月為例，固有穿鑿破碎

70 〔宋〕胡安國：《春秋傳》，卷首〈明類例〉，頁2，總頁3。

71 《公羊》、《穀梁》已有以日月例為褒貶之說，北宋崔子方《春秋本例》、張洽《春秋集注》、《春秋集傳》繼述之，呂大圭《春秋五論》、朱子《春秋》說皆駁斥之。同註4，第7章〈宋元明《春秋》學〉（下），頁484-488、533-535、553-555、559-563。

72 〔宋〕胡安國：《春秋傳》，卷首〈春秋傳序〉，頁1。

之病」；陳振孫《書錄直題》稱其學，「專以日月為例，正蹈其失而不悟」。[73]《朱子語類》又載：

> 或人論《春秋》，以為多有變例，所以前後所書之法多有不同。曰：「此烏可信！聖人作《春秋》，正欲褒善貶惡，示萬世不易之法。今乃忽用此說以誅人，未幾又用此說以賞人，使天下後世皆求之而莫識其意，是乃後世弄法舞文之吏之所為也，曾謂大中至正之道而如此乎！」（頁2148）
>
> ……當時天下大亂，聖人且據實而書之，其是非得失，付諸後世公論，蓋有言外之意。若必於一字一辭之間求褒貶所在，竊恐不然。（頁2149）

朱子再三強調：《春秋》是紀事之書，「聖人只是直筆據見在而書」，所以看《春秋》，「只如看史樣看！」因為《春秋》紀事，不失其實，符合史學徵實貴真之精神，故能使善者勸，而惡者懼，誠如朱子〈答潘子善〉所云。由於據事直書，「事依理立，理假事明」，後世具事憑文解讀之，「蓋有言外之意」。朱子宣稱：「只是《春秋》卻精細，也都不說破，教後人自將義理去折衷。」（頁2152）至於這「都不說破」之「言外之意」，後人應如何「將義理去折衷」，涉及《春秋》詮釋法之課題。胡安國《春秋傳》說解兼採《三傳》，朱子較推崇之，以為「乃是以義理穿鑿，故可觀」，由此可窺其《春秋》觀之理路。

世人詮釋《春秋》往往以今律古，以後設觀點繩愆原典文獻，如以凡例、義例、變例，日月時例說《春秋》者。誤讀如此，值得關注。以義理說《經》，亦往往而然，如：

> ……問：「《公》、《穀》如何？」曰：「據他說亦是有那道理，但恐聖人當初無此等意。……」（頁2151）

---

73 〔清〕紀昀等主纂：《四庫全書總目》，卷27，經部春秋類二，《春秋本例》提要，頁3，總頁554。

> 問：「諸家《春秋》解如何？」曰：「某盡信不及。如胡文定《春秋》，某也信不及，知得聖人意裏是如此說否？……況生乎千百載之下，欲逆推乎千百載上聖人之心！況自家之心，又未如得聖人，如何知得聖人肚裏事！某所以都不敢信諸家解，除非是得孔子還魂親說出，不知如何。」（頁2155）
>
> 學《春秋》者多鑿說。……某嘗說與學《春秋》者曰：「今如此穿鑿說，亦不妨。只恐一旦有於地中得夫子家奴出來，說夫子當時之意不如此爾！」（頁2158）

《公羊》、《穀梁》為歷史哲學，往往以義理解經，空言褒貶，解說「何以書」之義理，「據他說亦是有那道理，但恐聖人當初無此等意」。《公》、《穀》去聖未遠，猶有如是之疑慮，何況千百載之下諸家解說《春秋》，又如何體貼聖心？如何揣度聖《經》？朱子以為：「須是已之心果與聖人之心神交心契，始可斷他所書之旨；不然，則未易言也。」因此，朱子稱「不敢信諸家解，除非是得孔子還魂親說出」。不信諸家說解，主要因說《春秋》者，多彌離本事，無佐證而強說，穿鑿附會，縱然起孔子於地下而言之，亦將莫名其所以。要之，諸家之臆說、強說、鑿說，考諸《春秋》，多可知「夫子當時之意不如此爾！」《四庫全書總目．春秋類一》提要稱；「刪除事跡，何由知其是非？無案而斷，是《春秋》為射覆矣！」因此，四庫館臣將「游談臆說，以私意亂聖經者」，僅列存目，[74]亦職此之故。

凡例、義例之起，基於統攝體例、梳理規律，故斷定皆採全稱肯定，似乎了無例外。治《春秋》者，若真能「按全《經》之辭，而比其事」，[75]通過比較、分析、歸納、類推，則所謂凡例、義例，自然周賅盡致，圓融無礙，依理應無例外、牴牾、扞格之情事。夷考其實，卻不必然。治《春秋》者，以義例、凡例、變例解經，以日月、爵氏、名字為褒貶，此通彼窒，相互扞

74 〔清〕紀昀主纂：《四庫全書總目》，卷26〈經部二十六．春秋類一〉，頁536。

75 〔清〕方苞：《春秋通論》（臺北市：臺灣商務印書館，1983年淵閣《四庫全書》本），卷4〈通例七章〉之一，頁17；冊178，總頁345。

格者多，此即朱子斥責之穿鑿、臆說、強說、鑿說、杜撰，大抵多為一家之私言，非大道之公論，朱子稱之為「自說」，經不起《春秋》學理之檢驗。

朱子提倡格物致知、即物窮理，[76]故批評《春秋》經說，如郢書燕說，不可與人論難。主張虛心靜慮，以驗其通塞；互相詰難，以考其是非。就認知方法而言，治《春秋》者之立說是否可行，應受公評檢驗。朱子云：

> 昔楚相作燕相書，其燭暗而不明。楚相曰：「舉燭。」書者不察，遂書「舉燭」字於書中。燕相得之曰：「舉燭」者，欲我之明於舉賢也。於是舉賢退不肖，而燕國大治。故曰：「不是郢書，乃成燕說。」今之說《春秋》者，正此類也。（頁2158）
>
> ……某嘗謂，說《春秋》者只好獨自說，不可與人論難。蓋自說，則橫說豎說皆可，論難著便說不行。（頁2161）
>
> 至於文義有疑，眾說紛錯，則亦虛心靜慮，勿遽取舍於其間。先使一說自為一說，而隨其意之所之，以驗其通塞，則其尤無義理者，不待觀於他說而先自屈矣。復以眾說互相詰難，而求其理之所安，以考其是非，則似是而非者，亦將奪於公論而無以立矣。[77]

朱子批評今之說《春秋》者，往往穿鑿附會，經不起檢驗，所謂「只好獨自說，不可與人論難」，當指以義理強說、鑿說、臆說之論著，以一二字定褒貶，以義例、凡例、變例說《春秋》，以及「不是郢書，乃成燕說」之學者。橫說豎說皆可，卻「不可與人論難」者，此通彼室，一家之言而已，非大道之公論。《文集》〈讀書之要〉所謂「隨其意之所之，以驗其通塞」，正是學說論難、真理檢驗之試金石。朱子曾質疑《春秋》變例說：「今乃忽用此說以誅人，未幾又用此說以賞人」，「前後所書之法多有不同」，此烏可信！諸家解說，朱子雖較信胡安國《春秋傳》，然亦指出其中義理此通彼

---

76 張立文：《朱熹思想研究》（北京市：中國社會科學出版社，1994年），第9章第1節〈格物與致知〉，頁270-281。陳來：《朱子哲學研究》（上海市：華東師範大學出版社，2000年），第12章〈格物與致知〉，頁284-293。

77 〔宋〕朱熹撰，郭齊、尹波點校：《朱熹集》，卷74〈雜著・讀書之要〉，頁3889。

塞，或有未安處：「不合這件事聖人意是如何下字，那件事聖人意又如何下字」，謂聖人直筆據見而出，「豈有許多忉怛！」朱子治學，重徵實，謹闕疑，求通貫，貴圓融，亦由此可見。

（三）三傳說經，《左傳》較可據，《公》、《穀》較難憑

《孔子家語》載：左丘明與孔子「同乘觀周」，於是孔子作《春秋》，而左丘明著《左傳》。班固《漢書．藝文志》稱：「丘明恐弟子各安其意，以失其真，故論本事而作傳，明夫子不以空言說經也。」[78]漢桓譚《新論》云：「《左氏》經之與傳，猶衣之表裡，相持而成。經而無傳，使聖人閉門思之，十年不能知也。」[79]《左傳》論輯《春秋》之本事，以發明聖經，此最為可貴。《左傳》以歷史敘事方式解釋《春秋》經，與《公》、《穀》偏重以義理解經不同；尤其發揚孔子「託諸空言，不如見之行事之深切著明」心法，闡明「夫子不以空言說經」之訓示，誠如桓譚《新論》知言，「經之與傳，猶衣之表裡」，足以相得益彰。

《左傳》於《春秋》之最大貢獻有三：其一，依經作傳之條目，多達一千三百則以上，高居《三傳》之冠。其二，以經闕傳存之方式解經，所謂以「無經之傳」發明《春秋》。[80]其三，用論輯本事而作傳之方式，補充說明《春秋》之筆削褒貶。[81]《四庫全書總目》稱：「《左氏》之義明，而後二百四十二年內善惡之跡一一有徵。後儒妄作聰明，以私臆談褒貶者，猶得據傳

78 〔漢〕班固撰，〔唐〕顏師古注：《漢書》（臺北市：明倫書局，1972年《二十五史》點校本），卷30〈藝文志．六藝略〉，頁1715。卷62〈司馬遷傳〉：「孔子因魯史記而作《春秋》，而左丘明論輯其本事以為之傳」，頁2737。

79 〔宋〕李昉等：《太平御覽》（北京市：中華書局，1992年），卷610〈學部四．春秋〉，頁2746。

80 趙生群：《春秋經傳研究》，第3章〈《左傳》的無經之傳〉，頁94-124；第5章〈《左傳》有經無傳辨〉，頁175。

81 楊伯峻：《楊伯峻治學論稿》（長沙市：岳麓書社，1992年），〈淺談《左傳》，「《左傳》是怎樣解說《春秋》的」，頁55-58。

文以知其謬。則漢晉以來，藉《左氏》以知經義；宋元以後，更藉《左氏》以杜臆說矣。」[82]《左傳》以歷史敘事解釋孔子《春秋》經，錢穆推許為研究古史、研究西周、研究商夏、研讀《四史》之基準觀點。[83]徐復觀亦以為：《左氏》主要採用了以史傳經的方法，因而發展出一部偉大的史學著作，其意義實遠在傳經之上。[84]上述概說，雖出於近儒之論斷，多有助於理解朱子於《三傳》之取捨：何以「《春秋》之書，且據《左氏》」。

朱子之《春秋》觀，以為《春秋》為紀事之書，直載時事，備錄是非；當時只是「據事直書」，令後人可以「是非自見」。主張聖人作經，「直述其事」而已，經由史料之剪裁取捨，史文之修飾斟酌，進行歷史編纂，所謂微言大意，筆削妙旨，自然見於其事、其文之外。《春秋》講究之紀事書法，實即孔子自云：「我欲載之空言，不如見之於行事之深切著明」之表現手法。孔子之空言，藉著明之行事表達；猶《春秋》之旨義，藉屬辭比事以顯現，此即華嚴宗所謂「事依理立，理假事明」。胡安國〈春秋傳序〉所謂「空言獨能載其理，行事然後見其用」，亦此之謂。

孔子作《春秋》，往往存在「刺譏褒諱挹損之文辭，不可以書見」；《史記・司馬相如列傳》所謂「《春秋》推見至隱」，程頤《春秋傳》所謂「微辭隱義，時措從宜者為難知」。不過，《禮記・經解》已提示「屬辭比事」，作為求義之門徑。自孟子、董仲舒、司馬遷，《左傳》、《公羊傳》、《穀梁傳》及其注疏，多持「屬辭比事」作為考索《春秋》義旨之要領。[85]所謂「捨傳求經」，「無傳而著」，朱子似有領略，如云：

> 看《春秋》，且須看得一部《左傳》首尾意思通貫，方能略見聖人筆削，與當時事之大意。（頁2148）

---

82 〔清〕紀昀主纂：《四庫全書總目》，卷26《春秋左傳正義》60卷〈提要〉，頁537。

83 錢穆：《中國史學名著・左傳》，頁42、49。

84 徐復觀：《兩漢思想史・卷三》（臺北市：臺灣學生書局，1979年），〈原史——由宗教通向人文的史學的成立〉，十、「『以史傳經』的重大意義與成就」，頁275。

85 趙友林：〈《春秋》三傳「注疏」中的屬辭比事考〉，北京大學《儒藏》編纂與研究中心：《儒家典籍與思想研究》第3輯（北京市：北京大學出版社，2011年），頁87-101。

叔器問讀《左傳》法。曰：「也只是平心看那事理、事情、事勢。春秋十二公時各不同。如隱威（桓）之時，……莊僖之時，……宣公之時，……及成公之世，……定哀之時，……春秋之末，與初年大不同。（頁2148-2149）

唐韓愈〈寄盧仝〉詩有云：「《春秋》三傳束高閣，獨抱遺《經》究終始。」[86]清顧棟高《春秋大事表．讀春秋偶筆》詮釋之，以為「『究終始』三字最妙，此即比事屬辭之法。」[87]張本繼末，原始要終，通全經之辭而比其事，此乃以經解經，元虞集所謂「求聖人之意於聖人手筆之書」，可以「無傳而著」之法。《左傳》長於敘事，「爰始要終，本末悉昭」，記事以詳為尚，切合古春秋紀事之成法。[88]總而言之，無論看《春秋》、看《左傳》，探究終始，本末悉昭，仍是研讀要領。《朱子語類》稱看《春秋》、看《左傳》，掌握「首尾意思通貫」，茍知比事而屬辭之道，進而推求《春秋》之義，則可謂得其體要。朱子答問讀《左傳》法，所謂「平心看那事理、事情、事勢」，亦是原始要終，首尾相貫之比事屬辭心法。

北宋程頤著《春秋傳》，曾感慨《春秋》：「其微辭隱義，時措從宜為難知」；於是主張：「以《傳》考《經》之事跡，以《經》別《傳》之真偽」；[89]又謂「《傳》為案，《經》為斷」云云；《春秋》、《左傳》雖相互依存，然又體用不二，可以相濟為用。《經》、《傳》互參，往往相悅以解。由此觀之，《左傳》之歷史敘事，與《春秋》之「直載時事」、行事見用，性質最為接近。董仲舒《春秋繁露》為《公羊》學，其稱孔子據魯史記作《春秋》，猶

86 〔唐〕韓愈撰，錢仲聯集釋：《韓昌黎詩繫年集釋》（臺北市：河洛圖書出版社，1975年），卷7〈寄盧仝〉，頁341。

87 〔清〕顧棟高著，吳樹平、李解民點校：《春秋大事表》（北京市：中華書局，1993年），卷首〈讀春秋偶筆〉，頁47。

88 劉師培：《劉申叔先生遺書》（臺北市：華世出版社，1975年），第3冊，《左盦集》，卷1〈古春秋紀事成法攷〉，頁1，總頁1445。

89 〔宋〕程顥、程頤：《二程集》，頁266。

言「理往事，正是非，見王心」，[90]可見據事解經，《公羊》、《左傳》不異。故朱子論《左傳》之釋經，獨推《左傳》之史學，盛稱其考事頗精，如：

> 《左氏》所傳《春秋》事，恐八九分是。《公》、《穀》專解經，事則多出揣度。（頁2151）
>
> 《春秋》制度大綱，《左傳》較可據，《公》、《穀》較難憑。胡文定義理正當，然此樣處，多是臆度說。（頁2151）
>
> 李丈問：「《左傳》如何？」曰：「《左傳》一部載許多事，未知是與不是。但道理亦是如此，今且把來參考。」問：「《公》、《穀》如何？」曰：「據他說亦是有那道理，但恐聖人當初無此等意。」（頁2151）

朱子之《春秋》觀，除為徵實之治學精神體現外，受家學淵源影響者亦不小。所作〈書臨漳所刊四經後・春秋〉曾云：「熹之先君子好《左氏》書，每夕讀之，必盡一卷乃就寢，故熹自幼未受學時已耳熟焉。」[91]朱子為其父朱松（1097-1143）作行狀，亦特別標榜良史之「直筆無隱」。[92]可知，朱子自幼於《左傳》一書耳熟能詳，董狐直筆之書法不隱，亦見諸《左傳》載記，故朱子於《三傳》說經，專主《左傳》。左氏為魯史官，纂修歷史為其天職，故曰「左氏曾見國史，考事頗精」；「春秋制度大綱，《左傳》較可據」；「左氏所傳春秋事，恐八九分是」；《左傳》敘事「是與不是」雖未可知，然事外無理，理在事中，故曰：「道理亦是如此，今且把來參考。」故曰解說《春秋》，「《三傳》唯《左氏》近之」，此比事屬辭之功。又如：

> 《春秋》之書，且據《左氏》。當時天下大亂，聖人且據實而書之，其是非得失，付諸後世公論，蓋有言外之意。若必於一字一辭之間求褒貶所在，竊恐不然。

90　〔漢〕董仲舒著，蘇輿注：《春秋繁露義證》，卷6〈俞序第十七〉，頁6，總頁111。

91　〔宋〕朱熹撰，郭齊、尹波點校：《朱熹集》，卷82，頁4248。

92　〔宋〕朱熹：《朱子大全》（臺北市：臺灣中華書局，1981年），卷97〈朱公（松）行狀〉，頁1691。

> 國秀問三傳優劣。曰：「《左氏》曾見國史，考事頗精，只是不知大義，專去小處理會，往往不曾講學。《公》、《穀》考事甚疏，然義理卻精。二人乃是經生，傳得許多說話，往往都不曾見國史。」
> ……以三傳言之，《左氏》是史學，《公》、《穀》是經學。史學者記得事卻詳，於道理上便差；經學者於義理上有功，然記事多誤。[93]

孔子作《春秋》，「由事來定辭，由辭來見事」，後世藉由其事、其文，可以考求其義，此比事屬辭之功。左氏以史傳說，以歷史敘事，見義亦是如此。左丘明身為魯史官，博覽載籍，躬與國史之修，蓋集百二國寶書而成《左傳》。太史世襲其家業，受學不需師保，故能讀國史策書，闡說其本事，具論其語而成《左氏》之傳。弟子曾問「《春秋》當如何看？」朱子告以「只如看史樣看」《春秋》之作，國史據赴告，孔子因魯史而筆削之；「聖人亦只因國史所載而立之」。《春秋》紀事既「因國史所載而立」，左氏曾見國史，以歷史敘事實錄一代之史，其考事可信，固是「記得事卻詳」之史學；朱子既然主張看《春秋》如看史樣，故《三傳》中《左傳》較為可據。《左傳》以史傳經，是讓歷史自己講話，保持了歷史的本來面目。舉凡各方面的變遷、成就、矛盾、衝突，都採「讓歷史自己講話的方式，系統地、完整地、曲折地、趣味地表達出來」，[94]歷史敘事，據事直書，所以堪稱上古史之信史，其所以可信，亦在此。

程頤《春秋傳》曾言：「《春秋》，傳為案，經為斷。」[95]頗有助於理解《三傳》之得失。《公羊》、《穀梁》去聖較遠，解經側重「何以書」，大多以義說解，故朱子稱其事「多出揣度」，「恐聖人當初無此等意」。因為「都不曾見國史」，所以「較難憑」。儘管「義理卻精」，「傳得許多說話」，「但皆得於傳聞，多訛謬」。要之，《公》、《穀》以義理解經，是歷史哲學，為經學：「經學者於義理上有功，然記事多誤。」經學者，憑空判斷，所謂「無案而

93 〔宋〕黎靖德編：《朱子語類》，頁2149、2151-2152、2152。

94 徐復觀：《兩漢思想史．卷三》，〈原史——由宗教通向人文的史學的成立〉，頁274-275。

95 〔宋〕程顥、程頤：《二程集》，程頤：《春秋傳》，頁164。

斷」，義理雖精，然或流於臆測，此孔子所謂「見之空言」。《四庫全書總目》所謂「無案而斷，是《春秋》為射覆矣！」宋胡安國《春秋傳・序》稱：「空言獨能載其理，行事然後見其用。」宋葉夢得（1077-1148）《春秋傳・自序》亦云：「不得於事，則考於義；不得於義，則考於事，事義更相發明」。[96]由此可見，事案為考求義理之憑藉。《左傳》長於敘事，足可以史傳經；《公》、《穀》說經，往往出於揣度臆斷，是猶無案而斷之射覆（猜謎語），空言載理，當然不如行事之著明見用。程頤《春秋胡傳・序》云：《春秋》大義易見，「惟其微辭隱義，時措從宜者為難知也」。《春秋》只是直載時事，備錄是非，「聖人光明正大，不應以一二字加褒貶於人」。《公》《穀》長於闡發大義微言，「於義理上有功」。若能會通《三傳》，取長補短，當有助於《春秋》學之發揚。唯朱子並不著意於此，相形之下，《朱子語類》較凸顯《左傳》記事之精詳，傾向於推崇「直筆無隱」之記事體式。對於《春秋》記載行事，如何藉由其事與其文，而考求其中義理？朱子並未明言，但云：「《春秋》卻精細，也都不說破，教後人自將義理去折衷。」又云：「聖人且據實而書之，蓋有言外之意」。《春秋》據魯史直書其事，孔子之志、《春秋》之義隱寓於其事其文之中，故曰「都不說破」，寓含「言外之意」，留予後世「自將義理去折衷」。《春秋》之義如何考求？此攸關屬辭比事《春秋》書法之研究。

《春秋》一書，筆削魯史而成；有書有不書，斷自聖心。余英時探究章學誠史學時指出：孔子作《春秋》，在「事具始末」之外，另有所裁斷，這就合於柯氏（靈烏）「歷史建設」之說。章氏稱《春秋》為「撰述」、富「別識心裁」，成「一家之言」，與柯氏「科學的史學」用心相近。[97]然而朱子不認為《春秋》乃「孔子專任私意，妄為褒貶」；主張「孔子但據直書，而善惡自著」。批評諸家說《春秋》，苟無佐證，而徒拘義例、凡例、變例、褒貶

---

96 〔宋〕葉夢得：《石林先生春秋傳》（臺北市：大通書局，1970年《通志堂經解》本），卷首〈石林先生春秋傳序〉，頁2，頁11917。

97 余英時：《論戴震與章學誠——清代中期學術思想史研究》（香港：龍門書店，1976年），外篇，三，〈章實齋與柯靈烏的歷史思想——中西歷史哲學的一點比較〉，頁217、221。

解《春秋》，是強說、自說、穿鑿、杜撰；「屑屑求之，恐非聖人之本意」。而唯獨推重胡安國（文定，1074-1138）《春秋傳》，以為「胡文定義理正當」；「今欲看《春秋》，且將胡文定說為正」；「胡《春秋》大義正」。同時，朱子瞭然其優長，亦不諱言其缺失：一方面，「胡文定公所解，乃是以義理穿鑿，故可觀」；另一方面，「文定說得理太多，盡堆在裏面」；「胡文定《春秋》非不好，卻不合……有許多忉怛」；「胡《春秋傳》有牽強處」；「亦有過當處」；「胡文定據《孟子》……則是聖人有意誅賞」；「《春秋》今來大綱是從胡文定說，但中間亦自有難穩處」；楊龜山議「胡氏傳《春秋》盟誓處，以為皆惡之」；「胡氏說經，大抵有此病（太支離）」；「胡文定說《春秋》，高而不曉事情」。因此說解《春秋》，朱子「尋常亦不滿於胡說」；「如胡文定《春秋》，某也信不及」。愛而知其惡，故作求全之責備。

朱子不滿、不信胡安國《春秋傳》處，在說理太多、牽強過當、有意誅賞、不曉事情云云。要之，多在空言載理，以義理說經、褒善貶惡部分。《三傳》與胡《傳》互有短長，若得失相較，朱子《春秋》觀取法於《左傳》者為多。蓋《左傳》之歷史敘事，與朱子視《春秋》為「即事而書」之紀事書，屬性特徵相近似。朱子〈答潘子善〉說《春秋》：「且當看史功夫，未要便穿鑿說褒貶道理」；[98]「《左氏》是史學，記得事卻詳」，可以知之。《朱子語類》於此，尚有論述，如：

> ……蘇子由教人只讀《左傳》，只是他《春秋》亦自分曉。……且如讀《史記》，便見得秦之所以亡，漢之所以興；及至後來劉項事，又知劉之所以得，項之所以失，不難判斷。（頁2152-2153）

蘇轍（1039-1112）著有《春秋集解》，為兩宋以史傳經之代表作。解讀《春秋》專主《左傳》敘事，曾言：「凡《春秋》之事當從史。《左氏》，史也。」於是據《左傳》史事以斷《春秋》，反對「以意說經」。[99]朱子稱：蘇

---

98 〔宋〕朱熹撰，郭齊、尹波點校：《朱熹集》，卷60〈答潘子善〉，頁3145。

99 張高評：《春秋書法與左傳史筆》（臺北市：里仁書局，2011年），第9章〈蘇轍《春秋

轍於《春秋》經「亦自分曉」，「教人只讀《左傳》」，職是之故。《春秋集解》解讀《春秋》，據史為斷，主以事解經，折衷於《左傳》史學。[100]史學者，敘事貴原始察終，張本繼末，此即「屬辭比事，《春秋》教」之發用，唯《左傳》敘事最為專擅。司馬遷私淑孔子，《史記》典範《春秋》，敘事傳人，亦往往勾勒歷史趨勢，體現興亡、得失之所以然。[101]朱子以「如讀《史記》」作類比，稱便見秦漢之存亡，劉（邦）項（羽）之得失，「不難判斷」。顧炎武《日知錄》稱《史記》，「於序事中寓論斷」，故司馬遷能「不說破」，而讀者亦不難自義理折衷判斷。唐陸淳《春秋集傳纂例》推崇《左氏》：「博采諸家，敘事尤備，能令百代之下頗見本末。因以求意，《經》文可知。」[102]《左傳》敘事可見本末，據事求經，可以探得《春秋》之義，亦由此可見。

以事定辭，由辭見事，藉事與辭而表義，此聖人作經，但「直述其事」，其中自有「言外之意」，所謂「有所抑揚」，「好惡自易見」。《左傳》以歷史敘事方式解經，朱子稱：「一部載許多事」，「今且把來參考」；蓋道理即寓含載事之中，不必「說破」，期待「後人自將義理去折衷」。朱子主張：敘事主《左氏》，與《公》、《穀》、《國語》、《孟子》相較，雖有詳略異同之分，仍肯定《左傳》之載事，如：

> ……敘事時，《左氏》卻多是，《公》、《穀》卻都是胡撰。他去聖人遠了，只是想像胡說。（頁2160-2161）
>
> ……《左傳》上全不曾載許多事，卻載之於《國語》，及出《孟子》。呂丈言，《左傳》不欲見桓公許多不美處，要為桓公管仲全之。《孟

集解》與以史傳經〉，頁375-417。

100 張高評：《春秋書法與左傳史筆》，第9章〈蘇轍《春秋集解》與以史傳經〉，頁384-402。

101 周一平：《司馬遷史學批評及其理論》（上海市：華東師範大學出版社，1989年），第3章第3節，頁27-29。

102 〔唐〕啖助、趙匡、陸淳：《春秋集傳纂例》（臺北市：大通書局，1970年《經苑》本），卷1〈三傳得失議第二〉，頁3，總頁2358。

子》所載桓公，亦自犯了，故皆不載。」曰：「《左氏》有許多意思時，卻是《春秋》。《左氏》亦不如此回互，只是有便載，無便不載。（頁2164）

朱子既言「《左氏》曾見國史，考事頗精」；又稱「《左氏》是史學，記得事卻詳」，因此斷定「敘事時，《左氏》卻多是」；而《公羊傳》、《穀梁傳》由於「往往都不曾見國史」，所以敘事時，「卻都是胡撰」。去聖久遠，所聞異辭，所傳聞異辭，敘事與釋經遂有可能「想像胡說」。門弟子提有無互見、美惡回互法，質疑《左傳》失載齊桓、管仲許多不美處，是否涉及微言諱書諸「言外之意」？朱子以為：聖人「只因國史所載而立之」，「但聖人作經，直述其事」；「聖人即史法之舊例以直書其事」，「只是有便載，無便不載」，謹於闕疑，絕不杜撰與穿鑿。朱子於《三傳》說《經》，主《左傳》敘事，往往批判《公》、《穀》之義理與臆度。就其徵實之治學精神而言，堪稱始終一貫。

四　結語

朱熹著述宏富，體大思精，就經學著作而言，有《易》學、《詩》學、《四書》學、《儀禮經傳》等專著，於天下後世皆影響深遠，唯獨於《春秋》學、《尚書》學未有專書論著。朱熹夫子自道，於《春秋》並不諱言「難看」、「難知」、「難說」、「自難理會」、「有不可曉處」，懷疑後人說解，「不知是聖人真箇說底話否」，因為「終不能有以自信於其心」，是以對《春秋》「平生不敢說」、「此生不敢問」、「不敢妄為必通之計」，故未有專著傳世。今考《朱子語類》與《文集》，卻不乏有關《春秋》之論述，總數約一百四十餘則。

今梳理《語類》與《文集》，徵引其中文獻，得朱子不說《春秋》之理由有十，分為兩大類：就《春秋》本身之條件，所衍生之侷限而言，如《春秋》所書，當時人已自不知；去聖千百年，後人難知聖心；三家皆非親見孔子；《春秋》之「微辭隱義，時措從宜」為難知；說《春秋》本自無據，不知是如何；經文太略，徵實無從等等。其中，朱子指《春秋》：「都不說破」、「蓋有言外之意」；微辭隱義之存在，增加了詮釋解讀之難度。若就後人說《春秋》之紛亂，準的難從而言，則如非理明義精，各以已意猜傳；諸說太煩，不得體要；牴牾矛盾，前後非一；《春秋》義例，穿鑿牽強等等。由於朱子不能有以自信於其心，也就不敢妄為必通之計，「未嘗敢輒措一詞於其間」。因此，導致「平生不敢說《春秋》」，亦核其事實，無徵不信，謹於闕疑之精神。

孔子作《春秋》，「由事來定辭，由辭來見事」，讀者以經解經，合而一之，可以見其義之隱微，此之謂屬辭比事。清顧炎武《日知錄》稱古人作史，有「不待論斷，而於序事之中即見其指者」，盛稱《史記》「於敘事中寓論斷」之法，正有得於《春秋》「據事直書，是非自見」之書法。朱子深信孔子作《春秋》，只據赴告而書之，只因舊史而作；所謂「但據直書，而善惡自著」，並未「專任私意，妄為褒貶」。《春秋》雖有孔子竊取之「義」，然並未「說破」，自有「言外之意」。換言之，史義之生發，蓋來自史事、史文之脈注綺交。史事經由去取比觀而見筆削，史文經由屬辭微顯而示褒貶，於是孔聖竊取之「義」乃昭然若揭。所以，朱子以為：《春秋》中爵位之予奪，功罪之賞罰，一切出於直書其事，「孔子也予奪他不得」，故反對義例褒貶之說。

《史記・太史公自序》引孔子曰：「我欲載之空言，不如見之於行事之深切著明也。」《左傳》以史傳經，見之於行事；《公》、《穀》以義解經，載之空言。行事著名深切，空言無徵難曉。朱子《春秋》觀，有得於孟子《春秋》學、董仲舒《春秋繁露》、司馬遷《史記》論《春秋》書法之精髓，頗有取於直書與敘事，以為《春秋》直載時事，是非已備錄其中。所謂「孔子但據直書，而善惡自著」；「孔子作《春秋》，據他事實寫在那裏，教人見得當時事是如此」；與顧炎武《日知錄》「於序事中寓論斷」，可以相互發明。詳言之，其層面有三：一、聖人作經，但據直書，而善惡自著；非是專任私意，妄為褒貶。二、後人說經多無佐證，流於無案而斷，若強說、自說、穿鑿、杜撰，便是無徵不信，侮辱聖言。三、《三傳》說經，《左傳》「以史傳經」較可據，《公羊》、《穀梁》「以義解經」較難憑。

朱子評價《春秋三傳》，互有優劣短長：就優長而言，《左傳》是史學，記得事卻詳；《公》、《穀》是經學，於義理上有功。就缺失言，《左氏》不知大義，於道理上便差；《公》、《穀》不曾見國史，記事多誤。《四庫全書總目．史部總敘》稱：「苟無事蹟，雖聖人不能作《春秋》；苟不知其事蹟，雖以聖人讀《春秋》，不知所以褒貶。」[103]由事定辭，藉辭見事，既無事蹟，徒託空言，故褒貶難知，史義無從而明。就此觀之，《四庫全書總目》之說，似較近朱子，頗偏向《左傳》。

103 〔清〕紀昀主纂：《四庫全書總目》，卷45〈史部總敘〉，頁958。

孔廣森《公羊通義》微言辨

王初慶
輔仁大學中國文學系退休教授

一　前言

孔廣森（清乾隆十七年〔1752〕至五十一年〔1786〕）自信其《春秋公羊經傳通義》為可逮古人之著作，[1]阮元許之為「顓家孤學」。[2]然主古文者，或謂其「詳義例而略典禮訓詁」；[3]主今文者，又嫌其「三科九旨，不用漢儒之舊傳」，「如是則《公羊》與《穀梁》奚異」？[4]認為其書不傳「微言」，無論「書爵進退之例」、「貶絕之例」、「卒葬之例」、「論兵事之例」、「所論去月去時之義」、「論滅入日月之例」、「禮制」等皆不如何休之《公羊解詁》。[5]是以梁任公、錢賓四評為「不明家法」，[6]大陸學者陳其泰更直接謂

1　見孔廣廉：《校棐公羊春秋通義・敘略》頁1，《續修四庫全書・第129冊》。於孔氏之書名，各版本書末所附自敘皆係《春秋公羊經傳通義・敘》，孔廣廉儀鄭堂刊本題款為《公羊春秋經傳通義》，於〈敘略〉稱為《校棐公羊春秋通義》；於各卷之卷目，則先稱《春秋公羊經傳》卷次，下署《公羊通義》卷次，卷末署《公羊春秋通義》卷次。阮元〈序〉稱之為《春秋公羊通義》，並以此名輯入《學海堂經解》，簡稱《公羊通義》。綜觀之，孔氏之書名應為《春秋公羊經傳通義》。

2　參見阮元：《國史儒林傳・序》。

3　參見劉文淇撰，曾聖益點校：《劉文淇集・句溪雜著序》（臺北市：中央研究院中國文哲研究所，2007年12月），頁132-135。

4　參見劉逢祿：《劉禮部集・卷三・春秋論下》，頁19。

5　參見劉逢祿：《春秋公羊經何氏釋例・後錄・廣墨守》後半，魏源所輯之劉氏〈讀公羊通義條記〉，（《續修四庫全書》第129冊），頁589-594。

6　「不明家法」之說，參見梁啟超：《梁啟超學術論叢・清代學術概論》（臺北市：南嶽

孔廣森之學為「誤區」,「抹殺今古文界限」。[7]本文試圖從春秋學之流傳及《公羊通義》[8]之內容兩條脈絡,為孔氏之書祛除偏見,回歸在「《公羊》學」之承傳中應有之地位。

二 無論今古文,治經皆從訓詁入手

雖然「《春秋》學」至漢代,《三傳》之文本確立,但是《左傳》乃張蒼所獻,《公羊》與《穀梁》皆子夏所傳,早在先秦,並有稿本流傳。[9]即或今古文經學壁壘分明,所據基本典籍有異同,而《三傳》之宗旨本在釋經,依經以立傳,先必從訓詁之層面入手,或釋辭義,或釋文例,或藉以明全書之體例,或闡明史事;除釋辭義必緊扣原文發傳外,文例等項則往往各在相關之處發傳,唯所側重之方向不一耳。[10]自今文經立為官學以後,遂衍成流派上之論爭,然《三傳》解經,各有得失,並非不可融合,以得經義之真諦。即或《左傳》重史事,觀諸《史記》〈刺客列傳〉及〈孔子世家〉,太史公仍然參照《三傳》,方能臧其事。於莊十三年「冬,公會齊侯盟于柯。」條下,《左傳》僅以「冬,盟于柯,始及齊平也」一句釋之。而《公羊》則先

出版社,1978年3月),頁662;錢穆:《中國近三百年學術史》下冊(臺北市:臺灣商印書館,1972年10月臺五版),頁528。

7 參見陳其泰:《清代公羊學》(北京市:東方出版社,1997年),頁79-93。

8 筆者所見之《春秋公羊經傳通義》版本有三:一為其弟孔廣廉在孔氏故去後刻於嘉慶二十二年的《校桀公羊春秋通義》,收錄在上海古籍出版社二〇〇二年刊行的《續修四庫全書》第一二九冊;一為阮元所輯的《春秋公羊通義》,收在《學海堂經解》(《皇清經解》),卷六百七十九至六百九十一卷;最近則有北京大學出版社二〇一二年刊行由崔冠華校點的校點本。本文所據係《續修四庫全書》本。為行文簡便,本文中使用《公羊通義》,簡名《通義》。

9 參見徐復觀:〈先秦儒家思想的轉折及天的哲學的完成.公羊傳成立的情形〉,《兩漢思想史.卷二》,頁319;筆者:〈陸賈《新語》與《春秋穀梁傳》〉,《先秦兩漢學術》第7期(臺北縣:輔仁大學中國文學系,2007年3月),頁39-63。

10 參見筆者:〈從訓詁之層次論「《春秋》學」的應然與實然〉,《傳統中國研究集刊》九、十合輯(上海市:上海人民出版社,2012年3月),頁87-112。

由「何以不日？易也。」說明義例，次由「其易奈何？桓之盟不日，其會不致，信之也。」解說立例之緣由；次以回應「其不日何以始乎此？」之追問，衍出曹劌劫盟之故事。以「要盟可犯，而桓公不欺；曹子可讎，而桓公不怨。桓公之信著乎天下，自柯之盟始焉。」作結。其事與其義，皆可補《左傳》之不足。故〈刺客列傳〉傳曹劌專取《公羊》。

又定公十年「夏，公會齊侯于頰谷。公至自頰谷。」[11]條，《左傳》誌其事側重在孔子的義正嚴辭，《穀梁》則由「離會不致，何為致也？危之也。危之，則以地致何也？為危之也。」發傳，乃由「其危奈何？」以下道出頰谷會盟緣由，誌其事側重在孔子的應對進退，二者可以互足。故〈孔子世家〉兼錄之。

《公羊》與《穀梁》重義例，而《公羊》言「《春秋》為尊者諱，為親者諱，為賢者諱。」[12]《穀梁》謂「為尊者諱恥，為賢者諱過，為親者諱疾。」[13]亦可互相發明。《左傳》所誌之君子曰：「《春秋》之稱：微而顯，志而晦，婉而成章，盡而不汙，懲惡而勸善。非聖人誰能脩之？」[14]更能整合《春秋》義例之作用。

所謂之「今古文經」，其成書或在漢代，或在先秦，皆係本諸《春秋》發傳則一也。三者並行而不可偏廢，亦無庸置疑。漢代今文學者解經偏重在闡釋經義，論者或謂其「訓詁長於說理，隨文演繹，理精而事誤」，「疏於文字聲音，忽視名物考證，望文附會，憑私說字，多失其實。」[15]但從《公羊》、《穀梁》傳文以答問之方式層層演繹經文的方式觀之，皆先從訓詁《春秋》經文入手則一。故孔廣森主張：

---

11 「頰谷」，《左傳》皆作「夾谷」。

12 見閔元年「冬，齊仲孫來」《公羊傳》。

13 見成九年「晉欒書帥師伐鄭」《公羊傳》。

14 見成十四年「九月，僑如以夫人婦姜氏至自齊。」《公羊傳》，又昭二年「春，晉侯使韓起來聘」條下《傳》略同。

15 見李建國：〈漢代今文經學及其訓詁〉，《河北師院學報》（社會科學版）1994年第2期，頁111-116。

> 七十子沒而微言絕，《三傳》作而大義睽，《春秋》之不幸耳；幸其猶有相通者。而三家之師必故各異之，使其愈久而愈歧。何氏屢蹈斯失，若蒙於包來下不肯援《穀梁》以釋《傳》；叛者五人不取證《左傳》，而鑿造諫不以禮之說。（《春秋公羊經傳通義．敘》，頁185）

又於哀十四年「制《春秋》之義以俟後聖，以君子之為亦有樂此乎也」《傳》下云：

> 《左氏》馳騁於文辨，《穀梁》圈囿於詞例，此聖人製作之精意，二家未有言焉，知《春秋》者，其為公羊子乎。（《公羊春秋經傳通義．卷十一》，頁179）

其書有據《公羊》學之立場疵議《左氏》與《穀梁》者；[16]然擇取二家與《公羊》相通者更不尟見，[17]並據之勘正何休注的缺失處亦隨文而敷衍。[18]

三　以「微言大義」解《春秋》之源起

今文家以孔子作六經，而《春秋》為孔子絕筆之作，必有所寄託。故《公羊．昭十二年傳》云：「《春秋》之信史也，其序則齊桓、晉文，其會則主會者為之也，其詞則丘有罪焉爾。」又於〈哀十四年傳〉云：「君子曷為為《春秋》？撥亂世反諸正，莫近諸《春秋》。」自孟子以降更以為孔子作

---

16 如隱元年「公子益師卒」，《傳》「何以不日？遠也。」下，《通義》云：「《左氏》說：公不與小斂，故不書日。九月甲申，公孫敖卒于齊，公寧得與小斂乎？」《穀梁》說：大夫日卒，正也；不日卒，惡也。六月丙申，季孫隱如卒。何以無惡文？似二傳皆失之。」

17 參見成玲：〈孔廣森《公羊通義》取義之道〉，《第三屆中國文哲之當代詮釋學術研討會會前論文集》，（臺北縣：國立臺北大學中國文學系，2007年10月），頁85。

18 如僖二十七年「春，杞子來朝」條下，《公羊》無傳，《解詁》亦未說明。《通義》云：「《左傳》曰：『杞桓公來朝用夷禮，故曰子。』」以與僖二十三年「冬，十有一月，杞子卒。」條下之說相符順。

《春秋》有「知我、罪我」之歎，「其事則齊桓、晉文，其文則史。……其義則丘竊取之矣」，豈得無深意焉。

三傳之解經，皆先從訓詁入手，唯所側重不一，或兼及史事，或闡明微言大義，或僅及大義。就訓詁言之，「大義」在概括經義而不拘於文字，「微言」則係概括經義以後抉發經文背後隱含之微旨。

細究之，《三傳》傳文中，「大義」一辭僅見於《左傳》，並不涉及《春秋》之筆法與義例。[19]論《春秋》筆法與義例者，或逕引「子曰」；[20]或引「孔子曰」；[21]或直指《春秋》。[22]亦以「君子」形容孔子於經書行文之寓

19 一見於隱四年：「君子曰：『石碏，純臣也。惡州吁而厚與焉。「大義滅親」，其是之謂乎！』」一見於僖二十五年：「秦伯師于河上，將納王。狐偃言於晉侯曰：『求諸侯莫如勤王。諸侯信之，且大義也。』」

20 《左傳》中無一則以「子曰」錄孔子之資料。《公羊》言「子曰」者二則，言《春秋》經旨者僅一條。見於昭十二年：「春，齊高偃率師納北燕伯于陽。」《公羊》云：「伯于陽者何？公子陽生也。子曰：『我乃知之矣。』在側者曰：『子苟知之，何以不革？』曰：『如爾所不知何？《春秋》之信史也，其序則齊桓、晉文，其會則主會者為之也，其詞則丘有罪焉爾！』」《穀梁》錄「子曰」者僅一則，目的在說明《春秋》用詞之精義。見於僖十六年：「春，王正月，戊申朔，隕石于宋五。」「是月，六鷁退飛過宋都。」《穀梁》云：「是月者，決不日而月也。六鶂退飛過宋都，先數，聚辭也，目治也。子曰：『石，無知之物；鶂微，有知之物。石無知，故日之；鶂微，有知之物，故月之。君子之於物，無所苟而已。石、鶂且猶盡其辭，而況於人乎！故五石六鷁之辭不設，則王道不亢矣！』民所聚曰都。」

21 《左傳》言及孔子者凡九條，皆無涉於《春秋》義例；《公羊》言孔子者九條，亦不涉及《春秋》義例；《穀梁》誌孔子者九條，僅二條涉及《春秋》經旨。如桓二年：「夏，四月，取郜大鼎于宋。戊申，納于太廟。」《穀梁》云：「桓內弒其君，外成人之亂，受賂而退，以事其祖，非禮也。其道以周公為弗受也。郜鼎者，郜之所為也。曰宋，取之宋也，以是為討之鼎也。孔子曰：『名從主人，物從中國。』故曰郜大鼎也。」

22 如昭三十一年：「冬，黑肱以濫來奔。」《左傳》云：「冬，邾黑肱以濫來奔。賤而書名，重地故也。……以地叛，雖賤，必書地。……是以《春秋》書齊豹曰盜，三叛人名，以懲不義，數惡無禮，其善志也。」隱二年：「無駭帥師入極。」《公羊》云：「無駭者何？展無駭也。何以不氏？貶。曷為貶？疾始滅也。始滅，昉於此乎？前此矣。前此，則曷為始乎此？託始焉爾。曷為託始焉爾？《春秋》之始也。此滅也，其言入何？內大惡，諱也。」宣十五年：「王札子殺召伯、毛伯。」《穀梁》云：「王札子者，

義，[23]所在多有。此外，《穀梁》言「《春秋》之義」，[24]《左傳》言「《春秋》之稱」。於概括經義一端，可謂備矣。雖不及「微言」一辭，然「微」字者並不尠見；除詮釋「微」字之字面義外，已以「微」字申述《春秋》意在言外之義。[25]然定元年：「春王。」《公羊》云：

> 定何以無正月？正月者，正即位也。定無正月者，即位後也。即位何以後？昭公在外，得入不得入，未可知也。曷為未可知？在季氏也。定、哀多微辭，主人習其讀而問其傳，則未知己之有罪焉爾。

何休於「定無正月者，即位後也」注云：「雖書即位於六月，實當如莊公有正月，今無正月者，昭公出奔，國當絕，定公不得繼體奉正，故諱為微辭。」又於「定、哀多微辭」下注云：「微辭即下傳所言者是也，定公有王無正月，不務公室，喪失國寶；哀公有黃池之會，獲麟：故揔言多。」雖直指《春秋》有「微辭」，而「『微辭』者，意有所託而辭不顯，唯察其微者乃

當上之辭也。殺召伯、毛伯不言其，何也？兩下相殺也。兩下相殺，不志乎《春秋》，此其志，何也？矯王命以殺之，非忿怒相殺也。故曰：以王命殺也。以王命殺，則何志焉？為天下主者，天也；繼天者，君也；君之所存者，命也。為人臣而侵其君之命而用之，是不臣也；為人君而失其命，是不君也；君不君，臣不臣，此天下所以傾也。」皆是。《左傳》僅見一則，《穀梁》則多言「《春秋》之義」，論《春秋》筆法者，以《公羊》為最。

23 《左傳》誌「君子曰」之資料頗多，除前引之成十四年傳外，皆不涉及《春秋》經文之本旨。《公羊》二十八條有關君子之資料中，指在上位之國君以及指有德位之人者計八條；二十條之君子當指孔子之撰《春秋》；君子與《春秋》併言者五條。《穀梁》十五則言君子之資料，僅二則非指孔子之撰《春秋》。十三則直指孔子作《春秋》之條目中，並引《春秋》與君子者二條。文繁不錄。

24 《穀梁》言「《春秋》之義」之資料頗多，如〈隱四年〉：「《春秋》之義，諸侯與正而不與賢也。」〈文二年〉：「君子不以親親害尊尊，此《春秋》之義也。」等。

25 《左傳》如前引之「《春秋》之稱，微而顯」。又莊四年：「冬，公及齊人狩於郜。」《公羊》云：「公曷為與微者狩？齊侯也。齊侯則其稱人何？諱與讎狩也。」莊二十八年：「春，王三月甲寅，齊人伐衛，衛人及齊人戰。衛人敗績。」《穀梁》云：「於伐與戰，安戰也。戰衛，戰則是師也，其曰人，何也？微之也。何為微之也？今授之諸侯，而後有侵伐之事，故微之也。」皆其例也。

能知之。蓋所記事皆同時君臣，既已諱尊隆恩，亦無道言孫之法也。」[26]則此一「微辭」乃指在行文上有所顧忌，故意隱藏原本批判時事的指涉，以掩時人之耳目；迥異於概括經義以抉發經文所隱喻之微旨之「微言」。而〈漢志．六藝略〉序《春秋》，以孔子「有所褒諱貶損，不可書見，口授弟子，……所貶損大人當世君臣，有威權勢力，……是以隱其書而不宣，所以免時難也」。則仍就「微辭」為說耳。

《荀子》亦云：「《春秋》之微也。」[27]而又以「《春秋》約而不速」為憾，認為《春秋》經義隱約而對學者之啟示不能速效，點出「學莫便乎近其人」，[28]從君子問學的重要。但以「微」指《春秋》有意在言外之義則一也。亦未以「微言」為說。降及漢代，董仲舒之《春秋繁露》，以綜合論述之方式詮釋《公羊春秋》，以為「《春秋》，大義之所本」，[29]暢言「《春秋》之道」、[30]「《春秋》之義」、[31]「《春秋》之法」。[32]所論「大義」一端可謂詳盡矣，但仍不見「微言」。而其書所論之「微」，如：

> 於所見微其辭，於所聞痛其禍，於傳聞殺其恩，與情俱也。是故逐季氏而言又雩，微其辭也。(〈楚莊王〉，頁10)

則係直承《公羊》「微辭」者。凡涉及「三世義」者類此。

又如：

---

26 見孔廣森：《公羊春秋經傳通義．卷之十》，《續修四庫全書》第129冊，頁163。

27 見〈勸學〉，另〈儒效〉亦云：「聖人也者，道之管也。天下之道管是矣，百王之道一是矣。故《詩》、《書》、《禮》、《樂》之道歸是矣。《詩》言是其志也，《書》言是其事也，《禮》言是其行也，《樂》言是其和也，《春秋》言是其微也。」

28 兩引皆見〈勸學〉。

29 見〈正貫〉。

30 如〈楚莊王〉：「《春秋》之道，奉天而法古。」〈玉杯〉：「《春秋》之道，視人所惑，為立說以大明之。」

31 如〈竹林〉：「且《春秋》之義，臣有惡，擅名美。故忠臣不諫，欲其由君出也。」〈王道〉：「《春秋》之義，臣不討賊，非臣也。子不復仇，非子也。」

32 如〈玉杯〉：「《春秋》之法，以人隨君，以君隨天。」〈竹林〉：「《春秋》之法，凶年不修舊，意在無苦民爾。」

> 《春秋》至意有二端，不本二端之所從起，亦未可與論裁異也，小大微著之分也。夫覽求微細於無端之處，誠知小之將為大也，微之將為著也。……
>
> 故書日蝕、星隕、有蜮、山崩、地震、夏大雨水、冬大雨雹、隕霜不殺草、自正月不雨至於秋七月、有　鴝來巢，《春秋》異之，以此見悖亂之徵。是小者不得大，微者不得著，雖甚末，亦一端。孔子以此效之，吾所以貴微重始是也。(〈二端〉，頁155、156)

則有「引微以知顯」，「貴微重始」之義。故曰：

> 《春秋》記天下之得失，而見所以然之故。甚幽而明，無傳而著，不可不察也。夫泰山之為大，弗察弗見，而況微渺者乎？(〈竹林〉，頁56)

是以《春秋》能「理百物，辨品類，別嫌微，修本末」。

由是觀之，直到漢初，尚未有「微言」之說。而相關文獻中所謂之「微」，或指《春秋》有意在言外之義；或指其書「貴微重始」，讀者當「引微以知顯」；或指孔子在行文上有所顧忌，故意隱藏原本批判時事的指涉，以掩時人之耳目之「微辭」。此在探討何謂「微言」之先，不得不辨者。而太史公《史記．自敘》錄董子云：「孔子知言之不用，道之不行也，是非二百四十二年之中，以為天下儀表，貶天子，退諸侯，討大夫，以達王事而已矣。子曰：『我欲載之空言，不如見之於行事之深切著明也。』」晉代司馬貞〈索隱〉案：「孔子之言見《春秋緯》，太史公引之以成說也。空言謂褒貶是非也。空立此文，而亂臣賊子懼也。」又謂：「孔子言我徒欲立空言，設褒貶，則不如附見於當時所因之事。人臣有僭侈篡逆，因就此筆削以褒貶，深切著明而書之，以為將來之誡者也。」然所謂「君子之惡惡也疾始，善善也樂終」，[33]孔子作《春秋》有意在言外之義，乃「《公羊》學」之要義，亦在不爭。

---

33 見僖十七年「夏，滅項。」《公羊》傳文。

劉歆於〈移讓太常博士書〉中，謂：「及夫子沒而微言絕，七十子終而大義乖。」方以「微言」寓孔子寄託之所在。向、歆父子各治《穀梁》、《左傳》，以孔子作《春秋》以紀帝王之道，當本諸師說。然《文選・劉子駿移書讓太常博士幷序》李善注「微言」云：「《論語讖》曰：子夏六十四人，共撰仲尼微言。」《漢書・藝文志》卷首即引劉歆之說，而顏師古注「微言」引李奇曰：「隱微不顯之言也。」師古曰：「精微要妙之言耳。」則唐人尚不以「三科九旨」與「微言」相提並論。至清代今文學復興，皮錫瑞以為：

> 《春秋》成而亂臣賊子懼，是《春秋》大義；天子之事，知我罪我，其義竊取，是《春秋》微言。大義顯而易見，微言隱而難明。(《經學通論・卷四・論春秋大義在誅討亂賊微言在改立法制孟子之言與公羊合朱子之注深得孟子之旨》，頁1、2)

又云：

> 綜而論之，《春秋》有大義，有微言，大義在誅亂臣賊子，微言在為後王立法，惟《公羊》兼傳大義微言，《穀梁》不傳微言，但傳大義，《左氏》並不傳義，特以記事詳贍，有可以證《春秋》之義者，故三傳並行不廢。(《經學通論・卷四・論穀梁廢興及三傳分別》，頁19)

方給與「微言」與「大義」間有明確之界說。然「大義可於文字中求之，微言則非得夫子口授者不易領會，故大義尚易見，微言則難知」。[34]如果「微言」是孔子為「免時難」，而將其「褒諱貶損」的終極理想口授弟子，也不能憑空穿鑿。何況《公羊傳》之成書相傳經「五世口傳」，陸續著於竹帛，固不必待漢景帝時。從傳文以答問的方式逐步深入經旨觀之，大體上係「以先師口相授受解釋其義，故傳皆為弟子疑問之辭」。[35]經歷代先師層層演繹增益，因衍出前述之「定、哀多微辭」；以及再三致意的「所見異辭，所聞

---

34 見蔣伯潛：《經學纂要》(臺北市：正中書局，1969年4月臺初版)，頁127。

35 引自隱元年「元年者何」下孔廣森《通義》。

異辭，所傳聞異辭。」[36]之傳文，董仲舒、何休更據以推申出「《春秋》三世義」的架構。蔣慶認為：

> 在《公羊傳》未著竹帛之前，本無傳文與口說的區別，公羊先師相傳者均為對《春秋》的解釋。若強為畫分，亦只有口說而無傳文，……至漢景帝時，《公羊傳》著於竹帛後，傳文與口說才分離開來，即一部分口說用文字寫出，即為傳文；一部分口說未用文字寫出，仍在師生中流傳，即為口說。（《公羊學引論》，頁69、70）

可謂切中要旨。

如何把這些入漢以後仍不得不付諸口傳的理想從《春秋》經傳的文本所隱含的訊息中去領會發掘出來？必先加以釐清。係單憑一己對經義之體會，抉擇經文加以發揮之所為？抑或先從文句之訓詁入手，然後引申演繹，抉擇而得之；後世論者，認知迥異。如果僅憑傳經者一己對經義之體會，則人各異言，所欲陳述者，不乏藉詮釋經傳之義為口實，抒發自己心中之塊壘的情事，縱使有真知灼見，未必能與《公羊》家學統之要旨相契合。而先從文句之訓詁入手，然後引申演繹，抉擇以得其奧義者，也會因論者之眼光不一，憑訓詁之所推申出理據之界限，標準不一，致有分歧，亦理之所常。是以「微言」既難知，「微言」中為後世立法之內容，也難定於一尊。如蔣伯潛云：

> 所謂「存三統」、「張三世」、「異內外」，可以說是《春秋》底微言。……
> 尚有「譏世卿」，亦為《春秋》底微言之一。（《經學纂要》，頁129、130）

蔣慶則認為：

> 大義，是指歷史批判，即譏世卿，大居正，大復仇之屬；微言，是指理想批判，即三科九旨，《春秋》新王，三世大同之屬。大義微言統

---

36 見於隱元年、桓二年、哀十四年。

一於公羊家的思想中，構成了公羊學批判思想的特色。(《公羊學引論》，頁25、26)

「譏世卿」到底是「大義」還是「微言」？固有仁智之見，然可見於「三科九旨」以外，「微言」尚包括其他的蘊意在焉。遑論「三科九旨」既不全出自於「口傳」，是否在孔子作《春秋》時已設定，更有仁智之見焉。

本文於「微言」之定義，取經傳所論之「微」以及皮氏「為後王立法」之見；或指《春秋》有意在言外之義；或指其書「貴微重始」，讀者當「引微以知顯」；或指孔子在行文上有所顧忌，故意隱藏原本批判時事的指涉：以「為後王立法」者。故仍將「譏世卿」定為「微言」。全憑諸「口傳」，而於經傳之本義、引申義，乃至於餘義皆不相涉者，皆不得指為「微言」。何休「三科九旨」之說既已公認為《春秋》「微言」，孔氏之新說是否亦為伸張「為後王立法」之「微言」？且就其書明辨其說。

四　據三科九旨指涉檢證《公羊通義》

(一) 三科九旨始於《春秋繁露》，未必為《春秋》本旨

何休《公羊文謚例》提出：

三科九旨者：新周、故宋、以春秋當新王，此一科三旨也。又云：所見異辭、所聞異辭、所傳聞異辭，二科六旨也。又：內其國而外諸夏、內諸夏而外夷狄，是三科九旨也。[37]

之說，後世傳《公羊》學者咸據以為要旨。然溯其源，除「三世異辭」、「異內外」本於傳文外，餘皆出自董仲舒之《春秋繁露》：

春秋分十二世以為三等：有見，有聞，有傳聞。有見三世，有聞四

37 見《公羊注疏》徐彥疏，頁7。

世，有傳聞五世。故哀、定、昭，君子之所見也。襄、成、文、宣，君子之所聞也。僖、閔、莊、桓、隱，君子之所傳聞也。所見六十一年，所聞八十五年，所傳聞九十六年。(〈楚莊王〉，頁9、10）

此董氏之論「三世」者也。

故《春秋》應天作新王之事，時正黑統。王魯，尚黑，絀夏，親周，故宋。……《春秋》上絀夏，下存周，以《春秋》當新王。《春秋》當新王者奈何？曰：王者之法，必正號，絀王謂之帝，封其後以小國，使奉祀之。下存二王之後以大國，使服其服，行其禮樂，稱客而朝。故同時稱帝者五，稱王者三，所以昭五端，通三統也。(〈三代改制質文〉，頁187至198）

此董氏之論「存三統」者也。

《春秋》立義，……親近以來遠，未有不先近而致遠者也。故內其國而外諸夏，內諸夏而外夷狄，言自近者始也。(〈王道〉，頁112至116）

此董氏之論「異內外」者也。他如「五始」、「七等」等，亦論之甚詳。是知何休雖謂《解詁》之作「略依胡毋生《條例》，故遂隱括使就繩墨」，[38]於抉擇經旨一端，頗有兼採董氏之說者。「張三世」之說，則係何氏就「異內外」說深化後之心得。然就訓詁本身言之，經之「三世異辭」、「異內外」是否必然可推申出此「三科九旨」？猶可加以商榷。

（二）晉代王接已不信黜周、王魯，其說至於清而未衰

自何休《解詁》後，「三科九旨」成為後世《公羊》學之要義，從《春秋》與《公羊》經傳紬繹之，「新周」僅見於宣十六年「夏，成周宣謝災。」

38 見何休：《公羊解詁．自序》。

《傳》云：「成周者何？東周也。宣謝者何？宣宮之謝也。何言乎成周宣謝災？樂器藏焉爾。成周宣謝災，何以書？記災也。外災不書，此何以書？新周也。」何休《解詁》謂：「新周，故分別有災，不與宋同也。孔子以《春秋》當新王，上黜杞，下新周而故宋，因天災中興之樂器，示周不復興，故繫宣謝於成周，使若國文，黜而新之，從為王者後記災也。」據「存三統」之旨以釋之。而孔廣森《通義》曰：

> 周之東遷本在王城，及敬王避子朝之難更遷成周，作傳者據時言之，故號成周為新周。猶晉徙于新田謂之新絳，鄭居郭鄶之地謂之新鄭云爾。……治《公羊》者舊有新周、故宋之說；新周雖出此傳，實非如注解，故宋傳絕無文，唯《穀梁》有之，然意尤不相涉。是以晉儒王祖游譏何氏「黜周王魯，大體乖硋，志通《公羊》而往往還為《公羊》疾病」者也。（〈卷之六〉，頁116）

陳澧（1810-1882）認為：「成元年『王師敗績于貿戎』。《公羊》云：『王者無敵，莫敢當也。』既以周為王者無敵，必無黜周、王魯之說矣。」讚孔氏之說能得「新周」之正解，為「《公羊》之功臣」。[39]廖平（1852-1932）更主張孔子「主素王不主王魯」，以為：

> 蓋嘗以經例推之，則魯為方伯，譏僭諸公，非作三軍，則是《春秋》仍以侯禮責魯也。譏不朝，非下聘，則是《春秋》仍君天王而臣魯侯也。且《春秋》改制，作備四代，褒貶當時諸侯，皆孔子自主；魯猶在褒貶中，其一切改制進退之事，初不主魯，則何為王魯乎！若以為王魯，則《春秋》有二王，不惟傷義；而且即傳推尋，都無其義：此可據經傳而斷其誤矣。又《公羊》精微，具見緯候，凡在枝節，莫不具陳；而王魯全經大綱，緯書並無其語。而言素王與孔子主王法乘黑運者不下三四十見，此可見本素王而不王魯矣，……王魯之說，始于

39 陳澧云：「《公羊》『新周』二字，自董生以來將兩千年，自巽軒乃得其解，可謂《公羊》之功臣矣。」見《東塾讀書記．卷十．春秋三傳》，頁330。

董子，成于何君。(《何氏公羊解詁三十論・主素王不主王魯論》，頁355)

綜論之，《春秋》固有「微言」以隱喻孔子的終極理想，但此一終極理想並不得以「三科九旨」概括之，其理昭然。

（三）孔廣森於「三科九旨」說之取捨

孔氏認為何休之《公羊解詁》「體大思精，然不無承訛率臆」，於是乃就「何氏所據閒有失者，多所裨損，以成一家之言」。[40]《公羊通義》實際上是立足於《公羊解詁》之基礎上，於何休之說加以取捨之後，參照《春秋繁露》，再綜合文獻與前人之說以陳述己見的著述。阮元為此書作序之際，已指出其書與《解詁》相異者四：首先就在否定何氏「經書元年為託王於魯」之說。二為「三世」斷限之異，三為桓十七年經有夏無夏之意見不同，四為「三科九旨」內涵之異。要言之，孔氏所言之「三科九旨」，就存異之觀點論之，有其別裁在焉。但是如果以求同之角度，則孔氏並非不言「三科九旨」，唯其「三科九旨」之說，於傳統之說有所取捨，然後別立科目以圓融其說而已。就傳統的「三科九旨」言之，「存三統」、「張三世」、「異內外」三端，後二端皆係由傳文「三世異辭」、「《春秋》錄內而略外」，[41]「《春秋》內其國而外諸夏，內諸夏而外夷狄」[42]等說所演繹而出，皆非穿鑿。是以孔氏於「異內外」全承諸舊說；於「張三世」除易其斷限外；於何休所演繹出的「撥亂」、「升平」、「太平」三世之說雖不苟同，[43]但也認為《春秋》是孔子「因亂世之事」，「漸裁以正道」，以「致太平」之書。[44]唯有「存三

40 兩引參見阮元：〈春秋公羊通義序〉。

41 參見隱十年「六月壬戌，公敗宋師于菅。辛未取郜，辛巳取防。」條下《公羊傳》。

42 見成十五年《公羊傳》。

43 如哀三年「冬十月癸卯，秦伯卒。」《解詁》云：「哀公著治大平之終，小國卒葬極於哀公者，皆卒日葬月。」《通義》僅取小國以下為說，是為明證。餘不贅舉。

44 參見《通義》哀十四年「君子曷為為《春秋》？撥亂世反諸正，莫近諸《春秋》」

統」一端，有較大的差異。

1 否定《春秋》有新周、王魯之義，但不否定有「三統」

孔氏於經學受學於戴震，又師事莊存與，是以《公羊通義》解經之門徑，乃係以訓詁之基礎入手，然後就《公羊》家之眼光綜合文獻，抉擇經義。對於歷來不本於經傳推申之傳義，一概不取。認為：

> 方東漢時，帝者號稱以經術治天下，而博士弟子因端獻諛，妄言西狩獲麟是庶姓劉季之瑞，聖人應符為漢制作，黜周、王魯、以《春秋》當新王云云之說，皆絕不見本傳，重自誣其師以召二家之糾摘矣。（《公羊春秋經傳通義・敘》，頁180）

「黜周」、「王魯」、「以《春秋》當新王」皆係自漢代以來相傳《春秋》「存三統」之要義。「王魯」屢見於《解詁》，[45]是以《通義》在隱公元年「春，王正月」《傳》「君之始年」之下，從文字之訓解上明辨：「《爾雅》曰：『元，始也。』天子諸侯通稱君。古者諸侯分土而守，分民而治，有不純臣之義，故各得紀元於其境內。而何邵公猥謂『惟王者然後改元立號』，經書元年為『託王於魯』，則自蹈所云反傳違戾之失矣。」後，不再一一駁之。正為孔氏恪守訓詁之規範，不肯逾越之顯現也。

然而《經》於魯國君與夫人稱薨，諸侯曰卒；顯然與《傳》所闡明之「天子曰崩，諸侯曰薨，大夫曰卒，士曰不祿」不相符順。於是隱三年「八月，庚辰，宋公和卒。」條下，何休注：「不言薨者，《春秋》王魯，死當有王文，聖人之為文辭，孫順不可言崩，故貶外言卒，所以褒內也。」《通義》既不取「王魯」，故僅言：「《解詁》云：『不言薨者，貶外言卒，所以褒

《傳》下注。

45 如於隱元年三月傳「因其可褒而褒之」下，《解詁》云：「《春秋》王魯，託隱公以為始受命王，因儀父先與隱公盟，可假以見褒賞之法，故云爾。」又秋七月傳「仲子，微也」下，謂「《春秋》王魯，以魯為天下化首，明親來被王化漸漬禮義者，在可備責之域，故從內小惡舉也。」

內也。』」以「貶外褒內」為說。又屢誌諸侯朝魯，亦不能視而不見。是以隱十一年：「春，滕侯、薛侯來朝。」《傳》曰：「其言朝何？諸侯來曰朝，大夫來曰聘。」《解詁》云：「《春秋》王魯，王者無朝諸侯之義，故內適外言如，外適內言朝聘，所以別外尊內也。不言朝公者，禮，朝受之於大廟，與聘同義。」《通義》除刪去「《春秋》王魯，王者無朝諸侯之義」兩句外，餘皆引錄之，然後案曰：

> 《周禮》曰：「凡諸侯之邦交，歲相問也，殷相聘也，世相朝也。」《大戴禮記》曰：「諸侯相朝之禮，各執其圭瑞，服其服，乘其輅，建其旌旂，施其樊纓，從其貳車，委積之以其牢禮之數；君使大夫迎于境，卿勞于道，君親郊勞致館。及將幣拜，迎于大門外而廟受，北面拜貺，君親致雍。既還圭，饗食致贈郊送，所以相與習禮樂也。諸侯相與習禮樂，則德行脩而不流也。」朝例時。（〈卷之一〉頁十九）

以《周禮》與《大戴禮記》諸侯相朝之禮為說。但不取何氏「王魯」之見，卻用其「貶外褒內」與「別外尊內」之說；則所褒、所尊者魯也，所貶、所別者，諸侯也：則孔氏否定「王魯」之說，但並不反對《春秋》有「尊魯」之事實。

「微言」既為今文家「《春秋》學」之核心，承傳莊存與之孔廣森，必不得自外其說。故莊二十七年冬「杞伯來朝」，《解詁》云：「杞夏後，不稱公者，《春秋》黜杞，新周而故宋，以《春秋》當新王。」《通義》曰：

> 杞夏后氏之後，周初封公，未知何時降爵為伯，《春秋》因而不褒，又不為錄災異，與宋比者，亦將託新義為後法，有王者起，當在所黜也。《禮》曰：尊賢不過二代。（〈卷之三上〉，頁54）

雖不主「新周」，但取其「黜杞」為說，又謂「將託新義為後法」，則「以《春秋》當新王」之說，仍在孔氏義例之中耳。

又隱三年：「春，王二月。」《通義》先錄《解詁》曰：「二月、三月皆有王者：二月，殷之正月也；三月，夏之正月也。王者存二王之後，使統其正朔，服其服色，行其禮樂，所以尊先聖，通三統，師法之義，恭讓之禮，於是可得而觀之。」再陳述己見：

> 謹案：王者，謂文王也，而又以為通三王之正者，正朔三而改，文質再而復；先王治天下之大法，雖文王不是廢。周公制官禮，周之孟春謂之正月，夏之孟春謂之正歲；則存三統者，猶文王之意也。繼周而王者當反寅正，故顏淵問為邦，子曰：「行夏之時。」將作《春秋》以為後王法，顧不可更魯曆之月日，但可託其意於此。書王二月，若曰是文王所因地布教之月，後有以地統王者，宜取為正也；書王三月，若曰是文王所敬授人時之月，後有以人統王者，宜取為正也。且《春秋》奉周月，則春亦周王之春，然不曰王春正月而曰春王正月者，以三正不共春，施王於春上則存三統之義不顯。(〈卷之一〉，頁9)

細究之，孔氏仍以「三正」為「通三統之正」，主張有「《春秋》所託王者法」，豈非亦有改制之隱喻？自劉逢祿認為孔廣森以「素王之哲孫」，不肯用漢儒「三科九旨」之舊傳，「推其意不過以據魯、新周、故宋之文，疑于倍上」[46]之說後，魏源、蔣慶諸人，引申為「廣森治公羊取大義而棄微言，不言改制，硜硜以譏貶絕為事」，[47]然而劉氏於《通義》雖有微詞，仍然承認「孔君之書辟《春秋》當新王之名，而未嘗廢其實也」。觀乎此，孔氏之冤，可以明辨矣。

2 據「《春秋》所託王者法」說明《春秋》貶絕諸侯之法

莊十年：「秋，九月，荊敗蔡師于莘，以蔡侯獻舞歸。」《傳》云：「荊者何？州名也。州不若國，國不若氏，氏不若人，人不若名，名不若字，字不若子。」提出《春秋》錄夷狄國氏「七等」之別。何休《解詁》於「字不若子」下注云：「爵最尊，《春秋》假行事以見王法，聖人為文辭孫順，善善

46 見劉逢祿：《劉禮部集・卷三・春秋論下》，頁19。

47 見蔣慶：《公羊學引論・公羊札記》，頁394。

惡惡，不可正言其罪，因周本有奪爵稱國氏人名字之科，故加州文，備七等，以進退之。」《通義》於「荊者何？州名也」下曰：

> 漢南曰荊州，以州舉者，略之，若言荊州之蠻云爾，不詳別其國部意也。所傳聞之世，方內其國而外諸夏，蠻夷猶未及錄，故深略之。至所聞之世，內諸夏而外夷狄，荊始進稱楚。其吳初通尚國已在成公之末，故始見即得以國書矣。

又於「州不若國，國不若氏，氏不若人，人不若名，名不若字，字不若子」下謂：

> 謹案：此七等所以進退四夷，絀陟小國，極於子者，禮所謂東夷、北狄、西戎、南蠻雖大曰子之義也。是《春秋》所託王者法也。（〈卷三之上〉，頁44）

「《春秋》所託王者法」既已闡明，更據之以說明《春秋》行文上有進退諸侯之法。如隱元年「三月，公及邾婁儀父盟于眛。」《傳》云：「及者何？與也，會及暨皆與也。曷為或言會，或言及，或言暨？會猶最也；及猶汲汲也；暨猶暨暨也。及我欲之，暨不得已也。儀父者何？邾婁之君也。何以名？字也。曷為稱字？褒之也。曷為褒之？為其與公盟也。與公盟者眾矣，曷為獨褒乎此？因其可褒而褒之。此其為可褒奈何？漸進也。眛者何？地期也。」《通義》於「褒之也」下曰：

> 褒者，天子有慶于諸侯，加地進律之名。……《春秋》假天子之事，設七等之科，所善者進其號，所惡者降其秩。君子雖有其德，苟無其位，諸侯大夫之功罪，非匹夫得而議也。是故以文王之法臨之而黜陟焉。

又於「因其可褒而褒之。此其為可褒奈何？漸進也」下云：

> 《春秋繁露》曰：「氏不若人，人不若名，名不若字；凡四等：命曰

> 附庸。字者方三十里，名者方二十里，人、氏者方十五里。」郳婁於桓之篇稱人，《傳》曰：「夷狄之。」於此稱字，《傳》曰：「褒之。」進退相較，明儀父本在名等，《春秋》字之，若加封使從三十里國也。然非有所因，則褒文為空設；其後儀父至莊公之世實得王命為諸侯。故因其有，將進之，漸而褒之。若曰：苟以文王之法治，諸夏所封有親賢睦鄰如儀父者其可也。郳婁之進，自緣他事，因而褒之於此，則《春秋》之新義：《春秋》皆假事以託義者也，得其義則事可略也。（〈卷之一〉，頁5）

此所以進諸侯之例。

又僖二十三年：「冬十有一月，杞子卒。」《公羊》無傳，《解詁》以「黜杞」之觀點說明「杞子」之指涉，但稱謂又與前所引之莊二十七年冬「杞伯來朝」迥異，何氏「始見稱伯卒獨稱子者，微弱為徐、莒所脅，不能死位」之說並不足以解惑。《通義》未取其說，乃據「七等所以進退四夷」之義引《左傳》為解：

> 《左傳》曰：「杞成公卒。書曰『子』，杞夷也。」杜元凱曰：「成公始行夷禮以終其身，故於卒貶之。」廣森以為王者之封四夷，雖大曰子，故用夷禮者即以夷爵言之，左氏唯於杞見《春秋》有貶絕諸侯之法，得與《公羊》相證明。此既無傳，就取其說焉。（〈卷之四〉，頁79）

表明「杞伯」與「杞子」各有指涉：前者在明「通三統」之義，後者在斥杞用夷禮，即以夷爵貶絕之。此所以退諸侯之例。所謂「《春秋》無達辭，從變從義」，孔氏可謂善為解人矣。

3 「異內外」深得經傳之要旨

「異內外」既為《公羊》本有之傳義，孔氏更將之延引至相關之資料上，是以於宣十一年：「秋，晉侯會狄于欑函。」下，《公羊》無傳，《解詁》云：「晉侯往會之，故以狄為會主。欑函狄地。」未以「異內外」之觀點切入。而《通義》謂：

> 會文在狄上者，殊狄也。《傳》義見成十五年。(〈卷之六〉，頁111)

已經將之整合在「異內外」的體系之下。是以當成十五年「冬十有一月，叔孫僑如會晉士燮、齊高無咎、宋華元、衛孫林父、鄭公子鰌、邾婁人，會吳于鍾離。」條下，《傳》曰：「曷為殊會吳？外吳也。曷為外也？《春秋》內其國而外諸夏，內諸夏而外夷狄。王者欲一乎天下，曷為以外內之辭言之？言自近者始也。」《解詁》於「春秋內其國而外諸夏，內諸夏而外夷狄。」謂：「內其國者，假魯以為京師也。諸夏，外土諸侯也，謂之夏者，大揔下上言之辭也。不殊楚者，楚始見所傳聞世，尚外諸夏，未得殊也。至於所聞世可得殊，又卓然有君子之行。吳似夷狄差醇，而適見於可殊之時，故獨殊吳。」孔氏不取其說。《通義》曰：

> 楚亦夷狄，未嘗殊者，始見稱州，已外之矣。欑函亦殊會，始發傳於此者，因此會諸夏夷狄悉在，內外之文最明。(〈卷之七〉，頁126)

結合「七等」與「內外」，並指出發傳之緣由，「得一端而多連之，見一空而博貫之」，[48]可謂深得經傳之要旨。

又「言自近者始也」下，《解詁》云：「明當先正京師，乃正諸夏，諸夏正乃正夷狄，以漸治之。葉公問政於孔子，孔子曰：『近者說，遠者來。』季康子問政於孔子，孔子曰：『政者正也，子帥以正，孰敢不正。』是也。」

孔氏全錄之。並於其下案曰：

> 此《春秋》為後王大法建首，善自京師始，而四海之內，莫敢不正。……故所聞之世，始內諸夏；所見之世，始治夷狄。操之有本，推之有序，〈大學〉所謂「家齊而後國治，國治而後天下平」，其義然也。(〈卷之七〉，頁126)

---

48 見《春秋繁露．精華》。

闡明《春秋》三世異內外之精義，較諸何休，不遑多讓。

另襄二十三年：「夏，邾婁鼻我來奔。」《傳》曰：「邾婁鼻我者何？邾婁大夫也。邾婁無大夫，此何以書？以近書也。」《解詁》謂：「以奔無他義，知以治近升平書也。所傳聞世：見治始起，外諸夏，錄大略小，大國有大夫，小國略稱人。所聞之世，內諸夏，治小如大。廩廩近升平，故小國有大夫，治之漸也。見於邾婁者，自近始也。獨舉一國者，時亂實未有大夫，治亂不失其實，故取足張法而已。」孔氏雖不諱言三世，但既於何休「撥亂」、「升平」、「太平」之說並不苟同。故《通義》另行為說：

> 近者，所見之世也。入所見世，治法大備，將使遠近大小若一，小國始合有大夫。但盟會之等，載記闕略，不得周知，故還錄其接我者以見法。必見法於邾婁者，亦取治自近者始也。（〈卷之八〉，頁138）

蓋孔氏據其三世之斷限，所見世由襄公始，其說與何休迥異，亦無足怪。

4 「張三世」之斷限亦有其理據

於「三世」之義，既本於《傳》「所見異辭，所聞異辭，所傳聞異辭」之說推申，而以之為說的原因，《傳》或在說明隱公元年「十二月，公子益師卒」：「何以不日？遠也」，或在說明桓公二年「三月，公會齊侯、陳侯、鄭伯于稷，以成宋亂」；「內大惡諱，此其目言之何？遠也。」或在說明「《春秋》何以始於隱？祖之所逮聞也」；「何以終乎哀十四年？曰：備矣。」本並未有確指之斷限。自何休引董仲舒之說為《解詁》後，竟成定論。其實何休以前尚有異說，苟能「言之有故，持之成理」，皆可作為斷限之佐證。孔氏既認為何休《解詁》：

> 時有承訛率臆，未能醇會《傳》義。三世之限，誤以所聞始文，所見始昭；遂強鼻我于快，而季姬、季友、公孫慈之日卒皆不得其解。（《公羊春秋經傳通義・敘》，頁185）

欲「旁通諸家」，故於三世之斷限不取舊說。提出：

> 顏安樂以為襄公二十三年邾婁鼻我來奔，《傳》云：「邾婁無大夫，此何以書？以近書也。」又昭公二十七年邾婁快來奔，《傳》云：「邾婁無大夫，此何以書？以近書也。」二文不異；同宜一世。故斷自孔子生後即為所見之世。廣森從之。所以三世異辭者，見恩有深淺，義有隆殺。所見之世，据襄為限；成、宣、文、僖四廟之所逮也。所聞之世，据僖為限；閔、莊、桓、隱，亦四廟之所逮也。親疏之節，蓋取諸此。
>
> 凡大夫卒日者，主為恩痛錄之。所傳聞世恩殺，恆不日；彄、牙之日，有故焉爾。所聞世恆日；惟得臣、仲遂以罪不日。至于所見之世，雖有罪皆日卒矣。董仲舒曰：「於所見微其辭，於所聞痛其禍，於傳聞殺其恩，與情俱也。」（〈卷之一〉，頁7）

陳述己見後，再隨文而演繹：是以於僖十六年《經》「三月，壬申，公子季友卒。」「夏，四月，丙申，鄫季姬卒。秋，七月，甲子，公孫慈卒。」之下謂：

> 此三喪，皆日決，僖公為所聞世審矣。（〈卷之四〉，頁75）

又於襄二十三年《傳》「以近書也」下申其所見世之論點，已見前引。不可謂其說無理據在焉。

是知「黜周、王魯、新周」一科三旨雖為孔氏所否定，然就解經之內文觀之，孔氏未嘗不言《春秋》「託新義為後法」、「將作《春秋》以為後王法」。此外，「張三世」與「異內外」雖不在孔氏所立「三科九旨」之中，仍目言之。豈可謂《通義》一書不及「微言」耶！

五　論「譏世卿」

在「三科九旨」外，《春秋》尚有可以為後王法者。

隱三年：「夏，四月，辛卯，尹氏卒。」《傳》云：「尹氏者何？天子之大夫也。其稱尹氏何？貶。曷為貶？譏世卿。世卿，非禮也。」

於「譏世卿」條下，《解詁》謂：「世卿者，父死子繼也。貶去名者，氏者，起其世也，若曰世世尹氏也。」又於「世卿，非禮也。」下云：「《禮》：公卿大夫、士皆選賢而用之。卿大夫任重職大，不當世，為其秉政久，恩德廣大。小人居之，必奪君之威權，故尹氏世，立王子朝；齊崔氏世，弒其君光，君子疾其末則正其本。見譏於卒者，亦不可造次無故驅逐，必因其過卒絕之，明君案見勞授賞，則眾譽不能進無功；案見惡行誅，則眾讒不能退無罪。」

「譏世卿」既為《公羊》之要義，屢見於傳文，孔氏亦不得沒其說。故《通義》全錄《解詁》後曰：

> 謹案：周之命官，或曰人，或曰師，或以掌司典職冠所事，唯世其職者乃曰氏。然三百六十之屬，以氏名者財四十有四；而其位，貴者不過中大夫。則知卿之義不得世也。古者有世祿無世卿。世祿，故故舊不遺；不世卿，故選不失賢。（〈卷之一〉，頁10）

更為之補述不世卿之緣故。

又宣十年：「己巳，齊侯元卒。齊崔氏出奔衛。」《傳》云：「崔氏者何？齊大夫也。其稱崔氏何？貶。曷為貶？譏世卿，世卿非禮也。」

於「譏世卿，世卿非禮也」條下，《解詁》謂：「復見譏者，嫌尹氏王者大夫，職重不當世，諸侯大夫任輕可出也。因齊大國禍著，故就可以為法，戒明王者，尊莫大於周室，彊莫大於齊國，世卿猶能危之。」

《通義》全錄《解詁》後：

> 謹案：《穀梁傳》云：「氏者，舉族而出之之辭也。」《廢疾》曰：「即稱氏為舉族而出，尹氏卒寧可復以為舉族死乎？」（〈卷之六〉，頁110）

更錄何氏《廢疾》之說，以鞏固《解詁》「譏世卿」之論點。在在可證，孔氏之書，於「大義」之外，並及「微言」，未嘗偏廢。

六　結論

蔣慶認為孔氏治《公羊》「知守漢人家法」，「於《春秋》義例多所發明，其功不小也。唯三科九旨一條，廣森避而不用」，「治公羊只知孔子有譏刺抑損之大義名分，不知孔子有新周、故宋之口說微言」。[49]蔣氏所主張的《公羊》口說主要包括八個方面：「張三世說、通三統說、《春秋》新王說孔子為王說、孔子改制說、《春秋》王魯說、天子一爵說、天人感應說」。[50]就前文所舉出之資料觀之，除「天人感應」未曾言及外，[51]孔氏不取者，僅「孔子為王」、「《春秋》王魯」、「天子一爵」三者耳。其書雖以漢學訓詁之方式入手，然屬其辭，比其事，疏通三傳所誌之事與義，務推經意之微旨。豈得囿於門戶之見，斥之不傳微言耶？

其書謹守《公羊》學之框架，以臧否《穀梁》與《左傳》，既未抹殺今古文之界限，所欲出入者，更非「誤區」。由於孔氏別立「三科九旨」之條目，另闢蹊徑，不失為《公羊》學一家之言。謂之「不守家法」則可，但絕非「不明家法」。廖平指出，於《公羊》之絕學，清代通裁代出：「劉、陳同道，曲阜異途；從違雖殊，門戶猶昔」；[52]態度公允。陳柱（1891-1944）《公羊家哲學·傳述考》中將《公羊通義》列為首開清代《公羊》學之正傳，信而不誣。

但孔氏雖不主「王魯」，卻同意《春秋》行文有「尊魯」之事實。認為「以《春秋》當新王云云之說，絕不見本傳」，但又以為《春秋》「將託新義為後法」。是知即使諱言《春秋》「王魯」，「以《春秋》當新王」，而其精髓仍在孔氏義例之中，不可廢耳。足見《公羊》學亦有其不可跳脫之框架。

---

49 見《公羊學引論·公羊札記》，頁394。

50 見《公羊學引論》，頁69。

51 孔氏言災異多引《漢書·五行志》為說。

52 參見《何氏公羊解詁三十論·自敘》。

英譯左傳：十年歷程回溯*

杜潤德**

美國奧勒岡大學東亞系教授

十年前，我成為英譯新的、完整版本《左傳》團隊的一員。團隊中另外兩位成員分別為哈佛大學的李惠儀（Li Waiyee）教授和加州大學洛杉磯分校（University of California at Los Angeles）的史嘉柏（David Schaberg）教授。翻譯的進程比我們原本計畫的要慢，一部分是因為《左傳》翻譯出現許多困難，還有一部分原因是我們在各自的大學中都有繁重的教學及行政管理工作。我很高興地宣布這個翻譯項目已快要接近尾聲。華盛頓大學出版社（The University of Washington Press）現在有整部手稿，並且正在協助我們完成最後的校對。譯本計畫將於二〇一四年出版。儘管我們三人都很享受翻譯《左傳》的工作，當這個項目，用英文來說「終於離開書桌」（off the desk）時，我們也舒了口氣。

《左傳》完整的英文翻譯已經有兩個版本，一個是英國傳教士學者理雅各（James Legge, 1872）的翻譯，還有一個是胡志揮（1996）帶領的中國學者團隊的翻譯。[1]大家可能會問為什麼我們在另一個英譯版本上花那麼多精力，特別是還有一些早期中文文獻，例如《國語》、《周禮》、《晏子春秋》依然沒有完整的英文譯本。從某種角度來講，這個問題顯得有些奇怪。我能夠

---

* 王弦翻譯。

** Stephen Durrant

1 Legge, James, trans., *The Ch'un Ts'ew with the Tso Chuen*, Vol. 5, The Chinese Classics. (1872, Reprint, Hong Kong: Hong Kong University Press, 1895. Hu Zhihui〔胡誌揮〕, et. al., trans., *Zuo's Commentary* (Changsha: Hunan Press〔湖南出版社〕, 1996).

在網上買到十種不同譯本的希羅多德（Herodotus）中的任何一種。而希羅多德這位被稱為「西方史學之父」（father of Western history）在希臘的生活時間與所推測的中國的史官、學者不斷進行闡釋並最終形成《左傳》的時間為同一時期。但是從一開始就沒人會阻攔希臘學者對希羅多德進行另外一個版本的翻譯——尤其是如果有一個著名的出版社承諾將出版它。許多西方學者會說，「希羅多德寫出了偉大的作品，為什麼不盡可能多地翻譯他，這樣每種新的譯本可以帶來新鮮的角度和洞見。」《左傳》之於中國文化肯定是與希羅多德之於希臘文化同等重要的。難道英文讀者不能擁有像了解古希臘那樣方便的渠道去了解古代中國？而且我還想說，如果《道德經》值得有大約六十種英譯本，難道《左傳》的英譯本不能有第三種麼？

儘管如此，請允許我對於為何重新翻譯《左傳》是很有價值的工作做出一個不那麼具有爭議性的解釋。理雅各的翻譯非常好，即便我們的翻譯出版後，他的版本將來也應該繼續被使用。然而理雅各維多利亞式的英文（Victorian English）有時對於現在的讀者來說過於陌生，並且香港大學出版社出版他的譯本從排版上來說，使用起來比較困難——雖然網上對於這一譯本的編排改善了這一狀況。另外，從十九世紀中期理雅各著手翻譯以來，出現了很多更為優秀的《左傳》研究。事實上，這些優秀的研究對於一個新的譯者來說，多到難以取捨的程度——這也是我之後要講到的一個話題。中國一九九六年的英譯本最早在湖南出版，這個版本很依賴理雅各的翻譯，而且遺憾的是，它沒有提供足夠的解釋或註釋。就好比這些翻譯者在說：「這就是《左傳》。沉下去或者學會游泳！」（Here is Zuozhuan. Sink or swim!）我們覺得大部分並不專業的讀者面對這一譯本時，會沉下去。這一譯本也應該繼續被使用並作為參考，但我們相信那些並非古代中國專家的英文讀者閱讀《左傳》需要比中國英譯版所提供的幫助更多。

我們新譯本的目的說起來很容易，但是做起來卻相當困難：我們想要讓這一中文經典為更多的英文讀者所接受。當然，我們必須面對現實，像《左傳》這樣大部頭又複雜的文獻，尤其是它的源頭文化迄今為止在英文世界中很隔離，它不可能成為暢銷書，也不可能（嘆息！）使疲累的翻譯者銀行戶頭裡的錢有所增長。但是我們可能可以吸引到古代中國專家這一圈子以外的讀者，比如那些學習籠統的歷史的、比較文學的，還有那些想要學習這種非常重要的古代文化的學者——他們反正也應該讀一讀《左傳》的中文原文。

如果我們的目的是讓《左傳》對於英文讀者來說更加容易接受，更加吸引人，那麼清晰而流暢的英文翻譯風格是必須的。如同我們在譯本的前言中所說的：「《左傳》以語言簡潔出名，極度戲劇化的場景也濃縮在幾個字裡。」沒有一個英文翻譯，特別是之前的英文翻譯，可以完全捕捉到《左傳》的凝煉之美和力度。例如說，齊桓公的成就非常簡明地在閔公二年九月（Lord Min 2.9）中總結為八個字（音節）：邢遷如歸，衛國忘亡。我們的英文翻譯，儘管已經盡力，聽起來還是虛弱，同中文原文相比缺乏力道：「For Xing to be relocated was like a return, and the domain of Wei forgot its destruction.」我們嘗試捕捉《左傳》簡明而強烈的語言風格，而失敗的例子還有很多。實際上，《左傳》中很多事件都以非常簡潔的方式呈現出來，對於英譯者來說，去填充空白，將翻譯變為一種解釋往往比像一面鏡子一樣反映文獻來得更吸引人，雖然這樣對原作來說並不完美。例如衛宣公，他已經將他死去父親其中一位夫人納為己有，又在齊國給自己兒子尋覓了一位妻子，當他發現這名女子很漂亮時又霸佔了她。我們僅僅被告知：「夷姜縊。」英譯在此傾向於具有闡釋性，甚至可能稍稍帶有心理分析傾向——這並非典型的《左傳》風格：「Yi Jiang, filled with chagrin at her lord's behavior, hanged herself.」這種翻譯因為將原文中隱含的意思用語言表達了出來，所以可能對英文讀者很有幫助，但是這也可能扭曲了中文原文中很重要的風格特點。這並不代表我們會避免在我們覺得英文讀者需要幫助的地方進行闡釋，只不過我們將這些解釋要嘛放在腳註裡，要嘛放在可能是更重要的，我稱之為題註（headers）的地方。

十二個《春秋》／《左傳》中的每一位「公」——隱公、桓公、莊公等等之前都會加註一則引言概括這個部分主要的話題。另外，很多單則《左傳》故事在本版翻譯之前會有題註，我們試圖標明同一序列事件中前面出現過的和後面出現的故事。在這些題註中，我們嘗試指出重複出現的主題和人物——例如聰明的野蠻人、謙遜的勸導者、用謎語進行交流等等。這使得我們的譯本既可以連續地讀，也可以跟著一系列相關聯的故事跳躍著讀。眾所周知，後面一種閱讀方式在中國很普遍，從宋代開始就有好幾種對《左傳》的重現是將相關聯的故事方便地組合在一起的。[2] 以下是從我們的譯本中好幾百個題註中選取出的兩個典型例子。

一、僖公十年三月之前的題註中，申生的鬼魂出現了：晉惠公夷吾無禮，激怒了他同父異母的弟弟申生的鬼魂，申生的鬼魂顯身於晉國大夫狐突（關於申生的死，參見僖公4.6）。狐突平息了申生鬼魂的怒火，晉國的領地因此得以保存，但是申生得到上天的承諾：夷吾將在韓原被打敗。這一承諾預示了夷吾最後的失敗（僖公15.4）。

二、宣公二年一月之前的題註是關於鄭國和宋國交戰：宋、鄭兩國交戰，並分別與晉、楚結盟。宋國再次與戰爭中不切實際的行為和不明智的榮譽感聯繫在一起（更早的例子參見僖公二十二年八月）。宋國大夫華元因為拒絕給禦者羊肉而被抓獲。這是《左傳》中許多關於「食物」的故事中的一個。接受或拒絕食物在宣公2.3b，4.2和襄公28.9中起到了決定性作用。

儘管我們對幫助更多的英文讀者閱讀、理解和欣賞《左傳》做出了很大的努力，我們依然感覺在這個工作上花的時間越多，對於我們是否有能力完全達到我們原本的目標越產生懷疑。但是我相信作為學者，我們有責任向更多的讀者，而不是只向彼此傳遞信息。如果中文經典是有價值的——當然，它們大部分絕對是很有價值的——它們應該讓所有人都可以獲得。雖然翻譯並不能讓所有能夠閱讀中文原文的讀者滿意，但它還是必需的。

那麼我們是怎樣進行我們的工作呢？在我著手這個項目之前，我先詢問了我的一位老師，已故的羅傑瑞（Jerry Norman）教授的意見。羅傑瑞教授

---

2 現存最早依據事件組織而成的（紀事本末體）中文歷史著作是袁樞的《通鑒紀事本末》，這本書是對《資治通鑒》的重寫。葉清壓的《春秋纂類》比袁樞的著作早了超過一個世紀，是在《左傳》的基礎上按紀事本末體原則書寫，可惜已經失傳（沈玉成、劉寧：《春秋左傳學史稿》，頁244）。之後還有許多例子。比如高士奇的《左傳紀事本末》。

是個非常講求實際的人，而包括我在內，很多教授都不是這樣。我告訴了他我翻譯《左傳》的渴望以及面對堆積成山的中文註解和評論性研究的憂慮。他給了我兩個非常重要的建議，我來轉達這兩個建議，不僅僅是為了幫助大家更好地理解我們是如何工作的，也是給其他將來的翻譯者有益的指導。

首先，羅傑瑞教授說，要認清自身在能力上和時間上的限制。簡單來說，完成一項工作唯一的方法是要知道什麼時候停下來，換句話說，是要考慮到自身的強項和弱點，建立一套在可利用的時間和資源內能夠讓你完成這項工作的方法體系。理雅各的翻譯始終如一地反映了杜預的註解，這對於一位在十九世紀中葉的翻譯者來說可能是個很好的選擇。我們決定追隨楊伯峻的註解，同時也不斷參考竹添光鴻[3]。我們認為這兩位學者在早前的研究和註釋中是相當強大。我們偶爾也參考其他中文註釋和研究，這些在我們的手稿中都有指明，但是楊伯峻和竹添光鴻是主要的指導來源。我們也用了早前的譯本，比如理雅各、胡志揮的英譯版；顧賽芬（Couvreur）的法文版；沈玉成和李宗侗的現代漢語版；竹內照夫的日文版；有些地方用了十七世紀滿洲語譯本。[4]我們知道還有很多有價值的著作我們沒有用到，但我們沒有放慢出版的速度（儘管已經很慢了），而是選擇像羅傑瑞教授建議的那樣，結束這一工作。

---

3 Yang, ed（楊伯峻）. and annotator, *Chunqiu Zuozhuan zhu*（春秋左傳註）, 4 vols. (Revised ed., Beijing: Zhonghua, 2000). Takezoe, ed. and annotator, *Saden Kaisen* （左傳會箋）(1912, Reprint ed., Taipei: Fenghuang, 1961).

4 Watson, Burton, trans., *The Tso Chuan* (New York: Columbia University Press, 1989). Couvreur, Séraphin, trans., *Tch'ouen ts'iou et Tso tchouan, la Chronique de la principauté de Lou* (Paris, Cathasia [impr. de Bellenand], 1951). Shen Yucheng（沈玉成）, trans., *Zuozhuan yiwen*（《左傳譯文》）(Beijing: Zhonghua, 1981). Li Zongtong 李宗侗, trans., *Chunqiu Zuozuan jin zhu jin yi*（春秋左傳今註今譯）(Taipei: Shangwu, 1972). Takeuchi, Teruo 竹內照夫, trans., *Shunjû Sashiden* 春秋左氏傳 in *Chûgoku koten bugaku zenshû*（《中國古典文學全集》）, vol. 3 (Tokyo: Heibonsha, 1958). Bauer, Wolfgang, ed., *Tsch'un-ts'iu. Mit den drei Kommentaren Tso-tschuan, Kung-yang tschuan und Ku-liang-tschuan in mandschuischer Übersetzung.* Mit einem Vorwort von Erich Haenisch (Wiesbaden: Deutsche Morgenländische Gesellschaft / Franz Steiner, 1959).

第二點，羅傑瑞教授說過，應該多聽批評意見，但是要記住，翻譯總是做起來很難，批評起來卻很簡單。我現在從自身經驗中更懂得了這一點。我在早期職業生涯中寫過一些關於翻譯的評論，我現在希望我從沒做過這些。批評對於我們大家是很有幫助的，但是翻譯是一項在某種程度上總不那麼令人滿意的研究工作。任何一位勤奮的讀者在翻譯中都能輕易找到問題和不足。大量優秀的批評家已經閱讀過我們的手稿，我們也吸取了很多他們的建議。我尤其得益於在臺灣度過的一個學期（2011春季學期），也感謝國立臺灣大學的同仁和朋友對我們這項工作給予的慷慨幫助和評論。但我們的翻譯在某些方面還是會留有爭議，我們為此負責。我想簡單討論一下這些有爭議的部分：首先是我們對特定人名的處理；第二是我們對一些名詞術語的翻譯與前人在某種程度上有所不同；第三是我們決定用相互參照和下畫線標註的系統和方法來標明《春秋》和《左傳》的關係。

經一位學者統計，《左傳》中出現了二七六七個人的人名。[5]此外，依據非常複雜的命名系統，書中很多人還有其他好幾個名字。這一特點可能對於熟練的中文讀者來說都是一種對記憶力的挑戰，對那些完全不懂中文，連最簡單的中文名字都覺得難以發音，也不可能記住的英文讀者來說沒有讓他們想要自殺，也讓他們絕望了。可惜的是，並非所有文本上的困難都可以被移除。我們不可能減少出現在文本中的人物，也不傾向於給讀者提供像「Sir Jade」（子玉），「Sir Cultural Pattern」（子文）那樣令人難忘的英文名字。正如我們在引言裡解釋的那樣：對於各種名字的保留是中文古籍經典中的一個特色，在翻譯中也要不可避免地反映出來。然而，華盛頓大學出版社的總編輯要求我們在譯文中對每一個人選擇一個名字貫穿始終。儘管我們最初反對這一要求，現在我卻覺得總編做了個正確的決定。追隨這一原則的確遮蔽了原文中一個非常重要的特點。我們都知道《左傳》中人物在這個地方被叫做這個名字，在別的地方又被叫做另外的名字是有其原因的。當然，中文讀者很容易看到中文人名對照——我們將要出版的譯本是左邊一頁為中文，右邊一頁為英文。但是那些只懂英文的讀者怎麼辦？況且這一譯本是想要為他們

5 Cheng Faren（程發軔）, *Chunqiu renpu*（《春秋人譜》）(Taipei: Shangwu, 1990), 4.

服務的。一方面，我們應總編的要求統一了名字，另一方面，我們也增加了註釋和人名索引系統，以便於忍不住好奇的英文讀者查找中文文獻中所用的人名變體。我們利用許多中文資源將《左傳》中詳盡的人名做了一個索引，其中給出了所有的人名變體。與其進一步討論我們對個人名字的處理，不如讓我用一個具體例子演示一下這一索引是如何運作的。在「宣公四年」裡，我們將其中很有名的一節翻譯如下：

> The leaders of Chu presented a large turtle to Lord Ling of Zheng. Gongzi Song and Gongzi Guisheng[a] were about to have an audience with the lord. Gongzi Song[a]'s index finger moved involuntarily. He showed it to Gongzi Guisheng[a] and said, "On other days when my finger did this, I always without fail got to taste something extraordinary." As they entered, the cook was about to cut the turtle apart. They looked at each other and smiled. The lord asked why, and Gongzi Guisheng[a] told him. When the lord had the high officers partake of the turtle, he called Gongzi Song[a] forward but did not give him any. Furious, Gongzi Song[a] dipped his finger into the cauldron, tasted the turtle, and left. The lord was so enraged that he wanted to kill Gongzi Song[a]. Gongzi Song[a] plotted with Gongzi Guisheng[a] to act first. Gongzi Guisheng[a] said, "Even with an aging domestic animal, one is reluctant to kill it. How much more so then with the ruler?" Gongzi Song[a] turned things around and slandered Gongzi Guisheng[a]. Gongzi Guisheng[a] became fearful and complied with him. In the summer, they assassinated Lord Ling.

> 楚人獻黿於鄭靈公。公子宋與子家將見。子公之食指動，以示子家，曰：「他日我如此，必嘗異味。」及入，宰夫將解黿，相視而笑。公問之，子家以告。及食大夫黿，召子公而弗與也。子公怒，染指於鼎，嘗之而出。公怒，欲殺子公。子公與子家謀先。子家曰：「畜老，猶憚殺之，而況君乎？」反譖子家。子家懼而從之。夏，弒靈公。

這一段中，中文文獻一開始用的是公子宋的名，之後用他的字「子公」。在整段中文文獻中，公子歸生用的是他的名「子家」。大家會發現我們在英譯中改為一直用「公子宋」和「公子歸生」。我們在有對原文做修改的地方加了 a 作為標註。這些地方可以參考人名索引，並找到以下兩個條目：

> **Gongzi Guisheng** 公子歸生. Zheng. a. Zijia 子家. Also, Guisheng 歸生. Wen 2.6, 13.5, 17.4, Xuan 2.1(C), 2.1, 4.3(C), 4.2. 10.13.
>
> **Gongzi Song** 公子宋. Zheng. a. Zigong 子公. Xuan 4.2, 7.4.

有些人可能同意我們將人名規範化的做法，但不同意我們選擇的特定人名。「子家」和「子公」在《左傳》中用得比「公子歸生」和「公子宋」要多，那麼為什麼我們把他們的名字分別統一為「子家」和「子公」呢？我們相信在這個例子，還有其他許多例子中，名具有提示文本聯繫（家庭關係，和居於統治地位家族的聯繫）的優勢，而且對於英文讀者來說也更特別一些。我們覺得那些以「子」加上 X 為結構的字對於英文讀者來說容易混淆。因此在這個譯本中，我們大多數時候（但也不全都是）選擇名而不是字。

我們的譯本中第二個肯定會受到爭議的一點是我們翻譯一些名詞術語的方法。最典型的例子是我們對於等級的處理。如果大家仔細閱讀上面的英文翻譯，你可能會發現我們將鄭靈公譯為「Lord Ling of Zheng」。眾所周知，在其他地方，鄭國的統治者被稱為鄭伯（我們將鄭伯譯為「the Liege of Zheng」），譬如《春秋》中很有名的故事：「鄭伯克段於鄢」（隱公1.3）。鄭國統治者的級別通常為「Liege」（伯），儘管所有的統治者謚號都為「Lord」（公）。但是這一例子引出了兩個問題：第一，有些統治者，比如宋國的統治者在逝世之前就有「公」的名號；第二，「伯」現在在英文中自動被翻譯為「earl」（伯爵），那麼我們為何要用一個有些模糊難懂的詞「Liege」呢？這引出了中國古代等級中所有困難的問題——我將它稱為「公侯伯子男」難題。

傳統的做法是將中國古代五個等級「公侯伯子男」分別譯作 marquis、earl、count 和 baron。這樣的英文術語將讀者引入了中世紀歐洲封建社會，傳達了一種在早期中國古代並不具有的清晰的等級制度和秩序的觀念。儘管

《左傳》中的篇章表明這些術語並非混亂而無意義的，但陳槃有說服力地證明過，它們的運用在書中也不具有一致性。[6]正因為如此，我們將五個等級譯為 duke、prince、liege、master 和 head。

像我上面所提到的，這些名詞術語中第一個，「公」，並不是用在宋國和虢國這樣領地的統治者身上，而是更普遍地用於每個統治者死後表示尊敬的稱呼。所以《左傳》不是以十二位魯國「dukes」，而是以十二位魯國「lords」為中心組織起來的。在《左傳》中，每一位都用他的謚號（隱、桓、莊、閔等等）加上尊稱「公」來指稱——這就被理解為是普遍用於敬稱的「lord」。這可能有些費解。比如當一位特定的「宋公」（Duke of Song）死後被埋葬，用一個具體例子來講，他就被稱作宋穆公（Lord Mu of Song）。因為每位統治者死後有了謚號，都被稱為「Lord」，所以「公」在第二種情況下有著不同的翻譯。同樣一個「公」字，也常常被用於談論還活著的統治者或者與其對話時。《春秋》裡，並未明確指稱的「公」指的總是魯國公（the Lord of Lu）。在這些情況下，我們一般翻譯為「our lord」，以提醒讀者《春秋》是魯國文獻，整本書也是從魯國的角度作敘述。但是就《左傳》來說，如果指的是魯國統治者，我們就將並未明確指稱的「公」翻譯為「our lord」，如果指的是其他領地統治者，我們就簡單翻譯為「the lord」。我們譯本的這一特點原意是幫助讀者閱讀理解，但也造成了《左傳》是以魯國角度書寫的感覺——這種角度在原文中並不明顯——可能無法準確地反映原文。[7]另外，有些特定的周朝官員也被稱為「公」。為了把他們和領地的統治者相區分，我們翻譯他們的名字時就沒有用所有格。例如，Liu Kang Gong 劉康公被譯為 Liu Duke Kang，而不是 Duke Kang of Liu。

考慮到《左傳》和《春秋》錯綜複雜的關係，我們譯本有了第三個可能

---

6 春秋大事表列國爵姓及存滅表譔異, 1.5b-10a. 楊伯峻也曾質疑過等級系統的嚴整性（p.294）。更多的研究參见 Li Feng's article in Kuhn, *Perceptions of Antiquity in China's Civilization*, 103-34.

7 對於《左傳》起源於哪個領地這個問題有很多看法，我們在此問題上沒有定論，在我們的譯本中也考慮了多種不同的理論看法。

引起爭議的地方。我們都知道從杜預開始，《左傳》被大體整理為之前文獻的註釋評點。至少從張素卿的重要研究之後，少有人懷疑大部分《左傳》的敘事確實發展成為了對於《春秋》的擴展性詮釋。[8]但是據我們所知，《左傳》的很多部分遠遠超出了《春秋》的範疇，有時出現的材料與《春秋》的任何一則故事都沒有明顯關係。這裡有爭議的地方，並不適合我去解決兩個文本的確切關係這一長期存在的問題，這個問題涉及到去解釋《左傳》的形成。為了此一譯本的目的，我們決定強調《左傳》和《春秋》的聯繫。這將取悅了那些希望我們的譯本反映傳統的《左傳》理解的人感到高興，也會讓那些認為我們應該對原汁原味的《左傳》或多層次的文本進行重建的人感到不滿。我們對後者的研究價值沒有任何質疑，但後者並非我們作為譯者在這項工作中首要強調的問題。

如上所述，我們在譯本中嘗試喚起大家對《春秋》和《左傳》聯繫的注意。為此，我們做了兩方面努力。第一，在特定的《春秋》條目和《左傳》條目有緊密聯繫的地方，我們在括號內標明了相應條目的數字。因此，第一則《春秋》條目隱公3被寫作3.1(2)，這是暗示與此對應的《左傳》條目為下面的《左傳》3.2。反過來說則應該被標為3.2(1), 這樣就指出前面所對應的《春秋》條目。如果條目括號裡沒有數字，則說明條目在另外一個文本中沒有對應項。第二，在《左傳》篇章中，如果文字上與一則《春秋》條目緊密對應，我們在那部分《左傳》譯文下用下畫線示意。下面舉出《春秋》的前兩則和《左傳》相對應的條目為例。

隱公1 （722 B.C.）

《春秋》

1.1(1) The first year, spring, the royal first month. 元年春王正月。

1.2(2) In the third month, our lord and Zhu Yifu swore a covenant at Mie. 三月，公及邾儀父盟於蔑。

---

8 尤其參見張素卿：《敘事與解釋：《左傳》經解研究》(臺北市：書林出版公司，1998年)。

•（接下來是其他《春秋》條目）

《左傳》

1.1(1)The first year, spring, the royal Zhou first month: the text does not record that he acceded because he was acting as regent. 元年春，王周正月。不書即位，攝也。

1.2(2)In the third month, our lord and Zhu Yifu swore a covenant at Mie: Yifu was Ke, the Master of Zhu. But he did not yet have the king's appointment. For this reason, it does not record his rank. That the text says "Yifu" is to honor him. Being in the position of regent, our lord wanted to seek good relations with Zhu. He therefore swore the covenant of Mie. 三月，公及邾儀父盟於蔑，邾子克也。未王命，故不書爵。曰「儀父」，貴之也。公攝位而欲求好於邾，故為蔑之盟。

對於這一譯本的這些特點，我們必須提醒大家注意：雖然《左傳》和《春秋》的對應關係往往很明顯，但有時也會有爭議，需要大家的主觀判斷。我們力求保持譯文的一致性，但細心的讀者仍然可能發現一些我們標記了的段落是他／她們所不認同的，或是認為我們沒有標記一些對應的段落。

關於我們的譯本我還有許多要說的，但終究有那麼一刻，譯者應該保持沉默，讓評論者說話。在沉默之前，我想戴上我人文主義的帽子（humanist cap），簡單討論一下我這些年與《左傳》朝夕相處學到的一點東西。

無論對於我們這樣來自西方的，還是對於來自中國的人，孕育《左傳》的文化環境都是離我們很遙遠的。這一文本的作者（們），就算他們再敏銳、再聰慧，也不可能想像出今天我們所生活的世界。同樣，我們也不可能完全理解他們的世界。我們對古代世界（早期中國世界）研究得越多，我們可能更理解《左傳》，但是過去不可能完全被恢復，我們在一定程度上還會陷在我們自己的時代裡。儘管如此，我認為這一古代中國文學作品在很多重要方面給我們以啟迪。對於我來說，《左傳》中最重要的教導之一是這個世界是由各種符號、徵兆（sign）組成的，聰明的人可以也應該去閱讀這些徵兆。有時候這些徵兆在一頁紙上被寫成微妙的文字，部分《左傳》還是對隱藏於《春秋》語言中「褒貶」的直接評論。有些徵兆可以通過人物說話的語氣或神態來識別。還有一些體現在姿勢或其他行為方式裡的徵兆。在一個又一個的事件中，《左傳》都說明了這些。讓我舉一個大家一定都知道的例子：

> 十三年，春，楚屈瑕伐羅， 伯比送之。還，謂其御曰：「莫敖必敗，舉趾高，心不固矣。」遂見楚子，曰：「必濟師！」楚子辭（桓公13.1）

之後的事情證明鬬伯比對屈瑕姿勢的解讀是正確的，楚武王沒聽從他的建議是錯誤的。但是這段故事並沒有結束。楚武王夫人鄧曼同樣有著察覺並理解徵兆的能力，這表現在她向楚武王解釋鬬伯比建議加強軍隊的真正用意時：

> 入告夫人鄧曼。鄧曼曰：「大夫其非眾之謂，其謂君撫小民以信，訓諸司以德，而威莫敖以刑也。莫敖狃於蒲騷之役，將自用也，必小羅。君若不鎮撫，其不設備乎！夫固謂君訓眾而好鎮撫之，召諸司而勸之以令德，見莫敖而告諸天之不假易也。不然，夫豈不知楚師之盡行也？」楚子使賴人追之，不及。

鬬伯比真的有通過屈瑕走路的姿勢預見未來的神力嗎？鄧曼真的能夠洞察鬬伯比話語後隱藏的含義麼？這段文字是在事情水落石出之後寫的，所以可能很容易找到或創造一些暗示去對不可避免出現的結果做出提醒。但是爭論事情的發生是否像《左傳》所寫的那樣會錯過我的重點。這段文字還有其他一些出現在《左傳》的篇章告訴我們世界是由一些小的，往往是對於未來發生事件微妙的暗示、徵兆所組成的。我逐漸相信《左傳》中傳達的一個很重要的訊息，簡單來說就是專注，密切注意自己和其他人的言行。如果你能做到這點，你對事情的進程就不會覺得那麼驚訝，你在面對往往隱藏在當下時刻的未來有更充沛的準備。面對這個我們邊走路邊聽 ipod，一直盯著手機看朋友新發來的短訊的年代，《左傳》的世界可以成為對我們所失去的東西的一個提醒。如果我們聽取《左傳》的忠告，密切關注這個世界上環繞我們周圍的種種跡象、徵兆——也是關注我們自己和他人的一種方式——我們還可能追回所失去的。「睜開你的雙眼，去看這個世界，去讀這個世界。」（Lift up your eyes, look at the text that is the world, and read.）這似乎是《左傳》想要告訴我們的。這也是《左傳》這一偉大的作品傳達出的訊息中很打動我的一個。我們所面臨的挑戰是去保持古典作品的活力，這不僅僅是將它們作為研究對象，而是將它們視為可以通過不斷地解讀、再解讀，把其中那些有力量的訊息傳遞給如今生活在完全不同世界的人們。

程頤《論》、《孟》經解對先秦儒家仁、聖概念之詮釋*

齊婉先

暨南國際大學華語文教學碩士學位學程助理教授

一　前言

「仁」、「聖」乃儒學傳統中兩個極其重要且深具代表性意義之關鍵概念，「仁」之意涵由儒學開創者孔子（551-479 B.C.）提出，是建立儒家思想體系之核心價值概念；「聖」之理想是儒學傳統中樹立人格最高典範、推崇道德精神實踐之主要概念。孔子嘗自言「若聖與仁，則吾豈敢」，[1]可見「仁」、「聖」兩個概念在孔子學說中代表著至高圓滿的道德價值與整全完美的極致典範，即使是孔子自己也不敢自居。根據統計，《論語》文本中，「仁」字共計出現一百〇九次（含〈里仁〉篇目之仁字一次），「聖」字則有八次，兩相對照下，《論語》文本關於「仁」之意涵、綱目、內容及踐履的討論明顯多過對於「聖」之論述。但是依照《論語》中同時言及「仁」、「聖」的二則文本觀之，其一，即是孔子自謙不敢承擔「仁」、「聖」之名的表述；另一則是孔子針對子貢以「博施於民而能濟眾」為「仁」之內容提問

* 本文乃筆者執行國科會專題研究計畫，計畫編號：NSC101-2410-H-260-022之部分研究成果。

1 語見《論語‧述而》。〔魏〕何晏等注，〔宋〕邢昺疏：《論語注疏》（臺北縣：藝文印書館，1985年影印清嘉慶二十年重刊宋本《論語注疏》附校勘記），卷7，頁65。本文以下所引《論語》篇章，俱出自《論語注疏》本，為行文簡潔，此後不另標版本。

所作出「必也聖乎」[2]的評論；「仁」與「聖」在孔子學說脈絡中必然有著密切的關聯意義。陳麗桂先生曾指出，「聖」之意涵，「是一種外王至極，功業廣大，德澤普施的大『仁』盛境，是道德、事功整全圓滿的呈現」；不僅如此，「聖」之理想性，對孔子而言，又具有標竿作用，故孔子特別標舉「聖」，作為士君子一生道德志業之歸趨。[3]換言之，由「仁」與「聖」所建立的關聯意義，也就說明孔子學說的終極追求在於以仁為道德內涵之飽滿充實、始終有序、踐履有恆而整全圓滿的聖人生命展現。

孔子之後，「仁」、「聖」兩個概念在孟子（372-289 B.C.）與荀子（313-238 B.C.）學說中，依然是二者極為關注的重要命題，無論是在「仁」、「聖」兩個概念的理解與詮釋上，抑或是闡述「仁」、「聖」兩個概念在儒學義理系統中建立的關聯意義，孟、荀二人都有所發明，而其中最具代表性的就是孟子「仁政」說與荀子「聖王」論。孟子揭櫫「仁義」作為君王為政之核心思想，主張君王施行「仁政」於民可以王天下，正所謂：「仁者無敵」。[4]勞思光先生嘗指出儒學傳統中備受後世推崇之「德治」觀念，其淵源本來自於孔子所倡立「仁」之概念，而在孟子「仁政」理論中建立完成。勞先生認為孟子論「仁」強調「仁之效用化」，是「由純道德意義之觀念化為涉及實際之觀念」，使「仁」之概念之意涵擴展至政治哲學之範疇，而提出發明「仁」之效用意義的「仁政」理論，並且發展出強調「有德者執政」之「德治」政治理想。[5]故依勞先生之見，「仁」之意涵與詮釋在《孟子》文本中顯

---

2 見《論語・雍也》，卷6，頁55。

3 陳先生關於「聖」、「仁」之意涵與二者關係之詳細討論，請見陳麗桂：〈先秦儒學的聖、智之德——從孔子到子思學派〉，《漢學研究》第30卷第1期（2012年3月），頁5-6。

4 《孟子》一書言及「仁政」共計十處，分別見於〈梁惠王上〉、〈梁惠王下〉、〈公孫丑上〉、〈滕文公上〉、〈離婁上〉五篇中。「仁者無敵」乃孟子回答梁惠王雪恥圖強之問，見《孟子・梁惠王上》，〔漢〕趙岐注，〔宋〕孫奭疏：《孟子注疏》（臺北縣：藝文印書館，1985年影印清嘉慶二十年重刊宋本《孟子注疏》附校勘記），卷1上，頁14。

5 請見勞思光：《新編中國哲學史（一）》（臺北市：三民書局，2008年），頁175，詳細論述請見前揭書，頁170-175。

然已出現微妙變化，換言之，《孟子》文本中所著重「仁之效用化」之詮釋意涵已然超出孔子當初關於「仁」之意義解釋。值得一提的是，孟子「仁政」一詞並未見於《荀子》書中。荀子雖不言「仁政」，但以「仁義」作為「聖人」道德價值之根源，同時倡言「聖王」論，強調唯有「聖王」方能盡倫盡制，「聖王」之治理天下即是以「禮義」教化天下，而這正是儒者所謹守之「聖王之道」。[6]林啟屏先生認為在《荀子・正論》中所討論之「聖王」，乃是「完美的道德性統治者」，藉由此一理想化之「聖王」形象的建構，荀子意在實踐其淑世教化之儒者抱負，也就是說，荀子建構「聖王」純粹、神聖而且具權威性的理想化形象，以此為典範，目的就在據此針砭所處時代之不公不義，並且用以建立人文化成之理想生活世界。[7]依林先生之見，「聖」一概念在先秦儒家時期之意義詮釋，是逐漸趨向「聖人」、「聖王」之理想化形象發展，反映出先秦儒學尊崇「聖」之價值意識之建立。

孟、荀之後，「仁」、「聖」兩個概念之義理解釋在儒者的經典詮釋活動中進行，大抵依循「仁政」說與「聖王」論之詮釋脈絡發展。此後生活於不同時空背景下之儒者，持續閱讀著歷世流傳之儒家經典文本，並對「仁」、「聖」兩個概念之義理進行理解與詮釋，而隨著在歷史變動脈絡中儒學價值意識與當代重要命題之發展，「仁」、「聖」兩個概念在其意義解釋與概念範疇上亦隨之出現明顯變化，其中，一個深具關鍵性的變化就是「對於經書的

---

6 「聖王」一詞，未見於《論語》中，在《孟子》也僅出現一次，《荀子》一書提及次數則有四十一。依荀子解釋：「聖也者，盡倫者也；王也者，盡制者也；兩盡者，足以為天下極矣。」見《荀子・解蔽》。盡倫盡制之聖王治理天下時，能「明禮義以化之，起法正以治之，重刑罰以禁之，使天下皆出於治，合於善也」。見《荀子・性惡》。上述兩段《荀子》原文分別見於李滌生：《荀子集釋》（臺北市：臺灣學生書局，1986年），頁498、547。

7 林先生認為荀子關於「聖王」形象之論辯，其背後之歷史思維正是以借古喻今方式批判時政，此一具有批判性之道德理想的實踐，與歷代真儒者之表現一致。相關論說，請見林啟屏：〈歧出的孤獨者：《荀子・正論》與儒學意識〉，《從古典到正典：中國古代儒學意識之形成》（臺北市：國立臺灣大學出版中心，2007年），頁233-243。

解釋，到了宋代以後，就有哲理化、形上化的傾向」。[8]在經解哲理化、形上化之歷史發展影響下，宋儒對於「仁」、「聖」兩個概念在儒學義理系統中之詮釋，即涉入性命天道之命題，呈現出鮮明的形上學意涵。以北宋理學家程頤（1033-1107）為例，程頤對胡瑗（993-1059）提問「顏子所好何學」答以顏子所好之學在「學以至聖人之道」，聖人盡心知性而知天，因此正心養性，「中正而誠」。[9]程頤認為「仁義禮智，天道在人」，[10]聖人具足仁義禮智信五性，不思而得，不勉而中，「窮理則盡性，盡性則知天命」，[11]而天命乃造化作用之天道，知天命即知天道之造化作用，故聖人「無異」於天道。[12]因此，聖人之道不僅可學而至，而且上通於性命天道。程頤對於先秦孔孟思想之理解，是以「仁」、「聖」兩個概念為基點，援入《易．說》卦「窮理盡性以至於命」之天道性命說，通過對《論語》、《孟子》文本之解釋，從而建構出其理學系統中以性理言仁德、居敬窮理工夫論，以及具有形上學意涵之孔顏聖人圖像。

自儒家經典詮釋傳統言，程頤關於「仁」、「聖」兩個概念之詮釋進路固然仍有承繼唐宋以降解經模式之處，然而因為在經典詮釋中引入性命之學，對其後理學家如朱熹（1130-1200）之經典詮釋遂產生重大影響，也讓儒家

---

8 請見安井小太郎等講述，林慶彰、連清吉譯：《經學史》（臺北市：萬卷樓圖書公司，1996年），頁146。日本學者諸橋轍次先生認為此一經書解釋出現哲理化、形上化現象，就是宋代經學發展之一大特色，他並強調「這種傾向的風行，正說明以經書哲學化解釋來對抗佛老玄理的儒家意識抬頭的現象」，見《經學史》，頁145。諸橋先生之立論，主要基於宋人大量研究《中庸》、《易傳》之事實，以及宋人對於該二著作與其他經書之解釋都出現趨向哲理化的發展。詳細論說，請參見前揭書，頁143-147。

9 程頤〈顏子所好何學論〉一文即是對胡瑗提問之回應，參見〔宋〕程顥、程頤：《河南程氏文集》卷8，《二程集》（臺北市：漢京文化公司，1983年四部刊要本），第1冊，頁577-578。本文以下所徵引程頤言語，俱出自《二程集》，為行文簡潔，此後不另標版本及作者。

10 《河南程氏遺書》，卷19，頁257。

11 《河南程氏遺書》，卷21下，頁274。

12 「無異」乃程頤對於聖人與天道關係之界定。《河南程氏遺書》，卷18，頁209。

經典之義理系統出現典範轉移現象。《二程集》[13]所收錄程頤注說《論語》、《孟子》文本之解經著作縱然不盡完備，但程頤針對《論語》、《孟子》許多篇章段落之注解與詮釋，仍散見於《二程集》中，據此可探究在儒家經典之義理系統建構中，程頤之經典詮釋所代表關鍵意義。本文嘗試自程頤對待經典文本之態度及解經方式，分析程頤對《論語》、《孟子》之文本理解與義理詮釋，在儒家經典詮釋傳統中代表之意義。同時，本文以程頤解釋子貢問仁一章時揭示「惟聖人為能盡仁道」及其他相關「仁」、「聖」之詮釋作為考察對象，一方面說明程頤帶入天道性命觀詮釋「仁」、「聖」，明顯超出先秦儒家討論「仁」、「聖」意義範疇之詮釋學經驗；另方面指出程頤所賴以給出「仁」、「聖」詮釋之問題視域，與宋初時期儒學論述以講求聖人氣象及討論聖人之於仁道、天道關係等命題相符應，透過程頤之詮釋，宋初儒學在發展為性理之學過程中，仍舊對先秦儒者之「仁」、「聖」解釋產生興趣並持續進行先秦以來關於「仁」、「聖」之詮釋活動。然而，不可否認，程頤距離孔、孟時代逾一千五百年，存在於程頤與孔、孟之間的時間距離如此久遠，程頤對《論語》、《孟子》文本之理解，果真全然符合二書原作者本意？更精確地說，如此大跨度的時間距離，如何可能對於程頤理解、詮釋《論語》、《孟子》文本不產生任何效果或作用？這樣的提問是合理的。德國哲學詮釋學家 Hans-Georg Gadamer（1900-2002）反思詮釋學經驗之普遍性，即指出歷史距離造成「解釋者和原作者之間的一種不可消除的差異」，[14]這是因為在歷史流傳中之經典文本，本來就是整個傳統之一部分，因此，「每一個時代都必須按照它自己的方式來理解歷史流傳下來的文本」。[15]據此，本文嘗試說

13 《二程集》即以清康熙年間石門呂氏寶誥堂刻本《二程全書》為本於一九八三年由臺北漢京文化公司重校出版。

14 參見德國哲學詮釋學家 Hans-Georg Gadamer （中譯作高達美、伽達瑪或加達默爾著，洪漢鼎譯：《真理與方法——哲學詮釋學的基本特徵》（臺北市：時報文化出版公司，1993年），頁388。

15 Gadamer 說：「每一個時代都必須按照它自己的方式來理解歷史流傳下來的文本，因為這文本是屬於整個傳統的一部分，而每一時代則是對這整個傳統有一種實際的興趣，並試圖在這傳統中理解自身。當某個文本對解釋者產生興趣時，該文本的真實意義並

明，程頤以其所處宋初時代不同於先秦及漢、唐儒者之問題視域理解《論語》、《孟子》及其他儒家經典文本，對「仁」、「聖」命題給出性理意涵之詮釋，這不僅擴展了先秦以來儒學詮釋傳統對於「仁」、「聖」意涵之理解與詮釋，同時也代表著程頤在這整個儒學經典詮釋傳統中對於自身之理解，即程頤經解以其天道性命之詮釋視域成為這整個詮釋傳統之一部分。

二　「由經窮理」之經典詮釋進路

程頤重視經典文本，認為「聖人作經，本欲明道」，[16]因此，人之為學必須學習經典，方能明白聖人之道，故程頤言：「為學，治經最好。」又說：「治經，實學也。」[17]程頤強調學習經典必須能由天下至理推之於實事，反對窮經只是「以章句訓詁為事」，[18]因為聖人之學，不以文為主，亦非專重「考詳略，採同異」，[19]而是以「自得」為要。所謂「得」者，程頤解釋即做學問必須達到「默識心通」，而欲達到「默識心通」，則必須篤於學，「誠意燭理」，即以義理涵養於內而心通理明。[20]故程頤說：「學莫貴於

不依賴於作者及其最初的讀者所表現的偶然性。至少這種意義不是完全從這裡得到的。因為這種意義總是同時由解釋者的歷史處境所規定的，因而也是由整個客觀的歷史進程所規定的。」《真理與方法——哲學詮釋學的基本特徵》，頁388-389。

16 此二語見於《河南程氏遺書》，卷2上，「古之學者，皆有傳授」一則，頁13，卷中並未言及該則是程顥或程頤之言論。但該則內容論及「不先明義理，不可治經」之觀點，另見於同書「古之學者，先由經以識義理」一則中，卷15，頁164-165。將上述二則兩相參照，無論在語意傾向或立論觀點上，二則幾乎一致，因此，判定二則同出一人之可能性非常高。依據《河南程氏遺書》卷15之下題字「伊川先生語」，判斷卷2所錄「聖人作經，本欲明道」二語應為程頤之言。

17 此二語俱見於程頤對蘇季明質疑講習為空言無益，治經方是傳道之實之回答中，《河南程氏遺書》，卷1，頁2。

18 《河南程氏遺書》，卷18，頁232。

19 程頤稱以文為主是求於外之學，專重考詳略、採同異是求於末之學，二者皆無益於身，非聖人之學，故君子不以此二者為學。原文見《河南程氏遺書》，卷25，頁319。

20 程頤說：「學者欲有所得，須是篤，誠意燭理。上知，則穎悟自別；其次，須以義理涵養而得之。」《河南程氏遺書》，卷17，頁178。

自得，得非外也，故曰自得。」[21]正因「得非外也」，程頤反對治經止於「聞之知之」之學習模式，[22]並且批評「苟不自得，則盡治《五經》，亦是空言」。[23]然則為學「如何可以自得」呢？程頤認為就是「思」，就是在思慮之間有所得而明理。

> 同伯溫見先生，先生曰：「從來覺有所得否？學者要自得。《六經》浩渺，乍來難盡曉，且見得路逕後，各自立得一箇門庭，歸而求之可矣。」伯溫問：「如何可以自得？」曰：「思。『思曰睿，睿作聖』，須是於思慮間得之，大抵只是一個明理。」[24]

《六經》義理博大精微，所載述者乃「天下不易之理」，[25]程頤治經目的在明理，在窮究「天下不易之理」，因此，程頤強調治經須有次第進程，然後可以有得。程頤曾言：「由經窮理。」[26]此語雖短，但已說明程頤對待經典文本之態度，即視經典文本為學者窮究義理之入手處。然而「由經窮理」並不是窮理之唯一方式，程頤論窮理尚有其他不同方式。程頤說：

> 凡一物上有一理，須是窮致其理。窮理亦多端：或讀書，講明義理；或論古今人物，別其是非；或應接事物而處其當，皆窮理也。[27]

雖然讀書、品評古今人物與應接事物而處其當三者皆是窮理方式，但程

---

21 《河南程氏遺書》，卷25，頁316。

22 《河南程氏遺書》，卷17，頁178。

23 《河南程氏遺書》，卷1，頁2。

24 《河南程氏遺書》，卷22上，頁296。

25 《河南程氏遺書》，卷15，頁160。

26 《河南程氏遺書》，卷15，頁158。

27 《河南程氏遺書》，卷18，頁188。朱熹對於程頤此說，有所發明，朱熹解釋：「物理無窮，故他說得來亦自多端。如讀書以講明道義，則是理存於書；如論古今人物以別其是非邪正，則是理存於古今人物；如應接事物而審處其當否，則是理存於應接事物。所存既非一物能專，則所格亦非一端而盡。」參見朱熹：《朱子語類》卷18，收入朱傑人、嚴佐之、劉永翔主編：《朱子全書》（上海市：上海古籍出版社，2002年），第14冊，頁598。

頤仍然認為讀書講明義理是為學最好方式。程頤之所以主張由經窮理，顯然與其所理解古人採取傳授之學習型態相關聯。程頤嘗以古人之學先由讀經入門藉以通曉義理為例，批評後世學者並未遵循古人為學次第，反而是先識義理，然後才得讀懂經書。程頤說：

> 古之學者，先由經以識義理。蓋始學時，盡是傳授。後之學者，卻先須識義理，方始看得經。如《易》，〈繫辭〉所以解《易》，今人須看了《易》，方始看得〈繫辭〉。[28]

程頤以《易》為例，說明古之學者在學習之初，盡採用「傳授」方式，即因得《易》之經師傳授而通曉《易》之義理；對照後之學者或因失其師傳，無法知曉《易》中義理，不得已必須依賴旨在疏解《易》之〈繫辭〉文本，由閱讀〈繫辭〉文本入手，尋求理解《易》之義理。程頤對於經師傳授之重視，令其對後世學者之學習型態並不認同。因此，程頤堅持學者習經之為學次第，必須先行閱讀《易》，然後才可以進一步讀懂〈繫辭〉。程頤特重經師傳授之立場，與其對歷來傳道有「以口傳道」及「以書傳道」兩種方式之看法相應。程頤認為「以口傳道」在講經論道上更為全面、透澈，他分析道：

> 以書傳道，與口相傳，煞不相干。相見而言，因事發明，則并意思一時傳了；書雖言多，其實不盡。[29]

這段文字不長，文中重點有三：第一，傳道方式有兩種，即以書傳道與以口相傳，二者傳播屬性不同，故不互相關聯。第二，以口相傳方式具有互動性、情境性、口語性，並且進行即時訊息交換過程，其形式是相見對談，內容是講經論道，最大特徵在於對談中可以因事發明，將事件背後之隱含道理與指涉意義即時一併講論及闡述清楚。第三，經書作為傳道之載體，雖然論述文字甚多，但總有未盡周詳完備之處。程頤顯然注意到經典文本作為傳

---

28 《河南程氏遺書》，卷15，頁164-165。

29 《河南程氏遺書》，卷2上，頁26。

道之媒介，較諸經師親炙面授、口述講論之傳道方式，不僅在本質上截然有別，在作用上亦大異其趣。經典文本就其本質言是流傳於歷史中之書寫文本，以文字記載方式保存前人所傳述之聖人之道；其主要作用在於以文字書寫模式傳佈聖人之道，使聖人之在世言說得以超越時間與空間之藩籬流傳於後世，並且可以為後人據以學習聖人之道。至於以口相傳，則是進行人與人之間的言說溝通行為，藉由言談間彼此交換訊息、溝通意義、評論事件、闡述觀點，釐清歧異，以傳述聖人之道。「相見而言，因事發明」，是以口相傳之重要特徵，因為是面對面交談，互動性很強，所有訊息交換及意義溝通之對談內容都是在當下語境中來回進行，故對談內容具有特定時間性與空間性。同時，對談內容也因帶入現實脈絡中實際事件之討論，建立起對談內容與現實事件之關聯意義，給予對談內容在現實脈絡中之意義。所謂「則并意思一時傳了」，「意思」二字指涉聖人之道，該文句即指聖人之道在對談中因導入實際事件，取得現實脈絡中之意義理解與當代詮釋。

人類社會中言說溝通之發生與進行，就其本質言是人類的一種行為活動，其主要作用即是人與人之間以語言為媒介，透過對話論辯進行關於對話內容之意義理解與共識溝通。換言之，經典文本之流傳固然為聖人之道之流傳提供文字之憑藉，但終究不能如言說溝通行為一般，可以就事上發明聖人之道，並且將現實脈絡中實際事件關聯聖人之道之「意思」也一併說盡。雖然，程頤認為以口相傳之傳道模式更能發明聖人之道，但是言說溝通之進行始終受限於時間、空間、情境及言說者等因素，更何況上古時期未有現代科技發明提供保存聲音或影像之協助，聖人在世與人進行言說溝通之實際情境確實難以如實保存而得歷世流傳。程頤並非不知曉以口傳道模式之侷限，因此，他贊同以書傳道，堅持為學必須學習《六經》。程頤認為聖人作《六經》，固然有其不得已，但「《六經》之言，在涵蓄中默識心通」，[30]其言語雖然簡約，已是「無有包含不盡處」；至於後世多作言說，只是徒為冗文贅

30 《河南程氏遺書》，卷15，頁143。

語，既無助於《六經》文本之增補，也無益於聖人之道之發明。[31]因此，唯善觀書者，方能抉發聖人作經本意，闡明聖人之道。然而，學者在觀書之時，易生「隨文害義」之弊，即使有能「不泥文義者，又全背卻遠去；理會文義者，又滯泥不通」，[32]因此，程頤主張為學欲明聖人經旨，只需「以理義去推索」即可得。[33]他嘗舉例解釋：

> 凡觀書，不可以相類泥其義，不爾則字字相梗，當觀其文勢上下之意。如「充實之謂美」與《詩》之美不同。[34]

程頤此處建議閱讀經典文本之重要關鍵在於「觀其文勢上下之意」，掌握行文脈絡，同時必須避免因文字相類而拘泥於字義之理解上。以「美」為例，程頤特別指出不可誤認「充實之謂美」所指涉美之意涵等同於論《詩》之美所指涉之意涵。二者說美之差異，在於充實之美，其美在己，是己身所有，但《詩》之美，則出於他人之口，是經由他人稱許所得。[35]雖然二者同樣使用「美」字，所說內容也與「美」之概念相關，但是在「美」之意義之指涉對象上，因為文本脈絡不同而出現不同解釋。由於程頤主張閱讀經典文本時必須講求上下文意之脈絡，方能避免以字相類而拘泥於字義之解釋，因此，對於文字意義之理解，程頤建議之方法是「易其心，自見理」，他說：

> 凡解文字，但易其心，自見理。理只是人理，甚分明，如一條平坦底道路。……且如〈隨〉卦言「君子嚮晦入宴息」，解者多作遵養時晦

---

31 程頤說：「聖人《六經》，皆不得已而作；如耒耜陶冶，一不制，則生人之用熄。後世之言，無之不為缺，有之徒為贅，雖多何益也？聖人言雖約，無有包含不盡處。」《河南程氏遺書》，卷18，頁221。

32 分別見於：《河南程氏遺書》，卷2上，頁36；卷18，頁205。

33 《河南程氏遺書》，卷18，頁205。

34 《河南程氏遺書》，頁246。

35 根據宋人葉采對於程頤此語意義之理解，葉采解釋：「充實之美在己，《詩》之稱美在人。如此之類，豈可泥為一義？」參見〔宋〕朱熹輯，〔清〕張伯行集解：《近思錄》（收入《正誼堂全書》，臺北縣：藝文印書館，1968年，第33冊，卷3），頁10。

之晦。或問：「作甚晦字？」曰：「此只是隨時之大者，嚮晦則宴息也，更別有甚義？」或曰：「聖人之言，恐不可以淺近看佗。」曰：「聖人之言，自有近處，自有深遠處。如近處，怎生強要鑿教深遠得？楊子曰：『聖人之言遠如天，賢人之言近如地。』某與改之曰：『聖人之言，其遠如天，其近如地。』」[36]

在上述文字中，程頤提出兩個觀點：第一，解說文字意義以自然見理為要，而自然見理則須「易其心」。所謂「易其心」，即「平其心」、「正其心」、「誠其心」，[37]使其心能觀聖人作經立言之心。[38]第二，聖人之言固有言意深遠處，也有語意淺近處，並非總是高言深論。因此，程頤主張在解說文字意義時，只需本諸人理，當身領會聖人立言之心，卻不宜為求得聖人語言中之深遠意旨而在聖人言語淺近處勉強鑽鑿，刻意作出違背人理、不得聖人作經立言之心之解釋。程頤之所以特別重視聖人作經立言之心，原因就在「傳錄言語，得其言，未得其心，必有害」。[39]程頤所憂之弊害，即是學者儘求經義於經典文本，全然不觀聖人作經立言之心，如此讀書，不僅於自身無法取得「居之安、資之深」的學習成效，倘若以此教人，亦將連帶誤人子弟。[40]

---

36 參見《河南程氏遺書》，卷18，頁205。對於程頤時代學者在聖人言語淺近處勉強鑿深之做法，陳榮捷（1901-1994）先生以朱熹之批評作為參照。朱熹說：「今之談經者往往有四者之病，本卑也而抗之使高，本淺也而鑿之使深，本近也而推之使遠，本明也而必使至於晦。此今日談經之大患也。」參見《朱子語類》，卷11，頁351。並見於陳榮捷：《近思錄詳註集評》（臺北市：臺灣學生書局，1992年），頁195。

37 程頤有言：「學莫大於平心，平莫大於正，正莫大於誠。」參見《河南程氏遺書》，卷25，頁317。

38 程頤認為讀書當求聖人之意，而有效做法即是在讀書時對聖人之言「句句而求之，晝誦而味之，中夜而思之，平其心，易其氣，闕其疑，則聖人之意見矣」。參見《河南程氏遺書》，卷25，頁322。

39 程頤以孔門常稱伯夷、柳下惠皆古聖人為例解釋：「又如言伯夷、柳下惠皆古聖人也，若不言清和，便以夷、惠為聖人，豈不有害？」參見《河南程氏遺書》，卷15，頁163。

40 程頤直指：「解義理，若一向靠書冊，何由得居之安，資之深？不惟自失，兼亦誤人」文見。《河南程氏遺書》，卷15，頁165。

三 《論語》、《孟子》優先於他經之讀經次第與方式

依程頤之見，研讀經典文本之目的，就在窮致義理，並取得「居之安、資之深」成效，為此，程頤揭示由經窮理之關節及學經次第以教人，即以《論語》、《孟子》為《六經》之本，欲治《六經》，通曉經義，須先習讀《論語》、《孟子》，[41]識得二書中聖人傳道立言之意旨，有得於心。程頤說：

> 學《春秋》亦善，一句是一事，是非便見於此，此亦窮理之要。然他經豈不可以窮？但他經論其義，《春秋》因其行事，是非較著，故窮理為要。嘗語學者，且先讀《論語》、《孟子》，更讀一經，然後看《春秋》。先識得箇義理，方可看《春秋》。《春秋》以何為準？無如《中庸》。欲知《中庸》，無如權，須是時而為中。若以手足胼胝，閉戶不出，二者之間取中，便不是中。若當手足胼胝，則於此為中；當閉戶不出，則於此為中。權之為言，秤錘之義也。何物為權？義也。然也只是說得到義，義以上更難說，在人自看如何。[42]

在儒家眾多典籍中，程頤以《論語》、《孟子》為研讀眾經、窮索義理之入門文本，並以識得其他諸經義理作為窮索《春秋》是非大義之為學基礎，而《春秋》是非大義之判準又當依據《中庸》「須是時而為中」之「權」，亦即是「義」。此一思維脈絡顯示出程頤在理解、詮釋作為歷史流傳物之儒家經典文本之一個傾向，即透過語言文字之意義理解，在各部經典文本間進行經典義理之相互疏通與一致理解，從而建立出一套具有共識溝通基礎的儒家哲學語言與義理體系。在程頤這一套儒學義理體系中，《論語》、《孟子》二部典籍正是引領學者使其得以進入該義理體系之關鍵文本。故程頤說：

---

41 程頤甚至認為能通曉《論語》、《孟子》者，不須窮治《六經》即可明瞭《六經》義理，曾言：「學者當以《論語》、《孟子》為本。《論語》、《孟子》既治，則《六經》可不治而明矣。」《河南程氏遺書》，卷25，頁322。

42 《河南程氏遺書》，卷15，頁164。

> 學者先須讀《論》、《孟》。窮得《論》、《孟》，自有箇要約處，以此觀他經，甚省力。《論》、《孟》如丈尺權衡相似，以此去量度事物，自然見得長短輕重。某嘗語學者，必先看《論語》、《孟子》。今人雖善問，未必如當時人。借使問如當時人，聖人所答，不過如此。今人看《論》、《孟》之書，亦如見孔、孟何異？[43]

所謂「自有箇要約處」，包含兩層意義：第一，在閱讀《論語》、《孟子》二部經典時，雖然仍須先通曉文義，但卻不以章句訓詁為事，其要在於求得聖人作經立言之意而有所得。[44]第二，窮得《論語》、《孟子》義理後，「於《語》、《孟》二書知其要約所在，則可以觀《五經》矣」，[45]故雖不治《五經》，也能通曉《五經》義理。《論語》、《孟子》二書既然是通曉其他經典文本義理之權衡依據，則窮究二書義理即是為學根本之所在。程頤於是提出「看書如見其人」之讀書方式，即學者閱讀《論語》、《孟子》文本時，以諸弟子之提問作為自身之提問，與二書所記載孔子、孟子對提問之回答，進行具有談話特徵之意義交往與解釋活動，[46]一如孔子、孟子本人正立於面前以口傳道，與學者相互問答，進行言說溝通。像這樣與《論語》、《孟子》文本進行一種談話之理解與解釋方式，不由得令我們想起德國哲學詮釋學家

---

43 《河南程氏遺書》，卷18，頁205。

44 程頤根據其個人自十七、八歲開始閱讀《論語》之經驗，指出雖然他在當時已能通曉《論語》一書之文義，但讓他感受到《論語》意味深長且有所得，則仍有賴於長時間之閱讀與涵泳。《河南程氏遺書》，卷19，頁261。程頤嘗批評漢儒經術無用且「不知要」，因漢儒務為章句訓詁，甚至以三萬餘言解釋〈堯典〉二字，全然不見體系。事見前揭書，卷18，頁232。

45 參見〔宋〕楊時訂定，張栻編次：《河南程氏粹言》卷1，《二程集》第2冊，頁1204。

46 依據 Gadamer 解釋，談話的特徵就在於「語言是在問和答、給予和取得、相互爭論和達成一致的過程中實現那樣一種意義交往，而在文字流傳物裡巧妙地作出這種意義交往正是詮釋學的任務」。參見 Hans-Georg Gadamer 著，洪漢鼎譯：《真理與方法——哲學詮釋學的基本特徵》，頁477。Gadamer 以問答關係作為談話的原始性質，據此描述詮釋學任務就是在文字流傳物裡進行談話的原始性質中的那種意義交往。Gadamer 的描述提供我們思考程頤解說《論語》、《孟子》的方式可能在詮釋學上具有意義，這意義就在於程頤之經解明顯重視在《論語》、《孟子》文本裡實現語言對談中的意義交往。

Hans-Georg Gadamer（1900-2002）關於詮釋學現象之描述。他說：

> 某個流傳下來的文本成為解釋的對象，這已經意味著該文對解釋者提出了一個問題。所以，解釋經常包含著與提給我們的問題本質關聯。理解一個文本，就是理解這個問題。但是正如我們所指出的，這是要靠我們取得詮釋學視域才能實現。我們現在把這種視域看作是文本的意義方向得以規定的問題視域（Fragehorizont）。[47]

以《論語》、《孟子》為例，程頤重視這二部經典，認為窮得《論語》、《孟子》義理者，則已建立為學根本，自然可據此通曉其他諸經義理。換言之，當程頤為窮得《論語》、《孟子》之義理而開始對《論語》、《孟子》文本進行理解與解釋時，《論語》、《孟子》文本就成為解釋之對象，依據Gadamer 所言，這同時意味著《論語》、《孟子》已對程頤提出問題，而且這個問題與程頤作出「《論語》、《孟子》既治，則《六經》可不治而明」之解釋，具有本質關聯之意義。據程頤所言：

> 學者當以《論語》、《孟子》為本。《論語》、《孟子》既治，則《六經》可不治而明矣。讀書者，當觀聖人所以作經之意，與聖人所以用心，與聖人所以至聖人，而吾之所以未至者，所以未得者，句句而求之，晝誦而味之，中夜而思之，平其心，易其氣，闕其疑，則聖人之意見矣。[48]

在上述文字中，「讀書者」以下文字，即是程頤對於《論語》、《孟子》文本之理解，亦即是程頤對於此二文本提出問題之理解，而使得這個問題之理解成為可能之詮釋學視域，即是使此二文本之意義方向得以規定之問題視

47 《真理與方法——哲學詮釋學的基本特徵》，頁478-479。

48 參見《河南程氏遺書》，卷25，頁322。另有一段文字，其義與此段同，唯文字略有出入，茲錄於此以供參照。「讀書者，當觀聖人所以作經之意，與聖人所以為聖人，而吾之所以未至者，求聖人之心，而吾之所以未得焉者，晝誦而味之，中夜而思之，平其心，易其氣，闕其疑，其必有見矣。」同前註，頁1207。

域。換言之，程頤對於《論語》、《孟子》文本意義之理解，就是在「觀聖人所以作經之意，與聖人所以用心，與聖人所以至聖人，而吾之所以未至者，所以未得者」這樣的問題視域中進行。因此，程頤認為讀經若不能於聖人作經立言之意真有所得，即使讀書再多亦無益。[49]在另一處文字中，程頤同樣是在觀聖人作經立言之意與自我反思之問題視域中，進行對《論語》、《孟子》文本之理解，並作出自《論語》、《孟子》中深求玩味聖人言語，以此涵養己身則自然生成聖人氣質之解釋。程頤說：

> 但將聖人言語玩味久，則自有所得。當深求於《論語》，將諸弟子問處便作己問，將聖人答處便作今日耳聞，自然有得。孔、孟復生，不過以此教人耳。若能於《論》、《孟》中深求玩味，將來涵養成甚生氣質！[50]

又有言：

> 凡看《語》、《孟》，且須熟玩味，將聖人之言語切己，不可只作一場話說。人只看得此二書切己，終身儘多也。[51]

綜合上述三段程頤的言論觀之，程頤對於《論語》、《孟子》二部經典之義理理解，有兩個重點：其一，程頤極為重視《論語》、《孟子》二部典籍中載錄之言說溝通模式，認為此種模式正是孔子、孟子教人為學之方式；其二，程頤強調學者果真能深求玩味《論語》、《孟子》二部典籍中之聖人言

49 對於學者讀《論語》後，或無所得，或得之甚淺者，程頤解釋：「凡看文字，先須曉其文義，然後可求其意；未有文義不曉而見意者也。學者看一部《論語》，見聖人所以與弟子許多議論而無所得，是不易得也。讀書雖多，亦奚以為？」《河南程氏遺書》，卷22上，頁296。可見程頤主張學者閱讀《論語》，當關注聖人與弟子間之許多議論，以及出現這些議論之事件脈絡及代表意義，否則，縱使讀書再多，所得亦有限，對於為學無所助益。

50 此段文字乃程頤回答周伯溫關於「學者如何可以有所得」提問。《河南程氏遺書》，卷22上，頁279。

51 《河南程氏遺書》，卷22上，頁285。

語，即「將聖人之言語切己」，則可預期未來在氣質涵養上之美善化成，而方法即是學者將此刻之己身，置於文本中早已脫離原時空背景與語境之問答、對話模式中，以眾弟子之疑問為此刻己身之疑問，視聖人之回答為此刻對己身提問之回答，藉此重構一個進行言說溝通行為之語境，讓學者置身其中，「平其心，易其氣，闕其疑」，而自然有得。

此外，程頤強調學者必須深求玩味之聖人言語，應當不僅僅是指如今已成為歷史流傳物之經典文本。雖然程頤並未言明，但由上述兩段文字推其意，程頤應當意識到經典文本之文字記錄，無法如實將孔子、孟子當時與諸弟子進行言說溝通活動之實況全貌，完整無缺漏地保存於後世。換言之，後人自《論語》、《孟子》二部經典文本中所見問答與對話，早已自當時語境與事件脈絡中被單獨抽出，脫離原有之時空背景及當初構成聖人言語之意義理解的所有條件（如孔子、孟子與眾弟子之認知結構等）而抽象化。既然如此，程頤自《論語》、《孟子》文本中深求玩味的究竟是什麼？這個答案可由「將來涵養成甚生氣質」一語看見端倪。參照以下三段文字所述，程頤所說《論語》、《孟子》二部經典，言語「切己」，必須「熟玩味」，所指應是「理會得聖賢氣象」。程頤說：

> 用休問：「『溫故而知新』，如何『可以為師』？」曰：「不然。只此一事可師。如此等處，學者極要理會得。若只指認溫故知新便可為人師，則窄狹卻氣象也。凡看文字，非只是要理會語言，要識得聖賢氣象。如孔子曰：『盍各言爾志。』而由曰：『願車馬，衣輕裘，與朋友共，敝之而無憾。』顏子曰：『願無伐善，無施勞。』孔子曰：『老者安之，朋友信之，少者懷之。』觀此數句，便見聖賢氣象大段不同。若讀此不見得聖賢氣象，他處也難見。學者須要理會得聖賢氣象。」[52]

在上述文字中，問者以《論語．為政》中孔子揭示「溫故而知新，可以為師矣」之意就教於程頤，觀程頤之回答，不僅說明理會文字語言之關鍵在

52 《河南程氏遺書》，卷22上，頁283-284。

「識得聖賢氣象」，並且引述〈公冶長〉中孔子與顏淵、子路三人各言其志之事，旨在分別三人聖賢氣象不同處。程頤關於此二章意義的理解與義理的詮釋，顯然是以「理會得聖賢氣象」為命題，以此在二章中建立關聯意義。換言之，程頤理解此二章文本之問題視域即是「理會得聖賢氣象」，而這個問題視域與前文提到「觀聖人所以作經之意，與聖人所以用心，與聖人所以至聖人，而吾之所以未至者，所以未得者」的問題視域，兩者在本質意義上相關聯，並在這本質相關之問題視域中規定出《論語》、《孟子》文本之意義傾向。值得注意的是，上述程頤理解《論語》、《孟子》文本之問題視域，與當初《論語》、《孟子》原作者曾經具有之意圖，並不盡相同。而在另一段文字中，程頤對於曾子「吾得正而斃」一語之理解，也是在「理會得聖賢氣象」這個問題視域中所給出之解釋。程頤言：

> 曾子傳聖人學，其德後來不可測，安知其不至聖人？如言：「吾得正而斃」，且休理會文字，只看他氣象極好，被他所見處大。後人雖有好言語，只被氣象卑，終不類道。[53]

曾子在儒家經典文本中為人稱頌的是，至死守禮，終生傳述聖人之學。程頤在上述文字中，對於曾子行事之理解，仍然是在「理會得聖賢氣象」之問題視域中進行。程頤認為曾子有德，果能修德至最終必不可測；而且「吾得正而斃」一語，也可看出曾子氣象極好，所見處大，以此推測以曾子之學最終應當能臻聖人之境。「安知其不至聖人」及「後人雖有好言語，只被氣象卑，終不類道」數言，說明曾子傳述聖人之學之意義傾向，此意義傾向即是自「觀聖人所以至聖人，而吾之所以未至者，所以未得者」之問題視域中給出。程頤又言：

> 人皆稱柳下惠為聖人，只是因循前人之語，非自見。假如人言孔子為聖人，也須直待己實見聖處，方可信。[54]

---

53 《河南程氏遺書》，卷15，頁145。

54 《河南程氏遺書》，卷14，頁145。

程頤以柳下惠被譽為聖人為例，強調經典文本義理之理解，不可只是沿襲前說，必須經過親身實見義理之所在，才能確信。經典文本對於程頤而言，原也是「所以載道」，[55]但受到程頤「理會得聖賢氣象」之問題視域所規定經典文本之意義傾向，程頤論說「道」之內容，實有超出《論語》、《孟子》二文本原作者所具有之意圖與理解，類似此一現象也見之於程頤關於「仁」、「聖」兩個概念之理解與詮釋。

四　「惟聖人為能盡仁道」之詮釋學意義

《論語》中，「仁」、「聖」並出之篇章有二，一出自〈雍也〉；另一出自〈述而〉。前者為「博施濟眾」章，乃以「仁」為主要命題，兼論「聖」之內容，後者為「若聖與仁」章，乃孔子自謙不敢以「仁」、「聖」自居。《論語》中就以此二章最能用來說明「仁」、「聖」在孔子思想中所表達之意義、內涵與相互關係。茲將此二章文字錄出，以為參照。

> 子貢曰：「如有博施於民而能濟眾，何如？可謂仁乎？」子曰：「何事於仁，必也聖乎！堯舜其猶病諸！夫仁者，己欲立而立人，己欲達而達人。能近取譬，可謂仁之方也已。」[56]

> 子曰：「若聖與仁，則吾豈敢？抑為之不厭，誨人不倦，則可謂云爾已矣。」公西華曰：「正唯弟子不能學也。」[57]

程頤關於上述二章之討論頗多，其內容或就二章文本解釋「仁」、「聖」之意義與內涵，或對二章中「仁」、「聖」二者間關係之建立與連結進行說明。值得注意的是，程頤在相關討論中提出「惟聖人能盡仁道」之說，而且

---

55 見程頤：〈與方元寀手帖〉，〔宋〕程顥、程頤：《河南程氏文集・遺文》，《二程集》第1冊，頁671。

56 見《論語・雍也》，卷6，頁55。

57 見《論語・述而》，卷7，頁65。

此說就是他用以詮釋《論語》、《孟子》文本中「仁」、「聖」之主要內容。「惟聖人能盡仁道」之提出，就詮釋學經驗而言，即是程頤以「觀得聖人作經之意，識得聖人氣象並求得聖人之心」為其問題視域，換言之，正是因為程頤具有此一問題視域，使得程頤在對《論語》、《孟子》討論「仁」、「聖」概念之文本進行理解時，文本之意義方向得以朝向提出「惟聖人能盡仁道」一說開放，而使文本意義重新獲得規定。此處以一段文字為例說明：

> 又問：「仁與聖何以異？」曰：「人只見孔子言：『何事於仁？必也聖乎！』便謂仁小而聖大。殊不知此言是孔子見子貢問博施濟眾，問得來事大，故曰；『何止於仁？必也聖乎！』蓋仁可以通上下言之，聖則其極也。聖人，人倫之至。倫，理也。既通人理之極，更不可以有加。若今人或一事是仁，亦可謂之仁，至於盡仁道，亦謂之仁，此通上下言之也。如曰：『若聖與仁，則吾豈敢？』此又卻仁與聖俱大也。大抵盡仁道者，即是聖人，非聖人則不能盡得仁道。」問曰：「人有言：『盡人道謂之仁，盡天道謂之聖。』此語何如？」曰：「此語固無病，然措意未是。安有知人道而不知天道者乎？道一也，豈人道自是人道，天道自是天道？《中庸》言：『盡己之性，則能盡人之性；能盡人之性，則能盡物之性；能盡物之性，則可以贊天地之化育。』此言可見矣。楊子曰：『通天地人曰儒，通天地而不通人曰伎。』此亦不知道之言。豈有通天地而不通人者哉？如止云通天之文與地之理，雖不能此，何害於儒？天地人只一道也。纔通其一，則餘皆通。如後人解《易》，言〈乾〉天道也，〈坤〉地道也，便是亂說。論其體，則天尊地卑；如論其道，豈有異哉？」[58]

上述一段文字甚長，但為求文義完整性，便於討論，此處不得已乃全部引述。由「仁」、「聖」分別之命題開始，程頤針對「博施濟眾」、「若聖與仁」兩章文本之意義進行疏通與解釋，其間綜合《中庸》及揚雄之言論，至

58 見《河南程氏遺書》，卷18，頁182-183。

該段文字最後，更以《易》之經解為例，說明《易》之體、道內容與關係。程頤此段文字說明，無論是在「博施於民而能濟眾」、「若聖與仁」兩章文本之間進行義理的相互理解，或是關於「仁」、「聖」兩個概念之意義內涵與關聯性的詮釋，顯然都出現超出「博施於民而能濟眾」、「若聖與仁」兩章文本意義原先所規定之意義傾向的解釋。觀程頤所說「大抵盡仁道者，即是聖人，非聖人則不能盡得仁道」，其義理脈絡就是以「通上下」解釋仁，以「通人理之極」至於無以復加之境解釋聖人；而仁、聖之間，因為仁可以通上下，而聖是通之而至於極，所以盡仁道者，固然仍可稱之為仁，但所謂盡仁，已是通之至於極，已入聖人之境，因此，乃以聖人稱之。正是此一思維脈絡，使程頤對於孔子自謙不敢以「仁」、「聖」自居所意指「仁」、「聖」俱大之意，可以提供合乎義理邏輯之解釋。至於後半部以人道、天道論「仁」、「聖」，則是關於「仁」、「聖」概念之延伸性問題的討論，與「博施濟眾」、「若聖與仁」兩章文本之義理脈絡無直接關涉，但因程頤所說之仁，是可以通上下，是性，[59]是以公為仁之理，[60]具性理內容，程頤據此就可以疏通「盡人道謂之仁，盡天道謂之聖」所可能出現之義理矛盾。

關於「仁」、「聖」兩個概念之意義內涵與關聯性的詮釋，程頤有多則文字的討論，此處臚列四則互為參照，加以說明。

> 問：「子貢曰：『博施於民而能濟眾，可謂仁乎？』子曰：『何事於仁？必也聖乎！』仁聖何以相別？」曰：「此子貢未識仁，故測度而設問也。惟聖人為能盡仁，然仁在事，不可以為聖。」又問：「『堯、

59 程頤嘗答人之問仁，說：「此在諸公自思之，將聖賢所言仁處，類聚觀之，體認出來。孟子曰：『惻隱之心，仁也。』後人遂以愛為仁。惻隱固是愛也。愛自是情，仁自是性，豈可專以愛為仁？孟子言惻隱為仁，蓋為前已言『惻隱之心，仁之端也』，既曰仁之端，則不可便謂之仁。退之言『博愛之謂仁』，非也。仁者固博愛，然便以博愛為仁，則不可。」《河南程氏遺書》，卷18，頁182。

60 程頤說：「仁之道，要之只消道一公字。公只是仁之理，不可將公便喚做仁。公而以人體之，故為仁。只為公，則物我兼照，故仁，所以能恕，所以能愛，恕則仁之施，愛則仁之用也。」《河南程氏遺書》，卷15，頁153。

> 舜其猶病諸』果乎？」曰：「誠然也。聖人惟恐所及不遠不廣。四海之治也，孰若兼四海之外亦治乎？是嘗以為病也。博施濟眾事大，故仁不足以名之。」[61]

在上述文字中，程頤主要針對「博施濟眾」章文本，對區別「仁」、「聖」之用意，以及「堯、舜其猶病諸」之真實性兩個疑問，進行解釋。程頤以「惟聖人為能盡仁」說明「仁」、「聖」之關聯，又以「仁在事，不可以為聖」，區別「仁」、「聖」。值得注意的是，在「博施濟眾」章中，子貢最初之提問是「仁」，孔子之答覆也在「仁」上。但在上述文字中，對於該章文本之理解與解釋，則是聚焦於區別「仁」、「聖」與「堯、舜其猶病諸」這兩個疑問上。在另一則文字中，程頤說：

> 聖則無大小，至於仁，兼上下大小而言之。博施濟眾亦仁也，愛人亦仁也。「堯、舜其猶病諸」者，猶難之也。博則廣而無極，眾則多而無窮，聖人必欲使天下無一人之惡，無一物不得其所，然亦不能，故曰「病諸」。「修己以安百姓」，亦猶是也。[62]

這一則文字適可與前一則文字互相參看，程頤在這一則中仍舊關注於「仁」、「聖」之別與「堯、舜其猶病諸」這兩個問題。程頤以「無大小」與「兼有上下大小」之意涵解釋「仁」、「聖」之分別，又以「修己以安百姓」與「堯、舜其猶病諸」參照並觀，解釋聖人所以至聖人，就在能無大小、無極限，「廣而無極」、「多而無窮」，必使天下無惡人，各物得其所。

> 「博施於民，而能濟眾。」博施，厚施也。博而及眾，堯、舜病其難也。聖人濟物之心無窮已也，患其力不能及耳。聖人者，人倫之至，惟聖人為能盡仁道。然仁可通上下而言，故曰：「何事於仁？必也聖乎！」恕者為仁之方也。[63]

---

61 《河南程氏遺書》，卷16，頁173。

62 參見〔宋〕程顥、程頤：《河南程氏外書》，卷6，《二程集》第1冊，頁382-383。

63 參見〔宋〕程頤：《論語解》，《河南程氏經說》，卷6，《二程集》第2冊，頁1143。

上述文字對於「博施濟眾」章之文本提供細節的解說，主要仍著重在「堯、舜其猶病諸」之文本意義之解釋上。「聖人者，人倫之至，惟聖人為能盡仁道」，這是在「聖人所以用心」之問題視域中，程頤對「堯、舜其猶病諸」之理解與解釋。值得注意的是，這則文末言及「恕者為仁之方也」，但在前二則中則未見。「為仁之方」是孔子回答子貢提問之重點內容，程頤以「恕」解釋「為仁之方」，是以「強恕而行」之「恕」之意義，解釋「己欲立而立人，己欲達而達人」。[64]

> 子曰：「若聖與仁，則吾豈敢？」夫子謙自謂不敢當仁聖，然行之而不厭，以誨人而不倦，不厭不倦，非己有不能也。公西華見聖人之道遠，而誨人不倦，故歎曰：「正唯弟子不能學耳。」[65]

這一則是對「若聖與仁」章文本進行解釋，程頤依著文本脈絡解釋孔子謙虛自持，不以仁、聖自居之聖人形象，對於孔子自言「為之不厭，誨人不倦」，程頤解釋「非己有不能也」，頗與其主張「學莫貴於自得」相應。綜觀上述四則文字，其內容乃是對《論語》「博施濟眾」、「若聖與仁」兩章之文本意義進行理解與詮釋，其主要命題有二：第一，「仁」、「聖」兩個概念之分別；第二，「堯舜其猶病諸」之意涵與聖人形象。在討論這兩個命題的文本脈絡下，程頤提出以「惟聖人為能盡仁道」為中心思想之意見與解釋。上述兩個命題其實反映出程頤在讀書時，具有「觀得聖人作經之意，識得聖人氣象並求得聖人之心」之視域，並在此一視域中企圖理解其所讀之經典文本的意義。根據西方哲學詮釋學理論，上述四則文字的詮釋學意義，就在於程頤對於「博施濟眾」、「若聖與仁」兩章文本意義進行理解，也就是對於上述兩個命題進行理解；而程頤得以取得以「惟聖人為能盡仁道」作為對「博施濟眾」、「若聖與仁」文本之回應的問題視域，就是程頤對於聖人作經之意、聖人氣象及聖人之心的關注與提問。換言之，程頤在理解「博施濟眾」、「若

---

64 參見《河南程氏遺書》，卷21下，頁275-276。

65 《論語解》，《河南程氏經說》，卷6，頁1147。

聖與仁」兩章文本之意義傾向時所處的視域，與孔子在同弟子們對話所形成「博施濟眾」、「若聖與仁」文本最初意義傾向的視域，並不相同。因此，程頤所提出「惟聖人為能盡仁道」之詮釋內容，就超出「博施濟眾」、「若聖與仁」兩章文本在形成之初所賴以規定之意義傾向。

五　結語

先秦儒家乃是講求德術兼脩、文質彬彬的君子之學，至宋代理學家而發展為注重窮理盡性至命、敬義夾持而中的聖人之學。楊儒賓先生對於理學家提出的性命之學，在有關「聖人」概念的意義建構上，提出精闢解釋：

> 聖人最根本的意義，乃是轉化經驗層的形、氣、神之身心狀態為圓融層的一體而化者，這樣的聖人當然不是不盡社會文化的責任，然而就最核心的意義而言，「聖人」的概念乃是指涉超越層與經驗層同質而化的最高人格，他在「此世」內的道德活動完全由本心所滲透，而造成意義的深化。[66]

依據本文對程頤關於「聖人」概念的考察，程頤所謂「聖人」，確實具有楊先生所說「指涉超越層與經驗層同質而化的最高人格」的意涵。誠然，程頤對於《論語》、《孟子》經典文本中，有關「仁」、「聖」概念之文字敘述之意義理解與詮釋，已然超出孔子、孟子當時用以建構「仁」、「聖」概念之文本之意義傾向。如牟宗三先生即嘗就程頤將仁、性、愛、情畫分開來之義理解釋，批評程頤之解釋不符合孟子學義理。牟先生說：

> 即使孟子說「惻隱之心，仁之端也」，也只是仁心之端緒，尚不是仁心之全體，然此分別亦不是仁是性是理，而惻隱之心是情之分別。孟子以本心說性，惻隱之心本質上就是仁。即使是端緒，亦只是開展廣

---

66 請見楊儒賓：〈變化氣質、養氣與觀聖賢氣象〉，《漢學研究》第19卷第1期（2001年6月），頁120。

> 狹之不同，非本質上有形而上下之差異，故孟子言擴充也。伊川把惻隱恭敬等本心俱視為形而下之情，與喜怒哀樂等一律看，此顯非孟子學之義理。[67]

牟先生對程頤解說孟子義理之批判，客觀中肯，言之有據。然而，如果我們接受 Gadamer 的看法，即理解其實就是視域之融合過程，[68]那麼「理解的每一次實現都可能被認為是被理解東西的一種歷史可能性。」[69]因此，《論語》、《孟子》等儒家典籍，如同其他歷史流傳物一般，都是在「通過事件（物）的繼續發展而得到進一步的基本規定」，然後才可以為人所理解，也才可以獲得新的意義。如此說來，儘管儒家經典文本的意義是不可窮盡，但「對於同一部作品，其意義的充滿正是在理解的變遷之中得以表現。」[70]

本此以觀，程頤關於《論語》、《孟子》文本意義中「仁」、「聖」概念之詮釋，雖然有超出文本原作者當時解釋之意義傾向，但是就《論語》、《孟子》作為歷史流傳物而言，《論語》、《孟子》文本之歷史意義，原本就是通過在不同時空下經過不同讀者持續閱讀《論語》、《孟子》，對《論語》、《孟子》進行文本理解與詮釋，讓《論語》、《孟子》在儒學經典詮釋傳統中隨著歷史的進程繼續獲得新的理解與新的意義。因此，依據詮釋學經驗，程頤對於《論語》、《孟子》文本中「仁」、「聖」概念進行詮釋的歷史意義，從來就不在程頤的解釋是否正確還原孔子、孟子當初講論「仁」、「聖」的意義上，而是在於程頤提出「惟聖人為能盡仁道」之義理詮釋，是程頤以聖人作經之

---

67 請見牟宗三：《心體與性體（二）》，《牟宗三先生全集》（臺北市：聯合報系文化基金會，2003年），第6冊，頁312。

68 所謂「視域融合」，依 Gadame 解釋：「當解釋者克服了一件文本中的疏異性並由此幫助讀者理解了文本，那他本身的退隱並不意味著消極意義上的消失，而是進入到交往之中，從而使文本的視域和讀者的視域之間的對峙得到解決——這就是我所稱為的視域融合。」參見 Hans-Georg Gadamer 原著，洪漢鼎、夏鎮平譯：《真理與方法——補充和索引》（臺北市：時報文化出版公司，1995年），頁376。

69 參見 Hans-Georg Gadamer 著，洪漢鼎譯：《真理與方法——哲學詮釋學的基本特徵》，頁483。

70 《真理與方法——哲學詮釋學的基本特徵》，頁482-483。

意、聖人氣象及聖人之心作為問題所出之視域，與「仁」、「聖」文本所由來之歷史視域，在理解過程中進行視域融合所獲得「仁」、「聖」的意義，這意義同時也反映著程頤在儒學經典詮釋的歷史進程中對於自身的歷史處境之理解，並且提供「仁」、「聖」文本在儒學經典詮釋傳統中的意義開放方向。程頤之後，理學家如朱熹等繼續對「仁」、「聖」文本意義之理解與詮釋保持興趣，並且在給予「惟聖人為能盡仁道」詮釋的視域中對「仁」、「聖」文本意義進行理解；而也就是在這過程中，「仁」、「聖」作為如學核心概念之意義乃得以在儒學經典詮釋傳統之歷史進程中獲得新的理解與新的意義。

「詳味」與「潛玩」
——朱熹叮嚀語之梳理與檢討

陳逢源
政治大學中國文學系教授

一　前言

朱熹對於讀書的重視，在「聖」與「學」之間，反覆思考，乃是一生成就所在，也是令人印象最深刻的地方，治學之堅苦，就撰作方面而言，從「集義」到「集注」[1]，又從「集注」到「章句」，完成《四書章句集注》，四書成為學術之所歸，饒富思索進程。尤其反省前代儒學發展，對於經注體

1 王懋竑纂訂：《宋朱子年譜》（臺北市：臺灣商務印書館，1987年8月）「四年丁酉，四十八歲，夏六月，《論孟集註》、《或問》成」下云：「先生既編次《論孟集義》，又作《訓蒙口義》，既而約其精粹妙得本旨者為《集註》，又疏其所以去取之意為《或問》。然恐學者轉而趨薄，故《或問》之書未嘗出以示人，時書肆有竊刊行者，亟請於縣官追索其板，故惟學者私傳錄之。」頁65。朱熹撰，陳俊民校編：《朱子文集》第8冊，卷81「跋」〈書語孟要義序後〉云：「熹頃年編次此書，鋟版建陽，學者傳之久矣。後細考之，程、張諸先生說，尚或時有所遺脫，既加補塞，又得毗陵周氏說四篇，有半於建陽陳焞明仲，復以附于本章。豫章郡文學南康黃某商伯見而悅之，既以刻于其學，又慮夫讀者疑於詳略之不同也，屬熹書于前序之左，且更定其故號『精義』者曰『要義』云。」頁4022。束景南：〈朱熹前四書集注考〉（從《四書集解》到《四書集注》）云：「蓋朱熹早年之作多致力廣搜先儒之說而成一編，收羅宏富，細大不捐，欲為以後作精注簡解準備材料，故其早年之作多稱為『集解』，如《孟子集解》、《大學集解》、《毛詩集解》等，朱熹此注《論語》之書，據其自敘，名為《論語集解》亦與內容相符。」收入氏著：《朱熹佚文輯考》（南京市：江蘇古籍出版社，1991年12月），頁601。案：近人束景南以朱熹撰作習慣，統稱為「集解」，然不論是「精義」、「要義」、「集義」，名稱屢屢改易，正代表朱熹一段思索的過程。

例深有思考，以《集注》與《或問》相參，說明「去取之意」[2]，即是化解體例侷限的一種嘗試。然而朱熹最後以《四書章句集注》為依歸[3]，云：「《集注》盡撮其要，已說盡了，不須更去注腳外又添一段說話。只把這箇熟看，自然曉得，莫枉費心去外面思量。」[4]由繁歸簡，學術已有定見，按覈《朱子語類》云：

> 《集注》乃《集義》之精髓。
>
> 諸朋友若先看《集義》，恐未易分別得，又費工夫。不如看《集注》，又恐太易了。這事難說。不奈何，且須看《集注》教熟了，可更看《集義》。《集義》多有好處，某卻不編出者，這處卻好商量，卻好子細看所以去取意如何。須是看得《集義》，方始無疑。某舊日只恐《集義》中有未曉得義理，費盡心力，看來看去，近日方始都無疑了。
>
> 因論《集義論語》，曰：「於學者難說。看眾人所說七縱八横，如相戰之類，於其中分別得甚妙。然精神短者，又難教如此。只教看《集注》，又皆平易了，興起人不得。」
>
> ……且說《精義》是許多言語，而《集注》能有幾何言語！一字是一字。其間有一字當百十字底，公都把做等閑看了。[5]

朱熹融鑄調和，只是反覆鍾錬，希望給予最精準的內容，卻又恐讀者輕忽而過，所謂「太易了」、「興起人不得」、「等閑看了」，可見繁簡之間，詮釋為

2 紀昀編修《四庫全書總目》（臺北市：臺灣商務印書館，1985年5月）卷35「《四書或問》三十九卷」提要云：「朱子既作《四書章句集註》，復以諸家之說，紛錯不一，因設為問答，明所以去取之意，以成此書。……並錄存之，其與《集註》合者，可曉然於折衷眾說之由，其於《集註》不合者，亦可知朱子當日，原多未定之論，未可於《語錄》、《文集》，偶摘數語，即為不刊之典矣。」頁722-723。《集注》去取之意，見於《或問》，可以了解朱熹詮釋確實有關乎體例架構的安排。

3 黎靖德編：《朱子語類》（臺北市：文津出版社，1986年12月）卷105「論自注書」，云：「先生說《論語或問》不須看。請問，曰：『支離。』」，頁2630。

4 黎靖德編：《朱子語類》（臺北市：文津出版社，1986年12月）卷19「《論》《孟》綱領」，頁438。

5 黎靖德編：《朱子語類》卷19「《論》《孟》綱領」，頁439-440。

難。筆者從「章句」與「集注」兩種既同又異的形式中，分出《四書章句集注》有「文字音讀」、「校正文字」、「出處典故」、「名物說解」、「字義訓詁」、「說解語義」、「引據印證」、「間附己見」、「綜整旨趣」、「標示章旨脈絡」等十項詮釋層次[6]，了解注解的細節，從而發現朱熹說解經文語意，摻有義理方面的闡發，間附己見之中，又有附入章旨脈絡的看法，形式上兼有注疏之體，內容融鑄訓詁與義理，兼攝既廣，思考細膩，成就經注事業，成果遠勝前代。比對前人說解，以往執著文字本義，並未切合語意者，經由朱熹斟酌調整，文字更為通暢合宜；以往詮釋冗雜拗曲之處，經由朱熹梳理簡化，閱讀更為方便，藉由體例分析，得見朱熹關注之深，以及詮釋之密。只是以往論述所及，集中於朱熹輯錄前賢語錄，如何參酌「義理」，建構體系，留意注解與引據關聯。然而回歸《四書章句集注》，朱熹於注解之中，突破體例之侷限，以叮嚀語氣，提醒學者注意方向，細心之處，反映朱熹作為經典「讀者」的心得，也期許後世「讀者」更深入的思考，尤其屢屢可見「學者必由是而學焉」、「學者宜盡心焉」、「學者所當深戒」、「學者宜詳味之」、「讀者所宜深體而默識也」等話語，提醒讀者用心，饒富情感，或者慨嘆經文義理無窮，申明「其味深長，當熟玩之」、「其味深長，最宜潛玩」、「其反復丁寧示人之意，至深切矣，學者其可不盡心乎」，殷殷叮囑，深有期許，甚至部分未標示提醒，卻超乎詮釋分際，純為心得的抒發，特殊的論述方式，推究淵源，乃是朱熹承襲義理講論模式，化為經注文字的嘗試[7]，在經典與個人，個人與讀者，朱熹扮演解人角色，於注解體例之外，嘗試突破文字侷限，展現與經典深刻「對話」內容，也給予後人無盡的期許。

6　參見拙著：〈集注與章句：朱熹四書詮釋的體例與方向〉，《朱熹與四書章句集注》（臺北市：里仁書局，2006年9月），頁199-218。

7　朱熹：《孟子集注》卷3〈公孫丑上〉「自生民以來」一章，引程子曰：「孟子此章，擴前聖所未發，學者所宜潛心而玩索也。」《四書章句集注》，頁235。朱熹援取二程語錄，從應答之間，轉為經注文字，叮嚀關注之語，也成為朱熹申明個人心得經常使用語彙。

將注解視同文本（text），關注視角改變，轉向讀者思考[8]，也就可以察覺朱熹深有經典與後世讀者間中介角色的自覺，朱熹《四書章句集注》豐潤的注解樣態，乃是突破體例限囿的結果。相對於注解對於經典的解讀，對於前賢意見的融攝消化，朱熹有時會從注者化身為讀者，甚至成為指引後世讀者的引導者，以超乎注解語氣的詮釋文字，間雜於注解與引據之間，抒發個人心得，並且從中安排閱讀的「符碼」，召喚後世有以繼起的情懷，藉以透露出對「預期讀者」（intended reader）的深深期待。[9]可見《四書章句集注》應有多層次的閱讀，誠如朱熹所云：「某那《集注》都詳備，只是要人看無一字閑。那箇無緊要閑底字，越要看。自家意裡說是閑字，那箇正是緊要字」。[10]筆者以往梳理朱熹的注解，考查引據來源，主要留心詮釋者與經典間「互為主體性」（inter-subjectivity）的關係[11]，從而證成四書價值。但分析注解之餘，又往往得見朱熹饒富情感的指引文字，提示重點，反覆申明。[12]只是前人研究重點，往往集中於經注符應與否的考辨，或是理學話語的梳理，成果豐碩，固不殆言，但對於朱熹對於後人充滿提醒的話語，僅視為讀書方法，或是積累方式，內容卻尚未及於深究，殊為可惜[13]，為求明晰，以

---

8 伊麗莎白．弗洛恩德（Elizabth Freund）撰，陳燕谷譯：《讀者反應理論批評》（臺北縣：駱駝出版社，1994年6月）頁2。

9 拉比諾維茲（Peter J. Rabinowitz）撰，王金凌、廖棟樑譯：〈無盡的迴旋：讀者取向的批評〉，收入張雙英、黃景進主編：《當代文學理論》（臺北市：合森文化公司，1991年9月），頁141。

10 黎靖德編：《朱子語類》卷19「《論》《孟》綱領」，頁438。

11 黃俊傑：〈從儒家經典詮釋史觀點論解經者的「歷史性」及其相關問題〉，《東亞儒學史的新視野》（臺北市：喜瑪拉雅基金會，2001年12月），頁61。拙著：〈序論——經典閱讀的反省與思索〉，《朱熹與四書章句集注》，頁12-13。

12 按：朱熹指引讀者閱讀策略，對於後世小說評點，饒富啟發作用，朱熹於文本與讀者之間，建立溝通橋樑，成為明清書評家仿效的對象。蕭啟斌：〈「通作者之意，開覽者之心」——金聖嘆評點《水滸》美學思想初深〉，《廣東培正學院學報》第10卷第2期（2010年6月），頁56。

13 楊儒賓：〈「積累」與「當下」——時間隱喻下的經典詮釋〉留意到朱熹強調積累工夫，可以分三個步驟，第一是學者必須多層次的閱讀，其次是讀書所得的理永遠是與生命相關，第三是讀書尤其是讀聖人之書的目標必然是長期的。收入氏：《從《五經》

「叮嚀」話語作為檢討方向，全面梳理《四書章句集注》內容，摘錄分析，從類型之中，得見朱熹有化解歧出的努力，回應經典結構之觀察，以及回歸聖人思考等三項重點，從而可以了解朱熹經注思考的重點，以往研究朱熹理學思想，往往撮舉語錄材料分析，其實語錄出於弟子所錄，內容未必真切周全，應答之間，更難免舛誤偏差，然而《四書章句集注》心得之語，關乎朱熹研讀經典的成果，乃是從徵引前賢、推究訓詁，回歸經典義理，斟酌再三的結果，於此切近朱熹思索，方能彰顯意義所在，本文期許深入於「閑字」當中，了解朱熹用心所在。

二　化解歧出的嘗試

《朱子語類》云：「讀書，須是看著他那縫罅處，方尋得道理透徹。若不見得縫罅，無由得入。看見縫罅時，脈絡自開。」[14]朱熹從縫隙處尋求道理，為朱熹學術成就的關鍵，兼融義理與訓詁，對於義理歧出之處，深加致意[15]，茲舉朱注《論語‧學而》篇「吾日三省吾身」章為例：

> 傳，謂受之於師。習，謂熟之於己。曾子以此三者日省其身，有則改之，無則加勉，其自治誠切如此，可謂得為學之本矣。而三者之序，則又以忠信為傳習之本也。[16]

按覈何晏《論語集解》云：「言凡所傳之事，得無素不講習而傳之」[17]，重

到《新五經》》（臺北市：臺大出版中心，2013年4月），頁63-64。分析朱熹讀書的方式、範圍與境界，「玩味」正是屬於第一階段的語彙，也是進入聖人之學最重要的關鍵。

14 黎靖德編：《朱子語類》卷10「讀書法上」，頁162。

15 拙著：〈義理與訓詁：朱熹四書章句集注之徵引原則〉，《朱熹與四書章句集注》，頁271-274。

16 朱熹：《論語集注》卷1〈學而〉篇，《四書章句集注》，頁48。

17 何晏集解，邢昺疏：《論語注疏》（臺北縣：藝文印書館，1985年12月《十三經注疏》本）卷1〈學而〉篇，頁6。

點是所傳之業，而朱熹關注所及，乃是曾子所受之業，從己而出，與己之所受，角度相反，但比較其中，從孔子至曾子，「師」與「己」乃是道統成立之關鍵，朱熹對於曾子修身之法多所關注，乃是依據循孔門之傳的線索而來，朱熹顯然更重視「業」的神聖性，以此說解，曾子日日行之，自然更有理據，可見朱熹於前人注解，饒有辨證之思考，訓詁不及之處，端賴注家細膩的思考，方能彰顯經文奧義。其次，「為人謀」、「與朋友交」以及「傳」三者乃曾子「三省」之事，然而朱熹卻特別指出「三者之序，則又以忠信為傳習之本也」，不僅強調有序，更標舉「忠信」為修養自省的核心，分別之中，有其一貫之處，按覈《論語・里仁》篇「吾道一以貫之」章，曾子曰：「夫子之道，忠恕而已矣。」朱注云：

> 夫子之一理渾然而泛應曲當，譬則天地之至誠無息，而萬物各得其所也。自此之外，固無餘法，而亦無待於推矣。曾子有見於此而難言之，故借學者盡己、推己之目以著明之，欲人之易曉也。蓋至誠無息者，道之體也，萬殊之所以一本；萬物各得其所者，道之用也，一本之所以萬殊。以此觀之，一以貫之之實可見矣。[18]

「忠信」與「忠恕」雖然稍有不同，但「曾子有見於此而難言之」，可以解釋此乃曾子「推」之結果，「忠恕」乃是方便說法，至道渾然，然而「自治誠切」，歸之於「己」，遂有契合之處。前者朱熹引謝良佐之言「諸子之學，皆出於聖人，其後愈遠而愈失其真。獨曾子之學，專用心於內，故傳之無弊，觀於子思、孟子可見矣。」[19]後者引程子之言「聖人教人各因其才，吾道一以貫之，惟曾子為能達此，孔子所以告之也。曾子告門人曰：『夫子之道，忠恕而已矣』，亦猶夫子之告曾子也。」[20]聖學內容，必須在道體境界與修養工夫之間統合說解，以求一致，朱熹並且以「理一分殊」的架構，言明兩者乃體用之分，於是「至誠無息」與「萬物各得其所」遂有融鑄於一的

---

18 朱熹：《論語集注》卷2〈里仁〉篇，《四書章句集注》，頁72。

19 朱熹：《論語集注》卷1〈學而〉篇，《四書章句集注》，頁48。

20 朱熹：《論語集注》卷2〈里仁〉篇，《四書章句集注》，頁72。

說法，而「至誠無息」正是《中庸》所揭示的境界，朱熹於《中庸章句》篇題下云：

> 此篇乃孔門傳授心法，子思恐其久而差也，故筆之於書，以授孟子。其書始言一理，中散為萬事，末復合為一理，「放之則彌六合，卷之則退藏於密」，其味無窮，皆實學也。善讀者玩索而有得焉，則終身用之，有不能盡者矣。[21]

由「理一」而「分殊」，又由「分殊」而歸之「理一」，朱熹在工夫之處，高舉境界，提示方向，對於道體內容，則申明修養，強調「實學」，孔子、曾子、子思、孟子相傳之線索，指引之心法，也就有具體的內容。朱熹是以經典參證的方式，串貫義理，然而於體用之間，未敢輕忽一方，聖人揭示一貫之道，曾子提示之內容，乃至於後學依循的方向，無不充分照顧，遂有完整的論述內容，數則注解，相互關聯，雖然迂迴曲折，但道理深刻綿長，詮釋之細膩，於此可見。事實上，「理一分殊」正是朱熹從學李侗所獲致的啟發[22]，也是「道南」一系重要心法，朱熹嘗試建構施用於人倫之間，而上應天理道體的義理體系，縈之於心，援以思考，終於從兼採儒釋，到歸本於儒，確立一生學術門徑，於此理學成立關鍵，也成為詮釋四書最重要的義理依據。[23]朱熹藉此彌平形上與形下之區別，化解體、用分歧，揭示儒學宏大

---

21 朱熹：《中庸章句》，《四書章句集注》，頁17。

22 錢穆：《朱子新學案》（臺北市：三民書局，1982年4月）第三冊歸納朱熹獲之於延平者有三：一是須於日用人生上融會，一是須看古聖經義，又一為理一分殊，所難不在理一處，乃在分殊處。頁35。

23 黎靖德編：《朱子語類》卷四十九載朱熹追憶同安主簿時，下鄉夜聽杜鵑啼叫，苦讀《論語》，思量「子夏之門人小子」章。弟子胡泳於下注云：「泳續檢尋《集注》此章，乃是程子諸說，多是明精粗本末，分雖殊而理則一；似若無本末，無小大。獨明道說『君子教人有序』等句分曉。乃是有本末小大，在學者則須由下學乃能上達，惟聖人合下始終皆備耳。此是一大統會，當時必大有所省，所恨愚闇不足以發師誨耳。」頁1211。束景南：《朱熹年譜長編》（上海市：華東師範大學出版社，2001年9月）繫此事於紹興二十六年（1156），隔年朱熹致書李侗問學。頁205-225。從往見李侗，至正式從學，可見「理一分殊」乃是朱熹從儒釋兼採，至棄佛崇儒思考的起點，

境界，也提醒修養不可違棄，下學上達，期許讀者終身「玩索而有得」，此乃朱熹一生思索的心得，而於曾子三省之內涵，孔子一貫之旨，乃至於《中庸》旨趣所在，遂有融鑄調和，義理貫通的說法。事實上，四書鎔鑄，義理銜接，乃是浩大工程，朱熹由分而合，已具體系，雖然差異之間，仍有剔之未盡之處[24]，但相較於引據內容，朱熹於分歧中，仔細揣摩，詳加推敲，得見一貫之義理，無疑是四書體系得以成立，形構經典最重要的關鍵，思之既久，文字之中，也就多有提醒。

朱熹高懸儒學境界，對於孔門之間，觀察十分細膩，《論語・述而》篇「子溫而厲」章，朱注云：

> 人之德性本無不備，而氣質所賦，鮮有不偏，惟聖人全體渾然，陰陽合德，故其中和之氣見於容貌之間者如此。門人熟察而詳記之，亦可見其用心之密矣。抑非知足以知聖人而善言德行者不能也，故程子以為曾子之言。學者所宜反復而玩心也。[25]

朱熹於「己丑之悟（1169）」確立了「中和」之解，從「性」為「未發」，「心」為「已發」，至「心」具眾理，兼有「已發」與「未發」，學術從「道南」至「湖湘」，又從「湖湘」融鑄「道南」，「已發」、「未發」不是「心」、「性」之別，而是「情」、「性」之分。[26]此一思索，乃是朱熹重要之學術進程，也是一生追尋二程所獲致的成果，推究精微，對於聖人與凡人之間，遂有分判的標準，有趣的是朱熹引程子之言為證，認為能夠巧妙形容孔子「溫而厲」、「威而不猛」、「恭而安」中和之氣見於容貌者，只有曾子才有如此的

也是心折於李侗之處，自此方向已定，更進於精微。參見拙著：〈從「理一分殊」到「格物窮理」：朱熹四書章句集注之義理思維〉，《朱熹與四書章句集注》，頁344。

24 清儒毛奇齡撰《四書改錯》針對朱熹注解矛盾之處，多有批判，參見拙著：《毛西河四書學之研究》（新北市：花木蘭文化出版社，2010年9月），頁67-69。

25 朱熹：《論語集注》卷4〈述而〉篇，《四書章句集注》，頁102。

26 參見拙著：〈從「理一分殊」到「格物窮理」：朱熹四書章句集注之義理思維〉，《朱熹與四書章句集注》，頁345-350。

見識，揣摩其間，朱熹有意彰顯聖人氣象，以及孔門得傳線索，《論語・先進》篇「吾與點」章，朱注云：

> 曾點之學，蓋有以見夫人欲盡處，天理流行，隨處充滿，無少欠闕。故其動靜之際，從容如此。而其言志，則又不過即其所居之位，樂其日用之常，初無舍己為人之意。而其胸次悠然，直與天地萬物上下同流，各得其所之妙，隱然自見於言外。視三子之規規於事之末者，其氣象不侔矣，故夫子歎息而深許之。而門人記其本末而加詳焉，蓋亦有以識此矣。[27]

按覈《朱子語類》所載內容，潘植引《集注》作「曾點之學，有以見乎日用之間，莫非天理流行之妙，日用之間，皆人所共」[28]，主要是以胡宏「天理人欲，同行異情」的說法，在日用之間詮釋此一境界，然今本作「人欲盡處，天理流行」、「靜動之際，從容如此」，揚棄人欲之私，展現人生的自在從容，於日用之間，獲致天地萬物同流的坦然滿足，相對於渾圇描述，朱熹分出進程，由未發而及已發，凸顯涵養的作用，詮釋更進一層，說解更為明白，朱熹於章末引程子之言：

> 曾點，狂者也，未必能為聖人之事，而能知夫子之志。故曰浴乎沂，風乎舞雩，詠而歸，言樂而得其所也。孔子之志，在於老者安之，朋友信之，少者懷之，使萬物莫不遂其性。曾點知之，故孔子喟然歎曰：「吾與點也。」[29]

提醒學者追求曾點境界之餘，也應了解孔子的志向，此一轉折，足見朱熹思考更深一層，《朱子語類》載黃義剛、林夔孫所錄：

> 某嘗說，曾晳不可學。他是偶然見得如此，夫子也是一時被他說得恁

27 朱熹：《論語集注》卷6〈先進〉篇，《四書章句集注》，頁130。
28 黎靖德編：《朱子語類》卷40「〈先進〉篇下」，頁1031。
29 朱熹：《論語集注》卷6〈先進〉篇，《四書章句集注》，頁131。

> 地也快活人，故與之。今人若要學他，便會狂妄了。他父子之學正相反。曾子是一步一步踏著實地去做，直到那「參乎！吾道一以貫之。」曾子曰：「唯。」方是。……曾皙不曾見他工夫，只是天資高後自說著。如夫子說：「吾黨之小子狂、簡，斐然成章，不知所以裁之」，這便是狂、簡。如莊、列之徒，皆是他自說得恁地好，所以夫子要歸裁正之。若是不裁，只管聽他恁地，今日也浴沂詠歸，明日也浴沂詠歸，卻做箇甚麼合殺！[30]

曾點氣象宏闊，固然可喜，但如無節制，也有可能流於「狂、簡」的缺失[31]，在工夫與境界之間，朱熹顯然並不認可空懸境界，否則「今日也浴沂詠歸，明日也浴沂詠歸」，又有何成就，言之簡潔明白，卻是人世至理。[32]重視工夫的思考，同樣也見於《論語．顏淵》篇「克己復禮」章，朱注云：

> 蓋心之全德，莫非天理，而亦不能不壞於人欲。故為仁者必有以勝私欲而復於禮，則事皆天理，而本心之德復全於我矣，……顏淵聞夫子之言，則於天理人欲之際，已判然矣，故不復有所疑問，而直請其條目也。非禮者，己之私也。勿者，禁止之辭。是人心之所以為主，而勝私復禮之機也。私勝，則動容周旋無不中禮，而日用之間，莫非天理之流行矣。[33]

朱熹於「日用之間」得見「天理之流行」，人心雖出於天理，然而一有所偏，不免陷於人欲，以天理、人欲之分，來說明「禮」之為用，從而確立工

---

30 黎靖德編：《朱子語類》卷40「〈先進〉篇下」，頁1032。

31 參見楊儒賓：〈孔顏樂處與曾點情趣〉，收入黃俊傑編：《東亞論語學——中國篇》（臺北市：國立臺灣大學出版中心，2009年9月），頁19。

32 何佑森：〈朱子學與近世思想〉云：「朱子所說的孝弟忠信與持守誦習，是下學之本，看似粗淺，而道在其中。如果將精粗本末的先後序次顛倒了，不從粗處著眼，不從本處著力，將自己懸在空中，空求所謂一貫，空求所謂道體，看似精微，結果將一無所見。」見氏撰：《儒學與思想——何佑森先生學術論文集》（上冊）（臺北市：臺灣大學出版中心，2009年4月），頁127。言之真切，正可為證。

33 朱熹：《論語集注》卷6〈顏淵〉篇，《四書章句集注》，頁131-132。

夫作用[34]，朱熹並且於經文詮釋之外，特別補綴程子視、聽、言、動四箴，修養有更具體的描述，云：

> 愚按：此章問答，乃傳授心法切要之言。非至明不能察其幾，非至健不能致其決。故惟顏子得聞之，而凡學者亦不可以不勉也。程子之箴，發明親切，學者尤宜深玩。[35]

孔顏樂處本是北宋儒學最核心議題，也諸儒豔羨的境界[36]，朱熹於《論語·雍也》篇「賢哉！回也」章引程子云：「昔受學於周茂叔，每令尋仲尼顏子樂處，所樂何事？」[37]《論語·述而》篇「飯疏食」章引程子云：「須知所樂者何事。」[38]朱注保留北宋以來儒者對此之關注[39]，然而針對孔門最重要弟子顏淵，朱熹從天理人欲之辨，深化孔子指引的意涵，視、聽、言、動成為孔門相傳之重要心法，程子以己證之，不僅得其精彩，也成為朱熹綰合修

---

34 相較於朱熹確立工夫之作用，清儒則留意「身之私欲」的解釋，無法通讀上文「克己復禮」與下文「為仁由己」之「己」，於是從訓詁的質疑，轉為「人性」與「人欲」義理的討論，參見艾爾曼撰〈作為哲學的考據：清代考證學中的觀念轉型〉有關顏元、李塨、戴震論點的分析，《經學·科舉·文化史》（北京市：中華書局，2010年4月），頁113-116。然而按覈朱注之例，「己」原不用注解，言之為「謂」，乃有特指之意，朱熹是以「偏」、「全」化解「克己復禮」與下文「為仁由己」詮釋歧出的問題，從而以「禮」來對治人欲之私。

35 朱熹：《論語集注》卷6〈顏淵〉篇，《四書章句集注》，頁132。

36 李煌明：《宋明理學中的「孔顏之樂」問題》（昆明市：雲南人民出版社，2006年5月）云：「最早直接提出這個問題的人則是宋初的周敦頤。他曾要二程『尋顏子、仲尼樂處，所樂何事』，此後，『孔顏之樂』問題才成為一直貫穿於整個宋明理學發展始終的一個重要問題。」頁5。

37 朱熹：《論語集注》卷3〈雍也〉篇，《四書章句集注》，頁87。

38 朱熹：《論語集注》卷4〈述而〉篇，《四書章句集注》，頁97。

39 孔、顏樂處為北宋諸儒關切議題，觸發所在，溯及孔子四十七代孫孔宗翰任膠西太守，訪求顏淵故居，浚井建亭，名公鉅卿紛紛撰詩題記，「顏樂」成為關注焦點，見孔元措：《孔氏祖庭廣記》（臺北市：臺灣商務印書館，1966年12月）卷九載「熙寧間，嘗構亭井之北，曰『顏樂亭』，士大夫聞之，如司馬溫公、二蘇輩二十餘人，或以詩，或以文，或以歌頌，皆揭以牌。」頁98。

養工夫與歷史傳承，建構二程遙接孔門之傳的重要線索。朱熹揭示儒學究竟，完成義理貫串工作，言「仁」，《論語・顏淵》篇「仲弓問仁」章，針對「出門如見大賓，使民如承大祭。己所不欲，勿施於人」，朱注按語：

> 愚按：克己復禮，乾道也；主敬行恕，坤道也。顏、冉之學，其高下淺深，於此可見。然學者誠能從事於敬恕之間而有得焉，亦將無己之可克矣。[40]

朱熹分別顏、冉，於高下之間，得見孔子因材施教的安排，所謂「乾道」、「坤道」，按覈《朱子語類》朱熹以「剛健勇決」、「殺賊工夫」以及「平穩做去」、「防賊工夫」來形容[41]，說法有異，卻有共同趨向，同指去除私意，全其心德的過程，朱熹特別留意殊異之中，孔子用意所在，於人生行事，遂有依循方向。相較於此，《論語・顏淵》篇「司馬牛問仁」章，朱注云：

> 愚謂牛之為人如此，若不告之以其病之所切，而泛以為仁之大　語之，則以彼之躁，必不能深思以去其病，而終無自以入德矣。故其告之如此。蓋聖人之言，雖有高下大小之不同，然其切於學者之身，而皆為入德之要，則又初不異也。讀者其致思焉。[42]

朱熹認為「其言也訒」乃是「藥病」之言，孔子於門人切身指引，自然有不同的說法，相對於鋪排「仁德」境界，更著力於分出孔門弟子高下，嘗試於分歧之中，得其究竟。《論語・憲問》篇「莫我知也夫」章，朱注云：

> 不得於天而不怨天，不合於人而不尤人，但知下學而自然上達。此但自言其反己自修，循序漸進耳，無以甚異於人而致其知也。然深味其語意，則見其中自有人不及知而天獨知之妙。蓋在孔門，惟子貢之智

---

40 朱熹：《論語集注》卷6〈顏淵〉篇，《四書章句集注》，頁133。

41 黎靖德編：《朱子語類》卷41「〈顏淵〉篇上」，頁1072、1073。

42 朱熹：《論語集注》卷6〈顏淵〉篇，《四書章句集注》，頁133。

幾足以及此，故特語以發之。惜乎其猶有所未達也！[43]

孔子深究道體之精微，指引於「人不及知而天獨知之妙」，可惜子貢未達於此，同樣之觀察，《論語・衛靈公》篇「一以貫之」章，朱注按語云：

愚按：夫子之於子貢，屢有以發之，而他人不與焉。則顏曾以下諸子所學之淺深，又可見矣。[44]

子貢乃孔門當中最具聲勢與影響力的弟子[45]，但朱熹接受尹焞「孔子之於曾子，不待其問而直告之以此，曾子復深諭之曰『唯』。若子貢則先發其疑而後告之，而子貢終亦不能如曾子之唯也」的說法[46]，孔子對於曾子與子貢的指引，細節不同，反應有異，顯示子貢對於孔子學術的體會恐未及於曾子。此一見解，也反應於《論語・陽貨》篇「予欲無言」章，朱注云：

四時行，百物生，莫非天理發見流行之實，不待言而可見。聖人一動一靜，莫非妙道精義之發，亦天而已。豈待言而顯哉？此亦開示子貢之切，惜乎其終不喻也。[47]

天理流行，聖道精微，有言語之外的境界，朱熹掌握詮釋細節，體會日深，對於孔門弟子，甚至分出兩系，《論語・子張》篇朱注於篇章題下云：

此篇皆記弟子之言，而子夏為多，子貢次之。蓋孔門自顏子以下，穎悟莫若子貢；自曾子以下，篤實無若子夏。故特記之詳焉。[48]

朱熹於孔門當中分出「穎悟」、「篤實」兩系，從顏淵、曾子以下確立子貢、

---

43 朱熹：《論語集注》卷7〈憲問〉篇，《四書章句集注》，頁157。

44 朱熹：《論語集注》卷8〈衛靈公〉篇，《四書章句集注》，頁162。

45 參見拙著：〈瑚璉之器的子貢〉，收入蔡信發主編：《孔子弟子言行傳》（臺北市：萬卷樓圖書公司，2010年12月）下冊，頁1。

46 朱熹：《論語集注》卷8〈衛靈公〉篇，《四書章句集注》，頁161-162。

47 朱熹：《論語集注》卷9〈陽貨〉篇，《四書章句集注》，頁180。

48 朱熹：《論語集注》卷10〈子張〉篇，《四書章句集注》，頁188。

子夏的地位，對於孔子所傳遂有更為清楚的了解，不僅可以解讀《論語》載錄情形，針對門人論述，也有分判的標準，《論語．子張》篇「子夏之門人問交」章，朱注云：

> 子夏之言迫狹，子張譏之是也。但其所言亦有過高之病。蓋大賢雖無所不容，然大故亦所當絕；不賢固不可以拒人，然損友亦所當遠。學者不可不察。[49]

孔門弟子勸勉切磋，乃是相期於道的常態，子張不滿意子夏，並不代表子張更切近孔子之道，兩人各有所偏，於此可見，朱熹反覆辨認，乃是嘗試掌握孔門之間弟子傳承線索，探究真義所在，朱熹糾彈義理之偏，似乎也在情理之中[50]，如《論語．子張》篇「大德不踰閑」章，朱注引吳棫云：「此章之言，不能無弊。學者詳之。」[51]批評子夏言之有過。《論語．子張》篇「喪致乎哀而止」章，朱注云：「愚按：『而止』二字，亦微有過於高遠而簡略細微之弊。學者詳之。」[52]批評子游陳義過高，朱熹對於孔門弟子，不僅詮釋章句旨趣，也推究其中高下，提醒讀者留意細節，用心所在，辨析入微，《朱子語類》載：

> 聖門日用工夫，甚覺淺近。然推之理，無有不包，無有不貫，及其充廣，可與天地同其廣大。故為聖，為賢，位天地，育萬物，只此一理而已。
>
> 常人之學，多是偏於一理，主於一說，故不見四旁，以起爭辨。聖人則中正和平，無所偏倚。
>
> 某向時也杜撰說得，終不濟事。如今方見得分明，方見得聖人一言一

49 朱熹：《論語集注》卷10〈子張〉篇，《四書章句集注》，頁188。

50 拙著：〈聖與凡之間──孔門弟子軼事傳說〉，《東華漢學》第9期（2009年6月），頁116。

51 朱熹：《論語集注》卷十〈子張〉篇，《四書章句集注》，頁190。

52 朱熹：《論語集注》卷十〈子張〉篇，《四書章句集注》，頁191。

> 字不吾欺。只今六十一歲，方理會得恁地。若或去年死，也則枉了。自今夏來，覺見得纔是聖人說話，也不少一箇字，也不多一箇字，恰恰地好，都不用一些穿鑿。[53]

朱熹從孔學究竟的推尋，進而及於弟子高下的檢討，用意在於「中正和平」之際，揣摩聖人精神，《論語．衛靈公》篇「師冕出」章，朱注云：「聖門學者，於夫子之一言一動，無不存心省察如此。」[54]個人義理體證日深，經注事業純熟，終於釐清孔門系譜，對於推究儒學究竟，化解義理歧出，串貫四書之脈絡，更具自信，感慨所在，甚至認為「不少一箇字」、「不多一箇字」，「若或去年死，也則枉了」，體會聖道之欣悅與欽羨，可以想見。

朱熹於《四書章句集注》化解歧出之處，還包括聖與凡之間的差距，如《論語．述而》篇「葉公問孔子於子路」章，朱注云：

> 未得，則發憤而忘食；已得，則樂之而忘憂。以是二者俛焉日有孳孳，而不知年數之不足，但自言其好學之篤耳。然深味之，則見其全體至極，純亦不已之妙，有非聖人不能及者。蓋凡夫子之自言類如此，學者宜致思焉。[55]

聖人深造有得，言語渾融自然，朱熹揣摩精神，推究言外之旨，於此發凡起例，標明聖人謙以示人的情懷。相同之例，如《論語．述而》篇「蓋有不知而作之者」章，朱注：「孔子自言未嘗妄作，蓋亦謙辭，然亦可見其無所不知也。」[56]聖道崇高，所言卻謙下，在聖與凡之間，朱熹建構詮釋分際，指引了解的原則。

---

53 黎靖德編：《朱子語類》卷8「總論為學之方」，頁130。卷104「自論為學工夫」，頁2621-2622。

54 朱熹：《論語集注》卷8〈衛靈公〉篇，《四書章句集注》，頁169。

55 朱熹：《論語集注》卷4〈述而〉篇，《四書章句集注》，頁98。

56 朱熹：《論語集注》卷4〈述而〉篇，《四書章句集注》，頁99。

三　結構性的觀察

朱熹化解歧出之餘，並且開展經文結構性觀察，此乃學術的躍進，也是義理進程所在，溯其淵源，《朱子語類》有一段追憶文字，可以作為參考材料，云：

> 某往年在同安日，因差出體究公事處，夜寒不能寐，因看得子夏論學一段分明。後官滿，在郡中等批書，已遣行李，無文字看，於館人處借得《孟子》一冊熟讀，方曉得「養氣」一章語脈。當時亦不暇寫出，只逐段以紙簽簽之云，此是如此說。簽了，便看得更分明。後來其間雖有修改，不過是轉換處，大意不出當時見。[57]

朱熹分享自身閱讀經驗，從字詞而及於段落，詮釋經文旨趣，擴及語脈分析，關注所及，乃是經文本身的結構問題，《孟子》文字辭氣縱橫，反覆辨證，讀法自然不同於《論語》，此為朱熹閱讀經典的重要進程，少時之思考內容，如今保留於《四書章句集注》當中，成為極為可貴的材料，檢覈《孟子・公孫丑上》「養氣」一章，朱注分出三段，確實如同《朱子語類》所言「簽了，便看得分明」，列舉如下：

> 此一節，公孫丑之問。孟子誦告子之言，又斷以己意而告之也。告子謂於言有所不達，則當舍置其言，而不必反求其理於心；於心有所不安，則當力制其心，而不必更求其助於氣，此所以固守其心而不動之速也。孟子既誦其言而斷之曰：彼謂不得於心而勿求諸氣者，急於本而緩其末，猶之可也；謂不得於心而不求諸心，則既失於外，而遂遺其內，其不可也必矣。然凡曰可者，亦僅可而有所未盡之辭耳。若論其極，則志固心之所之，而為氣之將帥；然氣亦人之所以充滿於身，而為志之卒徒者也。故志固為至極，而氣即次之。人固當敬守其志，

57 黎靖德編：《朱子語類》卷104「自論為學工夫」，頁2615。

> 然亦不可不致養其氣。蓋其內外本末，交相培養。此則孟子之心所以未嘗必其不動，而自然不動之大略也。……
>
> 公孫丑復問孟子之不動心所以異於告子如此者，有何所長而能然，而孟子又詳告之以其故也。知言者，盡心知性，於凡天下之言，無不有以究極其理，而識其是非得失之所以然也。浩然，盛大流行之貌。氣，即所謂體之充者。本自浩然，失養故餒，惟孟子為善養之以復其初也。蓋惟知言，則有以明夫道義，而於天下之事無所疑；養氣，則有以配夫道義，而於天下之事所無懼，此其所以當大任而不動心也。告子之學，與此正相反。其不動心，殆亦冥然無覺，悍然不顧而已爾。……
>
> 此公孫丑復問而孟子答之也。詖，偏詖也。淫，放蕩也。邪，邪僻也。遁，逃避也。四者相因，言之病也。蔽，遮隔也。陷，沉溺也。離，叛去也。窮，困屈也。四者亦相因，則心之失也。人之有言，皆本於心。其心明乎正理而無蔽，然後其言平正通達而無病；苟為不然，則必有是四者之病矣。即其言之病，而知其心之失，又知其害於政事之決然而不可易者如此。非心通於道，而無疑於天下之理，其孰能之？彼告子者，不得於言而不肯求之於心；至為義外之說，則不免於四者之病，其何以知天下之言而無所疑哉？[58]

朱熹重新梳理公孫丑與孟子應對脈絡，份量既多，已超乎文字注解形式，從陳述告子之言，分判孟子異於告子之處，至闡明孟子勝出原因，分出三節，層次井然，以「理」分出「言」、「心」、「氣」之關係，從而確立「志」、「氣」交養的工夫，了解「知言」、「養氣」之究竟，以及「心」與「言」相應的情形，複雜之辨證，遂有清晰的理路，告子膠固於心，冥然無覺，至於孟子之心卻是「未嘗必其不動，而自然不動」，同樣不動心，但細節之間，同中有異，孟子善養以復其初，知言於「天下之事無所疑」，養氣於「天下之事無所懼」，工夫所在，方足以當大任而不動心，否則言病心失，害於政

58 朱熹：《孟子集注》卷3〈公孫丑上〉，《四書章句集注》，頁230-233。

事，影響至深，所以告子未能「知言」，所謂之「不動心」乃是皮毛工夫而已。而「凡曰可者，亦僅可而有所未盡之辭耳」，「可」有未盡之處，更是訓詁文字之餘，從語脈辭氣所推究的了解，至於「盡心知性，於凡天下之言，無不有以究極其理，而識其是非得失之所以然也」，正是朱熹思索儒學工夫的重要方向，按覈《孟子・盡心上》「盡其心者」章，朱注云：

> 心者，人之神明，所以具眾理而應萬事者也。性則心之所具之理，而天又理之所從以出者也。人有是心，莫非全體，然不窮理，則有所蔽而無以盡乎此心之量。故能極其心之全體而無不盡者，必其能窮夫理而無不知者也。既知其理，則其所從出，亦不外是矣。以《大學》之序言之，知性則物格之謂，盡心則知至之謂也。……愚謂盡心知性而知天，所以造其理也；存心養性以事天，所以履其事也。不知其理，固不能履其事；然徒造其理而不履其事，則亦無以有諸己矣。知天而不以殀壽貳其心，智之盡也；事天而能修身以俟死，仁之至也。智有不盡，固不知所以為仁，然智而不仁，則亦將流蕩不法，而不足以為智矣。[59]

從「心」得其「性」，由「性」見其「理」，成為朱熹思索形上道德的依據[60]，此一進程有賴「中和」之解超越性的理解[61]，唯有仁、智之極，才能達致天理流行之境；事、理兼行，個人生命才能充足圓滿，「盡心」、「知性」工夫所在，可以印證窮理之訴求。朱熹求其周全而深厚，唯恐有所偏失，討論既詳，並非說解經文旨趣而已，更在於闡釋個人修養心得，以經典印證體會，四書義理通貫，所謂即物窮理，乃是由「心」及見，符合「盡

59 朱熹：《孟子集注》卷13〈盡心上〉，《四書章句集注》，頁349。

60 按：牟宗三：《中國哲學的特質》（臺北市：臺灣學生書局，1983年1月）有關「人性」分出《中庸》、《易傳》「宇宙論的進路」以及《孟子》「道德的進路」，頁59-74。朱熹顯然是以孟子心論性的進路，完成四書義理體系。

61 參見拙著：〈從「理一分殊」到「格物窮理」：朱熹四書章句集注之義理思維〉，《朱熹與四書章句集注》，頁347-350。

心」、「知性」的進程，所以「即凡天下之物」，是「因已知之理而益窮之」，工夫是在「心」、「性」思考下進行，朱熹〈答江德功二〉自述其歷程「自十五、六時知讀是書，而不曉格物之義，往來於心，餘三十年。」[62]三十餘年的思考，斟酌再三，前人分析朱熹「格物致知」有不同發展階段：第一階段是「丙戌之悟」以前，守「中和舊說」，心性之論尚未明朗，格物乃是日用事物之間，明是非，審可否，求取道理所在。第二階段由丙戌至己丑，乃是「中和新說」之後，強調「涵養須是敬，進學則在致知」，所以窮理致知，包括讀書明理，審度是非，更應留意存養、擴充的工夫，以推究義理之知，安排小學階段的涵養工夫，強調灑掃應對進退之間，有其形上之價值。第三階段是完成《大學章句》時期，以「明明德」為中心講「格物致知」，所以「格物」是去人欲、存天理、存心養性的過程，內容包括之前各段的體會，然而堅持「心德」之「明」，更可見「理」之純粹。[63]幾經轉折，承之於前，又新變於後，前人誤解朱學有外弛之失，支離之病，顯然是輕忽朱熹的學術進程，也未能深究朱熹詮釋細節的結果。[64]事實上，將「格物」歸於「明德」，代表思考「心」、「性」義理已具自信，更是朱熹開展《孟子》結構性閱讀策略所獲致的重要心得，此於《孟子・告子上》性善之辨一段，分出孟子與告子分歧之處，可以一窺其要，朱注云：

> 性者，人生所稟之天理也。……告子言人性本無仁義，必待矯揉而後成，如荀子性惡之說也。……
>
> 告子因前說而小變之，近於揚子善惡混之說。……
>
> 生，指人物之所以知覺運動者而言。告子論性，前後四章，語雖不同，然其大指不外乎此，與近世佛氏所謂作用是性者略相似。……

---

62 朱熹撰，陳俊民校編：《朱子文集》第5冊，卷44〈答江德功二〉，頁1968。

63 金春峰：《朱熹哲學思想》（臺北市：東大圖書公司，1998年5月）第4章「格物致知說」，頁157-159。

64 張汝倫：〈關於格物致知的若干問題——以朱熹的闡釋為中心〉，收入吳震主編：《宋代新儒學的精神世界——以朱子學為中心》（上海市：華東師範大學出版社，2009年6月），頁63-70。

愚按：性者，人之所得於天之理也；生者，人之所得於天之氣也。性，形而上者也；氣，形而下者也。人物之生，莫不有是性，亦莫不有是氣。然以氣言之，則知覺運動，人與物若不異也；以理言之，則仁義禮智之稟，豈物之所得而全哉？此人之性所以無不善，而為萬物之靈也。告子不知性之為理，而以所謂氣者當之，是以杞柳湍水之喻，食色無善無不善之說，縱橫繆戾，紛紜舛錯，而此章之誤乃其本根。所以然者，蓋徒知知覺運動之蠢然者，人與物同；而不知仁義禮智之粹然者，人與物異也。孟子以是折之，其義精矣。……

自篇首至此四章，告子之辯屢屈，而屢變其說以求勝，卒不聞其能自反而有所疑也。此正其所謂不得於言勿求於心者，所以卒於鹵莽而不得其正也。[65]

此乃《孟子》「性善」最關鍵之文字，「知言」之為要，於此可見，朱熹以釐清語脈的閱讀策略，檢討義理應對關係，分析論述層次，分出「如荀子性惡之說」、「近於揚子善惡混之說」、「與近世佛氏所謂作用是性者略相似」三層，得見「告子之辯屢屈」，由外趨內，論旨漸受孟子影響的過程，掌握經文辭氣細節，不僅了解孟子與告子「性論」爭議之所在，差異之間，也釐清自先秦以來荀子、揚雄，甚至佛教論性觀點的偏失，從而確立孟子「性善」真確不移的價值，原本章句注解工作，成為朱熹分判歷來性論歧出的依據，孟子勝出於告子，固不待言，然而於朱熹詮釋之下，也廓除秦漢以來有關性論的歧出之見，孟子勝出於歷代哲人，自無疑義，此乃孟子地位成立的關鍵，也是朱熹道統論述最具意義的主張。[66]對於紛擾膠著之處，朱熹以形上為理，形下為氣，區分孟子與告子論性層次不同，知覺運動是人與物同，仁義禮智為人所獨有，善從人性而出，理、氣同出而有別，告子以氣說性，並不能彰性之價值。朱熹承繼北宋二程、張載性、氣主張，遂有清楚分判的標

65 朱熹：《孟子集注》卷11〈告子上〉，《四書章句集注》，頁325-327。

66 參見拙著：〈從「政治實踐」到「心性體證」：朱熹注《孟子》的歷史脈絡〉，《東吳中文學報》第20期（2010年10月），頁162-163。

準，《孟子・告子上》「為此詩者，其知道乎」章，朱注引程子、張載之言，得見觀念啟發，云：

> 程子曰：「性即理也，理則堯、舜至於塗人一也。才稟於氣，氣有清濁，稟其清者為賢，稟其濁者為愚。學而知之，則氣無清濁，皆可至於善而復性之本，湯、武身之是也。孔子所言下愚不移者，則自暴自棄之人也。」又曰：「論性不論氣，不備；論氣不論性，不明，二之則不是。」張子曰：「形而後有氣質之性，善反則天地之性存焉。故氣質之性，君子有弗性者焉。」愚按：程子此說才字，與《孟子》本文小異。蓋孟子專指其發於性者言之，故以為才無不善；程子兼指其稟於氣者言之，則人之才固有昏明強弱之不同矣，張子所謂氣質之性是也。二說雖殊，各有所當，然以事理考之，程子為密。蓋氣質所稟雖有不善，而不害性之本善；性雖本善，而不可以無省察矯揉之功，學者所當深玩。[67]

從二程之思考，化解經典本身的歧出，《孟子・盡心上》「堯、舜，性之也；湯、武，身之也」[68]，聖聖相承，門徑有異，但無礙於成聖；清濁不同，其理則一，復性乃至於善，所謂「下愚不移」，並不是性有虧欠，而是自暴自棄，背離其理，由氣可以說明人事之不齊，言理則有形上的依據，應然與實然之間，二程歸納出性、氣相須相待，二者必須配合而言，張載更從先後關係說明氣質之性與天地之性同生異質，於此確立性善內涵與工夫方向，「善反」才是關鍵，凡此種種，乃是朱熹綜納北宋諸儒辨析成果，雖然於「才」之說明，二程明顯與孟子角度有所不同，但細節歧出，無礙於理、氣架構的了解，朱熹並且提醒人固然要有本體為善的自覺，但也要有留意於工夫的認識，融通體用，兼備周到，於此可見，《朱子語類》載錄朱熹於此之反省：

> 孟子言性，只說得本然底，論才亦然。荀子只見得不好底，揚子又見

---

67 朱熹：《孟子集注》卷11〈告子上〉，《四書章句集注》，頁329。

68 朱熹：《孟子集注》卷13〈盡心上〉，《四書章句集注》，頁358。

> 得半上半下底，韓子所言卻是說得稍近。蓋荀、揚說既不是，韓子看來端的見有如此不同，故有三品之說。然惜其言之不盡，少得一箇「氣」字耳。程子曰：「論性不論氣，不備；論氣不論性，不明。」蓋謂此也。
>
> 孟子未嘗說氣質之性。程子論性所以有功於名教者，以其發明氣質之性也。以氣質論，則凡言性不同者，皆冰釋矣。退之言性亦好，亦不知氣質之性耳。
>
> 道夫問：「氣質之說，始於何人？」曰：「此起於張、程。某以為極有功於聖門，有補於後學，讀之使人深有感於張、程，前此未曾有人說到此。……諸子說性惡與善惡混。使張、程之說早出，則這許多說話自不用紛爭。故張、程之說立，則諸子之說泯矣。」因舉橫渠：「形而後有氣質之性。善反之，則天地之性存焉。故氣質之性，君子有弗性者焉。」又舉明道云：「論性不論氣，不備；論氣不論性，不明，二之則不是。」……[69]

「氣質之說」出於程、張思考的結果，然而此一創造性的詮釋，成為朱熹分判歷來說法偏失所在，明白指出雖然不是出於孟子所言，卻足以了解孟子所言的意義與價值，獲致義理之思考，朱熹詮釋《孟子》，又補充《孟子》，從而確立性善說之真確不可移，所以朱熹盛讚二程、張載「有功於名教」、「有功於聖門」，遙相契合，宋儒得以遙承孟子絕學，乃是朱熹澄清誤解，獲致「釋回增美」的結果[70]，按語「二說雖殊，各有所當，然以事理考之，程子

69 黎靖德編：《朱子語類》卷4「人物之性氣質之性」，頁70。

70 錢穆：《朱子新學案》(《錢賓四先生全集》，臺北市：聯經出版公司，1998年5月，第11冊) 第3冊「朱子評程氏門人」云：「朱子學問與年俱進，乃能由二程而識破程門諸子之病失所在，復能由《論》、《孟》、《學》、《庸》四書而矯糾二程所言之亦有疏誤。釋回增美，以之發揚二程之傳統，誠朱子在當時學術界一大勳績也。」頁217。錢穆先生以「釋回增美」來說明朱熹宗奉二程，並不是諛佞而無是非，對於二程學術尊仰迴護，彰顯精義之餘，也糾其違失，二程學術反而更增光彩，同樣詮釋方式，也施於《孟子》，其思考與詮釋於此可見。

為密」，乃是思之再三，反覆辨證的心得。相同的觀察，《孟子・離婁下》「禹惡旨酒而好善言」章以下，朱注同樣串貫其中，云：

> 此承上章言舜，因歷敘群聖以繼之；而各舉其一事，以見其憂勤惕厲之意。蓋天理之所以常存，而人心之所以不死也。……
>
> 此又承上章歷敘群聖，因以孔子之事繼之；而孔子之事莫大於《春秋》，故特言之。……
>
> 此又承上三章，歷敘舜、禹，至於周、孔，而以是終之。其辭雖謙，而其所以自任之重，亦有不得而辭者矣。[71]

從禹、湯、文王、武王、周公而下，得見聖人憂勤惕勵之思，孔子申以《春秋》之義，孟子言其私淑孔子之志，朱熹於各章之間，串貫線索，觀察所及，聖聖相承的安排，已具「道統」雛形，孔子繼之，孟子自任，成為朱熹深有體會的內容，思之既深，朱熹於《孟子》最後一章，同樣師其手法，附入一段程頤所撰「明道先生」墓之序文，聖賢相傳，朱熹以「明道先生」接續其後，表彰二程有以繼之的成就，鋪排孟子之下，「道統」復傳的線索，朱熹並非解釋經文而已，更在於穿透歷史，彰顯其中精神，云：

> 愚按：此言，雖若不敢自謂已得其傳，而憂後世遂失其傳，然乃所以自見其有不得辭者，而又以見夫天理民彝不可泯滅，百世之下，必將有神會而心得之者耳。故於篇終，歷序群聖之統，而終之以此，所以明其傳之有在，而又以俟後聖於無窮也，其指深哉！[72]

朱熹於《孟子》獲致啟示，更回應其中的期待，甚至於其中也安排相應的線索，藉以深化儒者有以繼起，慨然承擔的情懷，「天理民彝」終不可泯，所謂「群聖之統」，已具「道統」論述的規模，朱熹重新組構線索，《四書章句集注》具有聖人心法的暗示，遂有召喚人心的力量。朱熹甚至更進一步跨越

71 朱熹：《孟子集注》卷8〈離婁下〉，《四書章句集注》，頁294-295。

72 朱熹：《孟子集注》卷14〈盡心下〉，《四書章句集注》，頁377。

本文的限囿，貫串四書，於孔、孟之間，補入曾子、子思，《孟子・離婁上》「是故誠者，天之道也」章，朱注云：

> 此章述《中庸》孔子之言，見思誠為修身之本，而明善又為思誠之本。乃子思所聞於曾子，而孟子所受乎子思者，亦與《大學》相表裡，學者宜潛心焉。[73]

由《孟子》而得見與《中庸》、《大學》相互聯繫，彼此參酌貫串，「道統」線索更為明朗，由孔子、曾子而及子思、孟子，四書一脈相承。朱熹結構性的思考，使朱熹原典的注解工作，進而成為追究聖人精神的事業，也就無怪乎深致叮嚀，期許讀者多加留意。

四　回歸聖人的思考

朱熹掌握儒學義理核心，揣摩文字，釐清脈絡，注解工作更深一層，有關聖人精神的了解，留下諸多推究話語，《孟子・告子下》「禮與食孰重」章，朱注云：「聖賢於此，錯綜斟酌，毫髮不差，固不肯枉尺而直尋，亦未嘗膠柱而調瑟，所以斷之，一視於理之當然而已矣。」[74]《孟子・盡心上》「孔子登東山而小魯」章，朱注云：「此章言聖人之道大而有本，學之者必以其漸，乃能至也。」[75]《孟子・盡心下》「逃墨必歸於楊」章，朱注云：「此章見聖人之於異端，距之甚嚴，而於其來歸，待之甚恕。距之嚴，故人知彼說之為邪；待之恕，故人知此道之可反，仁之至，義之盡也。」[76]朱熹以生命體證，思索既深，遂能了解聖人於疑似之間的思考，於進程的關注，以及彼我分際的掌握，其中豔羨與贊歎，出於衷心之感動，《朱子語類》載：

---

73 朱熹：《孟子集注》卷7〈離婁上〉，《四書章句集注》，頁282。

74 朱熹：《孟子集注》卷12〈告子下〉，《四書章句集注》，頁339。

75 朱熹：《孟子集注》卷13〈盡心上〉，《四書章句集注》，頁356。

76 朱熹：《孟子集注》卷14〈盡心下〉，《四書章句集注》，頁371。

> 聖人言語如千花，遠望都見好。須端的真見好處，始得。須著力子細看上。工夫只在子細看上，別無術。
>
> 聖人言語皆枝枝相對，葉葉相當，不知怎生排得恁地齊整。今人只是心粗，不子細窮究。若子細窮究來，皆字字有著落。[77]

所謂「枝枝相對，葉葉相當」，正是朱熹窮究經典，從閱讀當中所獲致的心得，聖人言語之力量，形構縝密的義理結構，細究之後的著落，無疑是袪除歧異，建構脈絡觀察之後的結果，朱熹甚至留意孟子對聖人的揣摩心得，聖聖相承，於心相通，《孟子・萬章上》「舜往于田」章，朱注云：

> 孟子推舜之心如此，以解上文之意。極天下之欲，不足以解憂；而惟順於父母，可以解憂。孟子真知舜之心哉！……此章言舜不以得眾之所欲為己樂，而以不順乎親之心為己憂。非聖人之盡性，其孰能之？[78]

《孟子・盡心上》「舜之居深山之中」章，朱注云：

> 居深山，謂耕歷山時也。蓋聖人之心，至虛至明，渾然之中，萬理畢具。一有感觸，則其應甚速，而無所不通，非孟子造道之深，不能形容至此也。[79]

廓除人生於世的名利欲望，唯求心之所安，然而一聞善言，一見善行，則沛然莫之能禦，聖人如此，唯有孟子能知之，《孟子・盡心上》「霸者之民」章，朱注云：

> 君子，聖人之通稱也。所過者化，身所經歷之處，即人無不化，如舜之耕歷山而田者遜畔，陶河濱而器不苦窳也。所存者神，心所存主處便神妙不測，如孔子之立斯立、道斯行、綏斯來、動斯和，莫知其所

---

77 黎靖德編：《朱子語類》卷4「讀書法上」，頁172。

78 朱熹：《孟子集注》卷9〈萬章上〉，《四書章句集注》，頁303。

79 朱熹：《孟子集注》卷13〈盡心上〉，《四書章句集注》，頁353。

> 以然而然也。是其德業之盛，乃與天地之化同運並行，舉一世而甄陶之，非如霸者但小小補塞其罅漏而已。此則王道之所以為大，而學者所當盡心也。[80]

申明君子德化之盛，分判王、霸之別，聖人堅持所在，乃是求其為大，道之純粹與崇高，學者必須盡心追尋，其間不容纖毫委屈與虛假，一有所偏，後患無窮，細節所在，朱熹對於後世期許深矣。而此一思考也成為與陳亮爭辯王霸的重要依據，對於功利主義有更深的反省[81]，可見朱熹崇信孟子，乃是反覆辨證思考的結果[82]，也是回歸經典獲致的最終心得，《孟子．滕文公上》「夫仁政，必自經界始」章，朱注云：

> 愚按：「喪禮」、「經界」兩章，見孟子之學，識其大者。是以雖當禮法廢壞之後，制度節文不可復考，而能因略以致詳，推舊而為新；不屑屑於既往之迹，而能合乎先王之意，真可謂命世亞聖之才矣。[83]

對於孟子推崇至極，朱熹甚至於〈孟子序說〉引程子曰：「未敢便道他是聖人，然學已到至處。」於下云：「愚按：至字，恐當作聖字。」[84]朱熹一生追尋二程，然而於此救正調整，還予孟子聖人的地位，唐代以來「孟子升格運動」[85]，北宋的孟學爭議[86]，於此遂有最終的答案。朱熹體會既深，「經

80 朱熹：《孟子集注》卷13〈盡心上〉，《四書章句集注》，頁352-353。

81 田浩（Hoyt Cleveland Tillman）：《朱熹的思維世界》（臺北市：允晨文化公司，1996年5月）第7章「朱熹與陳亮」，頁274-287。以及劉述先：《朱子哲學思想的發展與完成》（臺北市：臺灣學生書局，1995年8月），頁369-382。

82 參見朱熹撰，陳俊民校編：《朱子文集》卷73〈讀余隱之尊孟辨〉，頁3645-3695。束景南：《朱熹年譜長編》繫之於紹熙三年（1192）所作，頁1085。

83 朱熹：《孟子集注》卷5〈滕文公上〉，《四書章句集注》，頁257。

84 朱熹：〈孟子序說〉，《四書章句集注》，頁199。

85 徐洪興：〈論唐宋間的「孟子升格運動」〉（上）、（下），《孔孟月刊》32卷3期（1993年11月），頁9-16、32卷4期（1993年12月），頁36-44。

86 陳逢源：〈從「政治實踐」到「心性體證」：朱熹注《孟子》的歷史脈絡〉，《東吳中文學報》第20期（2010年11月），頁133-163。

界」成為晚年推行之工作[87]，「不屑屑於既往之迹，而能合乎先王之意」更是引導朱熹超越性思考的重要依據，遙契前聖，寄予來者，朱熹展開更深一層的建構方向，重點在於檢視聖人精神所在，提醒閱讀的細節，其中牽涉複雜，朱熹巧為安排，《四書章句集注》創造性的詮釋，遂有細膩的思考，此於朱熹〈大學章句序〉云：「雖以熹之不敏，亦幸私淑而與有聞焉。顧其為書猶頗放失，是以忘其固陋，采而輯之，閒亦竊附己意，補其闕略，以俟後之君子。極知僭越，無所逃罪，然於國家化民成俗之意、學者修己治人之方，則未必無小補云。」[88]〈中庸章句序〉云：「然後此書之旨，支分節解、脈絡貫通、詳略相因、巨細畢舉，而凡諸說之同異得失，亦得以曲暢旁通，而各極其趣。雖於道統之傳，不敢妄議，然初學之士，或有取焉，則亦庶乎行遠升高之一助云爾。」[89]於文獻放失，諸說歧出之中，期以有助於後學思考，敢於陳述一己融鑄之心得，知我、罪知，朱熹有其承擔之志，無法盡釋其理據，以及蓄積的體會，轉為叮嚀與提醒的話語，用心所在，寄望開啟後人遙相共感的理解。例如《大學章句》說明結構「右經一章，蓋孔子之言，而曾子述之。其傳十章，則曾子之意而門人記之也。舊本頗有錯簡，今因程子所定，而更考經文，別為序次如左」下，朱注云：

> 凡傳文，雜引經傳，若無統紀，然文理接續，血脈貫通，深淺始終，至為精密。熟讀詳味，久當見之，今不盡釋也。[90]

《中庸章句》分出三十三章，於第三十三章下朱注云：

> 子思因前章極致之言，反求其本，復自下學為己謹獨之事，推而言之，以馴致乎篤恭而天下平之盛。又贊其妙，至於無聲無臭而後已

---

87 束景南：《朱子大傳》（北京市：商務印書館，2003年4月）第18章「南下臨漳」，頁844-856。

88 朱熹：〈大學章句序〉，《四書章句集注》，頁2。

89 朱熹：〈中庸章句序〉，《四書章句集注》，頁15-16。

90 朱熹：《大學章句》，《四書章句集注》，頁4。

> 焉。蓋舉一篇之要而約言之，其反覆丁寧示人之意，至深切矣，學者其可不盡心乎！[91]

《大學》於分別經、傳時說明，《中庸》於分章之後提醒，聖人義理深密，言語嚴整，於脈絡之中，深有蘊藉，期許後人之餘，也回應心中「完型」樣態，遂有不斷的嘗試與思考，《大學》以經統傳，分釋「三綱八目」；《中庸》分出三十三章，首章為「一篇之體要」，推究用意，皆有提綱挈領，明其體系的作用，朱熹並非僅是提出不同以往的章句段落，而是標舉「三綱八目」，闡明「性」、「道」、「教」，作為全篇脈絡的關鍵，具有義理顯豁的效果，綱舉目張，從而確立經典閱讀方式。

為求明晰，朱熹甚至援取《論衡》「聖人作其經，賢人造其傳」概念[92]，彰顯聖賢相傳屬性，經、傳之分，成為《四書章句集注》最為特殊的安排。「三綱」、「八目」為「孔子之言，而曾子述之」之「經」，以下繫以「曾子之意而門人記之也」之「傳」，《大學》主旨於「經」中具現，四書有其精神，只是平天下、治國、齊家、修身、正心、誠意各章皆具，唯有「格、致」有缺，「三綱」、「八目」架構已具，卻無核心工夫，關鍵性的闕如，形成體系的重大瑕疵，於此已非指出闕文即可解決，事有不得已，朱熹另作補傳，以二程之意，補傳一百三十四字，作為義理的核心：

> 閒嘗竊取程子之意以補之曰：「所謂致知在格物者，言欲致吾之知，在即物而窮其理也。蓋人心之靈莫不有知，而天下之物莫不有理，惟於理有未窮，故其知有不盡也。是以大學始教，必使學者即凡天下之物，莫不因其已知之理而益窮之，以求至乎其極。至於用力之久，而一旦豁然貫通焉，則眾物之表裡精粗無不到，而吾心之全體大用無不明矣。此謂物格，此謂知之至也。」[93]

---

91 朱熹：《中庸章句》，《四書章句集注》，頁40。

92 王充：《論衡》（臺北市：世界書局《新編諸子集成》，1983年4月，第7冊）〈書解篇〉云：「聖人作其經，賢人造其傳，述作者之意，採聖人之志，故經須傳也。」頁276。

93 朱熹：《大學章句》，《四書章句集注》，頁6-7。

朱熹申明「格物」意義，並不是懸空尋理，而是人倫日用間，隨事即物的體會，不僅用以印證「理一分殊」從「分殊」以見「理一」的進路，溝通內聖、外王，儒學人間事業終於完成，於是從三綱而至八目，格物、致知、誠意、正心、修身、齊家、治國、平天下，由己而人，由小而大，由內而外，層次井然。「格物」成為儒學基礎，也是最為核心的工夫，清儒胡渭云：「前後次第，秩然不紊，所謂枝枝相對，葉葉相當。」[94]朱熹改本確實使《大學》一篇結構井然，體系更為明晰，朱熹追尋聖人精神，窮究經典，一生體會，於補傳中獲致論述根源，雖是自作，卻是融鑄前人的結果，用心所在，超乎言詮的心得，只能期許讀者熟讀詳味，《大學》改本成為宋明以來最複雜難解的問題[95]，然而按覈進程，朱熹反覆鍛練，追尋聖人之念，驅策不已，朱熹自承「據某而今自謂穩矣。只恐數年後又見不穩，這箇不由自家。」[96]說明隨著歷練不同，體會不同，境界與時而進，其中實有其不得已。所謂「吾道之所寄不越乎言語文字之間」[97]，藉由加達默爾（Hans-Georg Gadamer）詮釋學概念，所謂「這整個理解過程乃是一種語言過程」[98]，必須從言語文字思索聖人的啟發，才能契合於道，朱熹揣摩細節，不敢輕忽，尤其對於聖人開示成德之方，更是思之再三，《論語・憲問》篇「古之學者為己」章，朱注云：

> 愚按：聖賢論學者用心得失之際，其說多矣，然未有如此言之切而要者。於此明辨而日省之，則庶乎其不昧於所從矣。[99]

---

94 胡渭：《大學翼真》（臺北市：臺灣商務印書館，1986年3月影印文淵閣《四庫全書》），第208冊，卷3，頁949。

95 參見李紀祥：《兩宋以來大學改本之研究》（臺北市：臺灣學生書局，1988年8月），頁355。

96 黎靖德編：《朱子語類》卷14「《大學》一」，頁257。

97 朱熹：〈中庸章句序〉，《四書章句集注》，頁15。

98 漢斯・格奧爾格・加達默爾（Hans-Georg Gadamer）撰，洪漢鼎譯：《真理與方法——哲學詮釋學的基本特徵》（臺北市：時報文化出版公司，1993年10月），頁493。

99 朱熹：《論語集注》卷7〈憲問〉，《四書章句集注》，頁155。

《中庸章句》「大哉聖人之道」章，朱注云：

> 尊德性，所以存心而極乎道體之大也。道問學，所以致知而盡乎道體之細也。二者修德凝道之大端也。不以一毫私意自蔽，不以一毫私欲自累，涵泳乎其所已知，敦篤乎其所已能，此皆存心之屬也。析理則不使有毫釐之差，處事則不使有過不及之謬，理義則日知其所未知，節文則日謹其所未謹，此皆致知之屬也。蓋非存心無以致知，而存心者又不可以不致知。故此五句，大小相資，首尾相應，聖賢所示入德之方，莫詳於此，學者宜盡心焉。[100]

朱熹留意聖人開示方向，操持之際，不能為私意所蔽，唯有存乎其大，盡乎其細，存心、致知兼行，方能達致其境，「尊德性」與「道問學」之辨，乃是朱、陸學術根本分歧處，相較於陸九淵「既不知尊德性，焉有所謂道問學」[101]立乎其大的堅持，朱熹乃是採取綜納融鑄的思考，云：

> 大抵子思以來，教人之法，惟以「尊德性」、「道問學」兩事為用力之要。今子靜所說，專是「尊德性」之事，而熹平日所論，卻是問學上多了。所以為彼學者，多持守可觀，而看得義理全不子細，又別說一種杜撰道理，遮蓋不肯放下；而熹自覺雖於義理上不敢亂說，卻於緊要為己為人上，多不得力。今當反身用力，去短集長，庶幾不墮一邊耳。[102]

朱熹嘗試去短集長，更具反省之念，前人往往藉此分判兩人高下，標舉儒學「尊德性」無可取代之價值。[103]但回歸經典本身，相較於陸象山強調進

100 朱熹：《中庸章句》，《四書章句集注》，頁35-36。

101 陸九淵：《象山語錄》（上海市：上海古籍出版社，1992年1月），卷1，頁4。

102 朱熹撰，陳俊民校編：《朱子文集》第6冊，卷54〈答項平父二〉，頁2550。

103 陳來：《朱熹哲學研究》（臺北市：文津出版社，1990年12月）云：「實際上，二人對『尊德性』、『道問學』的理解並不相同。陸以尊德性即是存心、明心、是認識真理的根本途徑，道問學只是起一種輔助鞏固的作用，而在朱熹看來，尊德性一方面要以主

程，饒富自信，朱熹嘗試形塑進程與境界兼具的體系，建構「尊德性」與「道問學」融鑄一貫的脈絡，內涵周備詳實，規模更為宏大，卻仍恐有所不足，按覈《中庸》「尊德性而道問學，致廣大而盡精微，極高明而道中庸。溫故而知新，敦厚以崇禮」，朱注強調「大小相資，首尾相應」，「尊德性」與「道問學」既非獨立相斥的概念，也非由彼而之此的進程，而是相互含融，彼此證成，所以朱熹申明「非存心無以致知，而存心者又不可以不致知」，既無違逆「尊德性」之崇高價值，又強調「道問學」之不可或缺，兩相為用，兼取而進，聖人開示之境界，既廣大，又精微，思考早已更深一層，義理無所偏缺，方能垂範後世而無弊，朱熹參詳文字內涵，進而參悟文外之旨，化解歧義，建立脈絡，進而回歸聖人，融鑄條貫，釐清脈絡，思考諸多轉折，所見更為深邃，義理更為縝密，必須了解朱熹一生學術進程，又須梳理《四書章句集注》論述的細節，彼此取證，前後參考，方能得其真解，朱熹〈答胡季隨二〉云：

> 熹於《論》、《孟》、《大學》、《中庸》，一生用功，粗有成說。然近日讀之，一、二大節目處，猶有謬誤，不住修削，有時隨手又覺病生。

敬養得心地清明，以為致知提供一個主體的條件；另一方面對致知的結果加以涵泳，所謂「涵泳於所已知」(《中庸章句》二十七章)。因此，認識真理的基本方法是『道問學』，『尊德性』則不直接起認識的作用。」頁384。牟宗三：《從陸象山到劉蕺山》(臺北市：臺灣學生書局，1990年2月）云：「吾嘗以李、杜喻朱、陸。朱子如杜甫，是『萬景皆實』。象山如李白，是『萬景皆虛』。……本體論的存有之平鋪，敬貫動靜、涵養於未發、察識於已發，步步收斂凝聚貞定其心氣所至之平鋪，而非是本心直貫之平鋪也。象山萬景皆虛，是以本心之虛明穿透一切，以本心之沛然成就一切，故通體透明，亦全體是實事實理也。此是道德踐履之創造，本體論的直貫之實現之平鋪也。此是虛以成實，而非如朱子之實以達虛也。虛以成實重生化，實以達虛重靜涵。……此是朱子從後天工夫以學聖所特別彰著之橫列形態，而非孔孟立教之直貫形態也（以直貫橫，非無橫也)。而象山則直承此直貫形態而立言，故尤近於孔孟也（此自形態言，當然不自造詣境界言)。」頁98-99。從「尊德性」、「道問學」二元分立之角度，抑或「橫列」、「直貫」工夫進路之差別，往往欣賞陸象山直截的趣味，然而回歸原典「君子尊德性而道問學」，兩者兼至，並無偏廢，朱熹體現周備之思考，似乎更符合原旨的內涵。

> 以此觀之，此豈易事？若只恃一時聰明才氣，略看一過，便謂事了，豈不輕脫自誤之甚耶！呂伯恭嘗言「道理無窮，學者先要不得有自足心」，此至論也，幸試思之。[104]

朱熹〈答潘端叔二〉云：

> 義理無窮，精神有限，又不知當年聖賢如何說得如此穩當精密，無些滲漏也。[105]

以至勤之力，堅固執著，用心如斯，謙下至此，一生義理思考，已難一一呈現，從經注工作而及於聖人事業，朱熹從推尋儒學精神，進而及於啟發後人，用心所在，再現聖聖相承的「道統」精神，是以寄語於後，勉以「盡心」、「詳味」，祈求千載之知音，勇於承擔，《四書章句集注》肌理條貫，義理豐盈，於此可得見矣。

五　結論

朱熹於經注事業當中，巧妙指引，上而及於聖人精神的掌握，最終回歸於經典本身，綰合歧出，建立體系，說解之餘，深有寄託，期許既高，一生以之，《四書章句集注》遂能垂範於後世。事實上，考其淵源，期許讀者深究玩索，乃北宋諸儒講論的習用語，檢視二程語錄，可以得見：

> 讀書要玩味。
> 《孟子》「養氣」一篇，諸君宜潛心玩索，須是實識得，方可。
> 〈中庸〉之書，其味無窮，極索玩味。[106]

第一則出於明道，第二、三則為伊川，「玩索」是二程講論時的提醒用語，

---

104 朱熹撰，陳俊民校編：《朱子文集》第5冊，卷53「書」〈答胡季隨二〉，頁2509。
105 朱熹撰，陳俊民校編：《朱子文集》第5冊，卷50「書」〈答潘端叔二〉，頁2264。
106 程顥、程頤原撰，朱熹編：《二程全書》卷15，頁113、卷19，頁157、卷19，頁168。

指點門人關注所在，強調經典內化學習，兩段文字不僅為朱熹所引錄，更成為指引閱讀的關鍵詞彙，此於〈讀論語孟子法〉已可得見：

> 程子曰：「學者須將《論語》中諸弟子問處便作自己問，聖人答處便作今日聞，自然有得。雖孔、孟復生，不過以此教人。若能於《語》、《孟》中深求玩味，將來涵養成甚生氣質！」
>
> 程子曰：「凡看《語》、《孟》，且須熟讀玩味。須將聖人言語切己，不可只作一場話說。人只看得二書切己，終身儘多也。」[107]

朱熹援取二程文字，再現孔門講論場景，強調應答之間，讀者切己思考才可以改變氣質，獲致涵養的提升，朱熹將此體會，化為注解術語，於歧出之處，指引修養的方向，在脈絡當中，形塑聖人精神，總結融鑄訓詁，窮究義理之後的結果，朱熹用以申明體會，使用「玩味」的頻率更甚於二程，成為《四書章句集注》當中頗為特殊的詞彙安排。朱熹提醒讀書要玩味有得，也常用以訓勉門人，撮舉如下：

> 讀書之法，先要熟讀。須是正看背看，左看右看。看得是了，未可便說道是，更須反覆玩味。
>
> 讀書，且就那一段本文意上看，不必又生枝節。看一段，須反覆看來看去，要十分爛熟，方見意味，方快活，令人都不愛去看別段，始得。人多是向前趲去，不曾向後反覆，只要去看明日未讀底，不曾去紬繹前日已讀底。須玩味反覆，始得。用力深，便見意味長；意味長，便受用牢固。又曰：「不可信口依希略綽說過，須是心曉。」
>
> 大抵為學老少不同：年少精力有餘，須用無書不讀，無不究竟其義。若年齒向晚，卻須擇要用功，讀一書，便覺後來難得工夫再去理會；須沉潛玩索，究極至處，可也。蓋天下義理只有一箇是與非而已。是便是是，非便是非。既有著落，雖不再讀，自然道理浹洽，省記不忘。譬如飲食，從容咀嚼，其味必長；大嚼大咽，終不知味也。

---

107 朱熹：〈讀論語孟子法〉，《四書章句集注》，頁44。

讀書著意玩味，方見得義理從文字中迸出。[108]

玩味是從文句理解更深一層的結果，唯有反覆著力，義理方能浹洽於身，所謂「但如鄙意，則以為學乃能變化氣質耳」[109]，朱熹深究字句，梳理脈絡，咀嚼經典，建構由「學」入「德」的工夫，既專注又超越，進而及於個人的體證融鑄，於文字之中，與聖人精神遙相契合。因此於修養之處，勉以盡心；於境界氣象，叮嚀玩索；於疑義進程，多所提醒，經典閱讀轉化為涵養心性的工夫，心領神會，學不在於外，而在於內，《四書章句集注》屢屢叮嚀，深致提醒，正是此一思考的結果，撮舉觀察，歸納如下：

一、朱熹《四書章句集注》於引據注解之餘，往往融鑄體會，一抒個人心得，文字之間，深致叮嚀，期許後人有以繼起，遂使詮釋有感人的力量。

二、朱熹化解歧異，對於工夫與境界、聖與凡之間，建立觀察，形塑儒學之傳的線索，提醒儒者應有的歷史情懷，道統論述於此得見。

三、朱熹從文字而及於脈絡，建構孟子性論價值，標舉二程學術地位，儒學內涵之所歸，成為一生追索的方向。

四、朱熹反覆追尋，深究文字內涵，參悟文外之旨，義理無所偏缺，遂有衷心之感動，四書經典價值，於朱熹推究中證成。

五、從經注工作而及於聖人事業，《四書章句集注》義理銜接，體系已具，朱熹遂以讀者的心情，寄語於叮嚀，祈求千載知音，詳味思考，期許也有同樣豐盈的感動。

朱熹《四書章句集注》突破體例限囿，展現豐富的思考，化解歧異，於道統關切最深，於工夫用力最多，建構儒學境界之餘，猶恐義理有所偏失，於是轉化講論用語，提醒反覆參詳，留意細節，如果未能平心靜氣，無法了解朱熹從文字而入，又從文字而出，追尋道統的努力。筆者回歸朱注原本，提醒更仔細的閱讀，一窺思考所在，朱熹〈大學章句序〉云：「忘其固陋，

---

108 黎靖德編：《朱子語類》卷10「讀書法上」，頁165、167、169-170、173。

109 黎靖德編：《朱子語類》卷122「呂伯恭」，頁2949。

采而輯之，閒亦竊附己意，補其闕略，以俟後之君子。極知僭踰，無所逃罪，然於國家化民成俗之意、學者修己治人之方，則未必無小補云。」[110]語氣慎小謹微，志向深刻遠大，饒有暗示，後世之人，豈可不用心。只是文字散見於注解之間，內容稍涉瑣碎，旁伸所及，無法全面檢討，言之未竟，討論未密，尚祈博雅君子有以諒之。

附記：本篇發表於臺灣大學中國文學系主辦「第八屆中國經學國際學術研討會」(2013年4月21日)。修改後投稿《長庚科技學刊》第19期(2013年12月)，並收錄於拙撰《「鎔鑄」與「進程」：朱熹《四書章句集注》之歷史思維》當中，作為思考朱熹義理進程的結論，乃執行國科會計畫所獲致之部分成果，承蒙許多前輩同道參與討論，提供意見，計畫編號為：NSC101-2410-H-004-107-MY2，計畫助理為王志瑋同學，在此一併致謝。

110 朱熹：〈大學章句序〉，《四書章句集注》，頁2。

論《四書章句集注》對聖賢授受語境的承繼與開展*

陳志信

臺灣大學中國文學系教授

一　前言：經注作為呈現傳喻經旨場域的史料

當代經學奠基史料學。於經學傳統逐梯次被認定的諸部經典，還有層疊累積的歷代經注，遂成為研究傳統文化諸分科的史料：從探勘典章制度、梳理義理思想，到建構政治、社會、經濟、倫理、教育、宗教、禮俗、文學、哲學史圖像云云，傳統經學誠為諸學科取資的重要文獻來源。[1]

對關注經學活動自身情狀，而非前述諸文化科別的學人來說，經注作為

* 本文通過《政大中文學報》審查，預計於第二十二期刊出。

1 經學傳統能如是廣泛提供資料，當然反映經學本是中國文化的核心該現象。本世紀初刊行的《十三經注疏．整理本》，卷首〈整理說明〉即謂：「儒家的十三經是中國古代傳統社會的『聖經』，中華民族傳統文化的主體和核心。它們主導和影響了中華民族文化的發展達數千年之久，中國傳統的哲學、文學、教育、倫理等一切學術思想以及政治、經濟、文化活動和社會風尚，無不以之為圭臬。經學是中國的『國學』，統治者奉它們為治國安邦的法寶，士大夫以通經致用為自己的終身抱負，平民百姓也以它們為修身行事的彝訓。」（《十三經注疏》整理工作委員會：〈整理說明〉，收入〔魏〕王弼注，〔唐〕孔穎達疏：《周易正義》，臺北市：臺灣古籍出版公司，2001年，頁5）又當代經學奠基於史料學，蓋古史辨運動促成的學術典範（paradigm）轉移所致，亦即所謂鎔經鑄史的學術趨勢。參見拙著：〈倫理神話的闡釋——以《毛詩鄭箋》的詮釋體系試探經學運作的形式與意義〉，收入李明輝、陳瑋芬編：《理解、詮釋與儒家傳統：個案篇》（臺北市：中央研究院中國文哲研究所，2008年），頁75-84。

史料的意義當是：一代代儒者遺留的那些體例殊異的注疏，殆即某時空裡某人基於某學風進行的，種種看待典籍、對待（預想）讀注者均按特殊考量，且循特定方式為之的解釋；換言之，當我們留意注疏形制而非僅著眼注解的內容時，或將發現篇篇經注，實為注經者於紙筆間展開的場場曉諭經旨的活動歟。注解本身作為具現治經行動風貌的史料，其價值誠珍貴矣！於是，接引文藝批評相關技術，對歷代注疏展開像是語氣、節奏的體察，以及談話語境、敘述脈絡和篇章結構的考察工作，以圖勾勒注者與經典、讀者往來互動的關係和場景，也就是戮力開掘經注作為經學活動實錄的文獻價值，遂成為關懷傳統經學情態、精神的學人須費心經營的事務了。[2]

秉此研究進路，且讓我們就朱熹（1130-1200）經學力作《四書章句集注》進行研討。前賢早指出該經注充分反映注者懷想的道統理念，朱子繼往開來、傳喻至道的用心當淋漓體現於注中；[3]另該注解對注疏體例持高度自覺，亦有學者點出朱子清楚「扮演引讀經典的解人角色」，[4]故其解經格式實有相當討論空間；再加上朱熹幾窮畢生心力製作這部注解，《四書章句集注》蓋朱子精心籌畫的、期臻完美境界的一場傳誦經旨活動無疑。[5]職是於下文，我們將先考察該書成書經過，以了解朱熹投身《四書》注疏工作的諸多忖量和規畫；緊接著，本文將把《四書章句集注》當成某次字紙間擬想出的傳經場域，檢視其特色、內涵及意義為何。希望透過這樣的研究，吾人將對傳統經學的行動及其價值，產生同情共感的認識。

---

2 關於開發經注作為治經活動實錄該研究進路的相關預設，請參考拙著：〈論《禮記正義》的注疏形式與意義，兼論魏晉六朝的文學意識與創作實踐〉，《思與言》50卷2期（2012年6月），頁144-149。

3 董金裕即標舉「闡明古聖相傳的道統」，作為「朱熹註解並結集四書的用意」的頭項動機。見氏著：〈朱熹與四書集注〉，《國立政治大學學報》（人文學科類）70期（1995年6月），頁8-9。

4 陳逢源：《朱熹與四書章句集注》（臺北市：里仁書局，2006年），頁197。

5 有關朱子畢生投注《四書章句集注》製作的相關記載，以及注者對成績的高度自評，可參考邱漢生：《四書集注簡論》（北京市：中國社會科學出版社，1980年），頁21-26，頁32-35。

二 從注經行動的實務面看《四書章句集注》的成書經過

朱子致力研治《四書》，殆始乎而立之年而終生未輟，期間著手多部論著，終薈萃成《四書章句集注》。對此，陳鐵凡早分初創書寫、改定製作和修改未輟三個歷程，以表格表述《章句集注》的撰作經過：

歷程	書名	寫成時間	附記
第一歷程	論語要義	宋高宗紹興三十二年（1162）	
	論語訓蒙口義		無傳本
第二歷程	論孟精義	宋孝宗乾道八年（1172）	
	孟子要略	宋孝宗淳熙三年（1176）	無傳本
	論孟集義（原名論孟要義）	宋孝宗淳熙七年（1180）	論孟精義之增訂
第三歷程	論語、孟子集注	宋孝宗淳熙四年（1177）	
	大學、中庸章句		章句序文作於淳熙十六年

[6]

有別於呈現大略情形的這張簡表，以梳理朱子生平資料見長的束景南，嘗按《孟子》、《論語》、《大學》和《中庸》順序，對諸書演變歷程做出詳考且畫成諸幅演進圖。據其考定，朱子對《孟子》的論著有：《孟子集解》（紹興三十年稿成，乾道三年首次修定，乾道七年二次修定）、《孟子集義》（乾道八年序定，即《孟子集解》二次修定本；初名《精義》後改《要義》，再改《集義》）、《孟子集注》（淳熙四年稿成。丁酉本）、《孟子或問》（淳熙四年稿成。丁酉本）、《孟子要略》（紹熙三年成，後佚）；對《論語》的論著

6 陳鐵凡：〈四書章句集注考源〉，收入錢穆等著：《論孟論文集》（臺北市：黎明文化公司，1982年），頁35。

有：《論語集解》（成於紹興三十年前，佚）、《論語要義》（隆興元年成，佚。乾道二年刻於武陽）、《論語訓蒙口義》（隆興元年成，即《論語詳說》，生前未刻，佚）、《論語精義》（乾道八年序定，淳熙七年刻於豫章，改名《要義》，後再改名《集義》）、《論語集注》（淳熙四年成。丁酉本）、《論語或問》（淳熙四年成。丁酉本）；對《大學》的論著有：《大學集解》（即《詳說》，乾道三年以前成，佚）、《大學章句》（乾道七年稿成，淳熙四年序定）、《大學或問》（淳熙四年稿成）；對《中庸》的論著有：《中庸詳說》（成於紹興年間，佚）、《中庸章句》（乾道八年稿成，淳熙四年序定，淳熙十六年再序定）、《中庸或問》（淳熙四年序定，淳熙十六年再序定）、《中庸輯略》（自乾道九年序定的石𡼖《中庸集解》刪定成。淳熙四年序定，淳熙十六年再序定）。[7]面對朱子長期注疏《四書》，後結晶為《章句集注》該現象，學者們有從資料搜羅、汰選面進行評論者，如束氏：「蓋朱熹早年之作多致力廣搜先儒之說而成一編，收羅宏富，細大不捐，欲為以後作精注簡解準備材料」[8]云云，有秉學術淵流，從朱熹與二程學問的師承關係作出論述者，如陳逢源：「朱熹四書學即是從二程學術中淬礪磨鍊出來的成果」[9]云云，也有自注解體例面作出觀察者，像董金裕即認為是批著作均「朝向兼重義理與訓詁之途發展」。[10]其實，就治經實務看，這些面向本就是相互涵攝的：畢竟，傳統經學乃儒者於己立、己達後轉就的立人、達人事務；朱子既為該傳統成員，故像是如何申揚自家認同的學派經說，怎麼從廣收資料裡精練論述，如何援用適當的注疏形制，又將怎麼引領後進讀經使其與聞大道，種種忖量和努力，原來就是研治經典時環環相扣的事。所以在此，就讓我們

7 束景南：〈朱熹前《四書集注》考（從《四書集解》到《四書集注》）〉，《朱熹佚文輯考》（鹽城：江蘇古籍出版社，1991年），頁600，頁605-606，頁612，頁618。

8 束景南：〈朱熹前《四書集注》考（從《四書集解》到《四書集注》）〉，《朱熹佚文輯考》，頁601。

9 陳逢源：《朱熹與四書章句集注》，頁79。陳逢源先生對《四書章句集注》撰作歷程的描述，主就朱子和程門學說關係，分「啟蒙涵養時期」、「匯聚體會時期」、「形構體系時期」和「反復鍛鍊時期」四期論述之，請參考氏著：頁74-116。

10 董金裕：〈朱熹與四書集注〉，《國立政治大學學報》（人文學科類）70期，頁4。

把握這實務面，好好檢視朱子對《四書》的所作所為。

事情一開始就很明朗，當年過三十值壯年的朱熹初投身注經事業，他的考量和用功，即從兩方面進行：其一，一本已從程門聞道的經驗，纂輯主要是二程的經說，以圖啟發後進對儒道的領會；其二，打造一本好上手的誦經指南，也就是結合（主要是）漢唐訓詁和（主要是）宋儒義理，製作出順經文文句、簡要而易於誦習的注本。故當時他就有兩本《論語》注解：《論語要義》與《論語訓蒙口義》。於前書序文，朱熹明白標誌他自程門曉聞儒道該學歷，且申言編纂程氏兄弟經說的是部論著「庶幾」已掌握《論語》「要義」，若「學者第熟讀而深思之，優游涵泳，久而不捨，必將有以自得於此」；[11]於後書序文，朱熹指出由於收羅當朝「諸老先生」說法的《要義》「本非為童子設也」，故方「本之注疏，以通其訓詁；參之《釋文》，以正其音讀，然後會之於諸老先生之說，以發其精微。一句之義，繫之本句之下；一章之指，列之本章之左。又以平生所聞於師友而得於心思者，間附見一二條焉」，完成這部「將藏之家塾」「取便於童子之習」的本子。[12]往後朱子治《四書》縱有多部著作，大抵都是循這兩條路子發展出的系列：前者若名曰「精義」、「要義」或「集義」，主要收集所謂「國朝諸老先生」說法的注解；[13]而後者就是本文主要研究對象，也就是由《大學章句》、《中庸章句》、《論語集注》和《孟子集注》四部著作拼組成的《四書章句集注》。

---

11 〔宋〕朱熹：〈論語要義目錄序〉，《朱熹集》（成都市：四川教育出版社，1996年），卷75，頁3924。

12 〔宋〕朱熹：〈論語訓蒙口義序〉，《朱熹集》，卷75，頁3925。

13 姑據〈論語集義序〉，朱熹蒐輯的學說除二程（顥、頤）外，尚有「學之有同於先生者與其有得於先生者，若橫渠張公（載）、若范氏（祖禹）、二呂氏（大臨、希哲）、謝氏（良佐）、游氏（酢）、楊氏（時）、侯氏（仲良）、尹氏（焞）」云云，上述請參考〔宋〕朱熹：〈論語集義序〉，《朱熹集》，卷75，頁3944。又是部書全名或當冠上「國朝諸老先生」，如清康熙中禦兒呂氏寶誥堂刊本的《論孟精義》即題作《國朝諸老先生論孟精義》，請參考〔宋〕朱熹：《論語精義》，《朱子遺書》（臺北縣：藝文印書館，1969年），卷1，頁1。要之，以「精義」、「要義」、「集義」命名的論著收羅的，主要就是宋代理學家的經說、學說。

自注疏形制觀察，所謂「集義」體例，乃為反映某部典籍其「注釋成見積累和發展的歷史意義」。[14]朱熹務力於此，自然源出他自程門聞道的親切經驗；基於對二程的信仰和信念，他汲汲收集、匯聚諸老先生講說，建立且舉揚（主要是）理學家經說傳統，供具備一定程度的後學發明儒道所資。[15]又像「訓蒙口義」是類體例，後為《四書章句集注》採用者，就如朱熹三子在描述的：

> 《集注》於正文之下，止解說字訓文義與聖經正意，如諸家之說，有切當明白者，即引用而不沒其姓名，如〈學而〉首章先尹氏而後程子，亦只是順正文解下來，非有高下去取也。章末用圈而列諸家之說者，或文外之意，而於正文有所發明不容略去，或通論一章之意，反覆其說，切要而不可不知也。[16]

其主要為初學者設的指南無疑，該注解供誦習之用的性質昭晰、明確。必須補充的是，前者製作實為後者基礎。朱熹嘗謂：其治《論》、《孟》，「諸家解有一箱」，經嚴謹檢覈後「是底都抄出，一兩字好亦抄出」，種種為製《精義》下的工夫「雖未如今《集注》簡盡，然大綱已定」，後「《集注》只是就那上刪來」。[17]換言之，博採且經篩選程序的集義工作，後遂為打造《章句

14 陸建猷：《四書集注與南宋四書學》（西安市：陝西人民出版社，2002年），頁90。陸氏此說針對《論語集注》、《孟子集注》而發。

15 案朱子學習的程門學問，於該時王學當道下為朝廷所禁止。涉及新舊黨爭的這段求學經歷並不簡單。上述出自陳逢源，《朱熹與四書章句集注》，頁77-79。事實上研治《四書》本是二程學術的獨到處，朱子專務《四書》即受程門啟發。此則出自陸建猷，《四書集注與南宋四書學》，頁49-52。

16 〔清〕朱彝尊撰，翁方綱補正，羅振玉校記：《經義考‧補正‧校記》（北京市：中國書店，2009年），卷217，頁5。

17 〔宋〕黎靖德編：《朱子語類》（北京市：中華書局，1986年），卷120，頁2886。《論孟集注》雖延續《論孟集義》這「集某」名稱，然體例已殊。錢穆早就指出朱熹以「集某」命篇的論著，縱保留從前收羅眾學者說法該時的「集某」書名，然已轉成引領後學誦經的本子，《論孟集注》或《詩集傳》皆是如此。見錢穆：〈朱子之詩學〉，收入《朱子新學案》（臺北市：三民書局，1989年），第4冊，頁73-74。

集注》這「簡盡」讀經指引的資產。況且朱子撰作《章句集注》同時，嘗擬問答體作《四書或問》，解釋所以取此說、捨彼說的緣由，不正反映這兩種注解體例間存在的取資關係。由是，有宋理學家精神當自前者貫通到後者。

更進一步觀察，應對注解引領後進的功能作了預估及設想，朱子認為兩類注疏的合體並陳，將會發生最佳效果。學者早指出《中庸章句》的全名當作《中庸章句、或問》，[18]其他三本注解亦當分別稱作《孟子集注、或問》、《論語集注、或問》和《大學章句、或問》。[19]作為簡明誦習指南的《章句集注》當配合述及諸老先生意見取捨的《或問》同看，正反映朱熹認為簡盡注本與廣博注本二者不可偏廢。朱子弟子陳淳（1153-1217）曾說：「《集注》遍閱諸家說，雖一字一句皆為抄掇，旋加磨刮，翦繁趨約，不啻數百過。」[20]由是，將《集注》和《集義》相互參照，「好子細看所以去取之意如何」，[21]好好揣摩注者曾經用心、用力處，自然是朱子所在乎的；然朱熹指示讀《章句集注》之餘仍須留心諸老先生經說，也就是仍得看《集義》、《或問》一類本子，實別有深意。案朱子嘗云：於《集義》裡「看眾人所說七縱八橫，如相戰之類，於其中分別得甚妙」，比起光看《集注》，尤其能興發讀者心靈。[22]這就說明：縱使在撰寫《章句集注》過程中，不少前輩講說被汰換掉了，然其解說多有精闢、精彩處足供發想；此般旁通效用，恐就不是供作誦經指引的簡明注本能擔負的了。[23]且看〈中庸章句序〉末段，朱熹

---

18 邱漢生蓋據〈中庸章句序〉如是說。邱先生指出該書當由《中庸章句》、《中庸集解輯略》和《中庸或問》共同組成。《四書集注簡論》，頁15-17。

19 束景南就如此標目。見氏著：〈朱熹前《四書集注》考（從《四書集解》到《四書集注》）〉，《朱熹佚文輯考》（南京市：江蘇古籍出版社，1991年），頁592，頁600-601，頁607。

20 〔清〕朱彝尊撰，翁方綱補正，羅振玉校記：《經義考．補正．校記》，卷217，頁4下。

21 〔宋〕黎靖德編：《朱子語類》，卷19，頁439。

22 〔宋〕黎靖德編：《朱子語類》，卷19，頁440。

23 理學前輩的某些講說所以在撰作《章句集注》時被汰換，除有錢穆注意到的，朱子自家學問日益成熟，從作《精義》、《要義》的「薈萃眾說」期邁入《集注》的「自出手眼」期該原因外（見氏著：〈朱子之四書學〉，收入《朱子新學案》，第4冊，頁189），

申言他寫定《中庸章句》，又將石𡼏（1128-1182）收錄（主要是）程門經說的《中庸集解》刪定成《中庸集解輯略》，且完成了《中庸或問》；諸項注疏工夫齊備後，他娓娓道出這樣的話語：

> 然後此書之旨支分節解，脈絡貫通，詳略相因，巨細畢舉。而凡諸說之同異得失，亦得以曲暢旁通而各極其趣。雖於道統之傳不敢妄議，然初學之士或有取焉，則亦庶乎行遠升高之一助云爾。[24]

所謂「此書之旨支分節解，脈絡貫通，詳略相因，巨細畢舉」，對應的正是《中庸章句》，而所謂「凡諸說之同異得失，亦得以曲暢旁通而各極其趣」，對應的則是《中庸集解輯略》和《中庸或問》。所以很清楚地，分屬兩類體例的三部著作拼合在一塊，顯示朱熹示意的讀《中庸》進路乃：透過《章句》引導，先通曉經文章節裡各精粗大小旨趣，再來還得「曲暢旁通」眾儒經說，領略諸說「各極其趣」的豐富啟示；通過這兩層工夫的踐履，方教「初學之士」漸「行遠升高」，走上求道、明道的迢迢路程。又對《大學》，朱熹也作出類似指示：「看《大學》，且逐章理會。須先讀文本，念得，次將《章句》來解本文，又將《或問》來參《章句》。」[25]「將《章句》來解本文」、「又將《或問》來參《章句》」云云，這讀經相續階段的標誌，豈不與〈中庸章句序〉末段所言如出一轍。另外，於〈讀書之要〉一文中，朱熹述及閱讀《論語》、《孟子》，當循篇章次第、且本二書語文特質嫻熟誦習（此即「循序而漸進」、「熟讀而精思」兩大綱領），這裡指得，當是後進須按《論孟集注》指引讀經的課題；此後話鋒一轉，朱子論及面對前輩紛紜眾

亦與《四書章句集注》作為誦習指引的注疏體制相關。案朱子嘗言：「如《精義》諸老先生說，非不好，只是說得忒寬，易使人向別處去。某所以作箇《集注》，便要人只恁地思量文義。曉得了，只管玩味，便見得聖人意思出來」，參見：《朱子語類》，卷21，頁484。可見前儒說法多是未貼緊經文的講說，不全然適合載入作為誦習指南的《集注》。但話說回來，就因這些說法多有旁通發明處，故仍被朱子看重，認為值得後學閱讀。

24 〔宋〕朱熹：〈中庸章句序〉，《朱熹集》，卷76，頁3996。

25 〔宋〕黎靖德編：《朱子語類》，卷14，頁257。

說，讀者當「先使一說自為一說，而隨其意之所之以驗其通塞」，「復以眾說互相詰難，而求其理之所安，以考其是非」，此處所指，蓋是後學須深入《論孟精義》或《論孟或問》一類書進行旁通、感發的課題了。[26]要之，朱熹拼湊並陳簡與博兩種注解，使讀者接續讀之該想法和設計，是通貫、通用於《四書》的。

論述至此，我們發現當從注經行動的實務面，也就是既留心注者自家師承淵源、亦留意他套用何注疏形制以傳喻經旨，來檢視《四書章句集注》的成書經過時，或者博採、精選眾理學先輩之講說，或者製作教後進易上手的誦習指南，朱熹兼顧的這兩條注疏進路，讓他撰輯的多部《四書》著作，其間關係脈絡清楚呈現：原來朱子長年經手的林林總總注解，最終是要成就某種合體分陳的經注綜合體，它既讓讀注者得嫻熟誦讀經典，亦將使後學透過前輩各趨微妙的講說，旁通、感發儒道之深沉奧妙。後來，即便出於各種考量，像朱子逐漸發現《集義》裡諸老先生經說不盡可取，《或問》修治工程進度落後、沒法搭配改定日趨完備的《章句集注》，還有《集義》、《或問》過於繁複不易讀通，且還可能養出後進輕蔑前賢的習氣等等，朱熹晚年傾向讓讀者專務《章句集注》之誦習，也就是先打好求學問道的根基。[27]不過，《四書章句集注》作為幾畢朱子一生諸《四書》論著的結晶，其學脈來歷有自，其體制規畫具進階性，也就是撰述目的始終不離發揚宋儒講說，此等事是絕不能忽視的。

---

26 〔宋〕朱熹：〈讀書之要〉，《朱熹集》，卷74，頁3889。據該文首段對《論孟精義》與《論孟集注》間體例不同的討論，還有文末對如何閱覽眾儒講說的說明（頁3888-3889），所謂〈讀書之要〉所指的「書」，當包括《論孟集注》和《論孟精義》（或《論孟或問》），甚至就是針對《論孟集注、或問》而言，絕非泛稱。

27 參見錢穆對朱子前後主張、指示的縝密考述。見氏著：〈朱子之四書學〉，收入《朱子新學案》，第4冊，頁180-229。

三　朱熹於《四書章句集注》揭示的道統觀及其特性

於本節，我們將把討論集中在《四書章句集注》。首先要觀察的，是朱熹於該經注明白揭櫫的道統觀，也就是凸顯《四書》於儒道傳承歷程中的地位和特殊性的歷史觀。該史觀的舉揚，實關乎朱子何以注疏《四書》、又將就何處傾心力一類重要課題。

關於這道統觀，尤引人矚目的，就是〈大學章句序〉和〈中庸章句序〉的論述。注解《四書》工程近半個甲子，朱熹終在耳順之年春季，陸續完成二篇序文，為其長期工作的意義作出說明；所謂聖賢相傳之道統，就在他對《大學》、《中庸》是二文獻的歷史敘述中呈現出來：為交代《大學》作為先古聖王設置的大學裡，那「窮理正心、修已治人」的教法學程，以及《中庸》作為先代聖君賢相「授受（權位）之際」「丁寧告戒」的治心要道的流傳始末，朱熹於兩篇序文套用相同敘事模式，先是上溯是二文獻作為先王禮制之一環（或為教學綱領，或為養心秘訣）的淵源，隨即述及未得「君師」位置的夫子，遭逢禮樂崩壞亂世，憂心道學失傳，遂曉諭古來大學、中庸之道，分別經曾子（及其門人）和子思撰作成篇；而終訴諸文字且為孔門傳承所資的《學》、《庸》二書，遂為千百年後儒者重振儒道的憑依。透過如是敘說，或自伏羲、神農、黃帝、堯、舜以來，或自堯、舜、禹、湯、文、武（之為君）、皐陶、伊尹、傅說、周公、召公（之為臣）而後，傳至孔子、曾子、子思、孟子四人身上，再由有宋「河南程氏兩夫子」重新接續之的緜長道統，就這麼被聯繫出了。[28]另對《論語》、《孟子》，朱熹亦就同樣歷史

---

28 〔宋〕朱熹：〈大學章句序〉，〈中庸章句序〉，《朱熹集》，卷76，頁3991-3996。董金裕即就是二篇序文，揭示闡明道統為朱子撰作《四書章句集注》的動機，見氏著：〈朱熹與四書集注〉，《國立政治大學學報》（人文學科類）70期，頁8-9。當然，朱子的論述有歷史考證上的問題：光就作者來說，說《中庸》出自子思之手，朱子殆據《史記．孔子世家》而來，如《論語集注》卷首〈論語序說〉即引述〈孔子世家〉「子思作《中庸》」之說，參見〔宋〕朱熹：《四書章句集注》，《論語集注》（臺北市：長安出版社，

敘述，判定二書乃未能就君師之位施教化的孔、孟，轉就人師角色施教誨所成就的著作；換言之，《論》、《孟》之撰輯，仍源出悠遠道統的深刻影響。故於《論語集注》，針對〈堯曰〉首章，朱熹遂引述楊時（1053-1135）意見，說明這「具載堯舜咨命之言，湯武誓師之意，與夫施諸政事者」諸言論的章節，所以纂輯在《論語》末篇，乃為彰顯載輯「（孔）聖人微言」的《論語》，本即上承往古聖王治道精神而來的道理，所謂：「以明聖學之所傳者，一於是而已」。[29]又於《孟子集注》，針對〈盡心下〉「歷序（堯舜以來）群聖之統」、終以孟子「然而無有乎爾，則亦無有乎爾」感喟的末章（即「五百歲而聖人出」該著名章節），朱熹既闡發文中孟子「憂後世遂失其傳」、「乃所以自見其有不得辭者」的心志，及其期許「百世之下，必將有神會而心得之者」的信念後，隨即申言作為《孟子》諸言殿軍的該章，旨在：「所以明其（孟子）傳之有在，而又以俟後聖於無窮也」，這就是說，撰述孟子往事言行的《孟子》該書，實亦關乎前、後聖賢間傳遞無窮的道統歟。職是，或者撰寫序文，或者注疏重要章節，朱子議論《四書》，總會連帶出那聖賢代代相承、傳繼不息的道統譜系。[30]

1990年），頁43。該說尚有古注之根據，若鄭玄（127-200）謂：「孔子之孫子思伋作之，以昭明聖祖之德」（〔漢〕鄭玄注，〔唐〕孔穎達疏：《禮記正義》，臺北市：臺灣古籍出版公司，2001年，卷52，頁1661）云云；然謂《大學》為曾子傳述，乃朱子之斷言爾。對此，兒時的戴震（1724-1777）針對《大學章句》經一章為「孔子之言而曾子述之」、傳十章為「曾子之意而門人記之」該說法，即以周、宋相距「幾二千年矣」，質問其塾師：「然則朱文公何以知然？」（楊應芹：《段著東原年譜訂補》，《戴震全書附錄》，收入楊應芹、諸偉奇主編：《戴震全書》，合肥市：黃山書社，2009年，第7冊，頁133）不過，對朱子而言，說《學》、《庸》乃曾子、子思所傳或所作，顯然是為了申述二書向為孔門傳承的核心文獻，這恐是朱子個人學術信仰催化下的「歷史」論述。

29 〔宋〕朱熹：《四書章句集注》，《論語集注》，卷10，頁194。

30 〔宋〕朱熹：《四書章句集注》，《孟子集注》，卷14，頁377。有關《論孟集注》對《論語．堯曰》、《孟子．盡心下》是二章之道統意蘊的闡釋，陳逢源有淋漓發明，參見氏著：《朱熹與四書章句集注》，頁179-181。備引朱熹諸關涉道統的言論且作了分析，陳先生有言：「於是《大學》、《中庸》書前有序，《論語》、《孟子》末有終篇之論，由《大學》而及《論語》，由《中庸》而及《孟子》，脈絡貫串，旨趣相通，深寓相傳的『道統』線索，朱熹建構之意明矣。」（頁181）是論誠透澈矣。

朱子撰作《四書章句集注》，所以每每敘說道統傳承，實因他認為在儒道流傳的歷史中，孔、曾、思、孟發揮了不下曩昔聖君賢相功業的影響：每當時間懸遠、空間間隔，異端蜂起之際，化成著述的《論》、《孟》、《學》、《庸》四子之書，總能憑藉語文持存要道的功能，度過每段儒學衰微的黑暗期，伺機感發後學、再度振興儒道。而朱子這般信念當來自他的切身經驗。且看他投身《四書》注解工作先後寫的諸篇序文，不就再三標舉程顥（1032-1085）、程頤（1033-1107）自四子遺書重揭聖道這儒學復興的里程碑，且表明自己就因私淑二程講說終能與聞大道的學歷。[31]遙想儒學於北宋該時，除有長期以來的弊病，像是「俗儒記誦詞章之習，其功倍於小學而無用；異端虛無寂滅之教，其高過於大學而無實」[32]一類問題外，還有因黨同伐異產生的迫近艱難，如：「時相父子逞其私智，盡廢先儒之說，妄意穿鑿，以利誘天下之人而塗其耳目。一時文章豪傑之士，蓋有知其非是而傲然不為之下者。顧其所以為說，又未能卓然不叛於道，學者趨之，是猶舍夷貉而適戎蠻也」；[33]總之，儒學面臨的挑戰何其艱困，程氏兄弟的貢獻誠大矣。由是朱子屢屢勾聯道統譜系，汲汲申言二程於儒道傳續上的重要位置，還有為二人提振儒學所資的《四書》所起的關鍵作用，便是理所當然的事了。進一步說，朱熹終繼二程講說，致力《論》、《孟》、《學》、《庸》的注疏，這豈非道統事業於宋代的持續推進。且看《孟子集注》末篇末章注解，朱子敬錄伊川追念其兄的文字：

> 周公歿，聖人之道不行；孟軻死，聖人之學不傳。道不行，百世無善治；學不傳，千載無真儒。無善治，士猶得以明夫善治之道，以淑諸人，以傳諸後；無真儒，則天下貿貿焉莫知所之，人欲肆而天理滅

31 分見〔宋〕朱熹：〈論孟要義目錄序〉，《朱熹集》，卷75，頁3924；〈語孟集義序〉，《朱熹集》，卷75，頁3944；〈中庸集解序〉，《朱熹集》，卷75，頁3956-3957；〈大學章句序〉，《朱熹集》，卷76，頁3993；〈中庸章句序〉，《朱熹集》，卷76，頁3995-3996。

32 〔宋〕朱熹：〈大學章句序〉，《朱熹集》，卷76，頁3993。

33 〔宋〕朱熹：〈論孟要義目錄序〉，《朱熹集》，卷75，頁3924。

> 矣。先生生乎千四百年之後，得不傳之學於遺經，以興起斯文為己任。辨異端，闢邪說，使聖人之道渙然復明於世。蓋自孟子之後，一人而已。然學者於道不知所向，則孰知斯人之為功？不知所至，則孰知斯名之稱情也哉？[34]

據是文，往古聖賢傳來的治道、道學，自周公、孟子後已相繼滅亡，然「生乎（孟子）千四百年之後」的程顥，終能「得不傳之學於遺經」，興起道學（甚將促成治道的再度興隆）、接續道統，那麼，朱子所以在《論》、《孟》、《學》、《庸》諸「遺經」上下盡工夫，其胸襟當亦懷抱那宏闊無疆的道統圖像歟。

現在，我們了解朱熹談《四書》每提道統論述的緣由了：只要將《論語》、《孟子》、《大學》、《中庸》置諸聖賢相傳的歷史中，便特別能凸顯四部書的重要；當《四書》地位得到推崇，即為朱子注疏《論》、《孟》、《學》、《庸》的工作意義，作出最好的說明。此外，須注意的是，朱熹除指示我們《四書》在儒道傳續歷程中的位置外，他還就語言文字面，盡力描繪《四書》的好處，亦即：先儒撰作《論》、《孟》、《學》、《庸》時，真箇在語文上下足了工夫。凡此種種，《四書章句集注》裡外多有提點、著墨。

據〈大學章句序〉，大學體制隸屬「司徒之職」，為先王禮樂之一環節；當夫子取其教法，「誦而傳之，以詔後世」，曾子（及其弟子）又「作為傳義（即《大學》），以發其（夫子）意」時，[35]諸儒須於語言文字面付出心力，就是在所難免的事了。案《大學章句》嘗標誌全篇結構道：「右經一章，蓋孔子之言，而曾子述之。其傳十章，則曾子之意而門人記之也。」面對諸條傳文「雜引經傳」情狀，朱子又以「若無統紀，然文理接續，血脈貫通，深淺始終，至為精密」數語稱譽之，[36]要之，曾子所「述」，既須把握夫子對古來大學教綱的精要開示，其門人所「記」，「雜引經傳」間又頗能縝密詳解

---

34 〔宋〕朱熹：《四書章句集注》，《孟子集注》，卷14，頁377。案伊川是文，是為了解釋程顥墓碑上「明道先生」稱謂的來由。

35 〔宋〕朱熹：〈大學章句序〉，《朱熹集》，卷76，頁3991-3993。

36 〔宋〕朱熹：《四書章句集注》，《大學章句》，頁4。

大學旨趣，這一述、一記間，彼等於語文面的用心豈容小覷。又據〈中庸章句序〉，中庸之道作為古來聖王賢相傳授政權時的治心秘訣，本即精練語文矣，且先聖亦視授受情狀多有調整、發揮，如：「堯之一言（即「允執厥中」），至矣盡矣，而舜復益之以三言者（即於「允執厥中」前，加上「人心惟危，道心惟微，惟精惟一」三句，成為所謂十六字心傳），則所以明夫堯之一言必如是而後可庶幾也」云云。而後子思既「憂道學之失其傳而作」《中庸》，不可避免地，他也須在語文面上用功。且讀讀〈中庸章句序〉的這段話：

> 子思懼夫愈久而愈失其真也，於是推本堯舜以來相傳之意，質以平日所聞父師之言，更互演繹，作為此書，以詔後之學者。蓋其憂之也深，故其言之也切，其慮之也遠，故其說之也詳。其曰天命率性，則道心之謂也；其曰擇善固執，則精一之謂也；其曰君子時中，則執中之謂也。世之相後，千有餘年，而其言之不異，如合符節。歷選前聖之書，所以提挈綱維、開示蘊奧，未有若是其明且盡者也。[37]

所謂「推本堯舜以來相傳之意，質以平日所聞父師之言，更互演繹，作為此書」，乃朱熹對子思撰作方式的敘述，此乃教先王示諭和孔門學說交相驗證、發明的「演繹」書法歟，而所謂「其曰天命率性，則道心之謂也；其曰擇善固執，則精一之謂也；其曰君子時中，則執中之謂也」，乃朱子對子思撰作能否切合先聖心法的檢覈，至於「歷選前聖之書，所以提挈綱維、開示蘊奧，未有若是其明且盡者也」數語，則是朱熹對子思著作已達最佳成效的讚譽了。要之，《中庸》的語文成績，在朱熹眼中可說是成功、甚至是非凡的了。另外，對《論語》和《孟子》，朱熹於二書《集注》裡，每對夫子意味醇厚的言語多所咀嚼，每對孟子話鋒觸機流轉、談議淋漓曲盡的言論多所體察（詳見下節論述），可見無論是戮力「傳守」「聖人微言」[38]、很可能

---

37 〔宋〕朱熹：〈中庸章句序〉，《朱熹集》，卷76，頁3994-3995。

38 〔宋〕朱熹：《四書章句集注》，《論語集注》，卷10，頁194。此言為朱子引楊時說法。

「成於有子曾子之門人」[39]之手的《論語》，抑或孟子「退而與萬章之徒序《詩》、《書》，述仲尼之意」，終撰作出的《孟子》，[40]二書示諭儒道的語文水準，蓋同樣被朱熹深刻感受到。

擺回道統傳續歷史上看，朱子所以如是關注《四書》語文面上的表現，興許由於他意識到：孔子、曾子、子思、孟子均未得君師位置，只能轉就教育事業傳承道統；既須仰仗語言文字持存要道的功能，故於篇章著作上用功，就顯得愈加重要了。套〈中庸章句序〉裡「授受之際」、「丁寧告戒」話頭來講：曩昔聖君賢相交付政權、傳續道統，每於授受之際丁寧告戒，開示精闢道旨；往後儒者多未得權位以施政教，為接續道統，遂須仰賴論著展開字紙間的授受語境，從而對預想讀者、也就是求道後學進行一番「丁寧告戒」歟。《四書》或者述記（《學》）、或者演繹（《庸》）、或者傳守（《論》）、或者述作（《孟》）的撰作情貌，當作如是觀；而對千百年後，透過講學、注疏傳喻儒道的二程來說，情況也是一樣。案學者早指出程氏兄弟對《四書》的用功，像是篇章次第的整理，積極以「解」之體例講說經旨等等。[41]朱子詮釋《四書》本就受程門啟發，對二程用心處，自然多所留心。除於諸序文提及二程功績處多有描述外，《四書章句集注》細部注解裡亦有發明。如《論語．顏淵》克己復禮章，《論語集注》提供的這則訊息：

> 程子曰：「顏淵問克己復禮之目，子曰，『非禮勿視，非禮勿聽，非禮勿言，非禮勿動』，四者身之用也。由乎中而應乎外，制於外所以養其中也。顏淵事斯語，所以進於聖人。後之學聖人者，宜服膺而勿失也，因箴以自警。其〈視箴〉曰：『心兮本虛，應物無跡。操之有要，視為之則。蔽交於前，其中則遷。制之於外，以安其內。克己復禮，久而誠矣。』其〈聽箴〉曰：『人有秉彝，本乎天性。知誘物

---

39 〔宋〕朱熹：〈論語序說〉，收入《四書章句集注》，頁43。此言為朱子引程子說法。

40 〔宋〕朱熹：〈孟子序說〉，收入《四書章句集注》，頁197。此為朱子節錄《史記．孟子荀卿列傳》的文字。

41 見陸建猷：《四書集注與南宋四書學》，頁49-52。

> 化，遂亡其正。卓彼先覺，知止有定。閑邪存誠，非禮勿聽。』其〈言箴〉曰：『人心之動，因言以宣。發禁躁妄，內斯靜專。矧是樞機，興戎出好，吉凶榮辱，惟其所召。傷易則誕，傷煩則支，己肆物忤，出悖來違。非法不道，欽哉訓辭！』其〈動箴〉曰：『哲人知幾，誠之於思；志士勵行，守之於為。順理則裕，從欲惟危；造次克念，戰兢自持。習與性成，聖賢同歸。』」[42]

案此處「程子」蓋指程頤。且看他對《論語》該章解說，開宗明義點明夫子示諭顏淵那非禮勿視、聽、言、動的四條目，乃「制於外所以養其中」的修道法門；緊接著，同樣希求聖人之道的程頤遂奉行該四條目，並為視、聽、言、動分別作出箴言，將循禮法以制欲、養心的道理疏解擘析開來，從而砥礪他制外養中的歷歷修行。有意思的是，程頤這段經解，豈非字紙間展開的、饒富程門風格的課堂語境：老師為求道後進開示經旨，精闢提點關節、細密闡發細目後，遂即履行實踐、以身示範。要之，講說地如此切要、精密，踐履地如此認真、踏實，解經解到這般境地，程門講說誠粲然可觀。而對朱熹來說，能注意程門講經的好處，且還積極載錄到自家《集注》中，供讀注者發想、體味，[43]看來繼程門後，這裡又寓藏著另番藉解經展開的，攸關古來儒道旨趣的授受語境，而有待吾人去清理、發掘了。

透過上述討論，我們了解兩件事。第一，朱熹在《四書章句集注》裡，一再提及由上古聖君賢相傳來的緜長不絕道統；所以如是，實為凸顯孔、曾、思、孟撰述《四書》，於呼應曩昔光輝治道和啟迪求道後進間的關鍵位置。第二，於《四書章句集注》，朱熹傳達出道統傳承多在誦、傳、述、記、引一類授受語境中進行的信息；尤其對未得君師施政教位置，只能透過撰作、講說傳喻道旨的儒者來說，於語文面上窮究心力便愈加需要。綜合兩者，我們非但明白朱熹投身《學》、《庸》、《論》、《孟》注疏事業，出自其接

---

42 〔宋〕朱熹：《四書章句集注》，《論語集注》，卷6，頁132。

43 《論語集注》該處既引程氏說法，且還對其箴言作出「發明親切，學者尤宜深玩」的評語和指示。參見《論語集注》，卷6，頁132。

續道統的雄闊胸懷，也能了解他何以傾心傾力，藉章句、集注工夫發揚聖道。畢竟，營造出有效的授受語境，方能保證道統的永續傳承。

四 《四書章句集注》作為傳承道統的授受語境，其特色與成就為何

第二節論述，我們確定了《四書章句集注》的注疏形制，乃朱熹扮演導讀者該角色，打造的一本誦讀《四書》的指南。第三節討論，我們注意到朱子注疏《四書》乃承繼古來道統的作為，且將透過注解創造具品質的授受環境，以對讀注者，亦即求道後進有效傳喻道旨。故在本節，就讓我們好好觀察《四書章句集注》施展的注解工夫，同時評估其成效如何。

首先論《大學章句》和《中庸章句》。所謂章句，乃透過「離章析句」工夫，促使文本「意義的條理性和周備性」變得清晰、明朗的注疏體例。[44]而朱熹殆循《學》、《庸》語文特質採用此體。案《大學》本教法綱程，從格物、致知、誠意、正心、修身，一路到齊家、治國、平天下，流程節節分明；朱熹嘗以「一如鎖子骨，才提起，便總統得來」[45]形容之。故其《大學章句》每每把握此特點，標記章節間的接續關聯。如：對誠意章有「此章之指，必承上章（即格物致知章）而通考之，然後有以見其用力之始終，其序不可亂而功不可闕如此云」、對正心脩身章有「此亦承上章（誠意章）以起下章（脩身齊家章）」一類是也。[46]另《中庸》作為聖賢相傳的治心妙道，朱熹嘗謂：「於章句文義間窺見聖賢述作傳授之意極有條理，如繩貫棋局之不可亂」，故「因出己意，去取諸家，定為一書，與向來《大學章句》相似」，[47]亦即仍就章句體式進行注釋。不過，和《大學》不同的是，朱熹認為子思撰作《中庸》，每就兩面向對稱鋪說之：若就道「費」、道「隱」，就

---

44 陸建猷：《四書集注與南宋四書學》，頁89-90。

45 〔宋〕黎靖德編：《朱子語類》，卷117，頁2814。

46 〔宋〕朱熹：《四書章句集注》，《大學章句》，頁8。

47 〔宋〕朱熹：〈林澤之〉，收入《朱熹別集》，卷6，頁5478。

語「大」、語「小」，闡釋「君子之道費而隱……故君子語大，天下莫能載焉；語小，天下莫能破焉」該章旨意，若就「天道」、「人道」，發明「自誠明，謂之性；自明誠，謂之教」該章意義，因而形成「枝枝相對，葉葉相當」般「齊整」的篇章結構。故其《中庸章句》，每每著力標記各章是就何面向闡說心法之奧義。[48]要之，或者針對鎖鏈環扣般的《大學》，或者針對喬木枝葉般的《中庸》，朱子總能精確提點章節結構關係，令是二文獻的條理性和周備性清楚朗現。

更進一步說，朱子判定《大學》、《中庸》的成書，歷經孔門先、後輩間傳習講誦造成，像《大學》「經一章，蓋孔子之言，而曾子述之。其傳十章，則曾子之意而門人記之也」，而《中庸》乃子思「推本堯舜以來相傳之意，質以平日所聞父師之言，更互演繹」所作。無論出於師承，或者家學，《學》、《庸》充斥著藉傳述、引述來闡說道旨的文字，其中多有取自古來經傳（主要是《詩》、《書》，或者先聖格言、言論）者。故朱熹的章句工夫，屢屢就《學》、《庸》「雜引經傳」處進行析論，期打通文中「若無紀統，然文理接續，血脈貫通，深淺始終，至為精密」處。如《大學》裡止於至善章，朱熹先透過錯簡整理，將經文梳理為：

> 《詩》云：「邦畿千里，惟民所止。」《詩》云：「緡蠻黃鳥，止于丘隅。」子曰：「於止，知其所止，可以人而不如鳥乎！」《詩》云：「穆穆文王，於緝熙敬止！」為人君，止於仁；為人臣，止於敬；為人子，止於孝；為人父，止於慈；與國人交，止於信。《詩》云：「瞻

48 不同於《大學》一條鞭似的結構，朱熹認為計三十三章的《中庸》，乃由三部分組成，分別是：「右第一章。子思述所傳之意以立言……其下十章，蓋子思引夫子之言，以終此章之意」（〔宋〕朱熹：《四書章句集注》，《中庸章句》，頁18）的前十一章，「右第十二章。子思之言，蓋以申明首章道不可離之意也。其下八章，雜引孔子之言以明之」（頁23）的中間九章，和「右第二十一章。子思承上章夫子天道、人道之意而立言也。自此以下十二章，皆子思之言，以反覆推明此章之意」（頁32）的後十三章。對中間九章，朱熹每以「費之小者」、「費之大者」、或「兼費隱、包大小」標誌各章旨趣（頁23-32）；對後十三章，則每就「天道」、「人道」標記之（頁33-39）。又「枝枝相對，葉葉相當」該語，參見《朱子語類》，卷62，頁1479。

彼淇澳，菉竹猗猗。有斐君子，如切如磋，如琢如磨。瑟兮僩兮，赫兮喧兮。有斐君子，終不可諠兮！」如切如磋者，道學也；如琢如磨者，自脩也；瑟兮僩兮者，恂慄也；赫兮喧兮者，威儀也；有斐君子，終不可諠兮者，道盛德至善，民之不能忘也。《詩》云：「於戲前王不忘！」君子賢其賢而親其親，小人樂其樂而利其利，此以沒世不忘也。[49]

面對這連番引《詩》，其間意義連結不甚清楚的傳文，朱子注解除一一點明出處，如：「邦畿千里」出自〈商頌・玄鳥〉、「緡蠻黃鳥」出自〈小雅・緜蠻〉、「穆穆文王」出自〈大雅・文王〉、「瞻彼淇澳」出自〈衛風・淇澳〉，還有「於戲前王不忘」出自〈周頌・烈文〉，更以「言物各有所當止之處也」、「言人當知所當止之處也」、「引此而言聖人之止，無非至善」、「引詩而釋之，以明明明德者之止於至善」，乃至「此言前王所以新民者止於至善，能使天下後世無一物不得其所，所以既沒世而人思慕之，愈久而不忘也」等注語，[50]從「物」到「人」、到「聖人」、到「明明德者」，再到「前王所以新民者」，精密彌縫諸引用詩句間間隔，從而教此章話語涵蘊的隨修德之精進，效果將越廣、越遠的意旨得以發揚。又像《中庸》終章，朱熹針對末尾數言：「《詩》云：『予懷明德，不大聲以色。』子曰：『聲色之於以化民，末也。』《詩》曰『德輶如毛』，毛猶有倫。『上天之載，無聲無臭』，至矣！」[51]他作了這樣解釋：

《詩・大雅・皇矣》之篇。引之以明上文所謂不顯之德者，正以其不大聲與色也。又引孔子之言，以為聲色乃化民之末務，今但言不大之而已，則猶有聲色者存，是未足以形容不顯之妙。不若〈烝民〉之詩所言「德輶如毛」，則庶乎可以形容矣，而又自以為謂之毛，則猶有

49 〔宋〕朱熹：《四書章句集注》，《大學章句》，頁5-6。案朱熹注語謂：「此章內自引〈淇澳〉詩以下，舊本誤在誠意章下。」（頁6）此即朱子整編處。

50 〔宋〕朱熹：《四書章句集注》，《大學章句》，頁5-6。

51 〔宋〕朱熹：《四書章句集注》，《中庸章句》，頁40。

可比者，是亦未盡其妙。不若〈文王〉之詩所言「上天之事，無聲無臭」，然後乃為不顯之至耳。蓋聲臭有氣無形，在物最為微妙，而猶曰無之，故惟此可以形容不顯篤恭之妙。[52]

朱子意謂：子思為形容奉行中庸之道的聖王，其德行臻至的「不顯」至境，故援引諸詩篇詩句以及聖人評語描繪之；而由於「不顯」境界尤難把捉，故子思方依序引〈皇矣〉「不大聲以色」、〈烝民〉「德輶如毛」，乃至〈文王〉「無聲無臭」等詩語依稀狀貌之。有意思的是，端視《中庸》原文，語意並非至難，經過朱熹析論，子思形容之不足遂一再舉詩詳說之的汲汲著作之情就更加明顯了。此等例子，猶教吾人領略朱熹章句功力的細膩。

再來論《論語章句》和《孟子章句》。正如對《學》、《庸》的注解一本典籍語文之質性，朱熹對《論語》、《孟子》的集注工作，亦準乎他對二書性質的判定。案《論語》多格言，《孟子》富大段議論，這些特徵朱熹都留意到並能配套處理。[53]此外於《論》、《孟集注》開卷處，朱子還特別截引、載錄了《史記．孔子世家》和〈孟子荀卿列傳〉的敘述，勾勒出孔子遭逢的禮樂崩壞世代，以及孟子身處的「天下方務於合從連衡，以攻伐為賢」該環境；而《論》、《孟》所錄，蓋即孔、孟生存於如斯情境所發的言行舉措。[54]這便教讀注者懷著歷史感，尤感同身受地誦讀《論語》和《孟子》。且讀讀朱子對《論語．學而》首章的注解。該章原文：「學而時習之，不亦說乎？有朋自遠方來，不亦樂乎？人不知而不慍，不亦君子乎？」《論語集注》即就「學」、「習」、「說」、「樂」、「朋」、「慍」，以及「君子」等字眼，適時引

---

52 〔宋〕朱熹：《四書章句集注》，《中庸章句》，頁40。

53 案朱子屢屢比對《論》、《孟》，發明不同的讀書方式。如：「《孟子》要熟讀，《論語》卻費思索。《孟子》熟讀易見，蓋緣是它有許多答問發揚。」、「看《孟子》，與《論語》不同，《論語》要冷看，《孟子》要熟讀。《論語》逐文逐意各是一義，故用子細靜觀。《孟子》成大段，首尾通貫，熟讀文義自見，不可逐一句一字上理會也。」（〔宋〕黎靖德編：《朱子語類》，卷19，頁432）這些誦讀指引，當即出自對《論語》多格言、《孟子》富大段議論此等語文性質的體會。

54 〔宋〕朱熹：《四書章句集注》，《論語集注》，頁41-43；《孟子集注》，頁197。

述「諸老先生」講說，展開條條論述：

> 學之為言效也。人性皆善，而覺有先後，後覺者必效先覺之所為，乃可以明善而復其初也。
>
> 習，鳥數飛也。學之不已，如鳥數飛也。
>
> 說，喜意也。既學而又時時習之，則所學者熟，而中心喜說，其進自不能已矣。程子曰：「習，重習也。時復思繹，浹洽於中，則說也。」又曰：「學者，將以行之也。時習之，則所學者在我，故說。」謝氏曰：「時習者，無時而不習。坐如尸，坐時習也；立如齊，立時習也。」
>
> 樂，音洛。朋，同類也。自遠方來，則近者可知。程子曰：「以善及人，而信從者眾，故可樂。」又曰：「說在心，樂主發散在外。」
>
> 慍，紆問反。慍，含怒意。君子，成德之名。尹氏曰：「學在己，知不知在人，何慍之有。」程子曰：「雖樂於及人，不見是而無悶，乃所謂君子。」愚謂及人而樂者順而易，不知而不慍者逆而難，故惟成德者能之。然德之所以成，亦曰學之正、習之熟、說之深，而不已焉耳。程子曰：「樂由說而後得，非樂不足以語君子。」[55]

果然是既「簡」且「盡」的注解。案朱熹先藉以「效」釋「學」、以「鳥數飛」釋「習」、以「喜意」釋「說」、以「同類」釋「朋」、以「含怒意」釋「慍」，和以「成德之名」釋「君子」等字辭解析，紮穩詮釋的根基；再來即循經文語脈進行詮說並引申發揮之，若：「既學而又時時習之」、「無時而不習」、「自遠方來，則近者可知」、「說在心，樂主發散在外」、「及人而樂者順而易，不知而不慍者逆而難，故惟成德者能之」一類是也。經由這些詮說，夫子話裡的豐富意旨可謂得到淋漓盡致的發明。如：自學且能時時習熟，吾心將得到喜悅；時習所學，須於知、行兩面踐履用功；自近及遠，友朋紛紛來附，愉悅將自心發諸外貌氣象；不為人知而不慍，乃學習有成的士

---

55 〔宋〕朱熹：《四書章句集注》，《論語集注》，卷1，頁47。

子須勉力達成的修持云云。要之，置身末世，經世志不得施展的夫子，此番話語誠有深意；透過朱熹的解讀，君子能專務的樸實修行，像是：用功向學以復善良本性，於知、於行無不實踐，還有抱負即便落空亦須安撫心情等士子得自主把握的事，就這麼傳喻給讀者了。

朱熹精闢且富啟示的注解，同樣施用在《孟子》上。蓋為配合該書大段議論的語文性質，《孟子集注》的用力處，主要在提點經文語脈的來龍去脈。案朱子曾提及一段讀《孟》經驗：

> 某往年在同安日……後官滿，在郡中等批書，已遣行李，無文字看，於館人處借得《孟子》一冊熟讀，方曉得「養氣」一章語脈。當時亦不暇寫出，只逐段以紙簽簽之云，此是如此說。簽了，便看得更分明。後來其間雖有修改，不過是轉換處，大意不出當時所見。[56]

所謂「以紙簽簽之」，殆即標記《孟子》裡談議文脈流轉的各個關節。這個動作，後來即落實到《孟子集注》中。就拿〈公孫丑上〉養氣該章來說，對這由公孫丑設問孟子若得到齊國卿相位置將「動心否」所展開的，關涉知言、養氣論述的著名章節，《集注》先點出是章乃承前一章公孫丑問「夫子當路於齊，管仲、晏子之功，可復許乎」的談話而來，爾後即順師徒間對話發展，朱注一路標記此番談議諸多轉折處：從北宮黝、孟施舍之勇的比較，談到曾子示諭的士子大勇；後承公孫丑之問，孟子就自家和告子的不動心修養進行比較，依序帶出養浩然之氣和知言的修行工夫；得此示諭的公孫丑遂以聖人贊譽孟子，不欲承受該稱譽的孟子，轉將話題帶到對孔子曠世德業的頌揚上。凡此種種，《集注》無不清楚標識，若：「孟賁血氣之勇，丑蓋借之以贊孟子不動心之難」、「此一節，公孫丑之問。孟子誦告子之言，又斷以己意而告之也」、「公孫丑見孟子言志至而氣次，故問如此則專持其志可矣，又言無暴其氣何也」、「孟子言志之所向專一，則氣固從之；然氣之所在專一，則志亦反為之動」、「公孫丑復問孟子之不動心所以異於告子如此者，有何所

---

56 〔宋〕黎靖德編：《朱子語類》，卷104，頁2615。

長而能然，而孟子又詳告之以其故也」、「孟子先言知言而丑先問氣者，承上文方論志氣而言也」、「此公孫丑復問（知言）而孟子答之也」、「此一節，林氏以為皆公孫丑之問是也」、「昔者以下，孟子不敢當丑之言，而引孔子、子貢問答之辭以告之也」、「孟子言且置是者，不欲以數子所至者自處也」一類。[57]要之，養氣該章經文，充分體現孟子當世的時代性特徵，還有孟子的操守自持：即便「天下方務於合從連衡」，處士爭相求用，異端邪說紛起，孟子仍戮力士子本乎道義的修行，知言、養氣，繼武孔子德行，並適時辯明道旨。而透過朱熹全力掌握孟子談議曲折流轉的注解，《孟子》話裡蘊含的充沛精神殆得彰顯。案朱子嘗謂：

> 《孟子》若讀得無統，也是費力。某從十七、八歲讀至二十歲，只逐句去理會，更不通透。二十歲已後，方知不可恁地讀。元來許多長段，都自首尾相照管，脈絡相貫串，只恁地熟讀，自見得意思。從此看《孟子》，覺得意思極通快，亦因悟作文之法。[58]

據此告白，朱子能讀出《孟子》意味，緣自他把握到各「長段」「首尾相照管，脈絡相貫串」的文脈，也就是開始有「統」地誦讀《孟子》，「覺得（書中）意思極通快」；毋怪後來製作《孟子集注》該「簡盡」讀本時，他會對《孟子》談議各關節如是留心標注。畢竟，這是引導讀注者讀出《孟子》精神的關鍵地方。

分別觀察了《大學章句》、《中庸章句》、《論語集注》和《孟子集注》，相當清楚地，朱熹注解，乃一本《四書》語文特質來為諸書作導讀的。[59]再次套用〈中庸章句序〉裡「授受之際」、「丁寧告戒」話頭，我們可說，朱熹

---

57 〔宋〕朱熹：《四書章句集注》，《孟子集注》，卷3，頁229-235。

58 〔宋〕黎靖德編：《朱子語類》，卷105，頁2630。

59 關於《四書章句集注》注疏《四書》的表現，可參閱拙著：〈從朱熹的治經忖量論《四書章句集注》的形制與意義〉，收入《政大中文學報》17期（2012年6月），頁111-127。又據經典語文特質製作讀經指南，乃朱熹慣用的解經方式，他的《詩經》注解即是顯例。對此，可參閱拙著：〈詩境想像、辭氣諷詠與性情涵濡——《詩集傳》展示的詩歌詮釋進路〉，收入《漢學研究》第29卷第1期（總64期）（2011年3月），頁1-34。

顯對《學》、《庸》、《論》、《孟》傳喻道旨的授受語境，或者丁寧告戒情狀有切實掌握；而他既能分別就孔、曾、思、孟曉諭儒道的方式，或章句之、或集注之地詮說旨趣，那麼，他的《四書章句集注》，便可謂是解《四書》授受語境的另番授受語境了。須特別注意的是，藉由此番章句集注工作，《四書》裡關鍵的心性道理遂都聯繫、貫串了起來。

案闡發《學》、《庸》、《論》、《孟》裡的心性之道，程門學說早著力於此。像《孟子集注》卷首〈孟子序說〉引述的楊時講說即是：

> 《孟子》一書，只是要正人心，教人存心養性，收其放心。至論仁、義、禮、智，則以惻隱、羞惡、辭讓、是非之心為之端。論邪說之害，則曰：「生於其心，害於其政。」論事君，則曰：「格君心之非」，「一正君而國定」。千變萬化，只說從心上來。人能正心，則事無足為者矣。《大學》之脩身、齊家、治國、平天下，其本只是正心、誠意而已。心得其正，然後知性之善。故孟子遇人便道性善。歐陽永叔卻言「聖人之教人，性非所先」，可謂誤矣。人性上不可添一物，堯舜所以為萬世法，亦是率性而已。所謂率性，循天理是也。外邊用計用數，假饒立得功業，只是人欲之私。與聖賢作處，天地懸隔。[60]

是段論述，一言以蔽之地將《孟子》所有談議，收束於正心、存心養性和收放心，也就是秉持善良本性該等事上。爾後發諸作為，能否成就功業，皆準乎心性修持何如；即便成就了一番事業，若動心發念處循私欲而未能秉持天理善性，則亦未足與議矣。要之，楊時此說誠理學本色論調。重要的是，這段攸關《孟子》精髓的論述，是扣合著《大學》誠意、正心，還有《中庸》的率性之道來講的，而朱熹引述之且置諸《孟子集注》開端，當有傳達《孟子》與《學》、《庸》間關聯，亦即傳承關係的用心在。事實上，朱熹日常講學，每將《四書》之道相互發明。如《朱子語錄》載錄的，和弟子胡安之論《論語》顏淵樂處該段。朱子對顏回的博文、約禮修練，便直接用「允執厥

60 〔宋〕朱熹：〈孟子序說〉收入《四書章句集注》，頁199-200。

中」意思來闡述：「便顏子也只是使人心聽命於道心，不被人心勝了道心。今便須是常常揀擇教精，使道心常常在裏面如箇主人，人心只如客樣。」這就教夫子對顏淵示論的工夫修行（即博文、約禮），和古先聖王遞相傳承的中庸心法勾連上了，《論語》、《中庸》的心性論線索遂變得異常緊密。[61]

檢覈《四書章句集注》裡的注解。於《大學》，朱熹尤著力格物致知章和誠意章的闡釋，所謂：「其第五章（格致章）乃明善之要，第六章（誠意章）乃誠身之本，在初學尤為當務之急」[62]是也。故朱子特作〈格致補傳〉，闡發物格則知將至的道理：「必使學者即凡天下之物，莫不因其已知之理而益窮之，以求至乎其極。至於用力之久，而一旦豁然貫通焉，則眾物之表裏精粗無不到，而吾心之全體大用無不明矣。」且於誠意章注語，申言慎獨誠意工夫就建立在格致工夫上：當物已格、知已致，不會有苟且、自欺的行為，再發諸誠意交接事物，則君子修身之道當打下穩固之基礎。[63]另於《中庸》，對君子「戒慎乎其所不睹，恐懼乎其所不聞」的慎獨工夫，朱子同樣相當留意。他注解道：

> 道者，日用事物當行之理，皆性之德而具於心，無物不有，無時不然，所以不可須臾離也……是以君子之心常存敬畏，雖不見聞，亦不敢忽，所以存天理之本然，而不使離於須臾之頃也。[64]

---

61 〔宋〕黎靖德編：《朱子語類》，卷120，頁2885。在此須補充的是，朱熹嘗云：「《中庸》序中推本堯、舜傳授來歷，添入一段甚詳。」（〔宋〕朱熹：〈答詹帥書〉，《朱熹集》，卷27，頁1163）這便說明〈中庸章句序〉將子思撰作的《中庸》，和堯、舜、禹來相傳的「允執厥中」、「人心惟危，道心惟微」論點相繫，乃朱熹欲製作緜長心傳譜系的作為。案〈中庸章句序〉乃據〈中庸集解序〉改寫而成，兩相對照，即看出「推本堯、舜傳授來歷」一段的確是後來「添入」的。

62 〔宋〕朱熹：《四書章句集注》，《大學章句》，頁13。

63 〔宋〕朱熹：《四書章句集注》，《大學章句》，頁7-8。案朱子注云：「蓋心體之明有所未盡，則其所發必有不能實用其力，而苟焉以自欺者。然或已明而不謹乎此（誠意），則其所明又非己有，而無以為進德之基。」（頁8）這便說明格致工夫和誠意工夫的接續關係，以及二者同為修持根本工夫的道理。

64 〔宋〕朱熹：《四書章句集注》，《中庸章句》，頁17。

且看這段自道理本俱足吾心推衍出的，君子得時刻保持心性澄明的慎獨詮釋，豈不與格致工夫相呼應。要之，《學》、《庸》都談慎獨之道，前者戮力恢復心性明德，後者則敬謹保持心性明德，實為同一修行的兩個面向。

再看看《論語．子罕》「顏淵喟然嘆曰」該章，對孔子調教顏淵的博文、約禮之教，朱注援引侯仲良的講法：「博我以文，致知格物也。約我以禮，克己復禮也。」[65]於〈顏淵〉克己復禮章，針對孔子對顏淵的曉諭：「克己復禮為仁。」朱熹的解釋是：

> 仁者，本心之全德。克，勝也。己，謂身之私欲也。復，反也。禮者，天理之節文也。為仁者，所以全其心之德也。蓋心之全德，莫非天理，而亦不能不壞於人欲。故為仁者必有以勝私欲而復於禮，則事皆天理，而本心之德復全於我矣。[66]

案博文約禮、克己復禮乃至聖對其得意門生（甚至是屬意傳人）的教誨，用朱子話來說，此「乃傳授心法切要之言」。[67]照《集注》兩處之解釋，博文即格致該事，而克己復禮何嘗不然：克服私欲，一切謹慎依循作為「天理之節文」的禮，如是「全其心之德也」的「為仁」之道，蓋格致誠正工夫的另一種表述爾。職是，古來學、庸之道在朱熹的詮釋中，不就成色未差地傳到孔、顏這對師徒身上。再讀讀《孟子集注》對〈告子上〉「牛山之木嘗美矣」章（也就是著名的談夜氣該章）的注釋。對孟子引述夫子的話語：「操則存，舍則亡；出入無時，莫知其鄉。」朱子這般闡言道：

> 孟子引之，以明心之神明不測，得失之易，而保守之難，不可頃刻失其養。學者當無時而不用其力，使神清氣定，常如平旦之時，則此心常存，無適而非仁義也……愚聞之師曰：「人，理義之心未嘗無，惟持守之即在爾。若於旦晝之間，不至梏亡，則夜氣愈清。夜氣清，則

---

65 〔宋〕朱熹：《四書章句集注》，《論語集注》，卷5，頁111。

66 〔宋〕朱熹：《四書章句集注》，《論語集注》，卷6，頁131。

67 〔宋〕朱熹：《四書章句集注》，《論語集注》，卷6，頁132。

平旦未與物接之時，湛然虛明氣象，自可見矣。」[68]

這段解釋讀來豈不熟悉：「心之神明不測，得失之易，而保守之難，不可頃刻失其養」，讀來彷若慎獨以護持澄明本心的工夫要求即將復現。隨後朱注果然論及「學者當無時而不用其力，使神清氣定，常如平旦之時，則此心常存，無適而非仁義也」這存夜氣修養，且提及若存得夜氣將使我心綻放「湛然虛明氣象」。那麼，孟子的夜氣論述實亦慎獨工夫的發明發揮了。最後，且將同篇「仁，人心也；義，人路也」該章一齊讀來，對「學問之道無他，求其放心而已矣」該名句，《孟子集注》的解釋是：

學問之事，固非一端，然其道則在於求其放心而已。蓋能如是則志氣清明，義理昭著，而可以上達。不然則昏昧放逸，雖曰從事於學，而終不能有所發明矣……此乃孟子開示切要之言……學者宜服膺而勿失也。[69]

據是文，唯有求得放心，那麼心將回復到「志氣清明，義理昭著」之本相，若「昏昧放逸」我心，縱使「從事於學」，必「終不能有所發明矣」。如是看來，求得放心亦即存得夜氣，二者俱為和格致、慎獨、誠意相貫通的工夫修行。由是我們發現：透過《四書章句集注》的詮說，無論是《學》、《庸》裡的格致、慎獨和誠意，《論語》裡的博文約禮、克己復禮，或者《孟子》裡的存夜氣、求放心，分布《四書》的種種關鍵心性修持，總在交相映照、相互呼應的鏈結關係中。[70]更值得注意的是，擺在道統傳承序列上觀察，我們

---

68 〔宋〕朱熹：《四書章句集注》，《孟子集注》，卷11，頁331。

69 〔宋〕朱熹：《四書章句集注》，《孟子集注》，卷11，頁334。

70 案朱熹對這些儒學至道的闡釋，於《大學》、《中庸》，主要是循二者的章節結構來講。對《論語》，則每將散佈各篇各章的師生對答串聯起來講說，若：於〈衛靈公〉「子曰：『賜也，女以予為多學而識之者與』」該章，朱子引尹焞（1071-1142）之言：「孔子之於曾子，不待其問而直告之以此（指〈里仁〉「子曰：『參乎！吾道一以貫之』該章」），曾子復深諭之曰『唯』。若（此章）子貢則先發其疑而後告之，而子貢終亦不能如曾子之唯也」（〔宋〕朱熹：《四書章句集注》，《論語集注》，卷8，頁161-162），來傳

看出此等君子修行法門，殆即堯、舜、禹來「允執厥中」、「人心惟危，道心惟微，惟精惟一」諄諄丁寧告戒的未輟傳承歟。於是，就在《四書章句集注》這又一番的授受語境裡，從古先聖王傳至孔、曾、思、孟身上的這些儒學至道，其幽微旨趣再次在求道後進眼前被揭示了出來，而這就是朱熹此番章句集注工作達成的成績。[71]

達曾子能以「盡己」、「推己」該忠恕修行，闡發夫子一貫之道的卓越體悟（卷2，頁72）；另於〈顏淵〉「仲弓問仁」該章，朱子將夫子對雍示諭的「主敬行恕」工夫標示為「坤道」，以和「克己復禮」工夫相配（朱子稱此作「乾道」），從而發明是二法門同為聖人傳諭的關鍵修持（卷6，頁133）。至於《孟子》，朱子就其內容或關乎和君王的對談，或關乎與諸子之爭辯，每能適時提點重要的義理精義。若謂〈梁惠王下〉：「自首章至此（指「齊宣王問曰：『人皆謂我毀明堂』」該章），大意相同。蓋鐘鼓、苑囿、遊觀之樂，與夫好勇、好貨、好色之心，皆天理之所有，而人情之所不能無者。然天理人欲，同行異情。循理而公於天下者，聖賢之所以盡其性也，縱欲而私於一己者，眾人之所以滅其天也。二者之間，不能以髮，而其是非得失之歸，相去遠矣。故孟子因時君之問，而剖析於幾微之際，皆所以遏人欲而存天理。」（〔宋〕朱熹：《四書章句集注》，《孟子集注》，卷2，頁219）又於〈滕文公上〉作此呼籲：「孟子之言性善，始見於此（指「滕文公為世子」該章），而詳具於〈告子〉之篇。然默識而旁通之，則七篇之中，無非此理。其所以擴前聖之未發，而有功於聖人之門，程子之言信矣。」（卷5，頁252）

71 陸建猶論述《四書章句集注》道統觀，談到相對前人道統論主在綴連儒家代表人物譜系，朱子的道統論則是重要觀念，也就是中庸之道的承繼。（見氏著：《四書集注與南宋四書學》，頁64-67）這論點是很精闢的。本文論述亦證明，朱熹的確藉由注疏《四書》，完成中庸道旨傳承不絕的圖像。另就思想史角度觀察，朱熹的道統觀擴張、發揚了儒學心性奧義，儒家思想原來的外王面向和禮節規範，往往被朱子轉化處理。即以本文反覆討論的克己復禮章為例，馬融（79-166）訓解「一日克己復禮，天下歸仁焉」嘗云：「一日猶見歸，況終身乎。」邢昺（932-1010）疏承此謂：「言人君若能一日行克己復禮，則天下皆歸此仁德之君也。一日猶見歸，況終身行仁乎。」（〔魏〕何晏注，〔宋〕邢昺疏：《論語注疏》，臺北市：臺灣古籍出版公司，2001年，卷12，頁177）可見此章可能含有要緊的治術。朱子並非無視於此，然其釋「天下歸仁」有謂：「言一日克己復禮，則天下之人皆與其仁，極言其效之甚速而至大也。」（〔宋〕朱熹：《四書章句集注》，《論語集注》，卷6，頁132）這便教人想起他在《大學》「湯之〈盤銘〉曰」該章，對聖王「能新其德以及於民，而始受天命也」的詮釋了（〔宋〕朱熹：《四書章句集注》，《大學章句》，頁5）。另釋「非禮勿視，非禮物聽，非禮勿言，非禮物動」處，邢昺列舉〈曲禮〉中諸禮儀，若「視瞻毋回」、「式視馬尾」、「毋側聽」

張亨在〈朱子的志業——建立道統意義之探討〉一文中，具史識地指出建立道統乃朱子終身肩負的弘道志業，故其哲理思想、學問內涵和主張學說，都該從這視角來認識、理解。由是，張先生遂據此梳理朱子終身從事的多項重要事情，像是：確立道統涵義、為辨明道統精髓而與人爭議，以及如何對待政治事功云云。[72]而《四書章句集注》作為朱熹用功至深、對後世影響亦尤鉅的經注，經由本節論述，我們果然看出道統志業亦落實於此，或者更精確地說，朱熹是用自家經學事業來承繼他揭櫫的儒學道統。

五　結論：吾道之所寄，不越乎言語文字之間

本文就經注作為注經行動之實錄該角度來研究朱熹的《四書章句集注》。第二節通過對朱子注解《四書》過程的歷史考述，確定了該經注的性質和功能。緊接著在第三、四節中，詳盡討論了《四書章句集注》諸多重要課題，像是：朱子如何將道統信念灌注於注解中，他又如何運用注疏體例適切發明道旨，還有，他最終成就的儒道內涵究竟為何。透過正文的研討，我們得到的結論有：

第一，幾窮盡朱熹畢生心力完成的《四書章句集注》，乃他自宋儒經說（主要是二程）聞道，決意採誦經指南形制以圖發揮引領後進誦習功效的注解。

第二，藉著這部簡明經注，朱熹上溯堯、舜、禹、湯、文、武、周公以來聖君賢相授受至道的譜系，揭明《四書》乃亂世未得君師位置的孔門祖孫

等來析論（《論語注疏》，卷12，頁177），朱子卻引述程子制外養中的視、聽、言、動四篇箴言，來發明士子內省修持之要義（《論語集注》，卷6，頁132）。凡此，皆說明朱子的注解，確實將經典的政治或倫理意義導向心性修養面發展。

72 張亨說：「無論朱子的形上架構多麼精密，心性之說何等深微，工夫如何切實，知識如何宏博……都應該置於『建立道統』這一志業之下來了解。換言之，朱子的理氣諸說都可謂是論釋道統之一節，並不是獨立的哲學性問題。」（見氏著：〈朱子的志業——建立道統意義之探討〉，《思文之際論集——儒道思想的現代詮釋》，臺北市：允晨文化公司，1997年，頁286）張先生就道統角度展開的有機論述，見該文頁294-332。

（孔子、子思）、師徒（孔子、曾子、子思、孟子）傳喻至道的場景或語境，並申明身處宋代的自己就從《四書》曉聞道旨（主要透過程門經說）的經驗；於是面對《四書章句集注》預想讀注者，其章句集注工作，實為朱子上承聖賢授受傳統的又一次講道場合或語境了。

第三，在該部經注中，我們看到朱熹本著《四書》個別語文特色，亦即《大學》、《中庸》那孔門先、後輩間傳誦道旨且層層詳說之的話語，還有《論語》貼近孔子生活領域的、《孟子》反映戰國論辯環境的言語質地，其經注或者側重解析章句，或者務力咀嚼文意和勾聯文脈。如是應和《四書》原來的言語特質，朱熹舉揚了《學》、《庸》裡的格致、誠意、慎獨，《論》、《孟》裡的克己復禮和求放心、存夜氣，從而緊密呼應堯、舜、禹來的「允執厥中」、還有「人心惟危、道心惟微」諄諄告誡。職是，藉著對經典言語文字的再三致意，道統大業終在朱子努力不懈的注經行動中趨近完成。

猶記得在〈中庸章句序〉裡，朱子述及子思傳述古來中庸之道、致力撰作成《中庸》，爾後遂為儒道承繼所資；即便世局變得如何混亂、價值理念又將如何混淆。深深感喟子思撰述功績的朱子，嘗以「吾道之所寄，不越乎言語文字之間」[73]數語描述這「《中庸》現象」。那麼，朱熹於《四書章句集注》，所以汲汲注經為後進作導讀，殆亦深信「吾道之所寄，不越乎言語文字之間」歟。

73 〔宋〕朱熹：〈中庸章句序〉，《朱熹集》，卷76，頁3995。

明體達用

——方宗誠尊朱思想及其學術論辯

田富美

銘傳大學應用中國文學系副教授

一 前言

論及清代儒學，乾嘉漢學往往是探究的大宗，至於作為官方學術的程朱理學，受到的關注相對減少，即使多數學者認為此時程朱理學已僵化而失去生命力，但這並不意味著清代的程朱理學發展沒有特出之處。事實上，清代尊崇程朱的學者在面對各學派的挑戰、外在環境的衝擊下，試圖在肆應各時期的議題上，對程朱理學的內涵做出了相當的調整，甚至轉化。咸、同年間，反乾嘉漢學大將方東樹（1772-1851）的族弟方宗誠（字存之，號柏堂，1818-1888）對程朱理學的詮解即是一鮮明的例子。

方宗誠論學歸本程朱理學，在論述晚清的漢、宋學相關議題中被納入宋學派的儒者[1]，其論學始奠基於早年受業鄉里碩儒許鼎（1782-1842）與族兄方東樹[2]，後與當時理學名臣吳廷棟（1793-1873）、胡林翼（1812-1861）、曾

---

1 參見史革新：《晚清理學研究》（臺北市：文津出版社，1994年）；《晚清學術文化新論》（北京市：北京師範大學出版社，2010年）；《清代以來的學術思想論集》（北京市：社會科學文獻出版社，2011年）。

2 方宗誠〈復方魯生先生書〉：「宗誠稟質昏懦，少時得師玉峯許先生，慕其苦志卓行，始奮然有所興發。……近十年來從從兄植之先生遊……故宗誠自惟入學以來，多獲賢師友之益，而於此理麤有所見，則實本於二先生」。《柏堂集．前編》，收入《清代詩文集彙編》第672冊（上海市：上海古籍出版社，2010年清光緒六年至十二年刻本），卷4，頁81；另可參譚廷獻：〈五品卿銜前棗強知縣方先生墓碑〉，收入《柏堂遺書》，《原刻影印叢書集成三編》（臺北縣：藝文印書館，1971年景印光緒中桐城方氏治學堂刊

國藩（1811-1872）交遊論學，倡議政事；並曾任嚴樹森（？-1876）幕府，擬〈薦舉賢才疏〉上奏；當時任帝師的倭仁（1804-1871）亦曾摘錄方宗誠之言以為經筵[3]，使方宗誠的思想主張得以上達朝政。咸、同年間，接踵而至的西方軍事入侵與太平天國禍事，使得清廷內外混亂之勢更甚於前，以曾國藩為首的理學士人弭亂有功而受到朝廷拔擢，促使講求程朱理學的風氣藉由政治權力而受強化與推動[4]，加上師友弟子推波助瀾，於是受乾嘉漢學壓抑的宋學重新活躍起來，身處於此一清代後期程朱理學的復興時期[5]，方宗誠所崇奉、呈顯的理學思想已有了顯著的變化，此時其關注的焦點不再如方東樹辯駁所有非議程朱之言論，表達強烈捍衛朱子（1130-1200）道統地位的職志，而是在於將程朱理學與躬行實踐、現實致用的工夫結合起來，如言：

> 夫道之大原出於天，聖人之書無非明天理也；而人之所以希天之功，則全在乎即人事以窮其天理之當然，即天理以見諸人事之實際，所謂精義入神以致用也，利用安身以崇德也。若不能致用崇德，雖使精義入神，見於文字之閒者，可以取名於後世，而究無當於身心國家之實用。[6]

此說強調「致用」才是窮究經典的極致目的，一切以契合「身心國家之實

本），卷首，頁1左-1右；陳澹然等編：〈方柏堂先生譜系略〉，收入《年譜叢刊》第163冊（北京市：北京圖書館出版社，1999年清光緒間木活字本），頁89。

3 請參孫葆田：〈桐城方先生墓誌銘〉，收入《柏堂遺書》，卷首，頁2左。

4 有關晚清咸、同年間程朱理學復興與政治的關係，請參史革新：〈程朱理學與晚清「同治中興」〉，收入氏著：《晚清學術文化新論》，頁1-30。

5 本文所言之「理學」，係專指程朱理學而言，並不包括陸王心學；至於文後所言「宋學」，則是乾嘉漢學家作為與漢學相對應的宋學而言。學者認為，清代理學先後出現過兩次發展的興盛時期，一次是在康熙朝的振興，一次是在晚清咸、同時期的振興。請參史革新：〈理學與晚清社會〉，收入氏著：《清代以來的學術與思想論集》，頁117-128；張永儁：〈清代朱子學的歷史處境及其發展〉，《哲學與文化》第28卷第7期（2001年7月），頁606-628。案：必須進一步說明的是，晚清所謂的理學復興，應是相較於清中葉之理學與晚清時期之漢學而論的。

6 方宗誠：〈答莊中白書〉，《柏堂集．續編》，卷7，頁277。

用」為學術價值的標準。因此，方宗誠勸勉後學諸生「立實心」、「敦實行」、「講實學」、「務實用」[7]；並在其諸多著述中，屢稱程朱理學為「明體達用」之學，曾自言：「宗誠幼無他嗜，獨好讀古大儒之書，并秦漢以來文章之學。以為明體達用，非研窮宋儒之書，其道末由。」又言：「夫學問之道非炫多鬬靡之謂也，所以求明體達用而已。」「學者窮經，所以明體達用也。」「窮理者當由本及末，由麤入精，然後可以明體達用。」[8]這是將理學視為體用兼備之學。

依此來看，方氏此種以「明體達用」作為衡量學術準則下，賦予程朱之學之新義涵，對於漢學、心學的評述勢必有別於清中葉宗奉程朱之儒者，應有進一步探析，本文即是基於上述的「問題意識」所撰寫。此外，亦嘗試在釐清問題的同時，能由其中窺究清代程朱理學的遞嬗。本文擬從以下三點進行論述：首先，論析方宗誠義理主張，說明方氏抱持「程朱之學為孔、曾、思、孟之正脈」[9]前提下，思想上雖承襲了方東樹尊宋學、以朱子為宗的思想，但在內外環境巨變下，方宗誠所形塑的程朱理學面貌，實已大不同於方東樹，而是在「明體達用」的原則下賦予程朱之學新的義涵；其次，考察方宗誠對於漢、宋學問題與陸王心學的相關論辯，分析其處理漢學家、心學家批評宋學態度，這些內容亦皆是在「明體達用」原則下的具體呈現；最後，藉由前述的基礎，尋繹出方宗誠在晚清程朱理學短暫興起之際如何對理學內涵進行調整，同時進一步檢視其論述所寄寓自身思想與其理解的時代意義。

---

7 方宗誠：〈諭書院諸生〉，《柏堂集．續編》，卷22，頁407-408。

8 方宗誠：〈上吳竹如先生〉，《柏堂集．外編》，卷2，頁679；〈讀書說〉，《柏堂集．次編》，卷4，頁153-154；〈春秋傳正誼敘〉、〈與汪仲伊書〉，《柏堂集．續編》，卷2，頁211；卷7，頁277。案孫葆田〈方宗誠墓誌銘〉：「學術之正大，近代所未有也。先生為學大旨，在內外交修，體用兼備。」又強汝詢〈方存之先生家傳〉指方宗誠論說大旨「以格物致知為首，以子臣弟友為實學，以明體達用為要歸。」二文俱見於《柏堂遺書》，卷首，頁2右；頁1右。

9 方宗誠：〈跋二曲集後〉，《柏堂集．續編》，卷5，頁249。

二　明體達用：方宗誠義理思想的承繼與轉化

方宗誠的思想不但承繼自清初以來桐城學派推尊程朱之學的特點，同時，面對種種的時代焦慮，使得晚清儒者論學呈現重經世傾向，自許為發揚程朱理學的方宗誠亦重新思索、詮解「程朱理學」內涵。因此，方宗誠的義理思想，既有承繼的一面，亦有轉化的特色。首先，在承繼方面，方宗誠延續了族兄方東樹獨尊朱子為儒學道統的主張，除了再三強調朱子乃集先聖大成、是一切論道治學折衷之標準[10]外，如對於《宋史》首創〈道學傳〉，他指出「太史公特立〈孔子世家〉以尊至聖，《宋史》創立〈道學傳〉以尊大儒，皆非淺見所及，不然何以事後世斗極哉！」[11]這種基於推尊程、朱為道統所繫的觀點，亦與清初擁程朱之學者陸隴其（1630-1692）、方東樹[12]如出一轍；再如他認為：

> 孔子集群聖之大成而折衷之，以成六經；朱子集群儒之大成而折衷之，以成《四書集註》、小學、《近思錄》，皆萬世之功也。[13]

> 昔者孔子生二帝三王群聖之後，修明六經以闡斯道，猶恐人之以為作

---

10 方宗誠：〈讀書說〉，《柏堂集．次編》，卷4，頁154；〈讀論孟筆記敘〉，《柏堂集．續編》，卷2，頁216。

11 方宗誠：〈論居敬致知讀書窮理〉，《柏堂遺書．志學錄》，卷3，頁23右。

12 陸隴其〈答徐健菴先生書〉言：「《宋史》作〈道學傳〉，前史未有，蓋以周、程、張、朱紹千聖之絕學，卓然高出儒林之上，故特起此例以表之，猶之以〈世家〉尊孔子耳。」方東樹〈坿辨南雷文定移史館論不宜立理學傳書〉：「愚以《宋史》刱立〈道學傳〉，以尊周、程諸子，禮以義起，名以實傳，允為不易，非尊周、程諸子也，重道統所在也。……猶之後世不再有孔子，則匹夫不得列〈世家〉；後世不再有周、程諸子，亦不得立〈道學傳〉，如此則可以畫一矣。」參見陸隴其：《三魚堂文集》（上海市：上海古籍出版社，2010年影印康熙四十年琴川書屋刻本），卷5，頁380；方東樹：《跋南雷文定》，收入《叢書集成續編》（臺北市：新文豐出版公司，1989年影印宣統元年《山房叢書》），第42冊，頁301。

13 方宗誠：《讀論孟筆記．論語》，收於《柏堂遺書．柏堂經說》，卷1，頁33右。

而效之也，其言曰：「我非生而知之者，好古，敏以求之者也。」又曰：「述而不作」……孟子於是思閑先聖之道，其自任曰：「入則孝，出則弟，守先王之道以待後學。」……此道之所賴以不墜也。夫先儒謂述之功倍於作，余亦謂守之功不亞於述。蓋生聖道大備之後，惟在述而不在作；而生異說喧騰之時，則又不在於能述，而在於能守，是非見道真、信道篤者不知此義也。三代而下，學絕道晦，千有餘年，至宋周、張、二程數子出，而道復大箸；朱子生於其後，闡明四子、六經及數先生之書，而力行之未嘗自剏新說，是蓋孔子信而好古，述而不作之意。[14]

方宗誠在這兩段引文中，一則是將孔子集群聖大成、制定六經與朱子集眾儒大成、作《四書集註》、《近思錄》並列為「萬世之功」；一則是將朱子闡明周（周敦頤，1017-1073）、張（張載，1020-1077）、二程（程顥，1032-1085；程頤，1033-1107）、六經大義之功，與孔子「修明六經以闡斯道」、孟子「守先王之道以待後學」並稱，均是承述聖道，篤守而使之續而不墜者，由此凸顯出由孔孟至北宋諸子再至朱子的傳承脈絡，這對於朱子在儒門道統地位的推崇，是顯而易見的。是以，方宗誠不僅推崇朱子所注諸經能發揮孔、孟微言要義，綰合「漢、唐之訓詁」、「宋儒之義理」，故而「聖賢之經義始如日月經天、江河行地」[15]；甚至主張以朱子義理思想為治經的基礎[16]，是一切論學論理的標準。有學者即指出這是「把經學加以程朱理學化」[17]。方

14 方宗誠：〈編次《拙修集》敘〉，《柏堂集・續編》，卷2，頁211-212。

15 方宗誠：〈校栞《游定夫先生集》敘〉，《柏堂集・續編》，卷2，頁221。案相近之言亦可參〈校栞《漢學商兌》、《書林揚觶》敘〉，《柏堂集・後編》，卷3，頁426。

16 方宗誠言：「治經必先治四子書與朱子集注，使義理了然於心，然後治諸經乃有準繩。」又言：「六經者，明道之書也；而四子書者，又六經之精蘊也。」又：「由程朱之理以窮堯、舜、禹、湯、文、武、周公、孔、孟之經，即堯、舜、禹、湯、文、武、周公、孔、孟之經以求明乎吾心與天下事事物物之理。」參見氏著：〈論居敬致知讀書窮理〉，《柏堂遺書・志學錄》，卷3，頁18右-19左；〈讀書說〉，《柏堂集・次編》，卷4，頁154；《柏堂集・續編》，卷5，頁248。

17 史革新：《晚清理學研究》，頁99-100。

宗誠這些論述的意旨雖不出清初至乾嘉以來尊朱學者所論，但在此之餘，則更進一步將之付諸踐行；在其所著《柏堂經說》三十三卷中，《讀易筆記》是潛心於程子《易程傳》與朱子《周易本義》所得[18]；《讀論孟筆記》則是經歷十年研讀《論》、《孟》集注的闡發[19]；《詩書集傳補義敘》則是為引申朱子《詩集傳》、蔡沈《書集傳》而作[20]，皆是治經尊朱的實際體現。

至於義理思想，方宗誠所論理、氣關係，心、性之別，仍是恪遵程朱所建構之體系[21]，同時凸顯了程朱居敬窮理的修養工夫。依方氏來看，居敬窮理之說乃本於《大學》、《中庸》，實乃「孔、孟之家法」[22]，在其著作中屢見不鮮，如言：「孔子以修己以敬、明明德為主腦；曾子戰戰兢兢、尊聞行知；子思戒慎恐懼、明善誠身；程朱居敬窮理，皆是聖人真血脈，與堯之欽明，一貫者也。」[23]這是強調居敬窮理即是傳自孔、曾、思的修養工夫，與儒門聖道是一貫相繼的。方氏將朱子居敬窮理的主張充分運用於經典的詮

---

18 方宗誠〈讀易筆記敘〉：「程子《易傳》明理，朱子《本義》兼言象數，皆得聖人作《易》之本心，卓越千古，余每體翫二書，隨其所得，記之以備遺忘。」參見氏著：《柏堂集．續編》，卷2，頁216。

19 方宗誠〈讀論孟筆記敘〉：「余潛心《論》、《孟》集注有年，咸豐閒避亂山中，嗣後客遊山東，授經之暇，皆以其所偶得者隨筆記之，歷今十餘年，成《讀論孟筆記》三卷。」參見氏著：《柏堂集．續編》，卷2，頁216。

20 方宗誠〈詩書集傳補義敘〉：「朱子《詩集傳》、蔡氏《書集傳》大體純正無疵，余反覆翫味有年，閒嘗引申其義以發二書之大綱要旨。」參見氏著：《柏堂集．續編》，卷2，頁217。

21 如方宗誠〈論存養省察克治〉言：「理者，氣之主宰；氣者，理之流行，然既流行，則不能不有漸流漸著，漸流漸下，漸流漸支，漸流漸濁之弊矣。……然究竟理能主宰乎氣，故人能窮理守理，則氣質自變，氣運自移，所謂湯武反之也。性是情之本體，情是性之流露，然既流露，則不能不有日流日遠，日流日迷，日流日淆，日流日滯之弊矣。……然究竟性是情之大本，故人能居敬窮理，盡心知性，存心養性。」《柏堂遺書．志學錄》，卷4，頁5左。

22 方宗誠：〈論立志為學〉，《柏堂遺書．志學錄》，卷1，頁9左；〈書《拙修書室記》後〉，《柏堂集．續編》，卷6，頁255。

23 方宗誠：〈論居敬致知讀書窮理〉，《柏堂遺書．志學錄》，卷3，頁11左。

解，如闡發《論語》中「舉直錯諸枉」、「舉枉錯諸直」[24]，言：

> 居敬，則心不溺於欲，纔肯舉直錯枉；窮理，則心不昧於理，纔能分別直、枉。《集註》「大居敬而貴窮理」，又推到吾心上，所謂本原之論也，此《集註》所以有功於聖經，有功於後世。[25]

案朱子對此章的註解，僅引程子、謝良佐（1050-1103）說明「直」、「枉」之人對於民心之影響[26]，而方宗誠在此則進一步說明必先透過窮理、居敬的工夫，才能不昧理、不溺欲，如此也才能明辨直、枉之別，且有合宜舉措。顯然，方宗誠是將個人知識的學習、道德的踐履為主軸的修養方法，更廣泛的推拓成為實際處理政事的基礎，這是方氏極力顯揚朱子義理的方式。再如評述《孟子》中「明於庶物，察於人倫」[27]之義，方宗誠言：

> 明於庶物，察於人倫，即格物窮理之學也。由仁義行即正心、誠意、脩身之學也。舜生知安行亦是先知後行，由格物窮理做起，可知程朱論學為聖人正脈。[28]

方宗誠在此闡述古聖人明察庶物、人倫，亦即屬程朱所論格物致知之屬，換言之，當是聖學之繼承者無疑。

其次，方宗誠不僅顯揚了朱子學術的道統地位，紹述了朱子居敬窮理的工夫，更值得注意的是，方氏面對當時社會秩序、政治局勢日趨惡化，亦不

---

24 《論語．為政》：「哀公問：『何為則民服？』孔子對曰：『舉直錯諸枉，則民服；舉枉錯諸直，則民不服。』」朱熹：《四書章句集注．論語集注》（北京市：中華書局，2003年重印），卷1，頁58。

25 方宗誠：《柏堂經說．讀論孟筆記．論語》（收入《柏堂遺書》），卷1，頁12左。

26 朱子引程子之言：「舉錯得義，則人心服」；引謝良佐言：「好直而惡枉，天下之至情也。順之則服，逆之則去，必然之理也。」朱熹：《四書章句集注．論語集注．為政第二》，卷1，頁58。

27 《孟子．離婁下》：「人之所異於禽獸者幾希，庶民去之，君子存之。舜明於庶物，察於人倫，由仁義行，非行仁義也。」朱熹：《四書章句集注．孟子集注》，卷8，頁293-294。

28 方宗誠：《柏堂經說．讀論孟筆記．孟子》（收入《柏堂遺書》），卷3，頁14左-14右。

得不重新思索程朱之學在匡世濟民中的效用，進而試圖調整、重詮理學的部分思想內涵。他分析天下治亂的關鍵：「居恆竊嘆天下之治亂由乎人心；人心之邪正，係乎學術。百餘年來，正學不講，士習日靡，氣節、經濟全無可恃，以致釀成潰濫之埶。」「治之本必在乎正人心，治之機必在乎興人才。而所以扶翼人心，培育人才之端，則又在乎學術明而師道立。」[29]依此看來，他認為遵循的學術正確與否是天下治亂最重要的根源，而所謂的「正學」，指的當然是程朱理學。方宗誠言：

> 夫流俗之病在以聖人之道為迂腐。抑思二帝三王之道行於時而天下治，孔、孟、程朱之道不行於時而天下亂，然則聖人之道乃救時良策，非迂論也。救時不本於聖道，則皆雜霸權謀，雖補苴於目前流弊，究不可殫述。[30]

這段敘述，實可看出方宗誠將程朱理學與經世濟民作了連結，視之為「救時良策」，倡言程朱理學為「明體達用」之學。方氏曾於咸豐九年（1859）將所著《俟命錄》自薦予時任山東布政使的吳廷棟[31]，並致書信闡明宋學即明體達用之學，[32]並曾勸友人宜讀朱子文集，「可觀其經濟之有本原、有實際，非小儒空談性命者可比也。」[33]又稱程朱傳注諸經典，不僅「贊孔、孟」，更能「輔堯、舜之治」[34]，顯見方宗誠認為程朱理學不僅涵括了聖人義理思想，同時也包含了致用的「經濟」。他分析「明體達用」之義涵：

---

29 方宗誠：〈與邵位西書〉，《柏堂集．次編》，卷3，頁150；〈《四言蒙訓》敘〉，《柏堂集．續編》，卷3，頁232。

30 方宗誠：〈應詔陳言疏〉，《柏堂集．續編》，卷21，頁389。

31 方宗誠於咸豐三年（1853）避亂山中，始作《俟命錄》，其內容主要是探究「天時人事致變之由，行己立身弭變之道」，並於咸豐九年透過儒者方潛致書吳廷棟。參見陳澹然等編：〈方柏堂先生譜系略〉，頁93-97。

32 方宗誠：〈上吳竹如先生〉，《柏堂集．外編》，卷2，頁679，相關引述請參前揭引文，及註8。

33 方宗誠：〈復徐晉生〉，《柏堂集．外編》，卷2，頁681。

34 方宗誠：〈校栞《漢學商兌》、《書林揚觶》敘〉，《柏堂集．後編》，卷3，頁426。

> 夫學問之道非炫多闞靡之謂也，所以求明體達用而已。體者何？吾心仁、義、禮、智之性是也；用者何？即吾心仁義禮智之性發而為惻隱、羞惡、辭讓、是非之情，見之於父子、君臣、夫婦、昆弟、朋友之倫與夫日用事物之微而已，非有他也，是其體也、用也，人心之所同然也。[35]

方宗誠在此論惻隱、羞惡、辭讓、是非之情為仁、義、禮、智之性所發的觀點，實是依朱子之詮釋[36]；然而，方宗誠視仁、義、禮、智為「體」，視惻隱、羞惡、辭讓、是非之情體現於人倫事物為「用」，進而形構出一體用關係的理解，則是方氏在當時社會講求致用思潮下對程朱理學的新理解。當然，這樣的詮解並非方宗誠獨創，在當時亦有不少學者稱程朱之學是「體用兼賅」之學[37]；然則方宗誠更依此體用架構貫徹於理學的內涵，且突出經世的重要性，如宋明理學家所論「省身」，方宗誠以為「省身者，非徒省一己而已，以是身而居於家，則一家之身皆吾身也；以是身而居於國，則一國之身皆吾身也。……家國天下，千百世之人之身皆為吾一人之身，一有未盡，必皆引為吾身之責。[38]」這是將理學向內省察的修身工夫賦予了經世新義；又如對於理學的心、性等論題，方宗誠的詮解賦予了致用的傾向，其言：

> 夫心性不得謂為高，即實德實政之及於民而具於中者是也。子思曰「成己，仁也；成物，知也。性之德也，合外內之道也，故時措之宜也。」政治之利弊，風俗之同異，民生之疾苦、巧詐，以及治亂安危之數，是皆吾心性所具之理，一一講明，是即明吾心性之理也。使實政實德及於民，是即推吾心性之用也；其不能明乎此而無實政實德及

35 方宗誠：〈讀書說〉，《柏堂集．次編》，卷4，頁153-154。

36 朱子：「惻隱、羞惡、辭讓、是非，情也；仁、義、禮、智，性也。心統性情者也。端，緒也。因其情之發，而性之本然可得而見，猶有物在中而緒見於外也。」《孟子．公孫丑章句上》，《四書集注．孟子集注》，卷3，頁238。

37 參見史革新：《晚清學術文化新論》，頁35-37。案文中論及劉蓉、夏炯亦有相近論述。

38 方宗誠：〈校訂《省身錄》敘〉，《柏堂集．續編》，卷2，頁215。

> 於民，正由不知心性為合外內之道也。[39]

在方宗誠看來，程朱之學所論心性之理，是指包括政治、風俗、民生等事理，能夠作用於民，即是「心性之用」，這正是方宗誠在「明體達用」宗旨下的闡發；換言之，心性之學在方宗誠的詮釋下成為經世濟民的致用之學，唯有「實政實德及於民」，才是切合於聖人至道、真諦。再看：

> 夫《大學》論明、新之功，必以致知在格物為先，若舍格物以求致知，則必蹈於懸空想像，由是誠意、正心、修身、齊家、治世之道必皆將有所不能盡。顏子之學始而仰鑽瞻忽，亦尚不免憑空思索，孔子導之以博文約禮，然後能如有所立卓爾。蓋索之於虛，誠不若徵之於實，然後有真得也。然而其所謂物者，要不外於身、心、家、國之事物；所謂文者，要不外乎《詩》、《書》、《禮》、《樂》，天地民物之文。[40]

> 窮理、盡性須各就自己職分上做工夫，方切實。但要推究到底，擴充得大耳；泛用窮理之功，而於日用職分上事放鬆，則雖書理窮得博，性理說得精，而事物上仍是空疏，不可不察也。[41]

基本上，朱子論「格物」中的「物」，是泛指一切事物[42]，主要的目的在於透過外在事物的考究而掌握義理，並未刻意強調格究對象孰輕孰重的問題。

---

39 方宗誠：〈與孫君書〉，《柏堂集．續編》，卷7，頁267。

40 方宗誠：〈與汪仲伊書〉，《柏堂集．續編》，卷7，頁277。案相近之文，如言「格物物字即指身心意家國天下而言。格物者，即窮身心意家國天下固有之理也，即窮誠正脩齊治平當然之理也。」《柏堂經說．讀大學中庸筆記．大學》（收入《柏堂遺書》），卷1，〈聖經一章〉，頁2左。

41 方宗誠：〈論居敬致知讀書窮理〉，《柏堂遺書．志學錄》，卷3，頁30左-30右。

42 朱子言：「天下之事皆為之物，而物之所在莫不有理，且如草木禽獸，雖是至微至賤，亦皆有理。」「大而天地陰陽，細而昆蟲草木，皆當理會，一物不理會，這裡便缺此一物之理。」黎靖德編，王星賢點校：《朱子語類》（北京市：中華書局，2004年重印），卷15，楊道夫錄；卷117，陳淳錄。

但方宗誠則逕以「身、心、家、國之事物」為格物對象，這顯然是為求現實致用之下的刻意凸顯；再者，方氏更重視踐履，在他看來，若只是博通事理，卻疏於「日用職分」上實際推究，仍是空疏而不實的，這是重視力行態度的發揚。據此，方宗誠論「聖賢之學」：

> 聖賢之學，所以無窮無達，而必要以明體達用為歸。用不用，時也，而必求明體達用者，道也。吾道既盡，則用不用可以俟之於天，不然未明體而求達用，非也；不能達用，而自以為明體，則亦豈聖賢之所謂體哉？聖賢之所謂體，以天地萬物為一體也；明天地萬物一體之義，而後其學非自私自利之學；用則施諸人，舍則傳諸書，而可為天下後世法，否則雖不懈於學，而與聖賢學問之道不相似也。[43]

上述這段文字中，方宗誠以「明體達用」為聖賢問學之依歸，並凸顯了唯有致用才能呈現其價值。綜上所述，方宗誠透過格物、盡性的闡述，強化了理學中致用性的傾向；而以「明體達用」為宗旨的前提下，對於自明代以降的程朱、陸王之辨，以及乾嘉時期的漢、宋學之爭等問題，勢必亦有異於前賢的觀點。

三　明體達用思維下的學術論辯

對於漢宋學關係、程朱陸王之辨等論題，方宗誠論言：

> 朱子紹周、程之傳以明孔孟之道，其言曰居敬以立其本，窮理以致其知，反躬以踐其實，無偏無倚，與聖人之旨若合符節。維時陸子以易簡為教，而詆朱子為支離，遂開明儒心學之宗，其說近似約禮，而實非孔子之約也；明季儒者，矯心學空談性命、荒經蔑古之弊而馳騖博雅，遂至穿鑿傅會，支離瑣屑，逐末忘本，以開漢學之宗，其說又近似博文，而實非孔子之博也。自二宗各逞所偏，而程朱之學晦，程朱

43 方宗誠：〈校訂《歸田自課二錄》敘〉，《柏堂集．續編》，卷2，頁213。

之學晦而孔子之正道以亡。[44]

又言：

讀「君子深造以道」及「博學而詳說」二章，方知程朱全同此學脈。陸王偏於求自得，而不知深造之以道，急於反說約，而不知博學而詳說之；漢學偏於博學，而不知反約自得，皆非也。[45]

在獨尊朱子居敬窮理乃遠紹孔子博文、約禮之旨的前提下，無論是批評心學空談性命之弊，或是訾議乾嘉漢學瑣屑忘本之失，方宗誠的評述實仍不出方東樹所論的範圍；然而，值得注意的是，除此類與方東樹近似的論說之外，相較於方東樹以「不惜犯舉世之罪而力辨之」、「斷斷爭之而不敢避」[46]的態度來處理漢、宋學關係，或視陸王心學、蕺山慎獨之說為「導人為猖狂妄行」、「流為惑世誣民」[47]，方宗誠則有頗不同的見解。先看方宗誠對於辨論學術的主張：

竊以謂吾輩為學宜急於辨人品之真偽，無急於辨學術之異同；宜急於辨吾心之理欲，無急於辨他人之是非。觀魯《論》一書，凡論君子、小人者數十章，其曰「女為君子儒，無為小人儒」、「古之學者為己，今之學者為人」、「是聞也，非達也」，此孔子之辨學術也。《孟子》一書，凡論義利、王霸者數十章，其曰「仁義而已矣，何必曰利」、「以力假仁者霸，以德行仁者王」、「墨子兼愛是無父也」、「楊子為我是無

44 方宗誠：〈校刊《漢學商兌》敘（代）〉，《柏堂集．餘編》，卷3，頁581。案相關論述頗多，散見於《柏堂集》、《志學錄》及各經說著作中，茲不贅舉。

45 方宗誠：《柏堂經說．讀論孟筆記．孟子》（收入《柏堂遺書》），卷3，頁14左。

46 方東樹：〈序纂．漢學商兌序略〉、〈箸書傷物〉，收入《書林揚觶》收入嚴靈峰編：《書目類編》第92冊（臺北市：成文出版社，1978年影印蘇州文學山房排印本），第16，總頁41513；第8，總頁41429；〈合葬非古說〉，《攷槃集文錄》，收入《續修四庫全書》集部別集類第1497冊（上海市：上海古籍出版社，1995年影印道光十三年管氏刻本），卷2，頁280下。

47 方東樹：〈與姚石甫書〉，《攷槃集文錄》，卷6，頁367-368。

> 君也」，此孟子之辨學術也，要皆攻邪不攻偏，攻偽不攻正，爭理欲不爭異同。[48]

又言：

> 學之不講久矣，語及正學、言及先儒，大都笑而不應，甚或疾之如讎。其有才智者，又或耳食一二正言，全不知體之於身，施諸實用。[49]

方宗誠在這兩段文字中，除批評當時論辨學術者之失，也指出學術在致用層面的實踐成效，所謂「體之於身」、「施諸實用」，才是論學的終極目的，這顯然是在「明體達用」的宗旨下所彰顯的特色；而且方宗誠以孔、孟辨學為據，提出了「攻邪不攻偏」、「攻偽不攻正」、「爭理欲不爭異同」的辨學原則，依此，對於心學、漢學的辯駁，仍呈現了不同於乾嘉時期宋學家的傾向。

（一）論陸王心學：可以謂之偏，不可謂之為異端

方宗誠評論自明代以來考究程朱、陸王關係的諸多主張，言：

> 夫象山、陽明之學，舍居敬窮理而以立大體、致良知為言，其似是而非之閒，誠不免有毫釐千里之判。然其中亦多有心得之妙，務反求而不喜外馳，非盡無善可取也。若宗之者執其非以為是，而辨之者又或立言太過，雖其是者亦屏絕以為不足觀；其為和同之論者，則又不辨是非，而徒為一切籠蓋之說，是皆未能析之精而得其公與平者也。夫論學而析之不精，則不能審其是而歸於一；然而立言或過而不得其公與平，則微特無以服天下後世之心，即反之己心不已，非擴然無我之全量乎？[50]

---

48 方宗誠：〈復劉岱卿書〉，《柏堂集・前編》，卷4，頁79。

49 方宗誠：〈復方魯生先生書〉，《柏堂集・前編》，卷4，頁82。

50 方宗誠：〈讀《陽明先生拙語》敘〉，《柏堂集・續編》，卷3，頁233。

方宗誠認為，陸、王二人捨居敬窮理之說而另揭舉的「立大體」、「致良知」[51]的修養工夫，似是而非，固然失諸正道，但亦不能全然否定其價值；因此，後世無論是推崇者的全盤肯定、否定者的一切摒除、或調和者的籠統概說，恐怕都是有欠公允的。方氏在此肯定了陸王心學「務求反而不喜外馳」的特點，應是相較於乾嘉漢學專主於訓詁考據工夫而論，且最終極之目標仍在於心體至善完滿，故認為陸王心學雖不及程朱之學，但「亦莫不有孔子之道」[52]。方宗誠曾致書信給原本究心於陸王心學的儒者方濳（1809-1868）[53]，略敘自身對於陸王心學態度之轉變：

> 往者宗誠妄論先儒學脈，不喜陸王，深為先生所斥。因取陸王書虛心體翫，乃知其言失者固多，而其得者亦閒有合於孔、孟教人之旨，雖解說文字閒與程朱不同，而究其修己淑世之心，無非欲以明天理、盡人倫為極則，偏駁誠所不免，直詆為異端亦過也。[54]

相較於方東樹不滿清初學者湯斌（1627-1687）因陽明外在功業而尊護其學術教法而批評言：「功業在一時，學術在萬世」[55]；方宗誠由先前拘執學脈

---

51 陸九淵：「朱濟道說：『臨川從學之盛，亦可喜。』先生曰：『某豈不愛人人能自立，人人居天下之廣居，立天下之正位。立乎其大者，而小者弗能奪。』」陸九淵撰，王宗沐編：《象山先生全集》（臺北市：世界書局，2010年）〈語錄下〉，卷35，頁297。王陽明：「所謂致知格物者，致吾心之良知於事事物物也。吾心之良知，即所謂天理也。致吾心良知之天理於事事物物，則事事物物皆得其理矣。」王守仁撰，吳光等編校：《王陽明全集．傳習錄．上》（上海市：上海古籍出版社，2006年五刷），頁45。

52 方宗誠：〈復劉岱卿書〉，《柏堂集．前編》，卷4，頁79-80。

53 方濳原本究心於陸王心學，後與吳廷棟以書信往還二十餘次論辯學術，最後使方濳放棄王學立場，改宗程朱。參見方宗誠：《吳竹如先生年譜》，收於《柏堂遺書》；又史革新《晚清理學研究》亦曾引述，參見頁58。案：方宗誠亦有不少與方濳論辯程朱、陸王學術之書信，俱收於《柏堂集》。

54 方宗誠：〈復方魯生先生書〉，《柏堂集．前編》，卷4，頁81。

55 方東樹：〈切問齋文鈔書後〉，《攷槃集文錄》，卷5，頁335。案方東樹言：「湯濳菴推陽明功業而竝護其學術，不知功業在一時，學術在萬世。學術誤則心術因之，心術壞則世道因之。陽明率天下以狂而詈朱子為洪水猛獸，其罪大矣。當日宸濠之事，即無陽明，一良將足以辦之，孰輕孰重，以濳菴之賢，猶黨同倒見，況於無真識而託忠厚之名者哉！」

之見而「不喜陸王」，至後來部分的認同，以陸王心學有「修己淑世之心」而將之排除於「異端」之列，這背後實隱含了明體達用的意旨。事實上，方宗誠更從陽明、劉宗周（蕺山，1578-1645）個人事功上回溯其思想價值：

> 陽明所以折權姦於方熾，定大變於呼吸，羽書旁午，從容自在；讒謗交加，毫不動心，未始非平日致良知之功也？是豈得謂之非好學哉？……念臺之學之得失亦猶是耳，觀其居身、居官、夷險一節，從容就義，亦豈非由平日慎獨誠意之功哉？……是故陸王諸儒之學可以謂之偏，不可謂之為異端；諸儒之學雖偏，而實能力行以至其極，今之宗程朱者，亦必能力行以至其極，而後為賢於諸儒焉；不然，雖所見中正勝於諸儒，究不若諸儒之實有所得也。[56]

是以，方宗誠對於陸王心學的反省，一方面凸顯了思想上致用性的特點，另一方面也如學者所觀察到的晚清儒學內部不爭門戶的融合傾向[57]。而就致用性特點的面向來加以考察，將不難發現，方宗誠在「力行以至其極」的原則下，對於心學思想內涵的辨述，便不可能會將焦點鎖定在傳統理、氣、心、性等脈絡，其關懷的重點自然轉移至修養工夫的檢視，此即方宗誠在論辨陸王心學時屢以「廢格物窮理之功」為「偏」的原因。如言：

> 辨陽明者多罪其以致良知為宗，不知果不廢格物窮理之功，則雖以致良知為宗，固與朱子無倍也；辨念臺者多罪其以慎獨誠意為宗，不知果不廢格物窮理之功，則雖以慎獨誠意為宗，亦與朱子無倍也。即如象山之先立其大、白沙之主靜、甘泉之體認天理，皆何嘗不有益於學者，惟一廢格物窮理之功，乃生弊耳。[58]

在方宗誠看來，不僅陽明的「致良知」、蕺山的「慎獨誠意」，甚至象山的

---

56 方宗誠：〈復玉峰先生書〉，《柏堂集・前編》，卷4，頁83。

57 車冬梅：〈析晚清理學學術特徵〉，《西北大學學報》（哲學社會科學版）第39卷第4期（2009年7月），頁48-51。

58 方宗誠：〈復玉峰先生書〉，《柏堂集・前編》，卷4，頁83。

「先立其大」、陳獻章（白沙，1428-1500）的「主靜」、湛若水（甘泉，1466-1560）的「體認天理」等諸說，皆得儒門聖學之一隅，而唯一的偏失，即在於未將朱子格物窮理之學納入思想體系中。方宗誠此處對於宋明心學家思想內涵的疏解幾近全無，其論辨的策略便是從「格物窮理」入手，以此判定於儒門偏、正之別，這樣的作法，似乎頗有粗疏之疑，且不免遭未能掌握心學思想之譏，更與清初程朱學者如唐鑑（1778-1861）作《國朝學案小識》、張烈（1623-1686）作《王學質疑》、嘉道時期方東樹作〈辨道論〉、〈跋《南雷文定》〉以激切的態度強勢鞏固朱子在儒門唯一道統和學統繼承者，有著極大差別，但卻也同時彰顯出在明體達用的目標下，儒學內部論辨內容的變化。方宗誠論析陸象山之學言：

> 學之偏全、大小、純駁雖有不齊，而其大本之正則初無二致，豈可排之拒之與釋、老同絕邪？余嘗翫其《遺書》，攷其《年譜》，如謂心即理也、注腳六經……皆不得不謂之偏蔽，前賢論之盡矣。宗陸子者，猶必力主是說，誠可謂不善學者也；然論者因其偏蔽之失，而　其篤實親切正大精微之論、卓絕之行而棄之，甚或欲屏黜之，使不得與從祀之列，則亦過矣。夫孔子之門，惟顏、曾為傳道大賢，其餘七十子之徒，皆有通有蔽，有得有失。程朱之學，顏、曾正脈也；陸子之學，比於其餘七十子之徒，不亦可乎！[59]

論陽明、蕺山之學言：

> 竊謂念臺先生之學，以慎獨誠意為宗，其所謂慎獨誠意者，與朱注《大學》之慎獨誠意名同而實異，大旨在存養本原，為萬事之本，故其言曰吾心有獨體焉，是乃天命之性，而率性之道所由出也。又曰意者心之所存（自注：當云性者心之所存）……陽明氏出，憤末學之支離，以為天下之理即在吾心，而以致良知為教，其所謂致良知者，亦

59 方宗誠：〈陸象山先生集節要敘〉，《柏堂集．續編》，卷2，頁220。

似《大學》明明德，朱子所謂因其所發而遂明之之意也。[60]

方宗誠將象山與程朱的地位，喻為孔門中七十子之徒與「正脈」的顏、曾，清楚地表達了自宋明以來理學內部學說立場上針鋒相對的程朱、陸王兩派，在他看來，似乎並無對峙的必要；至於蕺山的慎獨誠意之說、陽明以致良知為教，方氏同樣認為可與朱子的《大學》詮釋相比附而不悖，此一理解，從二者在本體思想脈絡上來看，當然大有問題，然而，在「無急於辨學術之異同」、「攻邪不攻偏」的基本原則下，淡化理學內部間的差異，則實為一必然的態度。

（二）論漢學：略於經綸匡濟之實用

對於主導清代學術主流的漢學，方宗誠的態度亦不像族兄方東樹作《漢學商兌》強烈攻擊戴震（1723-1777）、焦循（1763-1820）、阮元（1764-1849）等人義理思想，並且嚴辭駁斥漢學家對宋學的訾議，表達護持朱子在儒門正統而展現出十分明確的排他性。基本上，方宗誠仍是在明體達用的前提下來評述漢、宋學，其言：

乾嘉閒號為漢學之徒者，往往有其博而不能有其精，甚且議論偏詖，矜其一得而詆誣程朱，大貽學者心術之害；其宗宋儒之學者，又或但習膚淺之說，硜硜自守而遺其精實博大、明體達用之全規，反授世儒以口實，斯二者皆不足與於真儒之數也。孔子曰「由也升堂矣，未入於室也。」漢儒如伏、毛、許、鄭之於經，譬之則升堂則矣；至宋程、朱，特由其說而精求之，以至於入經之室者耳。今慕升堂者深詆入室為非，而慕入室者謂可不由升堂而至，是皆未得其門而互鬨於市者乎？[61]

---

60 方宗誠：〈復玉峰先生書〉，《柏堂集．前編》，卷4，頁82-83。

61 方宗誠：〈編次夏氏三書敘〉，《柏堂集．續編》，卷2，頁219。

即使方宗誠所持宋學立場與方東樹並無二致，但處理漢、宋學之異的方式，則有明顯不同。在他看來，乾嘉時期無論是尊漢或尊宋的儒者，均不免失之偏頗，皆不足為「真儒之數」。依此而言，則方宗誠這段論述似乎頗符晚清學術所具漢宋兼采、漢宋調合之特質[62]，然而若細究方宗誠將漢儒喻為孔門升堂者，而宋儒則為入室者，則二者輕重高下便判然可知；再者，所謂入室必然須先由升堂而至，則表示宋儒之成就實仍延續、發展於漢代學術，則漢代學術與宋代學術實為前後相承續的關係，不必然是完全相對立的。由此看來，方宗誠雖在漢、宋學之爭的態度上似乎有所轉變，但實際上歸本宋學的學術立場並未動搖，只是將漢學納入了自身的宋學系統。是故，對於漢學家所著重的漢代訓詁工夫，其言：

> 嘗歎漢儒之守章句，宋儒之明義理，其解經雖精麤不同，然皆能實得於心而致之於用。[63]

因此，只要能「致之於用」，訓詁工夫自然不應摒除於學術之外。然而，方宗誠曾評論姚鼐（1731-1815）所言學問三事：義理、攷證、文章，言：「古人之學義理而已，攷證、文章皆所以為精義明理之助。」[64]如此一來，舉凡專注於訓詁名物而疏於歸結於義理及致用者，便成為方宗誠批判的對象，其言：

> 近世學者往往不務讀正經正史以求實德實用，而好觀後人所著穿鑿之註釋、破碎之義理、隱怪之故實、無益之攷證、浮華之詩文，以誇博覽，宜其成就不逮古人遠也。[65]

---

62 相關說法頗多，如朱維錚：〈漢宋調合論——陳澧和他未完成的《東塾讀書記》〉，收入氏著：《求索真文明——晚清學術史論》（上海市：上海古籍出版社，1996年），頁44-61；龔書鐸：〈晚清儒學的變化〉，收入氏著：《社會變革與文化趨向：中國近代文化研究》（北京市：北京師範大學出版社，2005年），頁121-138。

63 方宗誠：〈校訂《養性齋經訓》敘〉，《柏堂集．續編》，卷2，頁219。

64 方宗誠：〈書《惜抱先生文集》後〉，《柏堂集．次編》，卷2，頁148。

65 方宗誠：〈論居敬致知讀書窮理〉，《志學錄》，卷3，頁3右。

又批評自乾隆中葉以來，儒者之失：

> 乾隆中葉，當是時天下承平，儒學甚盛，通經博古之士，探奇索賾，爭以箸述名於時，然多濡染西河毛氏之習，好攻詆程朱，排屏義理之學，雖其攷證名物、象數訓詁、音韻之閒，亦多有補前賢所未逮者，而逐末忘本，探尋微文碎義而昧於道德性命之大原，略於經綸匡濟之實用，號為經學，而於聖人作經明道立教之旨反晦焉，細之蒐而遺其巨，華之摘而棄其實，豈非蔽與？且亦未曠觀古今治亂升降之故矣。[66]

這段引文是方宗誠為刊刻方東樹《漢學商兌》、《書林揚觶》所作敘文，文中不滿乾嘉儒者「攻詆程朱」，此一態度與方東樹如出一轍；然而，細繹方宗誠的論述，即可發現，所謂「略於經綸匡濟之實用」、「未曠觀於古今治亂升降之故」，恐怕才是方宗誠所更加關注的部分；換言之，此時方宗誠論辨的動機，已從「爭正統」所伴隨而來的全面嚴峻抵斥轉化為依「致用性」程度而斥其有所「蔽」了。在方宗誠的著作中，有不少對於訓詁名物的批評，如言：

> 近世博學之士，殫精畢力於訓詁名物之末而不求其切要者，以反諸身心、推之政事，專事穿鑿坿會，以為箸書立名之資，其於經也，不亦遠乎？[67]

又：

> 若徒曰窮年佔畢，溺志文藝，非真好學也，必於經書中獨能深體力行，通其全體大用，而後可謂真經學；若徒即訓詁名物、旁搜博攷，非真經學也。[68]

相較於方東樹抨擊漢學家「只向紙上與古人爭訓詁形聲」、「反之身已心行，

66 方宗誠：〈校栞《漢學商兑》《書林揚觶》敘〉，《柏堂集・後編》，卷3，頁426。

67 方宗誠：〈校訂《養性齋經訓》敘〉，《柏堂集・續編》，卷2，頁218-219。

68 方宗誠：〈論立志為學〉，《志學錄》，卷1，頁6左-7右。

推之民人家國，了無益處，徒使人狂惑失守」、「虛之至者」[69]的激切辭語，方宗誠所述內容雖與之相近，但由於關注的主軸不同，則語氣亦隨之緩和。但是，這並不意味著方宗誠模糊了漢、宋之別，對於清初顧炎武（1613-1682）主張「理學之名，自宋人有之，古之所謂理學，經學也。」及後來全祖望（1705-1755）歸結為「經學即理學」一語[70]，方宗誠言：

> 夫六經之書，皆載堯舜以來聖賢德行政事，學者修己治人之理，明體達用、內聖外王之道具在於是，則謂經學即理學，誠至論也。然惟程朱數子之經學足以當之。若漢唐諸儒之注疏、正義，其補於經訓者固多，其穿鑿細碎而背理本者亦殊不少，不得謂經學即理學也。……後世不知經為明理之書，而專事訓詁名物制度之末，傅會支離；程朱者起，提要鉤元，發揮精蘊，使人於六經必反求其理而無陷於買櫝還珠之弊焉，此萬世中正之則也。而理學之名遂由是而起，末學之士聞其精微之說，不反求其原於六經，高明之徒甚或以六經皆我注腳，荒經蔑古，空談性命，陷於邪說詖行，其病乃由不知窮理而徒求於心。……先生（案：亭林）不知其為不窮理之弊，而但以為不窮經之弊，立說偏宕，於是承學之士務明經學而不求其理，溺於訓詁名物文義小學，而凡古聖賢明體達用、內聖外王之大經大法，全然不省，以為是經學也，經學日多而理益晦，理益晦而經學亦名存而實亡。[71]

在這段評述中，方宗誠藉由肯定「經學即理學」一語，衍化為程朱理學即為

---

69 方東樹：《漢學商兌》，收入江藩、方東樹：《漢學師承記（外二種）》（香港：三聯書店，1998年），卷中之上，頁276。

70 顧炎武言：「理學之傳自是君家弓冶，然愚獨以為理學之名，自宋人始有之。古之所謂理學，經學也，非數十年不能通也。」全祖望載：「（亭林）晚益篤志六經，謂『古今安得別有所謂理學者，經學即理學也。自有舍經學而言理學者，而邪說以起。不知舍經學，則其所謂理學者，禪學也。』」參見顧炎武：《顧亭林詩文集．亭林文集》（臺北市：漢京文化公司，1984年影印標校本），卷3，頁58；全祖望：《鮚埼亭集．亭林先生神道表》（臺北市：臺灣商務印書館，1965年），頁144。

71 方宗誠：〈書《顧亭林先生年譜》後〉，《柏堂集．續編》，卷5，頁248。

經學的思考脈絡，以此對各時代儒者治經進行批駁：除了漢唐專事訓詁名物而無義理之病已由程朱鉤抉、發揚義理外，此後的陸王「不知窮理而徒求於心」、乾嘉漢儒「務明經而不求其理」、「溺於訓詁名物文義小學」，皆失於偏頗，這是程朱理學與心學、漢學之別。是以在方宗誠看來，顧炎武「但見舍經學而言理學者，邪說由此興；而烏知近世舍理學而言經學者，邪說之橫流更甚哉？」[72]至於顧炎武為矯明末儒者空言心性之弊而力詆心性之學，方宗誠同樣依自身所衍化的「經學即理學」義涵加以辯駁，他以《論語》中「行己有耻」即「耻其或虧於心性」、「博學於文」即「求明夫心性之理」為例，指出明代空言心性固然必須厲禁，但「非學者不當言心性而必以為厲禁」[73]，因此方宗誠批評顧炎武：

> 國朝二百年來，學者多流於支離雜博，與程朱為水火，其大旨皆祖先生之說，心性之汨沒，日甚一日，或亦先生立言過當，有以啟之者與！[74]

方宗誠將清初以來儒者治學疏於心性之學歸咎於在清代漢學奠基有重要地位的顧炎武「立言過當」所致，這樣的批評，足見方氏對於漢、宋學的分野仍是十分明確的，即使未如過去宋學家提出嚴詞抨擊，但宋學立場的態度仍十分堅定。案清代學術發展來看，清儒自戴震、焦循以來未嘗疏於心性之學的相關論述，在其所建構異於程朱理學體系下的義理思想，心性論亦屬不可或缺之一環，唯乾嘉義理中的「心性」自然不同於程朱所論之心性。然而，方宗誠顯然無視或完全否定乾嘉義理之價值，是以，引文中的「心性」之學，自是方宗誠心中所指唯一，即程朱理學，這在某種程度上，亦是其論述漢、宋學之辨中，尊宋黜漢的表現。

72 方宗誠：〈書《顧亭林先生年譜》後〉，《柏堂集・續編》，卷5，頁248。
73 方宗誠：〈書《顧亭林先生文集》後〉，《柏堂集・續編》，卷2，頁147-148。
74 方宗誠：〈書《顧亭林先生文集》後〉，《柏堂集・續編》，卷2，頁148。

四　結語

章太炎（1844-1919）曾論清代理學是「竭而無餘華」，並另註言「弗逮宋、明甚遠」[75]，顯見對於清代理學之評價並不高。若更進一步來看，晚清程朱理學家在義理思想的建構、邏輯思辨的創獲上，確實不如清初陸世儀（1611-1672）、張履祥（1611-1674）、陸隴其、李光地（1642-1718）等人，更遑論相較於宋明時期的諸多理學家。然而，晚清理學仍體現其特有之義涵，既有承續此前理學的一環，亦有因應時代的轉化。即如經世致用的提出來看，雖本屬宋明理學的議題之一，但在清初時的蔚起，是肇因於明末王學末流空疏的反思[76]；至晚清經世致用思想的興盛，則在於對漢學考據瑣碎的矯正，以及種種時代的變化影響所致，而在不同的背景因素下所倡議的經世致用，其內涵與意義自然亦有所別。探究方宗誠儒學思想，將有助於對於程朱理學在晚清的轉化及影響有更細緻的瞭解。

身處晚清宋學家的方宗誠，雖論學仍歸宗於程朱理學，但面對外在環境劇烈的衝擊，強烈的致用傾向亦促使其對理學內涵賦予了新義涵，「明體達用」成為衡量、詮解學術價值的標準。因此，程朱之學的「格物窮理」工夫有了明確的經世意旨：所謂的「格物」是以社會國家事務為核心之考究；至於「理」，則必須透過實事成效作為驗證。在方宗誠的理解下，程朱之學不僅有「傳注諸經之功」，更足以「輔堯舜之治」[77]。當然，以此「明體達用」的觀點來檢視、評述陸王心學與乾嘉漢學，勢必呈現出不同於乾嘉時期宋學家的內涵。

相較於晚清以前諸多宋學家對於心學、漢學的嚴厲批判和辯駁，方宗誠

---

75 章太炎：〈清儒〉，《訄書重訂本》，收入《訄書 初刻本 重訂本》（北京市：生活·讀書·新知三聯書店，1998年），頁158。

76 請參龔書鐸主編，張昭軍著：《清代理學史》（廣州市：廣東教育出版社，2007年），下冊，頁249-262。

77 方宗誠：〈校栞《漢學商兑》《書林揚觶》敘〉，《柏堂集·後編》，卷3，頁426。

的態度確實明顯的轉趨緩和，但這並不意味著尊朱思想的改變或對他者義理的融合，其言：「學者苟以朱子之學為宗，而於諸儒之說，但節取之，亦無不可獲師資之益。」[78]足見這仍是在朱子之學的絕對尊崇之下，依據自身本有的主觀標準所作的衡量與辯駁，而這個主觀標準便是「明體達用」的思想。因此，即使方宗誠對於心學部分內涵有所肯定，不再視之為「異端」；對乾嘉漢學的辯駁僅止於溺於訓詁名物，這都是就理學內涵中進行調整的呈現，並沒有因此而建構出新的思想體系。更進一步來說，由於理學思想中的「心性之學」在晚清宋學家如方宗誠的詮解下，其抽象的內在性思考層面[79]已逐漸淡薄，甚至失去了重要性，取而代之的則是匡世濟民的論述，從這個角度來看，晚清理學發展未嘗不可說是程朱理學的衰頹；然而，誠如學者所指出，儒家思想的「內在性」仍然必須體現於「現實生活和現實世界之間的本質性聯繫中」，故而必是一種「實踐之學」；且「儒家的實踐以道德實踐為本，由此延伸到社會與政治中的實踐」[80]，那麼，晚清理學講求致用，方宗誠賦予「格物窮理」不同的義涵，仍是深具儒學特質且亦有其時代意義。[81]

---

78 方宗誠：〈復劉岱卿書〉，《柏堂集・前編》，卷4，頁80。

79 現代許多學者指出，儒學思想有一重要特徵，即「內在性」與「超越性」，而宋代理學為此一發展的重要關鍵期。相關討論，請參牟宗三：《中國哲學的特質》（臺北市：臺灣學生書局，1974年）；劉述先：《儒家思想意涵之現代闡釋論集》（臺北市：中央研究院中國文哲研究所籌備處，2000年）；李明輝：《當代儒學的自我轉化》（北京市：中國社會科學出版社，2001年）。

80 李明輝：〈導論〉，《當代儒學的自我轉化》，頁11。

81 史革新亦指出，晚清理學在開拓「外王」方面有其意義。參見史革新：〈結束語〉，《晚清理學研究》，頁201-211。

燔詩書　明法令

——略論秦制的經學影響*

李若暉
復旦大學哲學學院教授

一

夫子（孔子，551-479 B.C.）自道「述而不作」[1]。「述」「作」之分，皇侃（488-545）《義疏》釋曰：「述者，傳於舊章也。作者，新制作禮樂也。」[2]劉寶楠（1791-1855）《正義》亦曰：「《說文》云：『述，循也。』『作，起也。』述是循舊，作是創始。」[3]檢《詩．周頌．天作》：「天作高山，大王荒之。」毛《傳》：「作，生。」孔《疏》：「作者，造立之言，故為生也。」[4]惠棟（1697-1758）《易漢學》以「造」「因」解「作」「述」：「凡作者曰造，述者曰因。〈禮器〉曰：『夏造殷因。』《論語》曰：『殷因於夏禮，周因於殷禮。』古有因國，〈王制〉：『天子諸侯，祭因國之在其地而無主者。』《春秋傳》曰：『遷閼伯於商丘，商人是因；遷實沈於大夏，唐人是

---

* 本文初稿曾於國立臺灣大學文學院中國文學系、中國經學研究會主辦之「第八屆中國經學國際學術研討會」（2013年4月）宣讀，承蒙評議人臺灣大學中國文學系夏長樸教授講評，明道大學中國文學系胡楚生教授多所指正，另，《當代儒學研究》匿名評審人也提出珍貴意見，特致謝忱。

1 《論語．述而》，《十三經注疏》（臺北縣：藝文印書館，2007年8月），冊8，頁60。

2 〔南朝梁〕皇侃：《論語義疏》，《四部要籍注疏叢刊．論語》（北京市：中華書局，1998年12月），上冊，頁203。

3 〔清〕劉寶楠：《論語正義》（北京市：中華書局，1990年3月），上冊，頁251。

4 〔西漢〕毛公傳，〔東漢〕鄭玄箋，〔唐〕孔穎達疏：《毛詩注疏》，《十三經注疏》（臺北縣：藝文印書館，2007年8月），冊2，頁712。

因。』又齊晏子對景公曰：『昔爽鳩氏始居於此地，季萴因之，有逢伯陵因之，蒲姑氏因之，而後太公因之。』蓋古有是國而後人居之者為因，猶古有是卦而後人仍之者亦為因。」[5]

其後〈樂記〉師夫子之意而曰：「故知禮樂之情者能作，識禮樂之文者能述。作者之謂聖，述者之謂明。明聖者，述作之謂也。」鄭玄（127-200）《注》：「述謂訓其義也。」[6]孔穎達（574-648）《疏》：「故知禮樂之情者能作者，下文云窮本知變，樂之情，若能窮盡其本，識其變通，是知樂之情也。下文云著誠去偽，禮之經也，若能顯著誠信，棄去浮偽，是知禮之情也。凡制作者，量事制宜，既能窮本知變，又能著誠去偽，所以能制作也。識禮樂之文者能述者，文謂上經云屈伸俯仰，陞降上下是也。述謂訓說義理，既知文章陞降，辨定是非，故能訓說禮樂義理，不能制作禮樂也。作者之謂聖，聖者，通達物理，故作者之謂聖，則堯舜禹湯是也。述者之謂明，明者，辨說是非，故脩述者之謂明，則子遊子夏之屬是也。」[7]孔氏所舉述作之例頗可推敲。遊夏為孔門文學科，其所述者即孔子，若然，則孔子當為作。然作者之中並無孔子，若本「述而不作」之語，則孔子當為述，其所述即堯舜禹湯（及文武周公）。劉寶楠《論語正義》即緊守「述而不作」一語力辨孔子為述而非作：「孟子云『孔子作《春秋》』，《春秋》是述，亦言『作』者，散文通稱。如周公作〈常棣〉，召公述之，亦曰『作〈常棣〉』矣。」[8]是以訓詁之法，而混孟子「作」義於「述」。然檢《孟子・滕文公》下，乃以「孔子成《春秋》而亂臣賊子懼」廁於「禹抑洪水而天下平，周公

---

5 〔清〕惠棟：《易漢學》，《周易述》（北京市：中華書局，2007年9月），下冊，頁636-637。

6 今存鄭君舊注，凡四訓「述」。此處之外，《儀禮・士喪禮》、〈少牢饋食禮〉釋「循」，《尚書璇璣鈐》釋「修」，見唐文：《鄭玄辭典》（北京市：語文出版社，2004年9月），頁496。「循」「修」通。《墨子・非儒》下引儒者曰：「君子循而不作。」孫詒讓《閒詁》引顧廣圻曰：「《廣雅・釋言》：『循，述也。』《論語》曰：『君子述而不作。』」（北京市：中華書局，2001年4月），上冊，頁291。

7 〔漢〕鄭玄注，〔唐〕孔穎達疏：《禮記注疏》，《十三經注疏》（臺北縣：藝文印書館，2007年8月），冊5，頁669。

8 〔清〕劉寶楠：《論語正義》（北京市：中華書局，1990年3月），上冊，頁252。

兼夷狄、驅猛獸而百姓寧」之後，且明曰：「《春秋》，天子之事也。是故孔子曰：『知我者其惟《春秋》乎！罪我者其惟《春秋》乎！』」[9]是以孔子乃聖王制作，決無疑義。故廖平（1852-1932）即於經生舊論極致不滿：「宰我、子貢以孔子『遠過堯舜』，『生民未有』。先儒論其事實，皆以歸之六經。舊說以六經為帝王陳跡，莊生所謂『芻狗』，孔子刪定而行之。竊以作者謂聖，述者謂賢，使皆舊文，則孔子之修六經，不過如今之評文選詩，縱其選擇精審，亦不謂選者遠過作者。夫述舊文，習典禮，兩漢賢士大夫與夫史官類優為之，可覆案也，何以天下萬世獨宗孔子？則所謂立來綏和，過化存神之跡，全無所見，安得謂『生民未有』耶？」[10]

夫子之述者何為，章太炎（1869-1936）曾論其為《書》《易》作傳云：「太史公曰，孔子序《書傳》，又曰，《書傳》、《禮記》自孔氏。(〈孔子世家〉) 明孔子序《尚書》，兼錄其傳。……《易》之十翼，為傳尚矣。〈文言〉、〈彖〉、〈象〉、〈繫辭〉、〈說卦〉、〈序卦〉、〈雜卦〉之倫，體各有異。是故有通論，有駙經，有序錄，有略例，《周易》則然。序錄與列傳又往往相出入。淮南為〈離騷傳〉，其實序也。太史依之，以傳屈原。劉向為《別錄》，世或稱以《別傳》，其班次群籍，作者或見《太史公書》，則曰，有列傳——明己不煩為錄也。」[11]《史記》卷四十七〈孔子世家〉：「孔子之時，周室微，而禮樂廢，《詩》《書》缺。追跡三代之禮，敘《書》傳，上紀唐虞之際，下至秦穆，編次其事。」[12]又卷十三〈三代世表〉序：「孔子因史文次《春秋》，紀元年，正時日月，蓋其詳哉。至於序《尚書》則略，無年月，或頗有，然多闕，不可錄。故疑則傳疑，蓋其慎也。」[13]是「敘《書》

---

9 《孟子．滕文公》下，《十三經注疏》（臺北縣：藝文印書館，2007年8月），冊8，頁118、117。

10 廖平：《知聖篇》，《續修四庫全書．子部》（上海市：上海古籍出版社，2002年4月），冊953，頁787。

11 章太炎，龐俊、郭誠永疏證：《國故論衡》（北京市：中華書局，2008年6月），頁330-334。

12 〔漢〕司馬遷：《史記》（北京市：中華書局，1959年9月），冊6，頁1935-1936。

13 〔漢〕司馬遷：《史記》（北京市：中華書局，1959年9月），冊2，頁487。

傳」即謂孔子作《尚書序》。[14]〈孔子世家〉又云:「孔子晚而喜《易》,序〈彖〉、〈繫〉、〈象〉、〈說卦〉、〈文言〉。」則是謂孔子作〈易傳〉[15]。斯數「序」,無疑皆「序傳」之意。夫子又調整《詩》之篇序。《左傳》襄公二十九年,吳季札聘魯觀樂,齊以前次序同於今本《毛詩》,齊以後則依次為豳、秦、魏、唐、陳、檜。杜預(222-285)於「為之歌秦」下注曰:「詩第十一。後仲尼刪定,故不同。」[16]孔穎達《毛詩正義》於「毛詩國風」下注云:「諸國之次,當是大師所弟。孔子刪定,或亦改張。……杜以為今所弟皆孔子之制,孔子之前則如《左傳》之次,鄭意或亦然也。」[17]夫子之調序,當有深意蘊焉,孔《疏》雖曾有所推測,然亦承認「周召,風之正經,固當為首。自衛以下,十有餘國,編此先後,舊無明說。去聖久遠,難得而知。」[18]

---

14 漢人以孔子作〈尚書序〉,如《漢書》卷三十六〈楚元王傳〉附〈劉歆傳〉載其〈移讓太常博士書〉曰:「是故孔子憂道之不行,歷國應聘。自衛反魯,然後樂正,〈雅〉〈頌〉乃得其所;修《易》,序《書》,制作《春秋》,以紀帝王之道。」〔漢〕班固:《漢書》(北京市:中華書局,1962年6月),冊7,頁1968。又卷三十〈藝文志〉一〈六藝略〉二《書》類小序:「故《書》之所起遠矣,至孔子簒焉,上斷於堯,下訖於秦,凡百篇,而為之序,言其作意。」同上,冊6,頁1706。《尚書.虞書.堯典》序孔《疏》:「此序鄭玄、馬融、王肅並云孔子所作。」《尚書注疏》,《十三經注疏》(臺北縣:藝文印書館,2007年8月),冊1,頁18。

15 《漢書》卷三十〈藝文志〉一〈六藝略〉《易》類小序:「孔氏為之〈彖〉、〈象〉、〈繫辭〉、〈文言〉、〈序卦〉之屬十篇。」〔漢〕班固:《漢書》(北京市:中華書局,1962年6月),冊6,頁1704。又卷八十八〈儒林傳〉:孔子「蓋晚而好《易》,讀之韋編三絕,而為之傳。」師古曰:「傳謂〈彖〉、〈象〉、〈繫辭〉、〈文言〉、〈說卦〉之屬。」同上,冊11,頁3589、3591。孔穎達《周易正義》卷首〈論夫子十翼〉:「其〈彖〉、〈象〉等十翼之辭,以為孔子所作,先儒更無異論。」《周易注疏》,《十三經注疏》(臺北縣:藝文印書館,2007年8月),冊1,頁7。

16 〔晉〕杜預注,〔唐〕孔穎達疏:《春秋左氏傳注疏》,《十三經注疏》(臺北縣:藝文印書館,2007年8月),冊6,頁669。

17 〔漢〕毛公傳,〔漢〕鄭玄箋,〔唐〕孔穎達疏:《毛詩注疏》,《十三經注疏》(臺北縣:藝文印書館,2007年8月),冊2,頁12。

18 〔漢〕毛公傳,〔漢〕鄭玄箋,〔唐〕孔穎達疏:《毛詩注疏》,《十三經注疏》(臺北縣:藝文印書館,2007年8月),冊2,頁11。

李學勤（1933-　）將出土簡帛書籍與現存古書相對比，歸納在古書的產生和流傳的過程中，有下列十種值得注意的情況：佚失無存、名亡實存、為今本一部、後人增廣、後人修改、經過重編、合編成卷、篇章單行、異本並存、改換文字[19]。雖然表現有種種不同，究其根本，即在於當時作者、述者區分不嚴。王博（1967-　）就認為：「在討論有關『述』的問題之時，我們不應該侷限於表面，而應該關心述者是如何述的這樣的實質內容。『如何述』有時候決定了述者只是單純的述，或者更像作的述。如孔子和子夏的述《詩》，能夠從色中讀出禮，很顯然就有更多『作』的氣息。後來《易傳》的作者述《周易》，將它從一本卜筮之書變成窮理盡性的經典，也很難完全從『述』的角度來理解。事實上，述者在述的過程中經常加塞、走私，把自己的意思灌注進去……這種著眼於作的述最典型地體現了『寓作於述』的精神。外述而內作，一方面滿足了作者好古的願望以及世俗尚古的心理，另一方面卻到達了創新的目的。新舊之間融合無間，卻若即若離，使古代中國文化呈現出連續性的特徵。」[20]

孔子之後，群經編次猶有改易。鄭玄《詩譜・小大雅譜》：「又問曰：『〈小雅〉之臣何也獨無刺厲王？』曰：『有焉。〈十月之交〉、〈雨無正〉、〈小旻〉、〈小宛〉之詩是也。漢興之初，師移其第耳。』」孔《疏》：「〈十月之交箋〉云：『《詁訓傳》時移其篇第，因改之耳。』則所云師者，即毛公也。」[21]是鄭氏以毛公曾改動《詩》之篇次，而鄭復改毛公篇次[22]。蔡振豐認為，漢代〈詩序〉的作者從《詩經》篇章次序論《詩》之取義與教化，而說《詩經》一書的整體隱喻。〈詩序〉對《詩經》的特殊詮解，或許也是〈詩序〉作者對孔子「述作」《詩經》的一種理解。現有的文獻雖然不能證

19　李學勤：〈對古書的反思〉，《李學勤集》（哈爾濱市：黑龍江教育出版社，1989年5月），頁41-46。

20　王博：〈說「寓作於編」〉，《中國哲學史》2006年第1期（2006年2月），頁16。

21　〔漢〕毛公傳，〔漢〕鄭玄箋，〔唐〕孔穎達疏：《毛詩注疏》，《十三經注疏》（臺北縣：藝文印書館，2007年8月），冊2，頁313。

22　參李世萍：《鄭玄毛詩箋研究》（北京市：知識產權出版社，2010年1月），頁103-105。

明孔子的用意真如〈詩序〉作者所言，然〈詩序〉作者的作法及思維方式，無非也有承繼前賢「以編代作」之可能[23]。又出土文獻中，馬王堆帛書《易經》卦序異於傳世本。傳世本始於乾，終於未濟，帛書本則始乾終益。一般認為：「帛書卦序具有明顯的規律性。易卦由陰陽兩爻構成，本來蘊含著陰陽說的哲理，故〈繫辭〉云『一陰一陽之謂道』。但傳世本經文的卦序，卻很難找出合於陰陽說的規律性。在體現陰陽規律這一點上，帛書本顯然勝於傳世本。」[24]張政烺（1912-2005）認為帛書卦序是簡冊散亂之後，文化程度不高的筮人「為了實用，不求甚解，按照當時通行的八卦次序機械地編造出帛書《六十四卦》這樣一個呆板的形式，自然會便於檢查，卻把《易》學上的一些微言奧義置之不顧了。」[25]李學勤則進而論證：「帛書卦序不會早於傳世本卦序。理由很簡單，如果《周易》經文本來就有像帛書這樣有嚴整規律的卦序，誰也不會打亂它，再改編為傳世本那樣沒有規律的次第，而〈序卦〉傳也用不著撰寫了。事實只能是，傳世本是淵源久遠的經文原貌。帛書本則是學者出於對規律性的愛好改編經文的結果。」[26]

二

述者之外，抄者也是值得重視的一環。先秦時期文獻的流傳主要依靠口傳和抄寫。關於口傳，阮元（1764-1849）論曰：「古人無筆硯紙墨之便，往往鑄金刻石，始傳久遠。其著之簡冊者，亦有漆書刀削之勞，非如今人下筆千言，言事甚易也。許氏《說文》：『直言曰言，論難曰語。』《左傳》曰：『言之無文，行之不遠。』此何也？古人以簡冊傳事者少，以口舌傳事者

23 蔡振豐：〈《論語》所隱含「述而不作」的詮釋面向〉，李明輝主編：《儒家經典詮釋方法》（臺北市：臺灣大學出版中心，2008年12月），頁145。

24 李學勤：《周易溯源》（成都市：巴蜀書社，2006年1月），頁303。

25 張政烺：〈帛書六十四卦跋〉，《張政烺文史論集》（北京市：中華書局，2004年4月），頁688。

26 李學勤：《周易溯源》（成都市：巴蜀書社，2006年1月），頁305。

多；以目治事者少，以口耳治事者多。故同為一言，轉相告語，必有愆誤。是必寡其詞，協其音，以文其言，使人易於記誦，無能增改，且無方言俗語雜於其間，始能達意，始能行遠。此孔子於《易》所以著〈文言〉之篇也。古人歌、詩、箴、銘、諺語，凡有韻之文，皆此道也。《爾雅．釋訓》主於訓蒙，『子子孫孫』以下，用韻者二十條，亦此道也。」[27]又云：「古人簡策繁重，以口耳相傳者多，以目相傳者少，是以有韻有文之言，行之始遠……古人簡策在國有之，私家已少，何況民間。是以一師有竹帛，而百弟子口傳之，非如今人印本經書，家家可備也。」[28]例如《詩經》，在官學時代是貴族教養的重要組成部分，外交場合無不賦詩。在私學之時也因其典雅雋永，仍然為人背誦。《漢書》卷三十〈藝文志〉一〈六藝略〉三《詩》類小序：「孔子純取周詩，上采殷，下取魯，凡三百五篇，遭秦而全者，以其諷誦，不獨在竹帛故也。」[29]章學誠（1738-1801）《文史通義．詩教》下：「三代以前，《詩》教未嘗不廣也，夫子曰：『不學《詩》，無以言。』古無私門之著述，未嘗無達衷之言語也。惟托於聲音，而不著於文字。故秦人禁《詩》、《書》，《書》缺有間，而《詩》篇無有散失也。後世竹帛之功，勝於口耳；而古人聲音之傳，勝於文字；則古今時異，而理勢亦殊也。」[30]但並不能由此認為《詩經》，甚至所有先秦經典都是以口耳相傳的。馬克斯．韋伯（Max Weber, 1864-1920）對持這一觀點的 Von Rosthorn（1857-1909）[31]予以嚴厲批評：「他相信那些神聖經典一直是以口耳相傳到漢代的，因此，與普遍盛行於印度早期的（口頭傳說的）傳統是一樣的。外行人自無資格妄加斷言，不過我們或許可以這麼說：至少史事編年是無法光靠口頭傳說的傳

---

27 〔清〕阮元：《研經室三集》卷二〈文言說〉，《研經室集》（北京市：中華書局，1993年5月），下冊，頁605。

28 〔清〕阮元：《研經室三集》卷二〈數說〉，《研經室集》（北京：中華書局，1993年5月），下冊，頁606-607。

29 〔漢〕班固：《漢書》（北京市：中華書局，1962年6月），冊6，頁1708。

30 〔清〕章學誠：《文史通義》，葉瑛校注本（北京：中華書局，1994年），上冊，頁78。

31 Von Rosthorn, The Burning of the Books, Jounal of the Peking Oriental Society, vol. IV, Peking, 1898, p.1ff.

統來達成，何況由日食的計算顯示出，這些史事可推溯到公元（前）第二千年。同樣，如果我們將這位傑出專家的觀點擴展到禮儀文獻（亦即已採取詩歌形式的文獻）之外的話，那麼許多有關君侯之記事、文獻與士人往來文書之重要性等等的報導，在在都與上述（專家）的看法不符。不過，關於這點，只有漢學專家才能下最後的定論，出自一個非專家的『批判』，毋寧是僭越的。嚴格的口說傳統之原則，幾乎在世界各處都只適用於卡里斯瑪式詮釋，而不適用於詩歌與教授。（中國）文字之古老悠遠，可從其象形字樣及其鋪陳中印證出來：後世以直線畫出直欄的辦法，仍反映出原先竹片並排時的溝痕。最古老的『契約』，是竹制的割符或繩結；（後世）所有的契約、文件皆為一式兩份的形式，被認為或許正是此種古制的遺習。」[32]

孔子作《春秋》，寓意深遠，在當時就有著崇高的地位。戰國之時，孔門後學研究、注解《春秋》，形成了不同的流派，至漢代有左氏、公羊、穀梁、鄒氏、夾氏五家。其中公羊、穀梁、夾氏三家在先秦都未著於竹帛，依靠師徒代代背誦，到漢代公羊、穀梁纔著於竹帛。《漢書》卷三十〈藝文志〉一〈六藝略〉六《春秋》類著錄：「《夾氏傳》十一卷」，自注：「有錄無書。」[33]《四庫全書總目》卷二十六〈春秋穀梁傳注疏提要〉：「其傳則士勳《疏》稱，穀梁子名俶，字元始，一名赤，受經於子夏，為經作傳。則當為穀梁子所自作。徐彥《公羊傳疏》又稱，公羊高五世相授，至胡母生乃著竹帛，題其親師，故曰《公羊傳》。《穀梁》亦是著竹帛者題其親師，故曰《穀梁傳》。則當為傳其學者所作。案《公羊傳》定公即位一條引子沈子曰，何休《解詁》以為後師（案此注在隱公十一年所引子沈子條下）。此傳定公即位一條亦稱沈子曰。公羊、穀梁既同師子夏，不應及見後師。又初獻六羽一條稱穀梁子曰，傳既穀梁所作，不應自引己說。且此條又引尸子曰，尸佼為商鞅之師，鞅既誅，佼逃於蜀，其人亦在穀梁後，不應預為引據。疑徐彥之

---

32 〔德〕韋伯，康樂、簡惠美譯：《中國的宗教》（桂林市：廣西師範大學出版社，2004年5月），頁166腳註　。

33 〔漢〕班固：《漢書》（北京市：中華書局，1962年6月），冊6，頁1715。

言為得其實。但誰著於竹帛，則不可考耳。」[34]實際上，認為《公羊》、《穀梁》著於竹帛應在漢代的說法在漢代就出現了。《春秋經．隱公二年》：「紀子伯莒子盟於密。」《公羊傳》：「紀子伯者何？無聞焉爾。」何休（129-182）《解故》：「言無聞者，《春秋》有改周受命之制。孔子畏時遠害，又知秦將燔詩書，其說口授相傳。至漢，公羊氏及弟子胡母生等，乃始記於竹帛，故有所失也。」[35]《春秋公羊傳》原目大題下徐彥《疏》：「問曰：《左氏》出自丘明，便題云《左氏》。《公羊》、《穀梁》出自卜商，何故不題曰『卜氏傳』乎？答曰：《左氏傳》者，丘明親自執筆為之，以說經意，其後學者題曰《左氏》矣。且《公羊》者，子夏口授公羊高，高五世相授，至漢景帝時，公羊壽共弟子胡毋生，乃著竹帛。胡毋生題親師，故曰『公羊』，不說『卜氏』矣。《穀梁》者，亦是著竹帛者題其親師，故曰『穀梁』也。」[36]這在後世成為標準陳述。但在學派之爭中，《公羊》、《穀梁》的曲折經歷成了攻擊的靶子。杜預《春秋序》：「記事者，以事繫日，以日繫月，以月繫時，以時繫年，所以紀遠近，別同異也。」孔《疏》謂「月與不月，傳本無義，《公羊》、《穀梁》之書，道聽塗說之學，或日或月，妄生褒貶。」[37]「口耳相傳」成了「道聽途說」，這是為了指責《公羊》、《穀梁》「妄生褒貶」。《漢書》卷三十〈藝文志〉一〈諸子略〉六《春秋》類小序：「及末世，口說流行，故有《公羊》、《穀梁》、《鄒》、《夾》之傳。四家之中，《公羊》、《穀梁》立於學官，鄒氏無師，夾氏未有書。」[38]閻若璩（1638-1704）《尚書古文疏證》卷八引胡渭（1633-1714）語道：「漢人讀書頗與今異。揚子雲言：『一閧之市必立之平，一卷之書必立之師。』如《春秋》有鄒、夾

34 〔清〕永瑢等：《四庫全書總目》（北京市：中華書局，1965年6月），上冊，頁211。

35 〔漢〕何休注，〔唐〕徐彥疏：《春秋公羊注疏》，《十三經注疏》（臺北縣：藝文印書館，2007年8月），冊7，頁26。

36 〔漢〕何休注，〔唐〕徐彥疏：《春秋公羊注疏》，《十三經注疏》（臺北縣：藝文印書館，2007年8月），冊7，頁7。

37 〔漢〕何休注，〔唐〕徐彥疏：《春秋左氏注疏》，《十三經注疏》（臺北縣：藝文印書館，2007年8月），冊6，頁7。

38 〔漢〕班固：《漢書》（北京市：中華書局，1962年6月），冊6，頁1715。

二氏，夾氏口說流行，未著竹帛，故曰『未有書』。鄒氏著竹帛，師傳之人中絕，故曰無師。蓋經未有無師者。《書》簡策雖存，而其間句讀音義，亦須略為指授，方可承學，故（伏生）使女傳言耳。」[39]夾氏與公羊穀梁一樣，都是口耳相傳。但《公羊》、《穀梁》在西漢初年就著於竹帛，因此蔚然風行，為世所重。而夾氏則依然保持著原始的口傳，不立文字，既妨礙了後學受業，而影響的範圍更窄，最後無人傳習，其學中絕。鄒氏則相反，既然漢代已有書，但卻無人教授，應當是在先秦就已著於竹帛。只是在漢代僅有書本，卻無人教授，也無人傳習，自然在沉默中死亡。柯馬丁（Martin Kern, 1962- ）考察了早期寫本的用字之後認為：「為了能夠被充分理解，文本在很大程度上是在一個特定的社會框架中傳播的，很有可能採用面對面教學的師弟相傳結構。這種社會框架使得口頭語言和書面語言能夠相互作用，暗示著掌握文本與學習文本的人之間有必要存在一種個人的直接接觸。這樣的推測符合早期哲學著作明顯採用師生對話體形式的狀況，而且我們也沒有理由無視早期傳統展現的自我形象裡這種核心要素。實際上，寫本的字形外觀並不暗示它們能夠物理性地靠自身力量得以傳播，也就是說，它們不能作為自我包含在其信息裡的作品，跨越廣闊的地域，從一個沉默的讀者傳播到另一個沉默讀者。」[40]

《文史通義．詩教》上曾論口傳變為抄寫：「至戰國而文章之變盡，至戰國而後世之文體備，其言信而有徵矣。至戰國而著述之事專，何謂也？曰：古未嘗有著述之事也，官師守其典章，史臣錄其職載。文字之道，百官以之治，而萬民以之察，而其用已備矣。是故聖王書同文以平天下，未有不用之於政教典章，而以文字為一人之著述者也。……三代盛時，各守人官物曲之世氏，是以相傳以口耳，而孔孟以前，未嘗得見其書也。至戰國而官守

39 〔清〕閻若璩：《尚書古文疏證》（上海市：上海古籍出版社，2010年2月），下冊，頁614。此處原書標點揚雄語引號至「故曰無師」，按「一鬨之市必立之平，一卷之書必立之師」見《法言．學行》篇。

40 〔美〕柯馬丁：〈方法論反思：早期中國文本異文之分析和寫本文獻之產生模式〉，《當代西方漢學研究集萃．上古史卷》（上海市：上海古籍出版社，2012年11月），頁372-373。

師傳之道廢，通其學者，述舊聞而著於竹帛焉。中或不能無得失，要其所自，不容遽昧也。以戰國之人，而述黃、農之說，是以先儒辨之文辭，而斷其為偽託也；不知古初無著述，而戰國始以竹帛代口耳，實非有所偽託也。然則著述始專於戰國，蓋亦出於勢之不得不然矣。」[41]不過，口傳與抄寫並非取代與被取代的關係。二者極可能長期並存。柯馬丁考察了《詩經》的各種早期寫本，以及傳世及簡帛文獻對於《詩經》的引用，提出：「不管手頭上有沒有用來參照的原本，我們不能看出任何為到達書寫正確而做出努力的痕跡。相反，寫出來的字只是用來發揮最根本的功能，也就是，代表一種語言的聲音。問題是很多中國古代的同音字，書寫形式並不相同。假借字的異文……帶來了一種挑戰：即便是一個受過教育的讀者，他也知道這些字符所代表的相同或幾乎相同的發音，其真正所代表的特定的字詞，未必在文章中可以不言而喻。要正確判斷出這一字詞，他確實需要已經知道這一文獻的意思，或需要有人加以解釋。這樣的知識從何而來呢？怎樣掌握一個從字面看上意義會很模糊的文本呢？這些問題最好的答案，正好可能是傳統的解釋：文獻是通過師徒相傳而習得的。誠然，書寫系統中大量的、可能的通假字——像我們現在在出土文獻中所能看到的——使得教授和記憶不但是授經、傳經的首要條件，而且也是必要條件。……書寫的本子固然會起到它的作用，但只能是在口頭傳授和學習的框架中。從文獻的證據來看，很多古代中國的哲學文本都是以師生對話為框架的，這種對話不只是修辭手法，而且如實地反映了當時的現實。……從手頭的證據來看，我們只能推斷我們知道的所有寫本，包括毛本，沒有一種可以被認為是原本；相反，我建議任何這樣的本子不過是輔助的、次要的傳《詩》的途徑。」[42]來國龍則明確反對此說，認為這個推想只能解釋部分現象。首先，同音假借字多，是否就是口耳相傳的標誌，還有待商榷。因為大量使用同音假借的，不僅僅是像《詩》這

41 〔清〕章學誠，葉瑛校注：《文史通義》（北京市：中華書局，1994年3月），上冊，頁63-63。

42 〔美〕柯馬丁：〈出土文獻與文化記憶〉，《中國哲學》（瀋陽市：遼寧教育出版社，2004年8月），第25輯，頁130-131。

類朗朗上口的文學作品，其他文獻及行政文書也普遍存在這種現象。更重要的是，在異文中也還有那些形近而譌的錯字。顯然形近而譌是由於字形相近，是視覺上的誤差，而與讀音無關。再如，馬王堆帛書《戰國縱橫家書》有兩處錯簡，很明顯，帛書（或帛書所依據的底本）是從竹木簡上轉抄下來的。總之，多數文本的流傳並不是通過口傳記憶，而是靠抄寫，是從文本到文本的流傳。因此，雖然有些文本可能是通過口耳相傳而流傳下來，但我們絕對不能否認，抄書是中國早期文本流傳的重要途徑[43]。馮勝君（1970- ）且特別引用蘇秦的例證，「蘇秦在其藏書中發現《太公陰符》並『伏而誦之』，說明蘇秦對其藏書有一些並不熟悉，更談不上『記在心裡』了。」[44]的確，我們必須承認戰國時期書籍流傳依靠甚至主要依靠抄本流傳，乃是有著確鑿證據的事實[45]。例如，《詩經》的語氣詞「只」本當為「也」，實際上是由於戰國時期「只」「也」形音俱近導致的誤混[46]。這無疑與對鈔本字形的辨認密切相關。但是，同樣也必須承認，口傳傳統仍然執拗地存在著。

如果我們區分對於戰國時人來說的古代經典與當代著作，正如王葆玹（1946- ）所指出的：「五經在秦代以前，乃是各家學派共同尊奉的典籍。」[47]經典文獻的流傳中，口傳傳統往往保持著對傳抄的影響，而戰國的當代著作，則主要依靠傳抄流傳。我們可由經典文獻抄本中虛詞的增減來驗證這一點——這種情況極少出現在當代著作中，卻常常出現在經典文獻的抄

---

43 來國龍：〈論戰國秦漢寫本文化中文本的流傳與固定〉，《簡帛》（上海市：上海古籍出版社，2007年11月），第2輯，頁520-521。

44 馮勝君：〈從出土文獻看抄手在先秦文獻傳佈過程中所產生的影響〉，《簡帛》（上海市：上海古籍出版社，2009年10月），第4輯，頁413。

45 參〔美〕夏含夷：〈《重寫中國古代文獻》結論〉，《簡帛》（上海市：上海古籍出版社，2007年11月），第2輯，頁512。

46 參楊澤生：《戰國竹書研究》（廣州市：中山大學出版社，2009年12月），頁141-142；趙平安：〈對上古漢語語氣詞「只」的新認識〉，《簡帛》（上海市：上海古籍出版社，2008年10月），第3輯，頁1-6。

47 王葆玹：《今古文經學新論》增訂版（北京市：中國社會科學出版社，2004年12月），頁14。

本中。如吳辛楚（吳辛丑，1961- ）將帛書《周易》與今本對照，就發現「異文在句子方面的表現主要是詞語的增減與詞序的變動。《周易》句子大多比較簡短，變動詞序的異文很少，常見的是增減詞語，其中又以增減虛詞居多。」[48]《詩經》寫本如阜陽漢簡亦往往簡省虛詞，且由其所記字數來看，並非脫誤。胡平生（1945- ）的解釋是：「《詩經》的語詞與記錄者、吟詠者、整理者關係甚密。由於習《詩》者的師承、方言及語言習慣的不同，各家所用語詞也各有不同。」[49]如果將之與敦煌寫卷對照，可以發現敦煌《詩經》寫卷有些篇章亦無虛詞。程燕（1977- ）認為：「饒有趣味的是：〈墻有茨〉伯二五二九抄本第一句抄有句末語詞『也』，後有圈掉的痕跡，下文皆無語詞。這說明抄者本按習慣抄有語詞，後又注意到底本無語詞的現象做了改正。由此可見敦煌殘卷底本無語詞是極有可能的。從敦煌《詩經》殘卷看來，雖標為毛詩鄭箋，但其文字形式多異，可見《詩經》在流傳過程中可能出現過文本交叉抄錄的現象。因此，我們推測今本《毛詩》有可能也不是純粹的《毛詩》，裡面亦摻雜其他《詩經》文本。」[50]《詩經》文本流傳的具體情形相當複雜，此處難以詳論。不過，伯二五二九對「也」字的圈除，如依程氏所論，則正可見是抄手稔熟《詩經》文字，故下筆即逕書「也」字，然後纔發現所據底本之歧異，而依之圈改。換言之，我們不可僅因抄本無部分虛詞，就認為《詩經》某些傳本是無這部分虛詞的。事實上，當時人在手持無虛詞的抄本吟詠之時，應該會將那些虛詞補上。可舉一《論語》之例以資對照。據曹銀晶考察，阮刻本《論語》語氣詞「也已矣」共出現八例，如〈泰伯〉：「泰伯，其可謂至德也已矣。」各種早期文本的情形為：定州漢簡殘本存三句，作「矣」或「也」；各種敦煌本寫作「也」、「矣」、「已矣」或「也已矣」等多種情況，而作「也已矣」者較多；唐石經則全同於阮刻本，八處俱全。曹文引蔣紹愚（1940- ）說：「之所以唐朝寫

48 吳辛楚：《周易異文校證》（廣州市：廣東人民出版社，2001年8月），頁19-20。

49 胡平生：〈阜陽漢簡《詩經》簡論〉，收入胡平生、韓自強：《阜陽漢簡詩經研究》（上海市：上海古籍出版社，1988年5月），頁26-27。

50 程燕：《詩經異文輯考》（合肥市：安徽大學出版社，2010年6月），〈引言〉，頁5。

本裡出現各種各樣的抄本，是因為當時多憑記憶，究竟是『也已矣』還是『也已』、『已矣』、『也』不易記準。而唐宋以後有刻本為依據，就容易一致了。也就是說，阮元本所見的八例『也已矣』是跟唐石經的刊刻和宋印刷術的發達有關。」[51]其中「多憑記憶」及「不易記準」等語表明蔣先生認為敦煌寫本並非抄自淵源久遠之古本，我們所見到的抄本（或其所據以抄錄之底本）基本上當時人憑記憶背誦寫錄的。或許有部分抄本的確由此形成，但是要說所有抄本都是如此，恐怕難以令人信服。比較合理的解釋是，一方面抄本淵源有自，而且非常可能有著極為悠久的傳承，另一方面這些抄本又是被置於至少同樣悠久的口傳傳統之中來理解的。康有為（1858-1927）也指出：「《漢書・藝文志》，劉歆之作也，曰：孔子褒貶當世大人威權有勢力者，不敢筆之於書，口授弟子。蓋《春秋》之義，不在經文，而在口說，雖作偽之人不能易其辭。」[52]即以六藝異文而言，「其所以發生者，或以傳本有別，或以家法不同，而所謂家法或亦由於不同傳本古書傳寫。」[53]亦即異文往往與授經家法相關，亦即所謂「家法異文」。如《詩・鄘風・君子偕老》「邦之媛也」，毛《傳》：「美女為媛。」《釋文》則謂：「《韓詩》作援，援助也。」[54]尚有漢以後所形成的「後起異文」，即「正文與異文音相似，然於音韻沿革上明知其為後起者。」[55]如《論語・述而》篇「加我數年，五十以學《易》，可以無大過矣。」《釋文》：「學易，如字。魯讀易為亦，今從古。」則《魯論》依異文斷句為「五十以學，亦可以無大過矣」，則斯語無關於《易》。李學勤據「易」在錫部，「亦」在鐸部，上古至西漢錫鐸尚不通

---

51 〔韓〕曹銀晶：〈談《論語》句末語氣詞「也已矣」早期的面貌〉，《簡帛》（上海市：上海古籍出版社，2010年10月），第5輯，頁193-208。

52 康有為：《春秋董氏學》，《康有為全集》（北京市：中國人民大學出版社，2007年9月），第2集，頁356。

53 陸志韋、林燾：〈經典釋文異文之分析〉，《林燾語言學論文集》（北京市：商務印書館，2001年8月），頁349-350。

54 參〔清〕王先謙：《詩三家義集疏》（北京市：中華書局，1987年2月），上冊，頁230。

55 陸志韋、林燾：〈經典釋文異文之分析〉，《林燾語言學論文集》（北京市：商務印書館，2001年8月），頁364。

押，至東漢方見，證此「兩字音的接近乃是一種晚出的現象，在較早的時代是不可能發生的。」[56]皮錫瑞（1850-1908）嘗嚴斥此等後起之家法異文：「漢人最重師法。師之所傳，弟之所受，一字毋敢出入；背師說即不用。師法之嚴如此。而考其分立博士，則有不可解者。……《書》傳於伏生，伏生傳歐陽，立歐陽已足矣。二夏侯出張生，而同原伏生；使其學同，不必別立；其學不同，是背師說，尤不應別立也。……伏生《大傳》以大麓為大麓之野，明是山麓；《史記》以為山林，用歐陽說；《漢書．于定國傳》以為大錄，用大夏侯說，是大夏侯背師說矣。……不守師傳，法當嚴禁，而反為之分立博士，非所謂『大道多歧亡羊』者乎？」[57]此類「家法異文」早見於戰國寫本之中。《周易．井卦》在上博簡本中有一些重要異文。李零（1948- ）〈讀上博楚簡《周易》〉曾全部作為通假而採取傳世本的讀法。[58]但是夏含夷（Edward L. Shaughnessy, 1952- ）認為，上博本「與傳本《周易》不一定那樣『正同』，它的異文不但可以提供不少內容上的信息，並且至少對像《周易》這一非常獨特的文獻也可以啟發出一個新的讀法。」最關鍵的卦名，上博本作「汬」，《說文》陷阱之「阱」的古文為「汬」，王引之《經義述聞》也曾討論過井卦「井泥不食」之「井」為水井，「舊井無禽」之「井」為陷阱。持此以觀，九二爻辭「井谷射鮒」，傳統理解為射水井中的小魚，上博本「鮒」寫作「豨」，夏含夷指出：「即使我們同意『丰』和『付』有通假的可能，也並不能解釋這個字的偏旁『豕』，除非說這個偏旁毫無意義。『豕』旁似乎說明上博《周易》的抄寫者以為『汬』裡的動物是獸類，而不是魚類。這也與將『汬』讀作捕獸的阱而不是出水的井，正好一致。」夏氏更近而分析道：「我完全可以想像上博《周易》的抄寫者（或者在其前的某一個抄寫者），因為知道初六爻辭『舊井無禽』的『井』應該讀作『阱』（亦即『汬』），所以會把九二爻辭的『井谷射丰』理解為射有積水的陷阱裡的野豬。換句話說，傳本《周易》的『井谷射鮒』恐怕也只能反映

56 李學勤：《周易溯源》（成都市：巴蜀書社，2006年1月），頁63-83。

57 〔清〕皮錫瑞：《經學歷史》（北京市：中華書局，2004年7月），頁46-47。

58 李零：〈讀上博楚簡《周易》〉，《中國歷史文物》2006第4期（2006年4月），頁62-63。

同一個詮釋過程，也只是某一個抄寫者的理解。因為他以為『井』或『汬』是出水的『井』，所以他很合理地以為所射的其中的動物應該是魚類，因而在『丰』或『付』上再加了『魚』旁。」[59]由是可知，與述者的寓述於作相應，抄者實際上也是抄在述中。

由上述可見，早期中國文獻流傳中的作者、述者、抄者區分不嚴，互相包含，正如蔡振豐所說：「在漢代經學發展之前，中國的詮解者並不預設什麼是客觀而好的理解，而將重點放在經書可以對現實產生什麼啟悟及聯繫上。依循這種傳統，聖人天成不可企及或經書神聖不可移易的看法，都不應該作為詮釋經書的基本前提。將經書純粹視為教材的同時，也即放棄讀經是在客觀追索歷史事實的想法，從而可由古代學者的對話之中，或者現代學者居於現代處境的發問之中，引出具有發展意義的創造性詮解。」[60]

三

周予同（1898-1981）對「經」的理解是：「經是指中國封建專制政府『法定』的以孔子為代表的儒家所編著書籍的通稱。作為經典意義的經，出現在戰國以後，而正式被『法定』為經典，則應在漢武帝罷黜百家、獨尊儒術以後。」[61]李威熊也考證「經成為專門的學術，當從西漢開始。……文帝、景帝曾立經學博士，於是群經方成為專門之學。《漢書．宣帝紀》說：

59 〔美〕夏含夷：〈簡論「閱讀習慣」〉，《簡帛》（上海市：上海古籍出版社，2009年10月），第4輯，頁388-391。按：類似這樣加旁明義的做法，後世越演越烈。《經典釋文》卷首〈序錄．條例〉批評六朝寫本文字道：「近代學徒好生異見，改音易字，皆採雜書，唯止信其所聞，不復考其本末。且六文八體各有其義，形聲會意寧拘一揆？豈必飛禽即須安鳥，水族便應著魚，蟲屬要作虫旁，草類皆從兩屮，如此之類，實不可依。」〔唐〕陸德明：《經典釋文》（上海市：上海古籍出版社，1985年10月），上冊，頁9。

60 蔡振豐：〈《論語》所隱含「述而不作」的詮釋面向〉，李明輝主編：《儒家經典詮釋方法》（臺北市：臺灣大學出版中心，2008年12月），頁162。

61 周予同：《中國經學史講義》（上海市：上海文藝出版社，1999年1月），頁14。

『博問經學之士，有以應變，輔朕之不逮。』〈兒寬傳〉也說：『見上，語經學，上說之。』由於在上位者的鼓舞，對經學的發展有很大的幫助。經學一詞，最早也是見於此。」[62]有學者更進一步指出，漢代經學之「經」的確立，乃是漢王朝建立「經典政治」需要：「所謂『經典政治』，就是藉助傳統歷史文化的資源，以聖人和經典的恆久權威性來維護王權政治架構的權威。」[63]在此「經典政治」下之「經」，周予同揭出其特點為：是中國封建專制政府「法定」的古代儒家書籍；不僅為中國封建專制政府所「法定」認為合法的經典，而且是在所有合法書籍中挑選出來的；經本身就是封建專制政府和封建統治階級用來進行文化教育思想統一的主要工具，也是封建專制政府培養提拔人才的主要準繩，基本上成為中國封建社會中合法的教科書[64]。雖然其論述帶有階級鬥爭時代的烙印，但是以之論王朝經學之成立，仍可參考[65]。湯志鈞（1924-　）等認為：「皇帝尊『儒』，並不意味『儒』即是『古』；封建政治所依賴的是『經術』，但並不是說『經術』即是原始的儒學。朝廷建立五經博士，把傳播宣揚官方思想學說的重任委之以儒生，當然不是為了讓儒生以『先王』之制、『聖人』遺訓來束縛其統治人民的手腳。這樣，『曲學阿世』之徒違背了經義，卻獲得了政治、經濟利益上的實惠；『守經據古』之士竭力維護傳統，卻無力改變封建政治日益腐敗沒落的狀況。」[66]其論敏銳地觀察到了王朝對於「經術」的馴化，但將其馴化過程歸之於部分儒生的　「曲學阿世」，則失之於簡單了。以今觀之，漢王朝對於思想自由的儒學經說的馴化，以規訓定於一尊的官方經學，其大要有兩端。

---

62 李威熊：《中國經學發展史論》（臺北市：文史哲出版社，1988年12月），上冊，頁3-4。

63 姜廣輝主編：《中國經學思想史》（北京市：中國社會科學出版社，2003年9月），第1卷，頁13。

64 周予同：《中國經學史講義》（上海市：上海文藝出版社，1999年1月），頁17。

65 許道勳、徐洪興《中國經學史》於〈「經」的界定與「經學」的含義〉一節即據周說敘述。許道勳、徐洪興：《中國經學史》（上海市：上海人民出版社，2006年10月），頁6-8。

66 湯志鈞、華友根、承載、錢杭：《西漢經學與政治》（上海市：上海古籍出版社，1994年12月），頁163。

其一為是正文字，造就經書定本。

有學者將劉向（約77-6 B.C.）校書的定本稱為「最初的定本」[67]，實則王重民（1903-1975）早已指出劉向校書之前，「張良、韓信、揚僕校定兵書，后蒼、戴德、戴聖校定《禮記》，張子喬校定《申子》，都校定了一些新本，使讀者漸知定本的可貴，同時也給校書創造了更多的經驗。」[68]不過，「定本」這一形式的出現卻遠早於漢代，而且也並非出自典籍整理。《商君書．定分》：「有敢剟定法令一字以上，罪死不赦。……法令皆副置。一副天子之殿中。為法令為禁室，有鋌鑰為禁而以封之，內藏法令。一副禁室中，封以禁印。有擅發禁室印，及入禁室視禁法令，及禁剟一字以上，罪皆死不赦。一歲受法令以禁令。」[69]法家理念中，法為君所生，即《管子．任法》所謂：「有生法，有守法，有法於法。夫生法者，君也；守法者，臣也；法於法者，民也。」於是君主便理所當然地成為「作者之謂聖」，但在律令體系中，臣下卻無緣「述者之謂明」了。臣民在此被貶為不敢「剟定法令一字以上」的抄者，面對法令文本，戰戰兢兢，如履薄冰。可以與〈定分〉篇參觀的是，睡虎地出土秦簡〈內史雜律〉簡一八六有：「縣各告都官在其縣者，寫其官之用律。」[70]雖然律文僅涉及內史轄縣，但顯然絕不僅僅只有內史才會如此規定。秦簡〈尉雜律〉簡一九九亦云：「歲讎辟律於御史。」[71]可見每年還要到御史處校讎其律令寫本的文字。此處之「讎」無疑也就是劉向校書時作為主要方法的「讎」——「一人持本，一人讀析，若怨家相對，故曰讎也。」（《太平御覽》卷六一八引劉向《別傳》）[72]。蔣伯潛（1892-

---

67 程千帆、徐有富：《校讎廣義．校勘篇》（濟南市：齊魯書社，1998年4月），頁459。

68 王重民：《中國目錄學史》，《中國目錄學史論叢》（北京市：中華書局，1984年12月），頁18。

69 蔣禮鴻：《商君書錐指》（北京市：中華書局，1986年4月），頁141-143。其中「鋌」當為「鍵」之誤，參《錐指》，頁142。

70 睡虎地秦墓竹簡整理小組：《睡虎地秦墓竹簡》（北京市：文物出版社，1990年9月），圖版頁30，釋文頁61。

71 睡虎地秦墓竹簡整理小組：《睡虎地秦墓竹簡》（北京市：文物出版社，1990年9月），圖版頁31，釋文頁64。

72 〔宋〕李昉等：《太平御覽》（北京市：中華書局，1960年2月），冊3，頁2776。

1956）釋曰：「『讎』指二人校對，意本顯明。……《說文》：『讎，譍也。』『譍』就是應對之『應』。《詩・大雅・抑》『無言不讎』，《疏》即解作『用語言相對』，朱子《集傳》徑以『讎，答也』釋之，正與《說文》合。《詩・邶風・谷風》云：『反以我為讎』，《疏》云：『讎者，至怨之稱。』有怨之人每以言語互相辯駁、罵詈，故又引申為至怨之稱。《別錄》云『若怨家相對』，即是因此。」[73]這也就是今天所說的文字校對，拿御史定本與自己的抄本做文字校對，改正自己抄本的錯字。先秦之時，雖校正舊籍代不乏人，正考父、孔子等為其大者，其校正成果某種意義上也可稱為定本。但是作為一介文士的校正者，卻沒有任何方法與能力阻止其校定本在傳抄過程中不被述者、抄者改動，前舉孔子之後《詩經》篇序、《周易》卦序的改易，以及家法異文的歧異，即為顯例。只有在秦制之下，藉助於集權的力量，才能真正消滅述者，將抄者貶為一字不能改易的純粹寫手。不過秦制國家只有律令定本，並無書籍定本。援引律令定本形式改造舊籍，還要等到雜王霸道的漢代。

漢代官方校書今可得而言者，最早者即漢初張良（約250-186 B.C.）、韓信（約281-196 B.C.）校兵書。因漢代校讎經籍定本影響巨大，而其學者研究往往詳於西漢後期向歆父子校書，而於漢初張韓校兵書較少措意，故不避繁瑣，試為之釐清。《漢書》卷三十〈藝文志〉四〈兵書略〉小序：「漢興，張良、韓信序次兵法，凡百八十二家，刪取要用，定著三十五家。諸呂用事而盜取之。武帝時，軍政楊僕攗摭遺逸，紀奏兵錄，猶未能備。至於孝成，命任宏論次兵書為四種。」[74]這三次校兵書，都是高級將領奉詔校定。「諸

73 蔣伯潛：《校讎目錄學纂要》（北京市：北京大學出版社，1990年5月），頁1。向宗魯至謂：「昔劉向司籍，校理秘文，謂勘其上下為校，持本相對為讎。是則昔人校讎之名，本以是正文字為主。而鄭樵、章學誠之流所謂辨章學術，考鏡源流者，特為甲乙簿錄語其宗極，而冒尸校讎之名，翩其反矣。彼徒見向歆之業，著於《錄》、《略》，而不知簿錄之始，必於校讎之終。事或相資，而名不可貿。辨章學術者，校讎之餘事；是正文字者，校讎之本務也。」向宗魯：《校讎學》（北京市：國家圖書館出版社，2012年6月），頁1。

74 〔漢〕班固：《漢書》（北京市：中華書局，1962年6月），冊6，頁1763。

呂用事而盜取之」一語表明這些兵書並非普通諸子之書。《史記》卷一百三十〈太史公自序列傳〉:「漢興，蕭何次律令，韓信申軍法，張蒼為章程，孫叔通定禮儀，則文學彬彬稍進，《詩》、《書》往往閒出矣。」[75]王應麟（1223-1296）《漢藝文志考證》卷八「張良韓信序次兵法」條下注「〈高帝紀〉韓信申軍法」[76]，正以二文為一事。《資治通鑒》卷十二錄〈高紀〉此文，胡三省（1230-1302）則引〈藝文志〉語以注[77]。《說文》卷五下〈桀部〉:「乘，覆也，從入桀。桀，黠也。軍法，入桀曰乘。」段玉裁（1735-1815）《注》:「云軍法者，蓋出〈漢志〉兵書四種內。」[78]顧實（1878-1956）以為「韓信申軍法」即〈兵書略〉之「序次兵法」，「蓋略言之」[79]。余嘉錫（1884-1955）言:「此數事多在高祖時，蕭何律令、張蒼章程、叔孫通禮儀固自為漢家一代制作，至於韓信之申軍法，即〈漢志〉之序次兵法，其為校理舊書，可以斷言。」[80]甚是。李開元（1950- ）有謂「韓信究竟於何時何地……史書沒有記載」，而繫其事於漢元年韓信初為大將之時[81]。此說有二不可信：其一，《史記》卷五十五〈留侯世家〉明言漢元年劉邦（約256-195 B.C.）封於漢中後，「漢王之國，良送至褒中，遣良歸韓」[82]，是張

75 〔漢〕司馬遷:《史記》（北京市：中華書局，1959年9月），冊10，頁3319。

76 〔宋〕王應麟:《漢藝文志考證》，《玉海》（南京市：江蘇古籍出版社、上海市：上海書店，1987年12月），冊8，頁4061。

77 〔宋〕司馬光:《資治通鑒》（北京市：中華書局，1956年6月），冊1，頁407。

78 〔清〕段玉裁:《說文解字注》（上海市：上海古籍出版社，1981年10月），頁237。

79 顧實:《漢書藝文志講疏》（上海市：上海古籍出版社，1987年2月），頁208。

80 余嘉錫:《目錄學發微》，《中國現代學術經典．余嘉錫卷》（石家莊市：河北教育出版社，1996年10月），頁81。至若鄭樵《通志》卷七十一〈校讎略〉云:「又況〈兵家〉一類，任宏所編，有韓信〈軍法〉三篇、〈廣武〉一篇。豈有韓信〈軍法〉猶在，而蕭何〈律令〉、張蒼〈章程〉則無之，此劉氏、班氏之過也！」〔宋〕鄭樵:《通志》（杭州市：浙江古籍出版社，2000年1月），冊1，頁833。楊樹達亦以為「韓信申軍法」即〈兵書略〉一兵權謀家所著錄之《韓信》三篇，見楊樹達:《漢書窺管》（上海市：上海古籍出版社，1984年1月），上冊，頁244。則非。

81 李開元:《漢帝國的建立與劉邦集團》（北京市：生活．讀書．新知三聯書店，2000年3月），頁42。

82 〔漢〕司馬遷:《史記》（北京市：中華書局，1959年9月），冊6，頁2038-2039。

良未從至漢中，不得與韓信同定兵書。其二，李氏已引用《漢書》卷一〈高帝紀〉與《史記》同事之語，明言：「初順民心作三章之約。天下既定，命蕭何定律令，韓信申軍法，張蒼定章程，叔孫通制禮儀，陸賈造《新語》。」[83]既置之「約法三章」之後，又有「天下既定」之語，自當在漢五年之後無疑。呂祖謙（1137-1181）《大事記》卷九繫於漢七年[84]，馬永卿（北宋徽宗大觀三年〔1109年〕進士）《嬾真子》卷五引柴慎微云定於「信為淮陰侯在長安奉朝請時」[85]者近是。余嘉錫亦云：「韓信之死在高祖十一年，其與張良序次兵法，又在其前數年。當在六年貶淮陰侯以後。」[86]

沈家本（1840-1913）曾論韓信「序次兵法」與「申軍法」為二事：《漢書》「此文軍法在律九章之外，韓信所定者，《漢書》注多引《軍法》，乃其書也。至〈藝文志〉之兵法，乃《孫子》、《吳子》之類，所述乃行軍之要，與軍法不同。」[87]然沈氏其下所輯漢軍法之文，如《漢書》卷六十七〈胡建傳〉：「天漢中，守軍正丞。時監軍御史為姦，穿北軍壘垣以為賈區。……《黃帝李法》曰：壁壘已定，穿窬不繇路，是謂姦人，姦人者殺。臣謹按軍法曰：正亡屬將軍，將軍有罪以聞，二千石以下行法焉。」師古曰：「言軍正不屬將軍。將軍有罪過，得表奏之。」沈按：「此以《黃帝李法》為據，豈漢軍法中載有此文歟？《李法》所言，自是行軍之際，故壁壘定而穿窬者即屬姦人，在可斬之列。若此御史之穿北軍壘垣，自與行軍時之壁壘不同，豈得緣以為比？」[88]觀下武帝執「國容」「軍容」之別以是建，可知無關於

83 〔漢〕班固：《漢書》（北京市：中華書局，1962年6月），冊1，頁80-81。

84 〔宋〕呂祖謙：《大事記》，《呂祖謙全集》（杭州市：浙江古籍出版社，2008年1月），冊8，頁114。

85 〔宋〕馬永卿：《嬾真子》（上海市：商務印書館，1939年12月），頁62。

86 余嘉錫：《目錄學發微》，《中國現代學術經典・余嘉錫卷》（石家莊市：河北教育出版社，1996年10月），頁82。

87 沈家本：《歷代刑法考》（北京市：中華書局，1985年12月），冊3，頁1753。近日從其說者，如陳公柔等：〈青海大通馬良墓出土漢簡的整理與研究〉，《考古學集刊》第5輯（北京市：中國社會科學出版社，1987年3月），頁313。

88 沈家本：《歷代刑法考》（北京市：中華書局，1985年12月），冊3，頁1759。

行軍與否。考《三國志・魏書》卷十二〈鮑勳傳〉:「(孫)邕邪行不從正道,軍營令史劉曜欲推之,勳以塹壘未成,解止不舉。」曜歸而劾勳,文帝竟誅勳[89]。劉曜所據軍法當即胡建所引[90],可知漢軍法中確有此文。此既非如沈氏所言不得為比,更非如羅義俊(1944-)所說乃是漢臣議事可以「引諸子言」[91],而應該是張良、韓信定著兵法以為軍法,其三十五家之中便包含《黃帝李法》[92]。這顯然是統一王朝建立,整編軍隊的重要舉措。馬宗霍(1896-1976)嘗駁段玉裁曰:「余疑兵法為用兵之法,軍法為治軍之法,二者當微有別。張韓之序次兵法,謂整理古之兵書也;韓信之申軍法,謂申明治軍之法也。許君既稱之曰軍法,恐別有所本,未必在兵書四種內。」[93]一般而言,確如馬說,但也不可一概而論。「軍法」可稱「兵法」,正如「軍令」又稱「兵令」[94]。銀雀山漢簡〈見吳王〉簡二〇八:「孫子乃召其司馬與輿司空而告之曰:『兵法曰,弗令弗聞,君將之罪也;已令已申,卒長之

---

89 〔晉〕陳壽:《三國志》(北京市:中華書局,1982年7月),冊2,頁386。

90 參吳金華:〈《三國志校詁》外編〉,《古文獻研究叢稿》(南京市:江蘇教育出版社,1995年11月),頁180-181。

91 羅義俊:〈漢武帝「罷黜百家」辨〉,《中國古代史論叢》第1輯(福州市:福建人民出版社,1981年6月),頁69。

92 陳偉武指出:「銀雀山篇題木牘有〈李法〉,整理小組輯得六枚,亦注云:『古書有《黃帝李法》。《漢書・胡建傳》注:蘇林曰:獄官名也。天文志:左角李,右角將。孟康曰:兵書之法也。師古曰:李者,法官之號也,總主征伐刑戮之事也,故稱其書曰《李法》。蘇說近之。竹書之《李法》不知與《黃帝李法》是否相關。』今按,銀簡《李法》中八九二號簡云:『……□然而置李者,所以守國邑之□……』既然『置李』是為了『守國邑』,則《李法》理當與軍事有關。而《漢書・胡建傳》所引《黃帝李法》實亦為軍事律令條文,劉向《說苑・指武》篇:『臣聞《黃帝理法》曰:壁壘已具,行不由路,謂之奸人,奸人者殺。』因此,《漢書》顏注引孟康說謂《李法》是『兵書之法』甚確。戰國時代,黃帝崇拜之風甚熾,好事者叢聚軍法條文而託名《黃帝理法》。銀簡《李法》與《黃帝理法》的關係有待進一步研究。」陳偉武:《簡帛兵學文獻探論》(廣州市:中山大學出版社,1999年11月),頁46。

93 馬宗霍:《說文引群書考》(北京市:科學出版社,1959年11月),卷2,頁18。

94 陳偉武曰:「《管子・小匡》:『作內政而寓軍令。』又:『……以為軍令。』或稱『兵令』,如銀簡《守十三篇》和傳本《尉繚子》均有〈兵令〉篇。」陳偉武:《簡帛兵學文獻探論》(廣州市:中山大學出版社,1999年11月),頁45。

罪也。兵法曰，賞善始賤，罰（下殘）。』」[95]陳偉武（1962- ）認為：「此例兩引『兵法』，非如《孫子》書通常指用兵之法，而是關於慶賞刑罰的軍法。前者屬有關軍事訓練的律令，後者屬於賞罰的一般原則。」[96]《漢書》卷七十九〈馮奉世傳〉，元帝璽書「兵法曰，大將軍出，必有偏裨，所以揚威武，參計策。」[97]此兵法所言，也是軍隊編制。不寧唯是，《史記》卷七〈項羽本紀〉：「籍曰：『書足以記姓名而已。劍一人敵，不足學，學萬人敵！』於是梁乃教籍兵法。籍大喜，略知其意，又不肯竟學。」又曰：「吳中賢士大夫皆出項梁下，每吳中有大繇役及喪，梁常為主辦，陰以兵法部勒賓客及子弟，以是知其能。」[98]此兵法乃部勒卒伍者。王家祥曾考大通上孫家寨漢簡《孫子》，有云：「由《史記．孫吳列傳》、銀雀山漢簡〈見吳王〉所言孫子『兵法』的『勒兵』內容，可知《吳孫子》『兵法』有『勒兵』一類的內容。《史記．孫吳列傳》與銀雀山漢簡〈見吳王〉同出一源，這已經被學者指出。……《史記》言：『孫子武者，齊人也。以兵法見於吳王闔廬。闔廬曰：子之十三篇，吾盡觀之矣，可以小試勒兵乎？』據《史記》所言，孫武獻兵法於吳王，吳王要檢驗孫武的『兵法』，這『兵法』並非玄而玄的哲理，而是具體地操作『勒兵』。注意『勒兵』，今本《尉繚子》有〈勒卒令〉一篇，是講金、鼓、鈴、旗四種指揮工具的使用方法和作用，強調軍事訓練和正確指揮的重要性。……銀雀山漢簡〈見吳王〉則謂孫武教戰：『知汝右手』，『知汝心』，『知汝背』，『鼓而前之』『金而坐之』語。《史記．孫吳列傳》則云：『汝知而心與左右手背乎？婦人曰：知之。孫子：前，則視心；左，視左手；後，即視背』。『即三令五申之。於是鼓之右……復令三令五申而鼓之左』，『於是復鼓之。婦人左、右、前、後、跪、起，皆中規矩繩墨。』可見二者是為一類。孫武所言『兵法』乃是『勒卒』類耳。《史

95 銀雀山漢墓竹簡整理小組：《銀雀山漢墓竹簡》一（北京市：文物出版社，1985年），圖版頁21，釋文頁34-35。

96 陳偉武：《簡帛兵學文獻探論》（廣州市：中山大學出版社，1999年11月），頁51。

97 〔漢〕班固：《漢書》（北京市：中華書局，1962年6月），冊10，頁3299。

98 〔漢〕司馬遷：《史記》（北京市：中華書局，1959年9月），冊1，頁295-296。

記》所言孫武所獻『兵法』十三篇的『兵法』又稱『戰法』，主要內容是『治軍之法』。《周禮・夏官・大司馬》云：『中春，教振禮，司馬以旗致民，平列陣，如戰之陣』，『以教坐、作、進、退、疾、徐、疏、數之節』。鄭注『習戰法』，又云『習兵法』。上孫家寨《孫子》殘簡中的〈合戰令〉、〈軍鬬令〉就是這一類。」[99]章邯秦軍可謂無敵天下，乃數敗於項氏，這應當是項梁琢磨出了一套針對秦軍的戰法，起兵前「陰以兵法部勒賓客子弟」的和教項羽的都正是這一套戰法。〈兵書略〉二兵形勢有《項王》一篇，自注：「名籍。」李零云：「『形勢』，指兵力配置。『形』是已所固有萬變不離其宗的可見之形；『勢』是因敵變化令人高深莫測的人為態勢。前者指投入戰場前的一切準備（包括隊伍的徵發、組建，以及裝備、訓練），後者是針對戰場形勢對兵力的調動和再分配。這兩個字合在一起，是指戰術對策，今語叫『戰術』。」[100]《史記》卷九十一〈黥布列傳〉，高祖「望布軍置陳如項籍軍，上惡之。」[101]可見項氏確有陣法。〈兵書略〉序述兵家源流曰：「兵家者，蓋出古司馬之職，王官之武備也。……下及湯武，以師克亂而濟百姓，動之以仁義，行之以禮讓，《司馬法》是其遺事也。自春秋至於戰國，出奇設伏，變詐之兵並作。」[102]春秋戰國時期軍事力量的迅速強大，突破了傳統的軍法框架，導致兵法成為權謀詭道。武帝（156-87 B.C.）令軍政楊僕紀奏兵錄，軍正執掌軍法[103]，可見楊僕校兵書也正是重定軍法。任宏重新分類，而兵權謀為第一，獨立於其餘舊兵法框架中的三家，可謂有識。至班固索性將軍禮的集大成者《司馬法》編入〈六藝略〉禮類，從而徹底完成了軍事思想的這一轉變。

---

99 王家祥：〈大通上孫家寨漢簡《孫子》研究〉，《文獻》2000年第1期（2000年1月），頁34-35。

100 李零：《蘭臺萬卷》（北京市：三聯書店，2011年1月），頁157。

101 〔漢〕司馬遷：《史記》（北京市：中華書局，1959年9月），冊8，頁2606。

102 〔漢〕班固：《漢書》（北京市：中華書局，1962年6月），冊6，頁1762。

103 參黃今言：〈漢代軍法論略〉，《秦漢史叢考》（北京市：經濟日報出版社，2008年1月），頁301-303。

至此，我們發現，漢初張良、韓信序次兵法，以申明軍法，無疑將諸如《孫子》十三篇等權謀類應當屬於真正子學的著作強行編入軍法體系之中。其最為重要的手段，就是援用律令定本之規，使其文本固化。這也成為漢王朝規訓經學的重要手段。向歆父子校書，於諸子以下皆定著繕寫，雖然保留了經書家法，但骨子裡卻念念不忘完成經書定本。〈六藝略〉《易》類小序云：「劉向以中古文《易經》校施、孟、梁丘經，或脫去『無咎』、『悔亡』，唯費氏經與古文同。」《書》類小序云：「劉向以中古文校歐陽、大小夏侯三家經文，〈酒誥〉脫簡一，〈召誥〉脫簡二。率簡二十五字者，脫亦二十五字，簡二十二字者，脫亦二十二字，文字異者七百有餘，脫字數十。」[104]《孝經》類小序：「（諸家）經文皆同，唯孔氏古文為異。『父母生之，續莫大焉』，『故親生之膝下』，諸說不安處，古文字讀皆異。」[105]皮錫瑞論中古文曰：「孔壁古文藏於中秘，劉向以中古文校三家，成帝以秘百篇校張霸，皆必是真古文。」又曰：「惟〈漢志〉所云中古文，似即孔壁古文之藏中秘者，非必別有一書。」[106]可見其內心之中正是以古文經為經書定本。

校正經書定本的做法，最終為東漢王朝所接受。東漢明帝永平二年，班固（32-92）、賈逵（30-101）於蘭臺校秘書。安帝永初四年（110年）詔馬融（79-166）、劉珍（不詳-約126）與五經博士五十餘人校書東觀，釐正經文。順帝永和元年（136）詔伏無忌、黃景等校定中書五經傳記[107]。即便如此，仍「有私行金貨，定蘭臺桼書經字，以合其私文。」於是熹平四年，靈帝（156-

---

104　陳槃指出，居延漢簡多有校勘詔令文書者之記注，時代未詳。疑此種校勘方法，至少前漢已有之。蓋詔令、文書關係綦重，故雖一字之微，罔敢疏漏。此法擴充而用之，蓋於是始有校讎文籍。司馬遷〈自序〉：「凡百三十篇，五十二萬六千五百字，為《太史公書》」云云，殆即此校勘詔令、文書方法之別一應用。劉向〈韓非子書錄〉、〈漢志〉云云，如此之等，蓋亦其類。陳槃：〈漢晉遺簡偶述〉，《漢晉遺簡識小七種》（上海市：上海古籍出版社，2009年11月），頁7-8。

105　〔漢〕班固：《漢書》（北京市：中華書局，1962年6月），冊6，頁1704、1706、1719。

106　〔清〕皮錫瑞：《經學通論》（北京市：中華書局，1954年10月），頁54、74。

107　參蔣善國：《尚書綜述》（上海市：上海古籍出版社，1988年3月），頁371。

189）乃詔諸儒正定五經，刊於石碑，樹之學門，使天下咸取則焉[108]。

秦制僅有律令定本，漢初將兵家書校定為兵法定本。至東漢，王朝經學模仿律令定本，制作了經書定本，從而取消述者，將臣民貶為不得錯譌一字的抄者。這在中國文獻學史上的影響是極其深遠的。「事實上，『抄』也是讀，也是闡釋文本的一個過程。因為閱讀主要是通過文字的形態與讀音去理解字義，依照自己的理解去重新構建多層次的作者——編者——讀者的意向。在閱讀過程中，按讀者的理解，『修改』文本，使其更趨『完善』。我們現在『不擅改古書』、『不增字釋經』的閱讀原則，其實是後來經過很多代教化培養的結果。」[109]

其二，則是取消口說，使皇帝成為經學學說的最終裁定者。

抄者的抄在述中，其重要維度，即抄者本人往往置身於歷史悠久的口傳傳統之中。故漢王朝規訓經學，必然要排斥口說。《漢書》卷三十六〈楚元王傳〉附〈劉歆傳〉載歆（50 B.C.-23 A.D.）〈移讓太常博士書〉，即指責今文博士「信口說而背傳記，是末師而非往古。」其〈藝文志〉《春秋》類小序論《公羊》等今文四家由來，亦歸之於「末世口說流行」[110]。這仍然源於秦制律令。睡虎地秦簡〈內史雜律〉簡一八八：「有事請也，必以書，勿口請，勿羈請。」[111]公務必須以公文往來，禁止口頭報告。〈藝文志〉《詩》類小序批評魯、齊、韓三家今文說曰：「或取《春秋》，採雜說，咸非其本義。與不得已，魯最為近之。」[112]這是在定著經書文本的基礎上，進

---

108 〔南朝宋〕范曄：《後漢書》（北京市：中華書局，1965年5月），冊9，頁2547。當然，熹平石經仍然保持了家法異文，這說明東漢王朝的統治力量已經衰弱。

109 來國龍：〈論戰國秦漢寫本文化中文本的流傳與固定〉，《簡帛》（上海市：上海古籍出版社，2007年11月），第2輯，頁521。

110 〔漢〕班固：《漢書》（北京市：中華書局，1962年6月），冊7，頁1907；冊6，頁1715。

111 睡虎地秦墓竹簡整理小組：《睡虎地秦墓竹簡》（北京市：文物出版社，1990年9月），圖版頁30，釋文頁62。

112 〔漢〕班固：《漢書》（北京市：中華書局，1962年6月），冊6，頁1708。

一步要求求得經書唯一的本義，從而盡掃諸家異說，一統經學[113]。

但唯一的本義的最終依據是什麼？在王朝經學體制下，這不可能是任何學者的學說，而只能是由君而兼師。秦漢王朝無論政務刑案，最高裁決者都是皇帝。《漢書》卷二十三〈刑法志〉言始皇（259-210 B.C.）「專任刑罰，躬操文墨，晝斷獄，夜理書，自程決事，日縣石之一。」[114]秦漢王朝皇權掌控與駕馭行政體系的一種重要方式就是廷議。從史書記載來看，廷議的「最大特點是，它在皇權政體的框架中可以廣泛討論皇帝指令、允許討論的問題，最後再呈交皇帝選擇、定奪。一旦皇帝裁決，那麼任何人便都無權再來質疑。這種『皇權民主集中制』把皇帝權威和官僚智慧有機地結合起來，從而使皇權官僚制達到最大的行政效率。同時，皇帝與官僚之間所建構起來的君臣秩序也由此而獲得雙方的一致認同。……從其演化邏輯看，不管是政治問題，還是學術問題，一旦納入到廷議程序中，它都必然要以確認皇帝權威為指歸。實質上，在專制國家，這套廷議程序已成為一種普遍模式。它可以用來解決任何獨裁者感興趣的問題。」[115]兩漢最為重要的兩次大規模經學廷議，即西漢宣帝朝的石渠閣與東漢章帝朝的白虎觀，都是群臣辨論，皇帝「親稱制臨決」[116]，裁斷經義，從而使經學最終成為皇權馴服的工具。

皮錫瑞《經學歷史》以石渠白虎與熹平石經為漢代經學極盛的標誌[117]，殊不知這正是皇權以專制手段規化自由經學的重要舉措。

近年葉國良（1949-　）先生倡言「經學的生命力是否旺盛，端看是否有新體系出現，易言之，須有適用於我們這個時代的創新之作，才能維繫經學

113 葉國良也據《後漢書》指出：「政府不願學術分歧，主管官員希望考課能有標準」。葉國良：〈師法家法與守學改學〉，《中國哲學》（瀋陽市：遼寧教育出版社，2004年4月），第25輯，頁52。

114 〔漢〕班固：《漢書》（北京市：中華書局，1962年6月），冊4，頁1096。

115 雷戈：《秦漢之際的政治思想與皇權主義》（上海市：上海古籍出版社，2006年4月），頁405-406。

116 〔漢〕班固：《漢書》（北京市：中華書局，1962年6月），冊1，頁272。

117 〔清〕皮錫瑞：《經學歷史》（北京市：中華書局，2004年7月），頁77。

的生命力，這方面還是有待努力的。」[118]只有突破王朝經學的僵化體系，回歸自由經學，才能真正做到現時代的經學創新。

——本文原刊《當代儒學研究》第十五輯（2013年12月），頁29-65。

118 葉國良：〈楊新勛《經學蠡測》序〉，《經學蠡測》（南京市：鳳凰出版社，2012年12月），〈序〉，頁2。

漢儒三代質文論脈絡考察*

彭美玲
臺灣大學中國文學系副教授

一　引言

唐君毅曾在專著中闡述「文化哲學與歷史哲學意識」此一命題，他明白指出：做為思想之一環，文化哲學、歷史哲學與道德哲學顯然有別。哲學既為人類一門窮究本體、考索價值的學問，道德哲學家「必以促進人之道德的反省，啟發各個人之良知，完成各個人之道德行為為己任」；相對地，歷史文化之哲學家「必以促進一時代人之文化的反省，喚醒一時代人對於文化之覺悟，開示人以時代之精神使命為己任」。[1]據此衡諸往聖絕學，則漢儒倡言的「三代質文論」，實為中國古代引人矚目的一套歷史哲學兼文化哲學。簡言之，三代質文論主要標舉「夏尚忠、殷尚質（敬）、周尚文」的歷史循環論及文化變遷論，《公羊》學者董仲舒允為代表，他在〈賢良對策〉、《春秋繁露》中發揮的天人之學、三統之說，為厚積百年的漢武一朝，適時提供了受命改制的政治理論，由此貞定眾所企盼的精神指標，確實有助於制訂國策、安頓人心。借用唐君毅的說詞，正因為「人類形成歷史之文化活動新新不已，即必須有歷史文化之哲學的反省之新新不已，與之俱往而並行」，漢儒以「三代質文論」建立起焯爍當代的文化歷史哲學，其意旨正在「喚起人

* 本文原載《漢學研究》第32卷第3期（總號第78號）（2014年9月），頁1-36。

1 唐君毅：《文化意識與道德理性》，《唐君毅全集》（臺北市：臺灣學生書局，1991年），卷20，頁376。

對於文化之覺悟，開示人以此時代之精神使命」。[2]

從歷史現實面來說，經過戰國、嬴秦的時代劇變，漢家短短數年間「居馬上得天下」，當務之急莫過於制作一套禮樂制度，以利國家的長治久安。除了廣求文獻、設立學官之外，最要緊的就是總結既有的歷史經驗，從前代文明歸納出可供參用的人事法則。於是漢人整理舊說，得出「三皇—五帝—三王—五伯（霸）」如斯嚴整的古史系統，[3]藉以概括「王／霸」、「質／文」等不同的政教型範。「文質有以禮言者，有以政言者。」[4]對於漢人來說，過往的夏、商、周具有「典型在夙昔」的歷史與文化意義，從而薈萃「三代質文論」，其說係以董仲舒為首發揮的《公羊》學為代表，闡述「夏尚忠、殷尚質（敬）、周尚文」的歷史循環論、政教法象論與文化變遷論，要點包括：

三　統	三　代	三　正	三　色	三　教
人／地／天	夏／商／周	寅／丑／子	黑／白／赤	忠／質／文

此一論述不只冠以「夏、商、周」朝代名，又說是「某之『道』」、「某之『政（教）』」，無非表示當時的文化總體成績，既包含外顯的文物制度，亦包含內蘊的精神氣質。因此，將三代質文論看成古人的「文化史觀」當不為過。

概覽學界既有的討論，多著眼董仲舒的天人之學，將「三代質文」視為支流羽翼輕於處理；抑或將此課題歸諸歷史哲學的範疇，目之為董仲舒的論

2 同上註。

3 如東漢桓譚云：「夫上古稱三皇、五帝，而次有三王、五伯，此天下君之冠首也。」見《新論》（《四部備要》本，臺北市：臺灣中華書局，1969年），卷2〈王霸〉，頁11。當時集結成書的道教典籍《太平經》，其〈三五優劣訣〉亦推許三皇為至治，五帝次之，三王、五霸又次之，見《太平經》（《中華道藏》第7冊，北京市：華夏出版社，2004年），卷66，頁81。

4 〔清〕蘇輿：《春秋繁露義證》（北京市：中華書局，2007年），卷4〈王道〉，頁123，蘇氏案語。

述成就之一。[5]究其實，清蘇輿已指出，王者受命改制「蓋漢初儒者通論，非董妕說」，[6]本文因有意調校視角，儘管承認董生為三代質文論的主要發言人，然而此一學說的建立，不宜全然歸美於仲舒一人，而應就「多數漢儒所共構」予以考察。故上探先秦，下迄漢末，採《春秋繁露》、《白虎通》及何休、鄭玄經注為主要討論樣本，希望藉此鉤勒漢儒三代質文論的整體發展脈絡，以進一步理解漢儒的歷史觀、政教觀、文化觀，並為《公羊》學和古禮學尋繹可能的交集所在。

二　漢儒三代質文論的背景來源

顧頡剛曾綜括漢人思想，謂其以陰陽五行為骨幹，並採取演繹法，預設公式以支配一切個別的事物，由此產生了三種政治學說，包括源自戰國鄒衍的「五德終始說」、承改五德的「三統說」以及「天子明堂說」。[7]而本文基於問題意識擷取的三統說，固屬漢代天人哲學的顯要課題，下文擬從文化史觀的脈絡加以開展，故特以「三代質文論」標立其名。

首先宜甄別其核心概念「忠／質／文」的基本意涵。從文獻看來，「夏、商、周」與「忠、質、文」的聯結對應，應屬後起。不少資料多談「質、文」而不及「忠」，只因「質／文」原是常見的二元相對概念。如《尚書大傳》云：「王者一質一文，据天地之道。」[8]司馬遷言：「一質一文，終始之變也。」[9]班固亦說：「乃文乃質，王道之綱。」[10]漢儒進而習言

5　如李威熊認為「三統說」、「三世說」歷史哲學，可能出自《公羊》學者，由於《春秋繁露》言之綦詳，可視董仲舒為集成人物。見氏著：《董仲舒與西漢學術》（臺北市：文史哲出版社，1978年），頁87。

6　《春秋繁露義證》，卷1〈楚莊王〉，頁16，蘇氏注語。

7　顧頡剛：《漢代學術史略》（臺北市：啟業書局，1975年），頁1-7。

8　〔清〕陳立：《白虎通疏證》（北京市：中華書局，1994年），卷8〈三正〉，頁368。

9　〔漢〕司馬遷：《史記》（臺北市：啟業書局，1977年），卷30〈平準書〉，頁1442。

10　〔漢〕班固：《漢書》（北京市：中華書局，1962年），卷100上〈敘傳〉錄〈答賓戲〉，頁4231。

三代各具忠、質（敬）、文的性格取向，其間稱殷或「質」或「敬」，這些關鍵字可參考鄭玄界定：「忠，質厚也。」敬：「多威儀，如事鬼神」；「文，尊卑之差也。」[11]意謂夏一味忠樸，殷敬事鬼神，周禮文繁多。在「質／文」之上附加「忠」，除為了配置成三，用意應如朱子所言：「忠只是渾然誠確。」[12]即一本初心的純粹流露。至於「質」與「敬」如何領會？依孔《疏》詮解《禮記》〈禮器〉、〈郊特牲〉云：「洞洞，質慤之貌，……其為恭敬也。」[13]「所以交接神明之義，取恭敬質素。」[14]其將「恭敬」與「質慤」、「質素」連言並提，有助理解「質」與「敬」兩者的語意關聯，可推知所謂「殷尚質」或「殷尚敬」，無非指涉殷人尊神尚鬼的文化特點，故而本篇隨文設辭，不強為二者區別。

其次宜掌握三代質文論的論述範疇。漢儒斯論從尋常相對的「質／文」，發展到特定層遞以別義的「忠／質／文」，將所面對的前三朝代「夏／商／周」，納於宏觀的宇宙圖式「人／地／天」三統以立其框架，繼以曆法上的「寅／丑／子」三正指認不同的歲首，證成三代受命應天的事實，又進一步標榜「黑／白／赤」三色為所尊尚的代表色彩，[15]這些不同面向的三元素彼此牽合，搭配成「忠／質／文」三教鼎立的理論系統，更推演出王者受命當「改制」、「更化」的循環世運說。其說以「三」為準，從具體的歷史經驗中抉取階段性的文明歷程公式，此一規律「若循連環」，周流變化，巧妙奠立了「因時變法」、致用當代的可能性，學者為漢制禮之際，因而獲得理

11 《史記》，卷8〈高祖本紀〉頁394，裴駰《集解》引。

12 〔宋〕黎靖德編：《朱子語類》（北京市：中華書局，1999年），卷24〈論語六〉，頁596。

13 〔漢〕鄭玄注，〔唐〕孔穎達疏：《禮記正義》（臺北市：藝文印書館，1955年），卷24，頁472。

14 同上註，卷26，頁503。

15 根據漢時緯說，此三色有特定來歷，《春秋緯》〈感精符〉云：「帝王之興，今從符瑞。周感赤雀，故尚赤；殷致白狼，故尚白；夏錫元（通玄）珪，故尚黑。」見〔隋〕蕭吉：《五行大義》（《續百子全書》第19冊，北京市：北京圖書館出版社，1998年），卷4引，頁16。

論和策略上的依據。

再說漢人為何講「三代」？這個問題可就三方面加以考察：從現實需求出發，從歷史經驗歸納，從理論框架建構。漢初百年之間，固有「蕭何次律令，韓信申軍法，張蒼為章程，叔孫通定禮儀」，[16]然而朝廷典章制度多所未定，國家未來的發展趨勢不明。漢儒不免徘徊過往「四代」、「三代」、「二代」的歷史經驗間，[17]相形之下，「三代」做為儒家論述常見的重要概念，[18]顯然更富有切合時用的典範意味。知者，先秦儒、墨俱師法先王、盛稱三代，「自秦漢以降，三代成為戰國知識份子的理想黃金時代，且以三代之治來期許或批判當代。」[19]「三代」不只是時間概念或歷史名詞而已，它更被賦予豐厚的人文意涵及價值判準，成為儒生士子所描摹的理想社會藍圖。況且「三代」以三為數，尤便於附會引申，如劉起釪所言，「三王」（夏、商、周）之所以為戰國諸子經常稱引，固是符合客觀歷史，「三」字正巧和當時逐漸形成的帶有神祕意義的「三、五」概念相符，人們也正好以確有的「三代」證成「三、五」概念之有據。[20]在這樣的思想背景下，「三代」的概念遂由漢儒張揚光大。

值得注意的是，漢儒三代三統說無取於秦，蓋因秦政無道，不足為訓。漢初陸賈即已指斥秦「舉措太眾，刑罰太極」，[21]賈誼歸咎其「仁義不施」，《大戴禮記》〈禮察〉亦比對殷、周「用仁義禮樂為天下者，行五六百歲猶

---

16 《史記》，卷130〈太史公自序〉，頁3319。

17 如《大戴禮記》〈四代〉云：「四代之政刑，皆可法也。」又〈少閒〉「四代五王」即堯、舜、禹、湯、文王，〈哀公問於孔子〉則言「三代明王之政」。分見〔清〕王聘珍：《大戴禮記解詁》（臺北市：漢京文化公司，1987年），卷69，頁164；卷76，頁215；卷1，頁15。

18 黃俊傑指出，「三代」與「道」、「人文化成」和「聖王」並列，乃是儒家論述常見的四個主要概念之一。參〈中國古代儒家歷史思維的方法及其運用〉，楊儒賓、黃俊傑編：《中國古代思維方式探索》（臺北市：正中書局，1996年），頁1-2。

19 王健文：《戰國諸子的古聖王傳說及其思想史意義》（《臺灣大學文史叢刊》76，臺北市：臺灣大學出版中心，1987年），頁149。

20 劉起釪：《古史續辨》（北京市：中國社會科學出版社，1991年），頁94。

21 王利器：《新語校注》（北京市：中華書局，1997年），卷上〈無為〉，頁62。

存」，反觀嬴秦「用法令為天下者，十餘年即亡」。[22]故秦被斥為不合正道的「閏統」，不只緣於秦國祚短促，更主要原因是對秦嚴刑峻法、刻薄寡恩的施政風格無法苟同。這一點亦清楚反映在漢初《公羊》家說，論者有言：「漢儒恥言漢承秦統，遂奪秦之黑統歸於春秋，以示漢承春秋，此與《春秋》為漢制法一脈相承。此意由董仲舒發其端，而由《公羊》學和緯學大昌之。」[23]三統說初立之時，即已顯示其文化擇從的根本立場，此處正發揚漢儒正直可嘉的睿見與勇氣。

續就學術淵源觀之，漢儒斯論頗與先秦歷史、文化的實然密切相關，並非憑空倏爾所出。孔子身為知禮、好禮的殷貴族後裔，究心三代禮儀典故，嘗云：「吾說夏禮，杞不足徵也；吾學殷禮，有宋存焉；吾學周禮，今用之。」[24]既稱許：「周監於二代，郁郁乎文哉！」論為邦之道復云：「行夏之時，乘殷之輅，服周之冕，樂則《韶》舞。」[25]可知其心目中理想的文化形態是截長補短、折衷調和的。孔子時時觀省借鑒前代禮文，三（四）代文化的因革損益，正是平生研精覃思之所在，值此萌發三代質文論的雛形。後來《公羊》家提出三統三世說，謂孔子以春秋新王之姿為漢制法，自非無的之論。

戰國晚期，《逸周書》[26]〈周月〉[27]揭示政權轉移和文化統緒間的關聯，殊堪措意。〈周月〉將湯伐夏桀與武王伐紂的歷史事件並舉，稱頌商湯順天革命，「改正朔，變服殊號，一文一質，示不相沿」，又「以建丑之月為正，

---

22 〔清〕王聘珍：《大戴禮記解詁》，卷2，頁24。

23 曾德雄：〈公羊學及讖緯中的三統論〉，《浙江學刊》2009年第2期，頁109-110。

24 〔宋〕朱熹：《四書章句集註．中庸章句》（臺北市：鵝湖出版社，2005年），頁36。

25 〔宋〕朱熹：《四書章句集註．論語集註》，分見〈八佾〉、〈衛靈公〉，卷3，頁65；卷8，頁163-164。

26 劉起釪指出，《逸周書》全書約四分之三屬於戰國編訂的古史文獻，所保存西周文獻約七、八篇以上，另有幾篇係漢人所編造。參《古史續辨》，頁346。

27 黃沛榮考證周公作〈周月〉之舊說不可信，推論〈周月〉著成在戰國末、西漢初年之間。見《周書周月篇著成的時代及有關三正問題的研究》（《臺灣大學文史叢刊》37，臺北市：臺灣大學出版中心，1972年），頁37。

易民之視，若天時大變」，援此類比「我周王致伐于商，改正異械，以垂三統」，[28]其明白談論「三統」、「文質」、「改正朔、異器械」等議題，極可能是稍後董仲舒說的重要來源張本。他方面，入秦《呂氏春秋》〈應同〉明載：「凡帝王者之將興也，天必先見祥乎下民。」下文縷述黃帝、夏禹、商湯、周文王各應土、木、金、火之德，復推論繼起而代之者必以水、土，[29]幾已完整表述五德終始說以解釋王朝遞嬗。整體觀之，戰國秦漢之交「五德」、「三統」說先後形成熱門的歷史兼政治話題，說者無不各逞才辯，試圖藉「三」、「五」等神聖數碼，綰合人事以符應天道，下文將討論主軸置於三統說，以集中突顯其做為漢儒通說呈現的一代思維特色。

三　漢儒三代質文論諸說概覽

本節擬以漢儒斯論的巍然主峰——董仲舒為基準，檢視典籍所見前後各家之論，以宏觀掌握此一理論的脈絡關目。

（一）漢初所見

孝文帝時，故秦博士伏生《尚書大傳》明載：「夏后氏主教以忠。」「周人之教以文；上教以文君子，其失也小人薄。」清陳壽祺由輯佚和理校法指出二文「當相連屬，中間尚有脫文，及說殷人之教耳」，[30]可推知伏《傳》已明白並論夏、商、周三代之教。《尚書大傳》又云：

> 王者存二王之後，與己為三，所以通三統，立三正。……天有三統，

28 黃懷信、張懋鎔、田旭東：《逸周書彙校集注》（上海市：上海古籍出版社，1995年），卷6，頁620。

29 陳奇猷：《呂氏春秋校釋》（臺北市：華正書局，1985年），卷13，頁677。

30 〔清〕陳壽祺輯校：《尚書大傳》（《經學輯佚文獻彙編》第6冊，北京市：國家圖書館出版社，2010年），卷5，頁443。

土有三王。[31]

三統若循連環，周則又始，窮則反本也。[32]

據此，在董仲舒之前，今文《尚書》家伏生已能圓熟道說三代質文循環。伏生隸籍濟南，無疑歸屬齊學，其〈洪範傳〉發揮五行大義，與戰國鄒衍宣揚於稷下的「五德終始說」自有牽連，下迄董仲舒所擅《公羊》學，數者皆具有齊地齊學的共通點，[33]顧頡剛且已論證「三統說」乃從「五德說」蛻化而出，[34]故知三代質文論早已醞釀於戰國。另一重要線索是，黃沛榮指出有關夏正建寅、殷正建丑、周正建子的「三正論」，主要用於託古改制，其起源當在戰國中葉以後；三正論受「終始」觀念的影響又演進為「三正循環」說，最早亦當在戰國晚年。[35]要之，漢儒倡言的「三代」、「三統」既挾「三正說」為藍本，可知「三代質文」論大約起自戰國晚年，並在《公羊》先師傳授的階段，被吸收入《公羊》學統中。到了漢武一朝，由於政治環境上的因緣際會，董仲舒發言獻策，遂引領一國思想方針，有助於漢室自我定位和文化歸趨。

其次論及《淮南子》，徐復觀推估成書當在景帝時期，並以為其內容「乃是來自當時抱有不同思想的賓客，在平等自由中，平流競進，集體著作的結果」，通過此書可了解「五經博士未成立以前的漢初思想的比較完整的面目」。[36]今觀〈繆稱〉云：「周政至，殷政善，夏政行。」高誘分別注云：「至于道也。」「善施教，未至于道也。」「行，尚麤也。」[37]此處三代並

31 同上註，頁445。

32 同上註，頁446。

33 清皮錫瑞云：「伏《傳》五行、齊《詩》五際皆齊學，公羊氏亦齊學。」見《經學通論》〈春秋〉（臺北市：臺灣商務印書館，1989年），頁29-30。

34 顧頡剛等：《古史辨》第5冊（上海市：上海古籍出版社，1982年），〈五德終始說下的政治和歷史〉，頁443。

35 黃沛榮：《周書周月篇著成的時代及有關三正問題的研究》，頁113-114。

36 徐復觀：《兩漢思想史》（臺北市：臺灣學生書局，1976年），卷2，頁285。

37 馬宗霍謂「行」訓「麤」，「蓋漢時方俗通行有是語」。以上參何寧：《淮南子集釋》（北京市：中華書局，2010年），卷10，頁744-745。

列，雖未繫加「文、質、忠」等形容詞，參以高《注》詮解，「至、善、行」的意涵與「文、質、忠」可相參照。又〈齊俗〉、〈氾論〉更具體臚述自虞至周四代禮樂之異，〈氾論〉並歸結五帝三王之異道殊事，指其「皆因時變而制禮樂者」，[38]凡此皆可尋繹三代質文論的相關影跡，與當時日益開展的三代三統說如響斯應。

（二）董仲舒說

董仲舒的學說主要見於《春秋繁露》[39]和〈天人三策〉。整體而言，他將陰陽、四時、五行的宇宙圖式「目的論化」，由此轉為歷史觀、政治論、人性論及倫理學的根據。[40]本傑明．史華茲（Benjamin I. Schwartz）則指稱董仲舒提拈的是一種體系化、儒家化的相關性宇宙論（correlative cosmology）。[41]其先《呂氏春秋》十二紀紀首以四時為中心，將陰陽、五行、四方配合成一個完整的有機體，董氏直承之而建構一套緊密的天人哲學。[42]析言之，他提出了三種歷史發展觀，包括以二為基數的文質遞變說，以三為基數的三統說，以四為基數的四法[43]說，[44]其中三統說產生的影響最大。[45]《春秋繁露》

---

38 同上註，分見卷11，頁788-790；卷13，頁918-919。

39 蘇輿云：「董書散亡，今本洵為後人掇拾。」見《春秋繁露義證》，卷1，頁13。蕭公權以為今本《春秋繁露》八十二篇固非仲舒手訂，而未必為偽作，參《中國政治思想史》（臺北市：聯經出版公司，1982年），頁315。徐復觀逕云此書「只有殘缺，並無雜偽」，見《兩漢思想史》，卷2，頁316。

40 侯外廬主編：《中國思想通史》（北京市：人民出版社，1957年），第2卷，頁103-104。

41 〔美〕本傑明．史華茲著，程鋼譯：《古代中國的思想世界》（*The World of Thought in Ancient China*）（南京市：江蘇人民出版社，2004年），頁370。

42 徐復觀：《兩漢思想史》，卷2，頁376。

43 董仲舒又取象四時而配為「四法」，見《董仲舒與西漢學術》，頁92。「四法」即「一商一夏，一質一文；商質者主天，夏文者主地，春秋者主人」，見《春秋繁露義證》，卷7〈三代改制質文〉，頁204。

44 董仲舒論述古聖王改制，還談到「再而復」、「三而復」、「四而復」、「五而復」、「九而復」等，可知其心目中不只有「質文」、「三統」、「四法」，甚且還有「五帝」和「九

〈三代改制質文〉嘗舉前代故實為例，發揮《公羊》「存三統」之義：

> 湯受命而王，應天變夏，作殷號，時正白統……；文王受命而王，應天變殷，作周號，時正赤統……；春秋應天作新王之事，時正黑統，王魯，尚黑，絀夏、親周、故宋。[46]

又〈玉杯〉明云：「孔子立新王之道。」[47]可知董氏三統說初始意在彰顯孔子為漢制法，故以「殷、周、春秋」為三代，爾後通行的三統說則扣合歷史事實，改為標舉「夏、殷、周」，遂由《春秋》一家經說擴大為宏觀的一代歷史哲學。學界於董仲舒思想學說多所論列，茲不贅述。值得一提的是，參照黃俊傑所揭——中國儒家思想中的「比興式思維方法」，楊濟襄進而指出「比」乃「類推」、「興」為「取象」，據此觀照董仲舒諸說，可知其「以具體的歷史事實來喚起讀史者的價值意識」，楊說致力方法論的探討，富有新意，足供參考。[48]本文則究心於董仲舒哲學觀的整體脈絡，以下試陳董學可注意的幾個面向：

1 由宏觀的宇宙圖式、天人之學出發，藉三才觀推演三代三統說

「天人之際」乃是戰國秦漢之交備受關注的核心議題，漢武帝元光五年（130 B.C.）策詔諸儒，即以「天人之道，何所本始」[49]峻切徵詢。事實如金春峰所言，漢代以董仲舒為代表的儒學經議，亦包納「自然科學對哲學產

皇」等不同概念。參汪高鑫：〈論劉歆的新五德終始歷史學說〉，《中國文化研究》2002夏之卷，頁89。

45 黃開國：〈董仲舒三統說歷史觀及其評價〉，《河北學刊》第32卷第6期（2012年11月），頁54-55。

46 《春秋繁露義證》，卷7，頁186-189。

47 同上註，卷1，頁28。

48 楊文為董說列舉了「比興」、「二端」、「相對辨證」、「倫理秩序」和「致用」等五項思維特質。參楊濟襄：〈董仲舒春秋學中的詮釋方法與思維方式〉，《第二屆儒道國際學術研討會——兩漢論文集》（臺北市：臺灣師範大學，2005年），頁303-340。

49 《漢書》，卷58〈公孫弘傳〉，頁2614。

生決定性影響的結果」在內。[50]由此檢視董氏三統說，不能不留意他對「王」字別出心裁的分析：

> 古之造文者，三畫而連其中，謂之「王」。三畫者，天、地與人也；而連其中者，通其道也。[51]

東漢許慎《說文解字》析釋「王」字引錄董氏此說，意義非凡，故應慮及先秦以來的「三才」思想。如《國語》〈周語下〉：「上不象天，而下不儀地，中不和民」[52]云云，儼然呈現天地人三才並立的思維架構。又如《荀子》〈王制〉「君子者，天地之參也」、[53]《禮記》〈經解〉「天子者，與天地參」、[54]《周易》〈乾・文言〉「夫大人者，與天地合其德」，[55]特別聚焦於「君子」、「大人」乃至「天子」，概不脫《老子》「道大，天大，地大，王（按：本作人）亦大」的思維論調。[56]此類三才並列的思想在《春秋繁露》中亦時有反映，[57]〈人副天數〉指出「天氣上，地氣下，人氣在其間」，「人

---

50 金春峰：《漢代思想史》修訂增補版（北京市：中國社會科學出版社，1997年），頁110。

51 《春秋繁露義證》，卷11〈王道通三〉，頁328。

52 〔三國吳〕韋昭注：《國語》（臺北市：漢京文化公司，1983年），卷3，頁111。

53 〔清〕王先謙：《荀子集解》（臺北市：世界書局，1976年），卷5，頁104。

54 〔清〕孫希旦：《禮記集解》（北京市：中華書局，1995年），卷48〈經解〉，頁1255。

55 〔三國魏〕王弼注，〔唐〕孔穎達疏：《周易正義》（臺北市：藝文印書館，1955年），卷1，頁17。王爾敏說：「《周易》全書旨趣，可以天地人代表其一貫脈絡。若論古代天地人觀念，則上古之書應首以《周易》為大宗。」見氏著：《先民的智慧：中國古代天人合一的經驗》（桂林市：廣西師範大學出版社，2008年），頁83。

56 《老子》第二十五章「王亦大」等句，或本「王」作「人」。論者以為，郭店簡本「王亦大」可證作「王」者較符合《老子》原貌。蓋《老子》期望借助「聖王」以促進對理想世界的回歸；相對而言，《莊子》則更重視「人」在回歸道體中扮演的角色地位，故後來出現的版本改作「人亦大」。參李小光：〈《老子》「王亦大」考辨〉，《世界宗教研究》2008年第1期，頁67-68。

57 〔日〕池田知久：〈中國古代的天人相關論〉，〔日〕溝口雄三、小島毅主編，孫歌等譯：《中國的思維世界》（南京市：江蘇人民出版社，2006年），頁89-91。

受命乎天」,「唯人獨能偶天地」;[58]〈天地陰陽〉復云:「人,下長萬物,上參天地。」故足以損益陰陽之化,搖蕩四海之內。[59]而董仲舒理解的「王」字既能貫通天道、地道、人道,其政治理想自是彌綸三才,統攝萬有,此就哲學體系而言,顯然是將孔孟儒心性論的價值問題轉變為宇宙論問題,[60]從而開導出漢儒別樹一格的思想路數。

2 採擷墨子天志說,以天有意志,躬行賞罰

董仲舒大談「天意」,與墨子所言「天志」聲氣相通。楊慧傑即指出,董仲舒天人思想與墨子大有關聯,惟學界一般鮮少論及,[61]事實上,《墨子》和《春秋繁露》描摹的天之性格形象相當類似。墨子以天為法儀,設定「義自天出」,天是義理價值的根源所在,且「天欲義而惡不義」,故偕同鬼神「賞善罰暴」以儆世人,旨在勸誡王公大人務德閑邪,愛利萬民。而上天的示警降罰往往表現為自然災害,如《墨子》〈尚同上〉即以「飄風苦雨,溱溱而至」為百姓不上同於天招致的天罰。而《春秋繁露》亦屢言「天命」、「天意」、「天之志」,〈王道通三〉云:「天常以愛利為意,……王者亦常以愛利天下為意。」[62]〈諸侯〉復云:「古之聖人,見天意之厚於人也,故南面而君天下,必以兼利之。」[63]幾乎就是《墨子》〈天志中〉「愛人利人,順天之意」[64]的翻版。天既有意志和好惡,亦必以慶賞刑罰對人間施行仲裁。《春秋繁露》〈必仁且智〉談到漢代《公羊》學典型的「災異譴告」說,謂:「天地之物有不常之變者,謂之異,小者謂之災。……災者,天之譴也;異者,天之威也。」「凡災異之本,盡生於國家之失。」而依其輕重

58 《春秋繁露義證》,卷13,頁354。

59 同上註,卷17,頁466。

60 勞思光:《新編中國哲學史》第2冊(臺北市:三民書局,1984年),頁27。

61 楊慧傑:《天人關係論——中國文化一個基本特徵的探討》(臺北市:水牛出版社,1989年),頁95-96。

62 《春秋繁露義證》,卷11,頁330。

63 同上註,卷10,頁313。

64 〔清〕孫詒讓:《墨子閒詁》(臺北市:河洛出版社,1975年),卷7,頁16。

程度出現「災害」、「怪異」以至「殃咎」。[65]綜上觀之，墨學「天志」、「明鬼」攙雜，流露宗教俗信意味，董學亦類此而有駁雜非醇之嫌。只不過，墨、董兩家談天的立場態度畢竟有別，如《春秋繁露》〈陰陽位〉、〈天道無二〉俱言上天「任陽不任陰，好德不好刑」，[66]顯然更刻意緩和秦漢皇帝制度集權中央的森嚴肅殺氣息。

3 由齊學源流中的五行說，調改為以三運行的三統論

漢武帝策問問及「三王之教所祖不同」，董仲舒答曰：「王者有改制之名，亡變道之實。然夏上忠、殷上敬、周上文者，所繼之捄（按：通救），當用此也。」[67]而據西漢嚴安引述：「臣聞《鄒子》曰：政教文質者，所以云救也，當（按：讀作去聲）時則用，過則舍之，有易則易之。」[68]可知董氏的意見有本於戰國鄒衍。擴大言之，漢初《公羊》及後來流行的讖緯均屬齊學，淵源有自，齊學基調均以天人相應、天人一體為特徵，[69]與鄒衍天地陰陽理論及五德終始思想必有交涉，故董學亦未嘗自外此一氛圍。

然而清蘇輿指出：鄒衍五德終始說與漢儒三統說畢竟不同，「一主五行生剋，一主三統遞用」。[70]脫胎於「五德」而改造為「三統」，自然是董仲舒「推陰陽以說《公羊》」的重要關目，五德金木水火土終究是客觀物質的抽象原理化，董仲舒則有意落實人事界的歷史文化經驗，不僅彰顯實有的三代，更標榜三之數以對應天地人三統，架構上比五行尤為宏大完美。在漢代，「自然科學的某些觀念，常常在哲學上被推廣、被普遍化，而成為影響廣泛的哲學命題。這方面最顯著的例子是關於『三』或『三分法』的觀念。……無論天文學、音律理論和醫學，『三』都居於重要的地位。」[71]更

65 《春秋繁露義證》，卷8，頁259。

66 同上註，卷11，頁338；卷12，頁345。

67 《漢書》，卷56〈董仲舒傳〉，頁2518。

68 《漢書》，卷64〈嚴安傳〉，頁2809。

69 參殷善培：《讖緯思想研究》（臺北市：花木蘭出版社，2008年），〈摘要〉。

70 《春秋繁露義證》，卷7〈三代改制質文〉，頁188。

71 金春峰：《漢代思想史》，頁136、139。

為關鍵的是，董仲舒之所以捨「五」就「三」，應是有意迴避五行說主「相勝」衍生的「革命」問題，[72]三統說從另一種結構原則——地、人、天之間的宇宙關係出發，遂將五行相克說以力相克的宇宙觀，轉化成以德相養的宇宙觀。[73]換言之，「三統說並不是簡單地用三個階段代替五個階段，而是把王朝的統治基礎從武力變成道德。」[74]檢諸《繁露》，〈堯舜不擅移、湯武不專殺〉雖曾出現：「有道伐無道，此天理也，所從來久矣。」蘇輿已舉證力辨「此篇非董子文」。[75]再就整體歷史觀之，自周以後，曆數之授主要仍以相克為序——秦克周火而為水，漢克秦水而為火，唐克隋水而為土，宋承周木而為火，元克宋火而為水，明克元水而為土，[76]此終囿限於舊時政權轉移間無可避免的武力本質，適足以反襯漢儒三統說的深長用心，三統說採循環救濟論，可有效調和五德說早期的相尅說，發用於政治，更可突顯「由文返質，一歸忠淳」的精神理念以崇隆人間教化。

4 整套天人之學，不外以「類應」、「感通」為基礎，發展出三統說的「統類」觀與「氣運」論

繼《墨子》、《荀子》、《呂氏春秋》之後，董仲舒的思想普遍運用且強調「類」、「故」、「理」等範疇。[77]董子嘗盛讚《春秋》為大義所本，「故可施其用於人，而不悖其倫矣。是以必明其統於施之宜。」[78]既言「倫」、「統」，必從事事物的分類、歸納與演繹。倫類概念早先已見於《墨經》、名家與《荀子》；一般而言有「類」必有「應」，陰陽家在「氣化」觀念下倡言

---

72 黃開國：〈董仲舒三統說歷史觀及其評價〉，頁51-52。

73 參王愛和著，〔美〕金蕾、徐鋒譯：《中國古代宇宙觀與政治文化》（*Cosmology and Political Culture in Early China*）（上海市：上海古籍出版社，2011年），頁42。

74 同上註，頁178。

75 《春秋繁露義證》，卷7，頁220。

76 參〔明〕莊元臣：《叔苴子》（《百子全書》第14冊，臺北市：古今文化出版社，1963年），卷5，頁8747。

77 金春峰：《漢代思想史》，頁155。

78 《春秋繁露義證》，卷5〈正貫〉，頁143。

「天人感應」，《呂氏春秋》亦暢談「應同」：「類固相召，氣同則合，聲比則應。」[79]同樣涉及「類」概念。[80]在中國古代，「應同」被認為是事物間相互作用關係的自然法則或普遍規律，也是象數學中最重要的定律，類似的表達形式尚有同類相從、相召、相動、相感、相合等。應同論固是陰陽家最重要最基本的理論基礎，實則為戰國秦漢諸家哲學廣泛接受及應用。[81]

漢初陸賈云：「惡政生惡氣，惡氣生災異。……治道失於下，則天文變於上。」[82]其說涉及「氣」與「災異」，乃至天人相感，足為董說之先聲。《春秋繁露》亦屢見「感應」、「類應」、「合會」、「合偶」等語詞。如〈天容〉、〈天辨在人〉都談到「合類」，[83]〈必仁且知〉云「終始有類」，[84]〈同類相動〉云：「氣同則會，聲比則應，其驗皦然也。」[85]此謂同類事物間的共鳴感召，既是可考察的經驗，亦是可掌握的理則。是故〈陽尊陰卑〉云：「推天地之精，運陰陽之類，以別順逆之理。」[86]〈四時之副〉亦主張王之慶、賞、罰、刑與天之春生、夏養、秋殺、冬藏「以類相應」，故「四政若四時，通類也，天人所同有也。」[87]基於此，藉由「氣」之相感、「類」之相應，統合天人，遂主張一代朝禮以正定正朔為先，〈三代改制質文〉云：

> 其謂「統三正」者，曰：正（按：指月正）者，正也，統致其氣，萬物皆應，而正統（按：指月正之統）正，其餘皆正。[88]

---

79 陳奇猷：《呂氏春秋校釋》，卷13，頁678。

80 徐復觀認為，《呂氏春秋》以「養生致精」可與天地及天下相通感，其與陰陽家說混合而流於神祕化、庸俗化，復以〈應同〉、〈召類〉為主演繹「以類相感」的觀念，為兩漢思想帶來莫大影響，既用於天人之際，亦應用於君主臣民之間。參《兩漢思想史》，卷2，頁47-49。

81 鄢良：《三才大觀：中國象數學源流》（北京市：華藝出版社，1993年），頁230-233。

82 王利器：《新語校注》，卷下〈明誡〉，頁155。

83 《春秋繁露義證》，卷11，頁334、336。

84 同上註，卷8，頁259。

85 同上註，卷13，頁358。

86 同上註，卷11，頁326。

87 同上註，卷13，頁353。

88 同上註，卷7，頁197。

既確定歲首正朔，曆法符應天時，進一步則發明禮樂制作，如〈楚莊王〉云：「制為應天改之，樂為應人作之。」制禮作樂的意義不僅在「應其治時」，更透過成套的政治符號系統，對上呼應天命，對下一新臣民耳目觀聽，並能獲致「本末、質文皆以具」的人文化成效果，[89]藉禮儀名物體現天地瀰漫一氣的合類感應。

5 三統說以更化改制為訴求，貫串天人之際、古今之變乃至夷夏之防

中國傳統帝制之下，「非天子不議禮，不制度，不考文」，[90]以董仲舒為代表的漢知識份子自有其重要使命，不只為當代完整建構一套歷史哲學，復依循三代質文論揭示的規律法則指導現實政治。董仲舒在前述天人合一、物類感應的思維基礎下，由三才論擴大奠立為三統說，並將夏商周三朝套入此系統，於是抽象律則寓託以現實人事，適時提供了可資借鑒的王政範本──在「無改道之實」的前提下「更化改制」。不只〈賢良對策〉強調「更化始得善治」，《春秋繁露》〈三代改制質文〉篇首申述：

> 王者必受命而後王。王者必改正朔、易服色、制禮樂，一統於天下，所以明易姓，非繼人，通以己受之於天也。[91]

觀乎下文縷述的三代禮制差異，[92]相關史蹟班班可考，皆不外「改正朔，易服色，殊徽號，異器械，別衣服」種種「得與民變革者」。[93]立朝初始，「改正朔」列為首務之急，據孔《疏》疏釋：「正謂年始，朔謂月初。言王者得政，示從我始，改故用新。」[94]亦即校正、更新曆法與時間系統，在精神上彰明我朝與神聖天命的聯繫所在，在現實上則掌握天時物候，裨益農政民

89 同上註，卷1，頁19-20。

90 〔宋〕朱熹：《四書章句集註・中庸章句》，頁36。

91 《春秋繁露義證》，卷7，頁185。

92 同上註，卷7，頁191-195。

93 《禮記集解》，卷34〈大傳〉，頁906。

94 《禮記正義》，卷34，頁618。

生。其次「易服色」，係以周代深植的衣冠文明和禮樂制度為基礎，經由秦漢至高皇權愈益發抒為政治語言，於禮文活動中一再地行禮如儀，就耳目觀聽所及標榜高層政教的符號展演，以貞定權力、身分、關係等倫理分際。[95]

值得注意的是，董書甚至指陳「三統」乃中國所獨有，非四方外國得為之。〈三代改制質文〉云：「三統之變，近夷遐方無有，生煞者獨中國。……天始廢始施，地必待中，是故三代必居中國。」[96]這不僅強調三代承天而立統，三統亦屬中土華夏專有，其文化優越感不言可喻。此一觀念可能出自《公羊》隱公七年「不與夷狄之執中國也」，何休《注》云：「中國者，禮義之國也。執者，治文也。君子不使無禮義制治有禮義，故絕不言執。」[97]陳柱曾就此闡發《公羊》哲學，謂：「諸夏云者，猶曰進化之國而已；夷狄云者，猶曰未開化之國而已。」[98]細繹可知，《公羊》所謂的「中國」、「夏」與「夷狄」之分，「既不是狹隘的種族概念，也不是特定的地理範疇，而是定義於政治與文化的水平」。[99]無論如何，漢儒三統說同時凸顯《公羊》夷夏觀，實乃持以鮮明的「文化中心論」，可見與一般習言的「政統」、「道統」論無別，漢儒標立的「夏、商、周」三統論是深具文化認同感的教化象徵 體系。

（三）後於董仲舒諸家

如前所述，董仲舒既將三統說建構成形，其後諸家沿承步武，蔚為風潮，以下續就此稍事梳理：

---

95 中國古禮略可援借西方象徵人類學的觀點加以理解，詳瞿明安：〈儒家禮學的象徵人類學解釋〉，《思想戰線》2012年第3期，頁6-11。

96 《春秋繁露義證》，卷7，頁195-196。

97 《公羊注疏》，卷3，頁38。

98 陳柱：《公羊家哲學》（臺北市：臺灣中華書局，1971年），頁60。

99 黃朴民：《何休評傳》（南京市：南京大學出版社，1998年），頁144。

1 司馬遷

司馬遷一生以《史記》為名山事業，他早年從董仲舒習《公羊春秋》，其所追求的「究天人之際，通古今之變」，實與董仲舒對策若合符節，董氏云：「臣謹案《春秋》之中，視前世已行之事，以觀天人相與之際，甚可畏也。」[100]可知司馬遷的相關見解離不開天人之學，須透過董氏三統說加以理解。況且「天人之際」為漢儒共同關懷的重大課題，並不限史遷一家之言。如〈太史公自序〉聲稱：「天人之際，承敝通變，作八〈書〉。」八〈書〉泛及禮、樂、律、曆、天官、封禪、河渠、平準等專題，包羅宏廣，又〈禮書〉序贊云：

> 維三代之禮，所損益各殊務，然要以近性情、通王道，故禮因人質為之節文，略協古今之變。[101]

據「損益」、「質文」、「通王道」、「協古今之變」等措辭用語，可見史遷重視的「天人之際」、「通變」，往往與異代之禮密切相關，不能不置於「三代質文論」的範疇予以了解。

其次，從漢代律曆發展的角度看來，太史公所言之「天」，意涵深微奧妙，必與上應天道的三代質文論相交涉。以其父司馬談為例，《春秋》固為史官必修，其學天官、受《易》、習道論的學養背景，大致可藉「《易》與《春秋》，天人之道」[102]一語說明。武帝朝公孫弘以《春秋》白衣為丞相御史，奏言「明天人分際，通古今之義」，[103]元帝時匡衡議云：「臣聞天人之際，精祲有以相盪，善惡有以相推。事作乎下者，象動乎上；陰陽之理，各應其感。」李奇《注》謂精祲相盪即指「天人精氣相動」。[104]揚雄以為聖人

100 《漢書》，卷56〈董仲舒傳〉，頁2498。

101 《史記》，卷130〈太史公自序〉，頁3304。

102 《漢書》，卷21〈律曆志上〉，頁981，劉歆說。

103 《史記》，卷121〈儒林列傳〉，頁3119。

104 《漢書》，卷81〈匡衡傳〉，頁3337。

應「和同天人之際」。[105]因知「天人之際」實為漢儒共通課題，所謂「通變」亦非泛泛，而是要掌握歷史變化的特殊規律——甚至韻律，也就是天道循環、終始盛衰之間，人類歷史潛藏的相應節奏感。

論及古代天人之道，不能不提起古之「靈臺」。據《詩》孔《疏》，天子有靈臺、時臺、囿臺，「靈臺以觀天文」，而諸侯只有時臺、囿臺，乃因「諸侯卑，不得觀天文」。[106]天子靈臺「所以考天人之心，察陰陽之會，揆星辰之證驗」，[107]「當時天文臺站的設立，遠遠超出了提供觀測研究場所的意義，而且具有神聖的安定民心和強化統治的威懾作用」。[108]大抵戰國兩漢時人心目中的「天」，不單純由自然大化的物質面加以感知，如荀卿「天行有常，不為堯存，不為桀亡」的天論[109]究屬異數，「敬天」、「法天」才是農業古國的主流思想。漢人的「天」固以天文星象、曆法之學為要義，仍不脫唯心色彩與神祕信仰。從這個觀點看來，無論李長之闡釋的「客觀力量和主觀行為的消長結果」，[110]抑或韓兆琦解說的「天地自然與人類社會的關係」，[111]似乎都不足以精準掌握司馬遷所言的「天人之際」。要之，司馬遷對於「天」並非科學地理解為「具有客觀規律的大自然現象」，而是一個「有無限權威意志的客體」，故不脫「天垂象，示吉凶」的思維，[112]他並以當朝史官的身分高度呼應董仲舒：「王者易姓受命，必慎始初，改正朔，易服色，推本天元，順承厥意。」[113]然則漢儒三代質文論籠罩有濃重的天學、曆數

105 〔漢〕揚雄：《法言》〈問神〉（《百子全書》第3冊，臺北市：古今文化出版社，1963年），頁1750。

106 〈大雅．靈臺〉孔《疏》引漢許慎：《五經異義》《公羊》說。〔漢〕鄭玄箋，〔唐〕孔穎達疏：《毛詩正義》（臺北市：藝文印書館，1955年），卷16-5，頁578。

107 〔清〕陳立：《白虎通疏證》，卷6〈辟雍〉，頁263。

108 陳美東：《中國古代天文學思想》（北京市：中國科學技術出版社，2008年），頁12。

109 〔清〕王先謙：《荀子集解》，卷11〈天論〉，頁205。

110 李長之：《司馬遷的人格與風格》（臺北市：育幼圖書公司，1983年），頁189。

111 韓兆琦：《史記選注滙評》（臺北市：文津出版社，1993年），頁585。

112 吳守賢：《司馬遷與中國天學》（西安市：陝西人民教育出版社，2000年），頁184。

113 《史記》，卷26〈曆書〉，頁1256。

色彩，當是在天道往還的概念下衍生其歷史循環論與文化復返論，並實際推動了武帝朝改訂《太初曆》，[114]以及其後劉歆復立《三統曆》。[115]

2 向、歆父子等

史遷之後，向、歆之前，漢昭帝六年（81 B.C.）召開鹽鐵會議，賢良文學與財經大臣就當朝財政國營事業展開辯論，桓寬《鹽鐵論》載錄文學曰：「三王之時，迭盛迭衰，衰則扶之，傾則定之。是以夏忠、殷敬、周文，庠序之教、恭讓之禮，粲然可得而觀也。」[116]席間文學引述三代質文歷史經驗，可見「三王之道——夏忠、殷敬、周文」云云，對於時人必有深切的指標意義，故援為發言立論的有力佐證。

西漢中後期向、歆父子校書中祕，並為鴻儒。據黃啟書研究指出，兩漢災異學史上，前有董仲舒言《公羊》災異儼為先驅，後有向、歆父子發揮《洪範五行傳》而與京氏《易》並為主流。[117]劉向「書誦書傳，夜觀星宿，或不寐達旦」，顯然深究「天人之學」。[118]「劉向稱董仲舒有王佐之材」，[119]服膺董氏可想而知。劉向好言災異以議政，即受到董仲舒的啟發和影響，他早期的災異學說，明顯取法於董氏，暢談陰陽感應；自成帝河平三

114 漢武帝元封七年（104 B.C.），公孫卿、壺遂、司馬遷等言「曆紀壞廢，宜改正朔」，上詔倪寬與博士共議正朔及服色所尚，幾經更定，始成《太初曆》。此次改曆，係「（唐）都分天部，而（落下）閎運算轉曆。……乃詔（司馬）遷用鄧平所造八十一分律曆。」見《漢書》，卷21〈律曆志上〉，頁974-976。本註承蒙審查委員提示而增補，誌此鳴謝。

115 參《漢書》，卷21〈律曆志上〉，頁974-975、979。郜積意指出：「《漢書》〈律曆志〉所載《三統曆》，即是《太初》八十一分曆。不過，其中數值，並非太初八十一分曆全貌，或有劉歆添加的內容。」見〈《世經》三統術與劉歆《春秋》學〉，《漢學研究》第27卷第3期（2009年9月），頁4。

116 王利器：《鹽鐵論校注》（北京市：中華書局，1996年），卷1〈錯幣〉，頁56。

117 黃啟書：〈試論劉向災異學說之轉變〉，《臺大中文學報》第26期（2007年6月），頁121。

118 《漢書》，卷36〈楚元王傳〉，頁1963-1964。

119 《漢書》，卷56〈董仲舒傳〉，頁2526。

年（26 B.C.）著《洪範五行傳論》，始改以《洪範五行傳論》為準，推度五行五事。[120]觀其采傳記行事編集《說苑》、《新序》，應於一定程度反映劉向本人的思想主張。《說苑》〈脩文〉曾談到：「王者一商一夏，再而復者也；正、色三而復者也。」又敘及夏教以忠、殷教以敬、周教以文云云，[121]同樣呈現了董仲舒揭露的「三統」、「四法」說。

《漢書》論贊云：「劉氏〈洪範論〉發明《大傳》，著天人之應。」[122]所言兼賅向、歆，然而兩父子亦各有取向。劉歆災異說呈現較多天文、曆法的色彩，相較於董仲舒、劉向強調上天示警的天人關係，劉歆則更重視月令、明堂一類天人之間的規律性。[123]劉歆顯於當世的撰作尚有《三統曆譜》，連帶引用《世經》，姑不論是否真為配合新莽政權所造作，[124]劉歆確然改用相生式循環以重建古史系統，乃融合《易》學、《春秋》學、律曆之學，將宇宙發生論、聖王歷史觀相統一。[125]他發揮「三統之術」云：「三代各據一統，明三統常合，而迭為首，登降三統之首，周還五行之道也。故三五相包而生。」其下列舉「天統／地統／人統」、「子／丑／寅」、「赤／黃→白／黑→青」等，暗與「周／商／夏」對應成系統，總謂「五行與三統相錯」，復引述《易》〈繫辭上〉：「參五（或作伍）以變，錯綜其數」，云：「太極運三辰、五星於上，而元氣轉三統、五行於下。」[126]古籍「參伍」本為常見的動詞，意即參互交伍、錯綜參雜，此處卻兼與天文星象的三辰五星、與抽象理則的三統五行相關，正反映相當程度的神祕思維，以及三統說參伍比附的學說特性。[127]

---

120 黃啟書：〈試論劉向災異學說之轉變〉，頁128、149。

121 趙善詒：《說苑疏證》（臺北市：文史哲出版社，1986年），卷19，頁560。

122 《漢書》，卷36〈楚元王傳·贊〉，頁1972。

123 黃啟書：〈試論劉向、劉歆《洪範五行傳論》之異同〉，《臺大中文學報》第27期（2007年12月），頁157-158。

124 參〈五德終始說下的政治和歷史〉，《古史辨》第5冊，頁450、595-597。

125 吳全蘭：〈論劉歆的宇宙觀〉，《中國文化論壇》2007年第1期，頁110-114。

126 《漢書》，卷21〈律曆志上〉，頁985。

127 《後漢書》〈郎顗傳〉李賢《注》引《春秋緯》〈合誠圖〉曰：「至道不遠，三五而論者猶指出，在政權更替上，持五行相勝說者（如鄒衍）傾向武裝革命，持五行相生說者（如劉歆）則傾向敦禮禪讓。[128]相較於既往，劉歆以五行相生秩序排列歷史王朝統緒，並首度以五德終始談歷史王朝的正閏，不只形成徹底的「擯秦論」，更全面揭櫫中國史學上的正閏之辨。[129]要之，繼董仲舒化五行為三統之後，上揭劉歆的天人觀和歷史哲學，因配合世運而別有一番變化發展。

3 《白虎通》等

東漢章帝時班固奉詔集結《白虎通》，此書架構經說而確立其法典性質，達成了宣帝以來統一經說的官方目的。[130]《白虎通》不但多引今文讖緯，〈三正〉、〈三教〉尤傾力闡發三代質文論。〈三正〉開宗明義即云：

> 王者受命必改朔何？明易姓，示不相襲也；明受之於天，不受之於人。所以變易民心，革其耳目，以助化也。[131]

班固序《漢書》〈藝文志．術數略〉亦云：「聖王必正曆數，以定三統服色之制。」[132]意謂王者必先依循天數正定曆法，確認統屬所繫，始能進一步決定政教之法象，以期透過耳目觀聽馴化臣民心理。[133]不只如此，〈三軍〉又

反。」宋均《注》即謂「三五」各指「三正」及「五行」，三正、五行乃「王者改代之際會也。能於此際自新如初，則通無窮也」。見《後漢書》（北京市：中華書局，1965年），卷30，頁1060。

128 汪高鑫：〈論劉歆的新五德終始歷史學說〉，頁86-87。

129 同上註，頁90、92。

130 夏長樸：《兩漢儒學研究》（《臺灣大學文史叢刊》48，臺北市：臺灣大學出版中心，1978年），頁36。

131 《白虎通疏證》，卷8，頁360。

132 《漢書》，卷30〈藝文志〉，頁1767。

133 《大戴禮記》已發其意，〈虞戴德〉載：「（魯哀）公曰：『三代之相授，必更制典物，道乎？』（孔）子曰：『否。猷德保，保惛乎前，以小繼大，變民示也。』」「示」通「視」。詳黃懷信、孔德立、周海生：《大戴禮記彙校集注》（西安市：三秦出版社，2005年），卷9，頁1047-1048。

云：「王者受命，質家先伐，文家先正。」「先正」即指「先改正朔」，以此為得天命的表徵，[134]故優於質家的以力誅伐。其論正朔之所以有三，乃因天有三統，各源自十一、十二、十三「三微之月」，故生夏、殷、周之黑統、白統、赤統。[135]其引《禮緯》〈三正記〉曰：「正朔三而改，文質再而復。」[136]〈三教〉又謂夏教以忠、殷教以敬、周教以文，三者「如順連環，周而復始，窮則反本」，[137]凡此無非秉承鄒子、董生言論。

值得注意的是，《白虎通》對先前的三統說有所補充發明，其標舉夏之忠、殷之質（敬）、周之文三統為「三教」，確立其對王朝施政的指導作用，表現三統說進一步的成熟精緻化，其解釋「三教並施，不可單行」之故，「以忠、敬、文無可去者也。」「法天、地、人，內忠，外敬，文飾之，故三而備也。」[138]早期董生、史遷「救僿莫若以忠」——強調忠道的大一統論點，此一時彼一時，到了東漢似有所緩解，故轉為三教調和兼用的主張。至此有關「三」的來歷也起了微妙變化。《白虎通》既將忠、質、文等量齊觀，「三」即源自對天、地、人三方的呼應，較諸當年董子鋪敘「天之大經」以證成三之為數，[139]似更有意突顯人與天、地鼎足為三的精神意義。

王充在漢代思想史上別樹一幟，同樣持有三代質文的類似論調。《論衡》〈齊世〉云：「文質之法，古今所共。一質一文，一衰一盛，古而有之，非獨今也。」復引《傳》以證成之：

夏后氏之王教以忠，……其失也小人野，救野莫如敬；殷王之教以

---

134 《白虎通疏證》，卷5，頁204。

135 同上註，卷8，頁362-363。

136 同上註，頁362。

137 同上註，頁369。

138 同上註，頁371。

139 《春秋繁露》〈官制象天〉云：「何謂天之大經？三起而成日，三日而成規，三旬而成月，三月而成時，三時而成功。寒、暑與和，三而成物；日、月與星，三而成光；天、地與人，三而成德。由此觀之，三而一成，天之大經，以此為天制。」見《春秋繁露義證》，卷7，頁216。

> 敬，……其失也小人鬼，救鬼莫如文；故周之王教以文，……其失也小人薄，救薄莫如忠。[140]

上文實與《史記》〈高祖本紀〉「太史公曰」的段落如出一轍，[141]且做出立場相同的結論：「承周而王者，當教以忠。」耐人尋味。《論衡》〈譴告〉又談到：「三教之相違，文質之相反，政失，不相反襲也。」[142]〈實知〉亦云：「若夫文質之復，三教之重，正朔相緣，損益相因，賢聖所共知也。」[143]他如漢末蔡邕、應劭以博學洽聞稱。蔡邕好辭章、術數、天文，不惜黥首刖足乞成漢史，猶言：「夏后氏正以人統，教以忠德，然則忠也者，人德之至也。」[144]應劭承襲家學淵源，著述宏富，多涉典章、律令、禮制，[145]其《風俗通義》〈皇霸・五伯〉亦云：

> 蓋三統者，天、地、人之始，道之大綱也；五行者，品物之宗也。道以三興，德以五成。故三皇五帝、三王五伯，至道不遠，三五復反，譬若循連鐶，順鼎耳，窮則反本，終則復始也。[146]

可見無論政壇、學界，三代質文觀的勢力貫串兩漢，未嘗消退。自西漢伏生、董仲舒下迄東漢白虎觀諸儒，固然傳承今文經學統緒，而在東漢今古文經學日趨會通的情況下，三代質文論依然保持其論述活力，成為蔡邕、應劭乃至鄭玄（詳下）等人共通的話語資產。

---

140 黃暉：《論衡校釋》第3冊（北京市：中華書局，1996年），卷18，頁808。

141 《史記》，卷8〈高祖本紀〉，頁393。

142 《論衡校釋》第2冊，卷14，頁643。

143 同上註，第4冊，卷26，頁1083。

144 〔漢〕蔡邕：《蔡中郎集》（《景印文淵閣四庫全書》第1063冊，臺北市：臺灣商務印書館，1983年），卷3〈朱公叔諡議〉，頁188。

145 劉明怡：〈從應劭著述看漢末學術風氣的變遷〉，《許昌學院學報》2006年第6期，頁55-56。

146 王利器：《風俗通義校注》（臺北市：明文書局，1982年），卷1，頁20。

四　漢儒三代質文論的效應與意義——兼及對何、鄭禮說的影響

綜上所揭，可知漢儒三代質文論是漢代經學與政治密切結合的一樁顯題，它統合了先秦既有的「文質」、「損益」觀念，因鄒衍「五德終始」說而轉化，改採以三為基數的循環論，奠定「更化改制」的理論及應用基礎。相較而言，五德說重點在稟異德以受天命，方便解釋各朝之間的政權轉移，故輾轉沿用兩千年；三統說則表現更充分的文化關懷和省鑒意識，更富人文意味。綜言之，漢儒三代質文論具有以下的效應及意義：

（一）尊君集權的同時，建立了天意鑒察、不主一姓的開明政治

秦既一統海內，《呂氏春秋》〈貴公〉已然指陳：

> 天下非一人之天下也，天下之天下也。陰陽之和，不長一類；甘露時雨，不私一物；萬民之主，不阿一人。[147]

甚且謂此為「三皇五帝之德」，儼然揭櫫公天下的至高理想。由此看來，論者所謂董仲舒的天人系統「以道德目的為基礎、為動力」，「真正是一種思想上的『創造』」，[148]實乃前有所承。而在《呂覽》體現公心之後，董氏三統說既迴避掉革命說的尷尬，又保留了反對家天下的正面思想。[149]迨及成帝時谷永對奏：

> 垂三統，列三正；去無道，開有德。不私一姓，明天下迺天下之天

---

147 陳奇猷：《呂氏春秋校釋》，卷1，頁44。

148 金春峰：《漢代思想史》，頁223-224。

149 黃開國：〈董仲舒三統說歷史觀及其評價〉，頁 54-55。

下，非一人之天下也。[150]

此等豪語，顯然揉合呂氏貴公和董氏三統論調，凜凜揭於奏疏以橫挑在上皇權！同時期劉向上疏亦言：「王者必三統，明天命所授者博，非獨一姓也。」惟有別於谷永的是，劉向身為皇家宗室，具有維護劉氏正統的高度憂患意識，[151]故不忘苦口婆心，向時君提出「富貴無常」的警告。[152]下迄東漢《白虎通》〈三正〉仍不改其口：

王者所以存二王之後何也？所以尊先王，通天下之三統也。明天下非一家之有，謹敬謙讓之至也。[153]

這類論說發酵於西漢後期，也的確發生過現實作用，外戚王莽之所以能篡漢立新，與三統說「天下不主一姓」的論調大有關係，如成帝時甘忠可、哀帝時賀良等人，挾術數災異倡言「漢曆中衰，當更受命」，[154]適巧為新莽代漢鋪墊輿論基礎，並助長讖緯符命熾盛一時。於今觀之，狹義的歷史正統論固然標榜「漢賊不兩立」，在嚴峻肅殺的傳統帝國體制之下，立意本美好的讓國禪位，不得不被扭曲成丑角扮戲。然而純就理念來說，「公天下」的境界無疑高於「家天下」，禪讓制毋寧更接近民主開明政治。「不主一姓」使王莽有機會再現儒家盛稱的「堯舜禪讓」，對於在位者亦必產生若干警惕鑒戒的效果，用心仍值得肯定。

（二）改朝換代之際不忘「存二王之後」，在政治權位角逐中保留一定的人道主義

漢時經說屢見「存二王（代）之後」與三統說相頡頏，正是前述「不主

150 《漢書》，卷85〈谷永傳〉，頁3467。

151 汪高鑫：〈論劉歆的新五德終始歷史學說〉，頁 86。

152 《漢書》，卷36〈楚元王傳〉，頁1950。

153 《白虎通疏證》，卷8，頁366。

154 《漢書》，卷75〈李尋傳〉，頁3192。

一姓」的延伸表現。如《尚書大傳》云：「王者存二王之後，與己為三，所以通三統，立三正。」[155]《禮記》〈郊特牲〉亦言：「天子存二代之後，猶尊賢也。」[156]此說進而反映於詔策奏議，如漢元帝時匡衡議云：「王者存二王後，所以尊其先王而通三統也。」[157]成帝綏和元年（8 B.C.）詔書曰：「蓋聞王者必存二王之後，所以通三統也。」[158]參考《公羊》家論述，可了解「存二王之後」的實質作法，如《春秋繁露》〈三代質文〉明言：「下存二王之後以大國，使服其服，行其禮樂，稱客而朝。故同時稱帝者五、稱王者三，所以昭五端、通三統也。」[159]何休注《公羊》隱公三年同樣說到：

> 王者存二王之後，使統其正朔，服其服色，行其禮樂。所以尊先聖、通三統，師法之義、恭讓之禮，於是可得而觀之。[160]

此番作為，無非對勝朝示以寬貸優容，體現某種意義的存亡續絕，故「封之百里，使得服其正色，用其禮樂，永事先祖」；[161]又何休所謂「師法之義、恭讓之禮」，意味新王猶應秉持虛心學習、尊重禮讓的美德與氣度，用意良深。要之，漢時「存二王之後」與「三統」說固是如響斯應，觀周朝封夏之後於杞、商之後於宋，[162]早已將「存二王之後」付諸實踐，一旦「三統」說成立，「三代質文」論則更為故實傳統賦予深遠的人道精神。

155 《尚書大傳》，卷5，頁445。

156 《禮記集解》，頁681。

157 《漢書》，卷67〈梅福傳〉，頁2926。

158 《漢書》，卷10〈成帝紀〉，頁328。

159 《白虎通疏證》，卷5，頁204。

160 《公羊注疏》，卷2，頁26。

161 《白虎通疏證》，卷8〈三正〉，頁366。

162 《呂氏春秋》〈慎大〉載云：「武王勝殷，入殷。未下轝，命封黃帝之後於鑄，封帝堯之後於黎，封帝舜之後於陳；下轝，命封夏后之後於杞，立成湯之後於宋，以奉桑林。」見《呂氏春秋校釋》，卷15，頁844。

（三）比類感應的應同論，確立歷代王朝以更化改制為應天立政的必要措施

漢武帝即位，下詔策問：「蓋聞五帝三王之道，改制作樂而天下洽和，百王同之。」因而問及：「三代受命，其符安在？」[163]董仲舒遂提出「更化改制」以順應天命的主張，《春秋繁露》〈楚莊王〉云：

> 受命之君，天之所大顯也。……故必徙居處、更稱號、改正朔、易服色者，無他焉，不敢不順天志而明自顯也。[164]

由此建構一整套完密的政權象徵符號系統，無疑加強了傳統帝制政局的穩定性。清人蘇輿曾予解說：「此五行更王之義，如黃帝土德，以黃為首色是也。後世因之，有歷代所尚之色，大抵取五行生剋為義。至元、明服御專用黃色，國朝因而不改，始闢五德舊說矣。」[165]歷朝尚色本於「五德」說，固是事實，然而真正促使其發揮作用的，宜以董氏獻策主受命改制最為關鍵。如賴慶鴻認為董氏三統、四法諸說的意義不在於其理論架構是否完整，而在於受命改制的實施，其言雖簡，可謂的見。[166]

相較來說，顧頡剛著重客觀實用而別有指認：「三統說的中心問題即在歷法，歷法既改，其餘便不關重要。」[167]當是慮及中國自古以農立國的現實性，校正曆法乃國計民生命脈之所繫，攸關至要。或緣於此，林麗雪以為董氏提倡三統說，主因出於當時曆法的迫切需求；[168]傅偉勳、韋政通謂董氏三統說係以「時令建寅」為「中心主張」，促成武帝朝的改曆。[169]以上各

163 《漢書》，卷56〈董仲舒傳〉，頁2496。

164 《春秋繁露義證》，卷1，頁18。

165 同上註，卷7〈三代改制質文〉，頁186。

166 賴慶鴻：《董仲舒政治思想之研究》（臺北市：文史哲出版社，1981年），頁126。

167 〈五德終始說下的政治和歷史〉，《古史辨》第5冊，頁448。

168 林麗雪：《董仲舒》（臺北市：臺灣商務印書館，1987年），頁66。

169 傅偉勳、韋政通主編：《董仲舒》（臺北市：東大圖書公司，1986年），頁181。

家從曆法為重的角度肯定三統說的實質貢獻，其說有理。然而從他處設想，王朝政治運作也是不容忽略的重要社會機制，如同高堂隆奏言：「改正朔、殊徽號者，帝王所以神明其政，變民耳目也。」[170]後世朱子亦指出，「三代損益」包括正朔、衣服、器用、制度等方面，乃是「一番新民觀聽」。[171]故知三代質文論表面上揭示夏、商、周提供借鑒的歷史規律，其所歸結的「更化改制」，則更巧妙發用於歷朝政治禮儀運作，產生不可磨滅的影響。

（四）建政制禮的同時，既標榜一代有一代的文化精神，亦提示以質濟文、甚或由文返忠的調劑補救之道

三代質文論周流往復的循環論，不只在政治層面明顯緩和了五行相剋說的革命氣息，也在文化層面改濟以溫和的調節互救手段。在質文損益的觀點下，董仲舒提出三教相救之說，主張「宜少損周之文致，用夏之忠」，[172]可說是「欲以『忠』來匡正秦末漢初的社會只重儀文、缺乏誠實心意之弊端」。[173]後人如法炮製，見於成帝時杜欽對策：「今漢家承周、秦之敝，宜抑文尚質，廢奢長儉，表實去偽。」[174]知者，成帝委政外戚王鳳，諸舅專權，其時谷永好言災異，杜欽深陳女戒，雖未免陰附王氏之譏，據經議政，其言也善，不啻對荒淫沉湎的人主鏘鳴警鐘。

此外，楊念群從另一角度指出「文質論」的特殊意義。他以為「文質論」是中國歷史觀當中獨特而別具靈活性的分析框架，它既不同於晚近西方歷史觀非此即彼的極端解釋，抑或直線遞進的演化圖像；它也不是一種「退化論」的迴圈歷史觀，抑或對遠古「黃金時代」的盲目嚮往。「文質論」應看成一種平衡理論，是以漢初雖宣導「以質救文」，但「質」並未被僵固理

170 〔唐〕房玄齡等：《晉書》（北京市：中華書局，1974年），卷25〈輿服志〉，頁752。

171 《朱子語類》，卷24〈論語六〉，頁598。

172 《漢書》，卷56〈董仲舒傳〉，頁2519。

173 李威熊：《董仲舒與西漢學術》，頁92。

174 《漢書》，卷60〈杜欽傳〉，頁2674。

解為具有絕對優勢，而是在一損一益的過程中與「文」構成動態互補。[175] 楊說持平可取，洵有助於理解三代質文論的調劑補救特性。

上文將漢儒三代質文論瀏覽一過，猶須措意的是，「三代殊制，見於《禮記》〈明堂位〉、〈檀弓〉、〈禮器〉、〈祭法〉、〈祭義〉諸篇者甚多。」[176]《公羊》家與禮家實不乏以三統說為交集的情形，職是之故，以下附帶對《禮記》與何休、鄭玄稍加考察。

知者，「質文之辨」原就是禮學論述中的基本議題。如《禮記》〈禮器〉論及禮的不同表現方式，有貴多、貴少、貴大、貴小、貴高、貴下、貴文、貴素等。[177]其中「文／素」對舉，意同「文／質」，常見的相對狀況如：（一）神人相殊：神道質而人道文，於此以「質」為貴。如〈郊特牲〉論交於神明之道不可同於人，故以玄酒、明水代酒醴。[178]（二）男女別禮：男子文而婦人質，於此以「文」為貴。如鄭玄注〈玉藻〉云：「婦人質，不備禮。」[179]意指婦人身分不比男子，行事儀文從簡。（三）別代異制：或說虞夏質、殷周文，或說殷人質、周人文，於此質文輕重不一。如孔穎達疏釋〈表記〉云：「夏家雖文，比殷家之文猶質；殷家雖質，比夏家之質猶文於夏。」[180]可見比代質文相異，往往只是相對成義。而《禮記》不只呈現「質文之辨」，亦時涉別代異制。據〈明堂位〉魯君非但得用天子之禮樂，而且「凡四代之服、器、官，魯兼用之」，[181]儘管後人多疑其誇大不實，然而史載「及高皇帝誅項籍，舉兵圍魯，魯中諸儒尚講誦習禮樂，弦歌之音不絕」，[182]先秦禮文之一縷猶存、未嘗澌滅，與「周禮盡在魯」，魯國甚且長期保存四代之禮，應有一定的關係。至於〈檀弓上〉的記載，尤符合三代質

175 楊念群：〈「文質」之辨與中國歷史觀之構造〉，《史林》2009年第5期，頁85。

176 《春秋繁露義證》，卷7，頁183。

177 《禮記集解》，卷23，頁630-642。

178 《禮記集解》，卷26，頁700-701。

179 《禮記正義》，卷30，頁566。

180 《禮記正義》，卷54，頁917。

181 《禮記集解》，卷31，頁857。

182 《史記》，卷121〈儒林列傳〉，頁3117。

文論的典型：

> 夏后氏尚黑，大事斂用昏，戎事乘驪，牲用玄。殷人尚白，大事斂用日中，戎事乘翰，牲用白。周人尚赤，大事斂用日出，戎事乘騵，牲用騂。[183]

〈檀弓〉文章向稱高古，其著成年代應早在戰國時期，上文更儼然形成系列，與漢儒「三代質文論」同調合流，因知《公羊》與禮家確有重疊交集處。

回到漢代學術現場來看，自武帝朝董仲舒至章帝朝《白虎通》，有關「王者受命改制」說不只體系近乎完備，當朝亦早已付諸實行，漢朝德色的自我認定由水土爭議終究確定為火。[184]流行多時的三代質文論，可謂已完成其歷史任務，對於東漢何休、鄭玄的經解禮說猶多沾溉，其間影響為何，值得觀察。何休於前人三代質文論有所沿承，其注《公羊》隱公元年明白宣示：

> 王者受命，必徙居處、改正朔、易服色、殊徽號、變犧牲、異器械，明受之於天，不受之於人。[185]

其下即枚舉夏殷周對應寅丑子、黑白赤等事項；注《公羊》隱公三年復云：「王者存二王之後，使統其正朔、服其服色、行其禮樂，所以尊先聖、通三統。」[186]由於《禮記》〈大傳〉所敘雷同，該處鄭《注》可資對照：「服色，車馬也；徽號，旌旗之名也；器械，禮樂之器及兵甲也。」[187]據此可知漢時《公羊》家與《禮》家議禮，實不乏建朝立制等共通課題。

---

183 《禮記集解》，卷7，頁173。

184 漢初張蒼認為代周的非秦乃漢，故以漢為水德；賈誼、公孫臣另主土德，武帝時始採行之。王莽自居土德以篡漢，以相生概念逆推漢為火德，爾後光武帝劉秀即以火德復興漢室。參顧頡剛：〈五德終始說下的政治和歷史〉，《古史辨》第5冊，頁430-441；又顧頡剛：《漢代學術史略》，頁132-140。

185 《公羊注疏》，卷1，頁9。

186 同上註，卷2，頁26。

187 《禮記正義》，卷34，頁617。

值得留意的是，何休面對殷、周異制，即採「質文」二元相對觀點。如注《公羊》桓公二年云：「質家右宗廟，上親親；文家右社稷，尚尊尊。」[188]注宣公八年亦以「質意」、「文意」分釋殷之「彤」、周之「繹」，[189]均為其例。事實上何休抱有更完整的「忠質文」三者循環變化觀，如注文公十三年所載魯祭周公用白牡、魯公用騂犅之事，由於白牡乃殷牲，何休認為此係周公示謙，一來「不敢與文、武同」，故不用周之騂犅，二來「嫌改周之文當以夏」，故不用夏之黑牡。[190]相對觀之，孔穎達疏釋《禮記》〈明堂位〉、《詩》〈大雅．行葦〉相關禮制，卻僅採取復古為尚的觀點，分別以「尊敬周公，不可用己代之牲」、「先代之物為尊」釋之，並不特別牽連三代文化的區辨問題。[191]此處孔《疏》之平易直截，適可反襯出何說受三代質文論的籠罩，因而別費周章。

續觀鄭玄禮說，盲點之一即堅信《周禮》為周公所作，以致其注〈王制〉，常將異於《周禮》的部分指實為「殷制」甚或「虞夏之制」。然而鄭君《禮注》的類似缺失，並不全然導因於過信《周禮》，更主要的原因是他的文化史觀受到當時三代質文論的牢籠。[192]就成學背景看來，鄭玄嘗造太學受業，「始通京氏《易》、《公羊春秋》、《三統歷》、《九章筭術》」，[193]其中《公羊》、《三統歷》均係三代質文論淵源所自。故鄭玄言及：「王者存二代而封及五，郊天用天子禮，以祭其始祖、行其正朔，此謂『通三統』也。」[194]又如注《儀禮》〈士喪〉云：「夏祝，祝習夏禮者也。夏人教以忠，其於養

188 《公羊注疏》，卷4，頁49。

189 同上註，卷15，頁195。

190 同上註，卷14，頁177。

191 分見《禮記正義》，卷31，頁578；《毛詩正義》，卷17-2，頁601。

192 皮錫瑞談到：「存三統尤為世所駭怪，不知此是古時通禮，並非《春秋》創舉。以董子書推之，古王者興，當封前二代子孫以大國，為二王後，並當代之王為三王。……《春秋》存三統，實原於古制。」見《經學通論》〈春秋〉，頁7。足知「三統說」原具有古代禮制的背景，亦必為禮家鄭玄所措意。

193 《後漢書》，卷35〈鄭玄傳〉，頁1207。

194 《後漢書》，卷28〈百官志五〉李賢《注》引，頁3630。

宜。」[195]且鄭玄認定別代異禮，倘遇經無明文者，往往採「推致」之法以求彌縫，一如賈公彥所云：「以前代質、後代文差之。」[196]必要時更以長於推算的本領，估畫出理想數據。限於篇幅，下文姑舉一二事例言之。

如〈明堂位〉所敘虞、夏、殷、周官數為五十、一百、二百、三百之差，鄭《注》則依《周禮》認定周三百六十官，復據〈昏義〉天子六官：「三公、九卿、二十七大夫、八十一元士，凡百二十。」[197]推度「蓋謂夏時」，從而否定〈明堂位〉之說：

> 以夏、周推前後之差，有虞氏官宜六十，夏后氏宜百二十，殷宜二百四十，不得如此記也。[198]

其以己意排出數字系列：虞官X→夏官120→殷官Y→周官360，進而採等比推估虞、夏、殷之間的倍增關聯，即：2X＝120，∴X＝60，又120×2＝Y＝240；而夏、殷、周之間則屬等差呈遞增關聯，即：120＋120＝240，240＋120＝360。又如鄭注〈檀弓上〉舜有三妃事，係以等比級數解釋三代天子后妃之數（按：蔡邕《獨斷》說略同）：

> 夏后氏增以三三而九，合十二人……。以虞、夏及周制差之，則殷人又增以三九二十七，合三十九人。周人上法帝嚳立正妃，又三二十七為八十一人以增之，合百二十一人。[199]

195 〔漢〕鄭玄注，〔唐〕賈公彥疏：《儀禮注疏》（臺北市：藝文印書館，1955年），卷36，頁423。

196 〔漢〕鄭玄注，〔唐〕賈公彥疏：《周禮注疏》（臺北市：藝文印書館，1955年），卷27〈春官．巾車〉，頁415。

197 無獨有偶，《春秋繁露》〈官制象天〉載云：「王者制官，三公、九卿、二十七大夫、八十一元士，凡百二十人，而列臣備矣。……天以三成之，王以三自持，立成數以為植而四重之。」見《春秋繁露義證》，卷7，頁214。由上下文可知，此等數列正是以「三」為基數連番自乘而得，無疑是古人心目中的神聖天數。

198 《禮記正義》，卷31，頁584。

199 同上註，卷7，頁125。

化為算式如下：虞3→夏3＋3×3＝12→殷12＋9×3＝39→周39＋27×3＋1＝121。即如孔《疏》歸結：「自夏以下，節級三倍加之。」可見鄭玄面對三代禮制，往往不自覺地流於機械式思考，以致將歷史制度看成可具體等分的對象，甚至藉數學算式彌縫問題，相關外推仰賴的正是高度抽象理論化的「三代質文論」——不只因周禮「自上以下，隆殺以兩」，[200]夏、商、周三代復遵循「忠、質、文」的發展規律而出現階段式變化，在在加深鄭玄規圓矩方的解禮模式，擴大推論三代制度亦當具有嚴謹的數列秩序。儘管前揭后妃、職官之數未必符合歷史事實，然而就經學層面看來，其間既流露古人刻意法天的神祕思維，[201]並展現三代質文論的特殊歷史觀點。

五　結語

綜上所述，戰國秦漢之際，以《公羊》家為主的經生學者，為有效解決朝代轉換、政局動盪帶來的信任危機問題，遂積極尋求一套宏觀可法的歷史哲學，因而總結過往的歷史經驗，歸納為「夏忠／殷質／周文」的三統循環論，由此提拈「王者受命改制」的核心課題。在詮釋、應用之際，推演出曆法上的寅、丑、子三正，據以裁決改曆應天之舉；象徵色彩上的黑、白、赤三色，據以鋪展禮文名物制度之實；文化性格上的忠、質、文，據以伸張「質文相救，回歸復返」的調節措施。

漢儒「三代質文」論以董仲舒三統說為代表，訴諸《公羊春秋》與禮學兩大範疇，不僅形成漢儒歷史循環論的主體內容，尤蔚為時人的文化史觀，藉此凝聚朝野共識，以確立改制更化的必要步驟。正因為天、地、人三才自

---

200 〔晉〕杜預注，〔唐〕孔穎達疏：《左傳正義》（臺北市：藝文印書館，1955年），襄公二十六年子產語。

201 感謝林麗真先生教示：象數《易》在漢代亦稱顯學；鄭玄善算，實包括推演《易》數在內。又漢人對數字頗為敏感，經常賦予濃厚的神祕性，如《春秋繁露》〈官制象天〉云：「天之數，人之形，官之制，相參相得也。」即大談人體、官制與天數的對應，見《春秋繁露義證》，卷7，頁218。

有倫序，彼此因「氣」而相關繫，位於天下之中的中國擁有四夷所無的特殊歷史經驗、文化傳承，故而形諸「三代」、構成「三統」、樹立「三正」、標舉「三色」、彰顯「三教」。彌足珍貴的是，相較於以物質神祕屬性為理論核心的「五德終始說」，三代質文論已然突破了素樸的思考框架，內蘊鮮明的人文色彩，亦即強調「人文事功」對於歷史文化的主導意義；較諸五德說的穿鑿比附，「夏忠／殷質／周文」從人事面具體揭示三代的精神特色乃至文化類型，禮家對此亦有所吸收和闡揚。

晚至清末，《公羊》學的殿軍人物康有為嘗快意直言：

> 蓋《春秋》之作在義不在事，故一切皆託，不獨魯為託，即夏、商、周之三統亦皆託也。[202]

照康氏之說，當年董生「《春秋》應天，……王魯、絀夏、親周、故宋」[203]云云，無非是儒者託古改制的劇碼重演。不過他對董仲舒畢竟心折，他說：

> 孔子之文（按：指《春秋》）傳於仲舒，孔子之禮亦在仲舒。……董子盡聞三統，盡得文質變通之故，可以待後王而致太平，豈徒可止禮家之訟哉？[204]

總而言之，三代質文論醞釀自先秦禮文觀，續由漢儒發揮於議史、論政、解經、說禮之間，摶成一代歷史與文化共識，不僅為一統王朝奠定宏規遠猷，也為後人留下豐美可觀的歷史與文化哲學。

---

202 康有為：《春秋董氏學》（北京市：中華書局，1990年），卷2〈春秋例〉，頁28。

203 《春秋繁露義證》，卷7，頁187、189。

204 《春秋董氏學》，卷3〈春秋禮〉，頁40。

從古今文學之辨解釋詩三百何以無邪

蔡錦昌
東吳大學社會學系副教授

一　歷來的解法

在目前這個崇尚真情真愛的時代中，《詩》三百篇何以無邪的問題難免會成為治詩經學或者治中國古代文學者的棘手問題。不過，此問題非自今日始。打從東漢開始，許慎與鄭玄就已經先後為此發過議論，只是見解不同。[1]許慎指鄭聲淫即鄭詩亦淫，何來思無邪，此所以為異義也。鄭玄則大致忠於《毛詩》解法，謂鄭聲雖淫但鄭詩無邪。他箋解所謂「一言以蔽之」的一言──《詩・魯頌・駉》之「思無邪」一句──為：「思遵伯禽之法，專心無復邪意也。」[2]意即「思無邪」是效法魯僖公之一心遵循周公長子伯禽的治國之法，儉寬愛民，重農足用，無有不正之想也，同時亦呼應《論語・為政》一章之主旨在於「學通於為政」和「欲為政必先由學」的道理。皇侃疏解的《論語集解義疏》和邢昺疏解的《論語正義》皆載魏何晏注引東漢包咸

1　許慎《五經異義》云：「今《論語》說鄭國之為俗，有溱洧之水，男女聚會，謳歌相感，故云鄭聲淫。《左氏》說煩手淫聲謂之鄭聲者，言煩手躑躅之聲，使淫過矣。謹案，〈鄭詩〉二十一篇，說婦人者十九，故鄭聲淫也。(《禮記》三十七〈樂記〉，《正義》云：『鄭駁，無從許義。』《正義》又曰：『今案〈鄭詩〉說婦人者惟九篇，《異義》云十九者，誤也，無十字矣。』)」(〔清〕陳壽祺：《五經異義疏證》，上海市：上海古籍出版社，1995年影印，卷下，頁9-10)

2　〔漢〕鄭玄箋：《毛詩》(臺北市：中華書局，1969年四部備要本)，卷20，頁2。

之解曰：「歸於正也。」皇侃還補充說：「言為政之道唯思於無邪。無邪則歸於正也。」[3]邢昺亦補充說：「此章言為政之道在於去邪歸正。……詩之為體，論功頌德，正僻防邪，大抵皆歸於正，故此一句可以當之也。」[4]鄭玄、皇侃和邢昺此種解法，基本上通於《毛詩．大序》關於詩者為何的說法——詩以言志為宗旨而志以端正為鵠的，不管是正風俗、正人倫、正王政、正告神明等皆然。[5]此種解法歷來為正統。即使到了清朝，劉寶楠《論語正義》中的解法基本上還是蕭規曹隨。[6]不過，宋代以後，許慎所開闢的異義路數亦不乏後繼者，而且勢力強大。其中影響最大的是南宋理學家朱熹。[7]

朱熹在其《四書集註》中說：「凡詩之言，善者可以感發人之善心，惡者可以懲創人之逸志，其用歸於使人得其情性之正而已。……程子曰：思無邪者，誠也。」[8]朱熹跟北宋的程頤一樣，都認為「思無邪」就是歸於誠，誦詩就是為了受教於正善之言或反省邪惡之言，以便得到意誠的效果。因此，「思無邪」不是指詩三百篇本身的內容，而是指善於讀詩的君子，而且所謂「邪」是「邪淫」之意。[9]

在這兩種經學的解法之外，還有第三種解法，盛行於魏晉以後辭章之士的文論中，直至今日崇尚文藝表現真情的時代，更蔚為《詩經》解法之主

---

3 在〔魏〕何晏集解，〔梁〕皇侃義疏的《論語集解義疏》中，皇侃還特別強調「政者，正也」和「君子如欲化民成俗，其必由學乎」的寓意。（楊家駱主編：《論語注疏及補正》，《十三經注疏補正》，臺北市：世界書局，1980年），第14冊，頁10。

4 〔魏〕何晏集解，〔宋〕邢昺疏：《論語注疏》，（〔清〕阮元：《十三經注疏》，臺北市：新文豐出版公司，1978年），第8冊，頁0016。

5 譬如：「詩者，志之所之也。在心為志，發言為詩。……故正得失，動天地，感鬼神，莫近於詩。先王以是經夫婦，厚人倫，美教化，移風俗。……是謂四始，詩之至也。」（《毛詩》，卷1，頁1-2）

6 〔清〕劉寶楠：《論語正義》（臺北市：世界書局，1983年），頁21-22。

7 其實〔北宋〕歐陽修的《詩本義》早已開風氣之先。見氏著：《詩本義》（文淵閣四庫全書本），尤其是卷3，頁2-3論〈靜女〉詩義的部分。

8 〔宋〕朱熹：《四書集註》（臺北市：漢京文化公司，1981年），頁133-134。在《詩集傳．魯頌．駉》中，朱熹之解法大致相同。見〔宋〕朱熹：《詩集傳》（臺北市：臺灣中華書局，1978年），頁238。

9 朱熹就認為〈鄭風〉二十一篇多是淫奔之詩。同上註，《詩集傳》，頁47-57。

流。此種解法可以晉陸機〈文賦〉所謂「詩緣情而綺靡」和明馮夢龍所謂「桑間、濮上，國風刺之，尼父錄之，以是為情真而不可廢也」為代表。[10] 此種解法認為詩三百之所以無邪端在詩人之情感激動深切，真摯無假，能感動人。清末民初鄭浩在其《論語集注述要》中講得最為入味：

> 夫子蓋言《詩》三百篇，無論孝子、忠臣、怨男、愁女，皆出于至情流溢，直寫衷曲，毫無偽托虛徐之意，即所謂「詩言志」者，此三百篇之所同也，故曰「一言以蔽之」。惟詩人性情千古如照，故讀者易收感同之效。[11]

不只如此，此三種解法只是本文所建構的類型，在實際的案例中並非互相排斥的。譬如歐陽修和朱熹並非全盤否定毛鄭的解釋，只是認為毛鄭的解釋不全合於《論語》中的孔子言行和一般合理的人情世故。類似的，後漢王逸反駁班固對屈原《楚辭》露才揚己、怨主刺上的批評，認為《楚辭》之怨主刺上，與《詩經》中一些大雅之詩同，不該厚彼薄此，指為怨恚難制的任性文人。[12]又專門提倡抒寫性靈、不避俚俗的清代才子袁枚，亦自稱為文論詩常折衷於孔子，對《詩經》的看法依於《論語》。他認為詩三百有工有不工，有溫柔含蓄有不溫柔含蓄，有關係於人倫者，亦有無關係於人倫者，不可一概而論。[13]

第二種和第三種解法儘管一為經學解法，一為文學（辭章之學）解法，但是兩者有兩個共同點：一是認為詩之為言有「本義」可說，有「本色」可談；二是認為「詩言情」，不管就作詩過程、詩旨本身、讀詩效果而言，詩都是一種抒發情感的文章。他們都誤將《毛詩・大序》中所謂「情動於中，

---

10 郭紹虞主編：《中國歷代文論選》（一卷本）（上海市：上海古籍出版社，2001年），頁67、288。

11 轉引自門紅麗：〈「詩無邪」詩學觀念解析〉，《當代小說》（下）2010年第9期，頁48。門紅麗此文亦旨在發揮此見解。

12 〈「詩無邪」詩學觀念解析〉，頁55。

13 〈「詩無邪」詩學觀念解析〉，頁364-365。

而形於言」這兩句話當作是作詩、詩旨、讀詩的關鍵，沒注意到「故變風發乎情，止乎禮義。發乎情，民之性也；止乎禮義，先王之澤也」這幾句話。[14]而他們之認為詩有其本義或本色可說亦與此有關。

關於「詩言志」與「詩言情」的同異及演變問題，上個世紀對日抗戰期間朱自清的《詩言志辨》中的〈詩言志〉篇有頗值得參考的分析。[15]他不同意當時一些有影響力的文學研究者將「詩言志」混同「詩言情」，將志作情或情志合一，認為「詩言志」之「志」在魏晉以前大致皆指政教之事及其效果，後來才以明己之不得志等人生遭際為「言志」，或者像陶淵明那樣以表明志在閒適之田園生活為「言志」，於是「志」與「情」開始分界不明。唐孔穎達疏解《毛詩正義》時就已經如此。[16]逮至清袁枚，更明白主張連勞人思婦率意言情者皆算「言志」。如此一來，詩三百才相當於今日所謂「抒情詩」。

朱自清已經注意到，春秋時代詩三百之所以無作者和志在政教作用，與詩樂大致仍未完全分離的情況有關，但他也注意到孔子已經頗為重視詩義，雖則多為斷章取義，不重視詩之本義。可惜他通篇中所謂「志」只停留在政教作用上，與所謂「情」之為個人情感範疇相對而分離，猶如經學與文學是平等的兩回事一樣，未能從「志」與「情」或經學與文學之間的內在素質差別關係入手，來析論古今文學之辨與變，以致無法充分闡明詩三百之所以無

---

14 《毛詩》，頁1-2。《毛詩・大序》這幾句話的意思應該是：變風是國史因應衰敗淫亂之民情而思有以諷勸匡救之所作出來的言志之文。詩是言志之文。聖王在位，風俗人情厚正時，則民歌可直接採錄為言志之詩；不然，變風、變雅就由國史或有心正俗之士來因應創作。

15 朱自清：《詩言志辨》（臺北市：五南圖書出版公司，2012年），頁14-71。

16 孔穎達疏解《毛詩・大序》所謂「詩者，志之所之也。在心為志，發言為詩」時說：「此又解作詩所由。詩者，人志意之所之適也。雖有所適，猶未發口，蘊藏在心，謂之為志。發見於言，乃名為詩。言作詩者，所以舒心志憤懣，而卒成於歌詠，故〈虞書〉謂之『詩言志』也」。「包管萬慮，其名曰心。感物而動，乃呼為志。志之所適，外物感焉。言悅豫之志，則和樂興而頌聲作；憂愁之志，則哀傷起而怨刺生。〈藝文志〉云：『哀樂之情感，歌詠之聲發。』此之謂也。」（〔唐〕孔穎達疏：《毛詩正義》，《十三經注疏》，臺北市：新文豐出版公司，1978年，第2冊，頁13）

邪此一孔子詩論的真義。[17]

二 「言公」與古今文學之辨

如果將上述三種關於「思無邪」的解法路數化分為目前所知的各種不同解釋的話，主要約有以下六種：一是經孔子刪修過；二是詩作皆出於感發懲創之苦心，意在導正風俗，兼陳美刺；三是作詩者與誦詩者皆為君子，發乎情，止乎禮義；四是經過比音入樂，誦自瞽矇，則王法昭焉；五是以無邪之思讀詩，則醜惡者適足以為警懼懲創之資；六是作詩者情感真摯。[18]此六種解法之關鍵在於「邪」字何解，而儘管所指有深有淺，有當有不當，然而皆以評定詩三百所言所思之品質為務，鮮有從「道器關係」及「古今之辨」之高度論及古人詩文不得已而言之「言公」精神。獨有章學誠《文史通義・言公》篇簡略發此論而抒此意而已。以下先就章氏有關「言公」與古今文學之辨的見解略加說明。[19]

《文史通義・言公上》一開頭就提出一個與今人為言為文大不相同的看法，就是古人為言為文之「言公」精神：

> 古人之言，所以為公也，未嘗矜於文辭，而私據為己有也。志期於道，言以明志，文以足言。其文果明於天下，而所志無不申，不必其言之果為我有也。

---

17 朱自清雖然反對當時的「抒情詩論」，認為詩三百並非「抒情詩」，但是他的文學觀畢竟是唐宋人「文以寄情」的文學觀，以為文學一定是表達情感的文章，與經學不同。還有，朱自清以今人的用法來講「斷章取義」，認為「斷章取義」是不成熟的解詩方式，而注重全篇的說解，才是正路。他這樣的看法基本上也是唐宋人的看法，與朱熹無異。（參見《詩言志辨》，頁110）

18 此六種解法的前四種主要歸納自《詩本義》引書，基本上屬於第一種解法路數。至於第五、六兩種，則分別屬於第二、三種解法路數。

19 以下論述出自〔清〕章學誠著，葉瑛校注：《文史通義校注》（北京市：中華書局，1985年），上冊，內篇二〈言公上中下〉，頁169-217。

關於章學誠此主張之實際用法，茲以摘錄原文的方式例舉如下：

（一）〈虞書〉曰：「敷奏以言，明試以功。」此以言語觀人之始也。必於試功而庸服，則所貴不在言辭也。誓誥之體，言之成文者也。苟足立政而敷治，君臣未嘗分居立言之功也。

（二）司馬遷曰：「《詩》三百篇，大抵賢聖發憤所為作也。」是則男女慕悅之辭，思君懷友之所託也；征夫離婦之怨，忠國憂時之所寄也。必泥其辭，而為其人之質言，則〈鴟鴞〉實鳥之哀音，何怪鮒魚忿誚於莊周？〈萇楚〉樂草之無家，何怪雌風慨嘆於宋玉哉？夫詩人之旨，溫柔而敦厚，主文而譎諫，言之者無罪，聞之者足戒，舒其所憤懣，而有裨於風教之萬一焉，是其所志也。因是以為名，則是爭於藝術之工巧。古人無是也。

（三）夫子曰：「述而不作。」六藝皆周公之舊典，夫子無所事作也。……古書或有偽託，不盡可憑，要之古人引用成說，不甚拘別。……蓋取足以明道而立教，而聖作明述，未嘗分居立言之功也。

（四）諸子之奮起，由於道術既裂，而各以聰明才力之所偏，每有得於大道之一端，而遂欲以易天下。其持之有故，而言之成理者，故將推衍其學術，而傳之其徒焉。苟足顯其術而立其宗，而援述於前，與附衍於後者，未嘗分居立言之功也。

（五）夫子因魯史而作《春秋》。孟子曰：「其事齊桓、晉文，其文則史。」孔子自謂竊取其義焉耳。……世之譏史遷者，責其裁裂《尚書》、《左氏》、《國語》、《國策》之文，以謂割裂而無當。……世之譏班固者，責其孝武以前之襲遷書，以謂盜襲而無恥。……此則全不通乎文理之論也。……作史貴知其意，非同於掌故，僅求事文之末也。夫子曰：「我欲託之空言，不如見諸行事之深切著明也。」此則史氏之宗旨也。苟足取其義而明其志，而事次文篇，未嘗分居立言之功也。

（六）漢初經師，抱殘守缺，以其畢生之精力，發明前聖之緒言，師授淵源，等於宗支譜系。……《公》、《穀》之於《春秋》，後人以謂

> 假設問答以闡其旨爾，不知古人先有口耳之授，而後著之竹帛焉。非如後人作經義，苟欲名家，必以著述為功也。……是知古人不著書，其言未嘗不傳也。……門人弟子，稱引師說，……而人之觀之者，亦以其人而定為其家之學，不復辨其孰為師說，孰為徒說也。蓋取足以通其經而傳其學，而口耳竹帛，未嘗分居立言之功也。

在以上的摘錄引文中，第二種用法特別重要，因為這牽涉到詩三百言尚比興而意存敦厚之旨的本色，[20]對諸如歐陽修和朱熹等主張「詩有本義可據文求得」者，簡直是當頭一記鐵拳。

在〈言公中〉裡，章學誠又繼續補充和發揮上述的主張說：

> 嗚呼！世教之衰也，道不足而爭於文，則言可得而私矣；實不充而爭於名，則文可得而矜矣。……古人立言處其易，後人立言處其難。何以明之哉？古人所欲通者，道也。不得已而有言，……豈有計於工拙敏鈍，而勉強為之效法哉？若乎道之所在，……古人有言，先得我心之同然者，即我之言也。何也？其道同也。……其立言也，不易然哉？……通古今前後，而相與公之之言，與私據獨得，必欲己出之言，其難易之數，又可知也。立言之士，將有言於道，而從其公而易者歟？抑徒競於文，而從其私而難者歟？公私難易之間，必有辨矣。嗚呼！安得知言之士，而與之勉進於道哉？……故曰：無意於文而文存，有意於文而文亡。……文，虛器也；道，實指也……文可以明道，亦可以叛道，非關文之工與不工也。……而曰言託於公，不必盡

20 此段中所謂「〈鴟鴞〉實鳥之哀音，何怪鮒魚忿誚於莊周？〈萇楚〉樂草之無家，何怪雌風慨嘆於宋玉哉？」分別指：〈鴟鴞〉一詩實際上是周公在蔡叔、霍叔之讒言為患一事結束之後，寫給周成王以表明心迹的自哀之詩，雖然鴟鴞本為鳥中之猛禽；周公之情與《莊子．外物》寓言故事中困陷於車轍乾涸中的鮒魚類似；《詩．檜風．隰有萇楚》第二章以萇楚之樂於無家來比喻幼童不識飄泊無家之苦；此種不識愁苦滋味的心態類同於《文選．宋玉〈風賦〉》中楚襄王之自以為與民同享快哉之風，宋玉遂以庶人之風為雌風，與大王之風為雄風大不相比來諷諫君上。（參見《文史通義校注》引書，頁174）

出於己者，何也？蓋謂道同而德合，其究終不至於背馳也。且賦詩斷章，不啻若自其口出，而本指有所不拘也。引言互辨，與其言意或相反，而古人並存不廢也。前人有言，後人援以取重焉，是同古人於己也；前人有言，後人從而擴充焉，是以己附古人也。……是以後人述前人，而不廢前人之舊也。以為並存於天壤，而是非得失，自聽知者之別擇，乃其所以為公也。

雖然章學誠沒有明說，但揆諸其在〈言公〉、〈詩教〉、〈經解〉、〈答客問〉、〈答問〉等篇章中之意，對他而言，六藝之文才是真正「即器以明道」的「言公之文」，禮樂質文合一。經學和文學則是漢代時勢所促成的初步「言私之文」，禮樂質文開始分離，至魏晉南北朝初成定局。[21]

三　言公文學思無邪

由於「言公之文」即是「即器以明道之文」，故此即是「無邪之文」，而「言私之文」即是「就文論文，以器為自成一道之文」[22]，故此即為「有邪之文」，要非邪淫，即是邪僻，反正就是不正。當然，此處所謂「正」，是指「正於道而合於禮義」的意思，包括「政者，正也」的意思。因此，此處所謂「無邪」或者「正」並不止於上提朱自清《詩言志辨》一書中所謂「政教作用」，因為「正」是陰陽調和的中和狀態，樂舞可以正，情志也可以正，

---

21 《文史通義校注》引書，內篇一，〈詩教上下〉、〈經解上中下〉，頁60-117；內篇五，〈答客問上中下〉、〈答問〉，頁470-498。章學誠著名的「六經皆史」之論與此處所謂「言公之文」其實是同一回事，因為他所謂「史」就是「言公之文」或「即器以明道之文」，又或者「心裁別識的獨斷著作」；與之相對的是「文人之文」，即一方面注重聲律布局和文字工巧，二方面又注重文辭必自己出之文。請特別參見同上引書，〈答客問上〉和〈答問〉。另外關於章學誠「六經皆史」想法的新解，請參考拙著〈六經皆史——章學誠的原始經典觀〉，《第六屆中國經學研究會全國學術研討會論文集》（臺北縣：輔仁大學中國文學系，2009年），頁1-18。

22 《文史通義校注》，〈答問〉。

天地萬物皆可得其正位正態，不獨政教之事而已。[23]

依上述章學誠所論，文學之正與不正，分際在於言之「公私」。「言公文學」出於人情世故之自然，非可私之言，故此可以明道，有政教之用。詩三百即是此種文學。一者，無論是獻詩陳志、賦詩述志、教詩明志，還是作詩言志（借用朱自清《詩言志辨》的分類），詩三百皆實際使用於生活之中，是為了把生活過好而使用的歌辭，因此詩義以言志明志為主，並非情感的直接流露，意即當初情動於中的情狀已經以賦比興的迂迴手法稍作修飾處理，成為與人交往時可為人接受的言志之辭，而且也展露一種溫柔敦厚、委婉示意的說話風格；[24]二者，詩三百沒有確實的作者，或者原作者也不計較原作與否，甚至低調地隱匿原作身分以免惹是生非；三者，在古代生活中，誦記口傳比較方便，也比較深入人心，傳之久廣，故此詩三百都是口傳的，只有必要時才會用文字記錄下來，因此不只押韻合樂，方便背誦，而且言簡意賅，隨時會有局部變異（不管是聲變或是字變）；四者，由於詩無本文，亦無本義，故此大可斷章取義，類比發揮，甚至可正言反解，反言正解，不一而足，重要的是其為明道之文，文義中所蘊涵的陰陽往復的中和之理始終不變，從而保有詩教的作用；五者，由於時代久遠，詩旨難明，詩三百最好遵從孔子「思無邪」的指示，參酌毛公師授詩傳，以言公文學的心態讀之。[25]

---

23 傳統中國所謂「天地萬物」有兩大特色：一是包括美醜、吉凶、長短、壽夭、哀樂等今人受現代西方思想影響以後一般不稱為「物」的想法和感受；二是連口耳、芻豢、宮室、車船等物都是陰陽五行之物。請參考拙著：〈陰陽五行的思考方式及其認識途徑〉，《社會關懷：祝賀楊孝濚教授六秩晉五論文集》（臺北市：東吳大學社會學系，2006年），頁51-69。（此文亦刊登在以下網頁上：http://mail.scu.edu.tw/~reschoi3/kcchoi3.htm）

24 「興」與「溫柔敦厚」是密切關聯的。關於何謂「興」，大致有四種說法：一是毛鄭和孔穎達的「託事於物」，是一種「取譬引類」的說話方式；二是朱熹所謂「託物興辭，初不取義」的方式；三是朱自清結合上述二義而成的「發端性的比喻」；四是聞一多的「隱語」，多為性隱語。（前三種解法請分別參見《詩言志辨》，頁118-119、123、80；至於聞一多的解法，則請參考聞一多：《詩經講義》，天津市：天津古籍出版社，2005年）本文跟從第一種解法。

25 與章學誠志趣接近而且曾經切磋過的乾嘉樸學大老戴震，就是秉持如此態度來撰寫他後世文人學者之所以誤解詩三百這種「言公文學」，以為「思無邪」是指詩文所表達的情感並不邪淫邪僻，是因為他們已經有了不同的文學想法，也就是「言私文學」的想法。相反於上述五項「言公文學」的特點，「言私文學」的特點如下：一者，文學作品是供人玩賞或休閒時用的，與實際的修身齊家治國平天下等正經事無關；二者，文學作品一定是某位作家的作品，帶有他特有的性情和感遇特質；三者，文學作品是用文字寫出來的作品，主要是用來閱讀的，有本文可憑，有本義可說；四者，文學作品之精華在於情景交融的意境營造，自成一道，與禮義政教之道分庭抗禮；[26]五者，古今人情相同，為文之道亦應相同，因此，孔子所謂詩三百皆無邪並非實情，因為有些作品顯然違反善良風俗，而另外一些作品則並不溫柔敦厚，毛鄭之傳解亦多有牽強附會之處，與詩本義乖離，不可全為準本。

屈原的《離騷》可以說是中國文學走向「言私」方向的起點。屈賦與詩三百之不同，正如魯迅所言：「較之于《詩》，則其言甚長，其思甚幻，其文甚麗，其旨甚明，憑心而言，不遵矩度。故後儒之服膺詩教者，或訾而絀之，然其影響于後來之文章，乃甚或在三百篇以上。」[27]當今中國大陸的文學史家木齋也認為，如果說《詩經》是中國詩史「自然藝術」的源頭，那麼《楚辭》就是「人為藝術」的濫觴。[28]

《離騷》之言甚長與其思甚幻、其文甚麗、其旨甚明是密切相關的。[29]首先是其旨甚明。文旨之所以會明白，無非因為情感洶湧澎湃，無可修飾轉圜所致。反之亦然，文旨一旦明白，便只能揮灑情感，一瀉千里，不能再委婉拿捏旨意，含蓄地點到為止了。再來是其文甚麗和其思甚幻。由於情感澎

的《毛詩補傳》的。參見〔清〕戴震：《毛詩補傳・序》，張岱年主編：《戴震全書》（合肥市：黃山書社，1994年），第1冊，頁125-126。

26 明清之際的王夫之就是如此主張的。參見《中國歷代文論選》，頁316。

27 魯迅：《漢文學史綱要》（上海市：上海世紀出版集團，2011年），頁17。

28 木齋：《中國古代詩歌流變》（北京市：京華出版社，1998年），頁80。不過，木齋所謂「自然藝術」是「原始藝術」的意思，跟本文說詩三百「出於人情世故之自然」的「自然」不同。

29 參考《中國古代詩歌流變》，頁80-85。但本文的說法與木齋並不相同。

湃，不能自已，所有的精力和本事便都往文字雕琢和聲韻抑揚處用，盡力營構奇幻景象和敘述讓人驚訝的情節，以凸顯其情感狀態之珍奇和合理。最後是其文甚長。文若不長，除了不足以營構瑰麗情景和抒發澎湃的情感以外，最重要的是不足以讓人沉迷於文藻之海中，度過其喜怒哀樂的一生。毫無疑問，屈原騷賦是一個任性文人的傑作！

四　以詩三百與魏晉詩之不同為例證

屈原騷賦的特點就是閒廢之人的作品——要不是因為被黜放而頹廢失志，無法再過正經的生活，不然就是因為做事方式不正經而被黜放受挫。反看孔子，同樣遭際不順，不得其志，就不會如此放浪形骸，自傷自棄，反而勉力自強，本著「天不喪斯文」之信心，退而修書授徒，以俟後世。

最後讓我們來比較一下詩三百與魏晉詩之不同，以此作為本文主張之例證，因為本文前面說過，經學和文學之分是漢代時勢所促成的初步「言私之文」狀況，禮樂質文開始分離，至魏晉南北朝初成定局。

先來看一下被朱熹指為淫奔之詩的《詩・鄭風・將仲子》:

> 將仲子兮，無逾我里，無折我樹杞，豈敢愛之？畏我父母。仲可懷也，父母之言，亦可畏也。
>
> 將仲子兮，無逾我墻，無折我樹桑。豈敢愛之？畏我諸兄。仲可懷也，諸兄之言，亦可畏也。
>
> 將仲子兮，無逾我園，無折我樹檀。豈敢愛之？畏人之多言。仲可懷也，人之多言，亦可畏也。

依《毛詩序》，此詩之旨是刺鄭莊公之「不勝其母，以害其弟，弟叔失道，而公弗制，祭仲諫而公弗聽，小不忍以致大亂焉。」[30]照字面上看，此

30　《毛詩》，卷4，頁8。照毛公序和鄭玄箋，鄭莊公還只是個小不忍以致大亂的無能君主，既不明智也決斷力不足，值得詩人諷刺。如果像〔明〕郝敬那樣讀深一層，讀真切一些，鄭莊公其實是個口軟心硬的狠腳色。他的話其實都是欲擒故縱的「假仙」

詩的確與刺鄭莊公之不兄不孝不賢沒有關係。毛公所說詩旨頂多只能算是可能的詩作背景，照後世所得資料判斷，很難確定為此詩本義。就此而言，朱熹之寧願相信其為淫奔之詩或者木齋之寧願相信其為民間愛情詩，[31]或者日本中國文學史家吉川幸次郎之寧願相信其為抒情詩，[32]確是人之常情，情有可原。然而這是以後人之「言私文學」心態去讀前人之「言公文學」心態的結果。為何我們作為後人，不能好好參酌孔子和毛公等前人的提示，去體會古人那種委婉說話的處事方式呢？試想一想，將〈將仲子〉這首詩解為愛情詩或抒情詩有甚麼好處呢？不是太普通了嗎？孔子拿這種愛情詩和抒情詩教學生，能教出做人處事的道理來嗎？能教人溫柔敦厚的委婉說話方式嗎？

再來看一下《論語・八佾》孔子在其他學生面前稱讚子夏能舉一反三地領會詩教之旨的段落，因為不單可由此見到孔子的詩教態度，而且可由此見到詩三百的「言公」精神。

> 子夏問曰：「巧笑倩兮！美目盼兮！素以為絢兮！」何謂也？子曰：「繪事後素。」曰：「禮後乎？」子曰：「起予者，商也，始可與言詩已矣。」

孔子的詩教態度顯然是斷章取義的。為何如此？因為詩三百（或者逸詩）都是言志的、實用的，於事有補的，說話方式和所說的話都是有用意的，經常是迂迴地託事於物，因此，必然「依據實情比類說話」，不管是讚頌還是譏刺。如此依據實情而比類地說出來的話，必然合於陰陽五行的自然道理，故此大可以斷章取義，隨機應用，即使脫離了原來的言志情境，不合於原來的詩旨，基本上也無妨於原有的自然道理，照樣可以舉一反三，借此而引申出一番道理來。當然，孔子的詩教最後還是「禮義」二字。此之謂

話。如果這樣，此詩的諷刺意味就更深了。（〔明〕郝敬：《毛詩原解（一）》，臺北市：新文豐出版公司，1984年影印清光緒湖北叢書本，頁119）

31 《中國古代詩歌流變》，頁43。

32 〔日〕吉川幸次郎著，章培恆、駱玉明等譯：《中國詩史》（上海市：復旦大學出版社，2012年），頁20。

「志於道」，又謂「思無邪」或者「思其正道」。故此說，詩三百的「言公」精神就在無妨於「斷章取義」上。

反觀魏晉詩作，除了曹植那首現今膾炙人口的〈七步詩〉——「煮豆燃豆萁，豆在釜中泣。本是同根生，相煎何太急[33]——算是明顯的言志諷喻詩以外，他的〈三良詩〉已經不是言志詩，而是言情詩了：

> 功名不可為，忠義我所安。秦穆先下世，三臣皆自殘。生時等榮樂，既沒同憂患。誰言捐軀易？殺身誠獨難。攬涕登君墓，臨穴仰天歎。長夜何冥冥，一往不復還。黃鳥為悲鳴，哀哉傷肺肝。[34]

為何說這是言情詩而不是言志詩呢？因為一來，曹植雖有借古諷今，借古之忠良願隨主死的厲節之行而哀歎自身難為忠良的用意，但是他既無當三良的處境，又頂多只有但願有三良可當的念頭，根本只是羨慕或讚賞三良的非常義行，如同颱風天在海邊看到滔天大浪甚感驚奇讚歎那樣而已，並非真是他的志願；二來，此詩詩旨太白，缺少溫柔敦厚的含蓄寓意；三來，後半首詩有屈賦味道，於事無補，徒然強化其欷歔不已之情而已；四來，詩中所提「生時等榮樂，既沒同憂患」的情節，實在不是一般的人情世故，而且也不算是自然而正常的人情世故，不可作為無邪之詩教。

曹植如此，陶潛也一樣。請看他有名的〈雜詩〉之一：

> 結廬在人境，而無車馬喧。問君何能爾，心遠地自偏。采菊東籬下，悠然見南山。山氣日夕佳，飛鳥相與還。此還（中）有真意，欲辯已忘言。[35]

---

33 此詩只見於《三國演義》第七十九回中。之前較可靠的版本見於《世說新語．文學》，有六句：「煮豆持作羹，漉菽以為汁。萁在釜下然，豆在釜中泣。本是同根生，相煎何太急。」（〔劉宋〕劉義慶：《世說新語》，臺北市：臺灣中華書局，1983年影印四部備要明刻本，卷上之下，頁22）

34 〔梁〕蕭統編，〔唐〕李善注：《文選》（臺北市：華正書局，1994年影印新校胡刻宋本），頁296。

35 《文選》，頁425。

表面上看，陶潛是在表明自己的心志在田園山水，但實際上他跟曹植一樣好尚一種難得的東西。只不過此種難得的東西對一般人民而言似乎並不難得，故此更讓人驚奇入勝。此詩無甚實用之意，與事無涉，亦無迂曲內情，所以也就不必比類而興，只直陳其情之境界而已。因此，陶淵明的田園詩也是言情詩而非言志詩。以本文「言公」之旨來說，陶淵明和曹子建的詩都是「言私文學」，與詩三百之為「思無邪」的「言公文學」大不相同。

融六經以讀莊，則莊無忤
——明清時期經學與莊學之交融*

錢奕華**
聯合大學華語文學系副教授

一　前言：作者已死——文本儒道互補之契跡

春秋戰國是「王道既微，諸侯力政、時君世主，好惡殊方」（《莊子・天下》）的百家爭鳴時代，儒、墨、名、法、老、莊，各逞英姿，這是諸子學的黃金時期，也是王官之學、諸子之學分途的奠基時期，百家相搏又相融，尤以孔孟之儒、老莊之道，影響最鉅。

儒道二端，義理思想上，同具有唯心與自覺的系統[1]，其所提的觀點，諸如「仁義」、「道德」等，彼此雜糅、相近，卻同中有異，異中求同。

以「六經」為例，名目同，《莊子・天運》云：「丘治《詩》、《書》、《禮》、《樂》、《易》、《春秋》六經。」又於〈天下〉云：「《詩》以道志，《書》以道事，《禮》以道行，《樂》道和，《易》以道陰陽，《春秋》以道名分。」足證「六經」是儒與道共同尊崇的。

孔子治六經，是奉六經為圭臬，以詩書治禮為人倫之宗，治國之要，

---

* 本文為國科會計畫（NSC 101-2410-H-239 -013 -）之部分研究成果，謝謝研討會評論人徐聖心教授及與會者點撥指教，不勝感念。

** 本文作者電子信箱：happyihua@gmail.com

1 侯外廬等：《中國思想通史》（北京市：人民出版社，1960年4月），第1卷，頁131-337、馮友蘭：《中國哲學史新編》（北京市：人民出版社，1998年12月），頁307-436、勞思光《中國哲學史》（香港：中文大崇基書院，1968年），第1卷，頁29-233，對儒墨道法都有權威性的學術觀點，將儒家孔子的系統自覺理論哲學與道家主觀唯心主義體系，做了全面的論述。

《莊子》批評孔子治六經，是見樹不見林，支離之學，根本不懂六經不過是為道的分流，孔子是不明道體的，故曰：「丘則陋矣」，所學侷限於「遊方之內者也」(〈大宗師〉)。

《莊子》先批判儒家對六經的概念，僅重在經典文字上，具歷史遺跡的功能，是「言」的記錄，不是「意」的傳達，「六經」是許多一曲之士，運用不同的方法策略，以不同角度、功能，判天地之法、析萬物之理、察古人之不同面相的軌跡，所以莊子提出「夫六經，先王之陳跡也。」(《莊子·天運》)

《莊子》進而提出「六經」之論，他認為有此名，即明其實，他治六經，是以「得其全」為目的，全，就是道，六經是百家眾枝，「皆有所長，時有所用」，但真正終極目標是「道」，更進一步即是「內聖外王」之道，德充於內，應帝王於外，才可「備於天地之美，稱神明之容」(《莊子·天下》)，「道」是根本，沒有「六經」之用，實踐於內聖外王，則如何得全。

《莊子》更在〈天道〉篇中，以桓公讀書，輪扁斲輪為證，說明世人貴道者書，書不過語，語言是意念的記錄，其實真正的聖人已死，聖人之言，作者之言真意是意在言外，「知者不言，言者不知」(《老子》五十六章)，後人所見者，不過糟魄之言，今人每每陳述先王之履，標榜其遺跡形色，不過是先賢留下的塵垢秕糠罷了！

孔子重六經，莊子重視六經全其「道」，莊子「六經道」是路，是「得其全」，是一個具有使命感的儒者，必是兼善天下的標竿，使命必達之六經行者。「道」又是隱而不顯的「事物的運作」[2]，是萬事萬物的變動不居，行諸兩行，卻又得其環中的真理，似有若無般「虛靜恬淡寂漠無為者，萬物之本也」(《莊子·天道》) 卻在「天下大亂，聖賢不明，道德不一，天下多得一察焉以自好。」百家爭鳴，各取所需，交相爭食後，以為其所欲，行其小我作目標，終將往而不返，造成「後世之學者，不幸不見天地之純，古人之

2 畢來德的解讀，見畢來德：《莊子四講》(北京市：中華書局，2009年4月)，頁28。

大體，道術將為天下裂」，「道體」是《莊子》其人或後學述莊派[3]所重視的本體，是細枝旁莖的本根，是涓涓細流的終極大海，是莊學終極的根本 之道。

綜合上述，同解「六經」與「道」之關聯性，儒家以六經為宗，可實踐聖人之學，道家以六經為「道」之體用得其全看待。儒與道原本即不同，詮釋六經態度自是不同，但是，既然「六經」之作者已死，《莊子》的述莊派或後學，提出儒道間更多的對話與解讀，給予後世優秀的讀者，對「六經」意義在道、儒間互涉的評論，是為儒道互補的契跡。

後世學者對道家與儒家互涉評斷，首推漢代司馬氏父子，司馬談〈論六家要旨〉以「精神專一，動合無形，贍足萬物，其為術也，因陰陽之大順，采儒墨之善，撮名法之要，與時遷移，應物變化，立俗施事，無法不宜，指約而易操，事小而功多。」已經點出道家採儒墨的優點；史馬遷更進一步說：「然善屬書離辭，指事類情，用剽剝儒墨，雖當世宿學不能自解免也。其言洸洋自恣以適己，故自王公大人不能器之。」(《史記．老莊申韓列傳》)」，以「采善」或「剽剝」儒墨為方法，「洸洋自恣以適己」為目的。於是《漢書．藝文志》才會提出：「其言雖殊，譬猶水火，相滅亦相生也；仁之與義，敬之與和，相反而相成也。」取其儒道融合，其義理兼容並蓄，但道家中有儒，已經是不爭的事實。

---

3 劉笑敢：《莊子哲學及演變》中則將莊子後學分為繼承和闡發的述莊派，由超脫現實到抨擊現實的無君派（北京市：中國社會科學出版社，1988年2月）又羅根澤：〈莊子外雜篇探源〉，《諸子考索》以莊子一書內容有：罵聖人、罵仁義、罵禮樂的左派道家及對儒家有妥協的右派道、神仙家、莊子派、老子派、道家雜俎、老莊混合派、道家隱逸派及由剽剝儒墨到融合儒法的黃老派等三類（北京市：人民出版社，1958年2月），頁282-308；而後關鋒：〈莊子外雜篇初探〉，《莊子內篇譯解和批判》中承此說，而修正為外雜篇包括：莊子後學、老子後學左派、楊朱派後學、宋鈃、尹文派後學（北京市：中華書局，1962年），頁319。

二　不斷重複自己的證據——歷代援引莊者之共象

《莊子》魅力無窮，其思想影響之生命力綿延不絕，他在語言的運用上提出創造性語言[4]，對整個中國人的思想上，產生多元化及不斷匯合各家的「融釋與凝結」[5]，在與儒家既是對立又互補的學術格局中，產生更多元的視界融合。從兩漢、魏晉到唐宋，文人與《莊子》間，在不同時間的歷時作用與不同空間的共時影響，以對話、解構、建構、誤讀等方式進行，實則是在文本閱讀時，以讀者自己相關經驗作「不斷重複自己的證據[6]」是註解莊

4　見畢來德：《莊子四講》（北京市：中華書局，2009年4月），頁130。

5　拉丁語 solve et coagula，西歐傳統煉金術術語。轉載自畢來德：《莊子四講》（北京市：中華書局，2009年4月），頁126。

6　Arthur Rimbaud（1854/10/20-1891/11/10）十九世紀法國著名天才少年詩人，早期象徵主義詩歌的代表人物，超現實主義詩歌的鼻祖。他用謎一般的詩篇和富有傳奇色彩，短短三十七歲的一生，二十歲前即創作有名的詩作〈醉舟〉、《在地獄裡一季》《彩繪集》（或譯《靈光集》）吸引了眾多的讀者，成為法國文學史上最引人注目的詩人之一。「不斷重複自己的證據」轉載自畢來得《莊子四講》（北京市：中華書局，2009年4月），頁130。在 Arthur Rimbaud 的詩文與信件中，他提出「洞觀者」（seer）在〈給保羅．德蒙尼〉（To Paul Demeny）的信中云：「人類最初研究想成為詩人，是因為他的天賦知能，全部的；他找尋他的心靈，探討它，等候它，學習它。一旦抓住，就培養它；……我說應該是『洞觀者』，成為『洞觀者』。詩人成為『洞觀者』藉由長期的、廣泛的所有意義與放縱的思考。所有愛情、痛苦與瘋狂的形式；他尋找自己，他耗盡所有的毒藥，只為保留精髓。」（〔法〕韓波（Arthur Rimbaud）著，莫渝譯：《韓波詩文集》，臺北市：桂冠出版社，頁243-244）
英文：The first study for the man who'd be a poet is knowledge of himself, entire; he seeks out his soul, he inspects it, tests it, learns it. As soon as he knows it, he must cultivate it; that seems simple: in every brain a natural development is fulfilled; so many egotists proclaim themselves to be authors; there are lots of others who attribute their intellectual progress to themselves! But the thing is to make the soul monstrous: you know, like the com-prachicos! Imagine a man planting and cultivating warts on his face.　I say you must be a seer, make yourself a seer. The Poet makes himself a seer by a long, immense and reasoned disordering of all the senses. All the forms of love, of suffering, of madness; he seeks himself, he drains

子，更是挪用或融釋莊子。

兩漢期間，文士援用莊子之文句，支離解構其意義，跟莊子作時空的對話，如馬融為大儒者，亦引用老莊：

> 融既飢困，乃悔而嘆息，謂其友人曰：古人有言，左手據天下之圖，右手刎其喉，愚夫不為，所然者，生貴於天下也。今以曲俗咫尺之羞，滅無貲之軀，殆非老莊所謂也。(《後漢書・馬融傳》)

馬融因不應大將軍鄧騭之召為舍人，最後遭到饑困挫折，才嘆悔不為老莊之流，以至遭此困苦之羞，最後前往應鄧騭之召。如此詮解老莊，以為依附權貴之理，似未見老莊之真義。

另外，賦家援用莊子詞彙，如賈誼的〈弔屈原賦〉、〈鵩鳥賦〉，班固的〈幽通賦〉，張衡的〈歸田賦〉、〈髑髏賦〉，趙壹的〈刺世疾邪賦〉，都有化用莊子語詞，援引莊子思想，表述自己心境。以「其生若浮，其死若休，澹乎若深泉之靜，泛乎若不繫之舟。」(〈鵩鳥賦〉)「超塵埃以遐逝，與世事乎長辭。」〈歸田賦〉) 說明對應世事的不迎不將的心態。莊子語言詞彙用於文章，當時已蔚為風潮。

---

all the poisons in himself, so as to keep only the quintessences. （Jeremy Harding and John Sturrock, “Arthur Rimbaud Select Poems and Letters”, (London, Penguin Classics, 2004) , pp.238-239.

法文：La première étude de l’homme qui veut être poète est sa propre connaissance, entière ; il cherche son âme, il l'inspecte, il la tente, l’apprend. Dès qu'il la sait, il doit la cultiver ; cela semble simple： en tout cerveau s’accomplit un développement naturel ; tant d’égoïstes se proclament auteurs ; il en est bien d’autres qui s’attribuent leur progrès intellectuel! Mais il s’agit de faire l’âme monstrueuse à l'instar des comprachicos, quoi! Imaginez un homme s’implantant et se cultivant des verrues sur le visage.

Je dis qu’il faut être voyant, se faire voyeur.

Le Poète se fait voyant par un long, immense et raisonné dérèglement de tous les sens. Toutes les formes d’amour, de souffrance, de folie ; il cherche lui-même, il épuise en lui tous poisons, pour n’en garder que les quintessences. (Arthur Rimbaud ,“ Rimbaud Poésies complètes” （原名 “Le Reliquaire”）Genonceaux: Rodolphe Dargens de ,1891) , pp.146-159.

易、老、莊互為交流，更是魏晉三玄的特色，其間語言文字概念互涉，更是常見，陳鼓應先生就提出：

> 《易傳》之自然觀本於《莊子》，以〈彖傳〉最為明顯。〈彖傳〉論述天道運行之現象及規律，其用語多出自《莊子》外、雜篇。……例如：「天行」概念，〈彖傳〉出現三次，《莊》書亦三見於〈天道〉與〈刻意〉……[7]

儒與道間，彼此提供對話的基本養分，自然、名教、聖人……化用《莊子》詞彙者比比皆是。嵇康、阮籍將名教與自然離，嵇康高唱著：「越名教而任自然」(〈釋弘論〉)，卻也直呼「老子、莊周，吾之師也」(阮籍〈大人先生傳〉)，其意義與《莊子》相媲美。

> 大人者，乃與造物同體，天地並生，逍遙浮世，與道俱成，今吾乃飄飄於天地之外，與造化為友，故至人無宅，天地為客；至人無主，天地為所；至人無事，天地為故。無是非之別，無善惡之異，故天下被其澤而萬物所以熾也。

向秀、郭象倡名教與自然同，認為體現在聖人身上的名教與自然是一體之兩面，一身之內外，同是「本性」的表現，同為「任性」的結果。如「跡冥論」所言，理想的聖人，乃集「跡」「冥」於一身，能夠為於無為，治於不治。郭象注〈逍遙遊〉則以《中庸》:「率性」之旨，以合《莊子》「因是」之義。[8]:「夫小大雖殊，而放於自得之場，則物任其性，事稱其能，各當其分，逍遙一也。」物的性分各有不同，然皆可以各安其性，各當其分，就是「逍遙」，所謂「理有至分，物有定極，各足稱事，其濟一也」這樣的注解，實以《中庸》「率性」的工夫來證成《莊子》逍遙的境界。又郭象注〈人間世〉注有：「任理之必然者，《中庸》之符全矣，斯接物之至者也」，

---

7 陳鼓應：《道家易學建構》(臺北市：臺灣商務印書館，2003年7月)，頁68-70。

8 錢穆：《莊老通辨》，謂郭象注《莊》，好言《中庸》字，又稱「會合儒莊」，為當時風氣所趨（臺北市：三民書局，1991年12月）。

「窮理」與《易傳》所言：「窮理盡性以至於命」相類。因此，注《莊》解莊參用儒義與六經，實為郭象《莊子注》之特色[9]，也是以六經莊之先河。

儒道兼修，習六經，解莊子，自漢至魏晉，郭象已經打通脈絡，化合為一，成為儒與道之間合流之史跡。在莊學發展上，郭象在此扮演了承先啟後的關鍵人物，他打破莊學的沉寂，讓莊學成為一門顯學，但也樹立了一個修正莊子，誤讀莊子的典範，透過郭象《莊子注》，歷代學者聚訟紛紜，莫衷一是，爭論何為莊子之真意，其聲不絕於耳，亦凸顯了「援儒以入莊」的價值性。「儒道合」既似儒又非儒，既似道又非道的明顯傾向。

唐代西華法師成玄英，重新建構並恢復莊子道家身分，他以道教徒的立場，道士之身分，認為莊子為仙人，抨擊儒墨，貶抑仲尼，並吸收佛家，推舉老莊，云：「玄儒理隔內外，道殊勝劣，而論不相及。」將老莊與孔子分成方內與方外兩途[10]；道士司馬楨在《坐忘論》中，即以莊子「坐忘」列入「學道之初，要須安坐，收心離境，任無所有，不著一物，自如虛無，心乃合道。」使得隋唐莊學呈現道家與道教合一，兼容涵化的現象，使得莊學產生更多角度伸展的精神面貌。[11]

除了道家、道教合一，理學與莊子合一，吸納莊子，注入理學風貌的，如程顥雖說：「吾學雖有所授受，『天理』二字都是自家體貼出來的」（《外書》卷十二）力求與莊子畫清界限，但「天理」或「理」，是由《莊子・養生主》「依乎天理」而來；〈刻意〉：「循天之理」、〈天地〉：「順之以天理」等篇中，承接意義或文字，都可證明程顥仍有承自莊子之思想。

後世優秀的閱讀莊子解莊者，有正向的誤讀與創發莊子，如郭象，在宋代更有負面的誤讀，而加以評騭者，或重構莊子者，如司馬光稱莊子為「佞

---

9 見戴景賢：〈莊子郭象注參用儒義之分析〉，《中山大學學報》第2期（1985年6月），頁19-28。

10 龔鵬成：〈成玄英莊子疏探論〉，《鵝湖月刊》第193 期（1991年7月），頁193。

11 李大華：〈略論隋唐老莊學〉，提出隋唐老莊學的特點是通過道家與道教合一，兼容涵化式態，義理化歸向、多向度舒展等精神風貌。（《道家文化研究》，上海市：上海古籍出版社，1992年6月，第1輯）

人」，王安石稱之為「古之荒唐人」，葉適說莊學「小足以亡身，大足以亡天下」，二程曾斥莊子「游方之外」的說法是荒唐之論，「豈有此理」（《程氏遺弟》卷一）。

宋代疑莊與廢莊，褒貶各異，宋朝黃震反莊子，倡經世，重視日用常行之道，認為作《莊子》無疑是一部「亂世之書」，世人「盍火其書」（見《黃氏日鈔》卷五十五）！使得東晉王坦之、唐代李磎的廢莊精神，在南宋這個新的歷史時期得到了發揚光大。重構莊子的本意，又略勝一籌的是：援儒以入莊的蘇東坡，他提出的「陽擠陰助」論以「莊子蓋助孔子者」，即莊子對孔子是「實予而文不予，陽擠而陰助之」（〈莊子祠堂記〉），直到　王安石、王雱父子並愛《莊子》，安石著《莊周論》，王雱撰《南華真經新傳》及《南華真經拾遺》，在其注中也表現欲調和孔莊之學的用心，其注云：「無為出有為，而無為之至則入神矣。夫聖人之動，待神之立，而動既極神，則固其全神，此堯之所以讓天下也。」王雱以為「孔孟老莊之道，雖適時不同，而要其指歸，則本於大道。」（《南華真經拾遺》〈雜說〉）因此，他在注《莊》時，頗有調停儒、道思想，復興儒道互補的意味。

「以儒解莊」在宋朝很明顯，如宋儒呂惠卿、王雱諸注之重在理論的調合，而林希逸《莊子口義》更具實證精神，強調讀莊有五難，必精於《語》、《孟》、《學》、《庸》等書，見理素定，又必知文字血脈，知禪宗解數，而後知其言意，林希逸是首先正式提出以六經解讀，作為解莊的先備知識，更借由五經內容的章段、字句的詳解，證明五經與莊子思想相通處，如〈逍遙遊〉云：

> 〈逍遙遊〉言優遊自在也。《論語》之門人形容夫子只一「樂」字，三百篇之形容人物，如〈南有樛木〉，〈南山有台〉曰：「樂只君子」亦止一「樂」字，此之所謂逍遙遊，即《詩》與《論語》所謂「樂」也。

宋儒雖站在儒家的立場目莊子為異端，但對莊學卻更能援儒以入莊，使兩者相輔相成的關係更形密切。

歷代解莊者，自小是以讀六經進入科考，走入仕途，積極進取卻遭忌害時，《莊子》不譴是非以與世人處的圓融無礙，慰藉了文人的心，解莊其實是重複自己熟讀四書五經後，融會貫通的智慧，是歷代解莊者沁六經日久，以前理解之視域，以不斷重複自己的證據，這是解莊者閱讀與闡發後，證明自己的共同現象。

三　有效詮釋之創發——明清融六經視域解莊

明清詮釋者精神薪盡火傳，逾越千年，表現出亙古而常新的力度，隨著自己的知識結構（成見）、歷史性（Historicality）的文化傳承，自會產生與眾不同的解釋，讀者和作者之間，因歷史距離，新的互動關係，有了創造性的新觀點，實現了第三度空間的「視界融合」[12]增生，分流，呈現不同文化背景不同「解釋模式」（the interpretive models）[13]，使解釋者和作品之間建立起不同的聯繫，多樣的面貌，就在新的意義與對話的媒介中，開啟第二序

12 詮釋學重要理論範疇「前理解」、「效果歷史」和「視域融合」。「前理解」是德文 Vorverstandnis 的意譯，由海德格爾首先引入，加達默爾將其作為「詮釋學」的核心概念之一。加達默爾說：「理解甚至根本不能被認為是一種主體性的行為，而要被認為是一種置身於傳統過程中的行為。「一切詮釋學條件中最首要的條件總是前理解。」「效果歷史」是德文 Wirkungsgeschichte 的意譯。加達默爾說：「真正的歷史對象根本就不是對象，而是自己和他者的統一體，或一種關係，在這種關係中同時存在著歷史的實在以及歷史理解的實在。一種名副其實的詮釋學必須在理解本身中顯示歷史的實在性。「視域融合」是德文 Horizontverschmelzung 的意譯。加達默爾認為，「前理解」是歷史賦予理解或解釋主體從事理解和解釋活動的積極因素。它為理解和解釋主體提供了特殊的「視域」。誰不能把自身置於這種歷史性的視域中，誰就不能真正理解流傳物的意義。而理解和解釋主體並不是孤立和封閉的，而視域是在時間中進行交流的場所。理解和解釋主體的任務就是擴大自己的視域，使它與其他視域相交融。這就是加達默爾所說的「視域融合」。見〔德〕加達默爾著，洪漢鼎譯：《真理與方法》（上海市：譯文出版社，1999年4月），頁386-389。

13 Jonathan D. Culler, *Structuralist Poetics: Structuralism, Linguistics and the Study of Literature*（《結構主義詩學》）(Cornell University Press, 1975), pp.129-130.

（second order）的《莊子》[14]，明清莊學學者在六經與莊子間，翻轉無稽、無用、無據的傳統誤讀，以易傳道體、宋明理學、文學評點、明遺民情懷的歷史依據，儒道互為轉化，向六經取經解莊以求無忤，如方以智《藥地炮莊》曾言：「莊是易之變」，覺浪道盛認為莊子：「實儒者之宗門，猶教外之別傳也」《莊子提正・序》，都強調莊學與經學融合，順其自然，因任自然，天人性命，在在於莊子內文中呈顯。是解莊之法，更是讀經之道，故明代孫應鰲《莊義要刪・序》即云：

> 故齊桓輪扁之喻、老聃跡履之喻，正示人當自信自證，勿徒附會緣飾於是書也。故泥六經以讀莊，則莊無稽；執六經以讀莊，則莊無用；外六經以讀莊，則莊無據；融六經以讀莊，則莊無忤。

以「自信自證」為解莊真諦，融會貫通六經之學，應用於物，化解世事，以得其天命，成為明清解莊的重要詮釋方法，明清《莊子》研究在不斷翻新與深入，以各種角度與方式詮解《莊子》以成就一百家齊放、眾聲喧嘩的莊學詮釋史。歷代學者在往復迴旋《莊子》之中，而得其環中，且和以天倪，共同經營出多重的思想內涵，與不朽的精神價值，體現多樣的面貌與魅力。「莊學」也就在不同角度的切入下，補足《莊子》書中多層次、隱而不顯的意義與空白處，將莊子視作開放的文本，以立體化、多元化，展現《莊子》全面的風貌、深層的意義[15]。

---

14 張峰屹：〈從《莊》注之差異看「莊子影響」問題〉，《內蒙古大學學報》1996年第6期，頁101-106；葉舒憲：《莊子文化解析》（武漢市：湖北人民出版社，1997年8月），頁2；董洪利：《古籍的闡釋》（瀋陽市：遼寧教育出版社，1995年6月），頁178。

15 由文本引發出火花之論點乃是姚斯（Hans Robert Jauss）接受美學與伊瑟（Wolfgang Iser）讀者反應理論中，所謂文學作品具有召喚功能，作品之內容中具有太多之留白，供閱讀者去填補；作者在寫作的同時，心中亦期望有一隱含讀者（Implied reader），也是有水準的理想讀者，作為作者之知音，能解讀出作者之原始本義來。見伊瑟（Wolfgang Iser）著，單德興譯：〈讀者反應批評的回顧〉，《中外文學》第19卷第12期，頁85-89。

（一）直揭道體之宇宙視域——非無稽之證

《莊子．齊物》:「道未始有封」、「欲是其所非而非其所是，則莫若以明」，從「物無非彼，物無非是」的立場言之，《莊子》的視域是「天色蒼蒼，其正色耶？」的宇宙視域，他站在地球的另一端看待人間世界，明清注莊與解莊者，結合個人生命歷程與時代衝擊，呼應著《莊子》璀璨的宇宙思維，以道體、易經解莊，結合經學與莊學之共象，直言莊子亦言「道體」，可謂畫龍點睛之勢，清代宣穎直接提出「《莊子》是直揭道體之書」他認為：

> 仁義乃道之支流，順乎天，則不必踐仁義之跡，立仁義之名矣。莊子教學道人，止是直探其源。從虛空畫出一大宗師，不為義，不為仁。將堯的仁義兩字打落，其是非兩字更不必言。不為老，不為巧，又陪說兩句。仁義禮樂，豈非聖教所必須？要之皆聖人為中人設法耳，不可皆語之以性道，則勢不得舍仁義禮樂矣。莊子著書，卻是要學道人親見道體，稍一支離，便與道體不似，故特盡與捐之。所謂要畫真容，添不得一毫彩色也。六經是以道治世之書，《莊子》是直揭道體之書。以上借許由一證。(《南華經解．大宗師》)[16]

年少肆力於六經子史，自鈔覽至腕脫的吳世尚[17]，也以莊周承接文以載道之功《莊子解．序一》中就說：

> 開闢以來，誕生我孔子，故斯道之主、斯文之宗矣。然自孔子至於孟

---

16 〔清〕宣穎：《南華經解》(臺北市：宏業書局，1969年)，頁72-73，「作特特盡與捐之」(北京市：國家圖書館，2011年影印清同治五年皖城藩署刊本)，頁165-166 (《無求備齋莊子集成續編》，臺北縣：藝文印書館，1974年影印清同治六年半畝園刊本，32冊)，頁167-168；「作特特盡與捐之」，以同治五年皖城藩署刊本、半畝園本為主。

17 〔清〕吳世尚，貴池人，字六書，又號韋玉。少肆力於六經子史，自鈔覽至腕脫，以左手作字，名其居曰；易老莊山房。性剛介，不阿於時，未貢而卒。著作除《莊子解》外，尚著有《易經註解》、《老子宗指》、《禮記章句》、《楚辭疏》、《莊子解》等。

> 子，二百年間，立言者何多也。要之，思、孟而外，莊周一人而已。何也？文以載道，道之顯者謂之文。孔子曰：「一陰一陽之謂道。」又曰：「形而上者謂之道。」又曰：「吾道一以貫之。」子思曰：「道也者，不可須臾離也。」[18]

吳氏在〈逍遙遊〉開篇「北冥有魚，其名為鯤」下指出：

> 此二句便是太極在靜中，道之體也。文法突然而起，是喻非喻，與《中庸》：「天命之謂性」一樣筆法，但彼是實寫，此是空寫耳。

他認為《中庸》以「天命之謂性」言天道和心性，是實寫，而〈逍遙遊〉篇以遠在北溟的鯤言處在靜中的天道、心性，則是虛寫、遠寫，更使人能瞥見活潑的道體。所以吳氏隨後又作注語申述說：

> 無方無盡者道，至虛至靈者心，看他輕輕借魚鳥和盤托出，便令人瞥然可見，悠然可思。……不實寫而虛寫，不正說而影說，便使人無處捉摸耳。

將開宗明義的〈逍遙遊〉點出「遊」的三維空間，開拓成混沌形而上的大千世界，在宋末羅勉道於《南華真經循本》中解〈逍遙遊〉鯤化為鵬時，即以「質之大者，化益大也」[19]言之，其後陸西星《南華真經副墨》八卷，提出「南華經皆自廣大胸中流出」，卷一〈逍遙遊〉言：「夫人之心體，本自廣大，但以意見自小，橫生障礙。此篇極意形容出各自廣大的道理，令人展拓胸次，空諸所有一切，不為世故所累，然後可以進於道。」陸西星認為：人

18 〔清〕吳世尚：《莊子解》書見《清史稿・藝文志》、《四庫總目》、《清朝文獻通考》並著錄。(《無求備齋莊子集成初編》，臺北縣：藝文印書館，1972年影印民國九年劉氏刊貴池先哲遺書本，22冊)。〔清〕四庫全書評論《莊子解》，是：「引莊子而附之儒家」(嚴靈峰編：《老列莊三子知見目錄》，臺北市：中華叢書委員會印行，1965年)，頁154。

19 〔明〕羅勉道：《南華真經循本》，收入《無求備齋莊子集成續編》(臺北縣：藝文印書館，1974年影印明正統《道藏》本三十卷本)，2冊，卷1。

之心體本大，只為成見所侷限，迷惑而障礙自生，〈逍遙遊〉即是以「大」令人展拓胸襟。

以「大」解莊子〈逍遙遊〉者，還有如林雲銘《莊子因》：以大為逍遙遊一篇之綱，吳默《莊子解》、吳世尚《莊子解》：一篇以大字做線索，直至劉鳳苞《南華雪心編》，經由明代中期至清代莊子學的注家群，蔚為大觀。誠如陳鼓應先生就說；「大成的心靈空間不僅要有廣度、闊度，也要有深度、厚度。……大成的人，需積才、積學、積氣、積勢，才能成其大」[20]逍遙遊的以「大」為綱，受到士子文人廣泛的回應[21]，也是契入道體、六經易象的跡軌。

具體提出《莊》與《易》相匯通者，又如明代鄧元錫：「莊縱觀於大化，為洸洋無端倪之言，以盡《易》之變[22]」他以莊子能觀天地之變，以洸洋之言，呈顯《易》變化之勢，是先秦諸子中，最能完全發揮《易》之變易方法者。另有明代何宗彥〈說莊序〉提出：「《莊子》注《易》之書也，古今治經者至於莊而達矣。……至《莊》而洸洋廣莫，舉一切糠秕之，善言《易》者莫若《莊》[23]」將《易》、《莊》二者共同之變易特色，加以系譜之功臣，確切推論《莊子》是注《易》之書，是發揮《易》變化之法者，則歸功於方以智《藥地炮莊》與錢澄之《莊屈合詁》。方以智《藥地炮莊》曾言：「莊是易之變」；錢澄之《莊屈合詁》提出：「以莊繼易」，對《易經》與《莊子》中相同與相異之處作發揮與論述，藉由卦象中呈現氣的運行，天地萬物恆常變易的意義，《易》簡易、變易、不易之理、太極變化，作為宇宙萬物的基本

20 陳鼓應：《老莊新論．莊子內篇發微》（上海市：上海古籍出版社，1992年8月），頁124-125。

21 方勇〈以「大」為逍遙——論清人闡釋莊子逍遙義的基本指向〉，《諸子學刊》（上海市：上海古籍出版社，2009年12月），第3輯，頁375-388。葉蓓卿：《莊子逍遙義演變研究》（北京市： 學苑出版社，2011年10月），頁117-146。

22 〔明〕鄧元錫：《函史》，收入《四庫全書存目叢書．史部》（臺南縣：莊嚴文化公司，1996年），第25冊，上編卷9，頁179。

23 〔明〕何宗彥：《何文毅公全集》（明崇禎年間刊本，漢學研究中心景照海外佚存古籍，卷7），頁115。

原理，都是與《莊子》共構的素材，如方以智《藥地炮莊》中，將《莊子》內七篇與《易經》乾卦，彼此的配合，在《藥地炮莊・內篇序》言：

> 無內外而有內外，故先以內攝外・內篇凡七，而統於「遊」，愚者曰：「遊即息也，息即無息也，太極遊於六十四，〈乾〉遊於六龍，莊子之御六氣，正抄此耳。……[24]

《莊子》以內七篇統攝外雜篇，全以〈逍遙遊〉之「遊」為其主軸，遊與息相對，以其公因與反因之理論[25]，得知「遊」與「息」一公因，一反因，成為六十四卦，組成太極；乾卦有潛龍、見龍、飛龍、亢龍遊於六爻之間，如同莊子乘御於六氣之間。而內七篇與乾卦的對應關係，方以智認為：

> 姑以表法言之：以一遊六者也，齊主世如內三爻，符宗應如外三爻，各具三諦，〈逍遙〉如「見群無首」之用，六龍首尾，蟠於潛亢，而見飛于法界，惕躍為幾乎，六皆法界，則六皆蟠皆幾也！

方以智認為《莊子》內七篇之所以為「七」之數，其中隱含易學中數的運用，以七之數將內七篇與乾卦對應，其方法為：〈齊物論〉如初九，〈養生主〉如九二，〈人間世〉如九三，〈德充符〉如九四，〈大宗師〉如九五，〈應帝王〉如上九，〈逍遙遊〉如「見群龍無首」之用九。既是如同乾卦六龍盤旋，由潛龍至亢龍，最後飛於法界，在其中有時因時而惕，有時或躍在淵，則以六之數，統攝其中蟠龍之勢的幾微之處。

> 姑以寓數約幾言之：自兩儀加倍至六層，為六十四，而舉太極，則七

---

24 〔明〕方以智：《藥地炮莊》（臺北市：廣文書局，1975年），頁1-2；《無求備齋莊子集成初編》（臺北縣：藝文印書館，1972年影印民國二十一年成都美子林排印本），第17冊。

25 〔明〕方以智云：「夫為物不二，至誠無息者，公因也；宇宙、上下、動靜、內外、晝夜、生死、頓漸、有無，凡兩端無不代明錯行，相反而相因者也，公因在反因中」，見倪嘉慶、方以智等編：《青原志略》，收入《四庫全書存目叢書・史部》（濟南市：齊魯書社，1997年），第245冊，卷3〈仁樹樓別錄〉，頁568。

也，乾坤用爻，亦七也，七者一也，正表六爻設用而轉為體，太極至體而轉為用也。本無體用也……用九藏於用六也，參兩之會也[26]。

運用《易》中「寓數約幾」之法，以則陰陽兩極，再以太極生兩儀，兩儀生四象，四象生八卦，由八卦衍生出六十四卦，六爻加太極一層，乾坤二卦有六爻，加用爻成為七[27]，七成為全部卦象之整合，於是六爻因為應用轉為一象數之體，太極原是象數之體轉而成為應用，把用九之爻放入六爻之中，於是體與用可以互轉，並且藏體於用中，於是體用不二，內七篇其中內在的關連，就成為《易》中象數的體用之詮釋，也成就了莊子與六經之首易經的貫通，從象的體用變化直證莊子是直揭道體之書，非無稽虛妄之論。

（二）入世大用之符號詮釋——非無用之證

《莊子．秋水》：「可以言論者，物之粗也，可以意致者，物之精也；言之所不能論，意之所不能察致者，不期精粗焉。」可以用言語談論的，不過是物體看得見的粗跡，用意念可以料想的，是物體看不見的精微，語言所不能談論，意念不能推想到的至裡，就不是用精粗的言論可以得到的，唯有在言意之外去求了！在《莊子》言為表，意為主的概念下，重在得意而忘象，如何將意義與隱喻的張力全開，角度切割的面向多，才能彰顯言未及之意。

保羅．利科爾（Paul Ricoeur）在《隱喻的規則》[28]、《隱喻和解釋學的中心問題》[29]提出隱喻與文本的結構類比後，通過兩者的分析，可以相互補

---

26 〔明〕方以智：《藥地炮莊》（臺北市：廣文書局，1975年影印民國二十一年成都美子林排印本，《無求備齋莊子集成初編》（臺北縣：藝文印書館，1972年），第17冊，頁1-2。

27 此處寓有方以智《周易時論合編．圖象幾表》中「六七藏」之說「七在六中」的觀點，詳細論述可見謝明陽：《明遺民的莊子定位論題》（臺北市：國立臺灣大學出版中心，2001年1月），頁106-108。

28 Robert Czerny with Kathleen MaLaughlin and John Costellosj (translated), *Routledge and Kegan Paul, The Rule of Metaphor*（《隱喻的規則》）(London,1978.).

29 John B. Thompson (edited and translated), *Metaphor and the central problem of*

充。而讀者的想像在隱喻下得到了入口，讀者不只是被動地接受作者的限制，而取其新的解讀，成為一個讀者式新作者，誠如法國文學理論家羅蘭巴特（Roland Barthes）所言：「讀者的誕生，其代價是作者之死」（La naissance du lecteur doit se payer de la mort de l'Auteur）。文字本身沒有什麼意義，意義是來自於文字所包含的指示與讀者的生活經驗兩者交互作用的結果。

彰顯讀者的新解讀，提出作者言而未言之意，成為明清莊學詮釋者的新動力，在一個科舉重於一切的時代氛圍下，六經制義科考入一味莊子藥，則文采肆意，大放異彩，是而評釋的註解家運用解六經之法，將《莊子》當作習寫範本，學習的技巧、方法，解構文理，以讀者立場解構《莊子》文本，成為一股風潮，因此散文化評莊，以符號化閱讀《莊子》、以讀者閱讀視角講究讀莊方法論、看出《莊子》「草蛇灰線」、「轆轤輪轉」、「鏡花水月」的文章章法成為明清莊學中非常重要的共時現象。

以字詞的符號意義詮解而言，如以莊子「無用之謂大用」的「用」而言，其隱喻的空間有莊子書中真實空間：櫟樹、匠人、徒弟等觀賞之人與物，但其實包含有一般對樹木的既有價值觀：櫟樹是屬於無用之樹，莊子以語言的對話提出期望的心理空間是：一般樹會被砍死，無用的樹會長存，以心理空間及語義學中語言框架理論看待，這一段語言詮釋更有另一番面貌。[30]

再就符號解構文本，做整體結構解構評而言，可略分為一是單一評文評點式的解莊，如宋代劉辰翁、明代歸有光、鍾惺等，都評點過許多詩文，運用其六經閱讀素養以文解解莊，讀出莊子行文之妙，藉由文義以透旨趣，求得文理兼具，二是評點符號加強式解莊，是評點句逗更複雜制度化，解構文章脈絡以重構莊子為主，文理與道理合一，如明代譚元春、清代林雲銘、高秋月等。

---

hermeneutics's, inHermeneutics and the Human Sciences（《隱喻和解釋學的中心問題》）(Cambridge University Press, 1998.).

30 張榮興：〈心理空間理論與《莊子》「用」的隱喻〉，以心理空間理論（Fauconnier 1994, 1997, Fauconnier & Turner 2002）框架理論為基礎，探討《莊子》故事中有用與無用之論證，見 *Language and Linguistics*, 13.5 (2012.).

宋代劉辰翁[31]（1232-1297）《莊子南華真經點校》[32]（1294），是根據林希逸《莊子口義》為藍本，分段評語，正文並加圈點。以評點為主，所謂評點，是以「、」「。」二符號標出其要義。再以評點詩文的方式，在段落間提出看法，全書不在字詞音義上說明，卻重在散文章法的解讀，將個人讀莊的感受，以及文章的呼應處，寫在眉批上，有評論及圈點，並拈出莊子文章特色、這種以評點方式解莊、提出莊子文學定位、提出作文之法、標舉莊子文學特色等，無論在形式上或內容上，都可以說是擺脫了前人的窠臼，而以另一種眼光重新詮解《莊子》者。

讀六經之方式讀莊，評點莊子的蓬勃開展於明。明代歸有光《南華真經評注》，是集合「百大家評註」之總整理，主要章句內容用的是郭象之注本，以評點方式，標出「。」與「・」，書上下兩端都有眉批，每篇篇末又有總評，計總評者有三十七人，眉詮者七十三人，音釋者七人，內容豐碩，除了文學性的闡發，茅坤、劉辰翁等並列齊鳴之外，義理方面如陸龜山、焦竑等亦加以發揮。內七篇篇下皆有小字說明要義，外雜篇則無通篇要義，但總評則篇篇皆有。每一句皆有句意說明，非常詳贍，可以說是集大成者。

評點之風，在宋、明大肆流行，閱讀者動輒在書上大加批評，圈點狼藉，受到後來學者駁斥，於是逐漸沒落，而欲振乏力，出版業者，也把圈點抹去，不再用朱青墨色等套印書籍，因而評點之風，漸漸銷聲匿跡。但王船山《莊子解》、郭慶藩《莊子集釋》，仍喜歡以蒐集前人的評論作閱讀對照。

---

31 〔明〕劉辰翁（1232-1297），南宋詩人，字會孟，號須溪。吉州廬陵（今江西吉安）人。少舉進士，生於紹定五年（1232），早年入太學，理宗景定三年（1262）進士，因對策忤權奸賈似道，被評丙等。時賈似道專國，固辭官。有《須溪集》十卷、《須溪詞》三卷。《班馬異同評》、《放翁詩選後集》等。是文學批評史上第一位評點巨擘，著作豐富，有文學批評部分及文學創作部分，評點之詩人自漢唐迄宋諸大家詩文，所著《須溪集》原有百卷之多，是位創作與文學批評皆強之學者，今人楊玉成以「閱讀專家」譽之（楊玉成：〈劉辰翁：閱讀專家〉，《國文學誌》2010年6月）。

32 〔明〕劉辰翁批點本《莊子南華真經》三卷，是據鬳齋《口義》批點，凡例已言明用徐儆弦刪定本，非如《老子》、《列子》錄全文也（《無求備齋莊子集成續編》，臺北縣：藝文印書館，1974年）。

另有明代譚元春[33]《莊子南華真經評》三卷（明崇禎八年，1635年），全書每篇末皆有總論，並附眉評、圈點、旁注，圈點則有「。」、「·」、「∟」三種，「∟」是標段落的，說明《莊子》之文學特質，文章之變化。譚元春序言的：〈遇莊〉更是發其異想，認為：

> 益嘆是書，那復須注不易之言也。注彌明，吾疑其明；注彌貫，吾疑其貫。
>
> 閱莊有法藏：去故我化身，莊子坐而抱想，默而把筆，汎然而游，昧昧然涉，我盡莊現。[34]

在此，譚元春自覺已化身為莊子，以己新意欲去除遮撥，雖名為譚元春評閱莊子，闡發莊意，但言下之意此書猶如莊子再現。

這是注者認為能與作者心意相通的，以作者為角度，作者的代言人去詮釋，成為讀者新作者，明代處於評點之風大肆流行時代，閱讀者動輒在書上大加批評，圈點狼藉，後來逐漸沒落，出版業者也把圈點抹去，不再用朱青墨色等套印書籍，而評點之風，漸漸銷聲匿跡。

另以符號制度化，強化文章體式，學習經學注疏，由注疏轉而評點，更進階至制義科考所用之古文選本解讀，運用古文義法的講解，八股體式的說明，評點文人競騁其才的方法，匯通古文技法與時文書寫技巧，如明代茅坤致力於八股文與古文的技法之匯通，他評點《唐宋八大家文鈔》則以八股文的題義章法來評點古文，其所評以勾畫脈胳為重。所以，王夫之在《夕堂永日緒論·外編》中評云：「勾鎖之法守溪（即明代八股大家王鏊）開其端，尚

---

33 〔明〕譚元春（1586-1637），字友夏。湖廣竟陵（今湖北天門縣）人，別署「獄歸堂」。明代文學家。天啟七年（1627）鄉試第一。結識鍾惺，與鍾惺共選《詩歸》，一時名聲甚赫，世稱鍾譚，謂之「竟陵體」。然兩人學不甚富，其識解多僻，大為通人所譏。《抱真堂詩話》云：「友夏詩雖不稱，而為人跌宕，不愧名士。」著有《嶽歸堂集》十卷、《鵠灣集》。

34 〔明〕譚元春：《莊子南華真經評》，收入《無求備齋莊子集成續編》（臺北縣：藝文印書館，1974年影印明崇楨八年刊本），27冊，頁16。

未盡露痕跡，至荊川而以為秘藏。茅鹿門所批點八大家，全持此以為法。」以八股文闡釋經義，發揮經典未盡之意，六經皆為我註解，注疏與八股繫聯，求脈絡、章法、結構，是明清詮釋者義理與文章體式結合的重要特色。

如林雲銘以《古文析義》之大斧，解莊子之牛，嘩然而落，成就一全新有用之莊學，他以讀者閱讀的角度做提點，以觀地理之法，觀莊子之大，以觀貝之法，見莊子之微，注文中更以章法結穴整合，以「因」做莊子環環相扣的鑰師，更以文理需結合神理，用五經之法讀莊子。其《莊子因》前言〈莊子雜說〉中云：

林雲銘提出以讀詩、書、易、禮、春秋此五經之法讀《莊子》，猶如宋代林希逸提出讀莊有五難：「莊子有五難，必精於語、孟、學、庸等書，見理素定；又必知文字血脈，知禪宗解數，而後知其言意。」希逸提出讀莊要精論語、孟子、大學、中庸，才能見理素定，西仲之意是以五經學養讀莊，讀出經典中義理之所宗，才能真正讀懂莊子之「理」。他特別以「理」為閱讀核心之深意，希望讀者勿輕忽其文中之內涵深層的寓意，得其「神理」才是真正解其文，閱讀文章並不只為科考為文，邯鄲學步而已，真正善於讀之人，是要讀出書中弦外之音、言外之意，得意而忘象，會其心得其神理，故在〈莊子雜說〉提出：

> 《莊子》當以五經之法讀之，使其理為布帛，菽粟日用常行之道，不起疑異於心，則與我相親矣。[35]

以五經法讀莊子，是掌握其「理」，這也是莊子所謂之「道」，藉由莊子之文得其文理，得其神理，更要得其真理，這才是莊子真人品、真精神的顯現，才是讀莊者，在掌握文理之後，所應得知的義理之所在，讀者在閱讀《莊子》時，在相互接觸與碰撞中，體驗莊子真正的理，原是如此簡單易行，化諸萬物，於我內在相契合，因為它是每個人都具有的本心、真性情、真人品，如此才是得其神理，又與自己潛藏之真生命相結合的。因此有言：

35 〔清〕林雲銘：《標註莊子因》（臺北市：蘭臺書局，1985年），頁33。

> 夫一代真文章，猶之乎真人品也。真人品若合若離，磊落自喜，而有一段不可抑塞之性情；真文章有意無意，洸洋自恣，而有一段不可磨滅之神聖。[36]

由文以見其人，由文已交其心，由文理以見義理，能「原天地之美而達萬物之理」才是解莊讀莊的重要意義。這些優異的讀者，無論歷時詮解、共時激盪著評點散文化、義理學、符號化解構、詮解者共構、考證專論的建構，時代的推波，將莊子學與時俱進，永遠與天地日月星辰同光輝。

直到清代高秋月《莊子釋意》[37]內外篇附雜篇三卷（康熙二十八年，1689年），在就《莊子》原文詳加圈點句讀圈點旁注重要文字，並加圓圈，釋意詳明，篇末均引歸震川、憨山大師評語之言以為總結。回到符號解構注解《莊子》，「以意逆志」解讀《莊子》的方法。然全書圈圈點點、密密厤厤，圈點符號較林雲銘更多，有「。」「、」「鯤之大」「－」「◎」「‖」「△」「▎」繁複到八種之多，論述時宗歸有光及憨山，段落清楚說明，篇章義法有加以點出，由上述可知，高氏是以文評莊的方式解莊義，仍重倚賴各家之言。以章法評論之風蓬勃發展，影響所致潘基慶《南華經集解》、葉秉敬《莊子膏肓》、陳深《莊子品節》、藏雲山房主人《南華大義解懸參註》、陶望齡《解莊》、陳懿典《南華經精解》、徐曉《南華日抄》、韓敬《莊子狐白》、楊起元《南華經品節》、陸可教、李廷機《莊子玄言評苑》、黃洪憲《莊子南華文髓》等，都以讀六經法以求之的風格。這些舉證在在指向共同心念：莊子修辭技巧文富宏肆，化用以應制科考，證明《莊子》是看似無用之大用之學。

---

36 〔清〕林雲銘：〈上杜肇余少宰〉（《四庫存書總目》，《挹奎樓選稿》）集230-128。

37 〔清〕高秋月，金壇人，字素蟾，著《莊子釋意》三卷，《無求備齋莊子集成續編》（臺北縣：藝文印書館，1974年影印清康熙間刊本），31冊。

（三）陶鑄理學之莊學心性化──非無據之證

《莊子》文本由歷代見識高明的注解者，體乎宋明以來陸王心學，現乎文彩斑斕，將莊子的醇然真儒，論玄、論義之點光亮之，以一己之意，點化莊子著述之本心，言天地萬物相生相化之理，將萬物共生共存共榮，道體圓滿自足，循環反覆之精義，在各個角度面呈現，在宋明理學影響下，如宋明儒者如周敦頤（1017-1073）《通書、聖學章》：「無欲則靜虛動直。虛靜則明，明則通；動直則公，公則溥」這裡的「靜虛動直」宇宙論；張載（1020-1077）《正蒙．大心》篇：「大其心則能體天下之物，物有未體，則心為有外，世人之心，止於聞見之狹。聖人盡性，不以見聞梏其心，其視天下無一物非我，孟子謂盡心則知性知天以此。天大無外，故有外之心，不足以合天心。」陸九淵（1139-1192）：「心即理」人心即是所謂本體心，也是人人具有的心。他云：「人心，只是說大凡人之心」（《語錄下》）；楊簡（1141-1169）：「本心說」；陳獻章（1428-1500）：「心道相通」，這些啟發影響明清莊學的詮釋者，他們跟《莊子》連結，產生對《莊子》不同的理解，於是心性與道的體現與應用，常常在明莊學注疏中提出討論。陳治安《南華真經本義》〈則陽〉卷首就言：「莊子每篇多一意為終始，獨此自則陽干進，至靈公得謚，天人性命、刑罰兵爭、小大精粗、無所不有。」就以「天人性命」，說明《莊子》內文有呈顯心性之學。

對心性的體悟，在明以韓敬《莊子狐白》、沈一貫《莊子通》為主、在清以宣穎《南華經解》、陸樹芝《莊子雪》、胡方《莊子辨正》、王闓運《莊子內篇注》、孫嘉淦《南華通》等說明之。

韓敬[38]《莊子狐白》四卷，多以宋明理學口吻解莊之直指本體，如：

---

38 〔明〕韓敬，烏程人，字求仲，萬曆庚戌（1610）狀元，授翰林院修撰。《莊子狐白》（《無求備齋莊子集成續編》，臺北縣：藝文印書館，1974年影印明萬曆四十二年（1614）刊本，22冊）由於此書〈在宥〉、〈至樂〉、〈庚桑楚〉、〈外物〉、〈天下〉篇有闕文，目前各篇已有鈔詳正文，評注則未加補足。

「七篇之言大抵皆心謂矣，以其直指本體，出人入天，出生入死而言，故名之曰內篇。」以內篇直指本體，是「《莊子》有題目之文也，其言性命道德、內聖外王，備矣！」以心性之語論莊，是其特色。又如〈大宗師〉眉批上云：「此篇八章次第相承，其意象只是盡性由人合天，人天兩忘，即所遇順逆，何足介累，惟天惟命，師又何方乎？故曰：大宗師。」《莊子》之道德，作者則認為是「虛靜恬澹，寂寞無為而道德之正，性命之情，於是乎假之矣！」以《老子》為宗以道德為旨，達虛靜恬澹之性命之情，是作者對《莊子》的體悟。故全書以理學家的方式解讀《莊子》，重讀莊之法，與推究與《老子》為宗的思想脈絡，是本書特色。足見書中受到宋明理學之影響而論莊。

明代沈一貫[39]《莊子通》，認為《莊子》：「性皆心也」，與孔子因道體的解讀有關，認為云：「《莊子》本淵源孔氏之門」(〈自序〉)，但又與佛教思想「往往與之合」，故非純粹的儒家思想，所以他給《莊子》的定位是「當居三教間」並辨明莊與孔的不同之處。沈氏以《莊子》與孔子之同異處在於，兩者道德、仁義的意義其實相同，如果孔子之後的「學者知仁義之為道德也，行仁義而不為煦煦孑孑」，以仁義合乎道德，「與天地合而四時同」，也就「無惡乎彼之擿毀」。也就是若無小儒所談，不合孔子原意的仁義，《莊子》就不會抨擊儒家的仁義思想，因此二家至少在仁義問題上，應是相通的。

其次，《莊子》與孔子在心體與性體的概念是有差異的，沈氏以孔子的學說是把性與心分開，他說：「所謂性者，善也，天繼之而為善，人賦此善於心而為性，故至平至直，萬世不可易之理出焉。若心則統體百骸之名，雖

39 〔明〕沈一貫，鄞縣人，字肩吾，隆慶進士，萬曆間累官戶部尚書，武英殿大學士。為明萬曆間首輔，位高權重，屬於當國的高官，一貫數薦礦稅使誣劾繫獄者，帝不省。至楚宗妖書京察三事，觸犯不韙，論者醜之，卒諡文恭。著有《易學》十二卷、《詩經纂注》四卷、《敬事草》、《經世宏辭》、《吳越遊稿》、編有《弇州稿選》。《明史》中記載其從政的經歷與活動，所作《莊子通》十卷則未見著錄，所以郎擎霄《莊子學案》中說「其書流傳甚罕，世之得見其書者蓋亦寡矣！」（郎擎霄：《莊子學案》，頁345）《莊子通》，《無求備齋莊子集成續編》（臺北縣：藝文印書館，1974年影印明萬曆十六年刊本，9、10冊）。

精雖神，而落於形氣，故有人心道心之稱。」這是以為性為本體，心為形氣，性賦於心中，心才可稱為性，但心與性就是二體，性是萬世更易的，心則有壞亡的。而「《莊子》之言性也，皆心爾」，未把心的層次上升到本體層次，這種思想，是道家與佛家共同的情形：「凡二氏之言性也，皆心爾。凡闖吾門而未入吾室者，其言性皆心爾。」沈氏認為莊子淵自孔子，但判定莊子未得孔子學說之精髓，故斷言「莊子之蔽，蓋源於此」。

道體的意義兩者亦不同，沈氏認為「凡莊子之語道體，必曰無窮，老曰無，釋曰空，莊亦言無言空，而實以無窮為宗。」他分析莊子與老子和佛家對道體的認識後，進而說明無窮與無或空，是不同的「無窮者，如環無端之義，不但曰無與空而已也。」且是「逍遙於無窮」，要達此境界，則必須「以闇然自修、廓無所係之心讀《莊子》」，否則就會「必且蔑。裂禮教，詬辱古今以來大聖賢，而甘與盜蹠同林」，這是儒家正統所不能容忍的。此為沈氏一貫之理，成其莊學以儒解莊「《莊子》本淵源孔氏之門」，不以莊子為純粹道家之特色。

清之《南華經解》莊子乃孔孟之嫡傳，宣穎《南華經解》[40]認為其書因推仰夫子之至，為聖門之津筏。「《莊子》之文，真千古一人也」，《莊子》「真自恣也、真仙才也、真一派天機也」，如果《莊子》「向使以《莊子》之才，而得親炙孔子，其領悟當不在顏子之下，而磨礪浸潤，以渾融其筆鋒舌巧，又惡知其出『不違如愚』之下哉！」將莊子與顏淵並言，孔子為真儒，莊子乃孔孟之嫡傳，其學於子夏，亦是儒家之大宗，莊子幾成了儒家代言人，是以真正的儒者視之，因「莊子學於子夏，所稱夫子，多係孔子。」（《南華經解・齊物注》）認為《莊子》傾服聖門，乃純然的儒者。

宣穎把儒家的《中庸》拿來與道家的《莊子》作比，又云：「《莊子》之書與《中庸》相表裡」（《南華經解・逍遙遊注》，莊子因養之未至，未達聖

40 〔清〕宣穎，江蘇句容縣句曲人，字茂公。《南華經解》版本（臺北市：宏業書局）（《無求備齋莊子集成續編》，臺北縣：藝文印書館，1974年影印清同治六年半畝園刊本，32冊）（北京市：國家圖書館，2011年影印清同治五年皖城藩署刊本）。

人之境，所以其言鋒芒透露，原因就在未能親炙聖人，宣穎所指的聖人，指的是儒家的聖人孔子。宣穎並體乎宋明以來陸王心學，認為《莊子》處世以心即化，「行年六十而六十化」（《莊子・寓言》）《莊子》非佛非仙，《莊子》應是總結宋明心學者，以《莊子》的醇然真儒，如同孔子絕四：「毋意、毋必、毋固、毋我」（《論語・子罕》），顏子簞食瓢飲，心不違仁、孟子浩然正氣、存養赤子之心，與《莊子》逍遙無己之意結合，在孔門心學中體見莊子之意。宣穎把顏子之樂與莊子逍遙相提並論，他以為「無已」才是顏子真正安貧樂道的關鍵，因為「累空而道見」，不見有己，才能無入而不自得，不見有人、不見有己，以心為師，自是無心無為，墮肢體、去聰明，道通為一，才能達到「心齋」才為「坐忘」的最高境界。此顏子之樂的解釋，是得自於宋明理學家的討論，而宣穎另以妙解之。

《南華經解》中對「道」的本體，是以「無」看待之，將《莊子》與《中庸》相表裡，於是《莊子》道體之「無」，與《中庸》無聲無臭之形上意義相同。逍遙之境界與無己之工夫混合為一，結合孔顏心學之大成，成就了逍遙境界論之新解。宣穎以人心為本體，禮義為末學，而心的功用在於「心則天」（〈田子方〉注）「自人有修者，至此一氣讀之，趕出兩天字，言人見其人，而實已通於天也已！」宣穎又以濂溪之語「靜則虛，虛則明」來解「泰定發光，靜者自驗之」；另如〈大宗師〉前言中解釋「道」時，亦引用張載：「乾稱父，坤稱母，民吾同胞，物吾與也」皆可以看出宣穎汲取宋明理學之處。再以儒家見獨與存誠之工夫，陶鑄在道家的養神與用志上，成為以赤子之心以養己的工夫理論。最後，宣穎以順物自然而內聖外王，無為而物自化，道的支流是仁義，莊子明道之功是等同於六經，此為宣穎的道體實踐理論。因此，宣穎以儒解莊之思想論述是結構完整，融合了儒家積極開展之內容與道家高遠廓落之境界，互為表裡而成的。

由上所述，可以看出，宣穎將莊子之「心」的無心無為，轉化成能體道，這全是由宋明理學對心學的論述中得到的靈感。宣穎融合了莊子與宋代理學「天人合一」「心學」思想之長，綜合於「道」體之下，成為有機的組成[41]，把儒家提升至本體的高度，補足莊子的廓落寥一的虛空，總結出天與人既相對立又相依存的規律，影響所及，陸樹芝《莊子雪》、胡方《莊子辨正》、王闓運《莊子內篇注》、孫嘉淦《南華通》都深受影響。

清代陸樹芝《莊子雪》三卷[42]，由於陸氏長於理學，其書以莊子功在六經，莊子乃真儒的觀點解莊，在其〈讀莊子〉雜說末段即言：「必識罵佛確是愛佛之理，則莊子正先聖之外臣，猶子心在君父者，雖真儒讀之，可以無惡矣！朱子想亦喜讀之，故註論語時引為證也。」

陸氏謂莊子性學之理在於：「先儒謂太極以上不容說，其實難說也。莊子偏向芴寞無形上，滾滾說來，鏤造化而繪虛空，極精微、極廣大、又極透亮，具此心眼，用以體認性學，自無復有理障矣！故得力蒙莊者，必能達難顯之理，而不病於膚庸。」（〈讀莊子〉雜說）以心體道，體認性學，才是莊學之經要。他認為莊子是由人收歸太極。「又不肯如周濂溪直下註語曰太極本無極，只說遊於天地一氣，故為眇芒之辭，以此為荒誕云爾。」（〈讀莊子〉雜說）陸氏看到莊子精髓在於「由人收歸太極」故言「遊於天地一氣」是得其莊子之要旨。

基於以上的看法，陸氏希望註解義理清楚，能解其理，陸樹芝〈序〉曰：「必當而開卷瞭然，無復沉悶，似撥雲霧而對皎雪也，遂名之曰莊子雪」重在義理清楚，故解釋「只求明曉，不敢摹擬註疏之體，殊無奇特，似只本分當然矣！」但是他「別有所窺，煞費苦心」的用盡心思，因此，陳大文撰〈莊子雪序〉：「莊子神於文者，子神於莊子者，自子之文出，而莊子於是乎有替人，有知巳（己）。」在莊學詮釋上亦有一理學詮釋莊子之地位。

胡方《莊子辨正》[43]以道之正言逍遙，胡氏其旨在於論證莊子說與儒家

---

41 關四平：〈論道家的「天人合一」思想〉，《上海師範大學學報》1997年第4期，頁24-29。

42 〔清〕陸樹芝，廣東信宜，字次山，號見廷，別署「三在齋」。乾隆庚子舉人，嘉慶丙辰舉孝廉方正，不就，官會同教諭。《莊子雪》，《無求備齋莊子集成續編》（臺北縣：藝文印書館，1974年影印清嘉慶四年刊本，34冊）。

43 〔清〕胡方，新會，雍正中卒。字大靈，居金竹岡。康熙朝以番禺籍補諸生，充歲貢

觀點一致，把盡心知性以知天，成就古今，從個人到天下通貫之，即言〈養生主〉，「此篇言人得此道所以盡其性，人失性則不成人，故所以盡性者切於人。」〈人間世〉：「此篇言人得此道所以利於行」〈大宗師〉：「此篇言學言其所言，學道者所必宗而師之者也。盡天下古今而為之宗師，是為大。」〈應帝王〉：「問帝王之道，亦以無成心而因是應之。」這樣一個儒家為體系的盡心知性以知天的莫若以明，無處不逍遙之境，在胡氏《辯證》中完成，是莊學中以儒解莊又一著作。

孫嘉淦[44]《南華通》認為《莊子》是「以孔孟程朱之理通之」，認為莊子之學傳自儒家，他以為：「世傳莊子為子夏之徒，觀此等語，似亦有所授受。《南華通》以莊子講求真宰、真知，應似儒家求道講究自誠而明，與禪宗頓悟、佛教修來世，仙道求長生不死，雖名詞不同，但得道方法上看，莊子與儒家相通。並指出莊子與佛、仙的不同，倒是與儒家的易和中庸多有相通：

他以為莊子對孔子是「尊經仰聖」，至於《莊子》書中「凡其肆無忌憚詆訾孔子者，皆外篇雜篇所載，乃後人贋作，內篇初無是也」。「莊子之意，以為孔子事事好，只太拘謹，老聃雖非至人，而死生一條可否，一貫二語，則實獲我心，乃其平心權衡之論，而初非右此而左彼也。若外篇雜篇中猖狂詆訾之言，皆後人之贋作，所謂「小人而無忌憚者，莊生寧有此哉」，這個解釋自有道理，何況《莊子》之文多為寓言，其中提到的人物，多有虛構性，自不可拘泥，以為實證。

他指出由於莊子天資高曠，見孔子務學守禮，便以為拘謹，乃在〈德充符〉篇撰出「叔山無趾踵見仲尼」寓言故事，以表示對孔子的不滿，當然這

生，學者稱「金竹先生」。講求理學，註易，及四書，多所開發，其教人以力行為主，著有《鴻桷堂集》。胡方：《莊子辨正》（《無求備齋莊子集成續編》，臺北縣：藝文印書館，1974年影印清嘉慶十九年刊本，33冊）。

44 作者有二說，一為屈復，一為孫嘉淦，根據方勇《莊子學史》的考訂，認為作者權應屬孫嘉淦，方勇：《莊子學史》（北京市：人民出版社，2008年10月），第3冊，頁130-131。

與孔子見南子而子路不悅是一樣的，其實正表現了莊子的質直品性，與世人所謂其意在於貶黜孔子是完全不同的。顯然，孫嘉淦的這些說法無疑在一定程度上受到了王安石〈莊周論〉和宋代理學家思想的影響。詮釋〈大宗師〉時說：

> 其中齊物我之化，一生死之體，究性命之原，合天人之道，言多粹精，類非二氏所能及。特其既知大道之元同，而又言方有內外，既知天人之一致，又欲舉仁義禮樂而去之，則是形上形下終判為二域，下學上達終分為二候，所以舍近騖遠，遺下窺高，而道術為天下裂。

意謂莊子雖在究性命之原、合天人之道等方面多有粹精之言，但他又認為方有內、外之分，並主張除去方內之人所宣導的仁義禮樂，這就違背了儒家所重視的日常事理間的下學工夫，真可謂是「舍近騖遠，遺下窺高」。孫嘉淦有鑑於此，便進而判定莊子並非「聖門之嫡派」。他說：

> 知者，吾心之思慮也。思慮之起，千頭萬緒，無有休息，故曰無涯。……以有涯之生而役於無涯之知，則生殆矣。已殆而尚不覺悟，益從事於知焉，則殆而不可救矣。知者意也，人識意而不識心，故謂心有死生，此即佛氏所謂認賊作子者也。夫意誠而後心正，是心與意有別也。但意之所發，誠之而心自正，絕而去之，則偏枯矣。此莊生所以為二氏之鼻祖，而非吾儒之嫡派也。(〈養生主〉通)

《南華通》對〈大宗師〉:「承前篇獨成其天之義，而暢發天人性命之旨，起生死而貫物我，乃其盡性至命之學也」(頁173)。〈大宗師〉者，內聖之極功。〈應帝王〉者，外王之能事也。所謂「部如一篇，增之損之而不能，顛之倒之而不可者也」。《南華通》以儒學通莊子，拈出其中儒家成分，更認為莊子之高明是道、佛之鼻祖，看出以理學治莊之法。

這樣鎔鑄理學以入莊，除了彰顯莊子心性之美的鑽石光芒，更知莊子逍遙無己之意，隱隱進入盤根結實的體用兼備之境，期望在人間世以成就天德。《莊子》之顯豁通達，體道有無，無己心學有了境界與實踐的圓滿結合，結合詮釋者的前理解，用儒家的存養工夫，還其道家的天然本色，行諸於人生修養上，以順物自然為原則，內聖外王以貫通，明乎道體，知其仁義之流，在《莊子》謬悠的創思中，尋繹到脈絡與創獲，對《莊子》文論的深意、生命的底蘊、都顯現豁然開朗，證明《莊子》是有據的，非不夢夢而生，夢夢而死，是心性光明的高遠通透之境。

（四）融遺民托孤返真我之路——無忤之證

明代對莊子看法承繼鎔鑄宋明理學、三教思維，內容上對《莊子》解讀與詮釋，走向創發與獨領風騷的情形，如明・楊慎《莊子闕誤》則接著蘇軾陽擠而陰助之論評莊云：「莊子，憤世嫉邪之論也。人皆謂其非堯舜，罪湯武，毀孔子，不知莊子矣。莊子未嘗非堯舜也，未嘗毀孔子也，儒毀彼假孔子之道，而流為子夏氏之賤儒、子張氏之賤儒者也。」（《少室山房叢》，卷二十七）對莊子本質上的義理，有了真正承接堯舜真精神的解讀。

又如明代焦竑認為孔孟非不言「無」，只是將「無」寓於「有」，而老莊亦非不言「有」，以其見孔、孟之學侷限於「有」，而通達者太少了，因此莊子旨在補孔孟文字意義，精神層次之不及，其目的則二者無異，因此莊子也是繼承孔孟真精神者。

除了受到明代王陽明心學，清代樸學思維影響，產生學術背景的另類解讀外上，加上國亡家破的歷史傷痕，遺民思維的一種孤臣孽子之痛，投射在莊學避世孤絕的天地中，學者明顯存有家族中棄兒的悲情，因此錢穆先生提出：

> 若夫清初諸儒，雖已啟考證之漸，其學術中心固不在是，不得以經學考證限也。蓋當其時，清初儒者處於外有國破之痛，經濟、西學之衝擊，官方以整理國故以籠絡士子，以政治威逼箝制思想，學者們震驚於當時的政治變局，把亡國敗辱引為沉痛教訓，如王夫之云：「孔子著春秋，定、哀之間多微詞，言之當時，世莫我知」、「故哀其所敗，

原其所劇」[45]凡是以天下興亡為己任之學者，就會有此感時哀痛之作。

錢穆先生說明清代學者「其精神直可上追晚明諸遺老，間接承襲了宋明儒思想的積極治學傳統[46]」，以感時哀痛的情懷，解釋清初學者不斷的在修正前人的缺失，作各種學術或思想的嘗試，更有種欲重新整理、批判或改進宋明理學之虛妄，務求實學、樸學精神的實踐，形式上以復歸經學通經致用為目標。

於莊自子學者，以制義古文之用，理學根據之本，易學概念之實作為「儒家為莊子之本」的文化形式的論證，進而以心理意識，以認知心理接軌儒學，以莊子為儒家之孤兒之姿，納入儒氏家族。

故而遺民僧中著《三子會宗論》、《莊子提正》的覺浪道盛入清後，倡議為孟子、莊子、屈原立一座祠廟，並提出了莊子為「堯孔真孤」、《莊子》為「儒家別傳」的說法，以寄託其傳承華夏文明的思想感情。

方以智《藥地炮莊》，進一步發揮了其師道盛的莊子學思想，同時也加入易學觀念，融合至莊學中。《藥地炮莊》是他晚年出家後之作，提出「托孤說」，認為：莊子是孔門弟子，因「子夏出田子方，子方出莊子，莊子乃為孔顏滴髓」（〈一貫回答〉），所以方氏稱「莊子為孔門別傳之孤，故神其跡托孤于老子耳。」（《東西均・象環寤記》）「莊子雖稱老子，而其學實不盡學老子」（《炮莊・天下》）。在方以智看來，莊子生當戰國諸侯爭霸之時，其實王權旁落，禮崩樂壞，世道交喪，莊子觀察到「嘆世之溺于功利而疾心」，憂時感懷天下之人，熙熙攘攘，追名逐利，乃「為此無端崖之詞厄之，寓之。」（〈向子期與郭子玄書〉）方以智再引劉概的話說：「莊子欲復仲尼之道而非其時，遂高言以矯卑，復樸以絕華。沉濁不可莊語，故荒唐而曼衍。」（《炮莊・天道》）這裡解說，莊子之所以為《莊》，是出於當時的形勢而「不得已」的解道形式作風，骨子裡依然是接著孔子仁義和儒家六經易理的概念而來。

45 〔清〕王夫之：《黃書・後序》，《船山全書》（長沙市：岳麓書社，1996年2月1版；1998年11月2刷），第12冊，頁539。

46 錢穆：〈前期清儒思想新天地〉（《中國學術思想史論叢》（八）（臺北市：東大圖書公司，1980年3月初版，1990年4月再版），頁1-2。

禪師俍亭淨挺於《漆園指通》中，將道盛的「儒家別傳」改造成「釋家別傳」，為此錢澄之寫〈與俍亭禪師論莊子書〉相互論辯，反映當時文人、僧侶，意欲淡化遺民意識而忘世事於禪境之中，即使學道說禪，心中的思想仍以儒為宗，見山是山，見莊仍是孔孟嫡傳，因此錢氏撰《莊子詁》，著重闡述「莊子宗旨，專在一『遊』字」的觀點，如何以「遊世」面對世事，是儒者超越困境之道。

王夫之《莊子解》、《莊子通》，也是融合六經與莊學之儒者。以儒者之思，借《莊子》之學以闡發。船山有言：「況如子張者，高明而無實，故終身不仕，而一傳之後，流為莊周。」直評莊子為：「莊生以意志測物，而不窮物理」(〈思問錄外篇〉) 論學說為：「莊生之說皆可以通君子之道」，侯外廬評曰：「敢于把老、莊、法相諸書、六經同時注解，皆屬深求與裁類」，他「因而通之」將「莊子時為儒家之流裔，就其學術淵源而言，乃歸本於聖人六經之教；就其傳授之系統而言，則為子張氏之儒。」

宣穎著《南華經解》，也極力要使孔、莊、儒、道結合在一起，認為「向使莊子之才而親炙孔子，其領悟當不在顏子下」，卻由於「聖人沒，微言絕，百家並噪，無異禽鳥鬥鳴，莊子於是不能自禁而發為高論。」將「聖人不輕示者示之」，因此「莊子之書與中庸相表裡」(《南華經解・序》)，而「竊謂孔子之絕四也，顏子之樂也，孟子之浩然也，莊子之逍遙也，皆心學也」(《南華經解・逍遙遊注》)。

林雲銘《莊子因》雖提出以莊解莊，而會通儒道之義甚為明顯。云：「莊子另是一種學問，與老子同而異，與孔子異而同。今人把莊子與老子看做一樣，與孔子看做兩樣，此大過也。」他又明白指出異同之處：「老子所謂長生久視，則同而異也；孔子所謂未知生焉知死，則異而同也。」

具故國之思的傅山，推崇老莊，身為北方的遺民[47]，對《老子》、《莊

47 〔清〕傅山（1607-1684），字青主，擅長書畫，晚年恩賜以官，使人舁以入，望見午門，淚涔涔下，強掖之，使謝，則仆於地，次日遽歸。大學士以下，皆出城送之。山嘆曰：自今以還，其脫然無累哉！及卒，以朱衣黃冠殮。在此，他雖心向故國，卻也明白國家的現狀與現實，不願受官的痛苦與掙扎（許志信：〈傅山注《莊子》與郭象思

子》、《公孫龍子》、《管子》、《墨子》、《商君書》、《荀子》、《淮南子》等皆有研究。而從思想感情方面來看，他尤其喜歡莊子，自謂「吾師莊先生」(《雜著二、傅史》)，由其言「老夫學老莊者也」(〈書張維遇志狀後〉)、「吾漆園家學」(《王二彌先生遺稿序》) 等，在傅山《莊子解》(1684)、《莊子翼》批注中、《霜紅龕集》卷三十二〈讀子一・莊子〉，都札記式的說明，讀莊子應有：「金之在卯也，顯顯隱隱，任讀者遇之。」傅山的子學思想是「經子不分」，他不僅深入研究諸子之學，並且提出經子不分，學術平等的觀念，云：「經子之爭亦末矣，只因儒者知六經之名，遂以為子不如經之尊。」(《霜江龕集》卷三八) 經子等量齊觀，莊學與經學融合為一。

王闓運《莊子內篇注》[48]認為「莊子真孔子之徒哉」因「孔子學於老子，莊子從而通之，由其空言知其實用」，以莊子是根據孔子之學，而改變論語之後學《孝經》、《論語》之空言著述方式而作。王氏以儒者視莊，在解讀時有其新意，如〈逍遙遊〉篇旨：「逍遙遊者言識道也」、「下學上達乃天知之旨，傳曰：仁者安仁，知者利仁，逍遙遊之義也」，即把逍遙遊當作識道之功夫，以成就下學上達而知天的基本工夫，做到安人與立仁，為逍遙義。而〈齊物論〉則是「學道之階梯也」進而「〈養生主〉者，自修身也」並說明「《易》曰：顯諸仁，藏諸用，鼓萬物而不與聖人同憂，言聖人有無憂之道也」「〈人間世〉者治世之跡也，養生以馭辨得要道矣」、「〈德充符〉者廣全生也」、「宗，主也，師，法也，宗，親也，師，尊也」、「以為非大不足以統世，不可宗師者，不足以訓人，先裕本原，明祛妄惑，是〈大宗師〉之義」、「〈應帝王〉者明道用也」，王氏認為「論道者為治世也」，所以「應帝王」是重在用世，如同「易曰見龍在天，利見大人君德也」。在此《莊子 》內七篇成為圓滿治國之法則，由己而人，學道修身治世治人，合於道，通於道，成就聖人事業之最高指導方針，王氏以儒解莊，是有其獨特的見解。

想之依違〉，《朝陽人文社會學刊》第6卷第1期，2008年6月，頁245)。

48 〔清〕王闓運《莊子內篇注》篇首王氏自〈敘〉，第一篇為〈寓言〉王氏認為是莊子自敘，故置於第一篇，進而〈逍遙遊〉等內七篇，最終以〈天下〉作結(《無求備齋莊子集成續編》，臺北縣：藝文印書館，1974年影印清同治八年的刊本，36冊)。

作為解經者，解經是心路歷程的表述，詮釋是不斷重複自我的證據，儒學對解經者言，已經超越認知之學，而轉化成是一種體驗之學，故解經者面對時代的困頓，已身的生命歷程，將莊子深層骨髓與儒家六經血脈相連，產生一種黃俊傑先生所說「解經者的『歷史性』是開發經典潛藏涵義的催化劑」，他說：

> 經典解讀者的時代背景及其思想氛圍等這些構成解讀者的「歷史性」因素，常常可以使他們在經典中「讀入」許多前人所未見的意涵。[49]

歷史背景給予學者心靈上的傷痛，轉而放棄「學而優則仕」的從政之路，一以莊子作為心靈的避風港，一以莊子本真的思想，作為回返儒家家族之路。

在如此人本覺醒的學術風潮與歷史鼎革之下，對前人思想、文學重新以心解之，或轉為所用，在清初莊學的轉型時期，對莊學的深沉反思亦分三途：一是批判性論點，認為莊學是衰世之作、是雜揉神仙之跡、只是經學之附庸；二是以自己心路歷程結合《莊子》，對《莊子》之衰世意義，內省後提出自己的看法，對《莊子》之定位作詮解；三是重新出發，以用世為目的，結合文學、諸子學，嘗試以諸子學的眼光解莊，以文學的方式解莊，更重要的是與理學與儒學重新結合，開創新境，故以托孤之說，本真採真的莊子特質，作為儒家之本體，最終仍應走回返根本儒學的路。

四　結論

縱觀莊學的發展，《莊子》書中，莊子學史的詮釋者們，受到學術背景、時間、空間，三者交互激盪下，文士不斷用不同策略與方法整理《莊子》，走出「義理」、「標音」和「訓詁」的注解窠臼，明清莊子學貢獻出最精彩的詮釋方式，將《莊子》的可讀性、內涵性更加擴充，符號化莊子、結

---

49 黃俊傑：《東亞儒學史的新視野》（臺北市：喜瑪拉雅研究發展基金會，2000年），頁50。

構化莊子，義理化莊子，以前理解方式將六經的閱讀，融入莊子，並提出一個與自身有意義的「效果歷史詮釋法」，無論以易學道體解莊、以心性之學讀莊、以評點章法用莊、以遺民情悟莊之法，讀莊以宋明理學為據、心性之學為鑰，不譴是非，與人相忘於江湖，成就自信與自證，證明莊子非無稽之說非無用、非無據，只要與六經互為表裡，自得圓融無礙、無忤之義，開展應帝王、大宗師之命。這些解讀是使六經與莊子結合，成為有稽、有據、有用、不忤之學，更是觀照生命、證成生命的自信具足，這樣的視域的融合，在歷史的時間中不斷進行交流，理解者的注莊者和解釋主體《莊子》之間，其任務就是不斷擴大自己的視域，使它與其他視域相交融。「視域融合」與「自信自證」成就了明清莊子學與六經間最完美的融合魅力。

以實心勵實行，以實學求實用
——試從《四庫全書總目》中探究紀昀的經世實學

張曉芬
陸軍專校共同科助理教授

一　前言

紀昀（1724-1805）是清代著名的學者、文人，除了詩文的造詣外，在學術上表現更是有目共睹。其中，最為人稱道的事蹟便是乾隆年間負責總纂《四庫全書》以及《四庫全書總目》（以下簡稱《總目》）。《四庫全書》的纂修，具有遼闊又深遠的文化背景。它包含著有整理古代典籍、總結傳統學術的時代意義，乃至蘊藏著封建帝王標榜的文治、強化專制統治的深意[1]。而《四庫全書總目》更是中國古代規模最大，體制最完善，編制最出色的一部「目錄書」。對後世讀者影響深遠，向來被學者視為治學之指南，其重要性不可言喻[2]。

1　周積明：《紀昀評傳》（南京市：南京大學出版社，1994年），頁60。

2　《紀昀評傳》，頁80。另清人周中孚評價云：「竊謂自漢以後簿錄之書，無論官撰、私著，凡卷第之繁富，門類之允當，考證之精審，議論之公平，莫有過於是編。」《鄭堂讀書記》（上海市：上海書店，2009年），卷32，頁216。張之洞《輶軒語．語學》卷1載：「今為諸生指一良師，將《四庫全書提要》讀一過，即略知學問門徑矣。」收入於《書目類編》（臺北市：成文書局，1978年），第93冊，頁41651；另余嘉錫：〈四庫提要辨證序〉云：「提要之作，前所未有，足為讀書之門徑，學者捨此，莫由問津。」收入氏著《余嘉錫論學雜著》（臺北市：河洛圖書出版社，1976年），下冊，頁591。王運熙《古典文學文獻及其檢索．序》云：「《四庫提要》對我是一位最好的老師，它教給我的東西，比過去學校中任何一位老師教給我的還要多。」潘樹廣：《古典文學文獻及其檢索》（西安市：陝西人民出版社，1984年），頁1。

雖《總目》此書在學術界上是如此重要，但是此書觀點是否與紀昀一人有關？則是歷來爭論不休的議題。據清末名士李慈銘（1830-1895）指出：

> 《總目》雖紀文達、陸耳山總其成，然經部屬之戴東原，史部屬之邵南江，子部屬之周書倉，皆各集所長。……今言《四庫》者，盡歸功文達。然文達名博覽，而於經史之學實疏，集部尤非當家。[3]

李慈銘認為這部體大思精、包羅宏富的鉅著似乎不可能出於一人之手。但是近代學者對此一說法並不十分信服。有學者以為《四庫全書總目》是紀昀「殫十年之力」，傾盡全部心血的重要著作[4]。書中似乎充滿了紀昀整個學術思想與文化觀[5]。然也有學者認為是「四庫纂修官們的集體創作。[6]」在此，

---

3 〔清〕李慈銘：「同治丙寅四月二十八日記」，《越縵堂讀書記》（北京市：中華書局，2006年），第3冊，頁1119。

4 研究《四庫全書》大家——郭伯恭據包括紀氏本人在內的當時人相關言論記載，以及關於《四庫全書》與《總目》的種種第一手資料，舉證出《總目》實可視為「紀氏一家之言。」其舉證資料見於紀昀文集，為其自述者，云：「余于癸巳（乾隆三十八年）受詔校秘書，殫十年之力，始勒為《總目》二百卷，進呈乙覽。」〈詩序補議〉，紀昀著，孫致中等點校：《紀曉嵐文集》（石家莊市：河北教育出版社，1991年），第1冊，卷8，頁156。另為紀氏同年友，四庫館同事的朱珪（1731-1806），為其撰〈墓誌銘〉亦云：「公館書局，筆削考核，一手刪定，為《全書總目》，裒然巨觀，置之七閣，真本朝大手筆也。」〈祭文〉亦云：「生入玉關，總持《四庫》，萬卷提綱，一手編注。」見氏著《知足齋文集》，卷5、卷6，《續修四庫全書》（上海市：上海古籍出版社，2002年），1452冊，頁332、333。另江藩、方東樹等撰：《國朝漢學師承記，外二種》亦云：「公於書無所不通，尤深漢《易》，力闢圖書之謬。《四庫全書提要》、《簡明目錄》，皆出公手，大而經史子集，以及醫卜詞曲之類，其評論抉奧闡幽，詞明理正，識力在王仲寶、阮孝緒之上，可謂通儒矣。……公一生精力粹於《提要》一書，又好為稗官小說，而嬾於著書，少年間有撰述，今藏於家，是以世無傳者。」（香港：三聯書店，1998年）頁93。以上所論亦參見車行健：〈紀昀與《四庫全書總目》的關係〉，《歷史月刊》127期（1998年8月），頁121-122。

5 據周積明云：「當在《總目》纂修期間，……紀昀在刪定各纂修官所呈提要稿時，已然將自己的學術思想和文化觀念大量地灌注入《總目》內，《總目》因此成為全面反映紀昀學術文化思想重要作品。」《紀昀評傳》，頁80。

6 見沈津：《中國圖書文史論集》（臺北市：正中書局，1991年），頁127。另張維屏：《紀

不論眾說紛紜是如何，平心而論，以一人之力的確是不可能在十年左右時間內完成如此龐大的工程纂修，因此，各提要稿當是由眾人所分纂。而紀昀在其中所扮演的角色應該誠如朱珪等所謂的「筆削考核，一手刪定」、「總其成」的重要工作[7]。吳哲夫先生說得好，其云：

> 紀氏既總樞機杼，以一人之意操縱全部《提要》，故後人以《提要》出紀昀之手，亦理所當然。[8]

因此，目前我們可以確認的是《總目》雖非出自紀昀一人之手，然此書可以斷定是紀氏本人審核、筆削、刪定後的成書之作。其中細部議論雖不可確定是否為紀氏一人所言，但是總體思想與觀點，我們應可確定是實足可以代表紀氏本人的學識與見解的[9]。且據陳鶴（？-？）在《紀文達公遺集・序》中指出：後人欲了解紀昀，應博觀之《提要》，而約求之。[10]

倘若這《四庫全書總目》能全面反映紀昀的學術思想，那麼，紀昀的學術思想是如何呢？觀《總目》經、史、子、集四部諸書的評價，實可發現到紀昀對於宋明理學的理本論與太極圖說等等有頗多微詞，相對於有「裨於世

昀與乾嘉學術》亦云：「關於《總目》呈現的觀點，到底代表何人意見的問題，歷來大約有三種看法：一、紀昀一人之私見。二、乾隆帝之『欽定』意見。三、館臣集體之意志。」（臺北市：臺大出版委員會，1998年），頁78。而楊晉龍先生認為：《總目》呈現了濃厚統治者自身的旨趣，館臣就如同擬稿代筆的人，文稿雖他們完成，但他們只能算是皇帝的代言人，紀昀和其他館臣不過扮演著「代工」的角色。見其〈「四庫學」研究的反思〉，《中國文哲研究集刊》第4期（1994年3月），頁22-23。

7 見車行健：〈紀昀與《四庫全書總目》的關係〉，《歷史月刊》127期（1998年8月），頁122。

8 氏著：《四庫全書薈要纂修考》（臺北市：國立故宮博物院，1976年），頁64。

9 王鵬凱：〈紀昀撰《四庫全書總目》說之論析〉一文詳細增列諸多學者的考證，證實《總目》一書實可視為「紀昀一家之言」，並強調：「對於《四庫全書總目》的著作權，自清代以來，學者大多傾向歸於總纂修官紀昀。」《東海大學圖書館館訊》新97期（2009年6月），頁46-47。

10 陳鶴：〈序〉云：「後之人博觀之《提要》而約求之。此集於以知公之生平，實有同於歐陽司馬而遠媲乎古之立言者，其在斯乎，其在斯乎！」紀昀：《紀文達公遺集》，收入於《清代詩文集彙編》（上海市：上海古籍出版社，2010年），頁156。

務」、「有裨於實用」等經世實學著作，則有相當高的評價。如其對〈太極圖分解〉云：

> 宋儒因性而言理氣，因理氣而言天，因天而言及天之先，輾轉相推，而太極、無極之辨生焉。……夫性惡性善，關乎民彝天理，此不得不辨者也。……顧舍人事而爭天，又舍共睹共聞之天而爭耳目不及之天，其所爭者毫無與人事之得失，而曰吾以衛道，學問之醇疵，心術人品之邪正，天下國家之治亂，果系此二字乎？[11]

以為「太極」、「無極」之論，空蹈虛無，如何治理天下國家？以此，紀昀針對理學家的宗旨密義——太極，作一批判。因為：學問之醇疵予否、心術人品之邪正、天下國家之治亂等等，皆與理學所謂的「太極」、「無極」等等毫無關係，那麼，理學家的理論是否可奉為治理社會政治的良方？這點，紀昀在此提出一反思。畢竟「六經所論皆人事」符合人事之用，方是實際，否則，舍人事爭天道，玄遠的天道又有何意義？

另外，對乾嘉漢學、樸學之實證、考證、辨偽原典等功夫，紀昀則是十分推崇。如對閻若璩（1636-1704）於《偽古為尚書》之辯偽而著有《古文尚書疏證》，使得《古文尚書》之偽真相大白。對此，紀昀稱許之：

> 至若璩，乃引經據古，一一陳其矛盾之故，古文之偽乃大明。所列一百二十八條，毛奇齡作《古文尚書冤詞》，百計相軋，終不能以強辭奪正理，則有據之言，先立於不可敗也。……然反覆釐剔，以祛千古之大疑，考證之學，則固未之或先矣。[12]

肯定閻若璩的《古文尚書疏證》之辨偽考證功夫，使得「古文之偽乃大明」。並稱許其考證學：「未之或先矣。」為其他學者所無法企及。且在《總目》中，對於清代其他學者有功於漢學考證研究等亦是大加讚賞。如「《周

---

11 紀昀：〈太極圖分解條〉，《四庫全書總目》（北京市：中華書局，1995年），卷95，子部，頁801。

12 紀昀：《總目》卷12，經部，〈古文尚書疏證〉條，頁101-102。

禮》、《儀禮》至明幾為絕學。[13]」而惠士奇《禮說》一書「於古音古字皆為之分別疏通，使無疑似。復援引諸史百家之文，或以證明周制，或以參考鄭氏所引之漢制以遞求周制，而各闡其制作之深意，在近時說禮之家，持論最有根柢。[14]」凸顯惠氏在發揚漢學考證上的成就。另於惠棟「於諸經深窺古義……猶可見漢代傳經崖略。[15]」肯定惠棟在漢學考證上的貢獻與地位。

據前述，吾們知道，《總目》的纂修者們，大多是以考據見長的漢學家。如戴震（1724-1777）、周永年（1730-1791）、任大椿（1738-1789）、朱筠（1729-1781）、盧文弨（1717-1796）、翁方綱（1733-1818）、王念孫（1744-1832）與紀昀等人皆入館中。是以《總目》一書中也充滿著宣揚漢學、宗崇漢學的思想傾向[16]。雖然此書所錄，誠如〈凡例〉所云，是以「考證精核辨論明確為主」，帶有著「尊漢抑宋」的考證學色彩[17]。然問題是在此書中除了對「乾嘉漢學」實證、考證著作大加推崇外，事實上，吾人也可發現到：凡是對於國計民生的實務、實學、實測方面等著作，如農田、水利、醫藥等方面著作，作者亦是讚賞有加。因此，吾們可確定是此書中不單是全面傾向於對實證、考據等漢學著作的肯定，其對經世實務的著作貢獻，亦是特別鼓勵與給予相當高的評價的，因此，我們要問紀昀此書中的經世思想是何？又若誠如前述學者所云，此書可代表紀昀的學術思想的話，那麼，此書所反映出紀昀的學術思想內容是何？至少，此書所反映出紀昀的經世實學內涵是何？諸如此類問題，則是本論文所欲探究的。

---

13 《四庫全書總目》，卷19，頁154。

14 《四庫全書總目》，卷19，頁156-157。

15 《四庫全書總目》，卷6，頁45。

16 在《總目》〈凡例〉第十二條云：「說經主於明義理，然不得其文字之訓詁，則義理自何而論？論史示於褒貶，然不得其事之本末，則褒貶何據而定。……今所錄者，率以考證精核辨論明確為主。庶幾可謝彼虛談，敦茲實學。」頁18；另〈凡例〉第十五條亦云：「漢唐儒者，謹守師說而矣。自南宋至明，凡說經、講學、論文皆各立門戶。……名為爭是非，而實爭勝負也。人心世道之害，莫甚於斯。」頁18。

17 張維屏：《紀昀與乾嘉學術》（臺北市：臺灣大學出版委員會，1998年），頁83。

二　政論經典之經世實學

對於傳統經典的看法，紀昀則是強調「六經」是與現實實務有著緊密的關係的。其《閱微草堂筆記．槐西雜誌二》云：

> 於傳有之，天道遠，人事邇。六經所論皆人事，即《易》闡陰陽，亦以天道明人事也。[18]

強調六經所論皆人事，即使《易》所論之玄遠，亦是以天道明人事也。在《總目．經部提要》也強調：《春秋》乃「經世之樞要」、「國之鑒」；《尚書》、《周禮》「實則當日之政典。」《詩經》、《樂經》意在施行「詩教」、「樂教」、「厥用至大」，即使玄妙深奧的《易》也同樣深蘊「經世之道」。[19]因此，紀昀的六經觀是富含經世至用的價值的，非道德玄想的心性論述。

以儒學「切於人事」的實際效應，紀昀在《總目》中亦將心性空談的性理之學與孔孟之正傳做一區別，其云：

> 三代以上，無鄙棄一切，空談理氣之學問。濂洛未出以前，其學在於修己治人，無所謂理氣心性之微妙也。

又：

> 蓋自宋以來，儒者例以性命為精言，以事功為霸術。……然古之聖賢，學期實用，未嘗日日畫太極圖也。[20]

---

18 紀昀：《閱微草堂筆記》（上海市：上海古籍出版社，2001年），卷12，頁234。

19 紀昀：《總目》，卷31，經部，〈日講春秋解義〉條，頁261；卷12，〈尚書通考〉條，頁97；卷19，《禮說》條，頁156；卷9，〈先天易貫條〉，頁78；卷38，〈樂類小序〉，頁320；卷6，〈日講易經解義〉條，頁34。

20 紀昀：《總目》，卷92，子部，〈儒家類二案〉，頁776；卷75，史部，〈兩浙海防類考續編〉條，頁656-657。

又《閱微草堂筆記‧姑妄聽之二》亦云：

> 聖賢依乎中庸，以實心勵實行，以實學求實用。道學則務精微，先理氣，後彝倫，尊性命，薄事功。[21]

紀昀主儒學是「務切於人事」的，所謂「務切於人事」是指切實有關於國計民生中，與人民生活是不可分割的。然理學心性派重在修身養性以達內聖之境，二者乃天壤之別，不可混同為一。畢竟著力於心性修養，所造就出的是所謂「束身寡過」者，然這些人物除了一腔「仁義道德」外，別無長物，不過是「低頭拱手」、「高談性命」的學者，或者，是「迂而寡當」、「空談而鮮用」者，誠如顧炎武（1613-1682）所云：

> 昔之清談談老莊，今之清談談孔孟，以明心見性之空言，代修己治人之實學，股肱惰而萬事荒，爪牙亡而四國亂，神州蕩覆，宗社丘墟。[22]

空談心性、天道，無法落實於生活的改善，救國圖強之富庶，在清初學者看來，都是虛無之論[23]。同理，紀昀也不例外，其以為學術是不離世間的，學術在於「周濟世用」方彰顯其價值所在。是以紀昀在編纂《總目》時，對乾隆以前的萬種典籍、圖書等做評價時，評價的考量似乎多以「實心實行」、「實學實用」之標準展開；舉凡具有「意切實用」的價值觀者，在《總目》提要中，皆「特發其凡」，著意加以褒揚，否則，則是有所譏評。如唐代‧杜佑《通典》是一部規模頗鉅的政書，亦是一部專事「探討禮法刑政」的書，關於此，《總目》則評其：

> 凡歷代沿革，悉為記載，詳而不煩，簡而有要。元元本本，皆為有用

---

21 紀昀：《閱微草堂筆記》，卷16，《閱微草堂筆記》，頁342。

22 顧炎武：〈夫子之言性與天道〉，《日知錄》，卷7，收入於《清代筆記叢刊》（北京市：學苑出版社，2005年），第2冊，頁114。

23 章學誠：〈朱陸〉云：「性命之說，易入虛無。」《文史通義》（上海市：上海古籍出版社，2008年），卷3，頁80。

> 之實學，非徒資記問者可比。[24]

以其「徵諸人事」，施政有方，意切實用，是以紀昀給予高度評價。另外，司馬光（1019-1086）的《資治通鑑》是一部「知亂求治」的史鑑性著作，紀昀對此特引胡三省注評其：

> 溫公作《通鑑》，不特紀治亂之跡而已，至於禮樂曆數、天文地理尤致其詳，讀者如飲河之鼠，各充其量。

又：

> （胡三省）蓋本其命意所在，而於此特發其凡，可謂能見其大。[25]

在此，強調《通鑒》這部書遠比規諫、勸誡等更蘊含豐富的經世意義。另對於發之於一時一事但卻具有長久啟示意義的經世之論，紀昀也相當重視，如唐代陸贄（754-805）《翰苑集》被後世視為「雕章繪句」之文，但是紀昀仍給予高度評價：

> 《新唐書》例不錄排偶之作，獨取贄文十餘篇，以為後世法。司馬光作《資治通鑑》，尤重贄議論，采奏疏三十九篇，其後蘇軾亦乞以贄文校正講讀。蓋其文雖多出於一時匡救規切之語，而於古往今來政治得失之故，無不深切著明，有足為萬世龜鑒者，故歷代寶重焉。……（贄）經世有用之言，悉具是書。其所以為贄重者，固不必在雕章繪句之末也。[26]

重點就在於此書雖充滿雕章繪句，但是內容不乏諸多經世治國之論，尤對於古往今來政治得失，深切著明，頗多匡救規切之語，實足為作萬世龜鑒之書。故此書價值終不被雕章繪句所掩。由《總目》諸多評價，吾們實可發現

---

24 紀昀：《總目》，卷81，史部，《通典》條，頁694。

25 紀昀：《總目》，卷47，史部，《資治通鑑》條，頁420。

26 紀昀：《總目》，卷150，集部，《翰苑集》條，頁1287。

到：紀昀所重的是人的社會現實性，而非內在的談心說性；據其《總目・溫公易說》云：「有德之言，要如布帛菽粟之切於日用[27]」以見紀昀所重的是經世實用之論，而非虛渺形上的宇宙論。是重於形下的經世之言，而非形上的空談。

三　裨世人物之經世實學

除了經典政論，要切於實用外，紀昀對於具有經世之功的人物，亦無不在《總目》中加以褒獎；如對「先天下之憂而憂，後天下之樂而樂」的范仲淹（989-1052），推崇至極，其云：

> （仲淹）人品事業，卓絕一時，本不借文章以傳，而貫通精術，明達政體，凡所論著，一一皆有本之言，固非虛飾詞藻者所能，亦非高談心性者所及。……蓋行求無愧於聖賢，學求有濟於天下，古之所謂大儒者，有體有用，不過如此。[28]

又：

> 不必說太極、衍先天，而後謂之能聞聖道。亦不必講封建，議井田，而後謂之不愧王佐也。觀仲淹之人與仲淹之文，可以知空言、實效之分矣。[29]

所謂求聖求賢，紀昀以「務實」為本位作評價。如范仲淹所為，行無愧於聖賢，俯仰無愧天地，學以用於人事救濟天下蒼生，這樣的人物比口說一大套聖賢之理，卻無法實踐者，的確偉大多了。畢竟儒學內涵重在「內聖外王」，格、致、誠、正、修身之功，終是要實現齊家、治國、平天下的；若不能圓融達成，抑是代表己修得不夠好，有待加強與勤練修養之功。紀昀以

---

27 紀昀：《總目》，卷2，經部，《溫公易說》條，頁5。

28 紀昀：《總目》，卷152，集部，《文正集》條，頁1311。

29 紀昀：《總目》，卷152，集部，《文正集》條，頁1311。

「務實」為評價人物的準則，但並不表示他就不重視個人的道德修養，只是他更重視的是人實踐經世實學的社會價值[30]。如對杜牧的評價：

> 平心而論，牧詩冶蕩甚於元、白，其風骨則實出元、白上。其古文縱橫奧衍，多切經世之務。《罪言》一篇，宋祁作《新唐書・藩鎮傳論》實全錄之。費袞《梁溪漫志》載，歐陽修使子棐讀《新唐書》列傳，臥而聽之，至〈藩鎮傳敘〉，嘆曰：「若皆如此傳，筆力亦不可及，識曲聽真，殆非偶爾。」……則牧於文章具有本末，宜其睥睨長慶體矣。[31]

杜牧詩「冶蕩」，但並未因此被貶斥，只因「其古文縱橫奧衍，多切經世之務。」紀昀以「經世之務」為標準，凡是有達於經世實學傾向者，其價值則高於性理空談，與道德修養。又如《總目・周忠愍奏疏》云：

> 明末積習，好以譁訐取名，其奏議大抵客氣浮詞，無裨實用。（周）起元諸疏，尚多有關國計民生，非虛矜氣節者比。其人其言，足垂不朽。[32]

只因周忠愍所上的奏疏，多有關國計民生之論，絕非空談性理，與高尚氣節者所比，是以其人其言，足垂不朽。由諸多實例，我們似乎可以發現到紀昀是一位非常務實的人，只要有利於國計民生，不論文章、奏疏、典籍等寫得好與否，紀昀一律都給予相當高的評價。是以對紀昀而言，高唱「民胞物與」、「愛國愛民」等，還不如實際做幾件有利民生的實事來得實在。因此，對於充滿「經世義蘊」的士大夫們，於當道的權勢者發生衝突，無法落實其

30 紀昀對程朱理學「修齊治平」的一貫進續的模式，在《總目・〈大學衍義補〉提要》中指出：「治平之道，其理雖具於修養，其事則各有制宜。此猶土可生禾，禾可生谷，穀可生米，米可為飯，本屬相因。然土不耕則禾不長，禾不獲則穀不登，穀不舂則米不成，米不炊而飯不熟，不能逆溯其本，謂土可為飯也。」頁304。

31 紀昀：《總目》，卷151，集部，《樊川文集》條，頁1296。

32 紀昀：《總目》，卷55，史部，〈詔令奏議類〉，頁500。

理想者，紀昀對他們的人格、乃至著作等仍高揚著「拘而無怨」的評價予以肯定；如明人朱淛（1486-1552），因抗逆明世宗，「被廷杖斥歸，終於家。」但其執於經世之務，恪守儒家傳統人格操守，紀昀稱其：

> 其詩文不事鉛華，獨抒懷抱。……蓋澤畔行吟，沉淪沒世，而未嘗有一窮鬱怨由之語，是為難也。至家居三十餘年，於民生國計，切切不忘。集中所載南洋水利之議、山寇海寇之防，皆指陳利病，斟酌時宜，委曲以告當事，不以罷黜而膜視，抑又難矣。[33]

對於「意切實用」，充滿經世濟民的襟懷者，雖遭到不幸遭遇或不公對待，但其仁德人格操守等，紀昀仍予以崇高的肯定與推崇。畢竟在無可迴避的現實挫折中，總有「拘而無怨」、「默默耕耘」與「無求回饋」的付出者，對於這些人物，紀昀總不忘對其道德風範，予以讚揚與稱許。至少，讓他們在歷史上留名千古。

四　裨於世務的「實學」著作之舉要

探討國計民生的經世之論在紀昀的價值體系中一直佔有舉足輕重地位。舉凡裨於世務的學術研究以及這些著作中產生出有關國計民生的「實學」之論，皆得諸紀昀的推崇。從《總目》中可看出紀昀所褒揚的國計民生主要在於農、醫、水利工程與天文曆算等實測上，在此，分類說明如下：

（一）農業經世上——

如何可以看出紀昀十分重視農學著作的經世價值？在其〈濟眾新編序〉中，吾們可以發現到紀昀將居於諸子之末位的「農家」提升至僅次於儒、兵、法家之後；其云：

---

33 紀昀：《總目》，卷172，集部，《天馬山防遺稿》條，頁1504。

> 余校錄《四庫全書》，子部凡分十四家，儒家第一，兵家第二，法家第三，所謂禮樂兵刑，國之大柄也。農家、醫家，舊史多退之於末，余獨以農家居四。農者，民命之所關。[34]

在傳統文化背景之下，農家一直不被看好，因為國之大權在於「禮樂兵刑」四科，而非「農」，是以農家長久皆居於諸子之末，但在《四庫全書總目》中，紀昀卻主農家地位提升，實則以此可看出紀昀所重視的不再是傳統禮教之條，相反的，而是能對於國計民生有用的經世實學。畢竟「吃飯皇帝大」，「民者，不可一日無食。」「農者，民命之所關」也。因此，紀昀對於有關農學著作的評價，幾乎是從「有裨於實用」立論。如《農桑輯要》，其云：

> 蓋有元一代，以是書為經國要務也。……大致以《齊民要素》為藍本，芟除其浮文瑣事，而雜采他書以附益之。詳而不蕪，簡而有要，於農家之中，最為善本。當時著為功令，亦非漫然。[35]

又對《農桑衣食撮要》的評價：

> （魯）明善此書，分十二月令，件係條別，簡明易曉，使種藝斂藏之節，開卷了然。……亦可謂留心民事，講求實用者矣。[36]

對《農書》評價云：

> 其書本末典贍而有法，……圖譜中所載水器，尤於實用有裨。[37]

對《農政全書》評云：

> 其書本末咸該，常變有備。……《明史》稱（徐）光啟……負經濟

---

34 紀昀：《紀文達公遺集》，卷8，《清代詩文集彙編》，頁308。

35 紀昀：《總目》，卷102，子部，〈農桑輯要〉條，頁852。

36 紀昀：《總目》，卷102，子部，〈農桑衣食撮要〉條，頁853。

37 紀昀：《總目》，卷102，子部，〈農桑衣食撮要〉條，頁853。

> 才，有志用世，於此書亦略見一斑矣。[38]

綜上所述，《總目》中對農政方面等著作，幾乎以「切於實用」為評價的標準，予以推揚；相反的，農書中無裨於實用者，紀昀亦給予一批判。如明人朱熊的《救荒活民補遺書》，紀昀則評其：

> 敘述典故，備錄經典重農之語，……雜載諸史賑恤之文，……迂而不切，……無裨實政。[39]

雖題名為「救荒活民」，立意頗佳，但是書中並無切實的救災活民等方案與辦法，是以紀昀將之列於「存目」中，並指出「農圃之事」貴在「實用」，不在以考核典故多寡為優劣，所謂：

> 農圃之事，本為瑣屑，不必遽厭其詳。而所資在於實用，亦不必以考核典故為優劣。[40]

（二）醫學經世上——

「醫學」於民生之重要，在紀昀認為，亦如「農業」方面，在其〈濟眾新編序〉中，緊列於儒家、兵家、法家之後，「升諸他藝術上」，亦是「醫雖一技，亦民命之所關。[41]」

紀昀對醫學著作的評價，亦是從「利民生」、「切實用」出發。如《銀海精微》一書，「舊本題唐孫思邈撰」，但據紀昀考證，此書乃宋以後所出。然而紀昀並未因《銀海精微》是偽書，而斷然摒棄，其云：

> 其辨析諸論，頗為明晰。其法補瀉兼施，寒溫互用，亦無偏主一格之

---

38 紀昀：《總目》，卷102，子部，〈農桑衣食撮要〉條，頁853。

39 紀昀：《總目》，卷84，史部，〈救荒活民補遺書〉條，頁722。

40 紀昀：《總目》，卷102，子部，〈別本農政全書〉條，頁855。

41 紀昀：《紀文達公遺集》，卷8，《清代詩文集彙編》，頁308。

弊。方技之家，率多依託。但求其術之可用，無庸核其書之必真。[42]

但求其實用、有用、可用，不在此書之真偽，此乃紀昀求實經世的觀點。非乾嘉考據學之辨真為實。又如宋人李迅的《集厭背疽方》，紀昀評其：

凡診候之虛實，治療之節度，無不斟酌輕重，辨析毫芒，使讀者瞭如指掌。……忍冬丸與治乳用發背神方，皆因金銀花一味。……於窮鄉僻壤難以覓醫或貧家無力服藥者，尤為有益。[43]

強調醫藥對人民生活之要；知其藥方，即可自行治病，尤對於窮鄉僻壤、貧苦人家就醫不便等，功勞頗大。

（三）水利工程與實測實量方面——

為了「勵實行」、「求實用」，紀昀在《總目》中對於實地考察與親身閱歷等相關著作也力加讚賞。如明人張國維的《吳中水利書》，紀昀則指出：

是書所紀，皆閱歷之言。故指陳詳切，頗為有用。……與儒者紙上空談，固迥不侔矣。[44]

又清人陳儀的《直隸河渠志》，紀昀評其：

儀本土人，又身預水利諸事，於一切水性地形，知之較悉。……敷陳利病之議……足以資參考。[45]

畢竟河務水利是關係國計民生的重要一環，當要以「有裨於民生」、「有助於實用」為主。所謂「水為民之害，亦為民之利。[46]」水能載舟，亦能覆舟，

42 紀昀：《總目》，卷103，子部，〈銀海精微〉條，頁859。

43 紀昀：《總目》，卷103，子部，〈銀海精微〉條，頁859。

44 紀昀：《農書》，卷69，史部，〈吳中水利〉條，頁611。

45 紀昀：《總目》，卷69，史部，〈直隸河渠志〉條，頁615。

46 紀昀：《總目》，卷69，史部，〈吳中水利〉條，頁611。

關於水利工程方面不能不關注。水利工程做得好，實裨益於大眾，無論交通便捷，乃至民生用水上，都有十足貢獻。相反的，做得偷工減料或弊端叢叢，對民生損傷等影響，十足深遠。因此，有關一系列黃河治理的著作，如潘季馴《河防一覽》、《兩河經略》、靳輔《治河奏績書》、薛鳳祚《兩河清匯》以及各地水利專書，如《浙西水利》、《三吳水利錄》、《吳中水利書》、《直隸河渠志》等，在紀昀《總目》中皆有「有裨於民事」、「有裨於實用」等積極評價，乃至「足以備考核」等推崇。畢竟「所資在於實用，亦不必以考核典故為優劣」。因此，紀昀對水利工程等著作的評價亦是以「務切實用」做第一尺度的標準。

另外，在天文曆算等演進中，紀昀強調「實測」之要。所謂「第測驗漸久而漸精，算術亦愈變愈巧。[47]」如清人王錫闡的天文研究，紀昀則讚其：

> 潛心測算，務求精符天象。……遇天色晴霽，輒登屋臥鴟吻間，仰察星象，竟夕不寐。……簞思測驗之士也。[48]

對王錫闡的多方實測，苦心孤詣研究天文，紀昀給予其「簞思測驗之士」之肯定。

由上述可以看出，紀昀所重視的經世之論是從實踐與閱歷中產生的，如此，才是「切實有用」。相反的，紀昀對於那些發之玄想臆斷、閉門造車的「紙上經濟」則是加以譏彈。如明代王宗沐所撰的《海運詳考》等書，紀昀則譏其為「儒生紙上之經濟，言之無不成理，行之百不一效也。[49]」

總之，關注學術研究對國計民生的直接效用，這就是紀昀經世實學的真精神。這一面向社會、民生等價值觀，與理學「心性派」——「一切國計民生，皆視為末務」的致道思想，則是鮮明的對照[50]。

---

47 紀昀：《總目》，卷106，子部，〈御定曆象考成後編〉條，頁896。

48 紀昀：《總目》，卷106，子部，〈曉菴新法〉條，頁899。

49 紀昀：《總目》，卷84，史部，〈海運詳考〉條，頁722。

50 周積明：《紀昀評傳》（南京市：南京大學出版社，1994年），頁129。

五　結論

何謂「實學」？「實學」這一概念在中國不同的歷史時期，其涵義都不同。據學者指出：宋元明清時期，學者對「實學」的概念，大體上是指「實體達用之學」而言[51]；根據儒家「內聖外王」的原則，宋明實學家以為必須由「實體」轉向「達用」之途，方是完成儒家「內聖外王」之目的。然問題是宋明理學之後，明清時期有許多思想家或學者為了避免與空談性理、脫離現實、著力於心性修養的宋明理學混淆為一，特別強調「崇實黜虛」的實踐事功、實證、實事求是的考證著作等，方是「實學」，與宋明理學所謂「實體達用」以「內聖外王」之學不同。這方面，紀昀《四庫全書總目》更是富含豐富的「實學」思想。然據個人研究發現：其「實學」思想不單僅是訓詁以求義理的考證、實事求是的實證學問外，其中，更蘊含著有「經世」意義，即可用於經國濟民、國計民生的「經世實學」，乃至實測實量的自然科學等，都是紀昀所強調的經世實學內涵。是以「經世實學」的基本精神就是「經世致用」，舉凡社會上的水利工程、田制漕運、兵制邊防、農業醫藥等等，能有所改革與增進民脂民利等，這就是紀昀認為有用的實學。是以其「經世實學」內涵與定義深廣，其與治經考史的實證不同，治經考史的實證是一種考據的學術方法；當然，與道德實踐的修養工夫大異，道德實踐的修養是一種道德哲學體系的工夫論。

然紀昀當時位高權重，既是《四庫全書》總纂官，奉旨辦理總纂修《四庫全書》重責大任，十有餘年；又是《四庫全書總目》的主撰者，一生精力皆薈萃於斯。重點是觀《總目》全書似乎充滿了「反宋」觀點[52]，然清廷統

51 葛榮晉：《中國實學文化導論》（北京市：中共中央黨校出版社，2003年），頁1-4。

52 余嘉錫：《四庫提要辯證》謂紀昀：「自名漢學，深惡性理，遂峻詞醜詆，攻擊宋儒，而不肯細　讀其書。」（香港：中華書局，1974年），頁54。又郭伯恭：《四庫全書纂修考》亦謂《提要》：「標榜漢學，排除宋學」（臺北市：臺灣商務印書館，1967年），頁223。

治者在建立政權後，欲以程朱思想做為官方哲學；以「道統」做「治統」之據，因此，紀昀如何敢公然倡議反宋學？尤在《總目》中「尊漢抑宋」、力倡「經世實學」？關於此，不乏學者討論[53]，綜論學者意見，吾人可發現：其實這也反映出當時學術走向與趨勢，這趨勢是連皇帝也無法擋的。乾嘉時期正是考證之學如火如荼的熱烈展開時，紀昀正巧是這一學風的領袖，在諸多學者大力提倡「經世致用」思想下，當然，可代表其一家之言的《總目》一書，內涵諸多「經世實學」更是理所當然的呈現。此外，紀昀當時對理學的大肆批判，是否也代表著是對明代末流的王學批判？那麼，則誠如張麗珠先生所云，紀昀之說正可以助成清廷藉此貶抑王學以遂其「道統在是，治統亦在是。」的企圖。乃至反對立門戶，樹朋黨，也可以加強清廷「不得妄立社名，糾眾盟會」的綢繆防範政策[54]。

總之，在清儒「崇實黜虛」的實學學術取向下，紀昀反「假道學」，重視「經世致用」的實證實學。其經世實學的思想亦充分展露於《總目》中，雖這部書是清廷官方的學術著作，但其內涵與思想實也代表著當時學術趨勢已漸由宋學走向漢學之發展了。不可諱言，其有著明顯揚漢抑宋傾向，實為一部崇尚實學的代表性著作。其經世致用理念已擴及救國濟民之方，實也為晚清時期埋下經世濟民的種子，開起後來諸多學者，如：龔自珍（1792-

---

53 如張麗珠：〈紀昀反宋學的思想意義〉，文中是強調：這其中其實是隱藏了清代思想史之重要指向意義的。它一方面顯現了當時的程朱理學權威已經鬆動，理學再也抵擋不住如火如荼熱烈展開的考據熱潮了；另方面，則也透露了清廷之尊朱只是虛晃一招。……在藉學術取得清人繼位的「正統性」之餘，也藉此以行倫理思想之一統。《漢學研究》第20卷第1期（2002年6月），頁254-255。另夏長樸：〈《四庫全書總目》與漢宋之學的關係〉亦提出：乾隆帝原本要求的是宋學，注重的是實用價值。然而……館臣「稟承上意」所編寫出來的《四庫全書總目》，卻成為批判宋學、標榜漢學考證的著作。這與乾隆皇帝的本意明顯的不同。《故宮學術季刊》第23卷第2期（2005年冬季），頁83。王鵬凱亦有〈屏除門戶，一洗糾紛——論紀昀對漢宋之爭的持平之見〉（一）、（二），《孔孟月刊》第49卷第3、4期；第5、6期（2010年12月）、（2011年2月），頁44-48、38-45。

54 見張麗珠：〈紀昀反宋學的思想意義〉，《漢學研究》第20卷第1期（2002年6月），頁273。

1841）、魏源（1794-1856）、康有為（1858-1927）、譚嗣同（1865-1898）、梁啟超（1873-1929）等重視經世利民的實學之途。

吉川幸次郎的中國經學論
——中國人以經典為生活的規範

連清吉
長崎大學多元文化社會學院教授

一　問題提起：中國人以《五經》為生活的規範

吉川幸次郎以精神史的觀點，論述中國經學的變遷，其在所著《支那人の古典とその生活》[1]強調尊重歷史的先例，以古典為現實生活的規範，是中國知識份子傳統生活的特殊面向。又以「人間學」（anthropology）的概念，論述中國先秦至東漢是以《五經》為生活規範的萌芽，魏晉六朝至唐代是「訓詁人間學」的形成，宋代強化以《五經》為生活規範的思想，清朝經學復興中世訓詁人間學，進而以文字、聲韻的語言學，忠實詮釋經典為極致，訓詁明而義理明，是清朝考證學的宗尚，也是中國學術的究極。

吉川幸次郎說文明古國皆有古典，且大抵以古典作為生活的規範，而中國傳統生活受到古典的制約尤其強烈。《五經》是中國的古典，《易經》是古代中國思索自然與人事現象，《書經》是政治生活，《禮記》是家族與社會生活規範，《春秋》是歷史的記錄。以古典為生活規範，在中國歷史中，呈現出以下幾個特殊的面相。第一、《五經》不但記述古代中國的社會諸相，也成為後世中國傳統生活的規範。第二、《五經》記述著永續不變的道理，是中國人根深蒂固的傳統思維，故以《五經》為生活規範。第三、現實生活力

1　《支那人の古典とその生活》是吉川幸次郎於昭和十八年（1943）三月，在東京帝國大學教養特殊講義的講稿，其後修改補訂，於昭和十九年（1944）八月，在岩波書店出版《支那人の古典とその生活》，昭和三十九年（1964）九月改訂，收入《吉川幸次郎全集》（東京都：筑摩書房，1968年12月），第2卷，頁267-359。

求與古典一致。如唐代以後的六部官制與《周禮》六官職掌頗為符應，喪服制度大抵沿襲《儀禮》的喪服記載。《孝經》所謂「非先王之法服不敢服，非先王之法言不敢言，非先王之德行不敢行」，不僅德行之精神生活奉行先王之懿德，衣服制度之現實生活也遵守先王的規制，介於精神生活與現實生活之間的語言生活，亦以先王的箴言為規範，要皆說明生活的諸相皆以古典為準則的思維。吉川幸次郎又強調中國人以古典為生活規範的現象與中國人的思維有密切的關連。中國人的精神特質在於現實感受的重視，至於超越現實的抽象存在則非中國人的關心所在。如《論語．先進》所謂「未能事人，焉能事鬼，……未知生，焉知死」，說明儒家重視現實生活而死後的問題則是次要的存在。又《史記．五帝本紀》「擇其言尤雅者」，而將神奇不可思議的神話傳說排除於歷史記載之外。再者，小說的創作至明清才登上中國古典文學的舞台，而除了《西遊記》有濃厚的虛構神奇的色彩以外，其他的古典小說大抵致力於現實社會感受的描述。換而言之，視野聚焦於現實感覺的世界，是中國人精神思維的特質所在。再者，中國人以為歷史事實與先例比較確實，因此，生活法則大抵以既成事實與先例為依據，更以《五經》為生活的規範。

中國尊重先例，然先例千差萬別，又何以獨尊《五經》。吉川幸次郎主張《五經》是絕對的存在，是「先例中的先例」，如朱子所說天理具現於《五經》，即形上理則的探求，其究極則在於生活具體規範的《五經》。至於探究「先例中的先例」的意識，又與「聖人」的概念結合，聖人既是全知全能的完美存在，則《五經》也具有絕對的權威性，故《五經》所記載的生活乃為中國人生活的絕對規範而最受尊重。再者，《五經》是中國最古的生活記錄，也是圓融道理所在之傳統思維，形成《五經》最受尊重與肯定的規範意識。由於《五經》包含廣博的先例，故博學旁通則成為讀書人的第一要件，沈潛《五經》而體得《五經》的道理，是學者正統的學問方法。博學《五經》記載的先例，是讀書人的基本素養，精熟且實踐《五經》古典的內涵，成就經世濟民的任務，是讀書人的理想歸趨。

二　經學精神史：古典生活營為的歷史變遷

吉川幸次郎強調雖然中國人尊重古典而以之為生活規範的意識起源甚早，但是古典生活之營為亦幾經迂迴曲折的演化，由於時代的推移而有因革損益的殊相。[2]

（一）先秦至東漢：以《五經》為生活規範意識的萌芽

吉川幸次郎強調三皇五帝是傳說時代，殷商的存在雖是歷史的事實，然殷商文獻之納入《五經》載記者，則未必十分確鑿。至周代「監於二代，郁郁乎文哉」（〈八佾〉），即因革損益前代的文獻以構築禮樂的世界，故周代載記頗多成為信史，亦顯示周人尊重古典的心理。又《春秋左氏傳》記錄諸侯賦詩應酬，亦說明周人以古典為生活規範的現象。至於確立詩書禮樂的地位，以之為古典，主張古典為生活規範而成為中國傳統精神的是孔子。孔子曰：「吾嘗終日不食，終夜不寢，以思，無益，不如學也」（〈衛靈公〉），「發憤忘食，樂以忘憂，不知老之將至」（〈述而〉），「十室之邑，必有忠信如丘者焉，不如丘之好學也」（〈雍也〉），其「發憤忘食，樂以忘憂」的「好學」即讀書，說明孔門傳承既以古典為規範，則非讀古典不可。至於具體實踐的方法則以周公及其時代作為生活規範的先例與理想的所在，亦即以周公制禮作樂為生活的規範，禮樂規範的時代是理想的時代，故曰「郁郁乎文哉，吾從周」（〈八佾〉），並以「詩、書、執禮，皆雅言」（〈述而〉），即以詩、書、禮作為教育子弟的教材，責求弟子實踐之於社會生活。[3]蓋「興於詩，立於禮，成於樂」（〈泰伯〉），乃能成就內聖外王的事業。強調「不學詩，無以立，不學禮，無以立」（〈季氏〉），記誦《詩三百》既可以「多識鳥獸草木之

2　《支那人の古典とその生活》，頁269-276。

3　《支那人の古典とその生活》，頁289-293。

名」，又可以體得「興、觀、群、怨」(〈陽貨〉) 的內聖道德，而其極致則在於成就「授之以政，使於四方」之「專對」(〈子路〉) 的外王事業。至於禮的修得，則近能「克己復禮」而歸於仁 (〈顏淵〉)，遠能構築「以和為貴」(〈學而〉) 的理想社會。

孔子以古典為生活規範的主張，於三百年後，漢武帝以政治意志獨尊儒術而確立以《五經》為民族生活的指標。吉川幸次郎強調秦以二世而亡，是秦政排除遵守「先王之道」的先例，而施行制定現實社會法則之「法後王」的政治，由於不能符應中國人的氣質，以致短祚崩頹。至於漢武帝雄才大略，洞察當時社會以儒家尊重古典的先例，以古典為生活規範的需求，而舉賢良，遂行最適合中國人生活方式的儒術。漢武帝以後，至辛亥革命，滿清滅亡，中國雖幾經易姓革命而改朝換代，但是以《五經》為生活規範的理念與而實踐的傳統未嘗改易。[4]吉川幸次郎強調《五經》的載記，頗能反映中國人的性格特質，蓋《五經》大抵記述現實人間社會的事象，甚少超越感官世界的記載。如「天」的敘述，《詩》《書》以天為王侯將相死後的歸趨所在，而以天為人類命運與萬物消長之主宰的記述則不多。再者，雖有以《五經》為生活規範的意識，如《禮記・經解》所謂「溫柔敦厚，詩教也。疏通知遠，書教也。廣博易良，樂教也。絜靜精微，易教也。恭儉莊敬，禮教也。屬辭比事，春秋教也」，但說明以古典的旨趣，而非敷陳人如何以生的哲學論理。至於《易》以「爻」「象」記述人間社會與自然事象的象徵及其發生的因果，《書》記載古代帝王的言說，《詩》收錄王室儀式祭祀與民間的歌謠，《禮》記錄禮儀行事，《春秋》記錄魯國歷史，要皆選擇記述生活規範而足資參酌的先例，甚少論述作為生活規範的道理。亦即《五經》的記述，旨在提示生活規範的具體事象，而甚少言說抽象道理，大抵反映中國人不重視超越感覺之抽象思維的性格。[5]

吉川幸次郎又指出：由於《五經》的記述，大抵要略提示具體事實的先

4 《支那人の古典とその生活》，頁293-297。

5 《支那人の古典とその生活》，頁297-309。

例，故足資後世學者自由解釋經典的空間，演繹諸多道理的言說，形成經傳注疏的經學體系。如《易・大蓄》的經文，「利貞，不食家吉，利涉大川」，說明全卦的時位事象，「彖曰大蓄，剛健篤實，輝光日新其德。剛上而尚賢，能止健，大正也。不食家吉，養賢也。利涉大川，應乎天也」，則斷「大蓄」的吉凶。「象曰天在山中，大蓄。君子以多識前言往行，以蓄其德」，敷衍「大蓄」事象的道理。〈經〉〈彖〉〈象〉記述卦爻的構成事理，而〈文言〉〈繫辭〉〈序卦〉〈說卦〉〈雜卦〉總論卦爻彖象的本末因果，則是後世的演繹。《春秋》之有《三傳》的說明記述亦然。漢武帝以後，中國人尊經崇儒，兩漢的《五經》注釋汗牛充棟，今古文經分庭抗禮，唐代正義，宋明義理，乾嘉考證，各領風騷，皆足以說明經籍詮釋之自由演繹的現象。

至於經典詮釋之所以能自由演繹，蓋與漢字音義的特質有極大的關聯。漢字一字一音，是漢字的規範，然漢字又有一字多義的現象，文字的訓詁頗多歧異，因此，《五經》的解詁就有分歧的所在。如《書・金滕》「武王既喪，管叔及其群弟乃流言於國，曰公將不利於孺子。周公乃告二公曰我之弗辟，我無以告我先王，周公居東二年，則罪人斯得」。武王崩殂，周公攝政，管叔等人傳言周公將不利於成王，周公告諸召公、太公曰「我之弗辟」。鄭玄以「避」注「辟」，謂周公「避居東都」。《尚書孔氏傳》從許慎《說文解字》訓「辟」為「法」，謂周公征伐三叔。「我之弗辟」的「辟」或作「法」，或作「避」，而有征伐與避居的不同解釋，訓詁有差異，則周公的歷史定位就殊異。又如《儀禮・士虞禮》「朞而小祥，曰薦此常事。又朞而大祥，曰薦此祥事。中月而禫」，親死一年而行一週的祭祀，又一年而行三週祭祀的訓釋蓋無異義。至於「中月而禫」的「中月」或謂「中猶間也」，「小祥」的一週祭行於親死之後的第十三個月，「大祥」的三週祭行於親死之後的第二十五個月，「禫祭」則行於親死之後的第二十七個月。或謂「中月者月中」，言「禫祭」行於「大祥」三週祭之後的當月。

在一字一義的規範中，展開一字多義的特質，是中國人經解生活之精神自由的表現。漢武以迄清朝，既有以《五經》為生活的規範，又有自由解釋經典的傾向，亦即在中國經典詮釋的歷史流衍中，錯綜著既有以《五經》為規範，尊奉經傳義疏的傳統而展開經籍訓詁的生活，也有雖存在著經典的意識，卻未必墨守規範而自由解釋經典的兩種面相。[6]

（二）魏晉六朝至唐代：「訓詁學的人間學」的形成

戰國陰陽五行的思想流行於西漢社會，今文經學演繹天人合一之論而附會災異之說。東漢既有承續西漢經學的今文經學，亦有重視經書文字訓詁之古文經學的流行，而鄭玄大成古文經學。吉川幸次郎強調漢武以來《五經》分別設立學官，各經博士專精一經，分門別屬，然鄭玄則先綜輯古代語言的慣用例，以之解釋經書文字的意義，然後統合《五經》，涉獵《易》、《書》、《三禮》、《三傳》、《孝經》、《論語》，致力於《五經》統一的解釋。如《詩・邶風・綠衣》的「綠兮衣兮，綠衣黃裏」，《詩序》曰：「綠衣，衛莊姜傷己也，妾上潛，夫人失位，而作是詩也」，鄭注：「綠當為褖，故作褖，轉作綠，字之誤也」。又箋曰：

> 褖兮衣兮者，言褖衣自有禮制也。諸侯夫人祭服之下，鞠衣為上，展衣次之，褖衣次之。次之者，眾妾亦以貴賤之等服之。鞠衣黃，展衣白，褖衣黑，皆以素紗為裏，今褖衣反以黃為裏，非其禮制也，故以喻妾上潛。

乃鄭玄援引《儀禮・士喪禮》「褖衣」，而注曰「褖衣，黑衣裳，赤緣謂之褖，褖之言緣也，所以表袍者也，古文褖作緣」，又根據《周禮・天官・內司服・綠衣》[7]，而注曰「此綠衣者，實作褖衣也，褖衣，御于王之服，

6 《支那人の古典とその生活》，頁309-313。

7 《儀禮・士喪禮》「褖衣」，鄭注曰「褖衣，黑衣裳，赤緣謂之褖，褖之言緣也，所以表袍者也。古文褖作緣。」(《十三經注疏》4，臺北縣：藝文印書館，1997年8月，頁414）與《周禮・天官・內司服・綠衣》，鄭注「此綠衣者，實作褖衣也。褖衣，御于王之服，亦以燕居」。(《十三經注疏》4，臺北縣：藝文印書館，1997年8月，頁126。)

亦以燕居」，說明周官職掌與周代禮制無「綠衣」之制，當為「褖衣」。意在探索《五經》慣用例，力求統一的解釋，取得合理詮釋經典的規範。

《五經》傳承分別成立，而鄭玄綜輯經書的用字例，致力於統合的解釋，或背離經學歷史的事實，然排紛解難的執著，力求統合而幾近了無矛盾牴觸的緻密，是鄭玄經學所以集東漢古文經學大成的所在。探究鄭玄統一群經解釋的用心，蓋以人間世界為「一貫存在」所支配的意識為前提，「一貫存在」衍生世間萬象，說明萬象的因果關係，則是學問的任務，此學問任務的遂行，至鄭玄而覺醒。因此，鄭玄的經學或可謂之為「訓詁學的人間學」，以《五經正義》為代表的中世的經學是鄭玄經學的延長，人間世界為「一貫存在」所支配的論理，至朱子的經學而大成。[8]

鄭玄致力於各經文字統一的解釋，三國六朝以迄唐代的經學則以經書記述是絕對道理的所在，主張各經並無矛盾的存在，反覆論議辨證，用以解消各經文字訓詁差異的所在。換而言之，緻密論證而折衷異說是中世經學的特質，《五經正義》則是中世經學的結晶。蓋以問題提起，質疑論難，往復駁辨的形式，展開細密訓詁，而取得最持平公允的經典詮釋，是《五經正義》之經傳義疏的精要所在。如《毛詩・邶風・擊鼓》「擊鼓其鏜，踴躍用兵，土國城漕，我獨南行」，《詩序》曰：「擊鼓，怨州吁也。衛州吁用兵暴亂，……國人怨其勇而無禮也。」鄭箋：「此言眾民皆勞苦也。或役土功於國，或脩理漕城，而我獨見使從軍南行伐鄭，是尤勞之甚。」意謂土木工事固然辛勞，而南征伐鄭，或有生命之虞，更為憂慮。然《毛詩正義》則曰

> 州吁虐用其民，此言眾民雖勞苦，猶得在國，己從征役，故為尤苦也。禮記曰五十不從力政，六十不與服戎。注云力政，城郭道渠之役，則戎事六十始免，輕於土功。而言尤苦者，以州吁用兵暴亂，從軍出國，恐有死傷，故為尤苦。土國城漕，雖用力勞苦，無死傷之患，故優於兵事也。若力政之役，則二十受之，五十免之，故韓詩說二十從役，王制云五十不從力政是也。戎事則韓詩說曰三十受兵，六

8　吉川幸次郎《支那人の古典とその生活》，頁314-318。

> 十還兵，王制云六十不與服戎是也。蓋力政用力，故取丁壯之時，五十年力始衰，故早役之，早捨之。戎事當須閑習，三十乃始從役，未六十年，力雖衰，戎事希簡，猶可以從軍，故受之既晚，捨之亦晚。戎事非輕於力役。[9]

《詩序》謂衛侯用兵暴亂，庶民有怨，鄭玄說百姓皆勞苦，而從軍南征者尤可憂。《正義》則引用述《禮記．王制》說明從事兵役與勞役的年齡差異，乃基於體力的顧慮，非如鄭注所說「戎事六十始免，輕於土功」，而論說力役雖苦而無生命之虞，「戎事希簡」，力雖衰，「猶可以從軍」，然有死傷之痛，乃權衡力役與戎事的實情，述說雖煩瑣而曲盡合理，體得「溫柔敦厚」的旨趣。如此義疏經傳，或可謂之為「訓詁學的人間學」。蓋《五經正義》的煩瑣論述，旨在統合經書看似有所矛盾差異的載記，進行極其精微詳密的檢證，其論辨的方法則是「言一事一心」的架構，即首先綜輯經書文字的用字例，探求正確的訓詁，進而考索語言表述的事實與著述立說的心理，亦即檢證經書文字的歷史事實與作者記述的心理。成立「言一事一心」之「訓詁學的人間學」是中國訓詁學的特質，而具現於代表中世經學之《五經正義》的義疏。前文引述《尚書．金滕》「周公乃告二公曰我之弗辟，我無以告我先王，周公居東二年，則罪人斯得」的訓詁，「辟」或作「法」，或作「避」，一字的解釋有別，則周公的歷史定位就有殊異。如何詮釋是最適切的思量考索檢，即是「訓詁學的人間學」的考察。至於《毛詩．邶風．擊鼓》的論說，則是細察記述者心理，而取得兩行皆可成立的檢證。又《五經正義》的論證有「非其理也」的文字，如《春秋正義．序》

> 劉炫於數君之內，實為翹楚，然聰惠辯博，固亦罕儔，而探賾　深，未能致遠。其經注易者，必具飾以文辭，其理致難者，乃不入其根節。又意在矜伐，性好非毀，規杜氏之失，凡一百五十餘條，習杜義而攻杜氏，猶生於木而還食其木，「非其理也」。[10]

9 《十三經注疏》2（臺北縣：藝文印書館，1997年8月），頁80。

10 《十三經注疏》6（臺北縣：藝文印書館，1997年8月），頁4。

意在駁斥前人的素養，雖詳於注疏，而有未能中節之失，更有矯飾矜伐非毀成說之弊，不合人間的情理。亦有「非文勢也」、「非義勢也」的文辭，前者如《尚書・堯典》「日中星鳥，以殷仲春，……日永星火，以正仲間夏」的《義疏》

> 傳曰日中至可知。正義曰其仲春仲秋冬至夏至，……馬融、鄭玄以為星鳥星火，謂正在南方，春分之昏，七星中，仲夏之昏，心星中，秋分之昏，虛星中，冬至之昏，昴星中，皆舉正中之星，不為一方，盡見此與孔異也。至于舉仲月以統一時，亦與孔同。王肅亦以星鳥之屬為昏，中之星，其要異者，以所宅為孟月，日中日永為仲月，星鳥星火為季月，以殷以正，皆總三時之月。讀仲中，言各正三月之中氣也。以馬融、鄭玄之言不合天象星火之屬，仲月未中，故為每時皆歷陳三月，言日以正仲春，以正春之三月中氣，若正春之三月之中，當言以正春中，不應言以正仲春。王氏之說，非文勢也。孔氏直取畢見，稍為迂闊，比諸王馬，於理最優。[11]

後者如《尚書・酒誥》「爾尚克羞饋祀，爾乃自介用逸，……茲亦惟天若元德，永不忘在王家」的義疏

> 傳能考至之道。正義曰以聖人為能饗帝，孝子為能饗親。考德為君則人治之，已成民事，可以祭神，故考中德能進饋祀於祖考，人愛神助，可以無為，故大用逸之道，即上文飲食醉飽之道也。鄭以為助祀於君，亦非義勢也。以下然，並亦天據人事，是惟王正事大臣本天理，故天順其大德，不見忘在於王家，反覆相成之勢也。[12]

所謂「王氏之說，非文勢也」，或「鄭以為助祀於君，亦非義勢也」，皆在批判既有成說的訓詁不能體得經書文章的脈絡和立義的情理，而不能苟合雷

---

11 《十三經注疏》1（臺北縣：藝文印書館，1997年8月），頁24。

12 吉川幸次郎：《支那人の古典とその生活》，頁208。

同。意謂經典文獻的解詁宜有「人間學」的意涵，即考察文字表述的事實，探索著述立說的心理，而形成「言一事一心」[13]的詮釋方法。此為中世讀書人沈潛於《五經》，探求經書著述立說的究竟，既維繫經典生活的營為，也建構「訓詁學的人間學」之經學面向。[14]

（三）宋明：經學思想的確立

吉川幸次郎強調北宋以來，以《五經》為生活規範的思想強化鞏固。[15]蓋中世是民族、文化、宗教融合的時代，雖保有以《五經》為生活規範的意識，也融合佛教等異質性的文化，故中世的知識階層既沈潛儒家經典，亦奉行佛教的生活。如《梁書．皇侃傳》載記：

> （皇侃）性至孝，常日限誦《孝經》二十　，以擬《觀世音經》」[16]

當時世間傳誦《觀世音經》，日誦數十遍。而皇侃以《孝經》代之，唯其誦讀《孝經》二十遍的方式，則是當時誦讀佛經的方法，日誦《孝經》事親以盡孝，亦佛教現世福報的世俗觀念。又中世貴族生活重視修飾而煩瑣，四六駢文辭藻華麗，音律對仗極盡工巧，至於《五經正義》的訓詁義疏也極其煩瑣。吉川幸次郎以為中世知識階層大抵為世襲的貴族，富裕優遊，故能兼容並蓄，文化生活華麗而煩瑣。然近世的士大夫多為庶民出身的讀書人，生活營為未必能沿襲中世貴族奢華繁複的方式，故近世知識階層則有揚棄煩瑣雜多而趨於純化專一的變革。二程子提倡生活規範以《五經》為歸趨，而以

---

13 吉川幸次郎於〈外國研究の意義と方法〉一文強調：民族的語言生活是民族精神生活的投影，由於語言的投影而能最經驗性且實證性的把握精神生活的樣式。……語言是精神的象徵，通過實證的分析，即吟味文獻記載一字一句的意義，熟視其記述事實的真相，而體得著述立說的主旨所在。(《文明のかたち》，東京都：講談社，1980年7月，頁246-252)

14 吉川幸次郎：《支那人の古典とその生活》，頁319-322。

15 《支那人の古典とその生活》，頁323。

16 《梁書．列傳第四十二》(臺北市：鼎文書局，1978年11月)，頁680。

《五經》為生活規範的主張則大成於朱子。程朱於經學的興革，有《四書》的尊崇與「理一分殊」之理氣說的提出。《五經》大抵記述先例事實，雖可從先例事實抽繹出各種道理作為生活的規範，然先例繁多，取向則有無限可能的自由空間。《四書》論說綜攝人生應然當行的道理，較諸《五經》記述，明確指示精神生活的趨向。再者，以《五經》為規範，乃以儒家選擇的先例為指標，取向多元，然尊崇以《論語》為中心的《四書》而作為規範，則以孔子典範，生活的指標則集中於孔子言行的實踐。故近世中國人的精神生活以希聖成賢，傳承聖賢的典範為極致。[17]至於理氣說的哲學義理則確立尊重《五經》、《四書》的主張。萬物由氣所構成，萬物氣性殊異，為「分殊」，然萬物皆有生生之理的存在則萬物咸同，是「理一」。「理一分殊」的理氣哲學應用於古典尊重的主張，而強調萬物之理的最完全顯現乃在於《五經》、《四書》所記述的聖賢之言論，沈潛經典即能體得生活的法則。吉川幸次郎說明探求超越感覺世界之權威，必與地上的權威之證成相結合，而其結果則強化人間社會所存在之權威的絕對性，是中國人的傳統思維。朱子的「理一分殊」的哲學架構亦然。理是形而上的存在，《五經》、《四書》既是理的完全顯現，則《五經》、《四書》即具有絕對性的權威。換而言之，歷來以經典為生活規範的意識，由於「理一分殊」之理氣哲學的論證，而強化為民族精神生活的究極彝常。再者，理是形上理則，是「理一」，而理雖具在於萬物之中，然萬物皆有其生成之理，是「分殊」，欲窮究萬物的事理則有博學的必要，所謂「致知在格物」，博覽經典載記的先例，乃能體得人間存在的事實，領會自然現象的法則。亦即窮究事物之理的歸結則在於究明經典的旨趣，確立《五經》、《四書》是人生道理所在，為生活規範的究極。王陽明主張「心即理」，理在吾人心中，不假外求，雖然如此，《五經》是道理的所在，《五經》記述的道理與吾心之理是相合符應，理既是形上根源則《五經》乃是人間存在的究極。換而言之，「道理＝《五經》」的先天性命題，在陽明的「心即理」的哲學體系也是毫無改易。

---

17 吉川幸次郎：《支那人の古典とその生活》，頁324-329。

以《五經》為生活規範的思想，由於宋明理學的論證而強化，將理的形上根據擴充至《五經》乃道理的究極歸趨，形成經學思想。宋明儒者於經書注疏，輒顯現以《五經》、《四書》為生活規範之究極所在的精神。[18]

（四）清朝考證學的究極：訓詁明而義理明的「訓詁學的人間學」

宋明儒者以理氣哲學和心學詮釋經書時，不免有牽強曲解的所在，一如西漢今文經學以陰陽災異附會經書記述，導致東漢古文經學之嚴密訓詁經書的形成。朱王以哲學義理發明經義，雖以《五經》、《四書》為道理的依歸，然論理深奧晦澀，故清儒有再興「漢學」的主張，意謂欲上達經書標示的道理所在，非正確解讀經書文字不可。吉川幸次郎強調清儒頗多祖述鄭玄的經學，以古代語言的慣用例的綜輯，探究經書記述的本義。經書既是道理的究極，則非忠實的訓解經書文字不可，而以語言研究為根柢，正確解讀經書，是清朝漢學的學問意識。近代於中國古代漢語的研究，世人極為推崇高本漢的研究方法及其成果，然高氏的學問與清儒於古代言語訓詁學的成果相較，庶幾無重大的進展，足見清朝於古代漢語的研究有極高的水平。[19]再者，探究清朝考證學的內涵，則有因革中世「訓詁學的人間學」於議論的奇矯，宋明理學的艱誨，於論證的考索，力求合理適切，如戴震主張「文理說」，用以究明經文章脈絡的論理與作者著述立說的心理[20]。訓詁明而義理明，是清朝考證學的宗尚，也是中國學術的究極。

綜觀中國近世的經典生活，雖有宋明儒者之以理學與心學敷衍經書義理

18 《支那人の古典とその生活》，頁329-332。

19 《支那人の古典とその生活》，頁332-333。

20 吉川幸次郎於所著〈清代三省の學問〉，強調戴震的「文理說」，是讀書必深入通透文章的「論理與心理」，即文章的論理脈絡與作者著書立說的用心所在。此讀書論學的態度是晥派所遵奉的精神，既超越宋代以來讀書與思索何者為重的論爭，也是最正確的讀書方法。（《吉川幸次郎全集》，東京都：筑摩書房，1970年7月，第16卷，頁3-10）

的旨趣，清朝儒者以正確訓詁經籍文字為究極的差異，然生活規範強度集中於《五經》記述的學問意識，則是近世古典生活一貫的思維。較諸中世融合儒、佛的營為，近世則有儒家經典為絕對至上的傾向。由於以經典為行為尺度的判準，生活營為不免於束縛的窘促。雖然如此，由於庶民的抬頭與經濟的發展，歧出於傳統規範的生活營為也因應而生，如小說戲曲之以口語撰述，雖超離以詩文為主流的傳統，而流行於市井社會，形成民間講唱文學普及的近世都市文化。再者，理學的成立，定位《五經》、《四書》的著述立說是道理的所在，強化《五經》為生活規範的意識。又由於文官任用之科舉制度的施行，形成近世以文人為主體的社會結構，而異乎中世以貴族為主體的社會。至於文化生活的營為，亦有別於貴族階層的華麗，而有以素樸是尚的傾向。再者，以文舉士的科舉則維繫近世讀書人的文化生活，記誦沈潛科考必備的經典是近世讀書人的基本素養，而語言生活主於詩文的鍛鍊，用以求取仕進，制義文章的論說，要在責求經世濟民的胸襟。故近世文學的內涵，大抵以宗經明道為極致，而異於中世義疏的煩瑣與四六駢文之修飾華麗。換而言之，以《五經》為規範而展開以錘鍊為尚的生活是近世文化的特質。[21]

三　結語：中國人以經典為生活規範的得失

中國幅員廣闊，土地面積約與歐洲相當，境內地理環境有所差異，生活方式與風俗習慣自然有別，語言亦有古今乖隔與南北通塞。然綜觀中國歷史，其間雖有分裂的時期，大抵維持大一統的局勢。因此，中國人大抵持有分裂割據只是短暫的扞隔，大一統的長治久安才是社會常態的意識。吉川幸次郎強調以《五經》為生活規範的理念是維繫大一統的中心意識，以古典為生活規範的長處則有三。其一、「天下」是大一統意識的表徵，維繫天下一統而長治久安是傳統的歷史觀，沈潛以《五經》為中心的經典而鍛鍊詩文的讀書人才能實踐佐君輔國經世濟民的理想。故以《五經》為生活規範而維繫

21 吉川幸次郎：《支那人の古典とその生活》，頁333-335。

天下一統的歷史意識，是以古典為生活規範的長處之一。

其次，以古典為生活規範，既保有安定的規律性，亦形成高度的文化生活，中世的貴族生活與近世的文人生活即是。經書文字的記誦與詮釋，書籍傳抄的校勘與考證，是積年累月鍾鍊營為的結果。古典詩文創作的語言生活也是歷代因革損益的結晶。中世四六駢文是修飾華麗而優美典雅的極致，近世的古文則是去蕪存菁而文質諧調的傑作。書畫的工巧鑑賞與筆墨硯紙的精選風雅，亦為讀書人涵泳古典精華而體得優遊自在之精神生活的象徵。換而言之，讀書人所營為的文化生活是中國古典生活長久存續發展的根源所在。此為以古典為生活規範的長處之二。

再者，尊重經典的理念具有二種意義，其一、尊重經典的語言與經典所記述的事實，其二、致力於探究語言與事實於社會生活中所存在的意義。語言與事實雖是形而下的存在，然形而上的抽象意義則藉由形而下的具體存在來表現，亦即語言與事實是形上理則的具象性存在。「語言是人類精神的象徵」乃中國人的普遍性意識。訓詁學是以語言的解詁，究明文獻所記述的事實與意涵，形成「言—事—心」詮釋體系的「人間學」。至於語言解詁的極致在於究明經典記述的事實與著述立說的旨趣，則是以先例為典型之尚古精神的象徵。故以《五經》的沈潛精熟，考察經典文字的意涵與記述事實的真象，是經典生活營為的究極意義。此為以古典為生活規範的長處之三。[22]

以《五經》為生活規範雖然有以上三個長處，然亦有以下二個缺陷。第一、中國人的思維生活由於《五經》的存在而未能完全的展開。蓋既以《五經》的語言作為表述形而上理則的具象性存在，則以《五經》的語言作為思索之正確是非的判定基準，其結果則易拘限思維的開展而難有日新月異的突破創新。如自然科學的發展由於取證於《五經》的語言記述而停滯於萌芽的階段。譬諸《漢書・律曆志》於一月之日數的記載。

> 法、一月之日二十九日八十一分日之四十三。……是故元始有象一也，春秋二也，三統三也，四時四也，合而為十，成五體，以五乘

---

22 《支那人の古典とその生活》，頁337-342。

> 十，大衍之數也。而道據其一，其餘四十九，所當用也，故蓍以為數。以象兩兩之，又以象三三之，又以象四四之，又歸奇象閏十九及所據一加之，因以再扐兩之，是為月法之實。如日法得一，則一月之日數也，而三辰之會交矣，是以能生吉凶。故易曰天一地二，天三地四，天五地六，天七地八，天九地十。天數五，地數五，五位相得而各有合。天數二十有五，地數三十，凡天地之數五十有五，此所以成變化而行鬼神也。并終數為十九，易窮則變，故為閏法。……月法二千三百九十二。推大衍之法。[23]

算定月運行一周的時間為二十九又八十一分之四十三天，乃長期精密觀察天象計算而得的結果，就天文學而言，陰曆一個月的天數為二十九又八十一分之四十三天是頗為正確的數字。所謂「月法二千三百九十二」，乃二十九乘四十三的數字，就算術而言，八十一是分母，二千三百九十二是分子，相除則為二十九又八十一分之四十三，是月球運行周期的天數，符合自然科學觀察計算自然現象的結果。然《漢書・律曆志》卻取合《易》的數字，論證自然現象的道理根源在於《五經》的記述。分母八十一的數字，是《易》九自乘之數。分子二千三百九十二的數字，則是「以五乘十，大衍之數」，而「道據其一，其餘四十九，所當用也，故蓍以為數」，即「五十」取去為道的「一」，以四十九蓍草來演算，「以象兩兩之，又以象三三之，又以象四四之」，「兩」者象徵天地而二倍之而為九十八，「三」者象徵天地人而三倍之而為二百九十四，又四倍加乘為一千一百七十六。然「易曰天一地二，天三地四，天五地六，天七地八，天九地十。天數五，地數五，五位相得而各有合。天數二十有五，地數三十，凡天地之數五十有五，此所以成變化而行鬼神也。并終數為十九」，即天之數有一、三、五、七而終於九，地之數有二、四、六而終於十，合天地之數而得十九。以十九加一千一百七十六為一千一百九十五，再加上「道據其一」的「一」，則為一千一百九十六，「因以再扐兩之」，乘以二倍，即是二千三百九十二的數字。

---

23 《漢書》（臺北市：鼎文書局，1978年11月），卷21，頁976-991。

「一月之日二十九日八十一分日之四十三」是累積觀察天象，精密計算而得的數字，符應天文科學，「月法二千三百九十二」亦有算術的根據，然取證於《易》的象數，推演「大衍之法」，用以說明《五經》語言記述自然的法則，反映自然的現象，雖能以之作為生活的規範，然未能以發展科學的萌芽而精進更新，創造科學文明。此乃過度尊重古典而造成中國古典傳統生活最大的缺點。[24]

第二、社會的進步發展曾不能以一瞬，人類的生活亦歷時而更移，以《五經》為生活規範的思維未必完全符應時代的變化與社會的轉型。所謂「江河日下」，即意味古今生活方式的變易更革，古典生活的規範未必能順應世界的變革，因而產生對未知的將來抱持悲觀的態度。此乃以《五經》為生活規範之傳統生活最大的缺點。因此，如何思索新的理念，探求新的生活取向，則是中國突破傳統以順應新時代的課題所在。[25]

24 吉川幸次郎：《支那人の古典とその生活》，頁342-344。

25 《支那人の古典とその生活》，頁348-350。

「允」、「畂」、「畯」試釋*

陳　致
香港浸會大學饒宗頤國學院教授兼署理院長

一　「畂」與「畯」

金文中有「畂」字，從田從允，宋人本釋為「允」字。呂大臨《考古圖》著錄有晉姜鼎（集成2826），其銘文中最後數語如下：

> 晉姜用旛綽綰釁壽，乍疐為極。萬年無疆，用亯用德。畂保其孫子，三壽是利。

《考古圖》引北宋太常博士楊南仲釋晉姜鼎銘云：

> 畂，疑允字，字書所無，而於文勢宜為允。葢用畂省聲也。[1]

宋人此說，數百年後亦有從之者，如《康熙字典》卷三之「子集下」「儿部」之二云：

> 允，古文畂。《唐韻》：余準切；《集韻》，《韻會》：庾準切，竝音尹；《說文》：「允，信也，從㠯人。」徐曰：「儿，仁人也，故為信。」又《爾雅・釋詁》：「允，信也」；疏謂：「誠實不欺也」。按《方言》云：「徐魯之間曰允。」《書・君奭》：「公曰：『告汝朕允』。」又《玉

---

* 本文初刊於《饒宗頤國學院院刊》創刊號（香港：中華書局，2013年），頁135-160。

1 歐陽修：《集古錄》，卷1，《文淵閣景印四庫全書》，第681冊。呂大臨：《考古圖》，卷1，《文淵閣景印四庫全書》，第681冊，頁9。

篇》:「允，當也。」又《增韻》:「肯也。又通作『盾』。中盾：官名。」《前漢・班固敘傳》:「數遣中盾請問近臣」註:「師古曰:『盾讀曰允』，又《正韻》:『羽敏切，音隕，義同』。又《集韻》:『余專切，音鉛』。《前漢・地理志》:『金城郡』『允吾』註：應劭曰:『允吾，音鉛牙』。」

《康熙字典》卷十九「畯」字下亦云:「畯，古文允。」然而隨著青銅器的大量發現，金文研究的展開，晚清以後，學者逐漸否定了宋人舊說，而釋此字為「畯」。

可能是孫詒讓始釋為「畯」，孫氏在釋克鼎銘文時，在「保辟周邦，畯尹亖或」之「畯」字下加一「畯」字。[2]其立論與孫對晉姜鼎之斷讀有關。孫氏讀晉姜鼎銘最後數句：時，「畯」字斷從上句，曰「用亯用德畯，保其子孫」，並且認為「畯」字當為「畯」之訛作。而「畯」即「俊」，所謂「用德俊」者，即用德才兼具之士，若古之「八德」、「八俊」等。並且說「用德俊」猶「陟畯」，謂陞拔俊士。晉姜鼎銘其實是入韻的，其「極」「德」「利」三字，分為群紐職聲，端紐德聲，來紐至聲，前二者屬職部，「利」字在質部。「利」字雖與前二者不通韻，但我認為晉姜鼎銘之「三壽是利」其實就是㝬鐘（宗周鐘）銘文中之「參壽隹𤤸（[illegible]）」。[3]㝬鐘銘文中，後面幾句云:「[illegible]，降余多福。福余順孫，參壽隹𤤸。㝬其萬年，畯保四或。」此𤤸字即與「或」「福」等職部字押韻。晉姜鼎因其器已不傳，只見於宋人摹拓，故「三壽是利」一語可能是古人誤摹，當為「三壽是剌」或「三壽是𤤸」。故畯字只能是從下讀作「畯保其子孫」。

其後徐中舒先生從孫氏釋畯為畯之說，申論綦詳。氏著《金文嘏辭釋例》云:「《詩・雨無正》:『不駿其德』，《清廟》『駿奔走在廟』，毛傳並云:『駿，長也』，此駿字在金文皆作畯，或作畯（僅秦公鐘作畯）。」次引金文九例，並云:「此諸畯字皆當釋為長，言長在位，長尹四方，長正（尹正俱

---

2 孫詒讓:《籀廎述林》1916年刊本，卷7，「克鼎釋文」。

3 孫詒讓:《籀廎述林》1889年刊本，卷上，「薛尚功歷代鐘鼎彝器款識」。

君長之稱）厥民，長保四國，長保其子孫，長臣於天子也。」[4]

徐氏所舉秦公鐘銘文中有「盭盭允義」一語，其允字作▨形，下文又有「畯黹才立」一語，畯字作▨形，銘文如下：

《集成》二六二 春秋早期 秦公鐘

秦公曰：我先且受天令，商宅受或。剌剌卲文公、靜公、憲公，不象于上。卲合皇天，厶虩事蠻（▨）方。公及王姬曰：余小子，余夙夕虔敬朕祀，厶受多福。克明又心。盭龢胤士，咸畜左右。盭盭（▨）允義，翼受明德。厶康奠□（▨）朕或。盜百蠻（▨），具即其服。乍厥龢鐘，霝（▨）音鍺鍺雝雝，厶匽皇公。厶受大福。屯魯多釐，大壽萬年。秦公𤔲（▨）畯（▨）黹（▨）才立，雁受大令。釁壽無疆，匍有四方。𤔲（▨）康寶。（相連器號：262，263）

從秦公鐘畯字字形來看，從田從允從夊（或從止），似當釋為晙字，故徐說幾為定論，為後之學者所從。民國初在甘肅發現，現藏於中國歷史博物館的秦公簋有銘文云：「釁壽無疆，畯疐才天，高引又慶，竈囿四方。」其畯字作▨字形。與秦公鐘銘對讀，「畯」與「晙」在金文假借為用，應無問題。故到目前為止，新出金文中凡出現從「田」從「允」之字形，學者皆視為「晙」，訓「永」訓「長」。如楊家村的逑器等。然以金文辭例來看，此說尚有疑義。宣王時期南宮乎鐘（集成181）云：「畯永保四方。」厲王五祀㝬鐘銘云：「永畯尹四方。」若此畯字釋為長為永，則允字與前後文之「畯永保四方」、「永畯尹四方」之永字連言，未免疊牀架屋，頗為不辭。故我以為「畯」必不當作「晙」，不可訓為永、長等義。

4 徐中舒：〈金文嘏辭釋例〉，原刊《中央研究院歷史語言所集刊》，第六本一分（1936年），頁1-44。《徐中舒歷史論文選輯》（北京市：中華書局，1998年），頁502-564。

二、「畯」與「允」

從筆者所見之甲金文詞例來看，我認為「畯」實分化為兩義：一是可借用為「允」，當從宋人舊說；一是通「畯」與「峻」，如徐中舒、于省吾說，為「峻極于天」之「峻」。而在金文辭例中，大多數屬於第一種情況。本文以下即對此觀點進行論證。需要說明的是本文第一稿〈金文中的「畯」與《詩經》中的「允」〉，二〇〇九年五月二十九日至三十日於嶺南大學舉行的，中央研究院中國文哲研究所、嶺南大學中文系合辦的「經學國際學術研討會」上首次發表，會上有學者提出了些質疑；二〇一二年十一月底我在浸會大學召集「吉金與周代文明國際論壇」，筆者對此文作了很多修訂，又增加了例證，於會上宣讀〈「允」「畯」「畯」試釋〉一文，會上承蒙劉釗、來國龍和沈培幾位見告，裘錫圭先生曾提到張政烺先生即有此看法。因與本文觀點密切相關，茲引裘先生〈懷念張先生〉中相關文字如下：

> （張政烺）先生有一次跟我說，他認為大盂鼎「畯正厥民」的「畯」，不應該像一般人那樣讀為「畯」，而應該讀為「允」，用法跟《論語・堯曰》「允執厥中」的「允」，相同。我認為先生的這一見解是值得重視的。我想，按照這樣的思路，在先生看來，金文中的其他「畯」字，至少有一部分，如「畯臣天子」、「畯永保四方」、「畯保四或」、「畯保其子孫」等語中的「畯」，也是應該讀為「允」的。甚至《詩經》中的某些「畯」字，也可能應該讀為「允」。如《周頌・維天之命》「畯惠我文王，曾孫篤之」句中的「畯惠」，是很難講通的，似乎就可以讀為「允惠」。「惠」就是殷墟卜辭中常見的虛詞「叀」，用法與「唯」相近。《尚書》的〈酒誥〉和〈君奭〉都有「允惟」之語。「允惠」與「允惟」相近。「允惠我文王」還可以跟《周頌・時邁》的「允王維后」相比較。此外，《詩經》裡的「駿」似乎還有不少可以讀為「允」。希望我的引申是符合先生原意的。先生讀「畯正

> 厥民」為「允正厥民」的意思，似乎沒有公開發表過，所以我感到有必要記在這裡供大家參考。（2011年10月17日寫）[5]

裘錫圭先生此文之後又附「編按」云：「郭永秉告訴我，張先生在對郭沫若《兩周金文辭大系考釋》師訇簋考釋文所作的眉批中說：『尸臣三百人，當是新俘虜。如是允』──引者按：『尸臣』之『臣』，宋人所摹，形似『允』字，前人或釋『允』──則當釋畯。」[6]

有張振烺與裘先生此說，則本文所論可以說是為他們補充了更多例證，提供了更為具體的討論。二〇一二年會議發表之後，筆者對此文又作了修改，故讀者目前看到的是本文的第三稿。

目前可以看到的西周金文中的「畯」字，有如下諸器：

白梡虘簋（集成4091）云：「白梡虘肇乍皇考剌公尊簋，用亯用孝，萬年眉壽，畯在位，子子孫孫永寶。」師𩛥簋蓋（4277）銘：「俞拜稽首，天子其萬年眉壽黃耇，畯在位，俞其蔑曆日易魯休，俞敢對揚天子不顯休，用乍寶，其萬年，永保臣天子。」白梁其盨（集成4446）：「白梁其乍旅須，用亯用孝，用匄眉壽多福，畯臣天子萬年唯亟，子子孫孫永寶用。」善夫克盨（集成4465）云：「降克多福眉壽永命，畯臣天子，克其日易休無彊，克其萬年，子子孫孫永寶用。」此鼎銘云：「此其萬年無疆，畯臣天子霝冬（終），子子孫孫永寶用。」頌鼎（集成2827，2828，2829）銘亦云：「頌其萬年眉壽，畯臣天子霝冬（終），子子孫孫寶用。」追簋（集成4219）云：「畯臣天子霝冬（終），追其萬年，子子孫孫永寶用。」見本文所附之表列。

從字形來看，西周金文中之畯字，皆從田從允，只有春秋時期秦公諸器銘文「畯疐才天」之「畯」，諸器皆下有「止」旁，與後來戰國文字中從田從夋的字形頗相類。如秦公簋（集成4315）銘文：「厶昭皇且，[illegible]嚴[illegible]各。

5 裘錫圭：《懷念張先生》，收入《裘錫圭學術文集：雜著卷》（上海市：復旦大學出版社，2012年），頁210-211。

6 裘錫圭：《懷念張先生》，收入《裘錫圭學術文集：雜著卷》（上海市：復旦大學出版社，2012年）頁211。

厶受純魯多釐，釁（眉）壽無疆。壼才天，高引又（有）慶，匍四方。」以此來看，畯字之為畯是春秋時期在宗周秦系文字中之訛變。並非西周文字中之通例。

那麼西周金文中之畯字究竟何義？我以為實際上就是「允」字之假借。以詩經與金文詞例對讀，這一點會顯示得比較清楚。晉姜鼎銘云：「晉姜用旛綽綰釁壽，乍寠為極。萬年無彊，用亯用德。畯保其孫子。」〈周頌．烈文〉云：「惠我無疆，子孫保之」，〈周頌．天作〉亦曰：「子孫保之」。宗周鐘曰：「畯保四或（國）。」南宮乎鐘（集成181）云：「畯永保四方。」〈周頌．桓〉云：「保有厥士，于以四方，克定厥家。」如〈小雅．瞻彼洛矣〉云：「君子萬年，保其家室」，「君子萬年，保其家邦」略同。「時邁其邦，昊天其子之，實右序有周。薄言震之，莫不震疊。懷柔百神，及河喬岳，允王維後。明昭有周，式序在位。載戢干戈，載櫜弓矢。我求懿德，肆于時夏，允王保之。」允字朱熹《詩集傳》謂：「信乎王之能保天命也」，釋允為信，清人陳奐等皆從之。則金文中之畯字當亦作信解，非如于省吾所說之畯字。楊樹達、郭沫若、于省吾所引之秦公簋（集成4315）銘文：「厶昭皇且，嚴各。厶受純魯多釐，釁（眉）壽無疆。畯壼才天，高引又（有）慶，匍四方。」秦公鐘銘云：「畯壼在位」之「畯壼」。徐中舒釋為〈大雅．崧高〉中「駿極于天」之「駿極」，並疑「駿惠」為「畯壼」之譌。並云「駿」與「畯」為長為永之義。[7]郭沫若釋畯為峻，于省吾釋「畯壼」為〈周頌．維天之命〉之「駿惠我文王」之「駿惠」，又云駿訓為大，惠與壼為形近而譌，意為根柢的「柢」。[8]這些說法，皆由以西周金文中之「畯」為典籍中之「畯」作為立論的基點。秦公諸器銘文中，鐘鎛銘文「畯」字皆作「畯」形，下有「夊」（止）旁，與其他諸器的「畯」字是有分別的。惟現藏於中國歷史博物館之秦公簋銘，其字作畯形，則郭於諸氏之說亦未

7 徐中舒：〈金文嘏辭釋例〉，原刊《中央研究院歷史語言所集刊》，第六本一分（1936年），見《徐中舒歷史論文選輯》（北京市：中華書局，1998年），頁552。

8 于省吾：〈詩「駿惠我文王」解〉，《吉林大學社會科學學報》1962年第3期，收入《澤螺居詩經新證》，頁228-232。

能必，此「畯」字或即通「畯」，亦即「允」字，至於叀字若訓柢，其句意亦未嘗不順。「允」為副詞，謂秦公眉壽無疆，信乎際於天也。

我以為晉姜鼎銘、宗周鐘、南宮乎鐘、五祀㝬鐘銘之畯字顯然皆與〈周頌・時邁〉中「肆于時夏，允王保之」之「允」相同，即信也。《說文・儿部》:「允，信也，從儿，㠯聲。」《方言》:「允、訦、恂、展、諒、穆，信也。齊魯之間曰允，燕代東齊曰訦，宋衛汝潁之間曰恂，荊吳淮汭之間曰展，西甌毒屋黃石野之間曰穆。眾信曰諒，周南召南衛之語也。」《爾雅・釋詁》:「允、孚、亶、展、諶、誠、亮、詢，信也。」允字在金文中借為畯，其用法也大體相類。總結起來，大抵金文中的「畯」有以下幾種用法，皆與文獻中的「允」相同：

首先，用為形容詞，謂信也。西周金文中最為常見的是「畯臣天子」一詞，如西周晚期此鼎、此簋、楊家村出土的四十二年逑盤，以及前舉諸器之「畯臣天子」一語，於西周金文蓋十餘見，顯然是當時一成語。如此鼎、此簋銘云:「此其萬年無疆，畯臣天子靁冬（終），孖孫孫永寶用。」頌鼎、頌簋（集成2827，2828，2829）銘亦云:「頌其萬年眉壽，畯臣天子靁冬（終），子子孫孫寶用。」追簋（集成4219）云:「畯臣天子靁冬（終），追其萬年，子子孫孫永寶用。」字皆當釋為「允」，因典籍中無「畯臣」一詞，而「允臣」當即《詩・小雅・湛露》中的「顯允君子，莫不令德」之「顯允君子」也，也即〈小雅・采芑〉中「顯允方叔」之允，亦即〈商頌・長發〉中「允也天子，降予卿士」之「允」。〈小雅・車攻〉云:「允矣君子，展也大成。」，朱熹《詩集傳》云:「信矣其君子也，誠哉其大成也。」所謂「允臣天子」猶王之信臣與天子。此允字固知為形容詞，用以言天子臣工之可信賴之忠誠。二〇〇三年發現的眉縣楊家村逑盤，四十二年逑鼎，四十三年逑鼎皆有「眉壽綰綽，畯臣天子，逑萬年無彊，子子孫孫永寶用享」之語，對於此「畯臣天子」之「畯」字，學者多從徐中舒、于省吾說，以為是畯字，其實義未能安。[9]若以諸器銘合觀之，我們會發現所謂「畯臣天子」、「畯臣天

9 李零釋此字為畯通雋，亦長久之義。見李零:〈讀楊家村出土的虞逑諸器〉,《中國歷史

子霝冬（終）」是謂王之信臣與天子皆得霝終眉壽之禱頌吉祥語。

其二，由形容詞之「畯」，進而可用為動詞，此亦金文中之常例。用為動詞，謂取信之義，實亦隱含保佑保障之義。秦公鎛云：「畯𤔲在位。」此畯字應通「畯」，亦即文獻中的「允」，即保佑之義。即如師艅簋蓋銘之：「永保臣天子」。蓋銘云：「俞拜稽首，天子其萬年眉壽黃耇，畯在位，俞其蔑曆日易魯休，俞敢對揚天子不顯休，用乍寶，其萬年，永保臣天子。」「畯在位」，金文中亦常見，謂保佑其在位者也。其他例證如大克鼎（集成2836）：「保辥周邦，畯尹四方。」保辥即保艾、保乂，亦是佑護之義，此處「畯尹」與「保乂」對文，其義相類也。周初大盂鼎（集成2837）：「匍有四方，畯正厥民。」此畯字亦保佑，並兼有管理的意思。而此保佑管理之義，實亦由「信」義引申而來。金文中其他較有爭議的如牆盤銘文中之「達殷畯民」，達字或釋為撻，或曰通。唐蘭釋此畯為「田畯」之畯，謂為農夫的意思。[10]李學勤、裘錫圭云即經傳中所見之俊民，[11]裘錫圭並云大盂鼎云武王「畯正厥民」，釋此字為「悛」，意謂「使民改正向善」。[12]連劭名引說文云：「悛，止也。」由此而證「畯民」就是「安定人民」的意思。[13]我以為此處畯仍為「允」，大盂鼎「畯正厥民」是云信能正厥民，而牆盤之「達殷允民」，是將允用為動詞，謂取信於民或佑護人民也。王輝指出其畯字讀

文物》2003年第3期，頁25，註20。其他諸家都釋為畯，王輝：〈逑盤銘文箋釋〉，《考古與文物》2003年第3期，頁88。董珊：〈略論西周單氏家族窖藏青銅器銘文〉，《中國歷史文物》2003年第4期，頁40-50。

10 唐蘭之所以釋「畯民」為「畯民」主要依據是《詩．小雅．小田》、《詩．小雅．大田》、《詩．豳風．七月》中皆有：「田畯至喜」一語。舊注皆以為田畯為田官名。見氏著：〈略論微史家族窖藏銅器群的重要意義〉，收入尹盛平主編：《西周微氏家族青銅器群研究》，頁121。

11 李學勤：〈論史牆盤及其意義〉；裘錫圭：〈史牆盤銘解釋〉，收入尹盛平主編：《西周微氏家族青銅器群研究》，頁235、267。

12 裘錫圭：〈史牆盤銘解釋〉，收入尹盛平主編：《西周微氏家族青銅器群研究》，頁266-267。

13 連劭名：〈史牆盤銘文研究〉，收入尹盛平主編：《西周微氏家族青銅器群研究》，頁364。

「駿」，云：

> 大盂鼎：「在珷王嗣玟王乍邦，闢氒匿，匍有四方，畯正氒民。」㝬簋：「用𠦪壽，匄永命，畯在立（位）。」梁其鼎：「畯臣天。」秦公鎛：「秦公其畯[龠令]在位。」畯讀為駿，《詩．大雅．文王》：「宜鑒于殷，駿命不易。」毛傳：「駿，大也。」《爾雅．釋詁上》：「駿，長也。」《詩．小雅．雨無正》：「浩浩昊天，不駿其德。」[14]

按王輝釋畯為駿，皆承于省吾、徐中舒二氏之說，其立論的基礎在於將金文中之「畍」字隸定為「畯」字。但我認為無論大盂鼎銘、㝬簋、梁其鼎銘，仍當讀「允」。後世出土文獻中，如郭店簡〈成之聞之〉云：「允（）帀淒德」，其中帀即師，謂眾人也；淒謂濟，是動詞，謂有加於德行；而允字也即用作動詞，謂取信於眾，乃可以濟德也。《詩．周頌．酌》云：

> 於鑠王師，遵養時晦。時純熙矣，是用大介。我龍受之，蹻蹻王之造。載用有嗣，實維爾公允師。

這裡所說的「允師」如郭店簡〈成之聞之〉云：「允（）帀淒德」之「允（）帀」，亦即取信於眾人的意思。舊注多以為「允」是副詞信的意思，「允師」乃信能為後世師法之義。[15]從〈成之聞之〉之「允（）帀淒德」來看，這樣理解是不對的。《詩．周頌．酌》一詩多言武王興師之事，為周人大武樂章之一章，其中之「允師」一詞很可能也是取信於眾的意思，則允字亦作動詞用。

第三，除形容詞和動詞外，畍字在金文中亦用作副詞，其用法一如詩中之「允」字。〈鄘風．定之方中〉：「卜云其吉，終然允臧。」〈大雅．公劉〉：「豳居允荒。」〈大雅．常武〉：「王猶允塞，徐方既來。」〈周頌．武〉：「允文文王，克開厥後。」〈魯頌．泮水〉：「允文允武，昭假烈祖。」類此之「允」字，皆為副詞。金文中宗周鐘：「畍保四或（國）。」南宮乎鐘

14 王輝：《古文字通假釋例》（臺北縣：藝文印書館，1993年），頁796。

15 王先謙：《詩三家義集疏》（臺北市：明文書局，1993年），頁1056。

（集成181）：「允永保四方。」晉姜鼎：「允保其孫子」皆用允為副詞，與師䣛簋蓋（4277）銘之「永保臣天子。」語法結構上是相似的。而大克鼎（集成2836）：「保辥周邦，畯尹四方。」大盂鼎（集成2837）：「匍有四方，允正厥民。」及「允在位」等固可視為動詞，視其為副詞亦優有可說。

畯在金文的這些用法，與其他典籍中所見之允字多相合，如：

《逸周書・文酌解》：「九酌：一取允移人，二宗傑以觀，三發滯以（正）〔匡〕民，四貸官以屬，五人曰必禮，六往來取此，七（□）〔商〕賈易資，八農人美利，九□寵可動。」所謂取允移人，即取信移人。允當釋為信。[16]《逸周書・允文解》第七云：「思靜振勝，允文維紀。昭告周行，維旌所在。」舊注多以為此允為用，與用字通。[17]我以為不然，此字仍釋為信。〈周頌・武〉：「允文文王，克開厥後。」謂文王信乎能文，使其後能繩其祖武。〈魯頌・泮水〉：「允文允武，昭假烈祖。」謂先祖之光烈，信乎能文，信乎能武。《逸周書・大聚解》：「王再拜曰：『嗚呼！允哉！天民側側，余知其極有宜。』」[18]所謂允哉，即誠哉，信哉之義。《逸周書・武儆解》中成王亦曰：「允哉！汝夙夜勤心之無窮也。」[19]顯然亦此誠、信之義。允哉猶詩中之允矣。〈小雅・車攻〉：「允矣君子，展也大成。」允字朱熹《詩集傳》謂：「信矣其君子也，誠哉其大成也。」釋允為信，陳奐亦云：「《爾雅》：『允、展，信也。』又『展、允，誠也。』言信矣君子，誠能成其大功也。」王應麟《詩攷》引《晏子春秋佚文》云：「允矣君子，直言是務。」與《逸周書》之允哉同義。《逸周書・成開解》：「在昔文考，躬修五典，勉茲九功，敬人畏天，教以六則四守，五示三極，祗應八方，立忠恊義乃作。三極：一天有九列，別時陰陽；二地有九州，別處五行；三人有四佐，佐官維明。五示顯允，明所望，五示：一明位示士，二明惠示眾，三明主示寧，四安宅示孥，五利用示產。產足窮，家懷思終，主為之宗，德以撫眾，眾和

16 黃懷信：《逸周書校補注譯》（西安市：西北大學出版社，1996年），頁28。

17 黃懷信：《逸周書校補注譯》，頁49。

18 黃懷信：《逸周書校補注譯》，頁433。

19 黃懷信：《逸周書校補注譯》，頁520。

乃同。」[20]所謂顯允，詩中亦多見，曰：「顯允君子，莫不令德。」（湛露）曰：「顯允方叔，伐鼓淵淵，振旅闐闐。」又曰：「顯允方叔，征伐玁狁，蠻荊來威。」（采芑）言君子言方叔之明信可倚賴也。

三　甲金文與文獻中之「允惟」與「畯隹」

金文中的「畯」之為允，其實其來有自。查甲骨文中的資料，我們發現「允」（[illegible]）字在甲骨文中也多用作副詞，其義亦如「果」「誠」等，如云：「允雨」、「允不雨」、「允來」、「允出」、「允有」、「允隻」、「允用」、「允彡」，比較值得注意的，惟有「允隹」一詞往往為一固定用法，作強調賓語之用，如：

合集1163

允隹且乙（[illegible]）

合集1114

允隹鬼暨周𢽾（[illegible]）

合集33700

乙丑貞日出戠允隹戠三（[illegible]）

合集34146

庚〔辰〕貞□降〔鬼〕允隹帝令二（[illegible]〔[illegible]〕[illegible]□[illegible]〔[illegible]〕[illegible]）

而此語在合集3019中，「允隹」變成了「畯隹」：

卜貞子央…畯隹人…（[illegible]…[illegible]…）

所以不惟金文中，甲骨文中「畯」「允」二字已可互作，這是比較明顯的證據。

有時，甲骨文中亦有「允隹祖丁」、「允隹祖乙」等語，是強調「祖丁」

20 黃懷信：《逸周書校補注譯》，頁532-535。

「祖乙」作為祭祀的對象，如前舉之合集三三七〇〇強調日之食，合集之三四一四六強調「帝命」一樣。故甲骨文中「允隹」一詞，與上舉文獻中所用相類，一般都是置於名詞之前，實有強調事物之重要性之義，金文中亦不乏其例，如春秋時期遷邧編鐘與編鎛銘文，都有「允唯吉金，乍（作）盄（鑄）龢鐘。」一語，「允隹」、「允惟」、「允唯」當視為同一詞語，皆強調事物之重要性。若直譯之，則如「信乎只有」云云。

早期傳世文獻中，似此用法亦不少見，《書．酒誥》云：「爾尚克羞祀爾乃自介用逸，茲乃允惟王正事之臣」，《書．君奭》云：「肆念我天威予不允惟若茲誥予惟曰襄我二人」，《墨子．明鬼下》：「嗚呼！古者有夏方未有禍之時，百獸貞蟲，允及飛鳥，莫不比方；矧隹人面，胡敢異心；山川鬼神，亦莫敢不寧。若能共允隹天下之合，下土之葆，察山川鬼神之所以莫敢不寧者，以佐謀禹也。」《墨子．明鬼下》是語乃引《尚書》之佚文，但傳統的斷讀都是「若能共允，隹（住）天下之合，下土之葆」，孫詒讓引江聲的話說：「共，讀為恭；恭，恪也；允，誠也。」[21]其實若與甲骨金文及《尚書》之文例比讀，則知其斷句當如「若能共，允隹天下之合，下土之葆」。猶言百獸、貞蟲、飛鳥、人心皆能共存，才真是天下之合，下土之葆。

四　秦公鐘鎛銘文中之「允」「畯」並見

本文認為當釋金文中的「畯」字為「允」。然而碰到的一個問題就是，在有些金文銘中，「畯」、「允」二字都出現，這是否可以說是反證呢？如秦公鐘銘文，前面已說到「盭龢胤士，咸畜左右。藹藹允義，翼受明德。」而後文又云：「秦公𢦏畯𠃨才立，雁受大令。釁壽無彊，匍有四方。」本文認為此不足以構成反證，倒是提供了又一例證，說明金文中有時異體並見，特別是用一簡一繁來標舉詞性或詞義之不同。最典型的就是「考」、「丂」二字。如春秋中晚期的𪓹鎛銘文：

21 孫詒讓：《墨子閒詁》（上海市：上海書店，1986年），頁184。

二七一　　䣄鎛（齊灰鎛）

271.1-5　　271.2-5

隹王五月初吉丁亥，齊辟鮑弔之孫，遺仲之子䣄，乍子仲姜寶鎛。用𪊨灰氏永命萬年，[illegible]保其身。用亯用考于皇祖聖弔，皇妣聖姜；于皇祖又成惠弔，皇妣又成惠姜；皇考遺仲皇母，用𪊨壽老母死。[illegible]盧兄弟，用求丂命彌生，篇篇義政，[illegible]盧子佳。鮑弔又成裝于齊邦。灰氏易之邑二百又九十又九邑，與鄩之民人都啚。灰氏從達之曰。「世萬至於辝孫子，勿或俞改」。䵼子䣄曰：「余彌心畏認，余四事是台，余為大攻，厄大事大逭大宰，是辝可事。子子孫永傈用亯。（相連器號：271.1，271.2）

呂大臨《考古圖》卷一第九有鄀公鼎（集成2753），其銘文云：「隹十又四月既死霸壬午，下鄀雍公諴乍隮鼎。用追亯丂于皇且考，用气釁壽萬年無彊。子子孫孫永寶用。」其中的「丂」即「考」，通「孝」，用為動詞，謂孝享祭祀活動；而「皇且（祖）考」則用其名詞本義。至於哪個字用作動詞，哪個字應用作名詞，無一定之規，如現藏中國歷史博物館的上鄀公敄人簋蓋銘：「用亯考（孝）于厥皇且，于厥皇丂」，這裏則「丂」用作名詞，而「考」則用為動詞。西周晚期或春秋早期的仲檴父簋銘：「隹六月初吉師湯父右司仲龢父乍寶簋，用敢鄉考于皇且丂。用旂釁壽其萬年子子孫孫其永寶用。」銘文中的「考」字即「孝」字，用為動詞，而「丂」則為名詞祖考的「考」，作器銘者似乎有意用「考」字的不同寫法以刻意區分詞義・其他像這種同器銘中用兩字形之例尚有西周中期的仲枏父鬲：「仲枏父作寶鬲用敢卿孝于皇且丂」（集成746）。是皆其例也。秦公鐘銘中之「畯」之與「允」，亦不例外。

附表　「允」、「畂」、「畯（沇）」諸字字形及詞例表

字形 時代	允	畂、畯
商代	以上甲骨文字形甲骨文中出現近千例，一般作副詞用，意如「果」「誠」等，如云「允雨」、「允不雨」、「允來」、「允出」、「允有」、「允隻」、「允用」、「允彡」，惟有「允隹」一詞往往為一固定詞，作強調賓語之用，如： 合集 1163 允隹且乙（[illegible]） 合集 1114 允隹鬼暨周敀	合集 3019 卜貞子央……畂隹人……（[illegible]……[illegible]……） 尚有多例文句殘泐，不能識讀
武王－康王 (1046–996 B.C.)		（2837 大盂鼎） 隹九月王才宗周令盂王若曰盂不顯文王受天有大令在武王嗣玟乍邦闢厥匿匍有四方畂正厥民在雩卬事
昭王－穆王 (995–922 B.C.)	班簋（集成 4341） 亡不咸天畏不畀屯陟公告厥事于上隹民亡徣才彝忎天令故亡允才顯隹敬德亡卣違	（4219 追簋） 追虔夙夕卹厥死事天子多易追休追敢對天子覭揚用乍朕皇且考隮𣪘用亯孝于𦎫文人用旛匄釁壽永令畂臣天子霝冬追其萬年子子孫孫永寶用 （4220 追簋） 追虔夙夕卹厥死事天子多易追休追敢對天子覭揚用乍朕皇且考隮𣪘用亯孝于𦎫文人用旛匄釁壽永令畂臣天子霝冬追其萬年子子孫孫永寶用

字形 時代	允	畯、晙
昭王－穆王 (995–922 B.C.)		（4222 追簋蓋） 追虔夙夕卹厥死事天子多易追休追敢對天子覭揚用乍朕皇且考隮設用亯孝于寿文人用旛匄釁壽永令畯臣天子霝冬追其萬年子子孫孫永寶用 （4223 追簋） 追虔夙夕卹厥死事天子多易追休追敢對天子覭揚用乍朕皇且考隮設用亯孝于寿文人用旛匄釁壽永令畯臣天子霝冬追其萬年子子孫孫永寶用
恭王－厲王 (922–841 B.C.)		（10175 史牆盤） 曰古文王初盭龢于政上帝降懿德大甹匍有上下迨受萬邦䜌圉武王遹征四方達殷畯民永不巩狄虘𢼸伐夷童害聖成王左右綬𢿘剛鯀用肇𢼄周邦 㝬鐘（260） 福余順孫參壽隹喇㝬其萬年畯保四或 五祀㝬鐘（358） 㝬其萬年永畯尹四方保大令乍疐才下御大福其各隹王五祀

字形 時代	允	畍、畯
恭王－厲王 (922–841 B.C.)		 （4317 㝬簋） 㝬其萬年䵼實朕多御用桒壽匄永命畍才立乍疐才下隹王十又二祀  （4093 白梡虘簋） 白梡虘肈乍皇考剌公隮𣪘。用亯用孝。萬年釁壽。畍才立。子子孫孫永寶  （4094 白梡虘簋） 白梡虘肈乍皇考剌公隮𣪘。用亯用孝。萬年釁壽。畍才立。子子孫孫永寶
共和－幽王 (841–771 B.C.)		 （2821 此鼎） 此其萬年無彊畍臣天子霝冬子子孫永寶用  （2822 此鼎） 此其萬年無彊畍臣天子霝冬子子孫永寶用 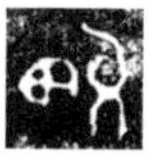 （2823 此鼎） 此其萬年無彊畍臣天子霝冬子子孫永寶用  （4303 此簋） 此其萬年無彊畍臣天子霝冬子子孫孫永寶用

字形 時代	允	畯、晙
共和－幽王 (841–771 B.C.)		  （4304 此簋）  （4306 此簋）  （4307 此簋）  （4308 此簋）  （4309 此簋）  （4310 此簋）  （181 南宮乎鐘） 天子其萬年𩓃壽畯永保四方□配[22]  （四十二年逨鼎乙） 降余康虩屯又通彔永令眉壽綽綰畯臣天子逨其萬年無疆子子孫孫永寶用享 （四十三年逨鼎辛） 降康虩屯又通彔永令綽綰畯臣天子逨萬無疆子子孫孫永寶用享

22 此處疑漏刻一字，據上下文判斷，所漏當為「克」字。

字形 時代	允	吮、畯
共和－幽王 (841–771 B.C.)		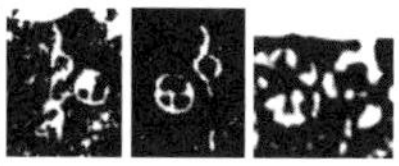 （逨鐘） 乍朕皇考龏弔龢鐘鎗鎗悤悤汖汖雝雝用追孝卲各喜侃前文人前文人嚴才上豰豰𥷚𥷚降余多福康虢屯右永令逨其萬年釁壽畯臣天子子孫孫永寶  （2768 㳄其鼎） 隹五月初吉壬申㳄其乍隮鼎用亯考于皇且考用旛多福𩰫壽無彊畯臣天其百子千孫其萬年無彊其子子孫孫永寶用  （2769 㳄其鼎） 隹五月初吉壬申㳄其乍隮鼎用亯考于皇且考用旛多福𩰫壽無彊畯臣天其百子千孫其萬年無彊其子子孫孫永寶用 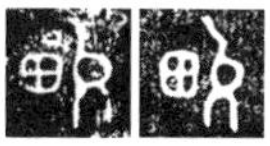 （4446 白㳄其盨） 白㳄其乍旅須用亯用孝用匄𩰫壽多福畯臣天子萬年唯亟子子孫孫永寶用  （4447 白㳄其盨） 白㳄其乍旅須用亯用孝用匄𩰫壽多福畯臣天子萬年唯亟子子孫孫永寶用  （2836 大克鼎） 不顯天子天子其萬年無彊保辥周邦畯尹四方

字形 時代	允	畯、晙
共和－幽王 (841–771 B.C.)		 （4465 善夫克盨） 克其用朝夕亯于皇且皇且考其數數彙彙降克多福眉壽永命畯臣天子克其日易休無彊克其萬年子子孫孫永寶用  （2827 頌鼎） 頌其萬年眉壽畯臣天子霝冬子子孫孫寶用  （2828 頌鼎） 頌其萬年眉壽畯臣天子霝冬子子孫孫寶用  （2829 頌鼎） 頌其萬年眉壽畯臣天子霝冬子子孫孫寶用  （4332 頌簋） 頌其萬年眉壽畯臣天子霝冬子子孫孫寶用  （4333 頌簋）  （4334 頌簋）  （4335 頌簋） 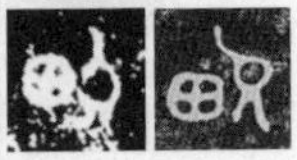 （4336 頌簋蓋）

字形 時代	允	吮、畯
共和－幽王 (841–771 B.C.)		 （4337 頌簋）  （4338 頌簋蓋）  （4339 頌簋）  （9731 頌壺） 頌其萬年𥃝壽吮臣天子霝冬子子孫孫寶用  （9732 頌壺蓋） 頌其萬年𥃝壽吮臣天子霝冬子子孫孫寶用  （4277 師𧾷簋蓋） 唯三年三月初吉甲戌王才周師彔宮旦王各大室即立𤔲馬共右師俞入門立中廷王乎乍册內史册令師俞𢦚𤔲𠈭人易赤市朱黃旂俞拜䭫首天子其萬年𥃝壽黃耇吮才立俞其蔑曆日易魯休俞敢對揚天子不顯休用乍寶其萬年永保臣天子  （戎生編鐘） 黃耇又𡩜吮

字形 時代	允	畯、畯
春秋 (771–476 B.C.)	邎邟編鐘 余鏞鏐是擇允唯吉金乍鑄龢鐘我以夏以南中鳴媞好 邎邟編鎛 余鏞鏐是擇允唯吉金乍鑄龢鐘我以夏以南中鳴媞好 （262 秦公鐘） （265 秦公鐘） 余夙夕虔敬朕祀ム受多福克明又心盭龢胤士咸畜左右䗶䗶允義翼受明德ム康奠協朕或盜百蠻具即其服 秦公鎛（集成 268） 秦公鎛（集成 269） 與鐘銘同文 石鼓文·鑾車 吾隻允異[23]	（2826 晉姜鼎） 晉姜用旛綽綰釁壽乍疐為極萬年無疆用亯用德畯保其孫子三壽是利。 （4315 秦公簋） ム昭皇且䶵嚴𠤳各ム受純魯多釐釁壽無疆畯疐才天高引又慶扞囿四方 秦公鐘（集成 263） 秦公㮚畯黔才立雁受大令釁壽無彊匍有四方㮚康寶 秦公鎛（集成 267） 秦公㮚畯黔才立雁受大令釁壽無彊匍有四方㮚康寶 宋右師延敦 朕宋右帀延隹贏贏盟盟揚天側畯共天尚乍齍粢器天其乍市于朕身永永有慶[24] 宋右師延敦 朕宋右帀延隹贏贏盟盟揚天側畯共天尚乍齍粢器天其乍市于朕身永永有慶

23 句意為「吾此次所獲獵物果異於常」，參見徐寶貴：《石鼓文研究》，頁843。

24 《文物》1991年第5期，頁88-89。

字形 時代	允	吮、晙
戰國 (475–222 B.C.)	匽侯載器（10583） 郾戻䡅思夜悉人哉教丩[illegible]祗敬禴祀休台為齍皇母[illegible][illegible][illegible]㡯[illegible][illegible]允[illegible][illegible][illegible]焦金壴永台為母[illegible][illegible]司乘宰安毋聿𢦏之 攻敔王光劍（11666） 攻敔王光自乍用鐱趄余允至克戕多攻 （郭店成之聞之 25） 詔命曰：「允帀（師）淒（濟）悳（德）」此言也，言信於眾之可以淒悳也 （郭店成之聞之 36） 從允懌（釋）悠（過），則先者余，來者信	（長沙子彈庫楚帛書） 日月夋（允）生，九州不坪（平） （長沙子彈庫楚帛書） 帝夋乃為日月之行 （郭店緇衣 5 號簡） 惟尹夋（允）及湯咸又一悳（德）[25] （郭店緇衣 36 號簡） 允也君子 （上博緇衣 3 號簡） 惟尹夋及康（湯）咸又（有）一悳（德） （上博緇衣 18 號簡） 允也君子

25 此字或當從今本〈緇衣〉為「躳（躬）」，如郭店簡〈緇衣〉之整理者認為今本「躳」字當是簡文中之䠵（從身從㠯）字之誤，則全句當讀為「惟尹䠵及湯咸有一德」；但裘錫圭認為此字當釋為「夋」，通「允」，全句讀為「惟尹允及湯咸有一德」，於義亦可通。見《郭店楚墓竹簡》，頁132。上博簡〈緇衣〉其字寫法相同，亦從厶從身，見《上海博物館藏戰國楚竹書》(一)，頁177。

《清華一·皇門》篇「大門宗子埶臣」解

季旭昇
文化大學中國文學系教授

《清華大學藏戰國竹簡（壹）》有〈皇門〉[1]一篇（以下簡稱「簡本〈皇門〉」），內容與今本《逸周書·皇門》（以下簡稱「傳本〈皇門〉」）大體相同，但又有不少字詞不同，可以校勘今本的原文，訂正歷代注解家的錯誤。簡本〈皇門〉出版後，學者有不少研究，但有些地方還可以再做進一步的探討。本文想討論篇中「大門宗子埶臣」究竟指什麼人？

這六個字在傳本〈皇門〉中作「大門宗子勢臣」[2]，與簡本有一字之差。不過，真正問題出在傳本〈皇門〉訛誤太多，造成歷代學者對它的理解上的困難，所以影響了學者對「大門宗子勢臣」的理解和判斷。以下，我們先把〈皇門〉前兩段的傳本（據《逸周書彙校集注》）和簡本對照列出：

傳本	簡本
維正月庚午，周公格左閎門，會群門。曰：「嗚呼！下邑小國克有耇老據屏位，建沈人，非不用明	隹（惟）正〔月〕庚午，公署（格）才（在）耆（路）門。公若曰：「於（嗚）虘（呼）！朕募（寡）邑少（小）邦，穠（蔑）又（有）耆耇虞（慮）事嗙（屏）朕立（位）。綿（肆）朕沓

1 清華大學出土文獻研究與保護中心編，李學勤主編：《清華大學藏戰國竹簡（壹）》（上海市：上海文藝出版集團·中西書局出版，2010年12月）。

2 見黃懷信、張懋鎔、田旭東撰，李學勤審定：《逸周書彙校集注》（上海市：上海古籍出版社，1995年12月），頁584。

刑。維其開告予于嘉德之說，命我辟王小至于大。我聞在昔有國誓王之不綏于卹，乃維其有大門宗子勢臣，內不茂揚肅德，訖亦有孚，以助厥辟，勤王國王家。乃方求論擇元聖武夫，羞于王所。其善臣以至于有分私子。苟克有常，罔不允通，咸獻言在于王所。人斯是助王恭明祀、敷明刑。王用有監，明憲朕命，用克和有成，用能承天嘏命。	（沖）人非敢不用明刑，隹（惟）莫覓（開）【1】余嘉悳（德）之兌（說）。今我卑（譬）少（小）于大，我䎽（聞）昔才（在）二又（有）或（國）之折（哲）王，則不（丕）共（恭）于卹，廼隹（惟）大門宗子埶（邇）臣，楙（懋）昜（揚）嘉悳（德），乞（迄）又（有）寚（寶—孚），以【2】䣓（助）氒（厥）辟，堇（勤）卹王邦王爹（家）。廼方（旁）救（求）巽（選）睪（擇）元武聖夫，賸（羞）于王所。自蠢（釐）臣至于又（有）貧（分）厶（私）子，句（苟）克又（有）款（諒），亡（無）不䜌（遂）達，獻言【3】才（在）王所。是人斯䣓（助）王共（恭）明祀，敷（敷）明刑。王用又（有）監，多憲（憲）正（政），命用克和又（有）成，王用能承天之魯命。[3]

看得出，傳本的訛誤相當嚴重，如果沒有簡本出土，很多地方簡直是不知所云！現在，很幸運地，我們有簡本〈皇門〉可以對校，對〈皇門〉文義釋讀掌握得比較周延，有助於我們對「大門宗子埶／勢臣」的理解。

舊時學者對傳本「大門宗子勢臣」的解釋，主要有以下幾家：

一、孔晁以「大門宗子」即「嫡長子」，「勢臣」為顯赫的臣子。至於「大門宗子」與「勢臣」這二個詞之間有什麼關係，沒有說明：

> 大門宗子，適長。勢臣，顯仕。[4]

先秦典籍「宗子」，學者有不同解釋，一般指「嫡長子」，《禮記・內則》：

---

3 這是綜合各家的考釋，我們加以甄擇後的釋文。因為重點在「大門宗子埶臣」，所以釋文採用哪一家就不在這裡詳注了。我們將來的集釋會注明。

4 孔晁注：《逸周書》（乾隆丙午抱經堂雕，民國十二年夏五用北京直隸書局影印），卷5，葉12。孔注「適長」，莊述祖《尚書記》作「適長子」，見莊述祖《尚書記》，葉23。

「適子、庶子祇事宗子、宗婦」，孔疏：「適子謂父及祖之適子，是小宗也。庶子謂適子之弟。宗子謂大宗子，宗婦謂大宗子之婦。」[5]一個家族之內，同一輩的除了嫡子、庶子，當然就是嫡長子了。或以為「王之嫡子」，《毛詩・大雅・板》「大宗維翰，……宗子維城」，鄭箋：「大宗，王之同姓適子也。……宗子，謂王之適子。」[6]。朱熹不贊成鄭箋的解釋，《詩集傳》以為「大宗」是強族，「宗子」是同姓（王的同姓族人）。[7]陳奐《詩毛氏傳疏》也說「《左》兩引詩，並以宗子為群宗之子」。[8]

以上三義（嫡長子、王之嫡子、群宗之子），孔晁注用的是「宗子」的一般義「嫡長子」。釋「勢臣」為「顯仕」，不以為這個詞有貶義。可從。

二、莊述祖《尚書記・皇門第四》改「大門宗子」為「大宗門子」，以為「大宗」即「宗子」，「門子」即「小宗之嫡子」。「勢臣」是指治國之臣，「大門宗子勢臣」即「宗子勢臣」、「小宗勢臣」的合稱：

> 大宗，宗子。門子，小宗之適子。《周官・小宗伯》曰：「其正室皆謂之門子。」埶，治也。埶臣，大宗、門子之能左王治國者，所謂世臣也。[9]

為了解決先秦兩漢傳世文獻沒有「大門宗子」一詞的問題，莊述祖改「大門宗子」為「大宗門子」，「大宗」一詞古籍常見，但是用義也不是很明確，莊述祖逕等同於「宗子」，應該是用《禮記・大傳》鄭注的說法。《禮記・大傳》：「別子為祖，繼別為宗。」鄭玄注：「別子謂公子若始來在此國者，後世以為祖也。別子之世適也，族人尊之，謂之大宗，是宗子也。」[10]

---

5 《十三經注疏・禮記》（臺北縣：藝文印書館，1979年），頁522。

6 《十三經注疏・詩經》（臺北縣：藝文印書館，1979年），頁635。

7 朱熹：《詩集傳》（北京市：中華書局，1958年7月），頁202。

8 陳奐：《詩毛氏傳疏》（吳門南園掃葉山莊陳氏藏版），詩24，葉46下。

9 莊述祖：《尚書記》（清光緒中江陰繆氏刊本，《雲自在龕叢書》第一集），尚記4，葉23。

10 《十三經注疏・禮記》（臺北縣：藝文印書館，1979年），頁620。

「門子」也見於《左傳》、《國語》、《周禮》、《韓非子》等傳世文獻，一般指「卿之嫡子」，莊述祖以為「小宗之適子」，以之與「大宗（宗子）」相對。這個解釋對簡本〈皇門〉的考釋有相當的影響力。不過，深入分析，這個說法其實是靠不住的。詳細分析見後文。

簡本〈皇門〉出來以後，莊述祖的改動已證明是錯的，簡本同樣作「大門宗子」。因此，莊述祖所釋「大宗，宗子。門子，小宗之適子」頓失著落，放在文本中也不合適。

三、陳逢衡《逸周書補注》以「大門宗子勢臣」為三，暗指管叔、蔡叔、霍叔：

> 大門，猶〈梓材〉所云大家；宗子，公族公姓也。《周禮・小宗伯》：「其正室皆謂之門子。」鄭康成曰：「門子，將代父當門者也。」勢臣，秉國有權勢者也。大門、宗子、勢臣，即暗指三叔。[11]

陳逢衡釋「大門」為「大家」，可從。「大家」，見《尚書・梓材》：「王曰：『封！以厥庶民暨厥臣達大家，以厥臣達王，惟邦君。』」屈萬里先生《尚書今注今譯》注云：「大夫稱家，孫《疏》及《便讀》以為大家，猶孟子所謂巨室；茲從之。」語譯則作：「王說：『封！使你的民眾及一般臣屬（的情意）通達到高級官員，再使你所有官員們的意見都能通達到天子，（若能作到這樣），那才可算是國君。』」[12]《孟子・離婁上》「不得罪於巨室」趙注：「巨室，大家也，謂賢卿大夫之家。」[13]大家、巨室，是指賢能的世族。

不過，陳逢衡說「大門、宗子、勢臣，即暗指三叔」，則失之於鑿，沒有證據，也不合〈皇門〉全文旨意。近人郭偉川承陳說發揮，以為「大門宗子勢臣，內不茂揚肅德」等句為指責管蔡：

---

11 陳逢衡：《逸周書補注》，收入《叢書集成三編》（臺北市：新文豐出版公司，1996年），冊94，卷12，葉27。

12 屈萬里：《尚書今注今譯》（臺北市：聯經出版公司，1984年7月），頁113。

13 《十三經注疏・孟子》（臺北縣：藝文印書館，1979年），頁127。「巨室」一詞，學者也有不同的解釋，本文以為趙注較合理。

> 歷來《皇門解》之註解，義多不通，此乃對通篇主旨未明之故。事實上，本篇敘述周公接獲管、蔡、霍三監勾結武庚作亂之訊息，乃急臨朝，會群臣于閎門時所說的一番話。內中聲討管、蔡、武庚等人之罪狀，尤其譴責管、蔡身為「大門宗子勢臣，內不茂揚肅德，……弗卹王國王家。……亦昏求臣，作威不祥，不屑惠聽，無辜之亂辭，是羞於王」而又特別指出主謀管叔「是人乃讒賊媢嫉，以不利於厥家國。」所謂「家」者，姬家也；「國」者，乃為周國。管、蔡、霍不以家國為重，勾結外人武庚，「乃維有奉狂夫，是陽是繩，是以為上」。「狂夫」者，武庚也。彼等狼狽為姦，叛周作亂，危及天下，「國亦不寧」。有鑒於此，周公宣布：「朕維其及」！因此，我認為《皇門解》是周公踐祚稱王的一篇文告。因為「及」者，兄終弟及，周公及武王而踐阼，這是十分明確的。[14]

其說與陳逢衡類似。不過，郭文中所謂指責管蔡的「內不茂揚肅德」，簡本實作「懋揚嘉德」，二者文義完全相反，因此「大門宗子勢臣」不得逕指三叔。此外，傳本的「嗚呼！敬哉！監于茲，朕維其及，朕藎臣，大明爾德，以助予一人憂」，簡本作「於（嗚）虐（呼）！敬（敬）才（哉），監于茲。朕遺父兄眔朕律（藎）臣，夫明尔（爾）悳（德），以繤（助）余一人𢝊（憂）」，「朕維其及」一句實作「朕遺父兄眔」，不得釋為「周公及武王而踐阼」。簡本〈皇門〉出版後，這種受傳本〈皇門〉訛字影響所作的解釋，應該是可以置之毋論了。不過，「大門宗子勢臣」固然不得逕指三叔，但周公發表此一文誥，與三監之亂有關，則是沒有問題的。

四、朱右曾《逸周書集訓校釋》似分「大門宗子勢臣」為三，指兩種人：

> 大門，大族。孔曰：「宗子，適長。勢臣，顯仕。」[15]

---

14 郭偉川：〈周公稱王與周初禮治——《尚書・周書》與《逸周書》新探〉，收入《周公攝政稱王與周初史事集》（北京市：北京圖書館出版社，1998年11月），頁199-200。

15 朱右曾：《逸周書集訓校釋》，《續皇清經解》（光緒十四年江陰南菁書院刊本卷千二十八至卷千三十八），卷5葉10下。

釋「大門」為「大族」，與陳逢衡說相近。但孔晁注本謂「大門宗子，適長」，朱右曾卻把「大門」提出來單獨解釋，然後說「孔曰：宗子，適長」，這恐怕不是孔晁的原意，至少不是我們現在所見到的孔晁注。

五、黃懷信先生《逸周書校補注譯》語譯為「世家大族的嫡子、重臣」，並在注五說：「〔大門〕世家大族。〔宗子〕嫡子。〔勢臣〕重臣。」[16]

六、王連龍先生〈《逸周書・皇門篇》校注、寫定與評論〉釋「大門」為「大宗族之嫡長子」，又可稱「門子」，與「大宗」意義相當；釋「宗子」為「別子的適長子」；釋「勢臣」為「邇臣」，指「為御事在君左右者」：

> 「大門」即《穆天子傳》「盛門」，彼言望族，此指大宗族之適長子。所以，「大門」還可稱「門子」。《周禮・春官・小宗伯》：「掌三族之別，以辨親疏。其正室皆謂之門子，掌其政令。」鄭玄注：「正室，適子也，將代父當門者也。」是其證。又，「大門」與《詩經・大雅・板》「大宗維翰」之「大宗」意義相當。按周代適長子繼承制，「大門」具有嗣位的資格，屬于君統。另外，下文「勢臣」作「埶臣」，即「邇臣」，義為近臣。《禮記・表記》、《緇衣》等傳世文獻中「邇臣」與「大臣」對文，是「大門」或作「大臣」，亦未可知。
>
> 「宗子」，習見《逸周書》、《詩經》、《禮記》等傳世文獻及《善鼎》等銘文，為周人語例。孔晁以「大門」、「宗子」相混。非是。按：「宗子」屬于宗法系統，與「大門」所代表的君統有別。周代宗法制的核心內容為「別子為祖，繼別為宗」（《禮記・大傳》）。「別子」，即適長子（大門）之外的其他諸子，為表明與君統相區別，要自立宗統。這個宗從「別子」開始，所以叫「別子為祖」。在別子所建的宗裏，也施行適長子繼承制，即「繼別為宗」，而繼「別子」的適長子叫「宗子」。所以，「宗子」是「別子」的適長子。在宗統系統中，血緣關係支配政治關係，宗族成員要一統于「宗子」，所以「宗子」的

16 黃懷信：《逸周書校補注譯》（西安市：西北大學出版社，1996年3月），頁260。

> 身份和地位非常尊崇。另外，本篇中周公以商王為例說，是「宗子」應屬殷商之宗法。關于商代宗法制的具體內容，現代學者多傾向于商代存在跟周代相似的宗法制度[17]。
>
> （勢臣，）《孔注》：「顯仕」。《莊記》校「勢」為「埶」，並謂：「埶，治也。埶臣，大宗門子之能左王治國者，所謂世臣也。」《陳注》：「勢臣，秉國有權勢者也。」《孫斠》：「『勢』當讀為『暬』，古文假借。」按：《莊記》校「勢」為「埶」。甚是。惟訓「埶」為「治」，不可從。傳世文獻中「勢」、「埶」相通，裘錫圭先生論之甚詳[18]。這裡略作補充的是，「埶」、「邇」古同。《禮記・緇衣》：「大臣不治，而邇臣比矣。」郭店楚簡《緇衣》「邇臣」作「埶臣」。另，《禮記・檀弓》「褻臣」，「褻」亦當作「埶」，讀為「邇」。所以，本篇「埶臣」又可讀作「邇臣」。「邇臣」，習見《禮記》、《孔子家語》及《晏子春秋》等先秦文獻，為御事在君左右者。[19]

旭昇案：王文釋「大門」為「大宗之嫡長子」，其實是沒有根據的。前輩學者或以「大門宗子」為「嫡長」，或以「大宗」為嫡長子，或以「宗子」為嫡長子，就是沒有以「大門」為「大宗之嫡長子」的。又，謂「大門」還可稱「門子」，也是沒有根據的。釋「宗子」為「別子的適長子」，別出新義，恐不可從；釋「勢臣」為「邇臣」，指「為御事在君左右者」，主要用孫詒讓的說法，孫詒讓《周書斠補》云：「案：勢，當讀為暬，古文假借。《國語・楚語》：『居寢有暬褻之箴。』韋注云：『暬，近也。』暬臣猶云

---

17 王連龍原注15：裘錫圭：〈關於商代宗組織與貴族和平民兩個階級的初步研究〉，《古代文史研究新探》（南京市：江蘇古籍出版社，1992年），頁320。

18 王連龍原注16：裘錫圭：〈釋殷墟甲骨文裡的「遠」「𤞷」（邇）及有關諸字〉，《古文字研究》第12輯，頁85-95。〈古文獻中讀為「設」的「埶」及其與「執」互訛之例〉，《東方文化》（香港：香港大學亞洲研究中心，1998年）Volume ＸＸ ＸＶＩ，1998 Numbers1 and 2，頁39-46。

19 王連龍：〈《逸周書・皇門篇》校注、寫定與評論〉，復旦大學出土文獻與古文字研究中心網站，http://www.gwz.fudan.edu.cn/SrcShow.asp?Src_ID=1065 ，2010年1月22日。

近臣。孔訓為顯仕，則是有權勢之臣，非良臣矣。莊說猶迂曲不可通也。」[20]孫說未必可從，說見後。

二〇一二年十二月清華簡〈皇門〉出版，本句作「大門宗子埶臣」，與傳本只有一字之差。學者承著前代學人之說，有更深入的討論。簡本〈皇門〉原考釋者李均明先生以為「大門」指「貴族」；又以為「大門宗子」即「門子」；釋「埶臣」為「邇臣」：

> 門，門戶。大門，指貴族。大門宗子，即門子。《周禮・小宗伯》：「其正室皆謂之門子，掌其政令。」鄭注：「正室，適子也，將代父當門者也。」孫詒讓《正義》：「云『將代父當門者也』者，明以父老則適子代當門戶，故尊之曰門子……蓋詳言之曰大門宗子，省文則曰門子，其實一也。」埶讀為「邇」。邇臣，親近的大臣。此句今本作「乃維其有大門宗子勢臣」，孔晁注：「大門宗子，適長。」[21]

其後在〈清華簡《皇門》之君臣觀〉一文中，再度強調「大門宗子」即「門子」，「埶臣」即「邇臣」：

> 竹簡本《皇門》經驗之談中，「大門宗子邇臣」居于統治集團中最重要位置，是輔助君王治國理政的核心。從君臣關係的角度來看，大門、宗子、邇臣是相連貫的事物的三個方面。大門，望族，通常指王族；宗子，嫡長子。大門之宗子則簡稱為「門子」，《周禮・小宗伯》：「掌三族之別，以辨親疏。其正室皆謂之門子，掌其政令。」鄭注：「正室，適子，將代父當門者也。」孫詒讓《正義》：「云『將代父當門者也』者，明以父老則適子代當門戶，故尊之曰門子……蓋詳言之曰大門宗子，省文則曰門子，其實一也。」今本《皇門》孔晁注：「大門宗子，適長。」邇臣，親近的大臣。今本《皇門》莊述祖

---

20 孫詒讓：《周書斠補》（臺北市：臺灣商務印書館，1977年2月），頁95。

21 李學勤主編：《清華大學藏戰國竹簡（壹）》（上海市：中西書局，2010年12月），頁166。

注：「執[22]臣，大門宗子之能左王治國者，所謂世臣也。」從大門而宗子而邇臣，呈現的是宗法體系中的金字塔，反映了周初的政治制度與宗法制度之密切的關係，正如王國維所云：「欲觀周之所以定天下，必自其制度始矣。周人制度之大異于商者，一曰立子立嫡之制，由是而生宗法及喪服之制，並由是而有封建子弟之制，君天子臣諸侯之制。」[23]

李文謂「從君臣關係的角度來看，大門、宗子、邇臣是相連貫的事物的三個方面」、「大門而宗子而邇臣，呈現的是宗法體系中的金字塔」，應該是對的。但是話說得不是很明白，讓人不知道他主張「大門宗子邇臣」是一類人，即大門中的宗子而為王所親信的臣子，還是三類人——大門一類、宗子一類、邇臣一類？

另外，李文有些地方說也得太肯定，如謂「大門宗子」即「門子」，主要依據孫詒讓《周禮正義》的意見[24]，其實孫詒讓此說也是他的個人意見，完全沒有任何證據。李文既說「大門，望族，通常指王族」，又說大門之宗子簡稱為「門子」，可是我們看到《左傳・襄九年》：「將盟，鄭六卿，公子騑、公子發、公子嘉、公孫輒、公孫蠆、公孫舍之，及其大夫、門子皆從鄭伯。」[25]這裡的大夫門子顯然就不可能全部是王族。

黃懷信先生〈清華簡《皇門》校讀〉放棄他在《逸周書校補注譯》中釋「勢臣」為「重臣」的看法，改釋為「邇臣」：

大門，大族。宗子，嫡子。邇臣、近臣。今本「勢」字，孫詒讓謂當讀為「暬」，引《國語・楚語》「居寢有暬（或作『褻』）御之箴」韋

22 執，當作「埶」，疑手民之訛。

23 李均明：〈清華簡《皇門》之君臣觀〉，《中國史研究》2011年第1期，頁63-64。

24 見孫詒讓撰，王文錦、陳玉霞點校：《周禮正義》（北京市：中華書局，1987年12月），頁1439。

25 李學勤主編：《十三經注疏（整理本）・春秋左傳正義》（北京市：北京大學出版社，1999年12月），頁1002。

昭注：「暬，近也。」暬臣猶云近臣。正與簡書同。[26]

楊兆貴先生〈清華簡〈皇門〉與《逸周書・皇門解》篇校釋（初稿）〉云：

《詩經・大雅・板》「大宗維翰」，鄭箋：「大宗，王之同姓世適子也。」又詩句「懷德維寧，宗子維城」，鄭箋：「謂王之適子」。宗子，王之嫡子或同姓世嫡子。于省吾云：「子之長者無男女均可稱元子」、「是元子周人例語。」則宗子亦即元子。

大門，《左傳・哀公十四年》「攻闈與大門」，杜預注：「大門，公門也。」楊伯峻注：「宮墻四周皆有大門與小門。」大門指宮門。按：簡文「大門」以貴族家宅大門借指王室、諸侯、卿大夫等貴族，貴族住宅有大門，如《儀禮・燕禮》「公迎之于大門內」，《儀禮・聘禮》「公皮弁，迎賓于大門內」。《國語・晉語七》「門子」，韋昭注：「大夫之適子。」《左傳・襄公九年》「及其大夫門子」，杜預注：「門子，鄉[27]之適子。」門子指卿大夫的適子。又按：大門，意同「大家」。《尚書・梓材》「以厥庶民暨厥臣，達大家」，偽孔傳解「大家」為「都家」。孔疏：「以大夫稱家，對士庶有家而非大，故云大家，卿大夫在朝者。都家亦卿大夫所得邑也，又公邑而大夫所治亦是也。」故大家指在朝的、有封邑的卿大夫。

簡文與《逸》都寫「大門宗子」，莊述祖「大門宗子」為「大宗門子」，或因《左傳》、《晉語》有「門子」詞故。

孫詒讓指出傳世「勢」當讀為「埶」，古文假借，即近臣。此看法得到簡文印證。勢臣，莊述祖指出那些能輔佐天子治國的大宗門子，即世臣，陳逢衡指那些大家宗子、公族公姓。[28]

---

26 黃懷信：〈清華簡〈皇門〉校讀〉，武漢大學簡帛研究中心網站，http://www.bsm.org.cn/show_article.php?id=1414，2011年3月14日。

27 鄉，應為卿之訛。

28 楊兆貴：〈清華簡〈皇門〉與《逸周書・皇門解》篇校釋（初稿）〉，「楚簡楚文化與先楊文的解釋有點亂，令人不太明白他要解釋「大門宗子」還是「大宗門子」。「宗子」一般指「嫡長子」，鄭玄所釋「王之嫡子」為特殊義，已見孔晁注下討論。楊文採鄭箋之說釋「宗子」為「王之適子」，以為「宗子」即「大宗」、「元子」。若依此解，「王之適子」一般即是繼位為王的人，不宜跟「邇臣」並列。又，楊文解釋完「大門宗子」的「大門」，理應接著解釋「宗子」，但楊文接著說的卻是「門子」，不知道這個「門子」是指「宗子」？還是「大門宗子」省稱「門子」？

以上扼要評介完學者對傳本及簡本「大門宗子邇臣」的解釋，諸說紛紜，令人不知所從。問題的焦點大約有三項：

一、「大門宗子埶／勢臣」究竟是一種人？兩種人？還是三種人？應該讀成「大門、宗子、埶／勢臣」？還是「大門宗子、埶／勢臣」？或「大門宗子埶／勢臣」？

二、「大門宗子」是否即「門子」？

三、「埶臣」應解為「邇（暬）臣」？或「勢臣」？

最早的《逸周書》孔晁注就把「大門宗子」看成一種人，解為「適長」；把「勢臣」解為「顯仕」，這個解釋其實是對的。但是後世學者未必能理解，錯訛百出的傳本〈皇門〉也造成後世學者理解上的障礙。

跟傳本比起來，簡本應該是比較好的本子，因此我們用簡本來分析。本文一開頭寫周公大會群臣於耇／閎門，勉勵群臣同心為國。周公先陳述「我聞昔在二有國之哲王」所能得到的協助人才，這些人才可以分成三等：

	人物	功能
第一層	廼隹（惟）大門宗子埶臣	楙（懋）昜（揚）嘉悳（德），乞（迄）又（有）寊（孚），以薵（助）乓（厥）辟，堇（勤）卹王邦王豪（家）。

秦歷史文化國際研討會論文集」（武漢市：中國先秦史學會、武漢大學中國地域文化研究所，2011年10月29-31日），頁194。

	人物	功能
第二層	迺方（旁）救（求）巽（選）睪（擇）元武聖夫	膳（羞）于王所。
第三層	自蚉（鳌）臣至于又（有）貧（分）厶（私）子	句（苟）克又（有）款（諒），亡（無）不𦉍（遂）達，獻言才（在）王所。

很明顯的，第一層的人地位最高，所肩負的責任最重，人數當然應該最少，但貢獻最大；第二層的人地位次之，人數較多；第三層的人地位較低，人數最多。

先從第三層說起，「鳌臣」指「有官職的臣子」；「有分私子」指「有職位的庶孽」，這些人是貴族的底層，但是，他們如果表現得讓人信任，那麼就能夠「獻言在王所」，有獻言的機會。

再往上一層是「元武聖夫」，今本作「元聖武夫」，各家或釋為「元聖、武夫」兩種人才，恐非。元、武、聖三字都是形容詞，形容「夫」。「元」釋為「善」，見《國語・晉語七》「抑人之有元君」韋昭注：「元，善也。」「武」釋「勇」，見《詩經・羔裘》「孔武有力」孔穎達疏：「其人甚勇，且有力。」「聖」釋為「通」、「通達」、「聰明」，《書・冏命》「聰明齊聖」孔穎達疏：「聖，通也。」「元武聖夫」可以指一種人，也可以指三種人，即善良的人、勇武的人、聰明的人（如《墨子・尚賢下》「晞夫聖、武、知人，以屏輔而身」的「聖、武、知人」）。「元武聖夫」應該位在「大門宗子邇臣」與「有分私子」二階層中間，如果是前一個解釋（元聖武夫），這種人的數量太少，也太優秀；後一個解釋（元夫、聖夫、武夫），似乎比較合適。這種人已經是貴族中的優秀份子，就像《詩經・周南・兔罝》「赳赳武夫，公侯干城」這一等級，要「羞于王所」，為國重用。

最高層的人是「大門宗子埶／勢臣」，其工作是「懋揚嘉德，迄有孚，以助厥辟，勤卹王邦王家」，這種位在金字塔頂層的人，地位較高，人數必然不多。

根據這個金字塔結構，我們可以對「大門宗子埶／勢臣」進行分析。

「大門」當作一種身分，除了〈皇門〉外，傳世文獻沒有見到過。各家或引陳逢衡的解釋，以為同於《尚書・梓材》的「大家」。《尚書・梓材》的「大家」，偽孔傳釋為「卿大夫」，孫奭《孟子注疏》以為同於《孟子》的「巨室」。諸侯有「邦」、卿大夫有「家」，如果把「大家」釋為「卿大夫」，「大家」的「大」字就沒有著落了。因此釋為「巨室」較合適。再說，釋為「卿大夫」，數量可能太多，釋為「巨室」，在數量上是比較合理的。李均明以為「大門」指「貴族」、「王族」，應該也是巨室、大家。

「宗子」如果釋為「王之嫡子或同姓世嫡子，亦即元子」，可能人數太少，而且放在文本中不太合適，「元子」只有一人，未必賢能；釋為貴族的「嫡長子」比較合適，但數量可能就太多了。因此，「宗子」必須和「大門」合併為一種身分，即「王族／巨室」的嫡子。「王族／巨室」的嫡長子將來都是要繼承「王族／巨室」的重責大任，身分重要，人數不可能太多。

至於學者或以「大門宗子」為門子，可能是沒有必要的。門子的意義，說者不同，如：

《左傳・襄九年》：「將盟，鄭六卿，公子騑、公子發、公子嘉、公孫輒、公孫蠆、公孫舍之，及其大夫、門子皆從鄭伯。」杜注：「門子，卿之適子。」[29]

《周禮・春官・小宗伯》：「掌三族之別，以辨親疏；其正室皆謂之門子；掌其政令。」鄭注：「正室，適子也，將代父當門者也。」[30]

《韓非子・亡徵》：「群臣為學，門子好辯，商賈外積，小民右仗者，可亡也。」陳奇猷《韓非子新校注》在本條下注云：

> 凌瀛初曰：「門子，門下之人也。」⊙蒲阪圓曰：「山云：『《周禮・小宗伯》『其正室皆謂之門子』注：『正室，嫡子也。』《左傳》：『鄭六卿及其大夫門子。』注：『卿之適子也。』」⊙孫子書師曰：引《左

29 《十三經注疏・左傳》（臺北縣：藝文印書館，1979年），頁528。
30 《十三經注疏・周禮》（臺北縣：藝文印書館，1979年），頁291。

傳》見襄二十四年。案《晉語》云：「育門子，選賢良。」韋注：「大夫適子。」據內、外傳則門子在古時其地位頗高，故韓子與群臣並舉。且以門子好辯為亡國之徵。梁章鉅《浪蹟續談》卷一云：「今世官廨中有侍僮謂之門子，其名不古不今。《周禮》：正室謂之門子。注：將代父當門者，非後世所謂門子也，《韓非子・亡徵》篇：群臣為學，門子好辯。注云：門子，門下之人。此稱與侍僮為近。」案門子為卿大夫適子，先儒說皆然。以文義推之，韓非此門子更非門下之人，梁氏誤從凌瀛初注，失於不察矣。⊙奇猷案：本書所列好辯者之史事甚多，未見有一為卿大夫嫡子者。〈五蠹〉篇：「齊攻魯，魯使子貢說之。齊人曰：子言非不辯也，吾所欲者土地也，非斯言所謂也。遂舉兵伐魯，去門十里為界。故子貢辯智而魯削。」則韓子以為魯之削由於子貢之辯，子貢為孔子弟子，而〈八說〉篇云：「書約而弟子辯」，則此文所謂門子，似係指門弟子之流。又〈說林〉下「靖郭君將城薛，客言海大魚」云云，此一辯者為客，當即靖郭君之門下客，既門下客好辯，與此言門子好辯亦合。故余疑門子為門弟子及門下客之類，非指卿大夫嫡子也。[31]

門子，一般指「卿之嫡子」。「門下客」之說，恐難成立。陳奇猷先生以《韓非子》一書所列好辯者之史事甚多，「未見有一為卿大夫嫡子者」，來反對釋「門子」為「卿之嫡子」。案：《韓非子》所列好辯者之史事，與「門子好辯」是兩回事，不得以《韓非子》抨擊「門子好辯」，而謂「好辯」者都是「門子」。正猶《韓非子》前一句說「群臣為學」，我們不能根據這一句說「為學」者只能是「群臣」。

據此，「門子」的解釋仍然以傳統所釋「卿之嫡子將代父當門者」為妥。這種人還未「代父當門」，地位還不會太高，人數也還不至於太少，不可能與「埶／勢臣」並列。因此，「大門宗子」依孔晁釋為「適長」就可以了，不必依孫詒讓視同「門子」。（在「嫡長」這一層意義上，「宗子」和

31 陳奇猷：《韓非子新校注》（上海市：上海古籍出版社，2000年10月），頁304。

「門子」意義相差不大，但「宗子」是一輩子的，已代父當門，他仍可以是宗子；「門子」則是階段性的，已代父當門之後就不宜再稱「門子」。再說，「大門宗子」有「大族」的意義，「門子」則未必有「大族」的意義）

「埶臣」，傳本作「勢臣」，學者或主張讀為「邇臣」。乍看二說都有可能，不過，可能讀為「勢臣」比較好。

讀為「勢臣」有今本〈皇門〉的支持，讀為「邇臣」則有《郭店・緇衣》的支持。《郭店・緇衣》簡二一「（埶）臣」，今本《禮記・緇衣》作「邇臣」。從詞例來看，二者都不是很正面的詞。先看「勢臣」：

先秦兩漢傳世文獻，除了〈皇門〉外，「勢臣」只見於《孔叢子・連叢子下》：「帝默然。左右皆不善其言。季彥聞之，曰：『吾豈容媚勢臣而欺天子乎？』」勢臣，應該就是強勢的權臣，帶貶義。不過，由於只有一例，代表性不足。我們不能僅根據這一例就判定「勢臣」一定是貶義。

「邇臣」，先秦典籍多見，即君王親近的侍御之臣，一般地位偏低。《左傳・昭公三十年》：

> 己卯，滅徐，徐子章禹斷其髮，攜其夫人以逆吳子，吳子唁而送之，使其邇臣從之，遂奔楚。（杜注：「邇，近也。」）[32]

《晏子春秋・內篇・問上・景公問欲和臣親下晏子對以信順儉節》：

> 晏子對曰：「君得臣而任使之，與言信，必順其令，赦其過，任大無多責焉，使邇臣無求嬖焉，無以嗜欲貧其家，無親讒人傷其心，家不外求而足，事君不因人而進，則臣和矣。[33]

《禮記・緇衣》：

> 子曰：「大臣不親，百姓不寧，則忠敬不足，而富貴已過也；大臣不治而邇臣比矣。故大臣不可不敬也，是民之表也；邇臣不可不慎也，

32 《十三經注疏・左傳》（臺北縣：藝文印書館，1979年），頁928。

33 吳則虞編著：《晏子春秋集釋》（北京市：中華書局，1962年1月），頁236。

是民之道也。君毋以小謀大，毋以遠言近，毋以內圖外，則大臣不怨，邇臣不疾，而遠臣不蔽矣。葉公之顧命曰：『毋以小謀敗大作，毋以嬖御人疾莊后，毋以嬖御士疾莊士、大夫、卿士。』」[34]

「邇臣」與「大臣」相對，足見其地位較低，「毋以嬖御士疾莊士、大夫、卿士」顯係以「嬖御士」等同「邇臣」，以「莊士、大夫、卿士」等同「大臣」。

《大戴禮記．子張問入官》的「邇臣」，地位更低：

故上者民之儀也，有司執政民之表也，邇臣便辟者群臣僕之倫也。故儀不正則民失誓，表弊則百姓亂，邇臣便辟不正廉而群臣服汙矣，故不可不慎乎三倫矣。（王聘珍注：邇臣便辟，謂侍御之臣。）[35]

《禮記．表記》的「邇臣」稍好一點：

子曰：「邇臣守和，宰正百官，大臣慮四方。」[36]

綜合來看，「邇臣」指天子身邊的侍御之臣，地位不會太高，希望這種人能「懋揚嘉德，迄有孚，以助厥辟，勤卹王邦王家」，似乎不太可能。因此近代學者解〈皇門〉，雖然贊成把「勢臣」、「埶臣」釋為「邇臣」的學者越來越多，本文以為未必合適。

〈皇門〉作於何年，學界至今難有定論，但主要有三種意見：一是成王即位之年，即周公攝政第一年，盧文弨、林春溥、王國維、郭偉川、余瑾、楊兆貴、黃懷信等學者同意此說，此說多根據《今本竹書紀年》。二是根據《漢書》以為「正月庚午」為成王即政之年，陳逢衡、唐大沛同意此說。但成王即政之年有周公攝政第五年和第八年兩種說法：主張第五年的學者有王

34 《十三經注疏．禮記》（臺北縣：藝文印書館，1979年），頁930-931。
35 王聘珍《大戴禮記解詁》（北京市：中華書局，1983年3月），頁139。
36 《十三經注疏．禮記》（臺北縣：藝文印書館，1979年），頁918。

連龍，主張第八年的學者有劉師培、李均明[37]。不管哪一說成立，周公在此時面對的是成王年幼，三監武庚叛亂，國家根基不穩，這時候最需要的是強而有力的重臣，如周公、召公等，來輔佐天子，穩定國家。以周公的才幹和地位，此時周公應該出來主政，但周公不是嫡長子，所以此時周公的地位是很尷尬的，如果周公出來主政（攝政？稱王？），就會引起小人不滿，造謠說他要篡位；如果周公不出來主政（攝政？稱王？），周這個寡邑小邦很快就會傾覆。從歷史來看，周公當然選擇了忍辱負重，出來主政，掃平三監武庚之後即避居東都，其內心之煎熬，可想而知。〈皇門〉的內容，應該是周公向群臣解釋這種局勢，說明國家需要有重臣出來穩定大局，周公藉著夏商的哲王「譬小於大」，因此輔佐哲王的金字塔頂端「大門宗子埶臣」中的「埶臣」，應該就是類似周公這樣重量級的人物才足以當之，傳本〈皇門〉作「勢臣」，應該是最合適的。

周公不是嫡長子，因此他不能叫作「大門宗子」，由此看來，「大門宗子埶臣」應該讀為「大門宗子、勢臣」。至於「大門宗子」是那些人，難以判斷。

「大門宗子埶／勢臣」要肩負的責任是「楙（懋）昜（揚）嘉悳（德），乞又寏」，「乞又寏」三字今本作「訖亦有孚」，學者多讀「又寏」為「有孚」，可從。乞，讀為「迄」，至也。「迄有孚」的意思是「到被（天地神明／百姓）相信」（傳本作「訖」，孔晁注「既也」、潘振注「盡也」[38]，都不是很理想）。從周公攝政被懷疑的歷史來看，周公說「大門宗子埶臣懋揚嘉德」要「迄有孚」，做到讓人明白信任，應該是意有所指的吧！

---

37 李說引自李雅萍：《清華一〈皇門〉篇研究》（新竹市：玄奘大學碩士論文，2013年6月），由本人指導。

38 參黃懷信、張懋鎔、田旭東撰，李學勤審定：《逸周書匯校集注》（上海市：上海古籍出版社，1995年12月），頁584。

兩周金文「死司」、「死事」探義

林宏佳
臺灣大學中國文學系助理教授

一　前言

「君臣」是傳統三綱之一，其和諧與否除影響君、臣個人之生命，尤與國家興衰密切相關，故君臣關係之探討與研究自先秦以降即頗見豐富，而金文以其性質的特殊，經常出現君對臣的期許要求，以及臣在受到君的冊命後，對自己的期許要求。通過前人的研究，迄今已累積了極為豐碩的成果，不過若干辭例的具體意涵，仍有深入探討的空間。本文選擇「死司（嗣）」、「死事」等兩個金文中君臣間使用的辭彙作為討論的對象，他們確切的意指為何，學界較少異議，多半承襲自清人吳大澂以「死」為「尸」，即「主」之意。但仔細察考傳世文獻資料，「尸」主要使用在祭祀盟約；並且，文獻中也未見「尸」用於官位執掌上，故本文認為這些詞彙有進一步探索的空間。

二　兩周金文「死司」、「死事」相關說法的整理

「死」字，金文作「[illegible]」，此字隸定實無異議，自甲骨卜辭以來都沒有太大的變化。「死」作為死亡的本義，在金文中亦屬常見，如出現在月相的「死霸」之詞，亦或春秋〈齊侯鎛〉（春秋中，271）[1]「用旂（祈）壽老毋

1　本文引用金文於器名後以括號注明之數字，表示該器在中國社科院考古所編：《殷周金文集成》（上海市：中華書局，1980-1983，以下簡稱《集成》）之編號，各器時代如無

死」，戰國時期〈中山王嚳壺〉（戰國晚，9735）「故邦亡身死」、〈中山王嚳鼎〉（戰國晚，2840）「雖有死罪」等文例，皆用為死亡義。然在死亡之義外，學者針對部分有關「死」字的文例，另採通假方式說解，其中之一即將「死」讀為「尸」。死（心母脂部）、尸（書母脂部），二者韻同、聲母亦近，如「哂」（書母）即從「西」（心母）得聲，聯繫文獻中「尸」即「主」之意，因而得出「死」亦有「主」之意。就聲音通假而言，此說自然具備成立的條件，但是真正置於文例之中，並仔細查考文獻的使用情況，則仍有進一步研討的空間。以下，即嘗試先就西周金文所見「死司」的意涵，進行梳理。

「死司」一詞，在西周金文中見於下列銘辭：

（1）王曰：盂，迺紹夾死司戎，敏諫罰訟，夙夕召我一人烝四方，雩我其遹省先王受民受疆土。賜汝……（〈大盂鼎〉，西周早，2837）

（2）宰倗父右望入門……王呼史年冊命望：死司畢王家，賜汝赤市、鑾，用事。……（〈望簋〉，西周中，4272）

（3）榮伯呼令卯曰：䚘乃先祖考死司榮公室，昔乃祖亦既令乃父死司葊人，不淑取我家窠用喪，今余非敢履先公又髋遂，余懋再先公官，今余唯令汝死司葊宮葊人，汝毋敢不善，賜汝……（〈卯簋〉，西周中，4327）

字亦作「死嗣」，見於下列銘辭：

（4）王命：死嗣王家，令汝幽衡、鋚勒。（〈康鼎〉，西周晚，2786）

（5）□令羌死嗣[illegible]官，羌對揚君令于彝。（〈羌鼎〉，不詳，2673）[2]

因「司」、「嗣」原是同源，實屬一字之異寫，為便行文，以下僅以「死司」兼括這兩種字形。

特別說明，均依中央研究院歷史語言研究所「殷周金文暨青器器資料庫」（http://www.ihp.sinica.edu.tw/~bronze/）所訂。

2 此為摹本，□表示缺字。

除以上所舉，另外還有兩則較特殊的例子：

（6）余令汝死我家，𩍿（攝）司我西扁（偏）東扁（偏）僕馭、百工、牧、臣妾。（〈師獸簋〉，西周晚，4311）

銘辭僅作「死我家」，應是「死司」之省（後文另有討論），因此也一併列入。又：

（7）王若曰：蔡，昔先王既令汝作宰，司王家，今余唯申就乃令，令汝眾曰，攝胥對各，𤔲王家外內，毋敢有不聞，司百工，出入姜氏令。（〈蔡簋〉，西周晚，4340）

此銘「𤔲王家」，學者或隸作「从司」。但細察字二「人」之構形稍異，與「从」字實有不同。再比較〈康鼎〉「死𤔲王家」辭例相類，而「死」作，左側稍殘訛即成，則〈蔡簋〉應視為「死」之訛，也併入討論。

最早對「死司」做出解釋的是清代學者吳大澂在伴隨解釋〈盂鼎〉一器時所提出，其云：

> 死即屍。《說文》：「尸，陳也。」「屍，終主也。」引申之凡為主者皆為屍。經傳通作尸。《書．康王之誥．敘》：康王既尸天子。《詩．采蘋》：誰其尸之？《穀梁．隱五年傳》：卑不尸大功。皆訓尸為主，祭以神象為主，故亦謂之尸。後世辟死之名，言主不言屍，而屍之古義廢。[3]

這個說法得到絕大多數學者的認同，如郭沫若、[4]于省吾、[5]馬承源[6]及劉翔等[7]等也都採取此說，趙林亦以此論證「尸」有「死」的讀法，[8]故吳大澂的

3 〔清〕吳大澂：《字說》（臺北市：學海出版社，1998年），頁63。

4 郭沫若：《兩周金文辭大系圖錄考釋》（上海市：上海書店出版社，1999年），頁34。

5 于省吾：《雙劍誃吉金文選》（北京市：中華書局，2009年），頁119。

6 馬承源主編：《商周青銅器銘文選》（北京市：文物出版社，1998年），頁40。

7 劉翔、陳抗、陳初生、董琨編著，李學勤審訂：《商周古文字讀本》（北京市：語文出版社，2004年），頁83。

8 趙林：〈說尸及〉《山海經》的諸尸〉，收入宋鎮豪主編：《甲骨文與殷商史》（上海市：

這個解釋，具有很大的影響力，可說是有關「死司」的各種解釋中，流傳最廣、接受度最高的。[9]

兩周金文除「死司」外，亦有「死事」一詞，見於下舉銘文：

（8）今瘋夙夕虔敬，恤厥死事。（〈瘋鐘〉，西周中，252）[10]

（9）追虔夙夕，恤厥死事。（〈追簋〉，西周中，4219）

（10）逨肇纂[11]朕皇祖考服，虔夙夕，敬朕死事。（〈逨盤〉，西周晚，NA0757）[12]

（11）逨御于厥辟，不敢惰[13]，虔夙夕敬厥死事。（〈逨鐘〉，西周晚，NA0772）[14]

（12）公曰：……尸不敢弗憼戒，虔恤厥死事。（〈叔尸鐘〉，春秋晚，272）

「死事」相較於「死司」，討論的學者較少，大抵沿襲「死司」之「死」借為「尸」、訓為「主」的解釋而已，論證基本上仍以吳大澂的說法為主，如于省吾注叔尸鐘「死事」即但云「死讀為尸。尸，主也。」[15]這裡就不再多

上海古籍出版社，2013），新3輯，頁75-76。

9 楊樹達也認同「死司」即「主司」之意，但認為「死」的本義原即是屍體之屍，「屍」是死增益尸旁而成的，這只是對「死」、「屍」二字的本義解釋不同，故不再具論，詳參氏著：《積微居小學金石論叢》（上海市：上海古籍出版社，2007年），頁35。

10 又見4220、4221、4222、4223、4224。

11 纂，從裘錫圭釋，見氏著：〈讀逨器銘文札記三則〉，《裘錫圭學術文集．第3冊》（上海市：復旦大學出版社，2012年），頁167-172。

12 括弧內「NA」及其後的數字，指中央研究院「殷周金文暨青銅器資料庫」的編號；即鍾柏生、陳昭容、黃銘崇、袁國華編：《新收殷周青銅器銘文暨器影彙編》（臺北縣：藝文印書館，2006年）之編號。

13 惰，從陳劍釋，見氏著：〈金文「彖」字考釋〉，《甲骨金文考釋論集》（北京市：線裝書局，2007年），頁243-272。

14 又見〈叔尸鎛〉（285）。

15 《雙劍誃吉金文選》，頁89。又，王丹娜譯作：「追虔敬地日夜謹慎履行職事」（氏著：〈西周金文中的形容詞作修飾語的銘文研究〉，《青年文學家》2011年第10期，頁154）反而沒將「死」字譯出來。

述，以下的討論以「死司」為主。

「死司」的「死」如果讀為「尸」，「尸」用作「主」之意，在先秦文獻是有例可徵的，但吳氏所舉諸例實需重新審視：《穀梁傳》已是漢代的作品，〈書序〉據程元敏先生考訂，其著成可晚至嬴政十九年之後、西漢文景之前，[16]唯一可信屬先秦文獻的例子只有〈采蘋〉的「誰其尸之」一條。此條《傳》訓為「主」，為擔任尸主之意，雖然是動詞，但不是主司之意；並且，此條鄭《箋》駁《傳》，認為「尸」應是陳設之意，《正義》從之，並有詳細說明（後文另有討論）。[17]故嚴格的說，吳氏所舉之例至多只能說明先秦文獻中的「尸」有用作動詞的例子，但沒有訓作「主司」的例子。

不過先秦文獻「尸」用為「主」，仍有確切的例子，如《左傳・襄公廿七年》載晉楚爭為盟主事時：

> 叔向謂趙孟曰：「諸侯歸晉之德只，非歸其尸盟也。子務德，無爭先。且諸侯盟，小國固必有尸盟者，楚為晉細，不亦可乎？」[18]

杜《注》前「尸」云：「尸，主也」、釋後「尸盟」云：「小國主辨具。」可知「尸」確實有用作「主」，即「主持」之意，據此籀讀相關銘文均怡然通暢，其長期為學者所共同接受，確實有其合理性，本文也不以為其說有絕對不可從的缺陷；然而，本文在此之外嘗試另提一說，一方面是希望二說並呈，可供學者從另一個角度思索這些詞彙的意義，另一方面也基於以下的三點考慮：

一是因為西周金文已有「尸司」這個詞彙，並且就在也有「死司」的〈大盂鼎〉。〈大盂鼎〉先說「賜汝邦司四伯」，之後又說「賜尸司王臣十又三伯」，可知「尸司」是和「邦司」相對的一種身分，應讀為「夷司」，這也

16 程元敏：《書序通考》（臺北市：臺灣學生書局，1999年），頁516-523。

17 《毛詩注疏》（臺北縣：藝文印書館影清嘉慶二十年〔1815〕江西南昌府學刻本，2001年），卷1-4，頁53上-54上。本文引用十三經經、傳、注、疏如無特別註明皆用此本，下文不另註出版項。

18 《左傳注疏》，頁646下-647上。下文引《注》同。

符合「尸」在西周金文多讀為「夷」的用法；[19]李學勤對此有過很好的說解，其云：

> 「邦司四伯」與「夷司王臣」對舉，「邦」當指周。「司」即有司，《左傳》桓十三年、襄十年有「諸司」，與《尚書‧立政》的「百司」同義。「伯」訓為長。所謂「邦司」是周人有司，「夷司王臣」是夷人而為周臣者，其長共十七人。[20]

故就西周金文內部的使用習慣而言，「死司」即使通作「尸司」，「尸司」在西周金文也應是「夷司」而非「主司」之意。

其次，如果將「尸」視為修飾「司」的副詞，理解為「主司」，其與西周金文中「官司」、「監司」、「攝司」等詞彙間的區別就顯得很不清楚。這點，周鳳五先生雖然也認為「死」借作「尸」，在釋𩰫（[illegible]）為「渫」、讀為「攝」時，也一併討論了「官司」、「監司」、「攝司」、「死司」等的區別，周先生說：

> 凡西周金文稱職掌某事為「司某事」，如〈靜簋〉：「王命靜司射學宮。」〈同簋〉：「王命同左右吳大父，司場、林、虞、牧。」而此「司某事」，又視其官位尊卑與職掌高低區分之為「官司」、「監司」、「攝司」三種名義。凡官位與職事相當者，稱「死尸」某事或「官司」某事；其高官任低職者，稱「監」或「監司」某事，後者猶唐宋之「行」某官，如〈大盂鼎〉：「迺夾召死司戎」，按，「死」讀為「尸」，主也；尸司即主司、主管。銘文載王命盂主管兵戎之事，其

19 不過西周金文中，「尸」也有用作尸主之尸的用例，見〈夷伯簋〉（西周中，NA0667），銘云：「[illegible]（夷）伯[illegible]（尸）于西宮」，「尸于西宮」的「尸」過去學者曾有許多不同的理解方式，沈培已有梳理，主張為擔任尸主之意，其說可從；詳參氏著：〈關於古文字材料中所見古人祭祀用尸的考察〉，《古文字與古代史》第3輯（臺北市：中央研究院歷史語言研究所，2012年），頁31-35。不過，這也僅能說明西周金文「尸」有用作動詞，擔任尸主的例子，仍不足證明「尸」有訓作「主司」的例子。

20 李學勤：《青銅器與古代史》（臺北市：聯經出版社，2005年），頁233。

> 官位與職事相當，故稱「尸司」。〈頌鼎〉：「命汝官司成周賈廿家，監司新造賈，用宮御。」成周洛邑居天下之中，武王、周公先後經營以治理天下，見〈何尊〉，又見《尚書・洛誥》、《逸周書・作雒》、《史記・周本紀》等。「新造」一詞對照「成周」當是地名，其地位必次于成周。頌掌理成周賈稱「官司」，掌理新造賈改稱「監司」，蓋後者乃以高官任低職。又如〈善鼎〉：「昔命汝左胥𠙶侯，監𤔲師戍。」𠙶侯領軍守邊，善為副手而親赴𤔲師戍地督導防務，以高官任低職，故曰「監𤔲師戍」。至于低官任高職，則稱「攝司」、「攝官司」某事，猶唐宋之「守」某官，如〈師俞簋蓋〉：「王呼作冊內史冊命師俞：攝司保氏。」〈諫簋〉：「先王既命汝攝司王囿，汝謀不有勞，毋敢不善，今余惟或嗣命汝。」按，此二器所冊命均止一職，故知「攝司」不得訓「兼管」。又如〈元年師兌簋〉：「王呼內史尹冊命師兌：胥師龢父左右走馬。」師兌受命輔佐師龢父掌管左右走馬與五邑走馬。而〈三年師兌簋〉：「王呼內史尹冊命師兌：余既令汝胥師龢父司左右走馬、五邑走馬，今余唯申就乃命，命汝攝司走馬。」三年之後，師兌由副貳擢升主官，直接統領「走馬」，不再任師龢父的副手，惟以低官任官職，故稱「攝司」。總之，金文「攝司」與文獻「攝政」皆以低官任高職；車服「攝盛」情事與之相類。……[21]

周先生所言極是，如此，「官司」、「監司」與「攝司」間就有明確的區別，對西周官制的研究而言，深具意義；只是官位與職事相當者既可稱「死司」，又可稱「官司」，兩者的區別便又顯得不太明顯了。另外，以「尸」為主，與「司」之義亦稍嫌重複。當然，理論上也不能假定「官／監／攝司」

---

21 周鳳五：〈眉縣楊家村窖藏〈四十三年逑鼎〉銘文初探〉，《康樂集——曾憲通教授七十壽慶論文集》（廣州市：中山大學出版社，2006年），頁53。又，觀察「監」在文獻中的用法，一般指第三者監看，如三監是由三叔負責監督武庚的舉措，至於武庚治內似不由三監實際指揮，則〈頌鼎〉「監司新造賈」固宜為高官任低職，而〈善鼎〉但云「監𤔲師戍」，「監」後無「司」字，也可能只是前往督導𤔲地防務，而非實際擔任此職。姑置於此，以備參酌。

與「死司」間必然有不同，但從兩者使用的情形觀察，「官／監／攝司」三者間與「死司」還是有些區別的。相較於「官／監／攝司」之後所接職務內容，涵蓋諸種面向，甚具多樣性，如：

（13）官司邑人、師氏，……（師𤸫簋，西周中，4283）

（14）官司豐人眔九𥂴祝，……（申簋，西周中，4267）

（15）官司穆王遉側虎臣，……（無叀鼎，西周晚，2814）

（16）官司飲獻人于𡨦，……（膳夫山鼎，西周晚，2825）

（17）令汝官司成周貯廿家，監司新造貯，用宮御。（頌鼎，西周晚，2827）

（18）揚，作司工，官司量田甸、眔司空、眔司芻、眔司寇、眔司工司，……（揚簋，西周晚，4294）

（19）昔余既令汝胥榮兌，攝司四方虞林，……今余唯經乃先祖考有爵于周邦，申就乃命，汝官司歷人，……（四十三年逨鼎，西周晚，NA0752）

（20）隹王九月既望乙巳，遟仲令[illegible]攝司奠田。（[illegible]鼎，西周中，2755）

（21）攝司保氏。（師俞簋蓋，西周中，4277）

（22）先王既命女攝司王宥（諫簋，西周晚，4285）

（23）令女攝司走馬。（三年師兌簋，西周晚，4318）

相對於此，「死司」除〈大盂鼎〉、〈羌鼎〉外都一致接續君家君室，[22]〈卯簋〉的「葊宮葊人」其實也和「王家」類似，[23]這是很值得注意的。沈長雲曾指出，「周王家室的事務和邦國的政事是有區別的。……家事指一家之私，邦事指通國之政。」[24]則西周中期以後，「死司」在使用上的對象，很

22 〈羌鼎〉為摹本，「[illegible]官」或許也有可能本作「[illegible]宮」，不過這點僅止於猜測而已。

23 西周金文常見王在葊京，如靜簋（西周早，4273）、史懋壺（西周中，9714）等，可知葊京也是王的居所之一，故說葊宮葊人與王家類似。

24 沈長雲：〈西周所見西周王室經濟〉，《西周史研究》（西安市：人文雜誌編輯部，1984

可能主要是針對服事於君家之臣而言的，與「官／監／攝司」等適用於各官職在對象上是有區別的，〈望簋〉敘述望由「宰倗父」擔任右者，也可以做為旁證。

其三，《左傳．襄公廿七年》「尸盟」的尸或〈夷伯簋〉「夷伯尸于西宮」的「尸」，雖然都應訓為「主」，唯辭例都在祭祀、盟約的場合，「尸」都是屬於臨時性的，並非長久的主持；但反觀金文「死司」、「死事」皆是就官職言之，與臨時作用的「尸」在時間、場合上都不相襯。

雖然大多數的學者都接受吳大澂對「死司」的解釋，但也有其他學者提出不同的看法，就本文所見，凡有二家。其一，陳夢家則認為「死」有永義，其說云：

> 死有永義：毛公鼎「死毋曈余一人才立」，〈文侯之命〉「予一人永綏在位」，可以為證。「死司戎」即終身管理諸戎之事。小盂鼎述盂告伐鬼方之役，是其職事。[25]

若以「毋曈（動）」相當於「綏」，則「死」自然就與「永」相當，但這只是句式上的比對，至多只能說「永綏」表達的意涵與「死毋動」有相近之處，無由得出「死」有永義；若沒有具體的辭例支持，僅單憑辭例的比對，恐怕是不足饜人的。再者，〈毛公鼎〉「死毋動余一人在位」和〈文侯之命〉「予一人永綏在位」，雖然都與天子對重臣安定王位的希望有關，陳氏舉〈文侯之命〉為例，對理解〈毛公鼎〉銘自然是有意義的。但〈文侯之命〉是犬戎之禍後，對晉文侯安定王室的嘉許，屬已然之事；至〈毛公鼎〉銘云當時天下「䣈䣈（仄仄）四方，大縱不靖」，故銘文所述是周王在冊命時，希冀重臣能協助安定已漸不安穩的王位，屬未然之事，與〈文侯之命〉的情境並不相同。

其二，羅建中認為「死司」相當於「誓死」，其說〈大盂鼎〉「召夾死司戎」云：

年），頁79。

25 陳夢家：《西周銅器斷代》（北京市：中華書局，2004年），頁104。

> 句中的「死」字，以「死」通「尸」，固有此義。但釋「尸」為主，則與「司」重複，實視「死」字為累文。我認為「死」字應按其本義講。《說文》：「死，澌也。人所離也。从歺人。」《段注》：「形體與魂魄相離，故字从歺人。」又按《說文通訓定聲》：「死，民之卒事也。从歺从人，會意。」《列子．天瑞》：「死人者人之終也。」按此本意釋「司死戎」，「死」字是名詞作狀語，起修飾限制「司」字的作用，即是康王要盂承繼夾的職務後，以身相恤地主持好一方的軍政工作。全句串起來即可譯為：「盂，汝承繼夾的職務，要誓死搞好軍務工作。」這裏的「死司戎」恰好和前面的「敬雝德經」在內容和句式上相對應，都屬勸勉告誡之辭。[26]

羅氏說「以『死』通『尸』，固有此義」，本文有不同的看法，已說明於上，在此不贅；說「死」通「尸」、「尸」訓主，與「司」重累，則西周金文中自有同義或近義詞連用的情形，如「帥井（型）」、[27]「䙴（紹）夾」、[28]「喜侃」[29]等，以尸、司同義為累文，理由恐怕也不是很充分。[30]就羅氏的解釋

26 羅建中：〈《大盂鼎銘》解讀〉，《四川師範大學學報》（社會科學版）第24卷第3期（1997年7月），頁82。又，引文引鼎銘「司死戎」應作「死司戎」，引《列子．天瑞》應作「死者，人之終也」（楊伯峻撰：《列子集釋》〔北京市：中華書局，2007年〕，頁23），引《說文》「从歺人」應作「从歺人」（〔漢〕許慎撰，〔宋〕徐鉉校定：《說文解字》，〔漢〕許慎著、〔宋〕徐鉉校定：《說文解字》（影靜嘉堂本），《四部叢刊．初編》〔臺北市：臺灣商務印書館，1979〕，卷4下葉3上）。引段《注》應改作「从歺人」（〔清〕段玉裁，《說文解字注》〔臺北縣：天工書局，1992年影經韵樓藏版〕，卷4下葉13），引《定聲》應作「从歺从人」（〔清〕朱駿聲：《說文通訓定聲》〔臺北縣：藝文印書館，1994年影臨嘯閣藏版〕，頁635）。銘文「召夾」應是近義詞連用，召、夾均為協輔之意，〈師詢簋〉、〈禹鼎〉作「夾召」，「夾」應非人名，「召」亦應非繼紹之紹，參董珊：〈略論西周單氏家族窖藏青銅器銘文〉，《中國歷史文物》2003年第4期，頁42。

27 見〈師望鼎〉（西周中，2812）、〈單伯昊生鐘〉（西周晚，82）、〈梁其鐘〉（西周晚，187）等，亦作「井帥」，見〈牆盤〉（西周中，10175）。

28 見〈大盂鼎〉；亦作「夾召」，見〈禹鼎〉（西周晚，2833）、〈四十三年逨鼎〉（西周晚，NA0751）、〈師詢簋〉（西周晚，4342 ）等。

29 見〈𤼈鐘〉（西周中，246）、〈師臾鐘〉（西周晚，141）、〈士父鐘〉（西周晚，145）等，亦作「侃喜」，見〈兮仲鐘〉（西周晚，65）、〈叔䰓簋〉（西周晚，4137）等。

而言，根據《說文》、《列子》等固然可知「死」的本義，但看不出如何得出「死」有「以身相恤」之意；再者，將「死司」之「死」翻譯為「誓死」，本文的想法雖然接近，但也認為有再求精確的空間。「誓死」就態度而言固然極為堅決，但所涵攝的情境多樣，可以單純到只是個人意願的表達而已，如《詩經・鄘風・柏舟》：

> 汎彼柏舟，在彼中河。髧彼兩髦，實維我儀。之死矢靡它。母也天只！不諒人只！
> 汎彼柏舟，在彼河側。髧彼兩髦，實維我特。之死矢靡慝。母也天只！不諒人只！[31]

言至死而誓無他心，實質上也就是發誓寧死也不願改嫁他人，純屬個人愛情而與君臣無關；然「死司」固定使用於冊命銘文，是君對臣下的要求，理解上自應要求能彰顯其為君臣用語的性質。其次，西周文已有「誓」字，見於〈五祀衛鼎〉（西周中，2832）、〈鬲攸比鼎〉（西周晚，2818）等，多用於獄訟之事，也與君臣關係不近。

三　「策名委質」與效死命

（一）「策名委質」的概念

上面一節已就「死司」、「死事」進行整理，本文認為這些詞彙的意涵應與古代確認君臣關係的儀式－「策名委質」有關。《左傳》載晉狐突之子狐毛、狐偃隨公子重耳出亡，晉懷公即位後要求狐突召回其二子，狐突回答

---

30 如寇占民即將上述諸詞列為「同義複音動詞」，以為「兩個同義或義成分組合後意義互補，無法區分其在語境中所表現的是哪個成分的意義，兩個成分共同表示一個更為完整、概括的意義，這是該組合應視為一個詞。」顯然不以為病。見氏著：《西周金文動詞研究》（北京市：線裝書局，2010），頁181。

31 《毛詩注疏》，頁109上-110上。

時云：

> 子之能仕，父教之忠，古之制也。策名委質，貳乃辟也。今臣之子，名在重耳，有年數矣。若又召之，教之貳也。父教子貳，何以事君？刑之不濫，君之明也，臣之願也。淫刑以逞，誰則無罪？臣聞命矣。[32]

杜《注》「策名委質」云：

> 名書於所臣之策，屈膝而君事之，則不可以貳。辟，罪也。

又，《國語》載晉中行穆子克鼓後，欲招降鼓子之臣夙沙釐，夙沙釐答云：

> 臣委質於狄之鼓，未委質於晉之鼓也。臣聞之：委質為臣，無有二心。委質而策死，古之法也。[33]

韋《解》「委質」云：

> 質，贄也。士質以雉，委質而退。

又解「委質而策死」云：

> 言委質於君，書名於策，示必死也。

《史記·仲尼弟子列傳》「儒服委質」，《索隱》引服虔《注》云：

> 古者始仕，必先書其名於策，委死之質於君，然後為臣，示必死節於其君也。[34]

---

32 《左傳注疏》，卷15，頁250。下引杜《注》同。

33 與下兩則引文並見：徐元誥撰，王樹民、沈長雲點校：《國語集解》（北京市：中華書局，2002年），頁445。韋《解》「士質」、「委質」，「質」原作「贄」，沈長雲校改為「質」，見頁486說明。

34 〔日〕瀧川龜太郎：《史記會注考證》（東京都：東京文化學院東京研究所，昭和7年〔1932〕），卷67，頁10-11。

可知所謂「策名」，即將自己的「名」寫在簡上，交給所臣事的對象；至於「委質」實際上是「贄見禮」的一環，只是見面的贄交給君上而不再收還，一旦通過「策名委質」的儀式確認君臣關係，就不能再有二心、服事他人，否則即有誅罰。[35]這部分楊寬已有詳細的敘介，[36]在此可進一步補充的是「策名」、「委質」的性質。

葉國良先生在討論漢族成年禮為何要命字時，根據英人弗雷澤《金枝》一書所述許多民族在語言上的禁忌指出，「當智慧尚未發展到一定程度時，人們無法分辨『真名』和『我』的區別，因此，他們以為傷害『真名』便可傷害我。」因此，「在遠古時代，掌握對方『名』，等於擁有對方『生命』的處置權。」[37]虞萬里先生也據摩爾根所敘易洛魁人諱名、改名的習俗以及弗雷澤《金枝》中的相關記載，指出「這種畏忌鬼靈和防範巫術之諱名習俗足以說明易洛魁人患病改名之由」。[38]「名」對人的生命既是如此重要，故而將自己的「名」寫在簡上交給臣事的對象，也就代表著將自己的生命交給對方，此即「策名」之意義。至於「委質」只是做法與「策名」不同，其意義其實也相同。「委質」雖屬贄見禮的一環，但「委質」之「質」和一般贄見禮的「贄」有三點基本差異：一是贄會收回而質則否；二是贄必用於下對上；三是贄可使用財物或生贄，質則必用已死之質（服虔所謂「委死之質」），[39]而之所以必用已死之質，即在以失去生命的「委死之質」象徵將自

---

35 就侯馬盟書「委質類」所見，當原本的主君被消滅或處於大勢已去的情況下，其臣屬往往又「委質」效忠另一個主君，參張頜：〈侯馬盟書叢考〉，《張頜學術文集》（北京市：中華書局，1995年），頁80-82。

36 楊寬：〈「贄見禮」新探〉，《西周史》（臺北市：臺灣商務印書館，1999年），頁757-786。

37 葉國良：〈冠笄之禮中取字的意義及其與先秦禮制的關係〉，《漢族成年禮及其相關問題研究》（臺北市：大安出版社，2004年），頁4、7。

38 虞萬里：〈先秦名字、爵號、謚號、廟號與避諱論略〉，《國學研究》（北京市：北京大學出版社，2000年），第7卷，頁50。

39 贄、質同樣都是見面時交予對方的禮物，故學者經常以為二字可以互作，《清華二・繫年》（清華大學文獻研究與保護中心編、李學勤主編：《清華大學藏戰國竹簡（貳）》〔上海市：中西書局，2011年〕）簡35：「惠公以其子懷公執于秦」，「執」作「𦃇」，實

己的生命留下、交予其君，此即韋昭所謂「示必死也」。葉國良先生在討論「君前臣名」的儀節時，即對此有清楚的說明：

> 〈曲禮上〉說：「君前，臣名。」古代君臣關係的建立，臣子須「委質」於君主，君主若接受，則將臣子的「名」等資料納入「名籍」。君臣關係成立之後，君主須以俸祿豢養臣子，臣子則須「致命」（奉獻生命）於君主。後世「食人之食，死人之事」、「君要臣死，臣不得不死」等語，正反映出這種關係。[40]

因通過「策名委質」的儀式後，君擁有臣的生命權、並負有豢養臣的義務，臣則將生命權交予君，有「死人之事」的義務；結合韋昭所說「示必死」及服虔所說「必死節」，可知「死人之事」的「死」是「效死」的意思，即對君所交付的任務，即使犧牲生命也要執行。並且，這種君臣關係一但確立，即終身有效，故《禮記．檀弓》云：

> 事親有隱而無犯，左右就養無方，服勤至死，致喪三年。事君有犯而無隱，左右就養有方，服勤至死，方喪三年。事師無犯無隱，左右就養無方，服勤至死，心喪三年。[41]

清楚說明事君有「服勤至死」的義務。正因如此，臣下若請求退休致事，會說「乞骸骨」，如《晏子春秋》載：

即「質」，亦反映此一現象。但就字形而言，「贄」字从執从貝，執亦聲，用以表示見面禮是很適當的；而「質」所从的「斦」可能如朱駿聲、陳劍所懷疑的，為椹櫍之櫍的本字（陳劍：〈說慎〉，《甲骨金文考釋論集》〔北京市：線裝書局，2007年〕，頁45-49）。櫍是斫人、斬人、莝芻時與斧斤相配合的墊具，用以代表臣自身，除可彰顯君臣相互配合之意，也委婉表示了櫍（臣）為斧斤（君）所斫砍的特質，正能呼應臣的生命為君所掌握、應對君效死命的意涵，故贄、質除適用的場合不同，二字就其造字意涵而言，也是有區別的。

40 葉國良：〈冠笄之禮中取字的意義及其與先秦禮制的關係〉，頁9-10。

41 《禮記注疏》，卷6，頁109下-110上。又，如〈檀弓〉所述，弟子事師其實也有和臣事君相似的義務，見裘錫圭：〈戰國時代社會性質試探〉，《裘錫圭學術文集．第5冊》，頁24-30。

> 晏子對曰：「前臣之治東阿也，屬託不行，貨賂不至，陂池之魚，以利貧民。當此之時，民無飢〔者〕，君反以罪臣。今臣後之〔治〕東阿也，屬託行，貨賂至，並重賦斂，倉庫少內，便事左右，陂池之魚，入于權〔家〕。當此之時，飢者過半矣，君迺反迎而賀臣，臣愚，不能復治東阿，願乞骸骨，避賢者之路。」[42]

之所以用「乞」，是因為之前「策名委質」時已將生命權交予君上，所有權已不屬於自己，故只能乞求賜還；而所乞的內容只限「骸骨」也正是因為生命權已交付君上，所能乞求返還的也僅餘「骸骨」而已。

正因為君臣透過「策名委質」確立關係後，臣對君終身都有效死命的義務，「效死」實為「死」字在君臣關係中的一種用法；而前舉「死司」、「死事」等正是在君臣架構下的情境，可以嘗試以「效死」對這些辭彙提出解釋。

（二）「死司」、「死事」之「死」應為效死之意

上文已說明「效死」源自「策名委質」的君臣義務，和「誓死」比較起來就更能彰顯其使用於君臣關係的性質，在此試以「效死」詮解各句：

1 「死司」試釋

「死司」的「死」修飾「司」，意思是要求臣下必須以效死的決心管理某件工作。具體言之，如〈大盂鼎〉「死司戎」即要求盂效死於戎事；〈望簋〉「死司畢王家」、〈康鼎〉「死司王家」則是分別要求望、康效死於畢王家室、王家。另外，〈卯簋〉載「榮伯呼令卯曰：䜌乃先祖考死司榮公室，昔乃祖亦既令乃父死司葊人，……今余唯令汝死司葊宮葊人，汝毋敢不善」，

42 《晏子春秋》，《原刻景印百部叢書集成．經訓堂叢書》（臺北縣：藝文印書館，不著出版年），卷7，葉9。「者」、「治」二字之補、「家」原作「宗」，今改作「家」，校改依據參王更生：《晏子春秋今註今譯》（臺北市：臺灣商務印書館，1996年），頁353-355。

卯自其祖三代職務雖然稍有差異，但同樣都任官，明顯是受到先祖餘蔭，[43]值得注意的是，「乃祖亦既令乃父死司𦎫人」一句。此例「死」若訓為「主」，則依理「主司」只能由君主在任命時使用，此處卯之祖既非君主，何以會令卯之父「主司」？但若將「死司」理解為效死，則「乃祖亦既令乃父死司𦎫人」是卯之祖要求其子要效死命於君事，雖非君臣，但仍是上下關係，如此就很自然了。對照西周早期〈楷伯簋〉(4205)「十世不忘，獻身在畢公家，受天子休」，「獻身」蓋即拿出生命盡職於畢公家，以此對照〈卯簋〉，「死司」的概念其實與「獻身」相近，是要求臣下要絕對效忠於某一個家族（榮公室、𦎫宮𦎫人），並於先人餘蔭下，世世代代的「獻身」服從。[44]〈卯簋〉「今余唯令汝死司𦎫宮𦎫人」，特別使用於服事於君家君室的臣屬，因屬於君對臣的要求，只見於君對臣下使用。

又，西周金文的敘寫習慣，通常是先說職務，再說掌管的具體內容，如：

（24）揚，作司工，官司量田甸、眔司空、眔司芻、眔司寇、眔司工司，……（揚簋，西周晚，4294）

---

43 李峰曾對西周當時職務任命有過很好的梳理，可作為參考，其云：「(1) 世襲繼承是獲得政府職位的一個重要途徑，因為周王任命了很多官員來繼續其祖輩、父輩在西周政府的服務。(2) 世襲繼承並未形成選擇官員的一個規定原則，至少周王也任命了同樣多的並未表現出有家族服務史的官員。顯然有多種進入政府服務的途徑。(3) 根據現有銘文所體現的時代背景，世襲任命多集中出現西周中期，隨著時間的推移，周王任命的官員中非世襲性所佔的比例越來越多。至西周晚期，直接的世襲繼承主要發生在有專門技能要求的職位上。(4) 即使一個人憑藉其家族服務史獲得了任命，也不能保證他擔任其祖、父曾經服務的職位。金文證據所顯現出的實際情況恰恰是相反的。(5) 一個人的家庭背景僅意味著一個『資格』或僅是一個『更好的機會』，而若要沿著官僚階梯向上發展在很大程度上可能取決於他本人。」氏著：《西周的政體：中國早期的官僚制度與國家》（北京市：生活·讀書·新知三聯書店，2010年），頁212-213。

44 這種類似的概念，也出現在新出〈䜌鼎〉「在朕皇高祖師要、亞祖師夆、亞祖師𩠡、亞祖師僕、王父師彪于朕皇考師孝，獻作尹氏童妾、甸人，得屯亡敃，世尹氏家」，從高祖師要至皇考師孝五代人皆委質為臣，之前與之後仍「世尹氏家」，即代代為尹氏服務。吳鎮烽：〈䜌鼎銘文考釋〉，《文博》2007年第2期，頁16-17。又，銘文「亡敃」當讀為「亡尤」，可參拙著：〈「尤」、「擇」辨釋〉，《成大中文學報》第27期（2009年12月），頁119-152。

（25）昔余既令汝胥榮兌，攝司四方虞林，……今余唯經乃先祖考有爵于周邦，申就乃命，汝官司歷人，毋敢妄寧……（四十三年逑鼎，西周晚，NA0752）

（26）令免乍司土（徒），司奠（鄭）還廩，眔吳（虞）、眔牧。（免簠，西周中，4626）

（27）𢦚，令女乍司土（徒），官司耤（藉）田。（𢦚簋，西周晚，4255）

（28）師頪，才先王既令女乍司土（徒），官司汸闇。（師頪簋，西周晚，4312）

（29）趩，命女乍數𠂤冢司馬，啻官僕、射、士，訊小大又鄰。（趩簋，西周中，4266）

但是「死司」所接的「戎」、「畢王家」、「榮公室」等與此不類，並非具體職務，而是一種對象或範圍。以此檢討〈師獸簋〉「余令汝死我家，𦥎（攝）司我西扁（偏）東扁（偏）僕馭、百工、牧、臣妾」，若將「死」理解為「主」，依前舉《左傳》「尸盟」之「主」理解，已經是完全的掌控，後文何必又敘及以低官任高職的「攝司」，並具體指出所司的範圍？如此一來，死（主）、攝既互相衝突，畫分具體的職掌也與「尸」的完全掌控不同。因此，此處的「死」應是「死司」的省稱，是要求師獸在效死我家的前提下，再細述其職務為「攝司」以及其範圍。

至於〈蔡簋〉「王若曰：蔡，昔先王既令汝作宰，司王家，今余唯申就乃令，令汝眔曰，攝胥對各，死司王家外內，毋敢有不聞，司百工，出入姜氏令」，前云「司王家」、後作「死司王家」，前者少一「死」字，一方面可以缺文解釋，另一方面也顯示「死」是個附加的成分，「司」本身已有職掌義，「死」字意在強調君上對於臣下的忠心，故在今王任命時才特別加上「死」，不必如金文「官司」、「攝司」、「監司」等，具體指出以高官或低官「司」的不同方式。

2 **「死事」試釋**

「死事」的「死」修飾「事」，但「事」泛指前文君所交付的工作，為名詞。如前所述，「死司」僅見於君對臣下的要求，「死事」則有兩種情況：

一是臣子對自我的期許或要求，這佔「死事」絕大部分的辭例，如〈追簋〉「恤厥死事」、〈逑鐘〉「敬厥死事」等，「死事」都指臣子受於君的職事，這點從〈逑盤〉稱「敬朕死事」用「朕」字更可清楚得知。

二是君對臣的贊美時也可使用「死事」，僅見於春秋時期〈叔尸鐘〉、〈叔尸鎛〉，二器銘文經常以「公曰」開頭，鋪陳對叔尸的各種功勳和嘉獎，「尸不敢弗憼戒，虔恤厥死事」也是其中一部分，其為君對臣的贊美至為明顯。

要之，西周金文中的「死司」和「死事」是相對的，前者是君要求臣效死，故恆見於君對臣的要求中；後者主要是臣期許自己效死（有時君也藉以贊美臣能效死），故多見於臣的自我期許，兩者並觀，反映了金文中君對臣的要求以及臣子對自我的要求。

這還能從師寰簋（西周晚，4313、4314）：「師寰虔不彖（惰），夙夜卹厥牆（將）旋（事），休既有功」一例談起，「將事」一詞見於文獻，如：

> 十三年，春，晉侯使郤錡來乞師，將事不敬。（《左傳・成公十三年》）
>
> 晉既克楚于鄢，使郤至告慶于周。未將事，王叔簡公飲之酒，交酬好貨皆厚，飲酒宴語相說也。（《國語・周語中》）

「將事」即奉持職事，金文「恤厥將事」就是關心注意其奉持之事，「奉持」仍是以臣下眼光以視上，然而釋「死」為「尸」的主之意，則失去君臣上下的觀點，甚而偏於自主的意味，如此的話，屬於臣下的自勉之詞，便顯得有些不適切，而以「死」為效死，則與「將」的臣下觀點正相符合。

五　結語

本文認為金文中的「死司」、「死事」的「死」除了依吳大澂所說解為尸、訓為主之外，也可以考慮理解為效死，二說並呈，俾供學者參酌君臣間通過「策名委質」的儀式確認君臣關係後，臣對君就有「效死」的義務，即使犧牲生命也必須完成君所交付的任務，可說是「死」字的各種義項中，與君臣關係最密切的義項；而本文討論的「死司」、「死事」，使用的情境正好也在君臣關係的架構中，以「效死」放入各則辭例的上下文也都可以合理解釋語境，在將「死」解為尸主之外，應也是值得考慮的解釋之一。

附錄

第八屆中國經學國際學術研討會
議程表

會議時間：2013年4月20、21日（週六、週日）
會議地點：國立臺灣大學文學院演講廳、視聽教室

2013年4月20日（週六）					
時間		主持人	發言人	會議內容	
08:10-08:30		報到			
08:30-08:45		李隆獻		開幕式 臺灣大學文學院陳弱水院長致辭 中國經學研究會常務監事蔡信發教授致辭	
場次	地點	主持人	發表人	論文題目	討論人
第一場 08:45-10:25	演講廳	蔡信發	Stephen Durrant （杜潤德）	Translating Zuozhuan into English：Looking Back on a Ten-Year Project（英譯左傳：十年歷程回溯）	鄭毓瑜
			連清吉	吉川幸次郎的中國經學論——中國人以經典為生活的規範	張寶三
			賴貴三	韓儒茶山丁若鏞《易》學析論	蔡振豐
10:25-10:45		與會學者合影留念、茶敘			
第二場 10:45-12:30	演講廳	林慶彰	莊雅州	《毛詩品物圖考》述評	林慶彰
			蔡宗陽	《詩經》比與興的辨析	胡楚生
			黃忠天	《易經》《詩經》象徵義涵與兩書互動關係比較研究——以植物為觀察對象	何澤恆

場次	地點	主持人	發表人	論文題目	特約討論人
12:30-14:00	午餐、小憩				
第三場 14:00-15:40	演講廳	何澤恆	陳睿宏	圖書易學的延續與開展——論元代張理圖書易學之重要內涵	賴貴三
			謝綉治	從管何之論與殷孫之辯看魏晉清談中的易學型態	盧桂珍
			黃啟書	京房易學的另一面貌——以兩《漢書》材料為例	陳睿宏
	視聽教室	葉國良	林宏明	試說「數罟不入洿池」的數罟	劉文清
			李存智	經傳注疏「舍」、「舒」、「余」音義考	金周生
			林宏佳	先秦君臣用語管窺	季旭昇
15:40-16:00	茶敘				
第四場 16:00-17:40	演講廳	胡楚生	葉國良	論劉師培的《周禮》研究	陳鴻森
			邱德修	《禮記・鄭注》對釋讀二聲字之貢獻——以〈中庸〉、〈緇衣〉為例	周鳳五
			姬秀珠	《儀禮》三獻之禮	彭美玲
	視聽教室	張高評	劉文強	孔子與陽虎	張高評
			張曉生	《春秋・文公二年》「躋僖公」歷代詮解疏釋	蔣秋華
			陳溫菊	駱成駫《左傳五十凡例》評介	張曉生
18:30-21:00	晚宴				

<table>
<tr><td colspan="6">2013年4月21日（週日）</td></tr>
<tr><td>場次</td><td>地點</td><td>主持人</td><td>發表人</td><td>論文題目</td><td>討論人</td></tr>
<tr><td rowspan="3">第五場
08:50-10:30</td><td rowspan="3">演講廳</td><td rowspan="3">周鳳五</td><td>季旭昇</td><td>《清華一・皇門》篇「大門宗子埶臣」解</td><td>徐富昌</td></tr>
<tr><td>陳　致</td><td>金文與詩經斷代釋例</td><td>邱德修</td></tr>
<tr><td>蔡錦昌</td><td>從古今文學之辨解釋詩三百何以無邪</td><td>車行健</td></tr>
<tr><td colspan="2">10:30-10:50</td><td colspan="4">茶敘</td></tr>
<tr><td rowspan="3">第六場
10:50-12:30</td><td rowspan="3">演講廳</td><td rowspan="3">許錟輝</td><td>王初慶</td><td>孔廣森《公羊通義》微言辨</td><td>鄭卜五</td></tr>
<tr><td>張高評</td><td>敘事義理二分與朱熹之《春秋》學</td><td>劉文強</td></tr>
<tr><td>李隆獻</td><td>《春秋》三《傳》「魯隱公敘事」芻論</td><td>王初慶</td></tr>
<tr><td colspan="2">12:30-14:00</td><td colspan="4">午餐、小憩</td></tr>
<tr><td rowspan="5">第七場
14:00-15:40</td><td rowspan="3">演講廳</td><td rowspan="3">夏長樸</td><td>李若暉</td><td>燔詩書明法令——略論秦制的經學影響</td><td>夏長樸</td></tr>
<tr><td>吳智雄</td><td>徐邈《春秋穀梁傳注義》析論</td><td>楊濟襄</td></tr>
<tr><td>曾聖益</td><td>《欽定春秋傳說彙纂》對乾嘉時期春秋學的影響</td><td>張素卿</td></tr>
<tr><td rowspan="2">視聽教室</td><td rowspan="2">王初慶</td><td>田富美</td><td>明體達用——方宗誠尊朱思想及其學術論辯</td><td>陳志信</td></tr>
<tr><td>林碧玲</td><td>徐復觀論《大學》原義探究</td><td>陳昭瑛</td></tr>
<tr><td colspan="2">15:40-16:00</td><td colspan="4">茶敘</td></tr>
<tr><td rowspan="3">第八場
16:00-17:40</td><td rowspan="3">演講廳</td><td rowspan="3">梅　廣</td><td>陳逢源</td><td>「其味深長，最宜潛玩」——朱熹《四書章句集注》叮嚀之分析</td><td>伍振勳</td></tr>
<tr><td>齊婉先</td><td>程頤《論》、《孟》經解對先秦儒家仁、聖概念之詮釋</td><td>林啟屏</td></tr>
<tr><td>陳志信</td><td>吾道之所寄不越乎言語文字之間：論《四書章句集注》對聖賢授受語境的承繼與開展</td><td>吳冠宏</td></tr>
</table>

	視聽教室	莊雅州	彭美玲	漢儒三代質文論脈絡考察	李若暉
			張曉芬	以實心勵實行，以實學求實用——論紀昀《四庫全書總目提要》中的經世思想	楊晉龍
			錢奕華	融六經以讀莊，則莊無忤：明清時期經學與莊學之交融	徐聖心
17:40-18:00		李隆獻	閉幕式 臺灣大學中國文學系葉國良教授致辭 中國經學研究會常務監事蔡信發教授致辭		
18:30-21:00		晚宴			

◎主持人發言5分鐘，發表人宣讀15分鐘，討論人評論10分鐘，開放討論20分鐘。

經學研究叢書·臺灣高等經學研討論集叢刊　0502007

第八屆中國經學國際學術研討會論文選集

策　　畫　李隆獻、陳逢源
主　　編　國立臺灣大學中國文學系
　　　　　中國經學研究會
責任編輯　蔡雅如
特約校對　林秋芬

發 行 人　陳滿銘
總 經 理　梁錦興
總 編 輯　陳滿銘
副總編輯　張晏瑞
編 輯 所　萬卷樓圖書股份有限公司
排　　版　林曉敏
印　　刷　晟齊實業有限公司
封面設計　斐類設計工作室

發　　行　萬卷樓圖書股份有限公司
　臺北市羅斯福路二段 41 號 6 樓之 3
　電話 (02)23216565
　傳真 (02)23218698
　電郵 SERVICE@WANJUAN.COM.TW
大陸經銷　廈門外圖臺灣書店有限公司
　電郵 JKB188@188.COM

ISBN 978-957-739-928-1
2015 年 3 月初版
定價：1200 元

如何購買本書：
1. 劃撥購書，請透過以下郵政劃撥帳號：
　帳號：15624015
　戶名：萬卷樓圖書股份有限公司
2. 轉帳購書，請透過以下帳戶
　合作金庫銀行　古亭分行
　戶名：萬卷樓圖書股份有限公司
　帳號：0877717092596
3. 網路購書，請透過萬卷樓網站
　網址　WWW.WANJUAN.COM.TW
大量購書，請直接聯繫我們，將有專人為您服務。客服：(02)23216565　分機 10

如有缺頁、破損或裝訂錯誤，請寄回更換

國家圖書館出版品預行編目資料

中國經學國際學術研討會論文選集. 第八屆 / 國立臺灣大學中國文學系, 中國經學研究會主編. -- 初版. -- 臺北市 : 萬卷樓, 2015.03
　面 ;　公分. -- (經學研究叢書. 臺灣高等經學研討論集叢刊)
ISBN 978-957-739-928-1(平裝)

1.經學 2.文集

090.7　　104002917